ШАХМАТНЫЙ
ИНФОРМАТОР

šahovski
informator

CHESS
INFORMANT

53

SCHACH-
INFORMATOR

X 1991 – I 1992

INFORMATEUR
D'ECHECS

INFORMADOR
AJEDRECISTICO

INFORMATORE
SCACCHISTICO

SCHACK-
INFORMATOR

チェス新報

دليــل الشـطرنج

Autori sistema Šahovskog informatora ● Авторы система Шахматного информатора ● The Inventors of the Chess Informant systems ● Die Autoren des Systems des Schach-informators ● Auteurs des systèmes de l'Informateur d'échecs ● Autores del sistema de Informador ajedrecistico ● Autori dei sistemi del Informatore scacchistico ● Författarna till Schackinformationssystemet ● チェス新報システム開発 ● واضعو أنظمة دليل الشطرنج

ALEKSANDAR MATANOVIĆ, BRASLAV RABAR, MILIVOJE MOLEROVIĆ, ALEKSANDAR BOŽIĆ, BORISLAV MILIĆ.

Odgovorni urednik ● Главный редактор ● Editor-in-chief ● Chefredakteur ● Rédacteur en chef ● Redactor en jefe ● Redattore Capo ● Chefredaktör ● 編集長 ● رئيس التحرير

ALEKSANDAR MATANOVIĆ

Zamenik odgovornog urednika ● Заместитель главного редактора ● Assistant of the Editor-in--chief ● Assistent des Chefredakteurs ● Assistant du Rédacteur en chef ● Asistente del redactor en jefe ● Vice Redattore ● Vice Chefredaktör ● 編集次長 ● مساعد رئيس التحرير

ZDENKO KRNIĆ

Redakcija ● Редакционная коллегия ● Editorial board ● Redaktion ● Collège de rédaction ● Colegio de redacción ● Collegio Redazionale ● Redaktion ● 編集委員 ● هيئة التحرير

MILAN BJELAJAC, MILUTIN KOSTIĆ, ZDENKO KRNIĆ, MIROSLAV LUKIĆ, ALEKSANDAR MATANOVIĆ, DRAGAN PAUNOVIĆ, TOMISLAV PAUNOVIĆ, DRAGAN UGRINOVIĆ, SAŠA VELIČKOVIĆ, NENAD VUKMIROVIĆ

YU ISBN 86 7297 026 8

YU ISSN 0351 1375

Izdavač ● Издатель ● Publisher ● Herausgeber ● Editeur ● Editorial ● Editore ● Utgivare ● 出版社 ● الناشر

ŠAHOVSKI INFORMATOR
11001 Beograd, Francuska 31, PO Box 739, Yugoslavia
Tel. (38 11) 186-498, 630-109; Telex 72677 CH INF YU;
Telefax (38 11) 626-583

sadržaj • содержание • contents • inhalt • sommaire • sumario • indice • innehåll • 目　次 • المحتويات

Saradnici • Сотрудники • Contributors • Mitarbeiter • Collaborateurs • Colaboradores • Collaboratori • Medarbetare • 協力者 • المعاونون	4
Deset najboljih partija prethodnog toma • Десять лучших партий предыдущего тома • The best ten games of the preceding Volume • Die zehn besten Schachpartien aus dem vorigen Band • Les dix meilleures parties du volume précédent • Las diez mejores partidas del tomo precedente • Le dieci migliori partite del volume precedente • De tio bästa partierna i föregående volym • 前巻のベスト十局 • الأشواط العشرة الأهم الواردة في العدد السابق	6
Deset najvažnijih teorijskih novosti prethodnog toma • Десять важнейших теоретических партий предыдущего тома • The ten most important theoretical novelties of the preceding Volume • Die zehn wichtigsten theoretischen Neuerungen aus dem vorigen Band • Les dix nouveautés théoriques les plus importantes du volume précédent • Las diez novedades teóricas más importantes del tomo precedente • Le dieci importantissime novitá teoriche del volume precedente • De tio mest betydelsefulla teoretiska nyheterna i föregående volym • 前巻のベスト新手十局 • المبتكرات النظرية العشرة الأهم الواردة في العدد السابق	8
Sistem znakova • Система знаков • Code system • Zeichenerklärung • Système de symboles • Sistema de signos • Spiegazione dei segni • Teckenförklaring • 解説記号 • نظام الرموز	10
PARTIJE • ПАРТИИ • GAMES • PARTIEN • PARTIES • PARTIDAS • PARTITE • PARTIER • 棋譜 • الاشواط	13
Klasifikacija otvaranja • Классификация дебютов • Classification of openings • Klassifizierung der Eröffnungen • Classification des ouvertures • Clasificación de las aperturas • Classificazione delle aperture • Klassifikation av öppningar • 布局大分類 • تصنيف الافتتاحيات	13
A	19
B	72
C	133
D	191
E	251
Registar • Индекс • Index • Register • Registre • Registro • Registro • Register • 棋譜索引 • الفهرس	335
Komentatori • Комментаторы • Commentators • Kommentatoren • Commentateurs • Comentaristas • Commentatori • Kommentatorer • 棋譜解説 • المعلقون	345
KOMBINACIJE • КОМБИНАЦИИ • COMBINATIONS • KOMBINATIONEN • COMBINAISONS • COMBINACIONES • COMBINAZIONI • KOMBINATIONER • 手筋 • التضحيات	348
ZAVRŠNICE • ОКОНЧАНИЯ • ENDINGS • ENDSPIELE • FINALES • FINALES • FINALI • SLUTSPEL • 収局 • المرحلة النهائية	356
TURNIRI • ТУРНИРЫ • TOURNAMENTS • TURNIERE • TOURNOIS • TORNEOS • TORNEI • TURNERINGAR • 競技会 • دورات المباريات	368
FIDE Information	376

3

saradnici • сотрудники • contributors • mitarbeiter • collaborateurs • colaboradores • collaboratori • medarbetare • 協力者 • المعاونون

Albania

A. ZADRIMA

Argentina

G. BARBERO g
O. PANNO g

Australia

I. ROGERS g

Bangladesh

N. MURSHED g

Belgique

M. GEENEN f
R. MEULDERS f

B"lgarija

I. DONEV m
E. ERMENKOV g
KIR. GEORGIEV g
D. KOSTAKIEV
I. RADULOV g
V. TOPALOV m

Brasil

L. R. DA COSTA JÚNIOR
D. LIMA m
R. A. SANTOS

BRD

M. BORRISS m
V. HORT g
R. HÜBNER g
A. KHALIFMAN g
S. KINDERMANN g
A. LAGUNOV m
A. SCHMIDT
W. UHLMANN g

Chile

R. CIFUENTES PARADA g

China

LIANG JINRONG m
WANG ZILI m
YE RONGGUANG g

ČSFR

P. BLATNÝ m
Ľ. FTÁČNIK g
V. JANSA g
J. JEŽEK
K. MOKRÝ g
T. ORAL f
J. PLACHETKA g
J. SMEJKAL g
I. ŠTOHL g

Cuba

R. ALONSO m
W. ARENCIBIA g
H. ELIZART CARDENAS f
G. ESTÉVEZ m
J. HERNÁNDEZ RUÍZ
G. LEBREDO m
J. NOGUEIRAS g
E. PUPO f
AM. RODRÍGUEZ g
L. VALDÉS f
J. VILELA m

Danmark

L. HANSEN g
B. LARSEN g
E. MORTENSEN m

England

M. ADAMS g
M. CHANDLER g
G. FLEAR g
J. HODGSON g
D. KING g
A. KOSTEN g
J. LEVITT m
A. MARTIN m
A. MILES g
J. NUNN g
N. SHORT g
J. SPEELMAN g
W. WATSON g

España

J. BELLÓN LÓPEZ g
M. ILLESCAS CÓRDOBA g
A. ROMERO HOLMES m

Estonia

J. EHLVEST g
K. KIIK
L. OLL g

France

M. APICELLA m
I. ARMAŞ m
L. BRUNEAU
I. DORFMAN g
J. LAUTIER g

Greece

E. GRIVAS m
E. PANDAVOS m
S. SKEMBRIS g
TH. TSORBATZOGLOU f

India

V. ANAND g
K. MURUGAN m
D. PRASAD m

Ísland

J. HJARTARSON g

Israel

B. ALTERMAN m
G. RECHLIS g

Italia

E. ARLANDI m
G. LACO
E. MINERVA

Jugoslavija

M. BORIĆ f
Ž. BOTO
G. ČABRILO m
D. ĆIRIĆ g
S. CVETKOVIĆ m
B. DAMLJANOVIĆ g
S. GLIGORIĆ g
S. JOKSIĆ m
A. KAPETANOVIĆ m
V. KOSTIĆ m
Z. KOŽUL g
M. MATULOVIĆ g
S. MIRKOVIĆ m
P. NIKOLIĆ g
J. PETRONIĆ m
P. POPOVIĆ g
V. RAIČEVIĆ g
I. SOKOLOV g
Z. STAMENKOVIĆ f
G. M. TODOROVIĆ m

Latvia

V. BAGIROV g
A. GIPSLIS g
E. KEŃGIS g
A. ŠIROV g
A. VITOLIŃŠ m
J. VITOMSKIS

Lithuania

V. GAVRIKOV g
A. KVEINYS m
E. ROZENTALIS g

Magyarország

A. ADORJÁN g
E. ANKA
A. CHERNIN g
GY. FEHÉR m
KÁROLY HONFI m
E. JÁNOSI
J. PINTÉR g

J. POLGÁR	g
ZSU. POLGÁR	g
L. PORTISCH	g
Z. RIBLI	g
ZO. VARGA	m

México

J. ESTRADA	

Nederland

M. BOSBOOM	m
J. BRENNINKMEIJER	m
F. NIJBOER	m
JE. PIKET	g
J. TIMMAN	g
J. VAN DER WIEL	g
L. VAN WELY	m

Norge

S. AGDESTEIN	g

Polska

J. BIELCZYK	m
W. KRUSZYŃSKI	m
R. KUCZYŃSKI	m
M. MATŁAK	m
M. NIŻYŃSKI	

România

I. COSMA	m
C. DRAGOMIRESCU	f
D. DUMITRACHE	m
O. FOIŞOR	m
A. ISTRĂŢESCU	f
M. MARIN	m
V. STOICA	m
D. VLAD	

Schweiz

V. KORTCHNOI	g
B. ZÜGER	m

SSSR

E. AGREST	m
V. AKOPJAN	g
A. AMBARCUMJAN	
N. ANDRIANOV	m
A. ARAKELJAN	
B. ARHANGEL'SKIJ	
K. ASEEV	g
V. ATLAS	
A. BABURIN	m
E. BAREEV	g
A. BELJAVSKIJ	g
I. BELOV	m
V. BLJUMBERG	
M. BLOH	
V. BOLOGAN	g
M. BRODSKIJ	
V. ČEHOV	g
MIH. CEJTLIN	g
I. ČELUŠKINA	m
A. ČERNJAEV	
M. ČIBURDANIDZE	g
A. ČUDINOVSKIH	
O. DANIEL'AN	
R. DAUTOV	g
O. DEMENT'EV	
S. DOLMATOV	g
A. DREEV	g
V. DUNDUA	
S. DVOJRIS	g
V. DYDYŠKO	m
V. EPIŠIN	g
A. FROLOV	m
V. GAGARIN	
S. GALDUNC	m
B. GEL'FAND	g
E. GLEJZEROV	m
I. GLEK	g
M. GLUZMAN	m
A. GOL'DIN	g
V. GOLOD	
M. GOLUBEV	
S. GULIEV	
M. GUREVIČ	g
V. GUREVIČ	m
A. HARLOV	
I. HENKIN	m
R. HOLMOV	g
A. HUZMAN	g
I. IBRAGIMOV	m
S. IONOV	m
V. IVANČUK	g
S. IVANOV	m
V. L. IVANOV	
V. JAWOROWSKIJ	
L. JUDASIN	g
A. JUSUPOV	g
K. KAHIANI	g
G. KAJDANOV	g
N. KALINIČENKO	
A. KAPENGUT	m
AN. KARPOV	g
G. KASPAROV	g
S. KIBALNIČENKO	
S. KISELËV	m
K. KODINEC	
A. KOSIKOV	
A. KOVALËV	m
V. KRAMNIK	f
M. KRASENKOV	g
V. KUPOROSOV	m
V. KUPREJČIK	g
A. KUZ'MIN	m
G. KUZ'MIN	g
N. LËGKIJ	m
I. LEMPERT	m
K. LERNER	g
L. LEVIT	
S. LPUTJAN	g
A. LUKIN	m
E. MAGERRAMOV	m
M. MAKAROV	m
S. MAKARYČEV	g
A. MAKSIMENKO	m
V. MALANJUK	g
V. MALININ	
E. MALJUTIN	m
JU. MARKOV	
JA. MEJSTER	
A. MIHAL'ČIŠIN	g
E. MUHAMETOV	
A. NADANJAN	
I. NAUMKIN	g
M. NEDOBORA	
A. NENAŠEV	
G. NESIS	
S. NIKOLAEV	m
M. NOVIK	
A. OBUHOV	
G. ORLOV	m
S. PALATNIK	g
A. N. PANČENKO	g
A. PETROSJAN	
JU.PISKOV	m
L. POLUGAEVSKIJ	g
A. POLULJAHOV	
S. PRUDNIKOVA	m
A. PUGAČËV	
A. PUŠKIN	
E. RAJSKIJ	
N. RAŠKOVSKIJ	g
JU. RAZUVAEV	g
D. ROGOZENKO	
V. RUBAN	g
S. RUBLEVSKIJ	
K. SAKAEV	m
V. SALOV	g
S. SAVČENKO	m
B. ŠČIPKOV	
E. SEDINA	m
N. SEFERJAN	
VE. SERGEEV	
VL. SERGEEV	
G. SERPER	m
S. ŠEVELEV	
S. SMAGIN	g
I. SMIRIN	g
V. SMYSLOV	g
A. ŠNEJDER	g
A. SOKOLOV	g
E. SOLOŽENKIN	m
M. SOROKIN	m
V. STJAŽKIN	
Z. STURUA	g
A. SUĖTIN	g
A. SULIPA	
E. SVEŠNIKOV	g
GEN. TIMOŠČENKO	g
E. TITOVA-BORIĆ	m
S. TIVJAKOV	g
P. TREGUBOV	
V. TUKMAKOV	g
G. TUNIK	m
M. ULYBIN	g
R. VAGANJAN	g
A. VAJSMAN	
V. VARAVIN	
E. VLADIMIROV	g
A. VYŽMANAVIN	g
S. ZAGREBEL'NYJ	m
I. ZAJCEV	g
JU. ZEZJUL'KIN	
B. ZLOTNIK	m

Suomi

A. KUJALA	

Sverige

U. ANDERSSON	g
TH. ENGQVIST	f
TH. ERNST	g

Turkiye

I. HAMARAT	

USA

G. ACHOLONU	
K. BACHLER	
J. BENJAMIN	g
R. BLUMENFELD	f
W. BROWNE	g
R. BYRNE	g
L. CHRISTIANSEN	g
B. FINEGOLD	m
S. FINK	
A. FISHBEIN	m
B. GULKO	g
I. GUREVICH	m
ALEXA. IVANOV	g
G. KAMSKY	g
Ľ. KAVÁLEK	g
E. MEDNIS	g
Y. SEIRAWAN	g
L. SHAMKOVICH	g
A. SHERZER	m
J. WAITZKIN	
P. WOLFF	g
A. YERMOLINSKY	m

Vietnam

TU HOANG THAI	

deset najboljih partija prethodnog toma • десять лучших партий предыдущего тома • the best ten games of the preceding volume • die zehn besten schachpartien aus dem vorigen band • les dix meilleures parties du volume précédent • las diez mejores partidas del tomo precedente • le dieċi migliori partite del volume precedente • de tio bästa partierna i föregående volym • 前巻のベスト十局 •

الأشواط العشرة الأهم الواردة في العدد السابق

predlog redakcije *предложение редакции* *editorial selection* *vorschlag der redaktion* *proposition de la rédaction* *proposicion de la redacción* *proposta della redazione* *redaktionens förslag* 編集部推薦局 مقترح هيئة التحرير		MURRAY CHANDLER	LARRY CHRISTIANSEN	ĽUBOMIR KAVÁLEK	MILAN MATULOVIĆ	OSCAR PANNO	LEV POLUGAEVSKIJ	ZOLTÁN RIBLI	JAN SMEJKAL	JONATHAN SPEELMAN	
1. IVANČUK – **JUSUPOV**	592	10	10	10	10	10	10	10	8	8	**86**
2. **JUSUPOV** – IVANČUK	573	9	9	9	7	5	8	–	3	10	**60**
3. **AN. KARPOV** – ANAND	425	4	–	6	9	9	–	–	10	9	**47**
4. **LJUBOJEVIĆ** – TIMMAN	413	8	7	7	6	4	–	9	–	5	**46**
5. **N. SHORT** – B. GEL'FAND	161	–	8	8	5	2	–	–	5	3	**31**
6. **AN. KARPOV** – V. SALOV	534	–	5	–	8	–	–	7	7	4	**31**
7. KORTCHNOI – **TIMMAN**	22	–	4	–	2	6	–	–	9	–	**21**
8. KHALIFMAN – **IVANČUK**	509	–	–	5	4	–	–	4	–	7	**20**
9. KEŃGIS – **DJURHUUS**	275	–	2	–	–	1	9	6	1	–	**19**
10. **EPIŠIN** – EHLVEST	535	3	–	1	–	–	–	8	6	–	**18**
11. S. AGDESTEIN – **AN. KARPOV**	525	6	6	–	–	–	4	–	–	–	**16**
12. **AKOPJAN** – STAMBULJAN	50	–	–	–	–	8	6	–	–	–	**14**
13. N. SHORT – B. GEL'FAND	302	7	–	–	–	–	–	–	–	6	**13**
14. **ŠIROV** – KOŽUL	470	2	1	3	1	–	–	5	–	–	**12**
15. **I. SOKOLOV** – JE. PIKET	380	–	–	2	–	7	–	2	–	–	**11**
16. **GIPSLIS** – HRÁČEK	190	–	–	–	–	–	5	3	–	–	**8**
17. LAZAREV – **UHLMANN**	656	–	–	–	–	–	7	–	–	–	**7**
18. **KOŽUL** – CO. IONESCU	564	–	3	–	–	–	–	–	4	–	**7**
19. GUAL – **GARBARINO**	572	5	–	–	–	–	–	–	–	–	**5**
20. BAREEV – **CHRISTIANSEN**	135	–	–	–	3	–	–	–	–	2	**5**
21. AN. KARPOV – **LJUBOJEVIĆ**	554	–	–	4	–	–	–	–	–	–	**4**
22. J. BENJAMIN – **KAMSKY**	345	–	–	–	–	3	–	–	–	–	**3**
23. **V. RAIČEVIĆ** – D. VASILJEVIĆ	627	–	–	–	–	–	3	–	–	–	**3**
24. WOJTKIEWICZ – **BELLÓN LÓPEZ**	59	–	–	–	–	–	2	1	–	–	**3**
25. **KAMSKY** – P. WOLFF	75	–	–	–	–	–	–	–	2	–	**2**
26. **KOŽUL** – DORFMAN	388	1	–	–	–	–	1	–	–	–	**2**
27. **WELLS** – CONQUEST	433	–	–	–	–	–	–	–	–	1	**1**
28. KORTCHNOI – TIMMAN	24	–	–	–	–	–	–	–	–	–	**0**
29. VAGANJAN – **I. SOKOLOV**	37	–	–	–	–	–	–	–	–	–	**0**
30. SISNIEGA – VERA	216	–	–	–	–	–	–	–	–	–	**0**

najbolju partiju nagrađuje
лучшая партия получает премию
the best game prize awarded by
die beste partie erhielt einen preis von
la meilleure partie primée par
la mejor partida premiada por
la partita migliore premiata da
det bästa partiet uppsatt av
すまし致彰表を着勝優が
: افضل جـولـة جـائـزة على جـائـزة مـن

52/592. **E 67**

IVANČUK 2735 – JUSUPOV 2625
Bruxelles (m/9) 1991

1. c4 e5 2. g3 d6 3. ♗g2 g6 4. d4 ♘d7 5. ♘c3 ♗g7 6. ♘f3 ♘gf6 7. 0–0 0–0 8. ♕c2 ♖e8 9. ♖d1 c6 10. b3 ♕e7 11. ♗a3 e4 N [11... ed4] **12. ♘g5 e3 13. f4** [13. f3 ♘f8 14. ♘ge4 (14. ♘ce4 ♗f5 15. ♕c3 ♘e4 16. ♘e4 c5∓) ♗f5 15. ♕c1 ♗e4 16. ♘e4 ♘e4 17. fe4 c5 18. e5 ♘e6 19. ed6 ♕d6 20. ♗b7 ♘d4∞] **♘f8 14. b4 ♗f5 15. ♕b3 h6 16. ♘f3 ♘g4** [16... g5!?] **17. b5 g5 18. bc6 bc6 19. ♘e5!? gf4 20. ♘c6 ♕g5 21. ♗d6 ♘g6** [21... ♘h2 22. ♗f4 (22. ♔h2 ♕g3 23. ♔h1 ♘g6→) ♕h5 23. ♘d5∞ △ 24. ♘ce7, 24. ♘e3] **22. ♘d5 ♕h5** [22... ♘h2 23. ♘f4 ♘f4 (23... ♕g3 24. ♘g6 ♕d6 25. ♘ge7) 24. ♗f4 ♕h5∞] **23. h4 ♘h4!?** [23... fg3 24. ♗g3 ♘h4 25. ♘f4 ♕g5 26. ♘h3=] **24. gh4 ♕h4 25. ♘de7** [25. ♘ce7 ♔h8 26. ♘f5 ♕h2 27. ♔f1 ♗e5!! △ 28. ♗e5 ♖e5 29. de5 ♖g8 (△ ♕h1, ♘h2, ♖g1#) 30. ♘de3 fe3 31. ♘e3 ♕f4 32. ♗f3 ♘e3 33. ♔e1 ♖g1 34. ♔f2 (34. ♔d2 ♕d4 35. ♕d3 ♘c4–+) ♖g2 35. ♔e1 ♕h4 36. ♔d2 ♕d4 37. ♔e1 ♖g1–+; 25. ♗f4!? ♕f2 26. ♔h1 ♗e4 27. ♗e4 ♕h4 (27... ♖e4 28. ♖f1 ♕h4 29. ♔g2 ♖f4 30. ♘f4+–) 28. ♔g2 ♕f2 29. ♔h3 ♖e4 30. ♖g1±; 26... ♕h4=] **♔h8 26. ♘f5 ♕h2 27. ♔f1 ♖e6** [27... ♘f2? 28. ♘e3 ♘h3 29. ♗h3 ♕h3 30. ♘g2+–; 27... ♖g8 28. ♘e3 ♗d4 (28... ♘e3 29. ♕e3+–) 29. ♖d4 ♘e3 30. ♔e1 ♖g2 31. ♗e5 ♔g8 32. ♕d3±; 27... ♗f6! (△ ♗h4-f2, ♖g8, ♕h1, ♘h2#) 28. ♖d3 (28. c5 ♖g8 29. ♕d5 ♕h1!!–+) ♗h4! (28... ♖g8 29. ♖e3 ♘e3 30. ♘e3 ♖ae8 31. ♘e5 ♗e5 32. ♗e5 ♖e5 33. de5 fe3 34. ♕b7 ♖g4 35. ♕c8+–) 29. ♖e3 ♗f2 30. ♖e8 ♖e8 31. e4 ♕g1 32. ♔e2 ♕g2↑] **28. ♕b7?** [28. ♕b5 ♖g6 29. ♕d5 ♕h1!! 30. ♗h1 ♘h2–+; 28. ♖d3 ♖g8 (28... ♖d6 29. ♘d6 f3 30. ef3 e2 31. ♔e2 ♕g2 32. ♔e1) 29. ♘ce7 ♗d4 30. ♘g8 ♖g6 31. ♗f4 ♕f4 32. ♔e1 ♗a1↑; 28. ♘ce7! ♖e7 (28... ♖d6? 29. ♘d6 f3 30. ♘f7 ♔h7 31. ♕d3#; 28... ♗f6? 29. ♕b7+–) 29. ♘e7 (29. ♗e7 f3 30. ef3 e2 31. ♔e2 ♕g2 32. ♔d3 ♕f3→) ♕g3 30. ♔g1=]

28... ♖g6!! [28... ♖g8 29. ♘ce7] **29. ♕a8 ♔h7** [△ ♕h1] **30. ♕g8!□ ♔g8 31. ♘ce7 ♔h7 32. ♘g6 fg6 33. ♘g7 ♘f2!!–+** [△ ♘h3] **34. ♗f4 ♕f4 35. ♘e6** [35. ♖db1 ♘h3 36. ♔e1 ♕h4 37. ♔d1 ♕d4 38. ♔c2 ♕c4 39. ♔b2 ♕e2] **♕h2 36. ♖db1 ♘h3 37. ♖b7 ♔g8 38. ♖b8 ♕b8 39. ♗h3 ♕g3 0 : 1** **[Jusupov]**

deset najvažnijih teorijskih novosti prethodnog toma • десять важнейших теоретических партий предыдущего тома • the ten most important theoretical novelties of the preceding volume • die zehn wichtigsten theoretischen neuerungen aus dem vorigen band • les dix nouveautés théoriques les plus importantes du volume précédent • las diez novedades teóricas más importantes del tomo precedente • le dieci importantissime novitá teoriche del volume precedente • de tio mest betydelsefulla teoretiska nyheterna i föregående volym •
前巻のベスト新手十局 • المبتكرات النظرية العشرة الأهم الواردة في العدد السابق

predlog redakcije *предложение редакции* *editorial selection* *vorschlag der redaktion* *proposition de la rédaction* *proposicion de la redacción* *proposta della redazione* *redaktionens förslag* 編集部推薦局 مقترح هيئة التحرير		WALTER BROWNE	ĽUBOMIR FTÁČNIK	KIRIL GEORGIEV	SVETOZAR GLIGORIĆ	VLASTIMIL HORT	JOHANN HJARTARSON	JURIJ RAZUVAEV	VALERIJ SALOV	JAN TIMMAN	
1. AN. KARPOV – KHALIFMAN	529	3	6	8	10	7	2	7	10	6	**59**
2. EHLVEST – BELJAVSKIJ	315	6	–	9	–	9	10	4	9	–	**47**
3. N. SHORT – B. GEL'FAND	302	7	–	–	8	10	–	5	3	10	**43**
4. ŠIROV – TH. ERNST	471	10	9	–	5	–	9	3	6	–	**42**
5. EHLVEST – **P. NIKOLIĆ**	292	9	8	7	9	–	6	1	2	–	**42**
6. GLEK – **SERPER**	200	1	10	–	–	–	5	8	8	8	**40**
7. IVANČUK – JUSUPOV	68	4	7	–	6	–	7	–	–	7	**31**
8. MOSKALENKO – **ŠIROV**	605	–	–	5	–	–	8	9	–	–	**22**
9. TIMMAN – KORTCHNOI	(175)	–	–	6	2	8	–	2	–	3	**21**
10. WELLS – CONQUEST	433	5	–	–	–	6	–	–	–	9	**20**
11. **ZSU. POLGÁR** – R. LAU	441	2	–	–	–	5	–	6	–	2	**15**
12. **RIVERON** – A. CABRERA	(213)	8	–	–	–	1	–	–	4	–	**13**
13. **JAKOVIČ** – TH. ERNST	317	–	3	3	–	–	–	–	7	–	**13**
14. **ČEHOV** – DVOJRIS	43	–	4	–	4	–	–	–	–	5	**13**
15. LAUTIER – **IVANČUK**	478	–	5	–	–	4	3	–	–	–	**12**
16. ADAMS – **ŠIROV**	211	–	1	10	–	–	–	–	–	–	**11**
17. **ANAND** – AN. KARPOV	151	–	–	4	7	–	–	–	–	–	**11**
18. PSAKHIS – **CVITAN**	249	–	–	–	–	–	–	10	–	–	**10**
19. **I. SOKOLOV** – LUTHER	(550)	–	–	–	–	–	4	–	5	–	**9**
20. KHALIFMAN – **GULKO**	280	–	–	2	–	–	–	–	–	4	**6**
21. G. FLEAR – **SUMMERMATTER**	(553)	–	–	1	3	–	–	–	1	–	**5**
22. **J. HJARTARSON** – SPEELMAN	556	–	–	–	–	3	–	–	–	1	**4**
23. **FRANZEN** – BRZÓZKA	226	–	2	–	–	–	–	–	–	–	**2**
24. **EPIŠIN** – I. ROGERS	629	–	–	–	–	2	–	–	–	–	**2**
25. LAUTIER – **BAREEV**	2	–	–	–	1	–	–	–	–	–	**1**
26. CONQUEST – **I. SOKOLOV**	(311)	–	–	–	–	–	1	–	–	–	**1**
27. **LAUTIER** – EPIŠIN	41	–	–	–	–	–	–	–	–	–	**0**
28. STEINGRÍMSSON – **P. LUKÁCS**	314	–	–	–	–	–	–	–	–	–	**0**
29. N. SHORT – **B. GEL'FAND**	329	–	–	–	–	–	–	–	–	–	**0**
30. V. SALOV – **P. NIKOLIĆ**	382	–	–	–	–	–	–	–	–	–	**0**

najznačajniju novost nagrađuje
лучшая новинка получает премию
the most important novelty prize awarded by
die wichtigste neurung erhielt einen preis von
la nouvęauté plus importante primée par
la novedad más importante premiada por
la novità più importante premiata da
den mest betydelsefulla nyheten uppsatt av
すまし致彰表を者勝優が
افضل حولة حائزة على جائزة من :

EAST POINT HOLDINGS LIMITED

52/529. !N **E 15**

AN. KARPOV 2730 –
KHALIFMAN 2630
Reykjavík 1991

1. d4 ♘f6 2. c4 e6 3. ♘f3 b6 4. g3 ♗a6 5. b3 ♗b4 6. ♗d2 ♗e7 7. ♗g2 c6 8. ♗c3 d5 9. ♘bd2 ♘bd7 10. 0–0 0–0 11. ♖e1 c5 12. e4 dc4 13. ♘c4 ♗b7 [13... cd4 14. ♘d4 ♖c8 15. ♗b2!?]

14. ♕d3! N [14. e5 – 46/(720); 14. ♘fe5] **cd4 15. ♘d4 ♘c5 16. ♕c2 a6** [16... ♖c8?! 17. ♖ad1 ♕c7 18. ♘b5±] **17. ♖ad1 ♕c7 18. ♗d2!± ♘cd7□** [18... b5 19. ♗f4 ♕c8 20. ♘b6+–; 18... ♘ce4 19. ♗f4 ♕c5 20. ♗e4 ♘e4 21. ♖e4 △ 21... b5 22. ♖e5+–; 18... e5 19. ♘f5 △ 20. ♘b6 ♕b6 21. ♘e7+–] **19. ♗f4 ♕c5** [19... e5 20. ♘f5 ef4 21. ♘e7 ♔h8 22. ♘d5±] **20. ♗c1** [20. e5!? ♘d5 21. ♘d6 ♕c2 22. ♘c2 ♗d6 23. ed6 ♖ac8 24. ♘b4⩲; 21. ♗e4!?] **♕c7** [20... ♕h5 21. e5±; 20... ♕c8 21. e5 ♘d5 22. ♘f5! ♗b4 (22... ef5 23. ♗d5 b5 24. e6!+–) 23. ♗d2 ef5 24. ♗d5±] **21. e5 ♘d5 22. ♘e3** [22. ♗a3 ♗a3 23. ♘a3 ♕c2 24. ♘ac2 ♖ac8 25. ♘b4 ♘b4 26. ♗b7 ♖c7] **♕c2 23. ♘dc2 ♖ac8□** [23... ♘e3? 24. ♘e3! ♗g2 25. ♖d7 ♗b4 26. ♘g2 ♗e1 27. ♘e1] **24. ♗d5** [24. ♘d5 ♗d5 25. ♗d5 ♖c2 26. ♗e4 (26. ♗e6 fe6 27. ♖d7 ♗c5!) ♖c7⩲] **ed5** [24... ♗d5 25. ♘d5 ed5 26. ♘d4±] **25. ♘d5** [25. ♘f5!? ♖fe8 26. ♘cd4 ♗b4 27. ♗d2±] **♗d5 26. ♖d5 ♖c2 27. ♖d7 ♗b4** [27... ♗c5 28. ♖d2] **28. ♖ed1 ♖a2 29. ♗e3 ♗c5** [29... ♖a5!?±] **30. ♗c5 bc5 31. ♖c7!± ♖a3?** [31... ♖e2 32. ♖d5 ♖e8 33. ♖dd7 ♖f8 34. ♖c5] **32. e6!+– fe6** [32... ♖b3 33. e7 ♖e8 34. ♖d8 ♖b8 35. ♖b8 ♖b8 36. ♖d7] **33. ♖dd7**
1 : 0 **[An. Karpov]**

sistem znakova • система знаков • code system • zeichenerklärung • système de symboles • sistema de signos • spiegazione dei segni • teckenförklaring • 解説記号 • نظام الرموز

⩲ beli stoji nešto bolje • у белых несколько лучше • white stands slightly better • Weiss steht etwas besser • les blancs sont un peu mieux • el blanco está algo mejor • il bianco sta un po' meglio • vit står något bättre • 白や、優勢 • وضع الابيض افضل نوعا ما

⩱ crni stoji nešto bolje • у черных несколько лучше • black stands slightly better • Schwarz steht etwas besser • les noirs sont un peu mieux • el negro está algo mejor • il nero sta un po' meglio • svart står något bättre • 黒や、優勢 • وضع الاسود أفضل نوعا ما

± beli stoji bolje • у белых лучше • white has the upper hand • Weiss steht besser • les blancs sont mieux • el blanco está mejor • il bianco sta meglio • vit står bättre • 白　優勢 • الابيض في وضع مسيطر

∓ crni stoji bolje • у черных лучше • black has the upper hand • Schwarz steht besser • les noirs sont mieux • el negro está mejor • il nero sta meglio • svart står bättre • 黒　優勢 • الاسود في وضع مسيطر

+− beli ima odlučujuću prednost • у белых решающее преимущество • white has a decisive advantage • Weiss hat entscheidenden Vorteil • les blancs ont un avantage décisif • el blanco tiene una ventaja decisiva • il bianco é in vantaggio decisivo • vit har avgörande fördel • 白　勝勢 • الابيض يتمتع بافضلية حاسمة

−+ crni ima odlučujuću prednost • у черных решающее преимущество • black has a decisive advantage • Schwarz hat entscheidenden Vorteil • les noirs ont un avantage décisif • el negro tiene una ventaja decisiva • il nero é in vantaggio decisivo • svart har avgörande fördel • 黒　勝勢 • الاسود يتمتع بافضلية حاسمة

= jednako • равно • even • ausgeglichen • égalité • igual • equivalente • lika • 形勢互角 • تكافوء

∞ neizvesno • неизвестно • unclear • unklar • incertain • incierto • incerto • oklar • 形勢不明 • غير واضح

=∞ kompenzacija za materijal • компенсация за материал • with compensation for the material • mit Kompensation für den materiellen Nachteil • avec compensation pour le matériel • con compensación por el material • con compenso per il vantaggio materiale avversario • med kompensation för materialet • 駒損不利なし • مع تعويض خسارة القطع

⟳ razvojna prednost • преимущество в развитии • development advantage • Entwicklungsvorsprung • avantage de développement • ventaja de desarrollo • vantaggio di sviluppo • utvecklingsförsprång • 展開よし • افضلية للتطور

○ prostorna prednost • преимущество в пространстве • greater board room • beherrscht mehr Raum • avantage d'espace • ventaja de espacio • maggior vantaggio spaziale • terrängfördel • 模様大 • افضلية مكانية على الرقعة

→ sa napadom • с атакой • with attack • mit Angriff • avec attaque • con ataque • con attacco • med angrepp • 攻勢 • مع الهجوم

↑ sa inicijativom • с инициативой • with initiative • mit Initiative • avec initiative • con iniciative • con iniziativa • med initiativ • 主導権あり • مع المبادرة

⇆ sa protivigrom • с контригрой • with counter-play • mit Gegenspiel • avec contre-jeu • con contrajuego • con controgioco • med motspel • 反撃 • مع لعب مضاد

⊙ iznudica • цугцванг • zugzwang • Zugzwang • zugzwang • zugzwang • zugzwang • dragtvång • ツーク、ツワング • زوغزوانغ

\# mat • мат • mate • matt • mat • mate • matto • matt • メイト • اماتة الشاه

! vrlo dobar potez • очень хороший ход • a very good move • ein sehr guter Zug • très bon coup • muy buena jugada • buona mossa • ett bra drag • 好手 • نقلة جيدة جدا

!! odličan potez • отличный ход • an excellent move • ein ausgezeichneter Zug • excellent coup • excelente jugada • mossa ottima • ett utmärkt drag • 妙手 • نقلة ممتازة

? slab potez • слабый ход • a mistake • ein schwacher Zug • coup faible • mala jugada • mossa debole • ett dåligt drag • 疑問手 • نقلة خطا

?? gruba greška • грубая ошибка • a blunder • ein grober Fehler • erreur grave • grave error • grave errore • ett grovt fel • 悪手 • نقلة سيئة جدا

!? potez zaslužuje pažnju • ход заслуживающий внимания • a move deserving attention • ein beachtenswerter Zug • coup qui mérite l'attention • jugada que merece atención • mossa degna di considerazione • ett drag som förtjänar uppmärksamhet • 注目手 • نقلة تستحق الانتباه

?! sumnjiv potez • сомнительный ход • a dubious move • ein Zug von zweifelhaftem Wert • coup de valeur douteuse • jugada de dudoso valor • mossa dubbia • ett tvivelaktigt drag • 鬼手 • نقلة مشكوك في نتيجتها

△ sa idejom • с идеей • with the idea • mit der Idee • avec l'idée • con idea • con l'idea • med idén • 狙いは…… • بتصور

□ jedini potez • единственный ход • only move • der einzig spielbare Zug • le seul coup • unica jugada • unica mossa • enda draget • 絶対手 • النقلة الوحيدة

⌓ bolje je • лучше • better is • besser ist • meilleur est • es mejor • è meglio • bättre är • 正着は • الافضل هو

♔ ♕ ♖ ♗ ♘

⇔ linija • линия • file • Linie • colonne • linea • linea • linje • 横列 • الرتل

⇗ dijagonala • диагональ • diagonal • Diagonale • diagonale • diagonal • diagonal • diagonal • 斜筋 • القطر

⊞ centar • центр • centre • Zentrum • centre • centro • centro • centrum • 中央 • المركز

» kraljevo krilo • королевский фланг • king's side • Königsflügel • aile-roi • flanco de rey • lato di R • kungsflygeln • キング側 • جناح الملك

« damino krilo • ферзевый фланг • queen's side • Damenflügel • aile-dame • flanco de dama • lato di D • damflygeln • クイン側 • جناح الملكة

× slaba tačka • слабый пункт • weak point • schwacher Punkt • point faible • punto débil • punto debole • svaghet • 弱点 • نقطة ضعف

⊥ završnica • эндшпиль • ending • Endspiel • finale • final • finale • slutspel • 収局 • المرحلة النهائية

⧉ lovački par • два слона • pair of bishops • Läuferpaar • paire de fous • pareja de alfiles • la coppia degli alfieri • löparpar • 双ビショップ • الفيلان

⧉ raznobojni lovci • разноцветные слоны • bishops of opposite color • ungleichfarbige Läufer • fous de couleurs opposées • alfiles de distinto color • alfieri di colore diverso • löpare med olika färg • 異色ビショップ • فيلان من لونين مختلفين

▬ istobojni lovci • одноцветные слоны • bishops of the same color • gleichfarbige Läufer • fous de même couleur • alfiles del mismo color • alfieri di colore uguale • löpare med samma färg • 同色ビショップ • فيلان من نفس اللون

oo vezani pešaci • связанные пешки • united pawns • verbundene Bauern • pions liés • peones unidos • pedoni uniti • garderade bönder • 連ポーン • بيادق مرتبطة

o..o razdvojeni pešaci • изолированные пешки • separated pawns • isolierte Bauern • pions isolés • peones aislados • pedoni isolati • isolerade bönder • 離ポーン • بيادق منفصلة

8 udvojeni pešaci • сдвоенные пешки • double pawns • Doppelbauern • pions doublés • peones dobles • pedoni doppi • dubbel bönder • 重ポーン • بيادق مزدوجة

♙ slobodan pešak • проходная пешка • passed pawn • Freibauer • pion passé • peón pasado • pedone libero • fribonde • 失ったポーン • بيدق حر

> prednost u broju pešaka • преимущество в числе пешек • advantage in number of pawns • im Bauernmehrbesitz • avantage quantitatif en pions • ventaja en el número de peones • vantaggio quantitativo dei pedoni • fördel i antal bönder • ポーン数での優勢 • الأفضلية بعدد البيادق

⊕ vreme • время • time • Zeit • temps • tiempo • tempo • tid • 時間切迫 • الوقت

♔ ♕ ♖ ♗ ♘

7/113, 48/241... Šahovski informator • Шахматный информатор • Chess Informant • Schach-informator • Informateur d'échecs • Informador ajedrecistico • Informatore scacchistico • Schack-informator • チェス新報巻/局 • دليل الشطرنج

A 30, B 17, C 92... Enciklopedija šahovskih otvaranja • Энциклопедия шахматных дебютов • Encyclopaedia of Chess Openings • Enzyklopädie der Schacheröffnungen • Encyclopédie des ouvertures d'échecs • Enciclopedia de aperturas de ajedrez • Enciclopedia delle aperture negli scacchi • Encyklopedi över spelöppningar i schack • 布局大成 • موسوعة افتتاحيات الشطرنج

♙ 3/c3, ♖ 3/d... Enciklopedija šahovskih završnica • Энциклопедия шахматных окончаний • Encyclopaedia of Chess Endings • Enzyklopädie der Schachendspiele • Encyclopédie des finales d'échecs • Enciclopedia de finales de ajedrez • Enciclopedia dei finali negli scacchi • Encyklopedi över slutspel i schack • 収局大成 • موسوعة نهايات الشطرنج

N novost • новинка • a novelty • eine Neuerung • nouveauté • novedad • un'innovazione • nyhet • 新 手 • حديد مبتكر

♔ ♕ ♖ ♗ ♘

(ch) šampionat • чемпионат • championship • Meisterschaft • championnat • campeonato • campionato • mästerskap • 世界チャンピオン戦 • البطولة

(izt) međuzonski turnir • межзональный турнир • interzonal tournament • Interzonenturnier • tournoi interzonal • torneo interzonal • torneo interzonale • interzonturnering • インター・ゾーン • دورة مباريات للمناطق

(ct) turnir kandidata • турнир претендентов • candidates' tournament • Kandidatenturnier • tournoi des candidats • torneo de candidatos • torneo dei candidati • kandidatturnering • 挑戦者決定戦 • دورة مباريات للمرشحين

(m) meč • матч • match • Wettkampf • match • encuentro • match • match • マッチ • مباراة

(ol) olimpijada • олимпиада • olympiad • Olympiade • olympiade • olimpiada • olimpiade • olympiad • オリンピック • الاولمبياد

corr. dopisna partija • партия по переписке • correspondence game • Fernpartie • partie par correspondance • partida por correspondencia • partita per corrispondenza • korrespondensparti • 通信戦 • لعبة أو مباراة بالمراسلة

RR primedba redakcije • примечание редакции • editorial comment • Anmerkung der Redaktion • remarque de la rédaction • nota de la redacción • nota redazionale • redaktionens anmärkning • 編集部評 • تعليق هيئة التحرير

R razni potezi • разные ходы • various moves • verschiedene Züge • différents coups • diferentes movidas • mosse varie • olika drag • 変 化 手 • نقلات متنوعة

└ sa • c • with • mit • avec • con • con • med • 以下の手順となるもの • مع

┘ bez • без • without • ohne • sans • sin • senza • utan • 以下の手順とならないもの • بدون

|| itd. • и.т.д. • etc • usw. • etc. • etc • ecc • o.s.v. • 等 々 • الخ

— vidi • смотри • see • siehe • voir • ved • vedi • se • 参 照 • انظر

partije • партии • games • partien • parties • partidas • partite • partier • 棋譜 • الاشواط

klasifikacija otvaranja • классификация дебютов • classification of openings • klassifizierung der eröffnungen • classification des ouvertures • clasificación de las aperturas • classificazione delle aperture • klassifikation av öppningar • 布局大分類 • تصنيف الافتتاحيات

A — R ┘ 1. e4, 1. d4
— 1. d4 R ┘ 1… d5, 1… ♘f6
— 1. d4 ♘f6 R ┘ 2. c4
— 1. d4 ♘f6 2. c4 R ┘ 2… e6, 2… g6

B — 1. e4 R ┘ 1… c5, 1… e6, 1… e5
— 1. e4 c5

C — 1. e4 e6
— 1. e4 e5

D — 1. d4 d5
— 1. d4 ♘f6 2. c4 g6 └ 3… d5

E — 1. d4 ♘f6 2. c4 e6
— 1. d4 ♘f6 2. c4 g6 ┘ 3… d5

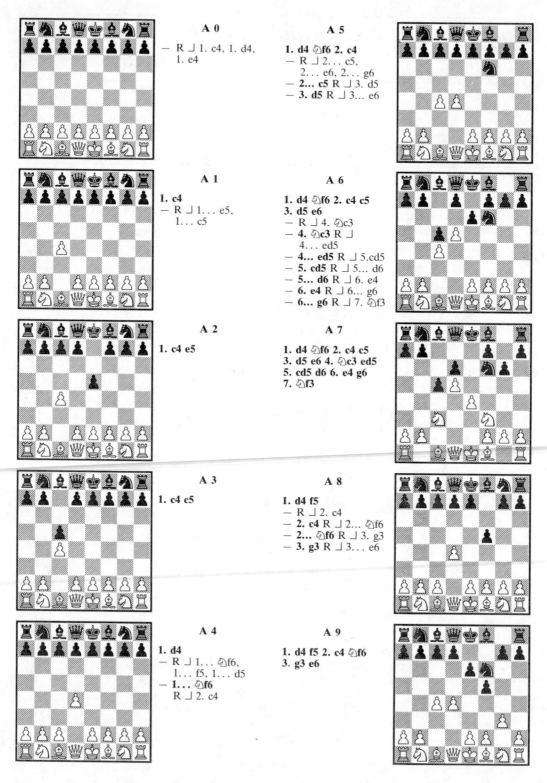

A 0

— R ⌋ 1. c4, 1. d4, 1. e4

A 1

1. c4
— R ⌋ 1... e5, 1... c5

A 2

1. c4 e5

A 3

1. c4 c5

A 4

1. d4
— R ⌋ 1... ♘f6, 1... f5, 1... d5
— **1... ♘f6** R ⌋ 2. c4

A 5

1. d4 ♘f6 2. c4
— R ⌋ 2... c5, 2... e6, 2... g6
— **2... c5** R ⌋ 3. d5
— **3. d5** R ⌋ 3... e6

A 6

1. d4 ♘f6 2. c4 c5 3. d5 e6
— R ⌋ 4. ♘c3
— **4. ♘c3** R ⌋ 4... ed5
— **4... ed5** R ⌋ 5.cd5
— **5. cd5** R ⌋ 5... d6
— **5... d6** R ⌋ 6. e4
— **6. e4** R ⌋ 6... g6
— **6... g6** R ⌋ 7. ♘f3

A 7

1. d4 ♘f6 2. c4 c5 3. d5 e6 4. ♘c3 ed5 5. cd5 d6 6. e4 g6 7. ♘f3

A 8

1. d4 f5
— R ⌋ 2. c4
— **2. c4** R ⌋ 2... ♘f6
— **2... ♘f6** R ⌋ 3. g3
— **3. g3** R ⌋ 3... e6

A 9

1. d4 f5 2. c4 ♘f6 3. g3 e6

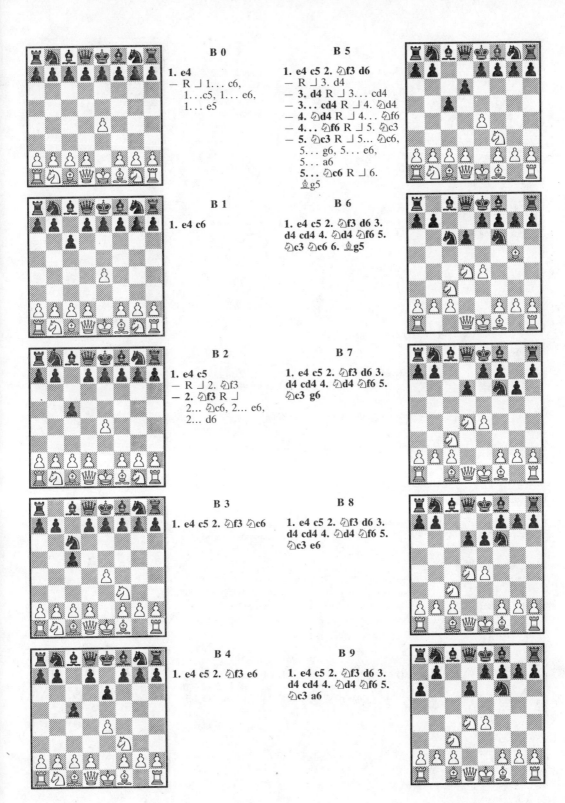

B 0

1. e4
— R ⌐ 1... c6,
1...c5, 1... e6,
1... e5

B 1

1. e4 c6

B 2

1. e4 c5
— R ⌐ 2. ♘f3
— 2. ♘f3 R ⌐
2... ♘c6, 2... e6,
2... d6

B 3

1. e4 c5 2. ♘f3 ♘c6

B 4

1. e4 c5 2. ♘f3 e6

B 5

1. e4 c5 2. ♘f3 d6
— R ⌐ 3. d4
— 3. d4 R ⌐ 3... cd4
— 3... cd4 R ⌐ 4. ♘d4
— 4. ♘d4 R ⌐ 4... ♘f6
— 4... ♘f6 R ⌐ 5. ♘c3
— 5. ♘c3 R ⌐ 5... ♘c6,
5... g6, 5... e6,
5... a6
5... ♘c6 R ⌐ 6.
♗g5

B 6

1. e4 c5 2. ♘f3 d6 3.
d4 cd4 4. ♘d4 ♘f6 5.
♘c3 ♘c6 6. ♗g5

B 7

1. e4 c5 2. ♘f3 d6 3.
d4 cd4 4. ♘d4 ♘f6 5.
♘c3 g6

B 8

1. e4 c5 2. ♘f3 d6 3.
d4 cd4 4. ♘d4 ♘f6 5.
♘c3 e6

B 9

1. e4 c5 2. ♘f3 d6 3.
d4 cd4 4. ♘d4 ♘f6 5.
♘c3 a6

C 0

1. e4 e6
— R ┘ 2. d4
— **2. d4** R ┘ 2. . . d5
— **2... d5** R ┘ 3. ♘c3

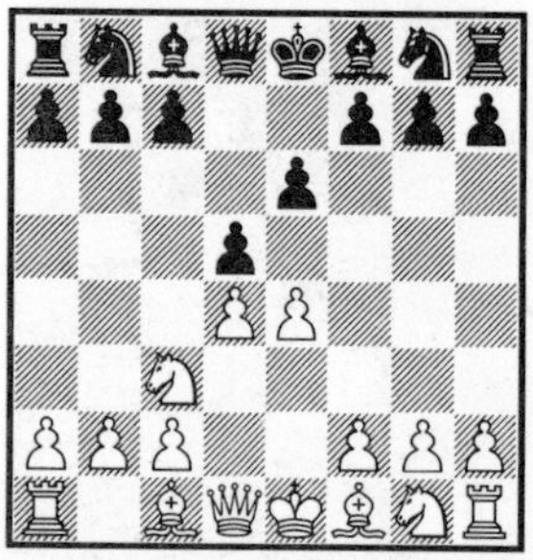

C 1

1. e4 e6 2. d4 d5
3. ♘c3

C 2

1. e4 e5
— R ┘ 2. f4, 2. ♘f3

C 3

1. e4 e5 2. f4

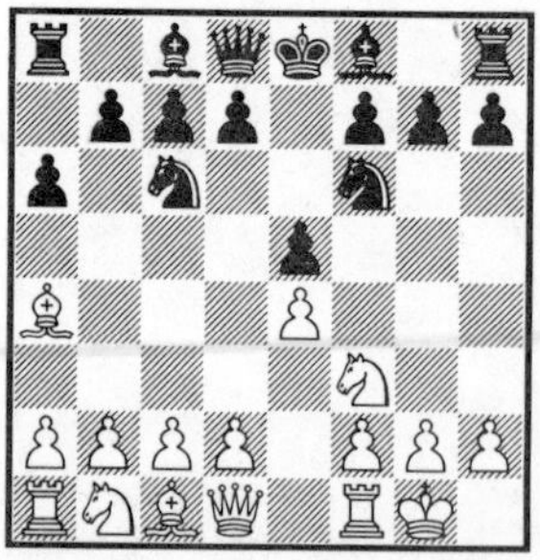

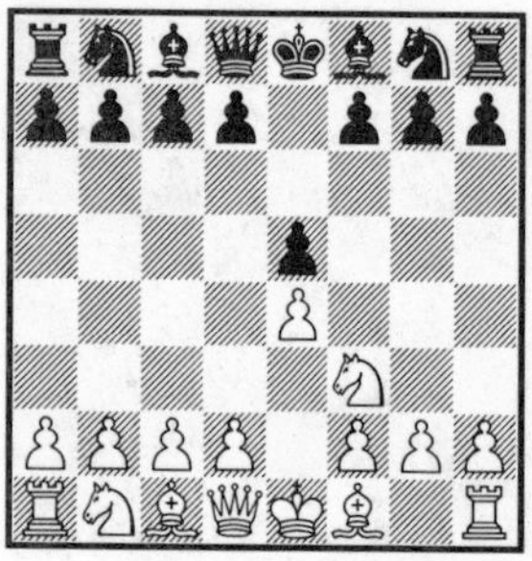

C 4

1. e4 e5 2. ♘f3
— R ┘ 2. . . ♘c6
— **2. . . ♘c6** R ┘
3. ♗c4, 3. ♗b5

C 5

1. e4 e5 2. ♘f3 ♘c6
3. ♗c4

C 6

1. e4 e5 2. ♘f3 ♘c6
3. ♗b5
— R ┘ 3. . . a6
— **3. . . a6** R ┘ 4. ♗a4

C 7

1. e4 e5 2. ♘f3 ♘c6
3. ♗b5 a6 4. ♗a4
— R ┘ 4. . ♘f6
— **4. . . ♘f6** R ┘ 5. 0-0
— **5. 0-0** R ┘ 5. . . ♘e4,
5. . . ♗e7

C 8

1. e4 e5 2. ♘f3 ♘c6
3. ♗b5 a6 4. ♗a4 ♘f6
5. 0-0
— **5. . . ♘e4**
— **5. . . ♗e7** R ┘ 6. ♖e1
— **6. ♖e1** R ┘ 6. . . b5
— **6. . . b5 7. ♗b3** R ┘
7. . . d6

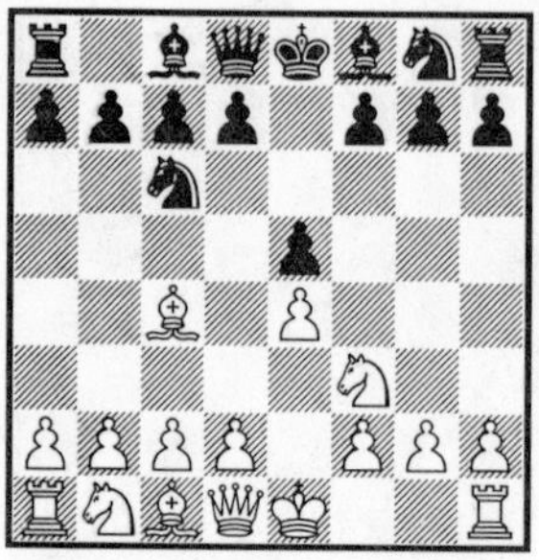

C 9

1. e4 e5 2. ♘f3 ♘c6
3. ♗b5 a6 4. ♗a4 ♘f6
5. 0-0 ♗e7 6. ♖e1 b5
7. ♗b3 d6

D 0

1. d4 d5
— R ⌋ 2. c4
— **2. c4** R ⌋ 2... c6, 2... dc4, 2... e6

D 1

1. d4 d5 2. c4 c6

D 2

1. d4 d5 2. c4 dc4

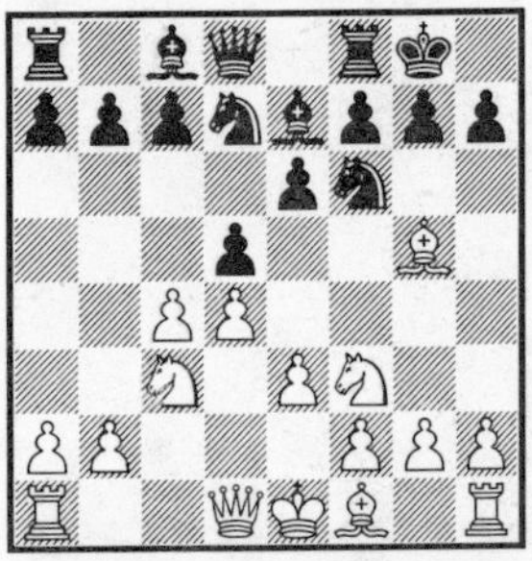

D 3

1. d4 d5 2. c4 e6
— R ⌋ 3. ♘c3
— **3. ♘c3** R ⌋ 3... ♘f6
— **3... ♘f6** R ⌋ 4. ♘f3, 4. ♗g5
— **4. ♘f3** R ⌋ 4... c5, 4... c6

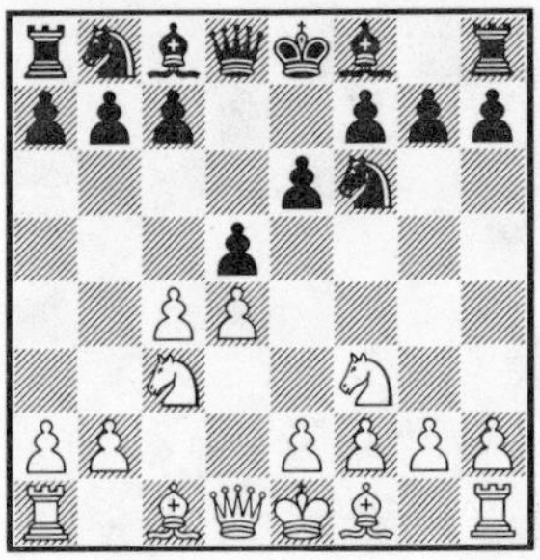

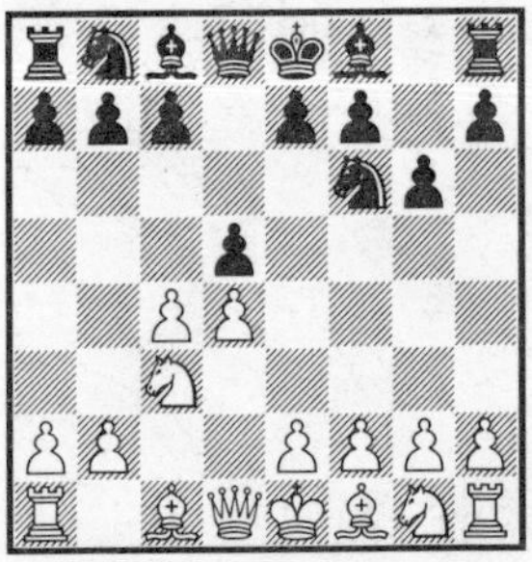

D 4

1. d4 d5 2. c4 e6 3. ♘c3 ♘f6 4. ♘f3
— **4... c5**
— **4... c6**

D 5

1. d4 d5 2. c4 e6 3. ♘c3 ♘f6 4. ♗g5
— R ⌋ 4... ♗e7
— **4... ♗e7** R ⌋ 5.e3
— **5. e3** R ⌋ 5... 0-0
— **5... 0-0** R ⌋ 6. ♘f3
— **6. ♘f3** R ⌋ 6... ♘bd7

D 6

1. d4 d5 2. c4 e6 3. ♘c3 ♘f6 4. ♗g5 ♗e7 5. e3 0-0 6. ♘f3 ♘bd7

D 7

1. d4 ♘f6 2. c4 g6 (⌊3... d5)
— R ⌋ 3. ♘c3

D 8·

1. d4 ♘f6 2. c4 g6 3. ♘c3 d5
— R ⌋ 4. ♘f3

D 9

1. d4 ♘f6 2. c4 g6 3. ♘c3 d5 4. ♘f3

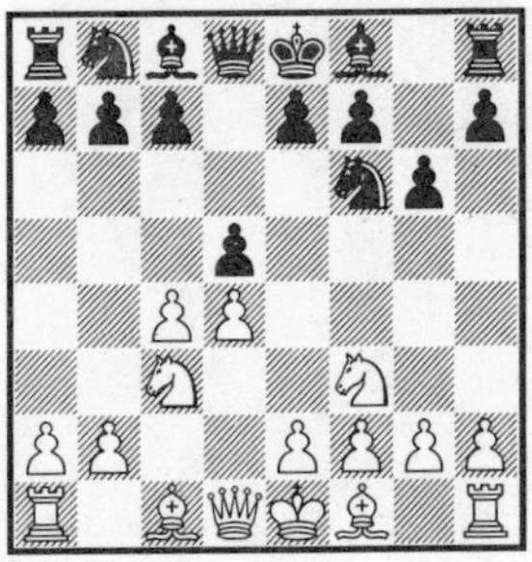

E 0

1. d4 ♘f6 2. c4 e6
– R ⌋ 3. ♘f3, 3. ♘c3

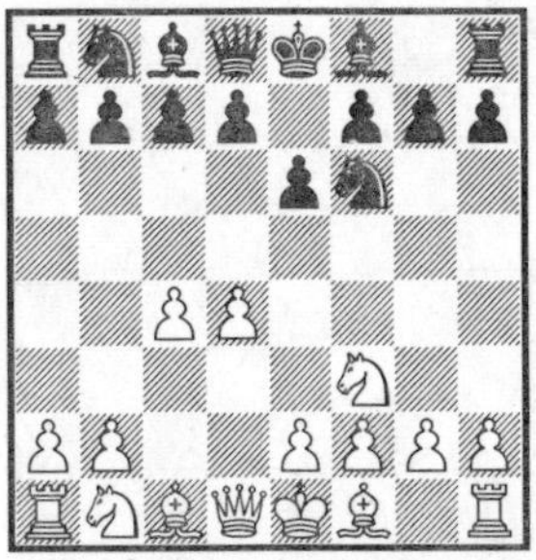

E 1

1. d4 ♘f6 2. c4 e6 3. ♘f3

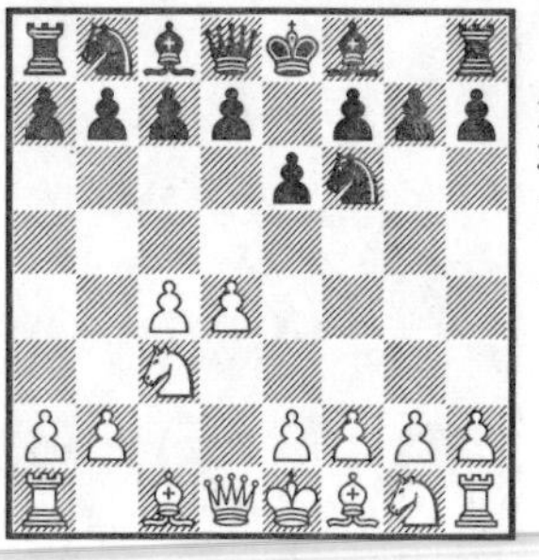

E 2

1. d4 ♘f6 2. c4 e6 3. ♘c3
– R ⌋ 3… c5, 3… d5, 3… ♗b4
– **3… ♗b4** R ⌋ 4. ♗g5, 4. ♕c2, 4. e3

E 3

1. d4 ♘f6 2. c4 e6 3. ♘c3 ♗b4
– **4. ♗g5**
– **4. ♕c2**

E 4

1. d4 ♘f6 2. c4 e6 3. ♘c3 ♗b4 4. e3
– R ⌋ 4… 0-0
– **4... 0-0** R ⌋ 5. ♘f3

E 5

1. d4 ♘f6 2. c4 e6 3. ♘c3 ♗b4 4. e3 0-0 5. ♘f3

E 6

1. d4 ♘f6 2. c4 g6 (⌋ 3… d5)
– R ⌋ 3. ♘c3
– **3. ♘c3** R ⌋ 3… d5, 3… ♗g7
– **3… ♗g7** R ⌋ 4. e4

E 7

1. d4 ♘f6 2. c4 g6 3. ♘c3 ♗g7 4.e4
– R ⌋ 4… d6
– **4… d6** R ⌋ 5. f3, 5. ♘f3

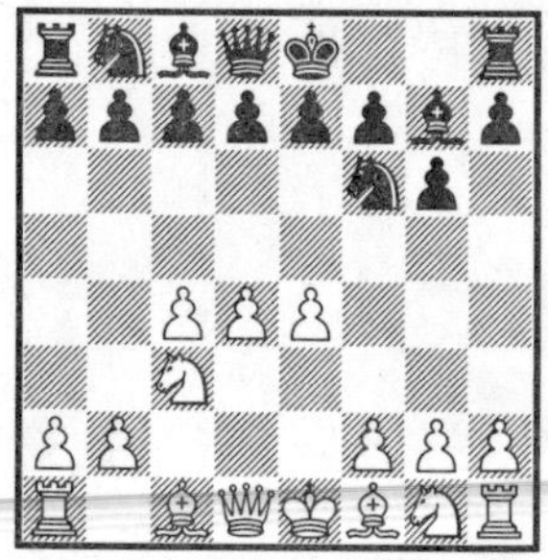

E 8

1. d4 ♘f6 2. c4 g6 3. ♘c3 ♗g7 4. e4 d6 5. f3

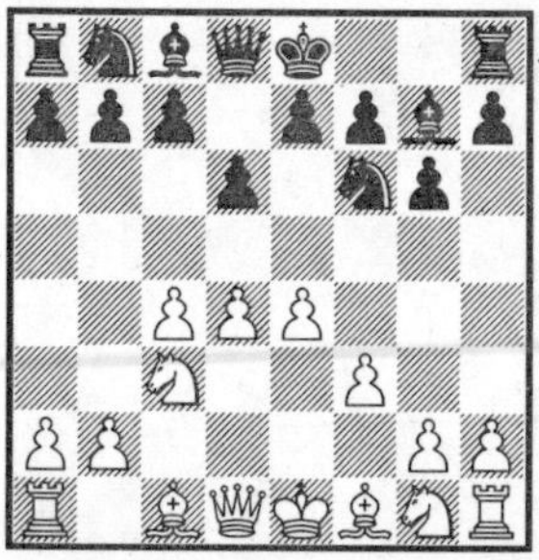

E 9

1. d4 ♘f6 2. c4 g6 3. ♘c3 ♗g7 4. e4 d6 5. ♘f3

A

1. **A 01**

KRAMNIK 2590 – LERNER 2515
Gausdal 1992

1. b3 e5 2. ♗b2 d6 3. g3 ♘f6 4. ♗g2 ♗e7 [4... g6 5. d4 ♗g7 6. de5 ♘g4 7. ♕c1!⩲] **5. e3!?** [5. c4 – 6/4] **♘c6** [5... c6=] **6. d3 0–0** [6... d5 7. ♘f3 ♗d6 8. c4⩲] **7. ♘f3 h6?!** [⌓ 7... ♗e6 8. 0–0 ♕c8] **8. c4 ♗e6 9. 0–0⩲ ♕d7** [9... ♖e8!?] **10. d4** [10. ♖e1!? ♗h3 11. ♗h1⩲] **ed4 11. ed4** [11. ♘d4⩲] **♗f5** [11... d5?! 12. ♘e5±; 11... ♗h3 12. d5±] **12. a3** [12. d5 ♘b4⇆] **♖ae8 13. d5 ♘b8 14. ♘c3 ♗d8 15. ♘d4** [15. ♕d2!? △ 15... ♘e4 16. ♘e4 ♗e4 17. ♖fe1] **♗h3 16. ♕d3 ♖e5!?** [△ ♖h5⇆] **17. ♘ce2 ♗g2** [17... ♖fe8 18. ♗h3 ♕h3 19. ♘f4] **18. ♔g2 ♖fe8 19. ♘f4** [19. ♘g1!?] **♖e4** [△ c6⇆; 19... ♘h5? 20. ♘de2 ♘f4 21. ♘f4 △ 21... ♖e4 22. ♘e6!] **20. ♖ad1 ♘a6** [20... ♘h7? 21. ♘de6!; 20... g5 21. ♘fe2 (21. ♘h3!? Lerner) c5 22. dc6 ♘c6 23. ♘g1!±] **21. b4 ♘b8?!** [21... c6 22. dc6 bc6⩲] **22. ♘b3!±** [△ ♘d2] **g5□** [22... ♕f5 23. f3 ♖f4 24. gf4 ♕f4 25. ♔h1+–] **23. ♘d2** [23. ♗f6 ♗f6 24. ♘e6 ♖e5 25. f4 gf4 △ 26. gf4 ♖h5; 23. ♘h3!?] **gf4** [23... ♖f4 24. gf4 ♘h5 25. ♔h1 ♘f4 26. ♕c3 ♖e5 27. ♕f3+– △ ♖de1] **24. ♗f6 ♖e2 25. ♗c3! ♕g4?!** [25... ♖8e3!? 26. ♕d4 f6 27. ♖c1!!± △ 27... ♕f5 28. ♕f4 ♕f4 29. gf4 ♖c3 30. ♖c3 ♖d2 31. ♖e3 ♔f7 32. ♖fe1+–] **26. ♕d4 ♔h7** [26... f6 27. ♕f4 ♕f4 28. gf4 ♖8e3 29. ♖g1!! (29. ♖c1±) ♔f7 30. ♔f1 ♖e8 31. ♗d4+–]

(diagram)

7. ♖de1!!+– [27. ♕f4 ♕f4 28. gf4 ♖8e3∞] **c5** [27... ♖e1 28. ♖e1 ♖e1 (28... ♖g8 29. ♖e4 ♗g5 30. ♘f3+–) 29. ♕h8 ♔g6 30. ♕g8 ♔h5 31. ♕f7 ♕g6 32. g4! ♔g5 33. ♘f3+–; 27... ♖d2 28. ♕d2 f3 29. ♔h1 ♕h3 30. ♕d3+–; 27... f3 28. ♘f3+–] **28. ♕d3 f5** [28... ♕g6 29. ♕g6 fg6 30. ♖e2 ♖e2 31. ♔f3 ♖e8 32. ♔f4+–] **29. ♖e2 ♖e2 30. bc5 dc5 31. ♘f3 ♖e4 32. d6!** [32. ♘d2 ♕e2!±] **♘d7** [32... ♘c6 33. ♕d5 ♕g6 34. ♖b1! ♗b6 35. d7+– △ ♖b6; 35. ♘h4+–] **33. ♕d5 ♕g6⊕ 34. ♕b7** [34. ♘e5 ♘e5 35. ♗e5 b6 36. ♕b7 ♔g8 37. ♕c8 ♖e5 38. ♕d8 ♖e8 39. ♕c7±] **♕d6 35. ♗e5!** [35. ♘e5 ♗c7□ 36. ♘f7!? ♕e7 (36... ♕b6 37. ♕c8+–) 37. ♕c7 ♕f7 38. ♖d1 f3 39. ♔g1 ♖e7±] **♕d3 36. ♗f4 ♗f6 37. ♕c6** [37. ♕a7] **♖e7 38. ♖c1!? ♕e4** [38... ♗g7 39. ♘h4 ♕e4 40. ♕e4 fe4 41. ♘f5+–] **39. ♕d6 ♕b7 40. ♖d1!⊕** [△ ♖d5+–; 40... ♘e5 41. ♗e5 ♗e5 42. ♕d5+–]

1 : 0 **[Kramnik]**

2. **A 04**

ŠIROV 2610 – U. ANDERSSON 2625
Biel 1991

1. ♘f3 c5 2. g3 g6 3. ♗g2 ♗g7 4. 0–0 ♘f6 5. d3 ♘c6 6. a3 0–0 7. c3 N [7. ♘c3

— 5/9] b6 8. b4 ♗b7= 9. ♗b2 ♕c7 10. ♘bd2 d5 11. b5 [11. ♖b1!?] ♘a5 12. c4 dc4 [12... d4!? 13. e4 (13. e3 e5) e5 14. ♕c2 ♖ae8] 13. ♗e5? [13. ♘c4] ♕d7 14. dc4 ♖ad8 [14... ♘e4!?] 15. ♗c3! ♘e4 16. ♗a5 ba5?! [△ 16... ♗a1 17. ♕a1 ba5 18. ♘e4 ♗e4 19. ♘e5 ♕d4] 17. ♘e4 ♗e4 18. ♕d7 ♖d7 19. ♖ad1 ♖fd8 20. ♖d7 ♖d7 21. ♘e5! ♗e5 22. ♗e4 ♖d2 23. e3 e6 24. f4! ♗b2 25. ♖f2!= [25. a4 ♖e2!] ♖d1 26. ♖f1 ♖f1 27. ♔f1 ♗a3 28. ♔e2 ♗c1 29. ♗c2 f5 30. ♔f3 ♔f7 31. e4 fe4 32. ♔e4 ♔f6 33. ♗d1 ♗b2 34. ♗c2 ♗d4 35. ♔f3 h6 36. ♗d1 g5 37. h3 ♗c3 38. fg5?! [38. ♗c2] ♔g5 39. ♔e4 ♔f6 40. h4 ♗e1 41. ♔f4 e5 42. ♔f3 h5−+ 43. g4 [43. ♗c2 e4!] hg4 44. ♔g4

44... ♗h4! 45. ♔h4 [45. ♗c2 ♗e1 46. ♗d1 ♗d2 47. ♔f3 ♔g5 48. ♗c2 ♗c3 49. ♔g3 ♗d4 50. ♔f3 ♔h4 51. ♗d1 ♔h3 52. ♗c2 ♗h2 53. ♗d1 ♔g1 54. ♔e2 ♔g2 55. ♗c2 ♔g3 56. ♗d1 e4−+] ♔f5 46. ♔g3 ♔e4 47. ♔f2 ♔d3 48. ♔e1 ♔c4 49. ♔d2 ♔b4 50. ♔c2 e4 51. ♗g4 a4 52. ♗f5 e3 53. ♗e6 c4   0 : 1
[U. Andersson]

3.*   A 07

DAMLJANOVIĆ 2585
− B. GEL'FAND 2665
Beograd 1991

1. ♘f3 d5 2. g3 g6 [RR 2... c6 3. ♗g2 ♘f6 4. 0−0 ♗g4 5. b3 e6 6. ♗b2 ♘bd7 7. d3 a5 8. a3 ♗e7 9. e4 0−0 10. ♘bd2 b5 11. ♕e1!? N (11. h3?! − 21/16) ♕b6 12. h3 ♗h5 13. ♔h1 a4 14. b4 c5 15. ed5 ♘d5 16. c4 ♘5f6 17. bc5 ♘c5 18. ♘e5

♖ac8 19. d4 ♘d3!= van Wely 2475 − P. Lukács 2500, Kecskemét 1991] 3. ♗g2 ♗g7 4. 0−0 ♘f6 5. d3 0−0 6. ♘bd2 ♘c6 7. c4 e5 8. cd5 ♘d5 9. a3 N [9. ♘c4 − 1/12] h6 [9... a5!?] 10. ♕c2 a5 [△ ♘d4] 11. e3!? ♕e7 12. ♘e4?! [12. ♘b3!? ♖d8 13. e4 ♘b6 14. ♗e3 a4 15. ♘c5∞] ♖d8 13. ♗d2 f5 14. ♘c5 ♕f7! 15. ♖ab1 [15. ♖ac1 b6 16. ♘e6 ♗e6 17. ♕c6 ♖ac8 18. b4 ab4 19. ab4 ♘e7∓] b6 16. ♘a4 ♘de7! 17. ♘e1 [17. b4? ab4 18. ab4 e4!−+; 17. ♘h4?! ♗a6 18. ♗c6 ♗d3 19. ♕c1 ♘c6 20. ♕c6 g5! 21. ♘g2 ♗e4 22. ♕c3 ♕d5!−+; 17. ♖fd1 ♗e6 18. b4 ab4 19. ab4 e4! 20. de4 fe4 21. ♘e1 ♖f8! 22. f4 ef3 23. ♘f3 ♗a2∓] ♗b7 18. ♘c3 ♖d7! 19. b4 ab4 20. ab4 ♖d8! 21. ♘f3?! [△ 21. ♗b7∓] g5 22. ♖a1 ♖b8! 23. ♖fd1 g4 24. ♘e1 ♗g2 25. ♔g2 ♘e6∓ 26. ♔g1?!⊕ ♘g5 27. ♕a2 ♘f3 28. ♔g2 e4 29. ♕f7 [29. d4 c5! 30. ♘c2 (△ 30... cd4 31. ed4 ♘d4 32. ♘d4 ♖d4 33. ♗f4∞) c4! △ ♕h5−+] ♔f7 30. d4 c5! 31. ♘f3 [31. ♘b5 ♘d2 32. ♖d2 cb4! △ ♘d5, ♗f8−+; 31. ♘c2 cd4 32. ♘d4 ♗d4 (32... ♘d4? 33. ed4 ♖d4 34. ♗f4∞) 33. ed4 ♖c8!∓] ef3 32. ♔f1 cd4 33. ed4 ♖d4−+ 34. ♗e1 ♖bd8 35. ♖d4 ♖d4 36. ♖a7 ♖d3 37. ♘b5 ♖d5 [37... ♗e5! △ 38. ♖b7 ♖d1 39. ♖b6 ♘d5 40. ♖h6 ♘b4−+] 38. ♘c7 ♖d7 39. ♘b5 ♖a7 [39... ♖d1!] 40. ♘a7 ♔e6 41. ♗d2 h5?! [41... ♘d5!−+] 42. ♗e3 ♘d5 43. ♘c8 ♘e3 [△ 43... b5 44. ♘a7 ♘c3 45. ♗d2 ♘d4!−+] 44. fe3 ♗f8 45. ♘b6 ♗b4 46. ♔f2 ♔d6 [46... ♗c5? 47. ♘c4 ♔d5 48. ♘d2 △ ♘f3, h3, g4=] 47. ♘c4 ♔d5 48. ♘b6 ♔e4 49. ♘a4 h4!? [49... ♗e7 50. ♘c3 ♔d3 51. ♘d5 ♗g5 52. h4 ♗h6! 53. ♘f4 ♗f4 54. ef4 ♔d2 55. ♔f1 f2!−+] 50. gh4 ♗e7 51. h5 ♗h4 52. ♔f1 ♗g5 53. ♘c5 ♔e3 54. ♘e6 ♗h6 55. ♘d8 f4 56. ♘f7 g3 57. hg3 fg3 58. ♘h6 g2 59. ♔g1 f2   0 : 1
[B. Gel'fand, Kapengut]

4.*   A 07

POLUGAEVSKIJ 2630 −
FERNÁNDEZ GARCÍA 2470
Logroño 1991

1. ♘f3 ♘f6 2. g3 g6 3. ♗g2 ♗g7 4. 0−0 d5 5. d3 0−0 6. ♘bd2 ♘c6 7. e4 e5 8.

c3 a5 9. a4 h6 [9... de4!? 10. de4 b6=] **10. ed5 ♘d5 11. ♘c4 ♖e8 12. ♖e1 ♗f5** [12... ♘b6?! — 7/12] **13. h3!? ♘b6** [13... g5[illegible] **14. ♘b6 cb6 15. ♗e3 ♕d3!? N** [15... ♗d3 16. ♕b3± Polugaevskij 2610 – H. Ólafsson 2575, Reykjavík 1990] **16. ♗b6** [16. ♕b3 ♘b4!] **♕a6!** [16... ♕d1 17. ♖ed1⩲] **17. ♗e3 ♗d3 18. ♘d2 e4 19. ♕b3 ♖e6 20. h4! h5?!** [⌓ 20... ♖ae8] **21. ♗h3 ♖ee8 22. ♗f4 ♖e7□** [22... ♖ad8 23. ♗g2+–] **23. ♗g5** [23. ♖e3 ♔h8 △ f5] **♖e5 24. ♖ad1** [24. ♖e3 ♗f8! 25. ♗f1 ♗f1 26. ♖f1 ♗c5! 27. ♖e4 ♕d3∓ △ ♕g3] **♖ae8** [24... ♗f8 25. ♗f6 ♖ee8 26. ♗d7±; 24... ♗e2!?] **25. ♗d7 ♗e2?** [25... ♖f8□ 26. ♖e3! ♔h7 27. ♖de1 f5 28. f3!⩲] **26. ♗e8 ♖e8** [26... ♗d1 27. ♕d1 ♖e8 28. ♘e4+–] **27. ♖a1 ♘e5 28. ♕d5!± ♘f3 29. ♘f3 ef3?!** [29... ♗f3□ 30. ♖e3 ♕e6!?±] **30. ♖ad1!+– ♖e6 31. ♖d2 ♗f8 32. ♕d8 ♕c6** [32... ♗b5 33. ♖e3! (33. ♖e6? ♕e6 △ ♕e1) ♗a4 34. ♕c8] **33. ♕b8! ♗d3** [33... ♖e8 34. ♖d8 ♖d8 35. ♕d8 ♔g7 36. ♗h6] **34. ♖e6 ♕e6 35. ♗h6**

1 : 0 **[Polugaevskij]**

5.** **A 09**

NOGUEIRAS 2540 – SARIEGO 2435

La Habana 1991

1. ♘f3 d5 2. c4 d4 [RR 2... dc4 3. e3 ♘f6 4. ♗c4 e6 5. 0–0 a6?! 6. b3 c5 7. ♗b2 ♘c6 (7... b5?! 8. ♗e2 ♗b7 9. a4↑) 8. ♗e2!? N (8. a4) ♗e7 9. d3 0–0 10. ♘bd2 b6 11. a3 ♗b7 12. ♕c2 ♖c8 13. ♖ac1 ♘d5 14. ♖fd1 ♗d6 (14... ♗f6!? 15. ♘e4 ♗b2 16. ♕b2±) 15. ♗f1 ♗b8? 16. ♘c4 ♘de7 17. ♕e2! (△ d4↑) ♘f5 18. g3 b5 (18... f6!? △ e5) 19. ♘cd2 ♕b6 20. ♗g2 ♖fd8 21. ♖c2 (×c5) ♘ce7 22. ♖dc1 ♘g6 23. e4!± Grivas 2425 – Velikov 2435, Xanthi 1991; 15... ♗c7!⩲; ⌓ 5... c5 Grivas] **3. a3!?** [RR 3. e3 ♘c6 4. ed4 ♘d4 5. ♘d4 ♕d4 6. ♘c3 e5 7. d3 ♘e7 8. ♗e3 ♕d8 9. g4!? N (9. d4 — 26/10) ♘g6 10. ♗g2 ♗e7 11. h3 0–0 12. ♕d2 c6 13. 0-0-0 ♗e6 14. ♗e4 ♕d7∞ Štohl 2555 – Dautov 2595, Brno 1991] **a5 N** [3... g6 — 46/6] **4. e3 ♘c6 5. ed4 ♘d4 6. ♘d4 ♕d4 7. ♘c3 e5 8. d3 ♘f6** [8... c6; 8... ♗c5; 8... ♘e7] **9. ♗e3** [9. ♗e2!?] **♕d8 10. ♗e2 ♗e7** [10... c6] **11. 0–0** [11. d4!? ed4 12. ♕d4 ♕d4 13. ♗d4 c6 14. 0-0-0 0–0 15. h3 ♗e6 16. ♖he1±] **0–0 12. h3** [12. f4!? ef4 13. ♖f4±] **♘d7** [RR 12... c6 13. ♘a4! ♘d7 14. c5± △ b4, d4; 12... ♗f5 13. ♕b3 ♕d7 (13... ♕c8 14. ♖ad1± △ f3, d4) 14. ♖ad1±; 12... ♘e8 13. d4 ed4 14. ♗d4 ♗f6 15. ♗c5 ♘d6 16. ♘d5± Zapata] **13. f4** [13. d4?! ed4 14. ♕d4 ♗c5! 15. ♕f4 ♗e3 16. ♕e3 ♖e8 17. ♕d4 ♕f6 18. ♕f6 ♘f6=] **ef4** [RR 13... ♗c5!? 14. ♕d2 ♗d4! 15. fe5 ♘e5 16. ♘d5 ♕g5∞; 16. ♖f4!? Zapata] **14. ♗f4 ♗g5 15. ♗g5** [15. ♕d2 ♗f4 16. ♕f4 ♘c5! △ ♘e6-d4; 15. d4!? ♗f4 16. ♖f4 ♕g5 17. ♕f1⩲] **♕g5 16. d4 ♖a6** [⌓ 16... ♘f6 17. ♕c1 ♕g6 18. ♖f3!⩲] **17. ♕c1! ♕d8 18. ♕d2** [18. ♕f4!? △ 18... ♖f6 19. ♕d2] **♖g6 19. ♗d3** [19. ♘d5!? c6 20. ♘f4 ♖h6 21. ♖ae1⩲] **♖h6 20. ♖ad1** [⌓ 20. ♖ae1] **♘b6 21. ♖f4?!** [21. ♔h2!?] **c6 22. ♕f2 f5 23. h4** [RR 23. d5! g5 (23... cd5 24. cd5 ♖d6 25. ♕c5+–) 24. ♖f3± Zapata] **g5 24. hg5 ♕g5** [△ ♕h5] **25. ♗e2 ♘d7** [△ ♘f6] **26. ♖d3 ♖g6 27. ♖h3?!** [27. ♖e3! △ 27... ♘f6 28. ♖e5±] **♘f6 28. ♖h2?! b5!?⊕ 29. cb5** [29. ♕h4!?] **cb5 30. ♘b5⊕ ♖e8 31. ♘d6?** [31. ♗c4! ♗e6 32. ♗e6 (32. d5?! ♘d5 33. ♗d5 ♗d5 34. ♘c3=) ♖e6 33. ♖hh4 ♖e1 34. ♔h2∞; 31. ♘c3!?] **♖e2! 32. ♕e2 ♕f4 33. ♕c4 ♔h8!–+** [33... ♔g7? 34. ♕f7 ♔h8 35. ♕f8 △ ♘f7#] **34. ♕c8 ♖g8 35. ♘f7 ♔g7 36. ♕b7 ♕d4 37. ♔f1 ♕d1 38. ♔f2 ♘e4 39. ♔e3 ♕d2** **0 : 1**

[Nogueiras, Estévez]

6. **A 09**

DAMLJANOVIĆ 2585 – SEIRAWAN 2615

Beograd 1991

1. ♘f3 d5 2. c4 d4 3. g3 ♘c6 4. ♗g2 e5 5. 0–0 g6!? [5... e4?! 6. ♘e1 ♘f6 7. d3 ♗f5 8. ♗g5 ed3 9. ♘d3± ⫽g2-a8; 5... ♘f6 6. d3 a5 (6... ♗e7 7. b4! ♗b4 8. ♘e5!±) 7. e3 de3 8. ♗e3 ♗e7=] **6. d3** [6. b4? ♗g7 7. b5 ♘ce7 8. d3 a6] **♗g7 7. ♘bd2?!** [7. b4 ♘b4 8. ♕a4 ♘c6 9. ♘e5 ♗e5 10. ♗c6 bc6 11. ♕c6 ♗d7 12. ♕e4 f6 13. f4 ♗f5 14. ♕c6 ♗d7 15. ♕e4

♗f5=; 7. ♘a3! ♘ge7 8. ♗d2 a5 9. ♘c2 0-0 10. a3 a4 11. ♘b4 ♘a5∞] **a5 8. b3 N** [8. a3? a4!; 8. ♖b1 − 31/(13)] **♘ge7?!** [△ 8... f5 9. a3 *a)* 9... ♘f6 10. ♖b1 0-0 11. b4 ab4 12. ab4 e4 13. de4 fe4 14. ♘g5 e3 15. fe3 h6 (15... ♘g4? 16. ♗d5) 16. ♘ge4 de3 17. ♘f6 ♗f6 18. ♘e4±; *b)* 9... ♘h6! 10. ♖b1 0-0 (10... ♕e7!? 11. ♘e1 0-0 12. ♘c2 ♘f7 13. b4 g5!) 11. b4 ab4 12. ab4 ♘f7 13. b5 ♘e7→≫] **9. a3 ♗d7?!** [△ 9... h6 10. ♖b1 g5 11. b4 ab4 12. ab4 ♘g6] **10. ♖b1 ♖b8?!** [△ 11. b4?! ab4 12. ab4 b5] **11. ♕c2! 0-0 12. ♘e4! h6 13. b4 ab4 14. ab4 b5?!** [14... b6 15. b5 ♘a5 16. ♗a3 f5 17. ♘ed2 ♖f7±] **15. ♘c5 ♗e8 16. ♗d2 ♘f5?** [16... bc4? (△ 17. ♕c4? ♘a7! △ ♘b5, ♘d5) 17. dc4! △ b5, ♗b4; △ 16... ♘c8 △ ♘d6]

17. ♘a6! ♗b6 18. cb5 ♖b5 19. ♘h4! ♘h4 20. ♗c6 ♗c6 21. ♕c6 ♖b6 22. ♕c4?? [22. ♕c7 ♕a8 23. gh4 ♕a6±] **♕a8!∓→≫] 23. gh4 ♖a6 24. ♕c7 ♖c8 25. ♕d7 ♖a2! 26. ♖fd1 ♖cc2 27. b5?!** [△ 27. ♗e1 ♖e2 28. ♕g4 h5 29. ♕g2 ♕g2 30. ♔g2 ♗f8 31. b5 ♖eb2 32. b6 ♗d6 33. b7 ♔g7] **♖d2 28. ♖dc1?−+** [△ 28. ♖d2 ♖d2 29. b6 ♕a2 30. ♕b5 *a)* 30... ♗f8 31. b7 ♗d6 32. b8♕ ♗b8 33. ♕e8 (33. ♕b8 ♔g7−+) ♔g7 34. ♖b8+−; *b)* 30... ♕e6!! 31. b7 ♕g4 32. ♔h1 ♕e2 33. b8♕ ♔h7−+] **♗f8??⊕** [28... ♖dc2 29. b6 ♗ab2!−+] **29. ♖c7+− ♗e7 30. ♖c8?!⊕** [30. ♕e7+−] **♕c8 31. ♕c8 ♔g7 32. ♕c7?! ♗h4 33. ♕e5 ♗f6 34. ♕f4 ♖e2 35. b6 ♖eb2?** [△ 35... ♗e5 △ ♖eb2] **36. ♖b2 ♖b2 37. ♕c7 ♖b5 38. b7 ♗e5 39. ♕e5?** [△ 39. b8♕+−] **♖e5 40. b8♕ ♖g5 41. ♔f1 ♖g4**

42. ♕e5 ♔g8 43. h3 ♖h4 44. ♔g2 g5 45. ♕f6 ♔f8 46. ♔g3 ♔g8 47. ♕d8 ♔g7 48. ♕d6 f6 49. ♕b8 ♔f7 50. ♕h8 ♔e7 51. ♕g8 ♔d6 52. ♕e8 ♔d5 53. ♕e7 ♖f4 54. ♕h7 ♔c5 55. ♕h6 ♔b4 56. h4! ♖h4 57. ♕f6 ♔c3 58. ♕g5 ♖h1 59. ♕b5
1 : 0 [Seirawan]

7. A 09

DAMLJANOVIĆ 2585 − KAMSKY 2595

Beograd 1991

1. ♘f3 d5 2. g3 c5 3. ♗g2 ♘c6 4. 0-0 e5 5. c4 d4 6. d3 ♘f6 7. e3 [7. b4 cb4 8. a3 a5∞] **♗e7 8. ♖e1 N** [8. ed4 − 31/15] **♘d7** [8... 0-0!? △ 9. ed4 ed4 10. ♘e5 ♘e5 11. ♖e5 ♗d6 12. ♖e1 h6=] **9. ♘a3 0-0 10. ♘c2 a5 11. ♖b1 f5** [11... f6 12. a3 (12. ♘h4 f5!) a4 13. ed4 cd4 14. ♗d2±] **12. ed4 cd4 13. a3 a4 14. ♗d2± ♗f6 15. ♗b4 ♖e8 16. ♘d2 ♔h8 17. c5** [17. ♗d6 ♕b6 18. c5 (18. ♘b4 ♘b4 19. ♗b4 ♘c5=) ♘c5 19. ♘c4 ♕a7? 20. ♗c6 bc6 21. ♘d4±; 19... ♕b5∞] **e4?!** [17... ♗e7!? 18. ♘c4 ♘c5 19. ♗c5 ♘c5 20. ♗c6 bc6 21. ♘e5 ♕f6∞] **18. de4 ♘de5 19. f4! ♘d3 20. e5± ♘e1 21. ♘e1 ♗e7 22. ♘c4 ♗e6 23. ♘d6 ♗d6 24. cd6 ♘b4 25. ab4 ♕b6 26. ♘d3 a3** [26... ♗c4 27. ♘c5 ♕b4 28. ♕d4 a3 29. d7 ♖ed8 30. e6 b6 31. e7 bc5 32. ♗a8+−] **27. ba3 ♖a3 28. ♘c5+− d3 29. ♔h1 ♗a2⊕ 30. ♖c1 ♕b4 31. ♘d3** [31. d7 ♖g8 △ 32. e6? d2 33. ♖c2 ♗e6 34. ♘e6 ♖d3∞] **♕b5 32. ♘c5 b6 33. d7 ♖d8 34. e6 bc5 35. e7 ♕b8 36. ed8♕ ♕d8 37. ♖c5** 1 : 0
[Damljanović]

8. !N** A 10**

ŠTOHL 2560 − KEITLINGHAUS 2440

Praha 1992

1. ♘f3 f5 2. c4 ♘f6 3. g3 e6 4. ♗g2 ♗e7 5. 0-0 0-0 6. ♘c3 d5 7. d3 [7. d4 − A 95; RR 7. cd5!? N ed5 8. e3 ♔h8 9. b3 ♘c6 10. ♗b2 ♗e6 11. ♘e2 ♗g8 12. d3 ♕d7 13. a3 ♗d6 14. ♕c2 ♖ae8 15. b4 ♘g4 16. ♘ed4 ♘ce5 17. ♖ac1 c6 18. ♗c3

♘f3 19. ♘f3 ♖e7 20. ♕b2 ♕e8 21. ♗d4 a6 22. ♗c5 ♖f6 23. ♗d6 ♖d6 24. ♕d4⩲ Kasparov 2770 – N. Short 2660, Paris 1991] **♔h8!?** [7... ♘c6 N 8. cd5 ed5 (8... ♘d5 9. ♗d2±) 9. ♗g5 h6?! 10. ♗f6 ♗f6 11. ♕b3 ♘e7 12. e4 ♗c3 13. bc3 ♔h7 14. ed5 ♘d5 15. d4 ♗e6 16. c4±○ Hertneck 2535 – Keitlinghaus 2400, BRD 1991; ⌓ 9... ♔h8!?; 7... c6 8. e4 fe4 9. de4 dc4 10. ♕e2 b5 11. ♖d1=/∞] **8. e4! N** [8. a3] **d4** [8... fe4 9. de4 dc4 10. ♕a4± ×e6, »] **9. ♘e2** [9. ♘b5 fe4 10. de4 c5 11. ♗f4 ♘c6∞] **fe4?!** [9... ♘c6 10. ♗f4!? (10. ef5 e5!?∞ ×♘e2) ♘h5 11. ef5⩲] **10. de4 c5□** [10... ♘e4 11. ♘fd4±] **11. e5 ♘e8** [11... ♘fd7 12. ♘f4 ♘b6 13. b3±] **12. ♘f4±→» ♘c6 13. h4 ♘c7 14. ♕e2** [14. ♘g5?! ♗g5 (14... ♘e5? 15. ♘h7!±) 15. hg5 ♘e5 16. ♕h5 g6 17. ♕h6 ♔g8 △ ♘f7] **♗d7 15. ♘g5!** [△ ♕h5] **♗g5□ 16. hg5 ♕e8?!** [⌓ 16... g6 17. ♗e4 ♕e8±] **17. g6 h6□** [17... hg6? 18. ♗e4 ♘e5 19. ♘g6! ♘g6 20. ♕h5+–] **18. ♘d3!** [18. ♕h5? ♖f5; 18. ♗e4 ♘e5!? 19. ♗b7 ♖b8 20. ♕e5 ♖b7 21. ♕c5 e5=/∞⇆] **b6** [18... ♕g6 19. ♘c5 ♗c8 20. ♗e4±→»] **19. ♗e4 ♘e7!** [△ ♘g6, ♗c6⇆] **20. ♕h5** [20. ♗a8 ♕a8=/∞] **♘g8□** [20... ♔g8 21. ♗h6 gh6 22. ♕h6+–] **21. ♕h1!!+–** [△ g4-g5; 21. g4 ♗c6 22. ♗c6 ♕c6 23. g5 ♕f3∓] **♖d8** [21... ♖c8 22. g4 ♘a6 23. g5 ♗c6 24. gh6 gh6 25. ♗h6 ♗e4 26. ♗g7!] **22. g4 ♘a6 23. g5 ♖f5** [23... ♕e7 24. gh6 gh6 25. ♗h6 ♘h6 26. ♕h6 ♔g8 27. ♔g2 ♕g7 28. ♕g5 △ ♖h1-h7] **24. ♗f5 ef5 25. ♕h5 ♕f8** [25... ♘e7 26. ♘f4 ♘g8 27. ♘d5] **26. gh6 gh6** [26... ♘h6 27. ♗h6 gh6 28. ♘f4] **27. ♗g5 ♖e8 28. ♗f6 ♘f6 29. ef6 ♕f6 30. ♕h6 ♔g8 31. ♖fe1** [31. ♕h7 ♔f8 32. ♕d7?? ♕g5=] **1 : 0**
[Štohl]

9. **A 11**

ADAMS 2615 – BAREEV 2680
Hastings 1991/92

1. g3 d5 2. ♗g2 c6 3. ♘f3 ♘f6 4. 0–0 ♗g4 5. c4 ♘bd7?! [⌓ 5... e6] **6. cd5 cd5 7. d3?!** [7. ♘c3; 7. ♕b3!] **e6 8. ♘c3** [8. ♕b3 ♘c5 9. ♕b5 ♕d7] **♗e7 9. ♕b3 N** [9. h3 – 44/5] **0–0!= 10. ♗e3** [10. ♕b7? ♘c5 11. ♕c6 ♖c8 12. ♕b5 a6∓] **♗f3! 11. ef3** [11. ♗f3 ♘e5 12. d4! (12. ♗g2 d4 13. ♗f4 ♘g6 14. ♘e4 ♘f4 15. ♘f6 ♗f6 16. gf4 ♕d6∓) ♘f3=] **♘c5!?** [11... b6 12. d4⩲] **12. ♗c5 ♗c5 13. ♕b7! ♕a5!** [13... ♖b8 14. ♕a6 ♘d7 (14... ♖b2 15. ♘a4 ♖c2±) 15. ♖ab1 ♖b4 16. b3!±] **14. ♕b3?** [14. ♕b5□ ♕b5 15. ♘b5 ♖ab8 16. a4 a6 17. d4! ♗b6 18. a5! ab5 19. ab6 ♖b6=] **♗d4!∓ 15. ♖fc1 ♖ab8 16. ♕c2 ♖fc8 17. ♖ab1 g6 18. ♗f1 ♔g7 19. h4 h6 20. ♕d2?!** [20. ♗e2∓] **♗c3 21. bc3 ♖b1 22. ♖b1 d4–+ 23. ♕c2 dc3 24. ♖b3 ♘d5 25. a3 ♘e7!** [25... ♕a4 (△ ♔g8, ♕b3, c2–+) 26. ♗e2 △ ♗d1] **26. ♗h3 ♕a4! 27. h5 gh5 28. f4 ♔f8 29. ♔h2 ♕b3 30. ♕b3 c2** [31. ♕b2 c1♕ 32. ♕h8 ♘g8–+] **0 : 1** **[Bareev]**

10. **A 12**

S. AGDESTEIN 2590 – BAREEV 2680
Hastings 1991/92

1. c4 ♘f6 2. ♘f3 c6 3. b3 d5 4. e3 ♗g4 5. ♗b2 e6 6. ♗e2 a5 N [6... ♘bd7 – 12/30; 6... ♗d6 – 30/20] **7. ♘c3 ♘bd7 8. cd5 ed5 9. ♘d4 ♗e2 10. ♕e2 ♗b4!** [10... g6 11. 0–0 ♗g7 12. f4 0–0 13. f5⩲] **11. a3?!** [11. 0–0=] **♗c5! 12. ♘a4 ♗d6! 13. ♘f5 ♗f8∓ 14. g4?** [14. 0–0 g6 15. ♘d4 ♗d6 16. f4 0–0∓ ×a3] **g6 15. ♘g3 b5!∓** [15... ♗g7 16. g5] **16. ♘c3 ♗g7 17. d3** [17. g5 ♘e4] **0–0 18. g5 ♘e8 19. h4 ♘d6 20. ♘d1! ♗b2 21. ♕b2 ♕e7!!** [△ b4, ⇗h4-d8, a3-f8, ×h7] **22. ♖c1** [22. ♘c3 d4; 22. b4 ab4 23. ab4 ♖a1 24. ♕a1 ♘f5] **b4!** [×♘d1] **23. a4 c5 24. f4 ♖ae8?!** [24... ♖ac8! 25. h5 c4 26. hg6 fg6 27. ♕d4 ♘c5 28. ♕d5 ♕f7 29. ♕f7 ♖f7 30. ♘f2 c3–+] **25. h5 ♕e6 26. ♕h2 ♖e7 27. ♕h3! c4?** [27... ♕h3! 28. ♖h3 c4 29. bc4 dc4 30. dc4 ♘c5 31. ♔e2 ♖fe8∓ △ 32. ♔f3?! ♘d3 33. ♖c2? ♘e1] **28. ♕e6! ♖e6 29. bc4 dc4 30. dc4 ♘c5 31. ♔e2 ♖fe8 32. ♔f3!⊕ ♘b3** [32... ♘d3 33. ♖c2 b3 34. ♖d2! b2 35. ♘b2 ♖e3 36. ♔g4=; 32...

b3 33. ♖h2! ♘a4 34. ♖a1 ♘c5 35. ♖a5 ♘d3 36. ♖d5=] **33. ♖c2 ♘c4 34. hg6 fg6 35. ♖ch2! ♘e3 36. ♘e3** [36. ♖h7 ♘d4 37. ♗f2 ♘d1–+] **♖e3 37. ♔g4 ♖8e7 38. f5! gf5 39. ♘f5 ♖7e4** [39... ♖3e4 40. ♔h5 ♖d7 41. ♖f1↑»] **40. ♔h5 ♖f3 41. ♘h6 ♔f8! 42. ♘g4!=** [×h7] **♘c5 43. ♘f6 ♖ef4 44. ♔h6** [44. ♘h7 ♔g7 45. ♘f6=] ♖f6 **45. gf6 ♘e4** [45... ♖f6 46. ♔h7 ♘a4=] **46. ♔h7 ♖g3 47. ♖c2 ♘c3** [47... ♔f7=] **48. ♖d2 b3?** [48... ♔f7=; 48... ♘e4=] **49. ♖h6?⊕** [49. ♖f1!+– △ 49... ♘e4 50. ♖d8 ♔f7 51. ♖d7 ♔f8 52. f7] **♘e4 50. ♖d8 ♔f7 51. ♖d7   1/2 : 1/2   [Bareev]**

11.* A 12

ABRAMOVIĆ 2495 –
V. RAIČEVIĆ 2415
Jugoslavija (ch) 1991

1. ♘f3 ♘f6 [RR 1... d5 2. g3 ♘f6 3. ♗g2 c6 4. 0–0 ♗f5 5. d3 h6 6. b3 e6 7. ♗b2 ♗e7 8. c4 0–0 9. ♘c3 ♘bd7 10. ♕d2 ♗h7!? N (10... ♕b6) 11. ♖ac1 a6 12. cd5 ed5 13. ♗h3 ♖e8 14. ♘d1 a5 15. ♘e3 ♗b4 16. ♕c2 ♕e7 17. ♘d4 ♗a3 18. ♘ef5 ♕f8 19. ♗a3 ♕a3 20. ♖fe1 ♗f5 21. ♘f5 ♕b4 (21... a4? 22. b4!) 22. ♕b2 ♘e5 (22... a4? 23. ♘g7!) 23. a3 ♕f8= Je. Piket 2615 – Seirawan 2600, Wijk aan Zee 1992] **2. c4 c6 3. g3 d5 4. b3 ♗f5 5. ♗g2 e6 6. 0–0 ♗e7 7. ♗b2 0–0 8. d3 h6 9. ♘bd2 ♗h7 10. d4?!** N [10. ♕c2∞ — 37/10] **♘e4!= 11. ♘e5 ♘d2 12. ♕d2 ♘d7 13. ♘d7 ♕d7 14. ♖ac1 b5 15. cb5?** [15. c5=] **cb5∓** [×♗b2, ♗g2] **16. ♕a5 ♖fb8! 17. ♕c7 ♕e8 18. ♕c6 ♕c6 19. ♖c6 ♖c8 20. ♖fc1 ♖c6 21. ♖c6 b4!∓** [△ ♗b1 ×a2, b3] **22. ♖c1□** [22. ♖a6? ♖c8 23. ♖a7 ♗f8 △ ♖c2–+] **a5 23. ♗f1 a4 24. ba4** [24. e3? ab3 25. ab3 ♖a2–+] **♖a4 25. ♖a1 ♖a8 26. e3 ♖c8 27. a4** [27. ♖c1 ♖c2–+] **♖c2–+ 28. a5 ♗d8 29. a6 ♗b6 30. a7 ♗a7 31. ♖a7 g5!** [31... ♗e4? 32. f3!∞ △ 32... ♗f3?? 33. ♖a8+–] **32. ♗a1 ♖c1 33. ♔g2 g4 34. f4 gf3 35. ♔f2 ♖c2 36. ♔f3** [36. ♔e1 b3–+; 36. ♔g1 f2 37. ♔g2 ♗e4 38. ♔h3 ♖c1–+] **♗e4 37. ♔g4 ♖f2! 38.**

♗h3 ♖h2 **39. ♗f1 ♔g7 40. ♗b5 ♔f6** [41. ♗e8 h5 42. ♔f4 ♖f2#]   **0 : 1**
[V. Raičević]

12.* A 13

D. GUREVICH 2515
– J. BENJAMIN 2555
Las Vegas 1992

1. ♘f3 ♘f6 2. c4 e6 3. g3 a6 4. ♘c3 d5 5. cd5 ed5 6. d4 ♗e7 7. ♗g2 [RR 7. ♗g5 N ♘bd7 8. ♗g2 0–0 9. ♕c2 c6 10. e3 ♘e8 11. ♗e7 ♕e7 12. 0–0 ♘d6 13. ♖fe1 ♘f6 14. ♘e5 ♗f5 15. ♕e2 h6 16. ♘a4 ♘fe4= Panno 2465 — Nogueiras 2535, Guarapuava 1991] **0–0 8. 0–0 ♖e8** N [8... c6 — 40/13] **9. ♗f4 ♘bd7 10. ♕c2 ♘f8 11. ♖fd1 c6 12. a3 g6 13. ♖ac1 ♘e6** [13... ♗f5 14. ♕b3 ×b7] **14. ♕b3?!** [⊃ 14. ♗e3=] **♘f4 15. gf4 ♗d6 16. ♘e5 ♕e7 17. ♘a4 ♗f5 18. ♘c5 ♖ab8 19. ♕c3 ♕f8! 20. e3 ♖e7** [20... ♕h6 21. ♘b7! ♖b7 22. ♕c6±] **21. b4 ♕h6 22. ♕d2?!** [⊃ 22. f3] **♘g4 23. h3** [23. ♘g4 ♗g4 24. ♖e1 g5→; 23. ♘f3 g5!? 24. h3 (24. fg5 ♗h2 25. ♔f1 ♕h5) gf4 (24... ♘e3? 25. fg5!) 25. hg4 fe3 26. fe3 ♗g4⊼⊼→] **♘e5 24. de5 ♗c5 25. ♖c5 ♗h3 26. a4 ♖e6!** [△ g5] **27. e4 ♗g2 28. ♔g2 de4 29. ♖c4** [29. ♖h1 ♕f8 30. ♖c4 (30. ♕e3 f5–+) ♖d8 31. ♖d4 ♖ee8–+] **♕h5 30. ♖e4 ♕g4 31. ♔f1** [31. ♔h2 g5–+] **g5–+** [△ ♖h6] **32. f5** [32. ♕e2 ♕h3 33. ♔e1 (33. ♔g1 gf4) ♕h1 34. ♔d2 ♖d8 35. ♔c2 ♖d1; 32. ♕d7 gf4 33. ♖dd4 ♖be8 34. ♖f4 ♕h3 35. ♔g1 (35. ♔e1 ♖e5) ♕g6 36. ♖g4 ♖ee6] **♕f5 33. ♕e3 ♖be8 34. ♖e1 f6! 35. ♕a7 fe5** [35... ♖e5 36. ♖e5 ♖e5 37. ♖e5 ♕e5 38. ♕a8↰] **36. ♕b7 ♕h6!** [△ 37... ♖h1 38. ♔g2 ♕h3#] **37. ♖4e3 ♖f8** [37... ♖h2 38. ♖1e2 ♖f8] **38. ♖1e2** [38. f3 ♖h2 39. ♖1e2 ♕b1 40. ♖e1 ♕c2 41. ♖1e2 ♖e2] **♕b1**
0 : 1   [J. Benjamin]

13. A 13

NENAŠEV 2475 – KRASENKOV 2550
SSSR (ch) 1991

1. c4 ♘f6 2. g3 e6 3. ♘f3 a6 4. ♘c3 d5 5. cd5 ed5 6. ♗g2 ♗d6!? N [6... d4? 7.

♕a4 ♘c6 8. ♘d4+−; 6... c6 — 40/(13); 6... ♗e7!?] **7. 0–0 0–0 8. d3 h6** [RR 8... ♘c6 9. ♗g5 h6 10. ♗f6 ♕f6 11. ♘d2! (11. ♘d5 ♕b2∞) ♘e7 12. ♘d5 ♘d5 13. ♗d5 ♕b2 14. ♘c4 ♕f6 15. ♘d6 ♕d6 16. ♗g2± Krasenkov] **9. e4** [9. ♕b3 c6 10. e4 de4 11. de4 ♘bd7 12. ♖e1 ♕a5∞; 9. a3!?] **de4 10. de4 ♘c6 11. ♖e1** [11. h3!?] **♘g4 12. ♗f4 ♘ge5** [12... ♗f4 13. gf4 ♘f6 14. ♘e5 ♕d1 15. ♖ad1 ♘e5 16. fe5 ♘h5 17. ♗f3 ♘f4 18. ♘d5 ♘e6 19. ♗g4 c6 20. ♘b6 ♖b8 21. f4±] **13. ♘e5 ♘e5 14. h3 ♗e6** [RR 14... c6!= Krasenkov] **15. ♕h5 ♕f6** [15... ♘d3 16. ♗d6 ♕d6 17. ♖ad1 ♘e1 (17... ♖ad8 18. ♖e3 △ 18... ♕c5 19. ♕h4) 18. ♖d6 cd6 19. ♗f1 ♘c2 20. ♕d1 ♘b4 21. a3 ♘c6 22. ♕d6±; 15... f6!?] **16. ♖ad1 ♖fe8** [16... ♕g6 17. ♕e2 ♖fe8 18. ♘d5 ♖ad8 19. ♗e3 ♗d5 20. ♖d5; 16... ♖ad8 17. ♗e3 ♕g6 18. ♕e2 ♘c4 19. ♗c1±] **17. ♗e3** [△ f4] **♕e7** [17... ♘c4 18. ♗d4 ♗e5 19. ♗e5 ♕e5 20. ♕e5 ♘e5 21. f4 △ f5, e5±] **18. f4 ♘c4 19. ♗c1 f6 20. e5** [20. ♔h2!] **fe5 21. f5** [RR ⌓ 21. ♗b7± Krasenkov] **♗f7 22. ♕g4 h5 23. ♕e2 ♗b4! 24. ♗b7 ♖ab8** [24... ♖ad8 25. ♗a6] **25. ♗d5** [25. ♗f3 ♗c3 26. bc3 e4∞; 25. ♗a6 ♕c5 26. ♔h2 (26. ♕f2 ♕f2 27. ♔f2 ♘b2 28. ♗b2 ♗c5∓) ♗c3! 27. bc3 e4∞̅; 27... ♘d6↑ ×a2, c3, f5] **♗c3 26. bc3 ♘b6?** [26... ♕c5 27. ♕f2 ♕f2 28. ♔f2 ♗d5 29. ♖d5 ♖b5 30. ♖d7; 26... ♗d5 27. ♖d5 c6 28. ♖dd1 ♕f7 (28... ♕c5 29. ♔h1) 29. ♕e4±] **27. ♗f3 h4** [RR 27... ♗c4!□± Krasenkov] **28. gh4 ♕h4 29. ♕g2 ♕f6⊕** [29... ♗h5 30. ♗h6! ♖e7 31. ♗g5+−] **30. ♗g5** [30. ♗e4!?] **♕f5 31. ♗e4 ♕e6 32. ♖f1+− ♗h5** [32... ♕a2 33. ♖d2; 32... ♘d7 33. ♗c6; 32... ♔h8 33. ♕g3 △ ♕h4; 32... ♖f8 33. ♗f6 ♗g6 34. ♕g6 ♖f6 35. ♖f6 ♕f6 36. ♕h7 △ ♖f1] **33. ♗f6 ♕f7** [33... ♖e7 34. ♖d3 ♖f7 35. ♖g3 ♖f6 36. ♖g7 ♔f8 (36... ♔h8 37. ♖h7#) 37. ♖f6 ♕f6 38. ♖g8 ♔e7 39. ♖b8] **34. ♖d3 ♖e6 35. ♗h4** [35. ♗g7!?] **♕e8 36. ♖g3 g6 37. ♗f6 ♔h7 38. ♖g5** [38... ♔h6 39. ♖h5! gh5 40. ♕g7#] **1 : 0** [Nenašev]

14. **A 13**

I. ROGERS 2565 − ZSÓ. POLGÁR 2430
Budapest 1991

1. c4 e6 2. ♘f3 d5 3. b3 a5!? 4. e3 [4. ♗b2 a4 5. ♘a3±] **♘f6 5. ♗b2 a4!?** [5... ♗e7±] **6. ba4! ♘bd7** [6... ♗d7 7. ♘c3 ♗b4 8. ♘b5±] **7. cd5 N** [7. ♘c3 — 48/4] **♘d5!** [7... ed5 8. ♘c3 ♘c5 9. ♕c2±] **8. ♘c3 ♘c5?!** [8... ♘5b6! △ ♗b4, ♘c5±] **9. ♘e5! c6?!** [9... ♕h4? 10. ♕f3! f6 11. ♗b5! c6 12. ♘c6 bc6 13. ♗c6 ♗d7 14. ♗a8 ♘d3 15. ♔f1 ♘b2 16. ♗d5 ed5 17. ♕d5+−; 9... ♘c3?! 10. ♗c3 (△ a5) ♘a4?? 11. ♗b5+−; 9... ♗d6! 10. ♘c4 0–0 11. a5±]

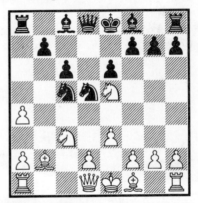

10. ♕h5! ♕e7 [10... g6? 11. ♕f3+− ×⇗b2-h8; 10... ♕c7?! 11. ♘b5! ♕e7 (11... cb5 12. ♗b5 ♗d7 13. ♕f7 ♔d8 14. ♘d7 ♘d7 15. ♖c1 ♕d6 16. ♗a3+−) 12. ♘d6! ♕d6 13. ♘f7 ♕c7 14. ♘h8 (14. ♘d6?? ♔d7 15. ♕e8 ♔d6 16. f4 ♘d7−+) g6 15. ♘g6! hg6 16. ♕g6 ♕f7 17. ♕f7 ♔f7±] **11. ♗e2 ♘b4** [⌓ 11... ♘a4 12. ♘a4 ♖a4 13. 0–0 ♖h4 14. ♕f3±] **12. 0–0 g6 13. ♕g4!** [13. ♕f3? ♗g7±] **♘d5□ 14. ♕f3! ♖g8□** [14... f6 15. ♘g4+−; 14... ♗g7 15. ♘c6! bc6 16. ♘d5+−] **15. ♖fc1** [15. ♖ac1!? ♗g7 16. ♘d5 ed5 17. ♘c6! bc6 18. ♗a3±] **♗g7** [15... ♘a4□ 16. ♘a4 (16. ♗a3 ♕f6∞) ♖a4 17. ♘c4± △ e4, ♘b6] **16. ♘e4 ♘e4** [16... ♘a4 17. ♗a3!+−] **17. ♕e4 f5 18. ♕c2 ♕b4 19. ♗d1! ♘b6 20. ♖ab1+− ♕d6** [20... ♕a4 21. ♕a4! (21. ♕c5?! ♕a5 22. ♕a5 ♖a5

23. ♗c3 ♖b5±) ♘a4 22. ♗a1 △ ♖b4+−] **21. ♘c6! ♕c6 22. ♕c6 bc6 23. ♗g7 ♖g7 24. ♖b6 e5** [24... ♗d7 25. d4] **25. ♖bc6 ♗d7 26. ♖6c5 e4 27. a5 1 : 0**
[I. Rogers]

15. **A 13**

BARBERO 2485 — LUTHER 2495
Køpenhavn 1991

1. ♘f3 ♘f6 2. c4 e6 3. g3 d5 4. ♗g2 dc4 5. ♕a4 ♘bd7 6. ♕c4 c5 7. ♕b3 ♖b8 8. d3 ♗d6 9. ♘c3 a6 10. ♘g5 b6 11. ♘ge4 [11. ♘ce4!?] **♗c7** [11... ♘e4? 12. ♘e4 ♗c7 13. ♗g5!±; ⌓ 11... ♗e5!? ×d4] **12. 0—0 0—0 13. ♖d1** [13. a4!?] **♗b7 N** [13... ♘e4 — 41/9] **14. d4!?** [14. ♗g5!?] **cd4 15. ♖d4 ♗e5 16. ♘f6** [16. ♖d1 ♗c3!=] **♗f6 17. ♖d1± ♗g2 18. ♔g2 ♕c8 19. ♘e4 ♗e5** [19... ♗e7?! 20. ♗f4; 19... ♕b7?! 20. ♕f3] **20. ♕f3!** [20. ♘d6 ♕c7=] **♕b7** [20... f5? 21. ♘d6±; 20... ♘f6 21. ♗f4!] **21. ♗f4 ♗f4** [21... ♗b2? 22. ♗b8 ♗a1 23. ♘f6+−; 21... f5 22. ♘g5±] **22. gf4 ♖fc8?!** [22... ♘c5? 23. ♘c5 bc5 24. ♕b7 ♖b7 25. b3!±; 22... ♖fd8 23. ♖ac1±; 22... ♘f6□ 23. ♘f6 (23. ♘d6!?±) gf6 24. ♕b7 ♖b7 25. ♖ac1±⊥ △ 25... b5 26. ♖c6 a5 27. f5!] **23. ♘d6 ♕f3 24. ♔f3 ♖c2 25. ♖ac1! ♖c1** [25... ♖b2? 26. ♘c4+−] **26. ♖c1** [♖ 9/h] **♘f6** [26... f5!? 27. ♖c6! (27. ♖c7 ♘f6±) ♔f8 (27... ♘f6 28. ♘c4) 28. ♘c4 ♔e7 29. ♖c7 ♔d8 30. ♖a7±] **27. ♖c7 ♘d5 28. ♖a7** [28. ♖f7? ♖d8−+] **a5 29. e4** [29. ♘f7 ♖f8] **♘b4 30. ♘f7!** [30. a3 ♘c6] **h6!** [30... ♘a2 31. ♘g5 ♖e8 32. ♖b7!? (32. f5!?) h6 33. ♘h3 △ ♖b6±] **31. ♘e5!** [31. a3 ♘c6] **♘a2 32. ♘d7 ♖d8 33. ♘b6 ♖d3 34. ♔g2 ♘c1** [⌓ 34... ♖b3! 35. ♖a5 ♖b6 36. ♖a2 ♖b3] **35. ♘d7! ♖b3** [35... ♘e2 36. ♖a8 ♔h7 37. ♘f8 ♔g8 38. ♘g6 ♔f7 (38... ♔h7 39. f5+−) 39. ♘e5+−] **36. ♖a8 ♔f7 37. ♘e5 ♔e7 38. ♖a5 ♘e2** [38... ♖b2 39. ♖a7 ♔f8 40. ♖a8 ♔e7 41. ♖g8+−] **39. ♖a7 ♔f8□ 40. ♘g6 ♔g8 41. h4!+− h5?** [41... ♖b5 42. ♔f3+−] **42. ♖a8 ♔f7 43. f5 ef5 44. ef5** [△ ♖f8#] **1 : 0** **[Barbero]**

16. **A 13**

SERPER 2490 — A. PETROSJAN 2505
SSSR 1991

1. c4 e6 2. g3 d5 3. ♗g2 dc4 4. ♕a4 ♘d7 5. ♕c4 c5 6. ♕b3 ♖b8 7. a4 b6 8. ♘f3 ♗b7 9. 0—0 ♘e7?! N [△ ♘c6; 9... ♘gf6=] **10. d4!?** [10. d3?! ♘f5 △ ♗f3∓] **♘f5** [RR 10... cd4? 11. ♘d4 ♗g2 12. ♔g2±; 10... ♗f3?! 11. ♗f3 cd4 12. ♘a3! ♘c5 (12... ♘f5 13. ♘b5 a6 14. ♘a7!) 13. ♕b5 ♕d7 14. ♘c4 △ 15. ♘d6, 15. ♘e5↑ Serper; 10... ♘c6!? 11. ♗f4 ♖c8] **11. dc5 bc5** [11... ♘c5 12. ♕b5 ♕d7 13. ♘e5!±; 11... ♗c5!? 12. ♗f4 ♖c8 13. ♖d1±] **12. ♖d1! ♕c8** [12... ♘d4? 13. ♘d4 ♗g2 14. ♘e6! ♖b3 15. ♘d8 ♗a8 (15... ♗h3 16. ♘c6) 16. ♘f7!; 12... ♗d5?! 13. ♕d3! △ e4±] **13. ♗f4 ♗f3** [13... ♗d5?! 14. ♕d3 c4? 15. ♕c2±] **14. ♕f3 ♘d4!** [14... ♖b2? 15. e3! △ ♕c6+−] **15. ♕e4!** [15. ♕d3? e5! △ c4, ♘b3∓] **♖b2 16. ♘c3=∞↑ ♘f6 17. ♕d3 ♗e7 18. e3 ♘c6 19. ♗d6?** [19. ♘b5!± △ 19... 0—0 20. ♕c3 ♖b4 21. ♗d6!+−] **0—0! 20. ♘b5** [20. ♗c6 ♗d6 21. ♕d6 ♖b6!] **♘g4! 21. ♕c4?!** [21. ♖f1!?] **♘f2 22. ♖f1 ♗d6 23. ♘d6 ♕b8!∓ 24. ♘b5** [24. ♕c5 ♘b4!−+] **♘e5 25. ♕c3⊕** [⌓ 25. ♕c5 a6] **♘fd3 26. ♖ab1 ♖b1 27. ♖b1 c4−+ 28. ♘a3 ♕c7 29. ♖b7 ♕c5 30. ♘c2 a6 31. ♕d4 ♕a5! 32. ♕d6 ♕d2 33. ♖b8 ♘f3!** [34. ♗f3 ♕f2 35. ♔h1 ♕f1#] **0 : 1** **[A. Petrosjan]**

17.** **A 14**

HARLOV 2515 — ULYBIN 2565
SSSR (ch) 1991

1. c4 ♘f6 2. g3 e6 3. ♗g2 d5 4. ♘f3 ♗e7 5. 0—0 0—0 6. b3 c5 7. ♗b2 [RR 7. cd5 ♘d5 8. ♗b2 ♘c6 9. ♘c3 ♗f6 10. ♕c2!? N (10. ♖c1; 10. ♕c1 — 32/81) b6?! 11. ♘d5 ed5 12. d4 ♘d4 13. ♘d4 cd4 14. ♖ad1 ♗e6 15. ♗d4 ♖c8 16. ♕b2 ♗d4 17. ♖d4 ♖c5 18. ♖fd1± ×d5 Zsu. Polgár 2535 — P. Lukács 2500, Magyarország (ch) 1991; ⌓ 10... ♘cb4] **b6 N** [RR 7... ♘c6 8. e3 b6 9. ♘c3 ♗b7 10. cd5 ♘d5 11. ♘d5 ♕d5 12. d4 ♘b4?! N (12... ♖ad8 —

47/(13)) 13. ♘h4! (13. e4 ♕h5 14. a3 ♘a6 15. ♕e2 cd4 16. ♗d4 ♘c5∓) ♕d7 14. dc5 ♕d1 15. ♖fd1 ♗g2 16. ♔g2 ♗c5 17. a3 ♘d5 (Nogueiras 2535 − J. Arencibia 2425, Cuba (ch) 1991) 18. b4! ♗e7 19. ♘f5! ♗f6 (19... ef5 20. ♖d5 ♖fc8 21. ♖d7 ♗f8 22. ♖c1 ♖c1 23. ♗c1 ♖c8 24. ♗b2 ♖c2 25. ♗d4±⊥) 20. ♗f6 ♘f6 21. ♘e7 ♔h8 22. ♖ac1± Nogueiras] 8. cd5 ♘d5 [8... ed5 9. d4±] 9. d4 cd4 [9... ♗b7 10. e4 ♘f6 11. e5±] 10. ♘d4 ♗b7 11. e4 ♘f6 12. ♘c3± [12. e5?! ♗g2 13. ef6? ♗f6! 14. ♔g2 ♕d5 15. ♕f3 ♕f3 16. ♔f3 e5 17. ♘b5 e4 18. ♔e4 ♗b2 19. ♘c7 ♗a1 20. ♘a8 ♘c6∓; 12. ♕e2 ♘fd7!? △ ♘c6±] ♗b4 13. ♖e1 ♘a6 14. a3 ♗c3 15. ♗c3 ♘c5 16. f3 ♕e7 17. ♖a2 ♖ac8 18. ♗e3 ♖fd8 19. ♖d2 ♕e8 20. b4 [20. ♗f1 ♘ce4!∞] ♘a4 21. ♗a1 b5? [△ 21... ♗a6] 22. ♘b3± ♖d2 23. ♕d2 ♖d8 24. ♖d3 ♖d3 25. ♕d3 ♕d7 26. ♗f1 ♕d3 27. ♗d3 a6 28. ♘a5 ♗c8 29. ♔f2 ♔f8 30. ♔e3 ♘d7 31. f4 f6 32. ♗c2 ♘db6 [32... e5? 33. fe5 fe5 34. ♗a4 ba4 35. ♘c4+−] 33. ♗d4 ♔e8 34. g4 ♗d7 35. ♗b3 ♘c8 36. h4 ♘e7 [36... h6 37. ♘b7 ♗c6 38. ♘c5+−] 37. g5 fg5 38. hg5 g6 39. ♘b7 ♘c8 40. ♘c5 ♘c5 41. ♗c5 ♘e7 42. ♗e7!+− ♔e7 43. e5 ♗d8 44. ♔d4 ♔c8! [44... ♔c7 45. ♔c5 ♗c8 46. a4] 45. ♔c5 ♔c7 46. ♗d1 ♗e8 [46... ♗c6 47. ♗c2! ♗e8 (47... ♗d7 48. ♗b3⊙) 48. ♗e4 ♗d7 49. ♗g2! ♗e8 (49... ♗c8 50. ♗c6) 50. ♗f3 ♗d7 51. ♗g4 ♗c8 52. ♗d1 ♗d7 53. ♗b3⊙] 47. ♗f3 ♗d7 48. ♗g4 ♗c8 49. ♗d1 ♗d7 50. ♗b3 ♗c8 51. a4   1 : 0 [Harlov]

18.*   **A 14**

DAMLJANOVIĆ 2585 − RAZUVAEV 2590
Jugoslavija 1991

1. ♘f3 ♘f6 2. c4 b6 3. g3 ♗b7 4. ♗g2 e6 5. 0−0 ♗e7 6. b3 0−0 7. ♗b2 d5 8. e3 ♘bd7 9. ♕e2 [RR 9. d3 dc4 10. bc4 ♘c5 11. ♘e5!? N (11. d4 − 47/14) ♗g2 12. ♔g2 ♗d6 13. f4 ♕e8 14. ♘c3 h6 15. ♕e2 ♘a4 16. ♘a4 ♕a4 17. e4 ♗e5 18. fe5 ♘d7 19. d4 ♖ae8 20. ♖f3±○ Winants

2505 − Campos Moreno 2480, Barcelona 1991] dc4!? N [9... c5] 10. bc4 ♘c5 11. d4 [11. ♗d4!? ♗e4 12. ♘e5 ♗g2 13. ♔g2± ✕c6] ♘ce4 [11... ♘a4!?] 12. ♘e5 [12. ♖d1? ♘g4] c5 13. d5 [13. f3 ♘d6 14. dc5 bc5 15. e4 △ ♘d2-b3±] ed5 14. ♖d1 ♗d6! 15. cd5 ♗e5 16. ♗e5 ♖e8 [16... ♕e7!? 17. ♗f6 ♕f6 18. ♗e4 ♕a1 19. ♕c2 ♕f6 20. ♗h7 ♔h8 21. ♗e4⊠] 17. f4! [17. ♕b2? ♘f2!−+] ♕e7 18. ♕c2 ♖ad8□ [18... ♘d6? 19. ♗d6 ♕d6 (19... ♕e3 20. ♕f2 ♘g4 21. ♕e3 ♘e3 22. ♖d2? ♘g2 △ ♖ad8⊠; 22. ♘c3+−) 20. e4±] 19. ♗e4 ♘e4 20. ♕e4 f6 21. ♘c3 fe5 22. f5 [22. fe5? ♕e5 23. ♕e5 ♖e5 24. e4 b5∓] ♕g5 23. ♖d2 h5 24. a4 ♖f8 25. ♖f1 [△ 25. ♖f2 ♗c8 26. h4 ♕h6 27. ♖e1±] ♗c8 [25... ♗a6 26. ♖f3] 26. ♖df2 ♗a6 27. h4 ♕g4□ [27... ♕h6 28. ♖e1 △ g4±] 28. ♕g4 hg4 29. ♖d1 ♗c4 30. e4 ♖d7 31. ♖dd2⊕ [31. ♖b2 (△ a5) g6!∞; 31. h5!±] ♗b3 32. ♖f1 c4 33. ♖a1 a6 34. h5! ♔f7 35. ♖h2 ♖h8 36. ♖h4 ♖d6 37. ♔f2 ♖dh6 38. ♖ah1 ♖b8?!⊕ [38... ♗c2 39. ♔e3 ♗b3 40. ♔d2 △ ♔c1-b2-a3-b4±] 39. ♖g4 b5 40. ab5 ab5 41. ♖a1 ♖b7 42. ♘b5!+− ♖b5 43. ♖a7 ♔f8 44. ♖a8 ♔f7 45. ♖a7 ♔f8 46. ♖gg7 ♖b8 [46... ♖h5 47. g4 △ g5-g6] 47. ♖af7 ♔e8 48. g4 ♗d1 49. ♖c7 ♔f8 50. ♖cf7 ♔e8 51. ♖c7 ♔f8 52. ♖g6 ♖b6 53. ♔g3 ♗e2 54. ♖c8 ♔f7 55. ♔h4   1 : 0 [Damljanović]

19.**   **A 19**

L. HANSEN 2510 − CALUWE
Oostende 1991

1. c4 ♘f6 2. ♘c3 e6 3. e4 c5 4. e5 ♘g8 5. ♘f3 ♘c6 6. d4 cd4 7. ♘d4 ♘e5 8. ♘db5 a6 9. ♘d6 ♗d6 10. ♕d6 f6 11. ♗e3 ♘e7 12. ♗b6 ♘f5 13. ♕c5 ♕e7 14. ♕e7 ♘e7 [14... ♔e7!? N 15. f4 ♘g6 16. g3 d6 17. ♗d3 a) 17... ♗d7?! 18. 0-0-0 ♖ac8 19. ♖he1 ♔f7 20. ♗f5 ef5 21. ♖d6± Thorsteins 2470 − Luther 2495, Budapest 1991; b) 17... ♘h6 18. 0−0 ♗d7 19. ♖fe1 ♖ac8 20. a4∞ L. Hansen 2510 − Summermatter 2350, Biel II 1991] 15. f4 ♘5g6!? N [15... ♘5c6 − 49/20] 16. g3 [16. ♗c7 d5 17. ♘a4 b5!⇆] d5! 17. cd5 [17. ♔f2!? ♗d7 18. cd5 a) 18... ♘d5 19. ♘d5 ed5

20. ♗g2 ♘e7 (20... ♗e6 21. ♖ac1!; 20... ♗c6 21. ♖ad1 ♘e7 22. ♖he1 ♔f7 23. ♗h3!↑) 21. ♖he1 ♔f7 (21... ♖c8 22. ♗d5±) 22. ♗c5 ♖he8 23. ♗e7 ♖e7 24. ♗d5 ♔f8 25. ♗b7 ♖b8 26. ♖e7 ♔e7 27. ♖e1! (27. ♗a6 ♖b2 28. ♔g1 ♗a4!) ♔d6 28. ♗a6 ♖b2 29. ♖e2±; *b)* 18... ed5 19. ♗g2 ♗e6 (19... ♖c8 20. ♖he1 ♔f7 21. ♖ad1±) 20. ♖he1 ♔f7 21. ♖ad1 ♖ac8 22. ♘d5 ♖c2 (22... ♖c6 23. ♗a5) 23. ♖e2 ♖e2 24. ♔e2 ♗g4 25. ♗f3 ♘d5 26. ♖d5 ♖e8 27. ♔f2 ♗f3 28. ♔f3±] **♘d5** [17... ed5 18. ♗g2 ♗e6 19. 0–0 ♖c8 20. ♖ad1 ♖c6 21. ♗f2⩲ △ 21... ♖d6?! 22. ♘e4±] **18. ♘d5 ed5 19. ♗g2 ♘e7!** [19... ♗e6 20. ♖c1±] **20. ♖c1** [20. 0–0! ♗e6 (20... ♗f5?! 21. ♖fe1) 21. ♗c5! ♖c8 (21... ♔f7 22. ♖ae1! ♖he8 23. ♗e7 ♖e7 24. f5±) 22. b4 ♔f7 23. ♖ae1↑] **♗f5! 21. 0–0** [21. ♖c7? ♖c8!; 21. ♔f2] **♖c8 22. ♖fe1 ♔f7 23. ♗c5 ♗e4?!** [23... ♖he8 24. ♗e7 ♖e7 (24... ♖c1 25. ♗d5 ♗e6! 26. ♗e6 ♔e7 27. ♖c1 ♔e6=) 25. ♗d5 ♔f8=] **24. ♗e4 de4 25. ♖e4⩲ ♖he8 26. ♖ec4 ♘c6 27. ♗b6 ♖e2 28. ♖4c2 ♖ce8 29. ♔f1 ♖c2 30. ♖c2** [♖ 9/i] **♖e7 31. ♖d2 ♔e8! 32. ♗c5 ♖d7 33. ♖c2** [33. ♖d7 ♔d7 34. f5!? g6!⇆] **♔f7 34. a4 ♔e6 35. ♖e2 ♔f7 36. b4?!** [36. ♔e1 ♖d8 37. ♖c2⩲] **♖d1 37. ♔g2 ♖b1 38. f5!? g6! 39. ♖d2 ♘b4?⊕** [39... ♘e5=] **40. ♖d7 ♔g8 41. ♖b7 ♖b2 42. ♔f3 ♘d3?!** [42... ♖b3 (△ 43. ♔e4? ♘d3!) 43. ♔g4±; 42... a5! 43. fg6 hg6 44. ♗d4! ♖h2 45. ♗f6 ♖a2 (45... ♘d5 46. ♗b2!) 46. ♔g4 ♘d5 47. ♗e5 ♖a4 (47... ♖e2!? 48. ♗b2) 48. ♔g5 ♘e3 49. ♖a7!→⊙] **43. ♖b2 ♘b2 44. ♗d4! ♘c4** [⌓ 44... ♘a4 45. ♔e4± ×♘a4] **45. fg6 hg6 46. ♗f6+– ♔f7 47. ♗d4** [47. ♗c3!] **♔e6 48. ♔f4 ♘d2 49. h4 ♔f7?! 50. ♔e5 ♔e7 51. ♔d5 ♔d7 52. ♗e3 ♘b3 53. ♗g5 ♔c7 54. ♔e5 ♘c5 55. ♔f6 ♘e4** [⌓ 55... ♘a4 56. ♔g6+–] **56. ♔g6 1 : 0**
[L. Hansen]

20. **A 21**

PALATNIK 2470 – A. GOL'DIN 2570

Banja Vrućica 1991

1. c4 e5 2. ♘c3 ♗b4 3. ♘d5 ♗a5 4. b4 c6 5. ba5 cd5 6. cd5 ♕a5 7. e4 ♘f6 8. f3 [8. ♗c4?! 0–0! (8... ♘e4? 9. ♕e2 ♘f6 10. ♕e5 ♔d8 11. ♘e2 ♖e8 12. ♕g5±) 9. ♕e2? b5! 10. ♗b5 ♘e4 11. ♕e4 ♕b5 12. ♘e2 ♗a6∓; 8. ♕c2!? 0–0 9. ♗b2? d6 10. ♗c3 ♕d8! 11. ♘f3 ♘h5 △ f5∓; ⌓ 9. ♘e2 b6! △ ♗a6∞] **0–0 9. ♕b3 N** [9. ♘e2 – 50/(15)] **d6 10. ♗a3 ♘e8 11. ♖c1** [11. ♗c4? ♘a6 12. ♘e2 b5! 13. ♗d3 ♖b8 △ b4, ♘c5, ♗a6∓] **♘a6** [11... ♕d8!? 12. ♗d3! b6 13. ♘e2 ♘d7! △ ♘c5=] **12. ♕c3** [12. ♗b5 ♘c5 13. ♖c5 dc5 14. ♗c5 a6! 15. ♗f8 ab5 16. ♗e7 ♕a2 17. ♕b5 ♕a1∓] **♕b6 13. ♗d3** [13. ♕b3 ♘c5!] **f5 14. ef5 ♗f5 15. ♖b1! ♕d8** [15... ♕c7 16. ♕c7 ♘ac7 17. ♗f5 ♖f5 18. ♖b7 ♘d5 19. ♘e2 ♘b6=; 15... ♕d4 16. ♗f5 ♖f5 17. ♖b7! (17. ♕d4? ed4 18. ♖b7 ♖d5 19. ♘e2 ♖a5! △ ♘c5∓) ♕d5 18. ♕b3 ♕b3 19. ab3=] **16. ♗f5 ♖f5 17. ♘e2?!** [17. ♖b7! ♘c5! 18. ♗c5 dc5 19. ♘e2 (19. ♕c5? ♘d6 △ ♖c8, e4, ♕g5∓→) ♕d5 20. ♖b2=] **♖c8 18. ♕d3 ♖f7∓ 19. 0–0 ♘c5!? 20. ♗c5 ♖c5 21. f4!□ ♘f6 22. ♘c3** [22. fe5? ♖d5 23. ♕c4 de5–+] **ef4 23. ♖f4 ♖e7 24. ♘e4?!** [24. g4!? ♖c8! 25. ♖bf1 (25. g5 ♘h5 26. ♖h4? ♖e1! 27. ♖e1 ♕g5–+) ♘d7! △ ♘e5∓] **♘e4 25. ♖e4 ♕e8?! 26. ♖e3** [26. ♖be1 ♖e4 27. ♖e4 ♕f7–+; 26. ♖e6! ♖e6 27. de6 ♕e6 28. ♖b7 ♖c1 29. ♔f2 ♖c8 30. g3 (30. ♖b1 ♕a2) ♖f8 31. ♔g2 a5∓] **♖e3 27. de3** [27. ♕e3 ♕e3 28. de3 b6 29. e4 ♔f7∓] **b5∓ 28. a4?⊕ ba4! 29. ♖b7 a5! 30. ♕d4** [30. h3 ♕e5–+] **♖c1 31. ♔f2 ♖c2 32. ♔f3** [32. ♔g1 ♕f8–+] **♕h5 33. ♔e4 ♕g6**
0 : 1 **[A. Gol'din]**

21. **A 21**

HORT 2545 – SCHMITTDIEL 2490

BRD 1991/92

1. c4 e5 2. ♘c3 ♗b4 3. ♕b3 ♘c6 4. ♘f3 d6 N [4... a5 – 52/(26)] **5. e3 ♘ge7! 6. ♗e2 0–0 7. 0–0 a5 8. d3 ♗c3** [8... ♗d7!?] **9. ♕c3 f6!?** [△ ♕e8-g6] **10. d4?!** [⌓ 10. b3] **♗g4** [△ e4] **11. d5 ♘b8 12. b3** [12. h3!?] **♘d7 13. ♗b2 ♘c5 14. ♖ae1 ♕e8=⇆ 15. h3 ♗d7 16. ♘d2 ♕g6 17. ♔h2 b5!∞ 18. e4! b4** [18... ♘e4? 19. ♘e4 ♕e4 20. ♗g4+–] **19. ♕e3 f5?!** [⌓ 19... a4⇆]

20. ♗e5! fe4 [△ ♘f5−+] **21. g4!□ c6 22. ♗d4 cd5 23. f4!±** [△ f5-f6+−] **♕h6** [23... ef3 24. ♕e7 ♖ae8! 25. ♗f3 ♖e7 26. ♖e7±] **24. f5 ♕e3 25. ♗e3 ♗c6 26. cd5 ♗d5 27. ♘c4! ♗c4?!** [27... ♘d3? 28. ♗d3 ed3 29. ♘b6! ♖ae8 30. ♗g5!+−; 27... ♖fd8 28. ♖d1!±] **28. ♗c4 ♔h8 29. ♗c5 dc5 30. ♖e4 ♘c6 31. g5!** [△ f6-f7+−] **♖ae8 32. ♖e8 ♖e8 33. ♔g3+− ♖e5 34. ♔f4 g6 35. f6 ♖f5 36. ♔e4 ♖e5 37. ♔f4 ♖f5 38. ♔e4 ♖e5 39. ♔d3 ♖e8 40. h4??⊕** [40. ♗b5! ♖d8 (40... ♘e5 41. ♔e4 ♖e6 42. ♔d5+−) 41. ♔c4 ♘e5 42. ♔c5+−] **♘e5! 41. ♔c2 ♘c4 42. bc4 a4!=⊥ 43. ♖d1 ♖e2 44. ♔b1 ♔g8 45. ♖d8 ♔f7 46. ♖d7 ♔f8 47. ♖h7 ♖h2! 48. ♖c7 ♖h4 49. ♖c5 ♖h1 50. ♔c2 ♖h2 51. ♔b1 ♖h1 52. ♔c2 ♖h2 1/2 : 1/2 [Hort]**

22. A 21

M. GUREVIČ 2630
– KASPAROV 2770
Reggio Emilia 1991/92

1. c4 g6 2. ♘c3 ♗g7 3. g3 e5 4. ♗g2 d6 5. d3 f5 6. e3 ♘f6 7. ♘ge2 a5 [7... 0−0 8. b4!?] **8. 0−0 0−0 9. b3 c6 10. ♗b2 ♘a6** [10... d5?! 11. ♕c2! △ ♖fd1⩲ ×d5, e5] **11. ♕d2 ♗d7! 12. ♔h1 ♖c8 13. ♖ae1?!** [13. f4 b5∞] **b5 14. e4** [14. cb5 cb5 15. ♘d5 (15. ♗b7? ♖c7) ♘d5 16. ♗d5 ♔h8∓] **♘c5 15. cb5** [15. f3 fe4! 16. fe4 (16. de4 bc4 17. bc4 ♗e6∓) b4∓] **cb5 16. ef5 ♗f5 17. ♘e4! b4!** [×♘e2] **18. ♖c1 ♘fe4?!** [18... ♕e7!∓] **19. de4 ♗d7!□** [19... ♗e6 20. ♖cd1 ♖c6 21. f4 ♕b6 22. f5!↑»] **20. ♖cd1** [20. ♕d6? ♗b5 21. ♗e5 ♗e5! (21... ♗e2? 22. ♖c5∞) 22. ♕e5 ♖e8 23. ♕b2 ♘d3 24. ♖c8 ♘b2 25. ♖d8 ♖d8 26. ♗f3 ♖d2 27. ♖e1 ♘d3 28. ♖a1 ♘f2 29. ♔g2 (29. ♔g1? ♘h3 30. ♔g2 ♘g5) ♘d3∓] **♗b5 21. ♕e3 a4 22. ♖fe1! ♕b6 23. ♘c1 a3 24. ♗a1 ♗d7! 25. ♘d3 ♗e6 26. f4 ♖c6! 27. ♘f2!** [27. ♘c5?! ♕c5! 28. ♕c5 dc5 29. f5 ♗f7 △ c4∓] **♘d7?!⊕** [27... ♕c7!∓ 28. ♗h3?! (28. f5? gf5 29. ef5 ♖f5 30. ♗c6 ♕c6∓) ef4! 29. gf4 ♗a1 30. ♖a1 ♕f7∓] **28. ♕d2! ♘c5** [28... ♖fc8?! 29. ♘d3± ×b4] **29. ♗h3! ♗f7 30. fe5** [30. f5!?↑] **de5 31. ♘g4 ♗e6 32. ♘h6 ♔h8 33. ♗e6 ♘e6 34. ♘g4** [34. ♖f1! ♖f1 35. ♖f1 ♘d4∞] **♘d4! 35. ♗d4?⊕** [35. ♘e5 ♗e5 36. ♗d4 ♗d4 37. ♕d4 ♕d4 38. ♖d4 ♖c2 39. e5 ♖ff2 40. e6 ♖h2 41. ♔g1 ♖cg2 42. ♔f1 ♖a2 43. ♖h4 ♖af2 44. ♔g1 ♖e2 45. ♖e4!= △ 45... ♖e4?? 46. ♖e4 a2 47. ♔h2 a1♕ 48. e7+−] **ed4 36. ♘f2?!** [36. e5 h5! *a)* 37. ♘f6? ♗f6 38. ef6 ♖cf6 39. ♕d4 ♕d4 40. ♖d4 ♖f2 41. ♖b4 ♖a2 42. ♖a4 (42. ♖b7 ♖b2−+) ♔g7! (42... ♖ff2? 43. ♖a7=) 43. ♖a7 ♔h6 44. h4 ♖ff2 45. ♖a8 ♖h2 46. ♔g1 ♖ag2 47. ♔f1 ♖g3−+; *b)* 37. ♘f2 ♖c3! △ ♖e3∓] **♖c3! 37. ♘h3** [37. ♘d3 ♖f3 38. ♘f4 d3! 39. ♘d5 ♕d4−+] **d3! 38. ♘f4 ♖c2 39. ♕d3 ♖a2 40. ♖f1 ♖f2?** [40... ♕f6! 41. ♘d5 ♕b2 42. ♖f8 ♗f8−+] **41. ♖f2 ♕f2 42. ♖d2?** [42. ♘e6! *a)* 42... a2? 43. ♘f8 ♕f8 44. ♕d8 ♔g8 (44... ♕g8? 45. ♕a5±) 45. ♕d5 ♕f7 46. ♕a8 ♕f8=; *b)* 42... ♖a8? 43. ♕d5! (43. ♘g7? a2! 44. ♖a1 ♕f6! 45. ♕d1 ♕g7−+) ♕a7 44. ♘g7 a2 45. ♖a1 ♔g7 46. ♔g2∓; *c)* 42... ♖e8! 43. ♖f1!? (43. ♕d7? ♖e6−+; 43. ♘g7 ♔g7∓) ♕f1! 44. ♕f1 ♖e6 45. ♕f7 ♖f6 46. ♕a7 h5∓] **♕a7! 43. ♕e2 ♗c3 44. ♖c2** [44. ♖a2 ♕f7 45. ♘d5 (45. e5 ♕b7 46. ♕g2 ♕g2 47. ♔g2 ♗e5−+) ♕f1 46. ♕f1 ♖f1 47. ♔g2 ♖b1−+] **♕f7 45. e5** [45. ♘d5 ♕f3! (45... ♕f1 46. ♕f1 ♖f1 47. ♔g2 ♖b1 48. ♘c3 bc3 49. ♔f3 ♖b3 50. ♔e3∓) 46. ♕f3 ♖f3 47. ♔g2 ♖d3 48. ♘c3 ♖c3−+] **♕b7! 46. ♕g2** [46. ♘g2 ♕e4!−+] **♕g2 47. ♔g2 ♗b2 48. ♖f2 a2 49. ♘g6 hg6 50. ♖f8 ♔g7 51. ♖f1 ♗e5 52. ♔f3 a1♕ 53. ♖a1 ♗a1 54. ♔e4 ♔f6 0 : 1 [Kasparov]**

23.   **A 21**

ILLESCAS CÓRDOBA 2545 — E. VLADIMIROV 2580
Logroño 1991

1. c4 e5 2. ♘c3 d6 3. ♘f3 f5 4. d4 e4 5. ♘g5 ♗e7 6. ♘h3 c6 7. e3 ♘f6 8. ♘f4 0—0 9. h4 ♘a6 10. ♗e2 ♘c7 11. d5 ♘d7 N [11... c5 — 48/17] **12. b3** [12. g4 ♘e5∞] **♘e5 13. ♗b2 c5** [13... ♗h4?! 14. dc6 ♗f6 (14... bc6? 15. ♖h4 ♕h4 16. ♕d6+—) 15. cb7 ♗b7 16. ♕c2±] **14. h5 ♗f6 15. ♕c2 ♕e7 16. a3 ♗d7 17. b4** [△ 17. 0—0]

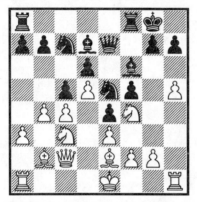

17... b5!? 18. cb5 [18. ♘b5 ♘b5 19. cb5 ♖fc8∞] **c4 19. a4?** [△ 19. 0—0] **♘d3 20. ♗d3 ed3 21. ♕c1 ♗e5 22. g3 ♘e8!∓ 23. ♔d2 ♘f6 24. f3 ♖fe8 25. ♕g1 ♕f7 26. ♕f2 ♖ab8!** [26... ♗c3? 27. ♗c3 ♘d5=] **27. ♖ag1 a6 28. ♕h2 ab5 29. a5 ♗c8 30. ♕h3 ♖b7** [△ 30... ♗b7 31. ♕f5 ♗d5∓] **31. ♖e1 ♖be7 32. ♗a1! ♗c3?⊕ 33. ♗c3 ♘d5 34. ♘d5 ♕d5 35. ♕g2∓ ♗b7 36. ♖hf1 ♕f7 37. ♕h2 d5?** [37... h6∓] **38. ♕h4 h6 39. ♗d4 ♖e6 40. ♔c3= ♕f8 41. ♕f4 ♕e7 42. ♖f2** [42. ♕f5? ♖f8 43. ♕g4 d2! 44. ♖e2 ♖e4—+] **♕g5 43. ♖h2 ♕f4 44. gf4 ♔h7 45. ♖g2 ♖g8 46. ♖eg1 g6 47. ♖g3** [47. hg6? ♖eg6 48. ♖g6 ♖g6 49. ♖g6 ♔g6—+ ♗c, d, h] **♖c6 48. ♖1g2 ♗c8 49. ♗e5 ♗d7 50. ♗d4 ♗e8 51. ♖g1 ♗f7 52. ♖3g2 ♖a8 53. ♖g3 ♖aa6 54. ♖h3! ** [54. ♖3g2? ♔g8∓] **♔g8? ** [54... ♗e8 55. hg6 ♖g6 56. ♖h6! ♖h6 57. ♖g7 ♔h8 58. ♖g6 ♔h7 59. ♖g7=] **55. hg6 ♖g6 56. ♖h6! ♔f8 57. ♖gg6?** [57. ♖h8 ♔e7 58.

♖g5±] **♖g6 58. ♖g6 ♗g6= 59. ♗f6 ♗e8 60. ♗h4 ♗c6 61. ♗e1 ♔e7 62. ♔d4 ♔d6 63. ♗c3**   **1/2 : 1/2**
[E. Vladimirov]

24.*   **A 22**

LJUBOJEVIĆ 2600 — B. GEL'FAND 2665
Beograd 1991

1. c4 ♘f6 2. ♘c3 e5 3. g3 ♗b4 4. ♗g2 0—0 5. ♕c2 [RR 5. ♘f3 ♖e8 6. 0—0 e4 7. ♘g5 ♗c3 8. dc3 h6 9. ♘h3 d6 10. ♘f4 ♗f5 11. h3!? N (11. ♗e3) ♘bd7 12. b3 ♘f8 13. ♘d5 ♘d5 14. ♕d5 ♕c8 15. g4 ♗g6 16. ♗f4 ♘d7 17. ♖ad1 ♘f6 18. ♕d4 b6 19. ♗g3±⌂ Kamsky 2595 — Timman 2630, Paris 1991] **c6 N** [5... ♖e8 — 10/54; 5... ♘c6!?] **6. e4** [6. ♘f3 ♖e8 △ d5] **♗c5?!** [6... ♖e8!?; 6... b5!?] **7. ♘ge2 ♘g4 8. f3!** [8. 0—0 ♕f6 9. ♘d1 ♕g6⇄] **♘f6** [8... ♘f2? 9. ♖f1 ♘a6 10. a3+—] **9. ♘a4 ♗e7** [9... ♗b4 10. a3 ♗a5 11. b4 ♗c7 12. 0—0 d5 13. d3±] **10. d4! b5** [10... ed4 11. ♘d4!±] **11. de5** [11. ♘ac3? ed4 12. ♘d4 bc4∓] **ba4 12. ef6 ♗f6 13. ♕a4?** [13. f4! a3 (13... d6 14. 0—0±) 14. e5 ♗e7 15. 0—0 ♕b6 (15... f6 16. ♗e4! h6 17. ♗e3±) 16. ♔h1 d6 17. ♖b1!±] **d5!∞ 14. cd5?!** [14. ♘f4? de4 15. fe4 ♗d4∓; 14. f4?! de4∓; 14. ♕c2 ♗a6⇄] **cd5 15. f4?** [15. ♘f4 ♗d7 16. ♕b3 de4 17. fe4 ♘c6∓] **♗d7∓ 16. ♕c2 de4 17. ♗e4** [△ 17. 0—0∓] **♘c6! 18. ♔f2 ♖c8 19. ♘c3 ♘b4 20. ♕b1 ♕b6 21. ♔g2** [21. ♗e3 ♗d4—+] **♖fe8 22. ♖e1 ♗c6—+ 23. ♔h3** [23. ♔f1 ♖e4!? 24. ♖e4 (24. ♘e4 ♗b5 △ ♗d3—+) ♗b5 25. ♘b5 ♕b5 26. ♔g1 ♘c2—+] **♗c3 24. bc3 ♗e4 25. ♖e4 ♕h6 26. ♔g2 ♗c6 27. ♔f3 f5 28. ♕b3 ♔h8 29. cb4 ♕e4 0 : 1**   **[B. Gel'fand, Kapengut]**

25.   **A 25**

M. GINSBURG 2410 — WAITZKIN 2295
Washington D. C. 1991

1. c4 e5 2. ♘c3 ♘c6 3. g3 g6 4. ♖b1 ♗g7 [4... f5 — 49/36] **5. b4 h5!? N** [5... d6; 5... ♘ge7] **6. h4** [6. ♘f3 g5!? 7. d3

(7. h4 g4 8. ♘g5 ♘ge7 9. d3 0–0 10. e3 ♗h6 △ f6-f5) f6 8. ♗g2 ♘ge7=] **♘h6 7. ♗g2 0–0 8. d3 d6 9. ♘h3 ♘d4** [△ ♘e6, f5-f4] **10. ♗g5?!** [⌓ 10. ♗d2] **f6 11. ♗d2 ♘e6 12. b5 ♘g4 13. ♘d5 f5 14. ♘g5 f4! 15. gf4 ♘g5** [15... ef4] **16. hg5 ef4 17. ♘f4** [17. ♗f4? c6] **♗d4 18. e3 ♖f4! 19. ef4 ♘f2 20. ♕f3** [20. ♕e2 ♗g4–+] **♔f8!** [20... ♔h7? 21. ♖h5!! gh5 22. ♕h5 ♔g8 (22... ♔g7 23. ♕h6 ♔f7 24. ♗d5 ♔e8 25. ♕g6+–) 23. ♗d5+–; 20... ♔g7 21. ♕d5 ♗b6 22. ♗c3 ♔f8 23. ♖b2 ♘h1 24. ♗h1 ♗g4 25. ♗f3±; 20... ♗e6 21. ♗e3! ♘d3 22. ♔d2 ♗e3 23. ♕e3±] **21. ♕d5** [21. ♗e3 ♗e3 (21... ♘d3 22. ♔d2) 22. ♕e3 ♘h1 23. ♗h1 ♕e7 24. ♔d2 ♕e3 25. ♔e3 ♖b8=] **♗b6** [21... ♘d3? 22. ♔e2+–] **22. c5!?** [22. d4 ♘h1 23. ♗h1 ♕e8 24. ♔f2 ♗e6∓] **♗c5 23. d4 ♘h1 24. dc5 ♕e8!** [△ ♗f5, ♘g3-e4; 24... ♘g3 25. ♔f2 ♘f5 26. ♖e1±] **25. ♔f1 ♗f5 26. ♗h1?!** [26. ♖e1? ♕b5 27. ♔g1 ♘g3∓; 26. ♖c1 ♘g3 27. ♔f2 h4∓; 26. ♖b4 ♘g3 27. ♔f2 h4∓; 26. ♖b3!! ♗e6 27. ♕d3 ♗b3 28. ♕b3 dc5 29. ♗h1 ♖d8 30. ♗e3 b6 31. ♔f2] **♗b1 27. cd6 cd6 28. ♕d6 ♕e7 29. ♕d4 ♖d8 30. ♕h8?** [30. ♗d5! ♖d5 31. ♕d5 ♕e4=] **♔f7 31. ♕h7 ♔e6 32. ♕e7 ♔e7 33. ♗b4 ♔e6 34. ♗b7 ♗a2 35. ♗c5 ♗c4 36. ♔f2 ♗b5 37. ♗a7 ♖d2** [37... ♖d7? 38. ♗c8] **38. ♔e3 ♖e2 39. ♔f3 ♖c2** [△ ♗c6] **40. ♔e3 ♖c7**
0 : 1 **[Waitzkin]**

26.* **A 25**

WINANTS 2515 – P. WOLFF 2570

Wijk aan Zee II 1992

1. c4 e5 2. g3 ♘c6 3. ♗g2 g6 4. ♘c3 ♗g7 5. ♖b1 d6 [RR 5... f5 6. b4 ♘f6 7. d3 0–0 8. e3 ♔h8!? (8... f4 – 49/36) 9. ♘ge2 d6 10. 0–0 a6 11. a4 g5 12. b5 ab5 13. ab5 ♘e7 14. f4 gf4 15. ef4 ♘g6 16. ♗d2 ♕e8 17. ♘d5 ♘d5 18. cd5 ♖a2 19. ♘c3 ♖a8 20. ♘e2 ♖a2 21. ♘c3 1/2 : 1/2 B. Gel'fand 2665 – Jusupov 2625, Beograd 1991] **6. b4 f5 7. d3** [7. ♘f3? e4; 7. e3? e4 8. d4 (8. f3 ♗c3! 9. dc3 ♘f6∓) ed3∓; 7. b5!? ♘d4 8. e3 ♘e6∞] **♘ge7!? N** [7... ♘f6 – 41/25] **8. e3** [8. b5!?] **e4!? 9. d4 ♗e6! 10. ♕b3** [10. ♕e2 a5 11. a3 (11. b5? ♘b4∓) ab4 12. ab4 d5 (12... ♘c8 13. c5!?) 13. f3 (13. cd5 ♘d5 14. ♘d5 ♗d5∓; 13. b5 ♘a5; 13. c5 b6!?) ef3 14. ♘f3 dc4 15. 0–0 h6!? (15... ♘d5 16. ♕c4∞) *a)* 16. ♘d2 0–0 (△ 17. ♘c4? ♘d4! 18. ed4 ♕d4 19. ♘e3 ♕c3 20. ♗b2 ♖a2!–+) 17. ♖d1∓; *b)* 16. ♖d1 (△ 16... 0–0 17. d5) ♘d5 17. ♕c4 ♕d7∞] **a5!? 11. a3** [11. d5? ab4 12. ♘e4 fe4 13. de6 ♕c8 14. ♗e4 ♗c3∓; 11. b5 a4! (11... ♘b4?! 12. ♗f1 c6 13. a3 ♘d3 14. ♗d3 ed3 15. ♘h3± ×d3) 12. ♕c2 ♘a5 13. d5 ♗f7 14. ♘a4 (14. ♖b4 c5! 15. bc6 bc6 16. ♖a4 0–0∓) c6=∞] **ab4 12. ab4 d5 13. c5 ♕d7** [13... g5; 13... b6!?] **14. ♘ge2 g5∓ 15. h4 f4?** [⌓ 15... h6] **16. gf4 gh4** [16... g4 17. h5!] **17. ♖h4 ♘f5 18. ♖h2 0–0 19. ♕c2** [19. ♗e4 de4 20. d5 ♗f7 21. dc6 ♕d3! 22. ♕b2 (22. ♕d1 ♗c3 23. ♘c3 ♕c3 24. ♗d2∞) ♖a2 23. ♘a2 ♗b2 24. ♖b2 bc6∞] **♔h8!? 20. b5 ♘ce7** [20... ♘a5 21. ♖b4! Winants] **21. ♗b2 b6! 22. c6 ♕e8 23. ♔d2 ♘g8 24. ♖bh1 ♘f6 25. ♗f1! ♖f7 26. ♘g1! ♗f8 27. ♘h3 ♖g7 28. ♘g5 ♗g8 29. ♕b3 ♗d6!? 30. ♘e2** [30. ♗h3? ♘d4! 31. ♕d1 ♕e7] **♖a5!? 31. ♗h3 ♗f4!? 32. ef4?!** [32. ♘h7! *a)* 32... ♗h2 33. ♘f6 ♕g6 34. ♗f5 (34. ♖h2 ♘h4; 34. ♘g8 ♘h4) ♕g2 35. ♖h2 ♕h2 36. ♘g8 ♕d6 (36... ♖g8 37. ♕d5+–) 37. ♘f6+–; *b)* 32... ♖h7 33. ♘f4 ♘h4 (33... ♘d6 34. ♗f1+–) 34. ♗d7 ♘f3 35. ♔c2 ♘d7 36. ♖h7 ♗h7 37. cd7 ♕d7 38. ♘d5!+–] **♘d6 33. ♘c3 e3 34. ♔e1** [34. ♔c1 ef2=∞; 34. ♔c2 ♘h5! 35. ♘e6 (35. ♗d7 ♕g6 36. f5 ♘f5; 35. ♖e1 ♕g6 36. ♔c1 ♘f4) ♕g6 36. ♔c1 (36. f5 ♘f5 37. ♗f5 ♕f5 38. ♔c1 ef2) ♗e6 37. f5 (37. ♗e6 ♘f4) ♕g5!? 38. fe6 e2 △ ♘c4; 34. fe3 ♘c4 35. ♔c2 ♕e3=∞; 34. ♔d1!? ♘c4 35. ♕c2±] **♘h5 35. ♗d7 ef2 36. ♔f2 ♕f8 37. ♖h5 ♕f4 38. ♘f3?** [38. ♔e2 ♘c4! (38... ♖e7 39. ♗e6! ♗e6 40. ♖h7 ♖h7 41. ♖h7 ♔g8 42. ♘e6 ♕g4 43. ♔f2 ♕f5 44. ♔g2 ♕g4 45. ♔h2 ♔h7 46. ♕d5+–) 39. ♗c1 (39. ♕c4!?∞) ♖e7 40. ♗e6 (40. ♔d1 ♖a1) ♕g4? 41. ♔f1 ♗e6 42. ♖h7 ♖h7 43. ♖h7+–; ⌓ 40... ♕d4; 38. ♔e1! ♕e3 (38... ♖e7 39. ♘e2+–; 38... ♘c4 39. ♕c2 ♕g3 40. ♕f2 ♖e7 41. ♘e2+–) 39. ♔d1

♘c4 40. ♕c2 ♕d4 41. ♔e1 ♕e5 42. ♕e2!+−] ♕g3 39. ♔e2 [39. ♔e3 ♖e7! (39... ♘c4 40. ♕c4! dc4 41. d5±) 40. ♔d2 ♕f3⊡] ♕g2 40. ♔d1 [40. ♔e3 ♖e7] ♕f3 41. ♔c1 ♖g2 42. ♖5h3□ [42. ♖5h2 ♕f4−+; 42. ♕d1 ♕e3 43. ♔b1 ♖b2! 44. ♔b2 ♘c4 45. ♔c2 (45. ♔b1 ♖a1!) ♕f2 46. ♕e2 ♖a2!−+] ♕f2!? [42... ♕f4 43. ♔b1 ♘c4 44. ♗c1 ♕f6! (44... ♕d4? 45. ♗f5!) 45. ♖h6! ♕d4 46. ♖6h3 ♕f6 (46... ♕g7 47. ♗f5! d4 48. ♗h7!) 47. ♖h6=] 43. ♔b1? [43. ♘d1!□ ♕d2 44. ♔b1 ♖b5 45. ♕c3! ♕c3 (45... ♘c4 46. ♕d2 ♘d2 47. ♔c1 ♘b3 48. ♔b1 ♘d2=; 45... ♕g5!?⊚) 46. ♖c3 ♘c4 47. ♖c4□ dc4 (△ c3) 48. ♔c1 ♗d5∓] ♘c4 44. ♘d1 [44. ♗c1 ♖a3! 45. ♗a3 (45. ♕a3 ♘a3 46. ♗a3 ♕c2 47. ♔a1 ♕b3 48. ♗c1 ♖c2−+) ♘d2 46. ♔c2 ♘b3 47. ♔b3 ♕c2 (47... ♕d4!? 48. ♗e7 ♕g7−+) 48. ♔b4 ♖d2 49. ♗c1 (49. ♖h4 ♕d3−+) ♖d4 50. ♔a3 ♖c4 51. ♗b2 d4 52. ♖1h2 ♕g6! △ ♕d6−+] ♘d2 45. ♔c2 ♘b3 46. ♗f2 ♖f2 47. ♔b3 [47. ♔c3 ♘d2−+] ♖b5 48. ♔a3 ♖bb2 49. ♖e1?⊕ ♖a2 50. ♔b4□ ♖fb2 51. ♖b3 [51. ♔c3 b5! △ b4#] ♖d2 52. ♖g3 ♖d4 53. ♔b3 ♖da4 54. ♖gg1 [54. ♖e8 ♖4a3] ♖4a3 55. ♔b4 ♖a8 56. ♗e6?! ♖c2 57. ♗d7 d4 58. ♖g8 ♔g8 59. ♖d1 ♖b2 60. ♔c4 ♔f7   0 : 1   [P. Wolff]

27. !N   A 25

KORTCHNOI 2585 − V. SALOV 2655
Wijk aan Zee 1992

1. c4 e5 2. g3 ♘c6 3. ♗g2 f5 4. ♘c3 ♘f6 5. e3 g6 6. d4 e4 [6... d6! 7. ♗c6!? bc6 8. de5 de5 9. ♕d8 ♔d8 10. ♘f3∞] **7. ♘ge2 ♗g7** [7... ♗h6! Kortchnoi] **8. ♘f4 ♘e7!** N [8... 0−0 − 35/33] **9. h4 d5 10. b3 c6 11. ♗a3 ♗h6! 12. ♗f1 ♗f4! 13. gf4 ♗e6= 14. ♕d2 ♕f7 15. ♘a4 b6 16. ♗e2 h5?!** [16... ♘eg8!=] **17. ♖c1 ♖c8 18. ♔f1!± ♕d7 19. ♕d1 ♖c7 20. ♔g2 ♖hc8 21. ♘c3 ♖b8 22. ♕d2 ♘eg8 23. ♖c2 ♘h6 24. ♖hc1 ♘hg4 25. ♕e1 ♔g7 26. ♔g3 ♗f7 27. ♗f1 ♖e8 28. ♘e2 ♖ec8 29. ♘g1 ♖e8 30. ♘h3 ♘h7 31. ♕b4** [31. ♗b2! △ a4, c5] **♖d8 32. ♘g5 ♗g8 33. c5 b5 34. ♕a5 ♖b7 35. ♗b4 ♖db8 36. ♖b2 ♘gf6**

[36... ♘g5! 37. hg5 h4! *a)* 38. ♔h4? ♗f7! (38... ♔h8 39. ♔g3 ♕h7 40. ♗h3 ♕h5 41. ♖h1 ♖h7 42. ♔g2!∞) 39. ♔g3 ♖h8 40. ♗g2 ♖bb8→; *b)* 38. ♔h3! ♔h8 39. ♗e1 ♕h7 40. ♗e2 ♗e6=] **37. ♗e1 ♘g5 38. hg5 ♘h7 39. ♔h2!** [39. ♔h4?? ♘g5! 40. fg5 f4 41. ♗h3 ♗e6−+] **♗e6 40. a4 b4! 41. ♗a6 ♘f8!** [41... ♕c7 42. ♗b4! ♕a5 43. ♗a5 ♖b3 44. ♖b3 ♖b3 45. ♖a1 ♘f8 46. ♗c7±] **42. ♗b7 ♕b7 43. ♗b4 ♕b4 44. ♕a7 ♗d7 45. ♕c7** [45. a5 ♖b7 46. ♕a6 ♘e6∓] **♖b7 46. ♕d8 ♔g8 47. ♖a1 ♖b8 48. ♕c7 ♖b7 49. ♕d8**
1/2 : 1/2   **[V. Salov]**

28.**   A 25

SEIRAWAN 2600 − P. NIKOLIĆ 2635
Wijk aan Zee 1992

1. c4 e5 2. g3 ♘c6 3. ♗g2 g6 4. ♘c3 ♗g7 5. e3 f5 6. ♘ge2 ♘f6 7. d4 [RR 7. d3 0−0 8. 0−0 ♔h8 9. b3 N (9. ♖b1 − 50/(21)) ♘e7 10. d4 e4 11. f3 d5 12. ♗a3 c6 13. cd5 cd5 14. ♕d2 a6 15. ♖ac1 ♖e8 16. f4 b6 17. ♖c2 ♗b7= Damljanović 2585 − I. Sokolov 2570, Beograd 1991] **d6 8. de5!?** [8. b3 − 26/47; RR 8. d5 N ♘e7 9. e4 fe4 10. ♘e4 ♘e4 11. ♗e4 ♗h3 12. ♖g1 ♗d7 13. ♗g5 0−0 14. ♕d2 ♗f6 15. ♗h6 ♗g7 16. ♗g5 ♗f6 17. ♗h6 ♗g7 1/2 : 1/2 Kortchnoi 2585 − P. Nikolić 2635, Wijk aan Zee 1992] **de5 9. ♗c6 bc6 10. ♕d8 ♔d8 11. b3 N** [△ ♗a3, f3, e4 ×♗g7; 11. ♘a4] **♗e6!** [△ ♗f7, g5, ♗h5] **12. ♗a3** [12. ♗b2!?] **♔c8! 13. ♖d1 ♔b7 14. ♘a4** [△ 14. f3 ♗f7 15. ♔f2 g5] **♖ae8 15. ♘c5 ♔c8 16. ♘e6 ♖e6 17. ♘c3 ♗f8!** [17... e4?! 18. ♘a4 (18. ♘e2!?) ♘g4 19. ♔e2 ♘e5 20. ♗b2±] **18. ♗f8 ♖f8 19. ♔e2 ♖d6!** 20. f3 [20. c5 ♖d1 21. ♖d1 ♖d8 22. ♖d8 ♔d8= ×d5] ♖fd8 21. ♖hg1 [△ h3, g4, gf5] h5 [21... e4? 22. fe4 ♘e4 23. ♘e4 fe4 24. ♖d6! cd6 25. ♖f1+ ×e4] **22. h3 g5! 23. e4** [23. g4? hg4 24. hg4 fg4 25. fg4 ♖d1 26. ♘d1 ♘e4; △ 23. f4!? ef4! 24. ♖d6! (24. ef4 g4 25. h4 ♖e8 26. ♔f2 ♖de6 27. ♖ge1 ♘e4!=) cd6 25. ef4 g4 26. h4 (26. ♖h1!?) ♖e8 (26... d5?! 27. cd5 cd5 28. ♔d3 ♘e4 29. ♘b5±) 27. ♔d3 ♘e4!? 28. ♘e4 ♖e4 29. ♖g2] **fe4 24. ♘e4**

[24. fe4? ♖d4∓] ♘e4 25. fe4 ♖d1 26. ♖d1 ♖d1 27. ♔d1 c5   1/2 : 1/2
[Seirawan]

29.*   A 26

SEIRAWAN 2600 − VAN WELY 2560
Wijk aan Zee 1992

1. c4 g6 2. ♘c3 ♗g7 3. g3 e5 4. ♗g2 d6 5. e4 ♘c6 6. d3 h5!? [6... f5?! 7. ef5 ♗f5 8. ♘ge2 ♕d7 9. h3!; 6... ♘d4 a) 7. ♘ge2 ♗e2! (7... ♗g4?! 8. 0−0 ♗f3 9. ♗f3 ♘f3 10. ♔g2) 8. ♕e2 ♘e7 △ c6, ♗e6; b) RR 7. ♘ce2!? N ♘e6 8. ♘h3 ♘e7 9. ♘g5 ♘c6 10. ♘e6 ♗e6 11. ♗e3 ♕d7 12. h4 h5 13. ♕d2 a6 14. ♖c1 0−0 15. ♗h6 b5 16. ♗g7 ♔g7 17. 0−0 bc4 18. dc4± Cu. Hansen 2565 − Khalifman 2640, Hamburg 1991] **7. h4!** [7. h3 h4 8. g4 ♗h6!] **♗g4 N** [7... ♘h6 8. ♘ge2 − 22/62] **8. f3 ♗e6 9. ♘ge2 a6?** [△ ♖b8, b5] **10. 0−0 ♘h6 11. ♘d5 0−0** [11... b5? 12. b3 bc4? 13. bc4±; 11... ♘d4? 12. ♘d4 ed4 13. ♘f4 ♗d7 14. ♘h3! △ ♘f2, f4±] **12. ♗e3 f5 13. ♕d2 ♔h7 14. ♖ac1** [△ b4] **♖f7** [14... f4?? 15. gf4 ♕h4? 16. f5 △ ♗g5] **15. b4 ♕d7 16. ♗g5!?** [○ 16. a4! a5 17. b5 ♘d8 18. ♔h2! (18. d4 fe4 19. fe4 ♘g4) b6 19. ♘g1! △ ♘h3] **b6 17. a3 a5?** [○ 17... ♖af8 18. ♔h2] **18. b5 ♘d8 19. ef5! ♗f5** [19... ♘f5? 20. g4 hg4 (20... ♘h6 21. gh5 gh5 22. ♘g3 ×h5) 21. fg4 ♘h6 22. ♗h6! ♗h6 23. g5 ♗g7 24. ♘b6 (24. ♘g3!?) cb6 25. ♗a8+−] **20. g4!± hg4 21. fg4 ♘g4 22. ♘b6 cb6 23. ♗a8 ♕c8 24. ♗f3 ♕c5 25. ♔g2 ♘f6 26. ♘g3** [○ 26. ♗e3 ♕c8 27. ♗b6 ♗h3 28. ♔g1] **♕a3 27. ♘f5 gf5 28. ♗e3 d5** [28... e4? 29. ♗e2 ×f5] **29. cd5 ♕d6 30. ♕a2! e4 31. de4 fe4 32. ♕c2⊕ ♔h8!** [32... ♕d5? 33. ♖cd1 ♕f5 34. ♗e4 ♕e4 35. ♕e4 ♘e4 36. ♖d8+−] **33. ♗e4** [○ 33. ♗e2 ♘d5 34. ♗g5 ♘e6 35. ♕e4] **♘g4!** [33... ♕e7? 34. ♗g5!+−; 33... ♖e7? 34. ♗f4!+−] **34. ♗g1□ ♗f6 35. ♖f5!** [35. ♔h3 ♗h4 36. ♔h4? ♖g7 37. ♖f5 ♘h6 38. ♗h2 ♘f5 39. ♗f5 ♕h6#; 36. ♗d4] **♖g7 36. ♔f1 ♕g3 37. ♖f3! ♕h4 38. ♔e2 ♘f7 39. ♖cf1 ♘g5 40. ♖f4 ♘h3 41. ♕c8 ♖g8 42. ♕f5!** [42. ♖g4 ♘g1 (42... ♕g4 43. ♕g4 ♖g4 44. ♖f6+−) 43. ♖fg1 ♕h2

44. ♖1g2 ♕g2 45. ♖g2 ♖c8=] ♘f4 43. ♗f4 a4 44. ♗f2 ♕h3 45. ♗f3! [45. ♗g2? ♖e8 (45... ♕g2? 46. ♕h5) 46. ♔f1 ♘h2 47. ♔g1 ♕f5 48. ♖f5 ♘g4] ♖e8 46. ♔d2 a3 [46... ♕h6 47. ♗g4 ♗e5 (47... ♗g5 48. ♗d4 ♔g8 49. ♕f7♯) 48. ♗e3 a3 (48... ♗f4 49. ♗f4 ♕g7 50. ♕h5+−) 49. ♖e4! ♕h2 50. ♔d3 a2 51. ♖e5 ♕e5 52. ♕e5 ♖e5 53. ♗d4+−] 47. ♖g4 ♕h6 48. ♔d3 a2 49. ♖g6 [49... ♕g6 50. ♕g6 a1♕ 51. ♕e8 ♔g7 52. ♔e2!+−]   1 : 0
[Seirawan]

30.** !N   A 26

PLACHETKA 2470 − I. SOKOLOV 2570
Starý Smokovec 1991

1. c4 e5 2. ♘c3 ♘c6 3. g3 g6 4. ♗g2 ♗g7 5. ♘f3 d6 6. 0−0 f5 [RR 6... ♘f6 7. d3 0−0 8. ♖b1 a5 9. a3 ♘d4 10. b4 ab4 11. ab4 c6 12. b5 ♗g4 13. ♗g5 ♗f3 14. ♗f3 h6 15. ♗f6 ♘f3 16. ef3 ♗f6 17. bc6 bc6 18. ♖b7 ♖a3 19. ♕c2 ♕a8! N (19... d5? − 32/40) 20. ♖fb1 e4!? (20... ♖a7 21. ♕b3 ♖a3) 21. ♘e4 ♗d4 22. ♕c1! d5 (22... ♖a2? 23. ♕h6) 23. cd5 (23. ♘d6 ♖a2 24. ♘f7 ♖f2 25. ♕f4 ♖f3 26. ♕d4 ♖3f7 27. ♖f7 ♖f7 28. ♕e5 ♔h7=) cd5 24. ♘d6 a) 24... ♕a6? (U. Andersson 2625 − Yrjölä 2500, Sverige − Suomi 1991) 25. ♘f7! ♖f7 26. ♕c8 ♖f8 27. ♕d7+−; b) 24... ♗e5! 25. ♕c7 ♕a6 (25... ♕a5!?) 26. ♖7b6 ♕a7= Yrjölä] **7. d3 ♘f6 8. ♖b1 0−0** [RR 8... a5 9. a3 0−0 10. b4 ab4 11. ab4 h6 12. ♘d2!? N (12. b5 − 46/24, 25) ♘e7 13. ♗b2 c6 (13... g5!?) 14. ♘a4! ♕c7□ 15. c5 d5 16. ♘b6 ♖b8 17. e4 (17. ♘c8 △ e4±) ♗e6 (Vaganjan 2585 − Palatnik 2470, Berlin 1991) 18. ♕e2± Palatnik] **9. b4 h6 10. b5 ♘e7 11. a4 g5 12. a5 N** [12. c5 ♗e6; 12. ♘d2 − 18/39] **♗e6 13. ♘d2** [13. ♗g5?! hg5 14. ♘g5 ♕d7 (14... ♗c8 15. a6) 15. a6 ba6 16. ♗a8 ♖a8 17. ba6 ♗h6 18. ♘e6 ♕e6 △ f4→] **♖b8 14. ♗a3 b6∓ 15. ♗b4 g4 16. ♖a1 h5 17. ab6 ab6 18. e3 f4 19. ef4 ef4 20. ♖e1 ♗f5 21. ♘b3?!** [21. ♘de4 f3 22. ♗f1 ♕d7∓] **f3 22. ♗f1 h4∓ 23. ♖a2 hg3 24. fg3 ♕d7 25. ♕d2 ♖be8 26. d4 ♘g6 27. ♖e8 ♖e8 28. ♖a1 ♔h7! 29.**

♖e1 ♗h6 30. ♕f2 ♖e7?! [30... ♖e1 31. ♕e1 d5∓] **31. ♗a3! ♖e1 32. ♕e1 d5 33. cd5** [⌓ 33. ♗c1] **♘d5 34. ♗c1 ♕e7!∓ 35. ♕e7 ♘ge7 36. ♘d5 ♘d5 37. ♔f2 ♗c1 38. ♘c1 ♘c3 39. ♔e3 ♗d7!−+ 40. ♘d3 ♗b5 41. h3 ♘d1! 42. ♔d2 gh3** [43. ♔d1 h2; 43. ♗h3 ♗d3] **0 : 1**
[I. Sokolov]

31. A 26

DAMLJANOVIĆ 2585 − LAUTIER 2560
Beograd 1991

1. ♘f3 ♘f6 2. g3 g6 3. b3 ♗g7 4. ♗b2 0−0 5. ♗g2 d6 6. 0−0 e5 7. d3 ♘c6 8. c4 h6?! N [8... ♗d7 − 15/3; 8... ♖e8 9. ♘c3 e4!=] **9. ♘c3 ♗g4** [9... ♘d4!? 10. ♘d2 c6 11. e3 ♘e6] **10. h3 ♗e6 11. d4 ♗d7** [11... e4? 12. ♘d2 d5 13. cd5 ♗d5 14. e3! ♖e8 15. ♕b1±; 11... ed4 12. ♘d4±] **12. de5** [12. d5 ♘e7 13. e4 ♘e8 14. ♘e2 f5 15. ef5 gf5 16. ♘h4 (△ f4) f4 17. ♕d2⩲] **de5 13. e4 ♖e8 14. ♖e1 ♕c8?!** [⌓ 14... ♘h7 △ 15... ♘g5, 15... ♘f8] **15. ♔h2 ♘h7 16. ♕d2± ♘d4** [16... ♘f8 17. ♖ad1 ♖d8 18. ♘d5 △ b4±] **17. ♘d4 ed4 18. ♘b5 ♖d8?!** [18... ♗b5 19. cb5 a6 20. a4 (20. b6 cb6 21. ♗d4±) ab5 21. ab5 △ f4, e5±] **19. e5 ♗c6 20. f4 d3 21. ♖ad1 ♘f8 22. ♖e3+− ♗g2 23. ♕g2 a6 24. ♘c3 b5 25. ♘d5 ♔h8 26. ♖ed3 ♕b7 27. ♘e3 ♕g2 28. ♔g2 ♖e8 29. ♔f3 ♔g8 30. ♗c3 ♘e6 31. ♖d7 c6 32. ♘g4 bc4 33. bc4 ♖eb8 34. ♘f2 ♘c5 35. ♖c7 ♘a4 36. ♘e4 ♘c3 37. ♘c3 ♖c8 38. ♖dd7 ♖c7 39. ♖c7 ♖d8 40. ♔e2 f6 41. ef6 ♗f6 42. ♘e4**
1 : 0 **[Damljanović]**

32. !N A 27

CU. HANSEN 2600 − AKOPJAN 2590
Groningen 1991

1. c4 e5 2. ♘c3 ♘f6 3. ♘f3 ♘c6 4. g3 g6 5. d4 ed4 6. ♘d4 ♗g7 7. ♗g2 0−0 8. 0−0 ♖e8 9. ♘c2 d6 10. b3 ♗f5! 11. ♖b1 [11. f3 d5!∓] **a5! N** [△ ♘b4; 11... ♕d7?! − 28/47] **12. ♖e1!** [△ e4] **♘e4 13. ♘e4 ♗e4 14. f3?** [14. ♗e4 ♖e4 15. f3 △ e4=] **♗c2 15. ♕c2 ♗d4 16. e3□ ♕g5!∓↑ 17. f4 ♕c5 18. ♕f2 ♕f5! 19. ♗d2□** [19. ♗b2? ♗e3!−+] **♗c5 20. ♖bd1 a4! 21. ♗c3 ab3 22. ab3 ♘b4 23. ♗b4□ ♗b4 24. ♖e2 ♖a3!** [24... c6? 25. ♔h1 △ e4=] **25. ♗b7** [25. e4? ♗c5! 26. ef5 ♖e2−+] **♖b3 26. ♗c6 ♖e7** [26... ♖ee3!? 27. ♖e3 ♖e3 28. ♕e3 ♗c5 29. ♖d4 ♕f6∓] **27. ♕f3!** [27. ♖d5 ♖b1 28. ♔g2 ♕e4 29. ♔h3 (29. ♕f3? ♖g1 30. ♔f2 ♖f1−+) ♕c4] **♕c5!?** [27... ♗c5! 28. ♖de1 ♕d3↑] **28. ♗e4! ♕b6** [28... ♖c3 29. ♗d3] **29. ♖d3 ♗c5 30. ♔g2 ♕b4** [30... ♔g7?! 31. f5!] **31. ♖b3 ♕b3 32. ♗d5 ♖e3 33. ♖e3 ♗e3** [♕ 8/h] **34. f5** [34. ♕e4 ♔f8; 34. ♕e2!?∓] **♕c2 35. ♔h1?** [35. ♔h3! ♕f5 36. ♕f5 gf5 37. ♔g2 △ ♔f3∓] **♕c1 36. ♔g2 g5! 37. f6** [37. ♕h5 ♕g1 38. ♔h3 ♕f1 39. ♔g4 ♕e2−+]

37... h5!!−+ 38. ♕h5 [38. ♕f5 ♕g1 39. ♔f3 ♕f2 40. ♔e4 ♕c2] **♕g1 39. ♔h3** [39. ♔f3 ♕d1] **♕f1 40. ♗g2** [40. ♔g4 ♕e2 41. ♗f3 ♕c4 42. ♔h3 ♕e6 43. ♕g4 ♕f6] **♕f5! 41. g4** [41. ♕g4 ♕h7] **♕f6 42. ♗e4 ♕f1 43. ♗g2 ♕d3 44. ♗f3 ♗f4 45. ♔g2 ♕d2 46. ♔h1** [46. ♔f1 ♗e3 47. ♗e2 ♕c1 48. ♔g2 ♕g1 49. ♔h3 ♗f4] **♕f2 47. ♕h3 ♗e3** **0 : 1**
[Akopjan]

33. A 28

CHRISTIANSEN 2600 −
KINDERMANN 2500
Wien 1991

1. c4 e5 2. ♘c3 ♘c6 3. ♘f3 ♘f6 4. e4 ♗b4 5. d3 d6 [5... a6!?] **6. g3 a6!? N**

[6... ♗c5 – 52/34; 6... 0–0 – 50/27, 52/35] **7. ♗g2 b5 8. 0–0!? ♗c3** [8... bc4 9. ♘d5 cd3 10. ♗g5=∞] **9. cb5 ab5** [⌓ 9... ♗b2 10. ♗b2 ab5 11. d4=∞] **10. bc3± 0–0 11. d4** [RR 11. a4!? I. Sokolov] **♗g4?!** [⌓ 11... ♕e7] **12. h3 ♗f3** [12... ♗d7!?] **13. ♗f3 h6 14. ♗g2 ♖a4 15. ♗e3 ♖e8 16. ♕d3± ed4 17. cd4 ♖c4 18. ♖ac1** [18. a4!?] **d5** [18... ♘b4 19. ♕b1] **19. e5 ♘e4! 20. a4!** [20. ♗e4? de4 21. ♕e4 ♘e5∓] **f5□ 21. ef6** [21. ab5 ♘a5±] **♕f6 22. ab5 ♘a5 23. ♕a3 ♕b6⊕** [23... ♖c1 24. ♖c1 ♘c4 25. ♖c4! dc4 26. ♗e4+–] **24. ♗e4 ♖e4 25. ♖c4 dc4 26. ♕b4 ♔h7!** [26... ♕g6 27. ♕a5 ♖e3 28. ♕c7+–] **27. ♖a1 ♕g6** [27... ♘b3 28. ♖a6+–] **28. ♕a5 ♖e3 29. ♕c7** [⌓ 29. fe3 ♕g3 30. ♔f1 ♕f3 31. ♔e1 ♕e3 32. ♔d1 ♕d3 33. ♔c1 c3 34. ♕a2+–] **♕d3! 30. b6?** [30. ♖f1 ♖e6 31. b6 ♕b3 32. b7 ♖b6 33. ♖c1+–] **♕d4 31. ♖f1 ♖b3 32. b7 ♕b6 33. ♕c4** [33. b8♕ ♕b8 34. ♕c4 ♖g3=] **♕b7** [33... ♖g3 34. ♔h2 ♖b3 (34... ♖g6 35. ♕e4+–) 35. ♕c2 ♔g8 (35... g6 36. ♖g1+–) 36. ♖d1 ♖b2! 37. ♖d8! ♕d8 38. ♕b2+–] **34. ♕c2 ♔g8 35. ♖d1 ♖f3! 36. ♖d8 ♔f7 37. ♕d1 ♕e4 38. ♖d4 ♕c6 39. ♖d7 ♔g8 40. ♖d8 ♔f7** [40... ♔h7 41. ♕b1 g6 42. ♕a1+–] **41. h4±** [×♔f7] **♖c3?!** [⌓ 41... ♖f6] **42. ♔h2 ♖c2** [42... ♖c1 43. ♕b3 ♔e7 44. ♖d5±] **43. ♕d4 ♖c1 44. ♖d7 ♔e8** [44... ♔e6 45. ♕g4] **45. ♖d5 ♖e1 46. h5** [×g7] **♖e7 47. ♕d3 ♕b6 48. ♖f5 ♕c6 49. ♕b3 ♔d7 50. ♖b5 ♖e1 51. ♕f7 ♖e7?** [51... ♔d6 52. ♕g6 ♖e6 53. ♕b1 ♔e7 54. ♖b7 ♔f8 55. ♕b2 ♖f6±] **52. ♖d5 ♔c8 53. ♕e7 ♕d5 54. ♕f8**

1 : 0 **[Christiansen]**

34. **A 28**

CHRISTIANSEN 2600 – I. SOKOLOV 2570

Groningen 1991

1. c4 e5 2. ♘c3 ♘c6 3. ♘f3 ♘f6 4. e4 ♗b4 5. d3 d6 6. g3 a6 7. ♗g2 b5 8. cb5 ab5 9. 0–0 ♗c3 10. bc3 ♗d7 N 11. ♘h4 [11. a4?! ♘e7 12. a5 (RR 12. d4 ♘g6 13. de5 de5∞ △ 14. ♘e5?! ♘e5 15. f4 ♘c4 16. e5 ♘g4 17. ♗a8 ♕a8∓ Ftáčnik) ♘c6 13. a6 ♘b8 14. a7 ♘c6] **0–0 12. f4 h6 13. fe5?!** [13. h3 △ g4±; 13. ♘f5±] **de5= 14. ♗e3 ♕e7 15. ♔h1?!** [RR ⌓ 15. h3 Ftáčnik] **♖fd8 16. ♕c2 ♕d6 17. ♖ad1 ♗g4! 18. ♖d2** [18. ♗f3? ♗f3 19. ♖f3 ♘e4 20. ♕b3 ♕d5∓] **b4∓ 19. h3 ♗e6 20. c4 ♖a3 21. ♖fd1 ♘d4 22. ♕b2 c5 23. ♔h2** [⌓ 23. g4] **♕a6∓ 24. ♗d4 ed4 25. e5 ♘d7 26. ♖e2 ♘b6 27. ♖f2 ♘a4 28. ♕c1 ♘c3 29. ♖dd2 ♘a2** [29... ♖a2 30. ♖a2 ♘a2 31. ♕d1 △ ♕h5] **30. ♕d1 ♘c3 31. ♕h5 b3 32. g4** [32. ♖f6!? ♔f8!? (32... ♖a2!?) 33. ♘g6 ♔e8∓] **♖a2 33. g5 hg5** [RR 33... ♖d2? 34. gh6! gh6 (34... ♖f2 35. ♕g5 g6 36. ♕d8 ♔h7 37. ♕f8+–) 35. ♖d2 ♕a2 36. ♕h6 △ ♘g6+– Ftáčnik] **34. ♕g5 ♖b8 35. ♗d5 ♖d2 36. ♖d2 ♕a2!–+ 37. ♗e6** [37. ♘f5 ♕d2 (37... ♗f5!?) 38. ♕d2 b2] **fe6 38. ♘g6 ♔f7!□** [38... ♕d2 39. ♕d2 b2 40. ♕f2! ♖b7 41. ♕f8 ♔h7 42. ♕e8 △ ♘f8=] **39. ♖a2 ba2 40. ♕e7 ♔g6 41. ♕e6 ♔h7 42. ♕f5 ♔g8** [42... ♔h8? 43. ♕h5 ♔g8 44. e6=] **43. ♕e6** [43. e6 ♖f8] **♔h8 44. ♕a6 ♔h7! 45. e6 ♖b2 46. ♔g3 ♖e2 47. h4 ♖e1 48. e7□ ♖e7 49. h5 ♖e1 50. ♕g6 ♔g8 51. ♕a6 a1♕ 52. ♕c8 ♔f7 53. ♕d7 ♔f8 54. ♕f5** [54. ♕c8 ♖e8] **♔e7 55. ♕c5 ♔d7 56. ♕f5 ♔c7 0 : 1** **[I. Sokolov]**

35. **A 28**

V. SALOV 2655 – EPIŠIN 2620

Wijk aan Zee 1992

1. c4 e5 2. ♘c3 ♘f6 3. ♘f3 ♘c6 4. e3 ♗b4 5. ♘d5 e4 6. ♘g1 0–0 7. ♕c2 ♖e8 8. ♘e2 ♗d6 9. a3 ♗e5 10. ♘g3 d6 N 11. ♗e2 [11. ♘f6 ♕f6 12. ♘e4 ♕g6 13. d3 f5 14. ♘c3 f4=∞] **♘d5?** [11... ♗g3 12. hg3±] **12. cd5 ♘e7 13. ♕e4 c6 14. dc6 ♘c6 15. ♕c2 d5 16. d4± ♗c7 17. 0–0 ♖e6 18. f4** [18. ♖d1?! ♖h6! 19. ♘f1 ♗h2! 20. ♘h2 ♕h4→] **♗b6 19. ♗d3 ♖h6 20. ♘f5 ♖g6** [20... ♗f5!? 21. ♗f5 ♕f6±] **21. ♗d2 ♗d7 22. ♗c3 ♕f6 23. ♖ae1 ♖e8 24. ♖f3 h5** [24... ♗f5 25. ♗f5 ♘d4 26. ed4 ♖e1 27. ♗e1 ♕d4 28. ♗f2+–] **25. ♘g3 ♖h6 26. ♘f5 ♖g6 27. ♖ef1 h4 28. ♗e1! ♖e4** [28... ♗f5 29. ♗f5 ♖e3 30. ♖e3 ♘d4 31. ♖e8 ♔h7 32. ♗g6 fg6 33.

♕c8+−] **29. ♘h4 ♖g4 30. ♗e4 de4 31. ♕e4 ♖h4 32. ♗h4 ♕h4 33. ♖g3 ♕f6 34. ♕d5 ♗f5** [34... ♗e6 35. ♕g5+−] **35. ♖c1 g6 36. b4 a6 37. b5 ab5 38. ♕b5 ♘e7 39. a4 ♔g7 40. a5 ♗d8 41. ♕b7 ♗a5 42. ♖a1 ♘c6 43. ♕a6** [43. ♕b5? ♘d4! 44. ♕a5 ♘b3!=; 43. ♖a5 ♘a5 44. ♕d5 ♘c6 △ 45. e4? ♘d4!±] **♗d8 44. ♖c1 ♗e4 45. ♕b5 ♘e7** [45... ♕e6 46. f5! ♕d6 47. ♖g4!+−] **46. ♕e8!+− ♕d6** [46... ♗b6 47. ♖h3] **47. ♖h3 ♔f6 48. ♖h7 ♗d5 49. e4! ♕a3 50. ♕h8** **1 : 0**
[V. Salov]

36. **A 28**

SEIRAWAN 2600 −
BRENNINKMEIJER 2500

Wijk aan Zee 1992

1. c4 ♘f6 2. ♘c3 e5 3. ♘f3 ♘c6 4. e3 ♗b4 5. ♘d5 e4 6. ♘g1 0−0 7. a3 ♗d6 8. ♕c2 ♖e8 9. ♘e2 ♗e5□ 10. ♘g3 ♗g3 11. hg3 d6 12. b3 N [12. ♖h4 − 36/31; 12. d4!? ♗f5 (12... ed3 13. ♗d3 h6 14. 0−0±) 13. ♗e2±; 12. ♗e2!?; 12. b4!?] **♘e5 13. ♗b2 ♘d5 14. cd5 ♗f5 15. f3 ♗g6□ 16. f4!** [16. fe4 ♕g5!⧲] **♘d3** [16... ♘g4 17. ♗e2 ♕d7 (17... h5? 18. f5!) 18. ♘g4 ♕g4 19. ♔f2 △ ♖h4, g4→] **17. ♗d3 ed3⧄ 18. ♕c3 f6 19. g4 ♕e7 20. ♔f2!** [20. f5 ♗f7 21. ♕d3 ♕e4∞] **♗e4 21. ♖h5 c5 22. g5?** [22. ♖ah1 ♖f8 (△ 23. f5?! h6) 23. ♖1h3!?±↑; 22. dc6!?] **♖f8 23. gf6 ♖f6↩ 24. g4!? ♖af8**

25. ♔g3? [25. ♖g1! f4 (25... ♗g6 26. ♖h2 ♕e4 27. ♔e1! △ 27... ♕d5 28. f5 ♗e8 29. g5 ♖6f7 30. g6→≫; 25... ♖g6

26. ♕c4!∞) 26. ef4 ♖f4 27. ♔g3 ♖f3 28. ♔h2 ♖f2 29. ♔h3 ♖f3 30. ♖g3!? ♕f1 31. ♖e3 ♖h1 32. ♔g3 ♖h5 33. gh5 (33. ♖e4? ♕h4−+) ♕g5 34. ♔h3 ♕h5 35. ♔g3 ♕g5 36. ♔h3 ♕g2 37. ♔h4 ♕f2 38. ♖g3 ♕f4 39. ♔h3=] **♖g6!∓ 26. ♖g1 ♖f5! 27. ♖h4** [27. ♖f5 ♗f5 28. g5 h6 29. ♔f2 (29. ♔h4 hg5 30. ♖g5 ♖g5 31. fg5 ♕e4 32. ♔g3 ♕g4 33. ♔f2 ♕h4! 34. ♔g1 ♕g3−+) hg5 30. ♖g5 ♖g5 31. fg5 ♗e4! (△ ♕g5) 32. ♕c4 ♕f7−+] **♖d5 28. ♕c1** [28. ♔h3 ♗f5! 29. ♕c1 ♗d7! (△ h5) 30. f5 ♖f5−+] **h5 29. ♕d1⊕** [29. ♕e1 hg4−+] **♗f5 30. ♕e1 ♗g4 31. ♔h2 ♖f5 32. ♕f2 ♖h6 33. ♕g3 ♕f7 34. ♔g2 ♕d5 35. ♔f2 ♖g6 36. b4 ♕e4 37. ♗c3** [37. ♕g2 ♖f4−+] **b6 38. ♔e1 d5 39. ♗e5 d4 40. bc5 bc5 41. ♕g2 ♕g2 42. ♖g2 ♖e6 43. ♖hh2 ♖ee5 44. fe5 ♖e5 45. ♖f2 c4 46. ♖f4 c3 47. ♖d4 c2 48. ♖c4 ♖b5** **0 : 1** [Brenninkmeijer]

37. **A 28**

S. AGDESTEIN 2590 − ADAMS 2615

Hastings 1991/92

1. c4 ♘f6 2. ♘c3 e5 3. ♘f3 ♘c6 4. e3 ♗b4 5. ♕c2 ♗c3 6. ♕c3 ♕e7 7. a3 a5 8. b4 ab4 9. ab4 ♖a1 10. ♕a1 e4 11. b5 ef3 12. bc6 fg2 13. cd7 ♘d7?! N [13... ♕d7 14. ♗g2 (14. ♕e5 ♕e6 15. ♕e6 ♗e6 16. ♗g2 ♗c4 17. ♗b7 ♔d7∓) ♕g4 (14... 0−0 − 32/(42)) 15. ♕e5 ♔d8 16. ♕g3 ♕c4 17. ♗b2∞] **14. ♗g2 0−0 15. 0−0±⊞ c5** [15... ♖d8 16. ♗b2 f6 17. d4 ♘f8 18. ♗a3±] **16. f4 ♖d8 17. ♕a5** [△ 17. ♗b2 f6 18. ♖f3 △ d3, e4±] **♘f6** [17... b6!?] **18. ♗a3!□ b6** [18... ♕d6 19. ♗c5 ♕d2 20. ♕d2 ♖d2 21. ♖a1±] **19. ♕b6 ♖d2 20. ♕c5 ♕e8?!** [△ 20... ♖g2 21. ♔g2 ♕e4=] **21. ♕e7 ♖g2□ 22. ♔g2 ♕c6 23. ♔f2!** [23. ♔g1 h6 △ ♗b7⧅] **h5!** [×g4] **24. ♖g1 ♘g4** [24... ♗g4!? 25. ♕d8 ♔h7 26. ♕d3 ♔h6⧅] **25. ♔g3 ♘h6!** **26. e4** [26. ♕d8 ♔h7 27. ♕d3 ♗f5 28. ♕d5 ♕a4 29. ♗f8 ♕c2∓→] **♕b6□ 27. ♕c5□ ♕b3 28. ♔f2 ♘g4** [28... ♗g4 29. ♕e3 ♕c2 30. ♔e1 ♕d1 31. ♔f2=] **29. ♔e1?⊕** [29. ♖g4 ♗g4 30. ♕e3 ♕c4=] **♕c3?⊕** [△ 29... ♗e6 30. ♖g3 ♕c2∓→] **30. ♔d1 ♗e6 31. ♖g3 ♘e3□ 32. ♖e3**

♗g4 33. ♖e2 ♕d3 34. ♔c1 ♗e2 [34... ♕e2 35. ♕f8 ♔h7 36. ♕f7=] **35. ♕c8 ♔h7 36. ♕f5 ♔g8 37. ♕c8 ♔h7 38. ♕f5 1/2 : 1/2** **[Adams]**

38. **A 29**

M. GUREVIČ 2630
– I. SOKOLOV 2570
Beograd 1991

1. c4 e5 2. ♘c3 ♘f6 3. ♘f3 ♘c6 4. g3 ♗c5 5. d3 0–0 6. ♗g2 h6 7. 0–0 d6 8. a3 a5 9. e3 ♗b6!? N [△ ♗e6, d5; 9... ♗f5 – 52/37] **10. b3!? ♗f5!?** [△ ♕d7, ♗h3-g2, d5; 10... ♗e6 11. d4!? ed4 12. ♘d4 ♘d4 13. ed4 c6 14. d5 cd5 15. ♘d5⩲] **11. h3! ♕d7 12. ♔h2 ♗h7** [△ e4; 12... e4 13. ♘h4 ed3 14. ♘f5 ♕f5 15. e4⩲] **13. ♘g1!⩲** [△ ♘ge2, ♕d2, ♗b2, ♖ae1, f4] **♔h8?!** [13... ♘d8! △ c6, d5] **14. ♘ge2 ♖fe8 15. ♗b2 ♘d8 16. ♕d2 c6 17. e4!?** [△ f4→] **♘g8!? 18. ♘a4!?** [18. f4 f5⇆] **♗c7 19. d4 ed4 20. ♗d4 f5!** [20... ♗e4?? 21. ♘c5! dc5 22. ♗g7+–] **21. ef5 ♕f5 22. ♘f4 ♘e6 23. ♘e6 ♖e6 24. ♖fe1 ♖ae8 25. ♖e6 ♕e6 26. ♘c3!?** [△ ♖d1, ♗e3-f4; 26. ♖d1 b5! 27. ♘c3 bc4 28. ♗c6 cb3! 29. ♗e8 ♕e8∞] **♗d8 27. ♖d1 ♗f6 28. ♗b6! ♕f5 29. ♖c1?!** [29. ♘a4 ♕c2 30. ♕c2 ♗c2 31. ♖d6 ♗b3 32. ♘c5 ♗c4 33. ♘b7±] **♕d3 30. ♕d3 ♗d3 31. ♘a4?!⊕** [31. ♗f3! △ ♘a4±] **♖e2! 32. ♖d1** [32. ♗f1 ♖c2∓] **♗c2 33. ♖d6 ♗b3 34. ♘c5 ♗c4?⊕** [34... ♖f2! 35. ♘b7 (35. ♘b3 ♖b2 36. ♖d3 a4∓) ♖c2 36. ♖c6 a4⇆] **35. ♘b7 a4 36. ♘a5 ♗b5 37. ♘c6 ♖a2 38. ♗c5 ♖c2 39. ♗e3 ♖a2 40. ♘d4 ♗c4** [40... ♗d4 41. ♗d4 ♖a3 42. ♗e4±] **41. ♖c6 ♗f7 42. ♖c7 ♗g6 43. ♘b5 ♘e7 44. ♖a7 ♘f5?!** [44... ♗d3 45. ♘d6 ♖a3 46. ♘e4! (46. ♗c5?! ♖a2 47. ♘f7 ♔g8 48. ♗e7 ♖f2! 49. ♗f6 ♗e4=) ♗e4 47. ♗e4±] **45. ♗d5 ♖b2?** [45... ♖a1 46. ♖a8 ♔h7 47. ♗g8 ♔h8 48. ♗b6 ♘e7 49. ♗f7 ♔h7 50. ♗g6 ♔g6 51. ♖a4±] **46. ♖a8 ♔h7 47. ♗g8 ♔h8 48. ♗c4!** [48. ♗c1? ♖f2 49. ♔g1 ♖e2 50. ♗f7 ♔h7 51. ♗g8=] **♔h7 49. ♗g8 ♔h8 50. ♗c4 ♔h7 51. ♗c1!+– ♖f2 52. ♔g1** [52... ♖c2 53. ♗g8 ♔h8 54. ♗b3] **1 : 0**
[M. Gurevič]

39. **A 29**

KORTCHNOI 2610 – BAREEV 2680
Tilburg (Interpolis) 1991

1. c4 ♘f6 2. ♘c3 e5 3. ♘f3 ♘c6 4. g3 ♘d4 5. ♗g2 ♘f3 6. ♗f3 ♗b4 7. d4 N [7. ♕b3 – 50/(28)] **e4 8. ♗g2 ♗c3 9. bc3 h6 10. ♕c2 0–0?** [10... ♕e7] **11. ♗e4 ♘e4 12. ♕e4 ♖e8 13. ♕f3 ♖b8** [13... ♕e7 14. ♗e3±] **14. 0–0 b6 15. ♖e1 ♗a6 16. ♕g4!± ♔h8** [16... ♕f6 17. ♕d7 ♗c4 18. ♕c7 ♖bc8 19. ♕d7 ♖cd8 20. ♕g4+–] **17. d5 d6 18. ♕d4!** [△ ♗h6] **c5** [18... ♔g8 19. a4±; 18... ♕f6 19. ♕f6 gf6 20. ♗h6 ♗c4 21. e4±] **19. dc6** [19. ♕d3! ♕d7 20. a4 f5 21. f3±] **♖e6 20. ♗f4?** [20. a4 ♖c8 21. a5 ba5 22. ♕a7 ♖c6 23. ♕f7 ♗c4 24. ♕f3 d5 25. ♗e3±] **♖c8=∞ 21. c5 bc5 22. ♕a4 ♗e2** [22... ♕b6 23. ♖ab1 ♕c6 24. ♕c6 ♖c6 25. e4=] **23. ♕a7 ♖e7! 24. ♕a4 ♕e8 25. ♗d6 ♖e4 26. ♕c2 ♗f3** [26... ♖c6!? 27. ♗f4 ♕e6=∞↑»] **27. ♖e4 ♗e4 28. ♕e2! ♕c6 29. ♗c5!= ♗f3 30. ♕d3 ♗e4 31. ♕e2** [31... ♗h1? 32. ♕f1±] **1/2 : 1/2** **[Bareev]**

40.* **A 29**

ČEHOV 2525 – VYŽMANAVIN 2590
SSSR (ch) 1991

1. c4 e5 2. ♘c3 ♘f6 3. ♘f3 ♘c6 4. g3 d5 5. cd5 ♘d5 6. ♗g2 ♘b6 7. b3 [RR 7. 0–0 ♗e7 8. a4 a5 9. d4?! ed4 10. ♘b5 0–0 (10... ♗f6?! 11. ♗f4 ♘d5 12. ♘fd4 ♘cb4 13. ♖c1) 11. ♘fd4 ♘d4 12. ♘d4 (12. ♕d4=) c6 13. e3 ♗f6 14. ♕h5 ♕e7!? 15. ♗d2?! ♖d8 16. ♖fc1 (16. ♖fd1!?) ♘d5 17. ♖c4 g6 18. ♕f3 c5 19. ♘b3 b6 20. e4 ♗a6 (Hodgson 2570 – Bareev 2680, Hastings 1991/92) 21. ♖c5□ bc5 22. ed5 ♗b2∓; 15. b3!?= Bareev] **♗e7 8. a4!? N** [8. ♗b2] **a5 9. ♗b2 0–0 10. ♘b5** [△ d4] **f6** [RR 10... ♗f6 11. 0–0 △ ♖c1, ♘e1-d3 Čehov] **11. 0–0 ♗e6** [RR 11... ♗g4 12. d4! e4 13. ♘h4! (13. ♘d2 f5 14. f3 ef3 15. ef3 ♗h5 16. ♘c4 ♘d5∓) f5 14. f3 ef3 15. ef3 ♗h5 16. ♘f5 ♖f5 17. g4↑ Čehov] **12. ♕b1** [12. d4 e4 13. ♘d2 f5∓] **♘b4□** [RR 12... ♗b3? 13. ♗e5±; 12...

♔h8 13. d4 ♗b3 14. de5 ♗a4 15. ef6→ Čehov] **13. d4 c6 14. ♘a3 e4!** [14... ♗b3 15. de5 ♗a4 (15... fe5 16. ♗e5∞) 16. ♘d4=∞] **15. ♘d2?!** [15. ♕e4 ♗b3 16. ♗h3 (16. ♘h4 ♘a4 17. ♘f5 ♖f7∓) ♗d5! 17. ♗e6 ♔h8 18. ♗d5 cd5∓] **f5∓ 16. ♗h3** [RR 16. g4? ♗d6 17. gf5 ♕h4–+; 16. f3 e3 17. ♘dc4 f4; ⌓ 16. ♘dc4!? Čehov] **♖f6 17. f3** [⌓ 17. ♖d1] **♖h6 18. ♗g2 ♗g5∓ 19. f4□** [19. ♕d1 ♗e3 △ ♕g5] **♗f6 20. e3 ♘d3 21. ♘dc4 ♖a6?** [21... ♘d5∓; RR 21... ♘c4 22. ♘c4 c5! (22... ♗c4 23. bc4 c5 24. ♖d1 cd4 25. ♖d3 ed3 26. ♗d5 ♔h8 27. ♗d4 △ ♕d3=∞) 23. ♘e5 (23. dc5 ♗b2 24. ♘b2 ♘c5) ♘e5! 24. de5 (24. fe5 ♗g5) ♗e7∓ Čehov] **22. ♖d1! ♘b2** [22... ♘c4 23. ♘c4 ♗c4 24. bc4 ♖b6 25. ♖d3 ed3 26. c5!∞] **23. ♕b2 ♘d5 24. ♕d2 g5** [24... ♖a8!?] **25. fg5 ♗g5 26. ♖f1 ♖a8 27. ♘c2 ♕c7 28. ♖f2** [△ ♖af1] **b5?!** [28... b6 △ ♖f8; 28... ♖f6!?] **29. ♘e5?!** [29. ab5 cb5 30. ♖a5! ♖b8 31. ♘e5±] **♗f6 30. ♖af1 ♖d8∓ 31. ♖f5!?** [31. ♕e1 ba4 32. ba4 ♗e5 33. de5 c5∓] **♗f5 32. ♖f5 ♘e7 33. ♘g4 ♘f5 34. ♗e4?** [34. ♕f2! ♗g7 35. ♕f5 △ ♗e4∓] **♗g7 35. ♗f5 ♖hd6 36. ♕d3** [36. ab5!] **ba4 37. ♗h7** [⌓ 37. ba4] **♔h8 38. ♗f5⊕ ab3 39. ♕b3 c5–+ 40. ♕c4 ♕b7 41. ♕f1 cd4 42. ed4 ♔g8 43. ♗d3 ♖d4 44. ♗c4 ♖c4 45. ♕c4 ♕d5 46. ♕c7 ♕d1 47. ♔g2 ♖d2**

0 : 1 [Vyžmanavin, B. Arhangel'skij]

41. A 29**

SERPER 2490 – ASEEV 2525

Krumbach 1991

1. c4 e5 2. g3 ♘f6 3. ♗g2 d5 4. cd5 ♘d5 5. ♘c3 ♘b6 6. ♘f3 ♘c6 7. 0–0 ♗e7 8. a3 0–0 9. b4 ♗e6 10. ♖b1 f6 11. d3 ♘d4 12. ♗e3 c5 13. ♘e4 ♘f3!? N [13... cb4 – 48/(27)] **14. ♗f3 cb4 15. ab4 ♘d5 16. ♗d2 ♕d7!** [16... b6?! 17. ♕a4! ♕e8 18. b5 ♕d7 19. ♖fc1± Haritonov 2500 – Aseev 2545, L'vov (zt) 1990] **17. ♕c2!?** [17. ♘c5 ♗c5 18. bc5 1/2 : 1/2 Kramnik 2490 – Aseev 2525, SSSR (ch) 1991] **♖ac8 18. ♕b2 b6! 19. ♖fc1** [19. b5?! ♖c7 20. ♖fc1 ♖fc8 21. ♖c7 ♖c7↑⇔c △ 22. ♖c1? ♖c1 23. ♗c1 ♗b4 ×b5] **♖c1 20. ♖c1 ♖c8 21. ♖c8 ♕c8 22. b5 a5?** [22... ♕d7 23. ♘c3 ♘c3 24. ♗c3 ♗c5=] **23. ba6 ♕a6**

24. ♘g5!! fg5? [24... ♕c8□ 25. ♘e6 ♕e6 26. ♗d5 ♕d5 27. ♕b6±] **25. ♕e5+– b5 26. ♗d5 ♗d5 27. ♕d5 ♔f8 28. ♗g5 ♗g5 29. ♕g5 ♕a1 30. ♔g2 ♕b2 31. ♕d8 ♔f7 32. ♕d5 ♔f6 33. e4 ♕e5⊕** [33... b4 34. ♕d6 ♔f7 35. e5] **34. ♕e5** [34... ♔e5 35. ♔f3] **1 : 0 [Serper]**

42. A 29

TIMMAN 2630 – BAREEV 2680

Tilburg (Interpolis) 1991

1. c4 e5 2. ♘c3 ♘f6 3. ♘f3 ♘c6 4. g3 d5 5. cd5 ♘d5 6. ♗g2 ♘b6 7. a3 ♗e7 8. b4 ♗e6 9. ♖b1 f6 10. 0–0 0–0 11. d3 ♘d4 12. ♘d4 ed4 13. ♘e4 ♗d5 14. ♗b2 f5 15. ♘d2 ♗f6?! N [⌓ 15... ♗g2 16. ♔g2 ♔h8 – 48/27; 16... ♗f6!?] **16. ♗d5 ♕d5 17. ♖c1 ♖f7 18. ♖c5 ♕e6 19. ♖e1?!** [19. ♘f3±] **c6 20. ♘f3 ♘d7!= 21. ♖c2 ♕d5 22. ♕a1 a5!** [△ 23. ba5 c5∓] **23. ♗d4 ab4 24. ♗f6 ♖f6** [24... ♘f6 25. ♘e5 ♖a3 26. ♕b2 ♖b3 27. ♕a1=] **25. ♕b2 ♖a3?!** [25... ba3 26. ♕b7 ♖ff8 27. ♕c6 ♕c6 28. ♖c6 a2=] **26. ♕b4 ♖b3 27. ♕f4± h6 28. ♖a1 ♔h7 29. ♖ca2 ♘f8 30. ♖a5 c5 31. ♕e5 ♕e5 32. ♘e5 b6 33. ♖a7 ♖e6?!** [⌓ 33... ♖b2] **34. f4 ♘g6?!** [⌓ 34... ♖b2] **35. ♘d7!+– ♖d6** [35... ♔g8 36. e4] **36. ♖b7** [△ ♘c5] **c4 37. dc4 ♖e3 38. ♔f2 ♖e7 39. ♖aa7⊕** [39... ♖de6 40. ♘f8] **1 : 0 [Timman]**

43. !N **A 29**

AKOPJAN 2590 – JAKOVIČ 2560
SSSR (ch) 1991

1. c4 e5 2. ♘c3 ♘f6 3. g3 d5 4. cd5 ♘d5 5. ♗g2 ♘b6 6. ♘f3 ♘c6 7. 0–0 ♗e7 8. a3 0–0 9. b4 ♗e6 10. d3 ♘d4 11. ♗b2 ♗b3 12. ♕c1 [12. ♕b1!? △ 12... ♘c2 13. ♘e5∞] **♘f3 13. ♗f3 c6 14. ♘e4! N** [14. ♖b1 – 51/(37)] **♘d7** [14... f6 15. ♘c5±] **15. d4!± ed4** [15... f5? 16. ♘d2] **16. ♗d4 ♗d5 17. ♕b2 f6□ 18. ♖fd1 ♕e8 19. ♘d2 ♘b6** [19... ♗f3 20. ♘f3±] **20. ♗d5** [20. e4!?] **♘d5 21. ♘c4! ♖f7** [21... ♕g6 22. ♘a5±] **22. e4 ♘c7 23. ♗c5** [23. ♘a5?! b6; 23. ♕c2!?±] **b5!** [23... ♗c5 24. bc5 △ ♘d6±; 23... ♘e6 24. ♗e7 ♕e7 25. ♘d6 ♖ff8 26. ♕b3±] **24. ♗e7** [24. ♘d6? ♗d6 △ ♕e4] **bc4 25. ♗d6 ♕e4 26. ♖d4 ♕e6 27. ♗c7 ♖c7 28. ♖c1 a5?** [28... ♖d7± △ 29. ♖dc4 ♖ad8!] **29. ba5! ♕e5** [29... ♖a5? 30. ♕b8 ♖c8 31. ♖d8!+–] **30. ♕c3! ♕b5** [30... ♕a5 31. ♖d8 ♔f7 32. ♕c4 ♔e7 33. ♖g8!+–; 30... ♖a5 31. ♕c4 ♔f8 32. ♖d8 ♔e7 33. ♕g8+–] **31. ♕e1!** [31. ♕d2? ♕a5 32. ♖d8 ♔f7=] **h6** [31... ♕a5 32. ♖d8 ♔f7 33. ♕e8#] **32. ♖cc4 ♖a5** [32... ♕a5 33. ♖d8 ♔h7 34. ♕e4 g6 35. ♖cd4! ♖d8 36. ♖d8 ♕e5□ (36... ♖b7 37. ♕e8 ♖b1 38. ♔g2+–) 37. ♕c4 ♖g7 38. ♕c6 ♕a1 39. ♔g2 ♕a3 40. ♕e8 g5 41. ♕e4+–] **33. ♕e6 ♔h7 34. ♖d8 ♕f5 35. ♕g8 ♔g6 36. ♖f4! ♕b1 37. ♔g2 ♖f5** [37... h5 38. ♖f6! ♔f6 39. ♖d6+–] **38. ♖g4 ♖g5 39. ♕e8! ♔h7** [39... ♔f5 40. ♖f4#; 39... ♖f7 40. ♖g5 hg5 41. ♖d7 ♕b3 42. a4+–] **40. ♖g5 fg5** [40... hg5 41. ♕h5#] **41. ♕g8 ♔g6 42. ♖d6 ♔h5 43. ♕e8 g6 44. h3** [44... ♕c2 45. g4 ♔h4 46. ♕e3] **1 : 0**
[Akopjan]

44.* **A 29**

KORTCHNOI 2610 –
AN. KARPOV 2730
Tilburg (Interpolis) 1991

1. c4 e5 2. ♘c3 ♘f6 3. ♘f3 ♘c6 4. g3 ♗b4 5. ♘d5 [RR 5. ♗g2 0–0 6. 0–0 ♖e8 7. d3 ♗c3 8. bc3 e4 9. ♘g5 ed3 10. ed3 b6!? N (10... d6 – 27/56) 11. ♖e1 ♖e1 12. ♕e1 ♗b7 13. ♗d5 ♕f8! 14. ♕d1 ♘d8 15. ♗b7 ♘b7 16. ♕f3 c6 17. ♗e3 h6 18. ♘h3 ♕e7 19. ♘f4 ♖e8 20. ♗d4 ♘d6 21. a4 ♘f5 22. ♘d5 ♘d5 23. ♕f5 ♘c7 24. a5 ♘e6 1/2 : 1/2 Akopjan 2590 – Christiansen 2600, Groningen 1991] **♗c5 6. ♗g2 0–0 7. d3 h6!? N** [7... ♘d5± – 28/(52)] **8. a3 a5** [8... ♘d5 9. cd5 ♘d4 10. ♘d2 d6 11. b4 ♗b6 12. e3 ♘f5 13. ♘c4±; 8... ♘d4 9. ♘d4 ♗d4 10. e3±] **9. ♗d2** [9. ♘f6 ♕f6 10. 0–0 d6 11. ♘d2 ♕g6!?] **d6** [9... ♘d5 10. cd5 ♘d4 11. ♘d4 ♗d4 12. e3!± △ 12... ♗b2 13. ♖a2+–] **10. b4** [10. 0–0 ♘d5 11. cd5 ♘e7=] **ab4 11. ab4 ♖a1 12. ♕a1 ♘d5! 13. bc5** [13. cd5 ♘b4∓] **♘db4 14. ♗b4** [14. ♕b2 dc5 15. ♘e5? ♘e5 16. ♕e5 ♘d3! 17. ed3 ♖e8–+; 14. 0–0!? dc5 (14... e4 15. de4 dc5 16. ♗c3∞) 15. ♗b4 (15. ♘e5 ♘d4! 16. ♗b4 ♘e2∓) ♘b4 (15... cb4 16. ♘e5 ♘d4∞) 16. ♕e5 b6 17. ♕b2 ♖e8=] **♘b4 15. 0–0 e4! 16. de4 dc5 17. ♖d1 ♕e7 18. ♕e5** [18. ♘e5 ♘c2 (18... ♖d8? 19. ♖d8! ♕d8 20. ♕a8±) 19. ♕b2 ♘d4 20. e3 ♕e5 21. ed4 ♖d8! 22. f4 ♕h5∓] **♗e6** [18... ♕e5 19. ♘e5 ♗e6 20. f4! f6 21. ♘d3 ♖d8 22. ♖b1!=] **19. ♘h4 ♘c6 20. ♕b2** [20. ♘f5 ♘e5 (20... ♗f5 21. ♕e7! ♘e7 22. ef5) 21. ♘e7 ♔h7 22. f4 ♘c4 23. f5 ♖e8 (23... ♗c8!?∓) 24. fe6 ♖e7 25. ♖d7 ♖e6∓] **♖d8** [20... ♘a5!?] **21. ♖c1?!** [21. ♖d8 ♕d8 22. ♘f5 ♕d1 23. ♗f1 ♘d4∓] **b6!∓ 22. ♘f5** [22. e3 ♘b4] **♗f5 23. ef5 ♘d4! 24. e4□ ♘c6!** [24... ♕f6 25. ♔f1] **25. f4 ♕d7! 26. f6?** [26. ♖e1; 26. ♕f2; 26. ♕e2] **♕d4 27. ♕d4 ♘d4** [♖ 9/i] **28. ♖a1 gf6 29. ♖a7 c6! 30. ♖c7** [30. ♔f2 b5 31. cb5 cb5] **b5! 31. cb5 c4! 32. b6 c3 33. b7 c2–+ 34. ♖c8 c1♕ 35. ♗f1 ♕e3 36. ♔g2 ♕e4 37. ♔g1 ♕e8** [37... ♘f3 38. ♔f2 ♕d4 39. ♔f3 ♕b6 40. ♗a6 ♔g7–+] **38. ♗a6 ♕e3 39. ♔g2 ♕f3⊕** [40. ♔h3 ♕h5 41. ♔g2 ♕d5 △ ♕d6; 40. ♔g1 ♕d1 41. ♔g2 (41. ♗f1 ♘f3 42. ♔f2 ♔g7) ♕c2 42. ♔h3 (42. ♔f1 ♕b1 43. ♔g2 ♕b6) ♕f5 43. g4 ♕d5 44. b8♕ ♖c8 45. ♕c8 ♔g7] **0 : 1** **[An. Karpov]**

45. **A 30**

BELJAVSKIJ 2655 – V. SALOV 2665
Reggio Emilia 1991/92

1. ♘f3 ♘f6 2. c4 e6 3. ♘c3 b6 4. g3 c5 5. ♗g2 ♗b7 6. 0–0 ♘c6 7. e4 d6 8. d4 cd4 9. ♘d4 ♖c8 N [9... ♘d4 – 29/77] **10. ♘c6!? ♗c6 11. ♗f4 ♗e7 12. ♕e2 0–0 13. ♖fd1 ♕c7 14. ♖ac1 ♕b8** [14... ♖fd8? 15. ♘d5±] **15. ♘d5** [15. ♘b5 ♖fd8 (15... ♗b5 16. cb5 ♖c1 17. ♖c1 ♖c8 18. ♖c6±) 16. e5 de5 17. ♖d8 ♗d8 (17... ♖d8 18. ♗e5 ♕b7 19. ♗c6 ♕c6 20. ♘a7 ♕a4 21. ♘b5 ♕a2 22. ♗c7±) 18. ♗e5 ♕a8 19. ♗c6 ♖c6 20. ♘d6⩲] **ed5 16. ed5 ♗a4 17. b3 ♖ce8!** [17... ♖fe8 18. ba4 ♘d7 19. ♗h3±] **18. ba4 ♘d7=∞ 19. ♕d2 ♕c7 20. ♕b4 ♘c5 21. ♕b5 ♕d8!** [△ ♗g5] **22. ♕c6 g5! 23. ♗e3 ♗f6 24. a5** [24. ♗c5 bc5 25. ♖e1 ♗d4 26. ♗h3 ♖e1 27. ♖e1 ♕f6 28. ♖e2 ♖b8∓] **♖e3! 25. fe3 ba5 26. ♕b5 g4 27. ♔h1** [⌓ 27. ♖f1 ♗g5 28. ♔h1] **♗g5** [27... ♗e5!? 28. ♖f1 f5 29. ♕b1 ♕g5 30. ♖f2 (30. ♖ce1 h5!∓) ♕e3 31. ♖cf1 ♘d3 32. ♖f5 ♖f5 33. ♖f5 ♘f2 34. ♔g1!=] **28. ♖f1 ♗e3 29. ♖ce1 ♗g5?** [29... ♕g5 30. ♕b1 f5=∞] **30. ♕b1±** [×f5] **♕d7 31. ♗e4 f6** [31... h5 32. ♗f5 ♕d8 33. h3 gh3 34. ♕d1±] **32. ♗f5 ♕g7 33. ♗g4 ♗d2 34. ♗e6 ♔h8 35. ♖e2 ♗c3 36. ♖f4 ♗e5 37. ♖h4+– ♘e6 38. de6 ♖e8 39. ♕f5 ♕g8 40. ♔g2 ♖e7** [40... ♖e6 41. ♖h7] **41. ♖e5 fe5** [41... de5 42. ♕f6 ♕g7 43. ♕f5 △ ♖g4] **42. ♖g4 ♖g7 43. ♕f6 h5 44. ♖g6 ♕a8 45. ♔h3 ♕b7 46. ♖h6**
1 : 0 **[Beljavskij]**

46.** **A 30**

VAGANJAN 2585 –
HJARTARSON 2550
Bayern – Porz 1991

1. ♘f3 ♘f6 2. c4 e6 3. g3 b6 4. ♗g2 ♗b7 5. 0–0 c5 [RR 5... ♗e7 6. b3 0–0 7. ♗b2 d5 8. e3 c5 9. ♘c3 ♘bd7 10. d3 a6 (10... dc4?! 11. bc4 e5? 12. e4 △ ♘d5±) 11. ♕e2 ♕c7 12. ♖ac1 ♖ac8 N (12... ♗c6 – 39/52) 13. ♖fd1 ♕b8 14. cd5 ♘d5 15. ♘d5 ♗d5 16. e4 (16. d4?! ♕b7) ♗b7 17. d4 ♖fe8! 18. dc5 (18. d5? ed5 19. ed5 ♗g5; 18. ♗h3 cd4 Zlotnik) ♘c5 19. ♘d4 ♕a8 20. f3 ♖ed8= Danailov 2445 – Zlotnik 2455, Sevilla 1992] **6. ♘c3 d6 7. ♖e1 ♘bd7 8. e4 ♘e5?! N** [RR 8... a6 9. d4 cd4 10. ♘d4 ♕c7 11. ♘d5 ed5 12. ed5 ♔d8 13. ♘c6 ♗c6 14. dc6 ♘c5 15. b4 ♘e6 16. c5 bc5 17. bc5 ♔c8 18. ♖b1 ♖b8 19. ♖b7 ♖b7 20. cb7 ♔b8 21. c6!? N (21. ♕a4 – 50/37) *a)* 21... ♘c5? 22. ♗f4! ♘e6 (22... ♗e7 23. ♖e7+–; 22... g5 23. ♕d4! ♘e6 24. ♖e6 fe6 25. ♗e3+–) 23. ♖e6! fe6 24. ♕a4 ♕b6 (24... a5 25. ♕b5 △ ♕a6+–) 25. ♗e3 ♕b5 26. ♕b5 ab5 27. ♗a7! ♔a7 28. c7+–; *b)* 21... d5? 22. ♖e6!! fe6 23. ♕a4 ♘d7! (23... a5 24. ♕b5 ♘d7 25. ♗e3! ♘c5 26. ♗c5 ♗c5 27. ♕c5 △ ♗f1, ♕b5-a6+–) 24. ♗f4! e5 25. cd7 ♗c5 (25... ef4 26. ♕a6+–; 25... ♔b7 26. ♕b3 ♔a7 27. d8♕ ♕d8 28. ♗e3+–) 26. ♗g5 ♗a7 (Poluljahov 2380 – Bešukov 2305, SSSR 1991; 26... ♗b6 27. ♗d5! ♕c5 28. ♗e3 ♕a5! 29. ♕c4! ♗c7 30. ♗g5! ♕b5 31. d8♕ ♖d8 32. ♗d8 ♕c4 33. ♗c4 ♗d8 34. ♗a6+–) 27. ♗e7!!+–; *c)* 21... ♗e7!∞ △ 22. ♖e6? fe6 23. ♕a4 ♕b6 24. ♗e3 ♕b5 25. ♗a7 ♔c7! Poluljahov, Tregubov] **9. d4⩲ ♘f3 10. ♗f3 cd4 11. ♕d4 ♗e7 12. b3 0–0 13. ♗a3 ♕b8□ 14. ♖ad1 ♖d8 15. ♖e3!± ♘e8□ 16. ♖ed3 h6 17. ♕e3 ♗g5 18. ♕e2 a6 19. ♗g2?!** [19. e5! ♗f3 20. ♕f3 de5 21. ♖d8 ♗d8 22. ♖d7 ♗f6 (22... ♘f6? 23. ♖b7 ♕c8 24. ♘e4+–) 23. ♖b7! (23. ♕h5 g6 24. ♕h6 ♗g7 25. ♕d2±) ♕d8 24. ♖b6± △ 24... e4 25. ♘e4] **♕c7 20. ♗b4 ♗e7 21. ♕d2 ♗c6 22. f4?!** [22. a4!±] **b5 23. cb5 ab5 24. h3 ♖dc8⩲ 25. ♕e3 ♕b7 26. a3 ♘f6 27. ♔h2 ♘d7?** [27... ♗f8! △ d5=] **28. ♗d6 ♗d6 29. ♖d6 ♖a3 30. ♘d5!± ♗d5** [30... ed5 31. ed5+–; 30... ♘f8!? 31. ♕c5 ♖a6 (31... ♖a2? 32. ♖c6 ♖c6 33. ♕c6 ♕c6 34. ♘e7+–) 32. ♘b4 (32. ♖c6!? ♖ac6 33. ♘e7 ♔h7 34. ♘c6 ♕c6 35. ♕c6 ♖c6 36. ♖d8 ♘g6 37. ♖b8±) ♗e4□ 33. ♘a6 ♗g2 (33... ♖c5? 34. ♘c5+–) 34. ♕e3! (34. ♕f2? ♗d5=∞) ♖c2 (34... ♗d5 35. ♘b4+–) 35. ♖6d2±] **31. ed5 ♖c2 32. ♖d2 ♖b3**

33. de6! ♖e3 34. ed7 ♖e2 35. d8♕ ♔h7 36. ♖h6! [36... gh6 37. ♕d3+−; 36... ♔h6 37. ♕g5 ♔h7 38. ♕h5 ♔g8 39. ♖d8+−] **1 : 0** **[Vaganjan]**

47.* **A 30**

M. SOROKIN 2510 – JUDASIN 2595

SSSR (ch) 1991

1. c4 c5 2. ♘f3 ♘f6 3. g3 b6 [RR 3... d5 4. cd5 ♘d5 5. ♗g2 ♘c6 6. d4 cd4 7. ♘d4 ♘db4 8. ♘c6 ♕d1 9. ♔d1 ♘c6 10. ♗c6 bc6 11. ♗e3 e5 12. f3 ♗b4!? N (12... ♗e6 – 35/(45)) 13. a3 ♗a5 14. ♗c5 ♗b6 15. b4 ♗c5 16. bc5 ♖b8 17. ♘c3 ♗f5 18. g4 ♖b3 19. ♔d2 ♖b2 20. ♔e3 ♗g6 21. ♘e4 ♔e7 22. ♖hd1 ♖b3 23. ♖d3 ♖hb8∓ P. Nikolić 2625 – Lautier 2560, Beograd 1991] **4. ♗g2 ♗b7 5. 0–0 e6 6. ♘c3 a6 7. b3 d6 8. ♗b2 ♘bd7 9. d4 cd4 10. ♘d4 ♗g2 11. ♔g2 ♕c7 12. e3 ♗e7** [12... ♖c8 13. f4 g6 14. ♕f3 ♗g7 15. g4!?; 15. ♖ad1⩲ ×d6] **13. f4 g6 N** [13... 0–0 14. f5 ♘c5 15. fe6 fe6 16. b4 ♕b7 17. ♔g1±; 14... e5±; 14. ♕f3 – 43/(31)] **14. ♕f3 ♖c8 15. g4! 0–0 16. g5 ♘h5** [16... ♘e8 17. h4→] **17. ♖ad1** [17. f5!? ♘e5 18. ♕h3 ef5! (18... ♗g5 19. fe6±) 19. ♖f5! (19. ♘f5 ♗g5∞) ♕d8!∞] **♘c5! 18. ♘e4** [18. f5 ♗g5 19. fe6 (19. b4 ♘d7 20. fe6 ♘e5 △ ♘c4∓) fe6 △ ♕e7; 19... ♘e6!?] **♕b7!** [18... ♘e4⩲] **19. ♘c5** [19. ♘g3 ♕f3 △ ♘g7, f6=] **♕f3 20. ♔f3** [20. ♘f3 bc5 △ ♖fd8, d5, △ a5-a4⇆《] **bc5 21. ♘e2 f6! 22. gf6** [22. h4 fg5 23. hg5 e5!?∞; 22... ♔f7!?∞ ×h4; 22... h6!?] **♘f6 23. ♗f6!? ♖f6 24. ♘c3 ♖d8!** [24... ♖ff8? 25. ♘e4 ♖fd8 26. ♖d2 ♖c6 27. ♖fd1 △ h4-h5± ×d6; 24... ♖f5!? △ ♖d8] **25. ♔g4** [25. ♘e4 ♖f5 26. ♖d2 d5 27. ♘g3 ♖ff8 △ dc4=; 26... e5!⇆ ×f4] **♖f5** [△ 26... ♖h5, 26... d5, 26... g5!↑] **26. h4!? d5** [26... e5 27. ♘d5⩲; 26... h5 27. ♔g3 d5=] **27. ♘e2!=** [27. e4?! de4 28. ♖d8 (28. ♘e4 e5∓) ♗d8 △ ♗c7∓] **1/2 : 1/2** **[Judasin]**

48.** **A 30**

VAGANJAN 2585 – MINASJAN 2510

SSSR (ch) 1991

1. ♘f3 ♘f6 2. c4 e6 3. g3 b6 4. ♗g2 ♗b7 5. 0–0 c5 6. ♘c3 ♗e7 7. ♖e1 [RR 7. d4 cd4 8. ♕d4 ♘c6 9. ♕f4 0–0 10. ♖d1 ♕b8 *a)* 11. ♘g5 N ♖d8 12. ♘ge4 ♘a5 13. ♕b8 ♖ab8 14. ♗f4 ♖bc8 15. ♗d6 ♔f8 16. ♗e7 ♔e7 17. ♘d6 ♖b8 18. ♘b7 ♘b7 19. b3 a6 20. e3⩲ Aseev 2525 – Holmov 2495, Brno II 1991; *b)* 11. b3 ♖d8 12. ♘g5 N (12. ♗b2 – 48/36) ♕f4 13. ♗f4 ♘a5 14. ♘ge4 d5! 15. cd5 (15. ♘f6 ♗f6 16. ♖ac1 ♗c3 17. ♖c3 dc4 18. ♖d8 ♖d8 19. ♗b7 cb3!? 20. ab3 ♘b7 21. ♖c7 ♘c5 22. ♖a7 ♘b3 23. ♗c7=) ♘d5 16. ♘d5 ♗d5 17. ♖ac1 ♖ac8!? 18. ♖c8 (18. ♗c7 ♗a3!) ♖c8 19. ♘d6 ♗d6 20. ♗d6 ♗g2 21. ♔g2 f6 (Titov 2505 – Holmov 2495, Bardejovské Kúpele 1991) 22. ♖d2!? ♔f7 23. ♔f3⩲ Holmov] **d6 8. e4 e5 9. ♘h4 N ±** [9. d3 – 32/(52)] **♘c6** [9... g6 10. f4! 0–0 (10... ef4? 11. e5) 11. f5 △ d3±] **10. ♘f5 ♗f8 11. ♕a4! g6** [11... ♕d7 12. ♗h3!±]

12. d4!± ♘d7 [12... cd4 13. ♘d4 ed4 14. e5+−; 12... gf5 13. ef5 cd4 (13... ♕d7 14. de5 de5 15. ♗g5 ♗e7 16. ♖ad1 ♘d4 17. ♗b7+−) 14. ♗c6 ♖c6 15. ♕c6 ♘d7 16. ♘d5 ♖c8 17. ♘f6 ♔e7 18. ♘d5 ♔e8 19. ♕a4±; 16. ♘b5±] 13. de5 de5 14. ♘h6 ♘d4 15. ♘d5 ♗c6 16. ♕d1 ♗g7 17. h4!? ♘f8 18. ♗g5 f6 19. ♗e3 ♕d6 20. ♖b1?! [20. a4! △ a5+−] ♘fe6 21. a3 [21. b3!?] ♕f8 22. ♕d2 ♘b3 23. ♕c3 ♘bd4! [23... ♗h6 24. ♗h6 ♕h6 25. ♘f6! ♔f7 26. ♘g4+−] 24. ♕d2 ♘b3 25. ♕d3 ♘bd4 26. ♘g4 h5 27. ♘h2 ♕f7 28. f4 0−0 29. f5 gf5 30. ef5 ♘c7 31. ♗d4 cd4 32. ♘e7 ♕e7 33. ♗c6 ♖ad8 34. ♗f3?! [34. ♔g2 △ b4, ♗f3, ♔h3±] ♕f7 35. ♕d1?? ⊕ [35. ♖bd1 △ ♕e2] d3!∓ 36. ♗h5? [36. b3 d2 37. ♖e2 ♗h6 38. ♔g2=] ♕c4 37. ♗g6?!∓ d2 38. ♖f1 ♖d3 39. ♔g2 ♘d5! 40. ♕h5 ♘e3 41. ♔h3 ♖fd8−+ 42. ♖bd1 ♕e4 43. ♖g1 ♘d1 44. ♖d1 ♕e1 45. ♘f1 ♖g3! 46. ♘g3 ♖d3 47. ♗f7 ♔f8 48. ♕g4 ♖g3 49. ♕g3 ♕d1 50. ♕g2 ♕c2 51. ♗h5 ♕f5 52. ♕g4 ♕g4 53. ♗g4 f5 54. ♗h5 e4 55. ♔g3 ♗h6 56. ♔f2 f4 57. ♗d1 f3   0 : 1
[Vaganjan]

42/37] 14. ♘g5 ♗g2 15. ♔g2 0−0 [15... ♖c6 16. ♗e7 ♕e7 17. ♖ac1 △ ♘d5!±] 16. ♗e7! ♕e7 17. ♕d6!± ♕d6 18. ♖d6 ♖c7! 19. ♖ad1 ♖b8! [×a6, b6, △ ♔f8-e7=] 20. f4 [20. e4 h6 21. ♘h3!? (21. ♘f3 ♖bb7!=) ♔f8 22. f4 ♔e7 △ 23... ♘e8, 23... ♘c5] h6 21. ♘f3 ♔f8 22. e4 ♘c5! 23. ♖6d4 [23. e5 ♘fe4=; 23... ♘e8!?; 23... ♘g4!?] ♔e7 24. e5 ♘g4! 25. ♖e1! h5□ 26. ♘g5! b5!? 27. ♖d2! [×c2] ♖bc8!⇆ [⇌c; 27... a5!?] 28. h3 ♘h6 29. ♔f3 b4 30. ♘ce4 ♘e4 31. ♔e4 [31. ♖e4 a5 32. ♖ed4 ♖c2!= ×b2, g3] ♖c2! 32. ♖ed1 ♖d2 33. ♖d2 ♖c1 34. ♖d6!? [34. g4 hg4 △ 35... ♖f1 ×f4, g4, 35... f6!?] a5!? [34... ♖c2 35. ♖a6 ♖b2 36. ♖a7 − 34... a5] 35. ♖a6 ♖c2 36. ♖a5 ♖b2= 37. ♖a7⊕ ♔f8 38. ♖a8 ♔e7 39. ♖a7 ♔e8 40. ♘c5!? ♘f5! [×g3, h3] 41. ♖a8 ♔e7 42. ♖a7 ♔f8 43. g4 hg4 44. hg4 ♘d4 45. ♔e3 [45. ♔e4 ♘b5 △ ♘c3] ♘b5! 46. ♖b7 ♘c3 47. ♖b8 [47. f5 ef5 48. gf5 ♖e2 49. ♔d4 ♖f2=; 49... ♘a2!?; 47... ♘d5!? △ ♖a2∞] ♔e7 48. ♖b7 ♔e8 49. ♖b8 ♔e7 50. ♖b7 ♔e8 51. ♖b8   1/2 : 1/2
[Judasin]

49.* !N   A 30

ILLESCAS CÓRDOBA 2545
− JUDASIN 2595
Pamplona 1991/92

1. ♘f3 ♘f6 2. c4 c5 3. ♘c3 e6 4. g3 b6 5. ♗g2 ♗b7 6. 0−0 d6 7. d4 cd4 8. ♕d4 a6 9. ♖d1 [9. ♗e3 ♘bd7 10. ♘g5 ♗g2 11. ♔g2 ♖c8! N (11... ♗e7 − 27/(69)) 12. ♘ce4 (12. ♘ge4 ♖c6 △ 13. b4? ♕c8) h6! (12... d5?! 13. cd5 ♘d5 14. ♗d2 △ ♖ac1↑) a) 13. ♘f6 ♕f6! 14. ♕f6 gf6 15. ♘f3 (15. ♘e4 ♖c4 16. ♘d2 ♖c7! 17. ♖ac1 ♔d8!∓) ♖c4 16. ♖ac1 d5 17. b3 ♖c1 18. ♖c1 ♔d8! (18... ♗c5 19. b4! ♗e7 20. ♖c8 ♗d8 21. ♘d4∞; 18... e5!? 19. ♘h4∞) 19. ♖c6 ♗c5 20. ♖c5 bc5 21. ♖a6 ♔e7∓⊥; b) 13. ♘f3 ♘e4 14. ♕e4 ♕c7 (14... ♗e7 15. ♕b7↑) 15. ♖ac1 ♗e7 16. ♘d4 ♘f6 17. ♕f3 0−0= Belov 2435 − Judasin 2595, Podol'sk 1991] ♗e7 10. ♗g5 ♘bd7 11. ♕d2 ♖c8 12. ♗f4 ♖c4 13. ♗d6 ♖c8! N [13... 0−0 14. ♘e5!±; 13... ♗d6? −

50. !N   A 30

VAN DER STERREN 2535
− ŠTOHL 2560
Praha 1992

1. ♘f3 ♘f6 2. c4 b6 3. g3 c5 4. ♗g2 ♗b7 5. 0−0 g6 6. ♘c3 ♗g7 7. ♖e1 d5! N [7... 0−0 − 51/44] 8. d4!? [8. cd5 ♘d5 9. ♕a4 ♘d7=] dc4 9. ♕a4 [9. dc5 ♕d1 10. ♖d1 ♘e4! 11. ♘e4 (11. ♘b5 ♘a6 12. cb6 ab6∞ △ 13. ♘d2?! 0-0-0!↑) ♗e4 12. ♘d2 ♗g2 13. ♔g2 ♘d7! 14. cb6 ♘b6=] ♘bd7 [9... ♕d7 10. ♕c4 △ ♘e5+−] 10. dc5 ♕c8□ [10... 0−0? 11. c6 ♘c5 12. cb7 ♘a4 13. ba8♕ ♕a8 14. ♘a4+−] 11. ♕c4 [11. cb6 ab6 12. ♕b4 ♕c5=] ♕c5 [△ 11... ♘c5!?= △ 12. ♗e3 0−0 13. ♗c5 ♘d7! 14. ♘d5 ♕c5 15. ♕c5 ♘c5 16. ♘e7 ♔h8∓] 12. ♕h4 0−0 13. e4! [13. ♗h6? ♗h6 14. ♕h6 ♘g4−+; 13. ♗e3 ♕h5=] ♖ac8 14. ♗e3 [14. e5? ♗f3 15. ♗f3 (15. ef6 ♗f6) ♘e5∓] ♕h5?! [14... ♕b4 15. e5 ♕b2□ (15... ♕h4? 16. ♘h4 ♗g2 17.

ef6+−) 16. ef6 ♗f6 17. ♘g5 ♗g5 18. ♗g5 ♗g2 19. ♘a4 ♕b5 20. ♔g2 ♖c4 21. ♕h6 ♕a4 22. ♗e7⩱; ⌓ 14... ♕a5!? 15. ♗h6 (15. ♖ad1 ♖c4!?⇆) ♗h6 16. ♕h6 ♘e5 17. ♘e5 ♕e5=] **15. ♕h5 ♘h5 16. ♖ad1 ♖fd8 17. ♗g5!±↑ ♗f6** [17... f6? 18. ♗h3!±] **18. ♗f6 ♘df6** [18... ♘hf6 19. e5 ♘e8 20. e6±] **19. e5 ♖d1!?** [19... ♘e8 20. ♘d4±○; 19... ♘d5 20. ♘b5 a6 21. ♘bd4±○] **20. ♖d1 ♘g4 21. e6!?** [21. ♖d7? ♗f3 22. ♗f3 ♘e5−+; 21. ♖e1 ♖c5 (21... ♘g7!? 22. h3 ♘h6 23. ♖d1 ♘e6 24. ♖d7 ♖c7=) 22. e6 f5∞⇆] **fe6 22. ♘g5 ♗g2 23. ♔g2 ♘hf6** [23... ♖f8 24. ♘ce4 ♘hf6 25. ♘f6 (25. ♘e6?! ♘e4 26. ♘f8 ♔f8 27. ♖d8 ♔f7 28. f3 ♘e3∓) ef6 (25... ♖f6 26. ♘e4±⊥) 26. ♘e6 ♖e8±] **24. ♘e6 ♘e5 25. ♖d8 ♖d8 26. ♘d8±** [×e7] **♔f8 27. ♘e6 ♔e8 28. ♘d4 ♔d7 29. ♔f1** [29. f4 ♘d3 30. b3 e5=] **♘d3 30. b3 e5 31. ♘f3 ♔e6 32. ♔e2 ♘c5** [△ ♘ce4] **33. ♘g5!?** [33. b4 ♘ce4 34. ♘b5 ♘d5=] **♔f5 34. h4 ♘e6** [34... h6 35. ♘f7±] **35. ♘e6 ♔e6 36. ♔d3 a6 37. ♘e4⊕** [37. ♘a4!? ♘d5 38. a3±] **♘e4□ 38. ♔e4** [♙ 3/c3] **♔d6 39. g4** [39. b4 b5=] **♔e6 40. a3** [40. h5 gh5!□ (40... ♔d6? 41. hg6 hg6 42. f4 ef4 43. ♔f4 ♔e6 44. ♔g5 ♔f7 45. ♔h6 ♔f6 46. a3+−) 41. gh5 h6 42. b4 (42. a4 a5 43. f3 ♔f6 44. ♔d5? ♔f5 45. ♔c6 ♔f4 46. ♔b6 ♔f3−+; 44. f4=) b5 43. a3 ♔f6 44. ♔d5 ♔f5 45. ♔c6 ♔f4 46. ♔d5 (46. ♔b6? ♔f3 47. ♔a6 ♔f2−+) ♔f5=] **♔d6⊕** [⌓ 40... b5 41. b4 ♔d6 42. h5 ♔e6=] **41. h5** [41. f4 ef4 42. ♔f4 *a)* 42... ♔e6 43. ♔g5 ♔f7 44. ♔h6 ♔g8 45. a4! (45. b4? b5 46. h5 gh5 47. ♔h5 ♔g7 48. g5 ♔f7 49. ♔h6 ♔g8 50. g6 hg6 51. ♔g6 ♔f8 52. ♔f6 ♔e8 53. ♔e6 ♔d8 54. ♔d6 a5!=) a5 46. h5 gh5 47. ♔h5 ♔g7 48. g5+−; *b)* 42... h6!□ 43. h5 gh5 44. gh5 ♔e6 45. ♔e4 b5 46. b4 (46. ♔d4? ♔f6 47. ♔c5 ♔g5 48. ♔b6 ♔h5 49. ♔a6 ♔g4 50. ♔b5 h5−+) ♔f6 47. ♔f4=] **♔e6= 42. a4** [42. hg6 hg6 43. f4 ef4 44. ♔f4 ♔f6=] **a5 43. hg6** [43. f3 gh5 44. gh5 h6=] **hg6 44. f4** [44. f3 g5=] **ef4 45. ♔f4 ♔f6 46. g5 ♔e6** [46... ♔f7 47. ♔e5 ♔e7=] **47. ♔e4 ♔d6 48. ♔d4 ♔e6 49. ♔e4 ♔d6 50. ♔d4 ♔e6 51. ♔c4 ♔d6 52. ♔b5 ♔c7 53. ♔c4** [53. b4 ab4 54. ♔b4 ♔c6 55. ♔c4 ♔d6 56. ♔b5 ♔c7 57. ♔a6? ♔c6 58. ♔a7 b5!−+; 57. ♔b4=] **1/2 : 1/2** **[Štohl]**

51. **A 31**

CU. HANSEN 2600 − FTÁČNIK 2575

Groningen 1991

1. c4 ♘f6 2. ♘c3 c5 3. ♘f3 b6 4. e4 ♘c6 5. d4 cd4 6. ♘d4 ♗b7 7. f3 ♕b8 8. ♗e3 e6 9. ♕d2 ♗e7 10. g4 0−0 11. 0-0-0 ♖c8 N [11... ♖d8?! − 44/33] **12. g5 ♘e8** [12... ♘h5 13. ♘c6 (13. ♘de2?! ♘e5 14. ♘g3 ♘f3 15. ♕d7 ♘g3 16. hg3 ♗g5∓) ♗c6 14. ♔b1 a6 15. f4→] **13. ♘c6 ♗c6** [13... dc6 14. h4 ♖d8 15. ♗d3±] **14. ♔b1** [14. h4 b5 15. cb5 ♗b5 16. ♗b5 ♕b5 17. ♕d7 ♕a5 18. ♔b1 (18. ♕e7 ♖c3 19. ♔b1 ♖e3 20. ♖d7 ♖f3−+) ♗b4→] **a6 15. h4 b5 16. h5 bc4** [16... b4 17. ♘e2 d5 18. ed5 ed5 19. ♘d4 (19. cd5 ♖d8 20. ♘f4 ♗g5 21. ♗c4 ♘d6 22. ♗b3 ♘f5 23. ♕g2 ♘e3 24. ♕g5 h6!) dc4 20. ♗c4 ♗e4 21. fe4 ♖c4 22. ♘f5 ♗f8 23. ♕d5±] **17. g6 fg6** [17... ♗f6 18. ♗d4 (18. gh7 ♔h7 19. ♗d4 ♗d4 20. ♕d4 ♕f4∞) ♗d4 19. gf7 ♔f7 20. ♕d4 ♕f4 21. ♗c4±] **18. hg6 hg6 19. ♖g1** [19. ♗f4 ♕b4 20. ♕h2 ♖ab8!? 21. ♗b8 ♖b8 22. ♔a1 ♗f6⩱] **♗f6** [19... ♔f7 20. ♕g2 g5 21. ♗g5 ♗g5 22. ♕g5 ♕b4±] **20. ♖g6 ♔f7 21. ♖g2** [21. ♖g1 ♕b4 22. ♗d4 ♗d4 23. ♕d4 ♖ab8 24. ♖d2 ♕b6=] **d5?** [21... ♕b4 22. ♗d4 ♗d4 23. ♕d4 ♖ab8 24. ♕e5 ♘f6 25. ♕g5 ♖g8 26. ♔a1∞; 24. ♗c4!?±] **22. ed5 ed5 23. ♘d5!** [23. ♗g5 ♖a7 24. ♗f6 (24. ♘d5 ♗b2!) ♘f6 25. ♕g5 ♔f8∞] **c3 24. ♕d3** [24. ♘c3 ♗f3 25. ♕d7 ♔f8∞] **♗a4** [24... c2 25. ♕c2!+−] **25. ♕g6** [25. ♘c3 ♖c3 (25... ♗d1 26. ♕d5 ♔f8 27. ♗c5 ♖c5 28. ♕c5 ♕d6 29. ♕d6 ♘d6 30. ♘d1±) 26. ♕d5 ♔f8 27. ♗c5 ♖c5 28. ♕c5 ♗e7 29. ♕f5 ♘f6∞] **♔f8 26. ♘f6! c2** [26... gf6 27. ♗h6 ♔e7 28. ♖e2] **27. ♖c2 ♖c2** [27... ♗c2 28. ♕c2 ♘f6 (28... ♖c2 29. ♘d7 ♔e7 30. ♘b8+−; 28... gf6 29. ♗c5 ♔g7 30. ♖d7+−) 29. ♗c5 ♔g8 30. ♗c4 ♔h8 31. ♖h1+−] **28. ♘d7 ♗d7 29. ♕c2 ♗e6 30. ♕c5 ♔f7** [30... ♔g8 31. ♗c4 ♗c4 32. ♕c4+−] **31. ♖d7!** [31. ♗c4 ♕c8!□

32. ♕c8 ♖c8 33. ♗a6 ♖a8±] **♗d7** [31... ♔g8 32. ♗c4+−] **32. ♗c4 ♗e6** [32... ♔g6 33. ♕g5 ♔h7 34. ♕h5#] **33. ♕f5 ♔e7** [33... ♘f6 34. ♕e6 ♔g6 35. ♗d3 ♔h5 36. ♕h3#] **34. ♕e6 ♔d8 35. ♗b6 ♘c7 36. ♗d5** [36. ♕c6+−] **♖a7 37. ♗c6!** [37. ♕g8+−] **1 : 0** **[Ftáčnik]**

52.* **A 32**

N. OSTOJIĆ 2365 − PETRONIĆ 2390

Jugoslavija (ch) 1991

1. c4 c5 2. ♘f3 ♘f6 3. d4 cd4 4. ♘d4 e6 5. ♘c3 a6 6. g3 ♕c7 7. ♗g2 ♕c4 8. ♗f4 [8. ♗g5 − 46/(50)] **♘c6** [8... ♗b4 9. 0−0 ♗c3 10. ♖c1 0−0 11. ♖c3 ♕b4 12. ♘f5! (12. ♘e6 de6 13. ♗d6±) ♘c6 13. ♗d6! ♕b2 14. ♖c2 ♕b5 15. ♖c5 ♕b6 16. ♗f8 ♔f8 17. ♕d6 ♔e8 18. ♖c6+−] **9. ♘c6** [9. ♘b3?! ♕b4 10. e4 d6 11. 0−0 ♗d7 12. ♖c1 ♗e7 13. ♗e3 ♘a5! 14. ♘d2 ♖c8 15. ♖c2 ♘c4 16. ♘c4 ♖c4∓ Budnikov 2440 − Petronić 2355, Budapest 1991] **bc6** [9... dc6?! 10. 0−0 ♘d5 11. ♘d5 cd5 12. ♖c1 ♕b4 13. e4!± Bagirov] **10. 0−0 N** [10. ♖c1 ♕b4 11. a3 ♕b7 (11... ♕a5?! 12. ♗d6 ♗d6 13. ♕d6 ♗b7 14. 0−0 ♖c8 15. ♖fd1 ♕d8 16. ♘a4 ♕e7 17. ♕c5!±) 12. ♗d6 ♗d6 13. ♕d6 ♕b8 14. ♕c5 ♕a7=] **d5 11. e4 ♗e7 12. a3** [△ ♖c1] **a5□ 13. ♖c1** [13. ♖e1 ♕a6 14. ed5 cd5? 15. ♗f1! ♕b7 16. ♘b5±; 14... ♘d5!∓] **♕a6□ 14. ed5 ed5∓** [14... cd5 15. ♖e1 ♗d7 16. ♗f1 ♕b7 17. ♘a4! ♖c8 18. ♖c8 ♗c8 (18... ♕c8 19. ♕b3!) 19. ♕d2!=∞] **15. ♖e1 ♗e6 16. ♘e2 c5 17. ♗e5 0−0 18. ♘f4 ♖ad8 19. ♗f6 ♗f6 20. ♖c5 ♗b2 21. ♕a4 d4 22. ♘e6 fe6 23. ♗e4⊕ d3 24. ♖f1 ♖d4 25. ♕b3 ♖e4 26. ♕b2 ♖e2?⊕** [26... ♕d6!∓] **27. ♕d4 ♖c2 28. ♖g5 ♖c7 29. ♖d1 h6 30. ♖g4 ♕b7 31. ♖d3 ♖c1 32. ♖d1 ♖d1 33. ♕d1 ♕f3 34. ♕f3 ♖f3 35. ♖a4 ♖f5= 36. ♔f1 ♔f7 37. ♔e2 ♖d5 38. ♖e4 ♖b5 39. a4 ♖b2 40. ♔e3 ♖a2 41. h4 ♔f6 42. h5 ♖a3 43. ♔e2 e5 44. ♖g4 ♖a2 45. ♔e3 ♖a3 46. ♔e2 ♔f7 47. ♖c4 ♔e6 48. ♖g4 ♔f6 49. ♖g6 ♔f7 50. ♖g4 ♖c3 51. ♔d2 ♖f3 52. ♔e2 ♖b3 53. ♖c4 ♖a3 54. ♖c5 ♖a4 55. ♖e5 ♔f6 56. f4 ♖a3 57. ♔f2 ♖a1 58. ♔f3 a4 59. ♖a5 a3 60. ♖a6 ♔f7 61. ♔g4 a2** **1/2 : 1/2** **[Petronić]**

53.* **A 34**

KORTCHNOI 2610 − KAMSKY 2595

Tilburg (Interpolis) 1991

1. c4 c5 2. ♘f3 ♘f6 3. ♘c3 d5 4. cd5 ♘d5 5. e3 ♘c3 6. bc3 g6 7. ♗b5 ♘d7 8. a4 ♗g7 9. d4 0−0 10. 0−0 ♕c7 N [10... ♘f6 − 36/(59)] **11. ♗a3** [RR 11. e4 ♖d8 12. ♗a3 ♘f6 13. ♕e1 b6 14. ♖d1 a6 15. ♗d3 ♗g4 16. e5 ♗f3 17. gf3 ♘d5 18. ♗e4 c4 19. ♔h1 e6 20. ♖g1 ♕d7 21. ♗d6 ♕a4 22. ♗d5 ed5 23. ♗c7 ♖e8 24. ♗b6 ♖ab8 25. ♖b1 ♕c2 26. ♕e3 ♕f5 27. ♖b4 ♗h6= Kortchnoi 2585 − Sax 2600, Wijk aan Zee 1992] **b6 12. e4 ♘f6 13. ♖e1 ♖d8 14. ♗d3 ♗b7 15. ♕d2** [△ d5; 15. d5? ♘d5! 16. ed5 ♗c3 △ ♗d5∓] **e6 16. h3 ♖ac8= 17. ♕e3 ♘h5 18. a5!? cd4 19. cd4 ba5! 20. ♖ab1 ♗a8** [20... ♕d7 21. g4 ♘f6 22. ♘e5 ♕d4 (22... ♕a4 23. ♗e7±) 23. ♕d4 ♖d4 24. ♖b7±] **21. g4 ♘f6** [21... ♘f4? 22. ♖ec1! ♘h3 23. ♔g2 ♘f4 (23... ♕f4 24. ♔h3) 24. ♔f1+−] **22. ♘e5** [△ ♖ec1+−] **♖b8!□** [22... ♕c3? 23. ♗e7 ♕d4 24. ♗d8 ♖d8? 25. ♕d4 △ ♖b8+−; 24... ♕e5? 25. ♖b5 ♕c3 26. ♗a5+−; 24... ♕d8±] **23. ♖bc1 ♕b6□** [23... ♕b7? 24. ♘c6] **24. ♗c5 ♕c7 25. ♕f4?!** [25. ♗a3=] **♘e8! 26. ♗a3 ♗e5 27. de5 ♕b6 28. ♕h6 ♘g7 29. ♗d6 ♖d6! 30. ed6 ♕d6=∞ 31. ♕e3 h5! 32. ♕a7 hg4 33. hg4 ♕f4 34. ♔f1□ ♖f8 35. ♕a5 ♕g4 36. ♖e3 ♘h5 37. ♗e2 ♕h4 38. ♔e1 ♘f4** [38... ♗e4! 39. ♗h5!? (39. ♕a4?! ♘f6 40. ♗f3 ♕g5! 41. ♗e4 ♕g1 42. ♔d2 ♕f2 43. ♖e2 ♕f4!−+) gh5∓] **39. ♗f1 ♘h5** [39... ♕h1 40. ♕g5] **40. ♕e5 ♘f6 41. ♖h3 ♕e4 42. ♕e4 ♗e4 43. ♗a6!= ♘d5 44. ♖c8 ♖c8 45. ♗c8 ♘f4 46. ♖a3 g5 47. ♔d2 ♔g7 48. ♖a7 ♔f6 49. ♗b7 ♗g6 50. f3 ♗h5 51. ♔e3 ♘g6 52. ♖a5 ♘e5 53. ♖c5 ♗g6 54. ♗e4 ♗e4 55. ♔e4** **1/2 : 1/2** **[Čabrilo]**

54.*   **A 34**

B. GEL'FAND 2665 — BELJAVSKIJ 2655
Reggio Emilia 1991/92

1. c4 ♘f6 2. ♘c3 c5 3. ♘f3 [RR 3. g3 d5 4. cd5 ♘d5 5. ♗g2 ♘c7 6. b3 e5 7. ♗b2 ♗e7 8. ♖c1 0—0 9. ♘a4 ♘d7 10. e3 N (10. ♘f3) ♖b8 11. ♘e2 b6 12. 0—0 ♗a6 13. d4 ed4 14. ed4 ♗f6 15. ♖e1 ♘e6 16. d5 ♗b2?! 17. ♘b2 ♗e2 18. ♖e2 ♘d4 19. ♖d2 a5 20. ♘d3 ♖e8 21. b4!± Rivas Pastor 2450 — de la Villa García 2470, España (ch) 1991; 16... ♗e2!? △ ♘d4] **d5 4. cd5 ♘d5 5. d4 cd4 6. ♕d4 ♘c3 7. ♕c3 ♘c6 8. e4 ♗g4 9. ♗b5 ♖c8 10. ♗f4!?** N [10. ♗e3 — 47/(58)] **a6 11. ♖d1 ♕b6** [11... ♗d7!? 12. ♗c6 (12. ♗e2 e5!=) ♖c6 13. ♕b3 ♕a5 14. ♗d2 ♕c7 15. ♗c3 f6 16. e5→; 13. ♕d2!?] **12. ♗a4 f6** [12... ♗f3 13. gf3±] **13. 0—0±** [13. e5!?] **e6** [13... e5?! 14. ♗e5 ♗f3 (14... ♗b4 15. ♕b3 fe5 16. ♘e5+−) 15. ♕f3 fe5 16. ♕h5 ♔e7 17. ♗b3 ♘d4 18. ♕e5 ♘e6 19. ♖c1+−] **14. h3!?** [14. e5 ♗e7 15. ef6 ♗f6±] **♗f3** [14... ♗h5 15. ♕d3 ♗e7 (15... ♖d8 16. ♕c4) 16. ♕d7 ♔f7 17. ♖d6!+−] **15. ♕f3** [15. gf3 ♗b4 16. ♕b3 0—0] **♗c5** [15... ♕a5 16. ♕b3!; 15... ♕b4 16. ♕d3 ♕e7±] **16. ♕g4** [16. ♕h5!? g6 17. ♕g4 ♔e7±] **0—0□** [16... ♔f7 17. ♖d7 ♘e7 18. ♗b3+−] **17. ♗b3** [17. ♖d7 ♘e7; 17. ♗h6 ♖c7; 17. ♕e6 ♔h8±] **♖cd8** [17... ♔h8 18. ♖d7 ♘e7 19. ♕e6+−] **18. ♗e6 ♔h8 19. ♗d5** [19. ♖d8 ♖d8 20. ♕h5 g6!□ (20... ♘d4 21. ♗f7 ♗f8 22. ♗g6 h6 23. b3+−) 21. ♕h4 ♗d4 22. e5+−; 21... ♗e7!□⇆] **♘d4** [19... ♕b2? 20. ♖b1+−; 19... ♘b4 20. ♗c4±] **20. ♖d2 f5** [20... ♗b4 21. ♖d3] **21. ♕h5 ♖de8** [21... ♘e6 22. ♗e6 ♖d2 23. ♗f5! g6 24. ♗g6 ♖d7 25. ♗e5 ♔g8 26. ♗f5+−] **22. ef5 ♗b4?!** [22... ♖e7 23. ♕g4!+−; 22... ♘f5 23. ♕d1?! ♕b4!⇆; 23. ♕g4!±] **23. ♗f7! ♗d2 24. ♗g6!+−** [24. ♗d2? ♖e5! 25. ♗g6?? ♕g6!−+] **♘e2 25. ♔h1 h6 26. ♗d2 ♖e7** [26... ♕f2 27. ♖f2 ♘g3 28. ♔h2 ♘h5 29. ♗h5] **27. ♗h6** [27... gh6 28. ♕h6 ♔g8 29. ♗h7]   **1 : 0**

[B. Gel'fand, Kapengut]

---

55.   **A 34**

SEIRAWAN 2615 — KAMSKY 2595
Beograd 1991

1. ♘f3 ♘f6 2. c4 c5 3. ♘c3 d5 4. cd5 ♘d5 5. e4 ♘c3 6. dc3 ♕d1 7. ♔d1 ♗g4? N [7... ♘c6 — 37/50, 51] **8. ♔c2 ♘c6 9. ♗e3 e6 10. ♗b5 f6** [10... ♖c8 11. ♘e5 ♗h5 12. ♗c6 bc6 13. f3+−] **11. ♘d2?!** [11. ♗c6 bc6 12. c4! (12. ♘d2 e5 13. f3 ♗e6 14. ♘b3 c4 15. ♘a5 ♗d7 16. b3 cb3 17. ab3 ♔c7 18. ♖a4±) e5 13. ♘d2 ♖d8 (13... ♖b8 14. a3) 14. f3 (14. ♖he1) ♗e6 15. ♔c3 ♗e7 16. ♘b3 ♖d4 17. ♗d4 cd4 18. ♔d3+−] **♖c8 12. f3 ♗h5 13. ♖hd1 a6 14. ♗c4!?** **♗f7 15. ♗f1!** [△ ♘c4-d6] **♘a5!** [15... b5 16. a4 c4 17. ab5 ab5 18. ♖a6] **16. ♘c4 ♘c4 17. ♗c4 ♖d8 18. a4! ♗e7 19. ♗f2!** [△ ♗g3-c7; 19. ♗f4? e5 20. ♗f7 ♔f7 21. ♗e3 c4!] **0—0 20. ♔b3 b5! 21. ab5 ab5 22. ♗b5 ♖d1 23. ♖d1 ♖b8 24. ♔c4??** [24. c4 ♗e8 25. ♖a1 ♗b5 26. cb5 ♖b5 27. ♔c3 △ ♖a4, b3, ♔c4+−] **e5 25. ♖d5 ♖c8!** [25... ♗d5 26. ed5 ♖c8 27. ♗c6 ♖b8 28. ♗c5 ♗c5 29. ♔c5 ♖b2 30. d6+−] **26. ♗a6?** [26. ♔d3 ♗d5 27. ed5 ♗f8 28. ♔c4 ♖b8±] **♖c7 27. ♔b5 ♗d5 28. ed5 ♔f8! 29. c4** [29. ♔b6 ♗d6 30. ♗b7 ♔e7 31. ♗c6 ♖c8⇆] **♔e8! 30. ♗e1 ♔d7! 31. ♗a5 f5!= 32. ♗c7 ♔c7 33. ♔a4 e4 34. fe4 fe4 35. ♔b3 ♗d6 36. ♔c3 ♗f6 37. ♔c2 ♗e5 38. ♗b5 ♗d8 39. ♔d2 ♗g5 40. ♔e2 ♗c1 41. b3 ♗g5 42. g3 ♗e7 43. ♗d7 ♔d4 44. ♗f5 h6 45. ♗g6 ♗d6 46. ♗h7**   **1/2 : 1/2**

[Seirawan]

---

56. !N   **A 34**

STANGL 2490 — A. MIHAL'ČIŠIN 2520
Brno II 1991

1. c4 c5 2. ♘c3 ♘f6 3. ♘f3 d5 4. cd5 ♘d5 5. e4 ♘b4 6. ♗b5 ♘8c6 7. d4 cd4 8. a3 dc3 9. ♕d8 ♔d8 10. ab4 cb2 11. ♗b2 e6 12. 0—0 [12. ♗e2 ♗d7 13. ♖hd1 ♔e8!∓] **f6 13. e5 ♗e7!!** N [Beljavskij, A. Mihal'čišin; 13... f5 — 52/(51)] **14. ♖fd1** [14. ♗c6 bc6 15. ♘d4 ♗d7 16. ♖fc1 fe5 17. ♘c6 ♗c6 18. ♖c6 ♔d7 19. b5 (19.

♖ca6 ♗f6 20. ♖a7 ♖a7 21. ♖a7 ♔c6∓) ♖hb8 20. ♖d1 ♔e8 21. ♖e6 ♔f7 22. ♖e5 ♗f6∓] **♔c7** [14... ♗d7!?] **15. ♖ac1 ♖d8!** [15... ♗d7!?] **16. ♖d8** [16. ♘d4 fe5 17. ♘c6 (17. ♗c6 bc6 18. ♖c6 ♔b8−+) ♖d1 18. ♖d1 bc6 19. ♗e5 ♔b6∓] **♔d8 17. ♗c6 bc6 18. ef6 gf6!** [18... ♗f6 19. ♘e5=∞] **19. ♖c6** [19. ♘d4 ♗d7 20. ♘c6 ♗c6 21. ♖c6 ♖b8 22. ♖e6 (22. ♗c3 a5!∓) ♖b4 23. ♖e2□ a5∓] **e5!∓ 20. h3 ♗b7 21. ♖c4 ♖c8!** [21... ♗f3 22. gf3 ♖c8 23. ♖c8 ♔c8 24. f4! ef4 25. ♔g2 △ ♔f3⇆] **22. ♘d2** [22. ♖c8 ♔c8 23. ♗c3 ♔d7 △ ♔c6-b5−+] **♖c4 23. ♘c4 ♗b4 24. g4 ♔e7 25. h4 ♗d5! 26. ♘e3 ♔e6 27. g5 fg5 28. hg5 ♗e7−+ 29. ♘g4 ♗g5 30. ♘e5 a5 31. ♘d3 ♔f5 32. f4 ♗e7! 33. ♗e5 a4 34. ♘f2 ♗b3 0 : 1** **[A. Mihal'čišin]**

57. **A 34**

GULKO 2560 – JUDASIN 2580

Sevilla 1992

1. c4 c5 2. ♘f3 ♘f6 3. ♘c3 ♘c6 4. g3 d5 5. cd5 ♘d5 6. ♗g2 ♘c7 7. d3 e5 8. ♘d2 ♗d7 9. 0–0 ♗e7 10. a4 0–0 11. ♘c4 f6 12. f4 ef4 13. ♗f4 ♘e6 N [13... ♔h8 14. ♕b3 b6 (14... ♖b8?! 15. ♘d5?! ♘d4 16. ♕d1 ♘de6∞; 15. ♘b5!±) 15. a5!↑; 13... ♗e6 – 50/(49)] **14. ♗d2! ♔h8 15. ♘d5 ♖b8! 16. ♗c3?!** [16. e3 ♘g5!⇆; 16. ♖c1!?; 16. a5!?] **♘g5!** [△ ♗h3↑] **17. h4!? ♘f7!** [×g4] **18. e3 ♘h6 19. ♖f4!** [△ ♕f3, ♖f1, g4→] **♗e6 20. ♕f3** [20. ♘e7 ♘e7 △ ♘d5∓] **♕d7!** [×♘d5, g4] **21. ♖f1!** [△ ♕h5, △ ♘e7, ♕h5→ ×c5, f6] **♖bd8! 22. ♘e7□** [22. e4 ♘d4∓] **♕e7** [22... ♘e7 23. ♕b7±] **23. ♕e2!** [23. g4 ♖d3 24. g5 ♘g8! △ 25... ♗c4 ×e3, 25... ♖c3!?] **♕d7! 24. ♗e4!** [24. ♖f6 ♖f6 25. ♖f6 gf6 26. ♗f6 ♔g8 27. ♕h5 ♘g4!! 28. ♗c6 bc6 29. ♕g5 ♔f8 30. ♗d8 ♗c4 31. dc4 ♕d1 32. ♔g2 ♕e2 33. ♔h3 ♘f2 34. ♔g2 ♘e4−+] **♗d5!** [24... ♘e7 25. ♖f6!? ♖f6 26. ♖f6 gf6 27. ♗f6 ♔g8 28. ♕h5 ♘f7! (28... ♘ef5 29. ♕g5 △ ♗d8; 28... ♘hf5 29. ♕g5 ♔f8 30. ♗f5 ♗f5 31. ♘e5 △ ♗e7, ♕f5→) 29. ♕h7 ♔f8 30. ♗g6! (△ ♕g7-h8+−) ♘g6 31. ♕g7 ♔e8 32. ♕g6 ♕a4 (32... ♕d3 33. ♕g8 ♔d7 34. ♕d8! ♘d8 35. ♘e5±) 33. ♘e5 ♕d1=] **25. g4! ♔g8! 26. g5□ ♗e4! 27. de4□** [27. ♖e4 fg5 △ ♘f5∓] **fg5 28. hg5 ♘f7 29. ♖f5!□⊕ ♕e7!?** [29... ♕e6 30. ♖c5 ♕e4 31. ♕g2=; 30. ♘d2∞; 30. e5!?] **30. ♕g2□** [△ ♗f6+−] **♕e6! 31. ♖c5! ♘e7! 32. ♖c7□** [32... ♖c8? 33. ♖f6! gf6 34. ♖e7!+−; 32... ♖d7! 33. ♖d7□ ♕d7 34. ♗b4 (34. ♘e5 ♘e5 35. ♖f8 ♔f8 36. ♗e5 ♕a4 37. ♕f3 ♔g8 38. ♗g7!=; 34. ♕f3 ♘g6 35. ♗b4 ♖e8 36. ♕f7 ♕f7 37. ♖f7 ♔f7 38. ♘d6 ♔e7 39. ♘e8 ♔e8 △ h5=) ♖c8 35. ♖f7 ♖c4! *a)* 36. ♖e7 ♕d1→; *b)* 36. ♕f1 ♕g4; *c)* 36. ♕f3 ♖c1 37. ♔g2 ♖c2 38. ♔g3 ♕c7 39. ♕f4 (39. ♔g4 ♕c8∞) ♕f4 40. ♖f4 ♘g6 41. ♖f2 ♖f2 △ h5=; 41... ♖c4!∓; 38. ♔g1=; *d)* 36. ♗e7 ♔f7 37. ♕f1=⊥; 34... ♕e6=]
1/2 : 1/2 **[Judasin]**

58.** **!N** **A 37**

MILES 2555 – KUDRIN 2530

Los Angeles 1991

1. g3 g6 2. ♗g2 ♗g7 3. c4 c5 4. ♘c3 ♘c6 5. ♘f3 [RR 5. a3 d6 6. ♖b1 a5 7. ♘f3 e5 8. 0–0 ♘ge7 9. ♘e1 ♗e6 10. ♘d5 0–0 11. ♘c2 N (11. d3 – 30/93, 94) *a)* 11... a4?! 12. ♘ce3 (12. b4?! ab3 13. ♖b3 ♘a5 14. ♖b1 ♘d5 15. cd5 ♗d7∓) ♘d4 13. ♘e7 ♕e7 14. ♘d5 ♕d8 15. b4! ab3 16. e3± ×b7 Nedobora 2355 – Nosorogov, SSSR 1991; *b)* 11... f5?! 12. d3 ♖b8?! 13. b4 cb4 14. ab4 b5?! 15. ba5! bc4 (15... ♕a5 16. ♗d2+−; 15... ♗d5 16. cd5 ♘a5 17. ♘b4±) 16. ♗g5!!± Nedobora 2355 – Solomčenko, Pleven 1991; *c)* 11... ♖b8 12. b4 cb4 13. ab4 b5 14. cb5 (14. ♘e7 ♘e7 15. cb5 ♖b5 16. d3 ab4=) ♗d5 15. ♗d5 ♘d5 16. bc6 ♘b4 (16... ab4? 17. e4) 17. ♘b4 ab4 18. ♕a4 ♕b6 19. d3 (19. d4 ed4 20. ♗f4 ♗e5) ♖fc8 20. ♗d2 ♕c6 21. ♕c6 ♖c6 22. ♖b4= Nedobora] **e5 6. a3 a5 7. d4! N** [7. 0–0 – 52/59, 60] **cd4 8. ♘b5 d6 9. e3 ♗g4** [9... ♘ge7 10. ed4±; 9... ♘h6!? 10. ed4±] **10. h3 ♗f3 11. ♗f3! ♘ge7 12. ed4 ed4 13. ♗f4 ♗e5 14. ♗h6 ♘f5 15. ♕d2!** [×♔e8] **a4!?** [△ ♘a5 ×♖a1, ♕d2, ♗h6] **16. 0–0 ♘a5 17. ♖ae1! ♘c4** [17... ♘b3 18. ♕b4 ♘h6 19. ♘d6+−] **18. ♕b4 ♘h6 19. ♗b7!**

0–0?! [19... ♖b8 20. ♗c6 ♔f8 21. ♕c4±] **20. ♗a8 d5** [20... ♘e3!? 21. fe3 ♕a8 22. ed4 ♗g3 23. ♖e3 ♗h4 24. ♘d6± ×♘h6] **21. ♗c6!□** [△ ♕c5 ×d5, ♘c4, ♗e5] **♕c8 22. ♗d5 ♕h3 23. ♗g2 ♕h5 24. ♖e4!+–** [△ 25. ♕c4, 25. ♖h4] **♘e3⊕ 25. fe3 ♗g3 26. ♖f3 ♗h2 27. ♔f2 ♖b8 28. ♖d4! ♕g5** [28... ♕b5 29. ♖d8] **29. ♖c4 ♘f5 30. ♕c5 ♗g3 31. ♔g1 ♗e1 32. ♕e5 ♖d8 33. ♘d4 ♗g3 34. ♖g3 ♕g3 35. ♕g3 ♘g3 36. ♖a4 h5 37. ♖a8 1 : 0 [Miles]**

59. **A 37**

ANTUNES 2465 – BELLÓN LÓPEZ 2435

Sevilla 1992

1. ♘f3 c5 2. c4 ♘c6 3. g3 e5 4. d3 g6 5. ♘c3 ♗g7 6. ♗g2 ♘ge7 7. 0–0 d6 8. a3 a5 9. ♖b1 ♖b8 10. ♘e1 ♗e6 11. ♘d5 0–0 [11... b5!? △ 12. ♘e7 ♘e7 13. cb5 ♖b5∓, △ 12. cb5 ♗d5 13. bc6 (13. ♗d5? ♘d5 14. bc6 ♘c3!–+) ♗g2 14. ♘g2 ♘c6=] **12. ♗d2** [12. b4? ab4 13. ab4 (13. ♘e7 ♕e7) ♗d5 14. cd5 ♘b4∓] **b5 13. b3** [13. ♘e7 ♘e7 14. cb5 ♖b5 15. ♕a4 (15. b4 ab4 16. ab4 ♕b6) ♕b6∓] **f5 N** [13... b4 – 9/53] **14. ♘c2 b4?!** [14... h6!] **15. ab4 ab4 16. ♗g5! h6 17. ♗e7 ♘e7 18. ♘e7 ♕e7 19. ♘e3∞ ♔h7! 20. ♖a1?!** [20. ♘d5!? ♗d5 21. ♗d5 e4 22. de4 fe4 23. ♕c2 e3=] **e4! 21. ♖a6 f4! 22. gf4 ♖f4 23. de4** [23. ♗e4 ♗h3! 24. ♗g2□ (24. ♘g2? ♖e4! 25. de4 ♕g5–+; 24. ♘d5? ♕g5 25. ♔h1 ♖e4–+) ♖h4 25. ♗h3 ♖h3 △ 26. ♔g2? ♖e3! 27. fe3 ♕b7–+] **♗e5! 24. ♘d5**

24... ♕h4! 25. e3 [25. ♕d3? ♖f3!–+; 25. ♘f4? ♕f4 26. f3 (26. ♖e1 ♕h2 27. ♔f1 ♗h3! 28. ♗h3 ♕h1#) ♕h2 27. ♔f2 ♕g3 28. ♔g1 ♗d4 29. ♔h1 ♕h4#; 25. f3 ♗d5 26. ♕d5 (26. ed5? ♖d4; 26. cd5 ♖e4) ♖f5!! 27. ef5 (27. f4 ♗d4) ♗h2 28. ♔h1 ♗g3 29. ♔g1 ♕h2#] **♖f3!!–+** [25... ♖g4; 25... ♖e4 26. f4!] **26. ♘f4 ♖f4! 27. ef4 ♕f4 28. ♖e1** [28. f3? ♕h2 29. ♔f2 ♗d4] **♖f8! 29. ♖a2** [29. ♕e2 ♕h2 30. ♔f1 ♗h3; 29. f3 ♕h2 30. ♔f1 (30. ♔f2 ♗d4) ♗h3 31. ♗h3 ♕h3] **♕h2 30. ♔f1 ♗h3!** [30... ♗d4? 31. ♕d3!] **31. ♗h3 ♕h3 32. ♔e2 ♕f3 33. ♔f1** [33. ♔d2 ♗c3 34. ♔c1 (34. ♔c2 ♗e1 35. ♕e1 ♕f2) ♗e1 35. ♕e1 ♕b3] **♕h1 34. ♔e2 ♕e4 35. ♔f1 ♕h1 36. ♔e2 ♕f3 37. ♔f1 ♕h3 38. ♔e2 ♗d4!** [39. ♖f1 ♖e8 40. ♔d2 ♕c3#] **0 : 1 [Bellón López]**

60.* **A 38**

B. LARSEN 2525 – DARCYL 2365

Buenos Aires 1991

1. ♘f3 [RR 1. c4 ♘f6 2. ♘c3 c5 3. g3 g6 4. ♗g2 ♗g7 5. a3 ♘c6 6. ♖b1 a5 7. d3 N (7. ♘f3 – 17/92) 0–0 8. ♗g5 d6 9. ♘f3 h6 10. ♗d2 ♗e6 11. h3 (△ e4; 11. 0–0 ♕d7 12. e4 ♗g4) d5! 12. cd5 ♘d5 13. 0–0 (13. ♕c1 ♘d4 14. ♗h6 ♘b3 15. ♕c2 ♗h6 16. ♕b3 ♘e3 17. ♕b7 ♘g2 18. ♔f1 ♘e3 19. fe3 ♗e3$\overline{\overline{\infty}}$) ♘d4 14. e4 ♘f3 15. ♕f3 *a)* 15... ♘c7 16. e5± ♗f5 (16... ♖b8 17. ♕e3 b6 18. f4 ♗b3 19. ♖bc1 ♘e6 20. g4→) 17. ♖bd1 ♘e6 18. ♕b7 ♖b8 19. ♕a7 ♗d3 20. ♗c1 c4 21. ♖fe1 ♔h7 (21... ♘d4? 22. ♘d5+– Kasparov 2770 – Beljavskij 2655, Reggio Emilia 1991/92) 22. f4±; *b)* 15... ♘c3 16. bc3 ♕d7 17. ♕e3 ♖fd8 18. ♕c5 ♕d3 19. ♗e3 ♖ac8 20. ♕a5 ♖c3 21. ♖b7 ♖a3 22. ♕c7 ♗f8= Beljavskij] **♘f6 2. g3 g6 3. b3 c5 4. c4 d6 5. ♗g2 e5 6. ♗b2 ♗g7 7. 0–0 0–0 8. ♘c3 ♘c6 9. d3 h6 10. ♘e1 N** [10. e3 – 34/74] **♗e6 11. ♘d5 ♘h7 12. ♘c2 ♕d7 13. ♕d2 ♗h3 14. f4 ♗g2 15. ♔g2 f5 16. fe5 de5 17. ♖f2± ♘g5 18. ♖af1 ♖ae8 19. h4 ♘h7 20. e4 ♘d4?! 21. ♘d4 cd4 22. ♗a3± fe4 23. ♗f8 e3 24. ♕e2 ef2 25. ♗g7 ♔g7 26. ♖f2 ♕d6⊕ 27. ♕e4**

h5 [27... a5!] **28. b4 b6 29. a4** ♖f8 **30.** ♖f8 ♔f8 **31. c5! bc5 32. bc5** ♕c5 **33.** ♕e5 ♔f7 **34.** ♔f3! ♕c1 **35.** ♕f4 ♕f4 **36.** ♔f4 ♘f8 **37.** ♔e5 ♘e6 **38.** ♔d6!? [38. a5 ♘c5 39. ♘b4 a6] ♘g7 **39. a5** ♘f5 **40.** ♔c6 ♘g3 **41.** ♔b7 ♘e2 [41... g5 a)] **42.** hg5? ♔g6 (42... h4 43. ♘f4) 43. ♔a7 ♔g5 44. a6 h4=; b) 42. ♔a7! gh4 43. ♘f4+−] **42.** ♔a7 g5 **43. hg5! h4 44.** ♘f6! **h3 45.** ♘g4 ♔g6 **46. a6** ♔g5 **47.** ♘f2+− ♘c3 **48.** ♘h3 ♔g4 **49.** ♔b7 ♘b5 **50.** ♘f2 ♔f3 **51.** ♘e4 **1 : 0** [B. Larsen]

61.***   A 40

VYŽMANAVIN 2590 − MILES 2555
Oostende 1991

1. d4 [RR 1. ♘f3 c5 2. c4 g6 3. e4 ♗g7 4. d4 ♕a5 5. ♘c3 d6 N (5... ♘f6 − 50/61) 6. d5 ♗c3 7. bc3 ♘f6 8. ♕c2 ♘e4 9. ♗d3 ♘f6 10. 0−0 0−0 a) 11. ♘h4!? ♘bd7 12. f4?! b5! 13. cb5 c4 14. ♗c4 ♗b7 15. ♕d3 ♖fc8 16. ♖e1 ♘b6 17. ♖e7 ♖c4 18. ♖b7 ♕b5∓ Tal 2575 − Čehov 2525, SSSR (ch) 1991; 12. ♖b1!? △ 12... ♘e5 13. ♗e2 △ f4 Tal; b) 11. ♖e1 ♕d8 (11... ♖e8!? 12. ♗g5 ♘bd7 13. ♖e2 ♔g7 14. ♖ae1 ♕d8 △ ♘g8∞) 12. ♗g5 ♔g7! 13. ♕d2 ♘g8= Vaganjan 2585 − Čehov 2525, SSSR (ch) 1991; 12. ♗h6!? ♖e8 13. h3 ♘bd7 △ b5 Čehov] **e6** [RR 1... ♘f6 2. c4 c5 3. ♘f3 g6 4. ♘c3 ♗g7 5. e4 ♕a5 6. ♗d2 cd4 7. ♘d4 ♘c6 8. ♘b3 N (8. ♘c2 − 50/61) ♕d8 9. ♗e2 d6 10. 0−0 0−0 11. ♗e3 a5 12. ♖b1 ♗d7 13. ♘d2 ♘e5 14. h3 ♗c6 15. ♕c2 ♕c7 16. ♖fc1 ♖fc8= Ljubojević 2600 − Damljanović 2585, Beograd 1991] **2. c4 ♗b4 3. ♗d2 ♗d2** [RR 3... a5 4. g3 d6 5. ♘f3 ♘c6 6. ♗g2 e5 7. d5 ♗d2 8. ♕d2 ♘b8 9. 0−0 N (9. c5 − 48/62) ♘h6 10. ♘c3 0−0 11. a3 a4 12. c5 ♘d7 13. cd6 cd6 14. ♘b5 ♘c5 15. ♕b4 b6 16. ♘d2 f5 17. ♘c4 ♘f7∞ van Wely 2560 − Romero Holmes 2490, Wijk aan Zee 1992] **4. ♕d2 b6!?** N [4... f5 − 49/147, A 90] **5. ♘c3 ♗b7 6. e4 ♘h6 7. ♘f3** [7. d5 0−0 8. ♘f3 f5 9. ♗d3 ♘a6 10. 0−0 ♘c5 11. ♗c2 fe4 12. ♘e4 ed5 13. cd5 ♘e4 14. ♗e4 ♘g4! 15. ♘g5! h6! (15... ♘f6 16. ♗f3 h6 17.

♘e4=) 16. ♘h3? ♕h4∓ K. Arkell 2455 − Miles 2555, Oostende 1991; 16. d6!∞] **0−0 8. ♗d3 ♘c6** [8... f5] **9. 0-0-0!?** [9. 0−0±] ♘e7 **10. d5!? d6?!** [10... ♘g6!? 11. e5 f6!?] **11. de6 fe6 12.** ♘g5 ♕d7 **13. e5!±** [×e6, d6] ♘ef5 **14. ed6 cd6 15.** ♖he1 ♖ae8 **16. f4** [16. f3 △ g4] ♔h8 **17.** ♗e4 [17. h3 △ g4] ♗e4 **18.** ♖e4 ♕c8⇆ **19.** ♖de1 **e5 20. b3** [20. fe5 de5 21. ♕d5±] ♘g4 **21. fe5 ♘e5 22. g4** ♘h6 **23.** ♘b5 ♘c5!□ **24.** ♔b1 [24. ♘d6 ♘d3 25. ♕d3 ♕g5] ♘f3! **25.** ♘f3 ♖e4 **26.** ♖e4 ♖f3 **27.** ♘d4 ♖f1 **28.** ♔b2 d5!? **29.** ♖e5 ♕f8 **30. g5!** ♘g8 **31.** ♘e6 [31. cd5 ♕d6 32. ♕e3 ♖f2=] ♕f3 **32.** ♖e3 ♕f5 **33.** ♕c3 [△ 33. ♕d4] ♖f2 **34.** ♔a3⊕ d4!∓ **35.** ♘d4 ♔g5 **36.** ♘e6 ♕e7 **37. c5** ♕b7!⊕ **38. c6!** [38. ♕c4 b5] ♕a6 **39.** ♔b4 ♘f6 [△ ♘d5⧣] **40.** ♕e5□ [40. ♖d3 ♖f4! 41. ♘f4 ♕a5 42. ♔c4 ♕c5⧣] ♖a2! **41. c7** ♖a5!−+ **42.** ♖c3 ♖e5 **43. c8**♕ ♕c8 **44.** ♖c8 ♘g8 **45.** ♘d4 h5 **46.** ♘c6 a5 **47.** ♔a4 ♖e6 **48.** ♔b5 ♔h7 **49.** ♖b8 ♖e3 **50.** ♘d4 ♖d3 **51.** ♔c4 ♖h3 **52.** ♖b6 ♖h2 **53.** ♖b5 ♘f6 **54.** ♖a5 h4 **55.** ♘f3 ♖g2 **56.** ♔d3 h3 **57.** ♖g5 ♘g4 **58.** ♖h5 ♔g8 **59.** ♖h4 h2 **60.** ♔d4 ♖b2 **61. b4** ♖b4 **0 : 1** [Miles]

62.   A 40

BRENNINKMEIJER 2500 − VAN DER WIEL 2540
Wijk aan Zee 1992

1. d4 e6 2. c4 ♗b4 3. ♗d2 ♗d2 4. ♕d2 b6 5. ♘c3 ♘h6!? N **6. ♘f3** [6. e4!?] ♗b7 [6... 0−0 7. g3!] **7. d5** [7. g3 ♗f3!] **0−0 8. g3 ♘a6** [8... d6 9. ♗g2 e5 10. ♘g5! △ f4±○] **9. ♗g2 ♘f5! 10. 0−0 ♘d6 11. b3 ♘c5 12. ♘e5!?** [△ e4; 12. ♕c2 ed5 13. cd5 ♖e8 14. ♘d2 a5∞; 12. ♘d4!? e5 (12... ed5 13. ♘d5 ♘ce4 14. ♕c2 ♗d5 15. cd5 f5 16. ♖ac1 ♕f6 17. e3±) 13. ♘db5±; 13. ♘c2] **ed5 13. ♘d5?!** [△ 13. cd5 ♖e8 14. ♘c4 a) 14... ♘ce4 15. ♘e4 ♘e4 16. ♗e4!? (16. ♕d4 ♕f6!; 16. ♕d3!? ♘c5 17. ♕d4) ♖e4 17. f3 ♖e8 18. e4±○; b) 14... ♘c4 15. bc4 ♕f6 (△ ♗a6) 16. ♘b5 ♖ec8 17. ♖ac1 ♗a6 18. ♘d4 ♖e8∞] ♖e8 **14. ♘d3 ♘ce4 15. ♕c2 ♗d5 16. cd5**

f5!= 17. ♖ac1 ♖c8 18. b4 ♕f6 19. ♖fd1□ [△ 19... ♕d4 20. ♕b3] **♘b5?!** [19... c5 20. dc6 dc6 21. ♕b3 ♕f7=] **20. ♗e4??** [20. e3!□ ♘bc3 (20... ♕f7 21. ♕b3 c6 22. ♘f4±) 21. ♗e4! ♘e4 (21... ♘d1 22. ♗g2 ♘e3 23. fe3 ♖e3 24. ♕c3±) 22. ♕b3±] **♖e4??** [20... ♘d4! *a)* 21. ♕d2 ♖e4 22. ♘f4 (22. ♖e1 ♖e2−+) g5 23. f3□ ♖e2! 24. ♕d4 ♖e1 25. ♔f2 ♕d4−+; *b)* 21. ♕b2 fe4 22. ♖c4 (22. e3 ♘f3 23. ♔g2 ♕h6−+) ed3 23. ♕d4 de2 24. ♖e1∓] **21. e3± h6** [21... ♔h8!? 22. ♕b3 ♕f7 23. ♖d2 ♘d6 24. ♖dc2 ♘e8 25. b5 ♖a8 26. ♘b4 ♕e7! △ ♕d6±] **22. ♕b3 ♕f7?** [22... ♔h7!] **23. ♖d2!± ♘d6** [23... c6 24. ♖dc2 ♖d8! 25. dc6 (25. a4 ♘c7!) dc6 (25... ♕b3 26. c7!±) 26. ♕f7 ♔f7=; 24. ♘f4!±] **24. ♖dc2 ♘e8 25. b5! ♖a8 26. ♘b4 ♖e5 27. ♕d3?** [27. ♖d2! (△ 28. ♘a6 ♖c8 29. d6!) ♖c8 28. ♘a6 d6□ (28... ♔h7 29. f4! ♖e4 30. d6! ♕b3 31. ab3 ♖e3 32. dc7+−) 29. ♘b4 △ ♘c6±] **♔h7 28. ♖d1 ♕e7!** [△ ♕d6] **29. a3 ♖c8 30. ♖dc1 ♕d6= 31. ♖c4 ♘f6 32. ♖d4 h5** [32... ♘e4! △ ♘c5=] **33. ♕d1 ♖e4 34. ♕d3 ♖ce8?!** [34... ♖e5=] **35. ♖dc4 ♖c4?⊕** [35... ♖c8=] **36. ♕c4 ♖c8 37. ♔g2?** [37. ♕f4!] **♔g6 38. ♕f4! ♕f4?** [⌓ 38... ♘e4 39. ♕d6 ♘d6 40. a4 ♔f6=] **39. gf4± ♘e8 40. f3 ♘d6 41. a4 ♔f7** [41... ♘b7 42. ♘a6 ♘a5 (42... ♔f6 43. e4) 43. ♖c7 ♖c7 44. ♘c7 ♘c4 45. e4 ♘b2 (45... ♔f7 46. ♔g3 △ ♔h4+−) 46. ♘e8 ♘a4 47. ♘d6 ♘c3 48. ♔f2 fe4 49. fe4 ♔f6 50. ♔e3 g6 51. ♔d3 ♘a4 52. ♘c8+−] **42. ♔f2?!** [42. ♘a6! ♘e8 43. e4 ♘f6 44. ♖c4 d6 (44... ♔e7 45. d6!+−) 45. ♔f2 ♘d7 46. ♖c6!+−] **♘b7! 43. ♘a6 d6** [43... ♘a5 44. ♖c7 ♖c7 45. ♘c7 ♘c4 46. e4 ♘b2 47. ♔e3 (47. ♔g3!? ♘a4 48. ♔h4 ♘c3 49. e5 ♘e2 50. ♔h5 g6 51. ♔g5 ♘d4 52. e6 de6 53. de6 ♔g7 54. ♘e8 ♔f8 55. ♘c7 ♔g7=) ♘a4 48. ♔d4 (△ ♔e5) d6 49. e5 ♘c5 50. ed6 ♘d7 51. ♘e6 △ ♘d8-c6-e5+−] **44. ♖c6! ♘a5** [44... ♘c5 45. ♘c5 bc5 46. a5 △ b6+−; 44... ♔e7 45. e4 ♔d7 46. e5 ♘a5 47. ♖c3 ♘b7 48. ♔g3 △ ♔h4+−] **45. ♖c7 ♖c7 46. ♘c7 ♘c4 47. ♘e6! ♘b2 48. ♘d4 g6 49. e4 ♘a4 50. ♔e3 fe4 51. fe4 ♘c3** [51... ♘c5 52. e5 a5 53. ba6 ♘a6 54. ♘b5 de5 55. fe5+−] **52. ♔d3 ♘d1 53. h4! ♘b2 54. ♔d2 ♘a4 55. ♔e3 ♘c3 56. ♔d3 ♘a4 57. f5!** [57. e5+−] **♘c5 58. ♔e3 gf5** [58... a5 59. ba6 ♘a6 60. fg6 ♔g6 61. ♘b5 ♔f6 62. ♘d6 ♘c5 63. ♘c4! b5 64. e5 ♔f5 65. e6 ♘e6□ 66. de6 ♔e6 67. ♘a5 ♔f5 68. ♔f3 ♔e5 69. ♘b3 b4 70. ♘a5 ♔f5 71. ♘c6+−] **59. ♘f5 ♘b7 60. ♔f4 ♔f6** [60... ♔g6 61. e5+−] **61. ♘d6 1 : 0**
[Brenninkmeijer]

63.* **A 40**

R. LEV 2425 − KEŃGIS 2575
London 1991

1. d4 e6 2. c4 b6 3. ♘c3 [RR 3. e4 ♗b7 4. ♕c2 ♕h4 5. ♘d2 ♗b4 6. ♗d3 f5 7. ♘f3 ♕h5 N (7... ♕g4 − 48/(62)) 8. a3!? (8. 0−0 ♘f6!? 9. ef5 ♗d2 10. ♘d2 ♕g4∞) ♗d2 9. ♗d2 ♘f6 10. ef5 ♗f3 11. gf3 ♘c6 12. ♗c3 ♕f3 13. ♖g1 0-0-0 14. ♕e2 ♕f4 15. ♕e3 ♕h2 16. 0-0-0 ef5 17. ♖h1!? (17. ♖g7 ♘g4∞; 17... ♘e4!?∞) ♕d6 18. ♗f5 ♖de8 (Remlinger 2370 − Keņgis 2575, Gausdal 1991) 19. ♕f3! △ ♗b4=∞ Keņgis] **♗b4 4. e4 ♗b7 5. f3 f5!? 6. ef5 ♘h6 7. fe6 ♘f5 8. ♗f4!? N** [8. ♘h3? − 32/(94); 8. ed7?! ♘d7=∞] **de6** [8... ♕h4!? 9. g3 ♕e7∞; 8... ♕e7∞] **9. ♕a4 ♘c6 10. d5!?** [10. 0-0-0 ♘fd4! 11. ♗e5 ♗c5! 12. ♘e4 (12. ♗g7?? ♕g5−+; 12. b4? 0−0∓) 0−0 13. ♘c5 bc5∞] **ed5?** [10... ♗c3! 11. bc3 ed5 12. cd5 ♕d5 13. ♗c4 ♕c5! 14. 0-0-0 ♘d6∞] **11. 0-0-0 ♗c3 12. cd5! ♕f6 13. dc6 ♗b2** [13... ♗c6 14. ♗b5 ♗b5 15. ♕b5 c6 16. ♕e2+−] **14. ♔b1 ♗c8□** [14... ♗c6 15. ♗b5 ♘e7 16. ♗c6 ♘c6 17. ♗g5!+−] **15. ♗c7 ♗a1!?⊕** [15... ♗e6 16. ♖e1 (16. ♗d8 ♖d8 17. c7 ♔f7 18. cd8♕ ♖d8 19. ♖d8 ♕d8 20. ♔b2 ♕d2 21. ♕c2 ♕b4=) ♗c3 17. ♖e4 ♘e7∞] **16. ♕a3** [16. ♖d8 ♔f7 17. ♗c4 ♔g6 18. ♕c2 ♖d8 19. ♗d8 ♕d8 20. ♔a1 ♕d4 21. ♔b1 ♗a6!! 22. ♗a6 ♕b4 23. ♕b3 (23. ♕b2 ♕e1 24. ♔c2 ♘e3! 25. ♔b3 ♕d1=) ♕e1 24. ♔b2 ♕d2 25. ♔a3 ♕a5=; 18. ♖d2!?] **♗e6 17. f4??** [17. ♗f4!?; 17. ♘h3!?] **♘e3! 18. ♗e5□ ♗e5 19. fe5 ♕e5??** [19... ♗f5 20. ♗d3 ♕c6 21. ♗f5□ ♘d1 22. ♘f3 ♖d8∓] **20. ♘f3+− ♗f5 21. ♗d3 ♕b5 22. ♔a1 ♗d3**

23. ♕d3 ♕d3 24. ♖d3 ♘g2 25. ♖g1 ♘f4
26. ♖d7 ♘g6 27. ♖e1 ♔f8 28. ♘g5
1 : 0   [Keņgis]

64.*   **A 41**

VOJSKA 2350 − GAPRINDAŠVILI 2425
Subotica (izt) 1991

1. d4 d6 2. ♘f3 g6 3. c4 ♗g7 4. ♘c3 ♘d7 5. g3 e5 6. ♗g2 ♘h6!? 7. c5! ♘f5 N [7... 0−0?! − 52/68] **8. cd6 cd6 9. de5** [9. d5?! 0−0 10. 0−0 ♘c5= 11. ♘d2 ♗d7 12. b4 ♘a6 13. a3 ♕e7 14. ♗b2 ♖fc8 15. ♘b3 e4 16. ♖c1 e3! 17. f4 ♖c7 18. ♕d3 ♖ac8 19. ♘d1 (Galjamova-Ivančuk 2435 − Gaprindašvili 2425, Subotica (izt) 1991) ♖c1! 20. ♘c1 ♗b2 21. ♘b2 ♕f6∓; 9. 0−0!?. ed4 10. ♗g5! f6 11. ♘d4 fg5 12. ♘e6 ♕a5 13. ♘d5∞; 9... ♘d4!?] **de5 10. 0−0 0−0 11. ♗g5 f6 12. ♗d2 ♘b6** [12... ♘c5 13. b4 △ ♕b3] **13. ♕b3 ♔h8 14. ♖fd1** [14. e4 ♘d4 15. ♘d4 ed4 16. ♘d5±] **♕e7 15. ♘b5!? ♗e6 16. ♕b4 ♗c4 17. e4! a5?** [17... ♖fd8! 18. ♘a3 ♕b4 19. ♗b4 ♖d1 20. ♖d1 ♗e2=] **18. ♕e7 ♘e7 19. ♘c7 ♖ac8** [19... ♖a7 20. ♗e3] **20. ♗a5 ♘a4! 21. b3?** [21. ♖d7? ♘c6 △ ♘c5; 21. ♖dc1! ♘b2 22. ♖ab1 ♘c6 (22... ♗h6 23. ♖b2 ♗c1 24. ♖c2) 23. ♗b6 ♘a4 24. ♗e3 b5 (24... ♗a2 25. ♖b7±) 25. ♘b5±] **♘c6! 22. bc4 ♘a5 23. ♘e6 ♖f7 24. ♗h3 ♖a8 25. c5?!** [25. ♘g7=; 25. ♖dc1 ♗h6 26. ♖c2 ♘c6 27. ♖b1±] **♘c3 26. ♖e1 ♗h6** [×♘e6] **27. g4!? ♖e7 28. g5 fg5 29. ♗g4** [29. ♘e5 ♘c6 △ ♘d4∞] **♘c6 30. ♖ac1** [30. a3 ♖a4] **♘a2 31. ♖c2?⊕** [31. ♖a1=] **♘ab4 32. ♖d2 ♖e6!∓ 33. ♗e6 g4 34. ♗g4 ♗d2 35. ♘d2 ♘d3 36. ♖b1 ♘c5 37. ♘c4 ♖a4 38. ♘d6 ♘e4** [38... ♖b4 39. ♖b4 △ ♗c8 ×b7] **39. ♖b7??** [39. ♘e4 ♖e4 40. ♗c8∓] **♘d6**   **0 : 1**
[O. Foişor]

65.* !N   **A 42**

LEVITT 2465 − EFIMOV 2460
Amantea 1991

1. d4 d6 2. e4 g6 3. c4 ♗g7 4. ♘c3 ♘c6 5. d5 ♘d4 6. ♗e3 c5 7. ♘ge2 ♕b6 8. ♘a4 [RR 8. ♕d2 ♘f6 9. f3 ♘d7 10. ♖d1 0−0 11. b3! N (11. ♘d4) ♘e2 12. ♗e2 ♕a5 (12... f5 13. ef5 gf5 14. ♗h6 ♖f7 15. 0−0 ♘e5 16. ♗g7 ♖g7 17. f4 ♘g6 18. ♗h5!±) 13. ♖c1 a6 14. ♗h6! ♗h6 15. ♕h6 b5 16. h4!? (16. cb5 ab5 17. ♗b5 ♘e5 18. 0−0 ♖b8 19. ♗e2 ♗a6∞) f6 (16... ♖d8 17. h5 ♘f8 18. e5 de5 19. hg6 fg6 20. ♔f2!±) 17. f4 (17. h5 g5 18. f4 gf4 19. g3 f3!) ♖f7□ 18. h5 g5 19. fg5 ♖g7 (19... fg5 20. ♖f1! ♘f6 21. e5! de5 22. d6 ♕d8 23. ♘e4!+−) 20. gf6 ♘f6 21. 0−0!± (△ 22. e5 de5 23. d6) b4 22. e5! de5 23. ♖f6!! ef6 (23... bc3 24. ♖f2+− Hernández Ruíz 2305 − Calderin 2405, Colón 1991) 24. ♘e4 ♗f5 (24... f5 25. ♘f6 ♔f7 26. ♘e8!!+−; 24... ♕d8 25. ♘f6 ♔h8 26. ♗d3+−; 24... ♗h3 25. ♘f6 ♔h8 26. ♘h7! ♖g2 27. ♔h1 ♔g8 28. ♖f1!+−) 25. ♘f6 ♔h8 26. ♖f1 ♕a2 27. ♕e3! ♗h3 28. ♖f2 ♕a1 29. ♔h2 ♗c8 30. ♘c5 ♗b7 31. ♗d3+− Nogueiras, Hernández Ruíz] **♕a5 9. ♗d2** [9. b4? ♕b4 10. ♗d2 ♕a3 11. ♗c1 ♕f3!−+] **♕a6 10. ♘d4 ♗d4 11. ♘c3 ♗d7 N** [11... ♕b6?! − 51/58] **12. ♗d3 ♘f6 13. 0−0 0−0 14. ♘e2** [14. h3] **b5!?** [14... ♗b2 15. ♖b1∞; 14... ♗g4 15. ♗h6! ♖fb8 16. h3±] **15. ♘d4!** [15. cb5 ♗b5 16. ♗b5 ♕b5 17. ♘d4 cd4 18. ♗h6 ♖fb8∓] **bc4 16. ♘c6 ♗c6□** [16... cd3? 17. ♘e7 ♔g7 18. ♗c3 ×♘f6] **17. ♗c2 ♗d7 18. h3?!** [18. ♗c3? ♘g4! △ ♘e5 ×d3; 18. f4!→≫] **♘e8 19. f4 ♘c7 20. f5** [20. a4 e6!⇆] **♘b5 21. f6!?** [21. ♗h6 ♘d4!∞] **ef6 22. ♖f6 ♘d4 23. ♗h6 ♕b6 24. ♖b1 ♖fe8?** [24... ♕d8 25. ♖d6∞] **25. ♕d2 ♖e7 26. ♕f2** [△ ♖f1] **♕d8** [26... ♗e8? 27. ♖g6! hg6 (27... fg6 28. ♕f8#) 28. ♕f6+−] **27. ♖f1 ♕e8 28. ♗b1 ♖b8 29. ♔h1 ♖e4⊕** [29... ♖b6? 30. ♖g6!; 29... ♗b5 30. ♖d6 f5 31. ef5+−] **30. ♗e4 ♕e4 31. ♖f4! ♕d5 32. ♖d4!** [32... ♕d4 33. ♕f7 △ ♕f8; 32... cd4 33. ♕f6! ♕e5 34. ♕f7 △ ♕f8]   **1 : 0**   **[Levitt]**

66.   **A 42**

LAUTIER 2560 − JUSUPOV 2625
Beograd 1991

1. c4 e5 2. ♘c3 d6 3. ♘f3 g6 4. d4 ♘d7 5. e4 ♗g7 6. ♗e2 ♘e7 7. d5 0−0 8. h4

♘f6 **9. ♗e3!? N** [△ ♘d2, g4; 9. ♘g5 — 38/70] **♘g4 10. ♗d2 c6?!** [10... f5?! 11. h5±; 10... h5 11. ♘g5 f5 (11... f6 12. ♘e6 ♗e6 13. de6 f5 14. f3 ♘f6 15. g4±) 12. f3 ♘f6 13. ♕b3±] **11. ♘g5 h5 12. f3 ♘h6 13. g4 ♔h8 14. ♕c1! ♘eg8** [14... hg4? 15. h5+−] **15. ♕c2?** [15. gh5 gh5 16. ♕c2 △ 0-0-0] **♕e8?** [15... ♘f6! 16. 0-0-0 (16. gh5?! ♘h5∓) hg4 17. ♖dg1∞̄] **16. gh5 gh5 17. 0-0-0± f6?** [17... c5 18. ♖dg1 ♘e7!?± △ ♘g6] **18. ♗e3! c5□** [18... fg5 19. hg5+−] **19. ♘b5?!** [19. ♕d2! a6 20. ♘e6 ♗e6 21. de6 ♖d8 22. ♖hg1 ♕e6 23. ♖g6 ♔h7 24. ♖dg1 ♖d7 25. ♘d5+− △ f4-f5] **♕e7 20. ♘e6 ♗e6 21. de6 ♖ad8 22. f4! a6** [22... ♕e6? 23. f5 ♕e7 24. ♗h5+−; 22... f5 23. fe5 ♗e5 24. ♗g5 ♕e6 (24... ♗f6 25. ♕d2!±) 25. ♗d8 ♖d8±] **23. ♘c3 ♕e6?** [23... ef4? 24. ♘d5! ♕e6 25. ♘f4+−; 23... f5 24. fe5 ♗e5 25. ♗g5 ♕e6 26. ♗d8 ♖d8 27. ♗h5 ♕c4 28. ♗e2±] **24. f5+− ♕f7 25. ♕d2 b5 26. ♖dg1** [△ ♖g6, ♖hg1, ♗h5+−] **♘g4 27. ♗g4 hg4 28. h5! ♔h7 29. h6 ♗h8 30. ♖g4 ♘e7 31. ♕g2** [△ 32. ♖g7 ♗g7 33. hg7 ♔g8 34. ♖h8#] **1 : 0**
[Lautier]

67. A 43

BAREEV 2680 — HODGSON 2570

Hastings 1991/92

1. d4 ♘f6 2. ♘f3 c5 3. d5 b5 4. ♗g5 d6 5. ♗f6 ef6 6. e4 a6 7. c3!? N [7. a4 — 41/53] **f5 8. ef5 ♗f5 9. a4 b4!** [×♘b1; 9... ba4?! 10. ♖a4± ×a6] **10. cb4 cb4 11. ♗d3** [11. ♘d4?! ♗e4 12. ♗c4 ♕g5!∓] **♕e7 12. ♗e2** [12. ♔f1?! ♗d3 13. ♕d3 ♕f6] **♕f6 13. ♕d4** [13. ♘d4 ♗e4] **♕d4** [13... ♘d7!? 14. ♕b4 ♖b8 15. ♕d4 ♖b2 16. ♘c3∞] **14. ♘d4 ♗e4 15. 0—0** [15. ♗f3 ♗f3 16. ♘f3 g6 17. ♘bd2 ♗g7 18. ♘c4 0—0∞] **♗d5 16. ♘d2** [16. ♖e1 ♔d8] **♗e7 17. ♘c4** [17. ♗c4!? ♗c4 (17... ♗b7 18. ♖fe1±) 18. ♘c4 0—0 19. ♘b6 ♖a7 20. ♘d5∞̄] **♗c4 18. ♗c4 0—0 19. ♖ad1 g6 20. b3 ♖a7 21. ♖fe1 ♖c8 22. ♖e4 d5!?** [22... ♖c5?! (△ d5) 23. ♖de1! ♔f8 24. ♖f4± △ ♘e6; 22... ♔g7∓] **23. ♗d5 ♖d7 24. ♘f3□ ♗f6 25. g4!** [25. ♖b4?? ♖d5−+] **a5 26. ♘e5□ ♗e5 27. ♖e5 ♖cd8** [27... ♘c6 28. ♖e4! (28. ♖c1?! ♘e5 29. ♖c8 ♔g7 30. ♖c5 ♘d3 31. ♖a5 ♘f4 32. ♗c4 ♖d1 33. ♗f1 ♖b1∓) ♖cd8 29. ♖c1!=; 27... ♔f8!? 28. ♗f3 (28. ♖de1?? f6−+) ♖d1 29. ♗d1 ♖c1 30. ♖d5] **28. ♖de1 ♖d5 29. ♖d5** [29... ♖d5 30. ♖e8 ♔g7 31. ♖b8 ♖d3 32. ♖b5 ♖b3 33. ♖a5=] **1/2 : 1/2** **[Hodgson]**

68. A 46

BRENNINKMEIJER 2500 — ROMERO HOLMES 2490

Wijk aan Zee 1992

1. d4 e6 2. ♘f3 c5 3. g3 ♘f6 4. ♗g2 ♕c7?! 5. 0—0 a6?! N [5... cd4 — 42/61] **6. b3?** [6. dc5 ♗c5 7. ♗f4 ♕b6 8. ♘c3 ♕b2 9. ♘a4 ♕b4 10. ♘c5 ♕c5 11. ♗d6∞̄; 7. c4!? △ b3] **d5** [6... cd4!?] **7. dc5 ♗c5 8. ♗b2 ♘c6?** [8... 0—0! 9. ♘bd2 ♘c6 10. ♗f6 (10. c4? d4∓) gf6 11. c4 d4 (11... dc4?! 12. ♘c4 b5 13. ♘cd2 ♗b7 14. ♘e4±) 12. ♘e4 ♗e7 13. ♕d2 f5 14. ♕h6 fe4 15. ♘g5=; 13... ♔g7!∓] **9. c4 dc4 10. ♕c1! ♕e7 11. ♕c4 0—0 12. ♖c1!** [12. ♘bd2 e5 13. ♖ac1 ♗a3!=] **♗d6 13. ♘bd2⩲ ♗d7** [13... e5?! 14. ♕h4 △ ♘c4±] **14. ♕h4 ♖ac8?!** [14... ♘d5 15. ♕e7 ♗e7 16. ♘e4 b6=; 15. ♕h5!⩲] **15. ♘c4 ♗c5 16. a3 ♘d5** [16... ♖fd8? 17. b4 ♗a7 18. ♘ce5?! ♘e5 19. ♘e5 ♗b5 20. ♘g4 ♘d5∞; 18. e4!±; 16... a5 17. ♘fe5 ♘e5 18. ♗e5 b6 19. b4! ab4 20. ab4 ♗b4 21. ♘b6 ♖c1 22. ♖c1 △ 23. ♗f6, 23. ♖c7] **17. ♕e7** [17. ♕h5!?] **♗e7□** [17... ♘de7 18. ♘ce5; 17... ♘ce7 18. b4 ♗a7 19. ♘d6] **18. e4! ♘f6□** [18... ♘c7 19. ♘fe5 ♘e5 20. ♗e5 ♘b5 21. a4 ♘a7 22. ♖d1!±] **19. ♘d4!** [△ 20. ♘c6 ♗c6 21. ♘a5±] **♗c5** [19... ♘d4 20. ♗d4 ♗b5 (20... b5? 21. ♘b6 ♖c1 22. ♖c1 ♗a3 23. ♖a1+−; 20... ♗c6 21. ♘a5±) 21. e5 ♘d5 22. ♗d5 ed5 23. ♘e3! (23. ♘b6 ♖c1 24. ♖c1 ♗a3 25. ♖a1 ♗e7 26. ♘d5 ♗d8∞) ♖c1 (23... ♗c6 24. f4±) 24. ♖c1 ♗a3 25. ♖c7± △ 25... ♗c6 26. ♘c2! ♗c1 27. ♘b4] **20. ♘c6 ♗c6 21. ♘a5 ♗e4** [21...

♗b6 22. ♘c6 bc6 23. ♗f3±] **22. ♘b7 ♗b6** [22... ♗g2 23. ♘c5 ♗d5 24. ♗f6! gf6 25. ♘d7+−] **23. ♘d6 ♖c1 24. ♖c1 ♗g2 25. ♔g2 ♘d5?!⊕** [⌓ 25... ♖a8 26. ♗f6! (26. ♖c6? ♘d5! − 25... ♘d5) gf6 27. ♖c6±] **26. ♖c6?** [26. ♘c8! (△ ♘b6) ♗d8□ (26... ♗c7 27. ♘e7+−) 27. b4 (27. ♖c6 a5) ♗f6 28. ♗f6 gf6 29. ♖c6 ♔g7 30. ♘a7 a5 31. b5+−] **♖a8! 27. b4 ♔f8 28. ♘c8??** [⌓ 28. ♔f3±] **♗c7! 29. ♘d6□ ♗d6 30. ♖d6 ♔e7 31. ♖c6 ♔d7 32. ♖c5 f6 33. ♔f3 ♖c8 34. ♖a5?!** [34. ♖c8 ♔c8 35. ♔e4 ♔d7 36. f4 ♔d6=] **♖c6 35. b5 ab5 36. ♖b5= ♖c4 37. ♖b7 ♘c7 38. ♔e3 ♖a4 39. f4 ♔c8 40. ♖b3 ♖a5 41. ♔d2 ♘d5 42. ♖f3 1/2 : 1/2**
[Brenninkmeijer]

69.* **A 46**

STURUA 2510 – D. GUREVICH 2470
Biel 1991

1. d4 ♘f6 2. ♘f3 e6 3. g3 b5 4. ♗g2 [RR 4. ♕d3 ♗a6 5. a3 c5 N (5... ♗e7 – 52/72) 6. dc5 ♗c5 7. b4 ♗e7 8. ♘c3 0–0 9. e4 ♗b7 10. ♗b2 a5 11. ♕b5 ♕c8 12. ♗d3 d5 13. ed5 ♘d5 14. ♗e4 ♗c6 15. ♕d3 ♘c3 1/2 : 1/2 P. Nikolić 2635 – Sax 2600, Wijk aan Zee 1992] **♗b7 5. 0–0 c5 6. ♘a3!? a6** [6... b4 7. ♘c4 d5 8. ♘ce5⩲] **7. c4 b4** [7... cd4 8. cb5 ♗a3 9. ba6 ♗f3 10. ♗f3 ♖a6 11. ba3⩲] **8. ♘c2 ♗e4 N** [8... cd4 – 49/4] **9. ♗e3** [9. a3 ba3 10. b3 ♕b6!∞] **cd4 10. ♘cd4 ♗e7 11. ♕d2 0–0 12. ♖fd1 ♕c7 13. ♖ac1 ♖c8 14. ♗f4 ♕b7 15. ♘b3 a5 16. ♗d6 ♗d6 17. ♕d6 ♖a6 18. ♕f4 ♕c7** [18... a4 19. ♘bd4 ×d6] **19. ♘bd4 ♕f4 20. gf4 ♔f8 21. c5 ♗d5?!** [21... ♔e7⩲] **22. ♘e5!± ♗g2 23. ♔g2 ♘e4 24. ♘d3 ♘c6?** [24... ♔e7] **25. ♘c6 ♖ac6** [25... dc6 26. ♘e5+− △ ♔f3, e4 ⇔d, ×c6] **26. ♘e5 ♖6c7 27. ♖d7** [27. ♘d7? ♔e7 (27... ♔e8 28. ♘b6 ♖b8 29. ♘c4±) 28. ♘b6 ♖b8 29. ♘a4 ♖bc8 30. ♖c4 ♘c5 31. ♖dc1 ♔d6=] **♖d7 28. ♘d7 ♔e7 29. c6 f6** [♖ 9/h] **30. ♔f3?** [30. f3! ♘d6 31. e4 (△ ♖c5) ♘b5 32. ♘b6 ♖c7 33. ♘a8! ♖c8 34. c7 ♔d6 35. e5 fe5 36. fe5 ♔e5 37. ♖c5 ♔d6 38. ♖b5 ♖a8 39. ♖b8+−] **♘d6?** [30... ♘c3! 31. ♘c5! (31. ♘b6? ♖c6 32. ♘a4 ♘e2!∓; 31. bc3 ♖c6 32. ♘b8 ♖c8 33. ♘a6 bc3=) ♘a2!□ (31... ♖c6 32. ♘b3! a4 33. ♘d4+−) 32. ♖a1 ♖c6 33. ♘b3 a4□ (33... ♘c3? 34. ♘a5) 34. ♘d4 ♖c4 35. ♖a2 ♖d4 (35... b3 36. ♘b3 ab3 37. ♖a7 ♔d6 38. ♖b7±) 36. ♖a4± △ e3, b3 ×b4] **31. ♘b6** [31. ♖c5?! ♘f5! 32. e4 ♘d4 (32... ♖c6 33. ef5 ♔d7 34. ♖c6 ♔c6 35. fe6+−) 33. ♔e3 *a)* 33... ♖c6 34. ♔d4 ♔d7 (34... ♖d6 35. ♔e3±) 35. ♖c6 ♔c6 36. f5±; *b)* 33... ♘c6! 34. ♘b6 ♔d6!⩲] **♖b8 32. ♘a4 ♖b5?!** [⌓ 32... ♘b5 33. c7 ♖c8 34. ♖c5 ♘c7 35. ♘b6 ♔d6 36. ♖a5±] **33. ♖c5!+− ♖c5 34. ♘c5 ♘b5 35. ♔e3 ♔d6 36. ♘b7 ♔c6 37. ♘a5 ♔d5 38. ♔d3 ♘d6 39. f3 f5 40. ♘b3 h6 41. ♘d2 g5 42. e4 fe4 43. fe4 ♔c6 44. fg5 hg5 45. h3!⊙ ♔c5 46. ♘b3 ♔c6 47. ♘d4 ♔d7 48. ♘f3 ♘f7 49. ♔c4 ♘d6 50. ♔d4 ♘b5 51. ♔c5**
1 : 0 **[Sturua]**

70. **A 46**

TU HOANG THAI –
SITANGGANG 2390
Penang 1991

1. d4 ♘f6 2. ♗g5 e6 3. e4 h6 4. ♗f6 ♕f6 5. ♘f3 c5 6. e5 ♕d8 7. d5 ♕b6 N [7... ed5 – 6/112] **8. ♘c3 a6 9. ♘d2!? ♕b2 10. ♘de4 ♕b4 11. ♖b1 ♕a5□** [11... ♕d4 12. ♕d4 cd4 13. ♘a4 b5 14. ♘b6 ♗b7 15. ♘a8 ♗a8 16. ♘d6 ♗d6 17. ed6 ♗d5 18. a4 ♗c6 19. f3+−] **12. a4 ♗e7 13. ♗c4 0–0 14. 0–0 b5!?** [14... b6 15. ♕g4 ♗b7 16. ♖fd1 △ ♖d3-g3±] **15. ab5 ab5 16. ♖b5 ♕a7 17. ♖b3!±⊞** [17. d6 ♗d8 18. ♘c5 (18. ♖c5 ♗b6 19. ♖b5 ♗a6 20. ♖b4 ♘c6 21. ♖a4 ♕b7 22. ♗a6 ♖a6 23. ♖a6 ♕a6⇆) ♘c6 19. ♖e1 ♗a5! 20. ♖e3 (20. ♕d3 ♗b4!) ♗c3 21. ♖c3 ♘e5 22. ♗f1 (22. ♘e6? fe6 23. ♖e5 ♕f2∓) ♖b8∞] **♗a6 18. ♗a6** [18. ♘b5 ♗b5 19. ♗b5 ed5 20. ♕d5 ♘c6 21. ♗c6 dc6 22. ♕c6 ♖ab8 23. ♖b8 ♖b8 24. g3±] **♘a6** [18... ♕a6!?] **19. ♘b5 ♕b6** [19... ♕b7 20. c4!±] **20. ♘bd6! ♕a5 21. ♕g4→ ♗d6 22. ♘f6! ♔h8**

23. ♕e4!!+− g6 [23... gf6 *a*) 24. ♖h3? ♕d2!□ 25. f4 (25. ed6 f5−+) ♕d4−+; *b*) 24. ♕f4! ♗e5 25. ♕h6 ♔g8 26. ♖h3+−] **24. ♕f4!** [24. ed6 ♕d2 25. ♘d7 ♕d5 26. ♕d5 ed5 27. ♘f8 ♖f8 28. c3 △ ♖b6+−] **♔g7 25. ed6** [25. ♕h6!! ♘h6 26. ♖h3 ♔g5 27. f4 ♔f5 28. g4#] **♕d8 26. ♖f3 h5 27. ♘h5!** [27... gh5 28. ♖g3; 27... ♔h7 28. ♕e5] **1 : 0**

[Tu Hoang Thai]

---

71. **A 47**

KAMSKY 2595 − LJUBOJEVIĆ 2600
Beograd 1991

1. d4 ♘f6 2. ♘f3 e6 3. ♗g5 c5 4. e3 b6 5. c3 ♗b7 6. ♘bd2 ♗e7 7. ♗d3 h6 8. ♗f6 ♗f6 9. ♕e2 N [9. 0−0] **♘c6** [9... 0−0?! 10. h4 △ g4→≫] **10. a3 d5 11. b4?!** [△ 11. 0−0] **0−0 12. b5 ♘a5 13. h4?!** [13. 0−0 ♖e8 △ e5∓] **♖e8!** [13... ♕c7?! 14. g4 △ g5⇆] **14. ♘e5□** [14. g4 e5 15. g5 e4∓] **cd4 15. cd4 ♗e5** [15... ♗h4?? 16. ♕h5+−] **16. de5 f6 17. ♘f3□** [17. f4 fe5 18. fe5 ♕c7∓; 17. ef6 ♕f6∓] **♕c7 18. ♕b2 ♖ec8!. 19. 0−0** [19. ef6 ♕c3 20. ♕c3 ♖c3 21. ♔e2 (21. ♔d2 ♖ac8) gf6∓] **♘c4 20. ♗c4 dc4 21. ef6 ♗f3 22. gf3 c3 23. ♕b4 ♕f7! 24. fg7** [24. ♕e7 ♕e7 25. fe7 ♔f7∓] **♕f3 25. ♔h2 ♖c5∓ 26. ♖g1 c2!** [26... ♕f2?! 27. ♖g2 ♕e3 28. ♖f1⇆ ×♔g8] **27. ♖ac1 ♖ac8!** [27... ♕f2?! 28. ♖g2 ♕e3 29. ♖cc2] **28. ♖g2 ♖8c7 29. a4 ♖d7 30. ♕b3 ♕e4!−+** [△ 31... ♖d3 32. ♕a2 ♕h4 33. ♔g1 ♖d1] **31. f3 ♕h4 32. ♔g1 ♕c4?⊕** [32... ♖d6! 33. ♖gc2 (33. f4

♕h5 34. ♖cc2 ♖d1 35. ♔f2 ♖f1! 36. ♔f1 ♕d1 △ ♖c2−+) ♖g5 34. ♖g2 ♖g2 △ ♖d2−+] **33. ♕c4 ♖c4 34. ♖cc2 ♖c2**

1/2 : 1/2 [Čabrilo]

---

72. **A 48**

YE RONGGUANG 2545 − DONGUINES 2435
Bacolod 1991

1. d4 ♘f6 2. ♘f3 g6 3. ♗f4 ♗g7 4. e3 0−0 5. h3 b6 6. ♗e2 ♗b7 7. a4 a6 8. 0−0 d6 9. ♘h2 ♘bd7 10. c3 ♖e8 N [10... e6 − 4/77] **11. ♘a3 e6 12. a5!? b5 13. c4 bc4 14. ♘c4 ♕e7 15. ♕a4 ♘e4 16. ♕a3 f5!∞ 17. ♖ac1 ♗f8 18. ♖c2! ♘df6 19. ♖fc1 ♘d5 20. ♘cd2 ♘ef6 21. ♘e1 ♗h6?!** [△ 21... ♕f7 22. ♘d3 g5∞] **22. ♖c7! ♘c7 23. ♗d6 ♕d8 24. ♗c7 ♕d7 25. ♗e5 ♗f8!** [25... ♘d5 26. ♘b3 △ ♘c5±] **26. ♕a1 ♘d5 27. ♘b3! ♖ac8 28. ♘c5 ♗c5 29. dc5 ♘b4 30. ♗d6 ♗d5 31. ♕a3 ♕b7 32. ♖d1 ♘c6 33. ♕c3 ♘d8** [33... ♕b4 34. ♗a6 ♕c3 35. bc3 ♖a8 36. ♗b7 ♖a5 37. ♖d5+−] **34. b4 ♘f7 35. ♗h2 ♖ed8 36. ♖c1 ♖d7 37. h4!± ♕c6 38. h5 ♘g5** [38... g5 39. ♕f6 △ h6±] **39. hg6 hg6 40. f3!** [40. ♕f6 ♘e4! 41. ♕g6 ♖g7∞] **♘f7 41. ♘c2 ♖a7 42. ♕f6! e5 43. ♗e5 ♘e5 44. ♕e5 ♖e8 45. ♕c3 g5 46. ♖d1 ♖d7 47. b5+− ♕e6 48. ♘b4 ♔h7 49. c6 ♖d6 50. ♖d5 ♖d5 51. ♘d5 ♕d5 52. c7 ♕b7 53. b6** **1 : 0** [Ye Rongguang]

---

73. !N **A 48**

DREEV 2610 − I. SOKOLOV 2570
Groningen 1991

1. d4 ♘f6 2. ♘f3 g6 3. ♗f4 ♗g7 4. e3 d6 5. h3 0−0 6. ♗e2 c5 7. c3 ♕b6! N = [7... b6 − 48/87] **8. ♕b3** [8. ♕c1 ♘c6 9. 0−0 (9. ♘bd2 cd4 10. ed4 ♘d5 11. ♘c4 ♕c7 12. ♗h2 e5) ♘d5 10. ♗h2 cd4 11. ed4 (11. cd4 ♗f5∓) e5∓ △ 12. c4? ♘d4 13. ♘d4 ed4 14. cd5 d3] **♗e6 9. ♕b6 ab6 10. a3 ♘c6 11. ♘bd2 ♘a5 12. 0−0 ♖fc8** [12... ♘b3 13. ♘b3 ♗b3 14. ♘d2 ♗d5 15. c4 ♘e4! (15... ♗c6 16. d5±) 16. ♖fd1 ♘d2 17. ♖d2 ♗c6=] **13. ♖fc1 ♗b3!? 14.**

♗d3 ♘d7 15. ♗b5 [15. ♖e1 (△ ♘b3) ♗a4] ♘f8 16. a4 [16. ♗g5 ♖c7] ♘e6 17. ♗g3 ♘c7 18. c4? [18. ♗d3] cd4!∓ 19. ♘d4 ♗d4 20. ed4 ♘e6! 21. ♗d7 [21. ♖e1 ♖c7 △ ♘d4] ♕d4! 22. ♗c8 ♘e2 23. ♔h1 ♘c1 24. ♗g4⊕ ♘d3 25. ♖a3 ♘b2!–+ 26. ♘b3 ♘bc4 27. ♘a5 ♘a3 28. ♘b7 ♖a4 29. ♗d7 ♖c4⊕   0 : 1   [I. Sokolov]

74.*   A 49

RAŠKOVSKIJ 2540 − FROLOV 2470
SSSR (ch) 1991

1. d4 ♘f6 2. ♘f3 g6 3. g3 ♗g7 4. ♗g2 0−0 5. 0−0 d6 6. a4!? a5 [6... ♘a6 N a) 7. b3 c5 8. ♗b2 ♗f5 9. ♘bd2 ♕c8 10. ♖e1 cd4 11. ♘d4 ♗h3 12. ♗h1 ♘c5 13. b4 ♘cd7 14. a5 ♘e5 15. ♖a3 d5∞ M. Sorokin 2510 − Širov 2610, SSSR (ch) 1991; b) 7. ♘c3 c5 b1) 8. e4 cd4 9. ♘d4 ♗g4! 10. f3 ♗d7 11. ♗e3 ♘b4 12. ♖f2?! ♘c6 13. ♖d2 ♕a5 14. ♘ce2 ♘e5 15. b3 d5 16. ed5 ♘d5 17. ♗f2 ♘f6!= Raškovskij 2540 − Kancler 2430, SSSR (ch) 1991; b2) 8. a5 ♗g4 9. ♗g5 h6 10. ♗e3 ♕c8 11. ♕d2 ♔h7 12. ♖fd1 ♗h3 13. ♗h3 ♕h3 14. dc5± Raškovskij 2540 − D. Jaćimović 2415, Skopje 1991] 7. ♘c3 ♘bd7 8. e4 e5 N [8... c6 − 19/73] 9. h3 b6! 10. de5 de5 11. b3 ♗b7 12. ♘d2 ♖e8 13. ♘c4 ♘c5 14. ♕e2 ♕e7 15. ♗a3 ♗f8 16. ♖ad1 ♖ad8 17. ♘d5?! [17. ♖d8 ♖d8 18. ♖d1 (18. ♗f4?! ♘h5 19. ♕f2 ef4 20. gf4 ♗h6!∓) ♖d1 19. ♕d1=] ♘d5 18. ed5 e4! 19. ♘e3 f5 20. ♖fe1 ♕f7 21. ♗b2 h5 [21... ♗d5?! 22. ♘d5 ♖d5 23. ♖d5 ♕d5 24. ♖d1 △ ♗f1±] 22. ♕c4 ♗d6 23. ♕d4 ♗e5? [23... ♔h7 24. ♕f6=] 24. ♕e5 ♖e5 25. ♗e5± ♕e7 26. ♗f4! h4! [26... g5? 27. ♘f5 ♕f6 28. ♗c7 ♖d7 29. ♘d6!+–] 27. gh4 ♖f8 28. ♗g5 ♕d7 29. ♗f1 ♗a6 30. ♗a6 ♘a6 31. d6! c6□ 32. ♘c4 f4 33. ♔h2 ♘c5 34. ♘e5? [34. ♘b6 △ d7+–] ♕f5 35. ♘c6 ♔h7 36. ♘e7 ♕e6 37. ♘d5⊕ [37. ♖d4!±] ♕e5 38. f3 ♕b2! 39. ♖e2?? [39. ♘f4! ♕c2 40. ♔g3 ef3 41. d7! f2□ 42. ♖e7 ♔g8 43. d8♕ f1♘!! 44. ♔f3 ♘h2=] ef3!–+ 40. ♖e7 ♔g8 41. ♖d2 f2! 42. ♔g2 [42. ♖f2 ♕d4] ♘d3!! 43. ♖d3 ♕c1! 44. ♔f2 ♕c2 45. ♖e2 ♕d3 46. ♘f4

♕d6 47. ♔g3 ♕d1 48. ♖e6 ♕g1 49. ♔f3 ♕d1 50. ♔e4 ♕c2 51. ♔d4 [51... ♕c5 △ ♖f4]   0 : 1   [Raškovskij]

75.*   A 57

GULKO 2565 − J. PETERS 2485
Los Angeles 1991

1. d4 ♘f6 2. c4 c5 3. d5 b5 4. ♘f3 [RR 4. e4 N ♘e4 5. ♕f3 ♕a5 (5... ♘f6? 6. d6 ♘c6 7. cb5 ♘d4 8. ♕a8 ♘c2 9. ♔d1 ♘a1 10. ♕a7+–) 6. ♘d2 ♘d6 7. cb5 a6 (Mirković 2400 − I. Marinković 2485, Beograd 1991) 8. ba6 ♗a6 (8... ♘a6 9. ♘e2∞) 9. ♘e2∞ Mirković] g6 5. ♘bd2!? bc4 6. e4 d6 7. ♗c4 ♘fd7!? N [7... ♗g7 − 32/(121)] 8. 0−0 ♗g7 9. ♖b1 0−0 10. ♖e1 ♘b6 11. b3! [11. ♗f1 e6=] e5! [11... ♘c4 12. ♘c4±; 12. bc4±] 12. de6 ♗e6 [12... fe6 13. ♗b2 d5 14. ♗g7 ♔g7 15. ♗f1± ×c5] 13. ♗b2 ♘c4 14. ♘c4 d5? [14... ♗c4 15. bc4 ♘c6±] 15. ♗g7 ♔g7 16. ed5 ♕d5 17. ♕c2 ♘c6 18. ♖bd1? [18. ♕c3 ♔g8 (18... ♘d4 19. ♖bd1 ♖ad8 20. ♘e3 ♕d6 21. ♘c2±) 19. ♖bd1 ♕h5 20. ♘d6 (△ ♘e4) ♗d5 21. ♘e5 ♘e5 22. ♕e5±] ♕f5 19. ♕c1 [19. ♕c3 ♕f6=] ♗c4! 20. ♕c4 ♖ad8 21. h3 ♖d1?! [21... h5=] 22. ♖d1 ♖d8 23. ♖d8 ♘d8 [♕ 8/c] 24. ♕c3 ♔g8 25. ♘e5!↑ ♘e6 26. ♘g4 ♘d4!□ 27. ♘h6 ♔f8 28. ♕c4 ♕b1! 29. ♔h2 ♘e6 30. ♕c3 ♕e4!□ [30... ♕a2 31. ♕f6+–] 31. ♕h8 ♔e7 32. ♘g4 h5 33. ♘e3 ♕f4?! [33... h4!=] 34. ♔g1 ♕d4 35. ♕b8 ♕a1 36. ♔h2 ♕a2 37. ♘d5 ♔d7 38. ♕b7 ♔d6 39. ♘f6! [39. ♘c3 ♕c2=] ♕c2 40. f4! [△ 41. ♘e8#, 41. ♕d7#, 41. ♘e4+–; 40. ♕f7 ♕f5=] ♘c7!= [40... ♘f4 41. ♕b8 ♔e6 42. ♕f4 ♕b3 43. ♘e4±] 41. ♕a7 ♔c6? [41... ♕b3? 42. ♘e4 ♔d5 43. ♘d2 ♕b2 44. ♕c7+–; 41... ♕f5! 42. ♕b6 ♔e7 43. ♘h5 ♘e6=] 42. ♕a4 ♔b7 [42... ♔b6 43. ♘d7 ♔b7 44. ♘e5+–] 43. ♘e4+– ♔b6 44. ♘d6! ♕f2 [44... h4!?] 45. ♕e4 ♕a5 46. ♘b7! ♕b5 47. ♘d8 ♘d5 [47... ♕a5 48. ♕a4 ♔b6 49. ♕c6+–; 47... ♘e6 48. ♕b7+–] 48. ♕c4 ♔b6 49. ♕d5 ♕f4 50. ♔g1 ♕d4 51. ♕d4 cd4 52. ♘f7 ♔c5 53. ♔f2 ♔b4 54. ♔e2 ♔b3 55. ♘e5   1 : 0 [Gulko]

54

76.** !N **A 57**

S. IVANOV 2440 – PISULIŃSKI 2345
Čeljabinsk II 1991

1. d4 ♘f6 2. c4 c5 3. d5 b5 4. cb5 a6 5. ♘c3 [RR 5. e3 g6 6. ♘c3 ♗g7 7. a4 0–0 8. ♘f3 ♗b7 9. ♖a3 e6 10. de6 fe6 11. ♕d6 ♕c8 12. ♗e2 ♘e8 13. ♕g3 ab5! N (13... d5 – 36/(102)) 14. ♗b5 ♗f3 15. gf3 ♘c6 16. 0–0 ♘e5 17. ♗e2 d5 18. ♗d2 ♘d6 19. b3 ♘f5 20. ♕h3 g5!∓ J. Martín del Campo 2260 – Fedorowicz 2525, México 1991; 5. f3 ab5 6. e4 ♕a5 7. ♗d2 b4 8. ♘a3 d6 9. ♘c4 ♕c7 10. a3 e6 11. de6 ♗e6 12. ab4 ♖a1 13. ♕a1 d5!! N (13... cb4 – 47/(99)) 14. ed5 ♘d5 15. b5?! ♗d6 16. ♗d3 ♘b4 17. ♗b4 cb4? 18. b6 ♕c6 19. ♘d6 ♕d6 20. ♗b5 ♗d7 21. ♗d7 ♕d7= Touzane 2250 – Nikolaev 2430, Podol'sk 1991; 17... ♗c4! 18. ♗c4 cb4 19. b3 ♗e5∓→; ⌓ 15. ♕a5 cb4 16. ♕c7 ♘c7 17. ♗f4 ♘ba6 18. ♘d6 ♔d7∓ Nikolaev] **ab5 6. e4 b4 7. ♘b5 d6 8. ♘f3!? ♘e4 N** [8... g6 – 23/120] **9. ♗c4 g6** [9... e6 10. ♕e2; 9... e5 10. de6 fe6 (10... ♗e6 11. ♗e6 fe6 12. ♕e2 d5 13. ♘g5!↑) 11. ♗f4 ♘a6 12. ♕a4 ♔f7 13. 0-0-0⩱] **10. ♕e2** [10. 0–0! ♗g7 11. ♖e1 *a)* 11... ♘f6 12. ♕e2 ♔f8 13. ♗f4 ♘bd7 (13... ♘h5 14. ♗d6! ed6 15. ♘c7 ♗d7 16. ♘a8 ♗f6 17. a3 b3 18. ♗b5±) 14. ♘d6! ed6 15. ♗d6 ♔g8 16. ♗e7 ♕b6 17. d6→; 12... ♗g4!?∞; *b)* 11... f5 12. ♘g5 0–0 13. ♕e2! ♗f6 (13... ♘g5 14. ♗g5 ♗f6 15. ♗f6 ef6 16. ♕e7±) 14. ♘e6 ♗e6 15. de6⩱; 14. h4!?] **f5** [10... ♘f6? 11. ♗f4 ♖a6 12. ♘d6! ♖d6 13. ♗b5±] **11. 0–0 ♗g7 12. ♖e1?!** [⌓ 12. ♘g5 ♘g5 13. ♗g5 h6!? (13... ♔f7 14. ♖fe1⩱) 14. ♗e7!? ♕e7 15. ♘c7 ♔d8 16. ♕e7 ♔e7 17. ♘a8∞] **♘d7!** [12... 0–0 13. ♘g5] **13. ♘g5 ♘e5 14. f3** [14. ♘e4 fe4 15. ♕e4 ♗f5 16. ♕e2 0–0∓] **♘g5 15. ♗g5 0–0∓ 16. ♘d6!?** [16. f4? ♘c4 17. ♗e7 ♕a5 (17... ♕b6 18. ♗f8 ♗f8 19. ♕c4 ♗a6 20. a4 ba3 21. ♖a3 ♗b5–+) 18. ♗f8 ♗f8 19. ♕c4 ♗a6 20. a4 ba3–+] **♕d6 17. ♗e7** [17. ♗f4 ♘c4 (17... ♗a6 18. ♗a6 ♘f3 19. ♕f3 ♕a6∞) 18. ♗d6 ♘d6∓] **♕d7** [17... ♕b6?? 18. ♗f8 ♔f8 19. f4+–; 17... ♘c4!? 18. ♗d6 ♘d6 19. ♕e7 ♖a6∓] **18. ♗f8 ♔f8 19. ♗b5 ♕d8 20. ♕e3** [20. f4 ♘g4 21. ♕e8 ♕e8 22. ♖e8 ♔f7 23. d6 (23. h3 ♘f6) ♗d4 24. ♔f1 ♗a6! 25. ♖a8 ♗b5 26. ♔e1 ♗b2∓] **♖a5** [⌓ 20... ♘d7! 21. ♖ad1 ♖a5 (21... ♗d4 22. ♖d4 cd4 23. ♕h6 ♔g8 24. d6→) 22. ♗d7 ♗d7 23. d6 ♗f6 24. ♖d5 c4∓] **21. ♕c5 ♔g8 22. d6 ♗a6?** [22... ♘d7 23. ♕c7 ♕c7 24. dc7 ♘b6 25. ♗c4!±; 22... ♗d7! 23. ♖e5 ♗e5 24. ♕d5 ♔g7 25. ♕e5 ♔h6 26. ♕e3 f4 27. ♕f4 g5 28. ♕b4 ♕b6 29. ♔h1 ♖b5 30. ♕c3 ♕d6=] **23. ♖e5 ♗e5** [23... ♖b5 24. ♕c4; 23... ♗b5 24. ♕c7] **24. ♕d5! ♔g7** [⌓ 24... ♔f8 25. ♕e5 ♕b6 26. ♔h1 ♗b5 27. ♖e1→] **25. ♕e5 ♔h6** [25... ♔f7 26. ♗e8!+–] **26. ♕e3 f4 27. ♕f4 g5 28. ♕f7! ♗b5 29. ♖e1+– ♗d3** [29... ♗d7 30. ♖e7 ♕h8!∞; 30. g4!+–] **30. ♖e8 ♕b6** [30... ♗g6 31. ♕f8] **31. ♔h1 ♗f5** [31... ♖a7 32. ♖e6 ♗g6 33. ♕f8 ♖g7 34. ♖e7 ♕d4 35. ♕g7 ♕g7 36. ♖g7 ♔g7 37. d7+–; 31... g4 32. ♕f4 ♖g5 33. ♖e5+–; 31... ♕d6 32. ♖e6 ♕e6 33. ♕e6 ♗g6 34. ♕e7+–] **32. ♕f6 ♔h5** [32... ♗g6 33. ♕f8 ♔h5 34. g4+–] **33. g4 ♗g4 34. fg4 ♔h4** [34... ♔g4 35. ♖e4 ♔h5 36. ♕f7 △ ♖e6#] **35. ♖e4** [35... h5 36. ♕h6]
1 : 0 **[S. Ivanov]**

77. **A 57**

ŠIROV 2610 – V. NEVEROV 2540
SSSR (ch) 1991

1. d4 ♘f6 2. c4 c5 3. d5 b5 4. cb5 a6 5. b6 e6 6. ♘c3 ♘d5 N [6... ♕b6 – 37/85] **7. ♘d5 ed5 8. ♕d5 ♘c6 9. ♘f3 ♖b8!** [9... ♗b7 10. ♘e5±] **10. e4** [10. ♘e5 ♕f6! 11. ♘c6 dc6 12. ♕e4 ♗e7∓ 13. ♕f4? ♖b6 14. ♕c7 ♗d8! 15. ♕c8 0–0! △ ♖b2–+ A. Vajsman; 10. ♗g5 ♗e7 11. ♘e5 0–0 12. ♘c6 dc6 13. ♕d8 ♗d8 14. ♗d8 ♖d8=] **♗e7 11. ♗c4 0–0 12. ♘g5?!** [12. 0–0 *a)* 12... ♖b6?! 13. ♘g5! ♕e8 14. ♕f5 ♗g5 (14... g6 15. ♕h3! ♗g5 16. ♗g5→) 15. ♕g5 ♘e5 16. ♗e2±; *b)* 12... ♘a5! 13. b3 (13. ♗e2?! ♖b6∓) ♖b6 14. ♗f4!∞] **♕e8 13. 0–0 ♘d4! 14. b4!?** [14. ♗e3 ♗b7 15. ♕e5 ♗g5! 16. ♕e8 (16. ♕g5 ♕e4∓) ♖fe8 17. ♗g5 ♖e4∓] **d6!?** [14... ♗b7!? 15. ♕e5 h6! 16. ♘f3 (16. ♘h3?! ♗f6 17. ♕e8 ♖be8 18. bc5 ♖e4∓)

♗f6 17. ♕e8 ♖be8 18. ♗e3!□ ♘f3 19. gf3 ♗a1 20. ♖a1 cb4□ 21. ♗c5 ♖c8 22. ♗f8 ♔f8 (22... ♖c4 23. ♗d6=) 23. ♖d1! ♔e7 (23... ♖c4 24. ♖d7 ♗c8 25. b7=) 24. ♗f7! ♖c6 25. ♗d5 ♖b6 26. ♗b7 ♖b7 27. ♖d5=] **15. bc5 dc5 16. ♗e3□ ♖b6 17. ♗d4 cd4 18. ♘f3** [18. ♕d4?! ♖b4! *a)* 19. ♘f3? ♗e6 20. ♘d2 ♗c4 21. ♘c4 ♕c6! 22. ♖ac1 (22. ♘e5 ♕c7! 23. ♕d5 ♖b5−+) ♖c8 23. ♕a7 (23. ♕e5 ♗f6−+) ♖c7−+; *b)* 19. ♘f7□ ♖f7 20. ♗f7 ♕f7∓] **♖b4!∓ 19. ♗d3 ♗e6 20. ♕a5** [⌓ 20. ♕e5] **♖a4 21. ♕b6 ♕d8?!** [21... ♕b8! 22. ♕c6□ (22. ♖fb1? ♕b6 23. ♖b6 a5!∓) ♖a3 23. ♗a6 ♖f3! 24. gf3 ♕f4 25. e5□ ♗h3 26. ♔h1 ♗f1 27. ♖f1 ♕e5 28. ♕e4!∓] **22. ♕a7∞ ♗a3!? 23. ♗c2! ♖b4 24. ♗b3 ♖b6** [24... ♗b2? 25. ♖ab1 ♗b3 26. ♖b2+−; 24... ♗b3 25. ab3 ♗b2 26. ♖a6 ♖b3∞] **25. ♗e6 fe6?⊕** [25... ♖e6 26. ♘d4 ♖e4 27. ♕a6 ♗b2 28. ♘c6 ♕a8=] **26. ♖ab1 ♗b2?** [26... ♗c5□ 27. ♖b6 ♕b6 28. ♕b6 ♗b6 29. ♖b1! ♖c8 30. g3!±] **27. ♘e5!+−** [△ ♘c4] **♕b8?!** [27... ♖b5 28. ♘d3+−] **28. ♕b8** [28... ♖fb8 29. ♘d7] **1 : 0** **[Širov]**

78. !N **A 57**

MOSKALENKO 2505
− TUKMAKOV 2535
Wijk aan Zee II 1992

1. d4 ♘f6 2. c4 c5 3. d5 b5 4. cb5 a6 5. b6 ♕b6 6. ♘c3 g6 7. e4 d6 8. ♘f3 ♗g7 9. ♗e2 0−0 10. ♘d2 ♘bd7 [10... a5!? △ ♗a6] **11. 0−0 ♕c7** [△ 12. ♘c4 ♘b6] **12. a4! N** [12. ♕c2] **♖b8 13. a5 ♘e8!** [13... e6 14. ♘c4! (14. de6 fe6 15. ♘c4 ♘e8∞) ed5 15. ♘d5 ♘d5 16. ♕d5±; 13... e5±] **14. ♘c4 ♘e5** [14... ♕a7 15. ♗g5 ♘e5 16. ♘b6!] **15. f4?!** [15. ♘e5 ♗e5 16. f4 ♗g7∞; 15. ♘b6! ♘d7 (15... ♖b6 16. ab6 ♕b6±) 16. ♘c8 ♕c8 △ ♘c7-b5∞; 16. ♘c4=; 16. ♘ca4!] **♘c4 16. ♗c4 ♕a7! 17. ♕e2 ♘c7 18. ♗e3 ♗d7** [18... ♘b5? 19. ♘b5 ab5 20. ♗b5 ♖b5 21. ♕b5 ♗a6 22. ♕b6+−] **19. e5! ♖b4!?** [19... ♗b5? 20. b4!; 19... de5? 20. fe5 ♗e5 21. ♗h6 ♗d4 (21... ♗g7 22. ♗g7 ♔g7 23. ♕e7) 22. ♔h1±; 19... ♘b5!? 20. ♘b5! (20. ♘e4?! ♘d4) ab5 (20... ♗b5 21. b4!) 21. ♗d3 ♕a6 (21... de5? 22. b4) 22. b3∞] **20. b3! ♗b5** [20... ♘b5 21. ♘a2] **21. ♖ad1** [21. ♗d2!? ♕b7!? (21... ♖b3!? 22. ♘b5 ♖b5 23. ♗b5 ♘b5∞) 22. ♘b5?! ab5 23. ♗b4 bc4 △ cb3∓; 22. ♖ad1∞ − 21. ♖ad1; 22. ♖ab1!?] **♕b7 22. ed6?!** [22. ♗d2! ♖b3!? 23. ♘b5 ♖b5 24. ♗b5 ♘b5∞; 24... ab5!?] **ed6 23. ♘e4 ♘d5!** [23... ♖b3 24. ♘d6] **24. ♘d6□ ♗c4 25. bc4 ♘c3 26. ♕d3?!** [26. ♕c2? ♘d1 27. ♘b7 ♘e3∓; 26. ♘b7 ♘e2 27. ♔f2 ♖b7 28. ♔e2 ♖e8 29. ♖d3 ♗d4 30. ♔f3 ♖e3 31. ♖e3 ♗e3 32. ♔e3 ♖b4∓] **♕c6** [26... ♘d1!? 27. ♘b7 ♘e3 28. ♘c5□ ♘f1 29. ♘a6! (29. ♔f1 ♖c8! 30. ♘a6 ♖bc4∓) ♖a4 30. ♔f1 ♖a5 31. ♘c7∞] **27. ♖d2□ f5!** [27... ♖d8 28. f5!? (28. ♖e1!?) ♗e5 *a)* 29. fg6 fg6! (29... hg6 30. ♘f7! ♖d3 31. ♘e5=/∞) 30. ♘f7 (30. ♗h6? ♗d4−+) ♖d3 31. ♘e5 ♕e4 (31... ♖e3 32. ♘c6 ♖c4 33. ♖d8=/∞) 32. ♖d3 ♖b8; *b)* 29. ♘f7! ♖d3 30. ♘e5∞] **28. ♖e1** [28. ♖c1 ♖d8; 28. g4!? fg4 29. f5 ♖bb8!] **♖bb8!** [28... ♖d8? 29. ♘f5!] **29. ♗f2⊕ ♖fd8⊕** [△ ♘e4] **30. ♘f5** [30. ♖e7 ♖b1] **gf5 31. ♕d8 ♖d8 32. ♖d8 ♔f7 33. ♗h4 ♗d4 34. ♔h1 ♘e4** [34... ♗f6!] **35. ♖b1! ♘f2?!** [35... ♘f6!] **36. ♗f2 ♗f2** [♕ 8/b] **37. ♖d5 ♗d4?** [37... ♕c8!∓] **38. h3?** [38. ♖f5 ♔e7 (38... ♔g7=) 39. ♖e1 ♔d6 40. ♖d5 ♔c7 41. ♖e7 ♔c8 42. ♖g5 ♔d8 43. ♖h7 ♕e8!] **♗f6 39. ♖b6** [39. ♖f5?? ♕e4] **♕c8 40. ♖bd6 h5 41. ♖d7 ♔g6?** [41... ♔e8] **42. ♖7d6?** [42. ♖5d6=] **♔f7! 43. ♖d7 ♔e8!∓ 44. ♖7d6 ♗d4 45. ♖b6 ♔f7** [45... h4!?] **46. ♔h2** [46. h4!?] **h4 47. g3 hg3 48. ♔g3 ♗f6** [⌓ 48... ♗c3] **49. ♔f3 ♗d8 50. ♖bd6 ♗a5 51. h4! ♗c3 52. ♖d8⊕** [52. h5!?] **♕c6□⊕ 53. ♖8d6** [53. ♖8d7 ♔e6 △ ♕a4] **♕a4 54. ♖f5** [54. ♖c5 ♕c2−+] **♔e7−+ 55. ♖dd5 ♗d4 56. ♖g5 ♕c4 57. h5 ♕f1 58. ♔g3 ♕f2 0 : 1** **[Tukmakov]**

79.* **A 57**

ŠIROV 2610 − HODGSON 2570
Hastings 1991/92

1. d4 ♘f6 2. c4 c5 3. d5 b5 4. cb5 a6 5. b6 d6 6. ♘c3 ♕b6 [RR 6... ♘bd7 7. a4 ♕b6 8. a5 ♕b7 N (8... ♕c7 − 49/86) 9. e4 g6 10. f4 ♗g7 11. ♘f3 0−0 12. ♗c4

♘e8 13. 0-0 ♘c7 14. ♕d3 ♘f6 15. ♖a3 ♗d7 16. h3 ♗b5 17. b3 ♖ae8 18. e5 ♘d7 19. ed6 ed6 20. ♘e4 ♖d8 21. ♘d6 ♕b8 22. ♘e4 ♘f6 23. ♘f6 ♗f6 24. ♘e5 ♘d5 25. ♕f3 ♘b4= Speelman 2630 − Adams 2615, England (ch-m/1) 1991] **7. a4 g6 8. a5 N** [8. e4 − 52/(85)] **♕b7! 9. e4 ♗g7 10. ♗c4 0-0** [10... ♗d7!? △ ♕b4, ♗b5 Adams] **11. ♘ge2** [11. f4 e6! 12. ♘f3 (12. de6? fe6 13. ♕d6 ♘e4 14. ♗e6 ♔h8) ed5 13. ♘d5 ♘e4 14. ♘b6! (14. 0-0 ♘c6∓) ♖a7 15. 0-0∞] **♘e8 12. 0-0 ♘c7 13. ♕d3!? ♗d7** [13... ♘d7!? 14. f4 ♘f6 15. h3 ♗d7 △ ♘b5] **14. f4 ♗b5 15. b3 ♘d7 16. ♖a2!?** [△ ♗b2; 16. ♗b2? ♗c4 ×b3; 16. ♖b1?! ♖ab8 17. ♗b2 ♗c4 18. bc4 ♕b4!] **♖ad8 17. ♗b2 ♘f6 18. ♗a1!** [⇔a2-f2] **e6 19. h3** [19. ♘g3? ♗g4] **♖fe8 20. ♘g3 ♖d7?!** [20... ed5 21. ed5 ♖e7 22. ♘ge4 ♗c4! 23. bc4 ♘ce8=] **21. de6!□ fe6** [21... ♗c4 22. bc4 ♘e6 23. ♖b2±] **22. f5 ♗c4?!** [22... d5 23. ♗b5 ♘b5□ 24. e5! ♘c3 (24... ♘e4 25. fe6 ♖e6 26. ♘ce4 de4 27. ♕c4 ♕d5 28. ♘e4+−) 25. ef6! ♘a2 26. fg6 hg6 27. ♕g6 ♖f8 (27... ♖f7 28. ♘h5+−) 28. ♗e5! (28. ♘h5 d4! 29. fg7 ♖f1 30. ♔f1 ♖f7∞) ♕b3 29. fg7 ♖f1 30. ♘f1+−; △ 22... gf5 23. ef5 d5 24. ♗b5 ab5 (24... ♘b5 25. ♘a4±) 25. fe6 ♖e6 26. ♕f3! ♘a6 (△ d4; 26... b4 27. ♘a4) 27. ♖e2!→] **23. bc4 ef5** [23... d5? 24. fg6 d4 25. ♘a4+−] **24. ef5 g5 25. ♖b2 ♕a8 26. ♖b6± g4** [26... d5 27. ♘a4! d4 28. ♘c5 ♖e3 29. ♕d2 ♖g3 30. ♖f6±] **27. hg4 ♘g4 28. ♘ce4! ♗a1 29. ♖a1 ♖de7 30. ♖e1 d5 31. ♕d1! de4□** [31... h5 32. ♖g6+−; 31... ♖g7 32. ♘h5+−] **32. ♕g4 ♖g7** [32... ♔h8 33. f6 ♖f7 34. ♘f5+−] **33. ♕f4 ♕d8 34. f6 ♕d4 35. ♔h2 ♖f7 36. ♘f5 ♕c4 37. ♘h6 ♔h8 38. ♖e4 ♕e4** [38... ♖e4 39. ♖b8 ♘e8 40. ♖e8 ♖e8 41. ♕c4 ♖f6 42. ♕c3!+−] **39. ♘f7 ♔g8 40. ♘h6 ♔h8 41. ♕e4 ♖e4 42. ♖b8 ♖e8 43. ♖e8 ♘e8 44. f7   1 : 0   [Širov]**

80.   **A 57**

ŠIROV 2610 − ADAMS 2615
Hastings 1991/92

1. d4 ♘f6 2. c4 c5 3. d5 b5 4. cb5 a6 5. b6 d6 6. ♘c3 ♕b6 7. a4 g6 8. a5 ♕b7 9. e4 ♗g7 **10. ♗c4 0-0 11. ♘ge2 ♘e8 12. 0-0 ♘c7 13. h3 N ♘d7 14. f4 ♘f6 15. ♖a2?!** [15. ♗e3 ♕b2 16. ♕d3 ♕b7 17. ♖ab1 ♕a7∓; 15. ♕d3; 15. ♘g3] **♘b5!** [15... e6?! 16. de6 ♗e6 17. ♗e6 ♘e6 18. f5→] **16. ♗e3 ♗d7 17. ♕d3** [17. e5 ♘e8∓] **e6** [17... ♘e8? 18. ♘a4] **18. de6□ ♗e6 19. ♗e6 fe6 20. f5 ef5 21. ef5 gf5 22. ♖f5 ♘c3 23. ♘c3 ♘d7?** [23... ♖ae8 24. ♖a4!? ♕e7! (24... ♕b2 25. ♖h4→) 25. ♗f2 ♕e6 26. ♖h4 h6 △ 27. ♖f3 d5!∞] **24. ♖g5!** [24. ♖f8 ♖f8 25. ♕d6 ♔h8! (25... ♗c3? 26. ♕e6 ♔h8 27. bc3+−) 26. ♕d5 ♕d5 (26... ♕c7 27. ♘e4!±) 27. ♘d5 ♖b8 28. ♘c7 ♖b2 29. ♖b2 ♗b2 30. ♘a6 ♗c3=] **♖ae8 25. ♖a4! ♘e5** [25... ♕b2? 26. ♖h4 ♘f6 27. ♘d5+−] **26. ♕d6 ♔h8** [26... ♕b2 27. ♖g7? ♔g7 28. ♗h6 ♔h8 29. ♗f8 ♘f3 30. gf3 ♖e1#; 27. ♕c5±] **27. ♕c5!** [27. ♖h4? ♘f3 28. gf3 ♖e3] **♕b2** [27... ♘d3 28. ♕d4!? (28. ♕d5+− Adams) ♘b2 (28... ♗d4? 29. ♗d4 ♘e5 30. ♖e5! ♖e5 31. ♗e5 ♔g8 32. ♖g4 ♔f7 33. ♖g7+−) 29. ♕g7 ♕g7 30. ♗d4 ♕d4 31. ♖d4+−]

28. ♖g7! ♔g7 29. ♖e4 ♖f5! [29... ♘g6 30. ♕d4! ♔g8 31. ♕d5 ♔g7 32. ♕d7+−] **30. ♗d4 ♕c1** [30... ♖g5 31. ♖g4!+−] **31. ♔h2 ♔g6!□ 32. ♕d6! ♖f6 33. ♕d5 ♖f5□ 34. ♗e5 ♖fe5** [34... ♖ee5 35. ♕g8 ♔f6 36.· ♘d5 ♖d5 37. ♖e6#] **35. ♖g4 ♖g5 36. ♕d3 ♔f7?⊕** [36... ♔g7 37. ♕d7 ♔f8 38. ♕d6! ♔g7 (38... ♔g8 39. ♕d5+−) 39. ♖f4! ♔g8 (39... ♕c3 40. ♕d7 ♔h6 41. ♖h4 ♖h5 42. ♕d6! ♔g7 43. ♖h5+−) 40. ♘e4+−] **37. ♕h7 ♔f6 38. ♘d5 ♖d5 39. ♕g6   1 : 0   [Širov]**

81.** A 61

EHLVEST 2605 –
BELLÓN LÓPEZ 2510
Logroño 1991

1. d4 ♘f6 [RR 1... g6 2. c4 ♗g7 3. ♘c3 c5 4. d5 d6 5. ♘f3 ♘f6 6. ♗g5 h6 7. ♗h4 0–0 8. ♘d2 g5 9. ♗g3 ♘h5 10. e3 ♘g3 11. hg3 e6 12. ♗d3 ed5 13. cd5 ♘d7 14. ♕c2 ♘e5 N (14... ♘f6?!) 15. ♗h7! ♔h8 16. ♗f5 c4! 17. ♘f3 *a)* 17... ♗f5? 18. ♕f5 ♘f3 (18... ♘d3 19. ♔e2 ♔g8 20. ♘e4⩲) 19. gf3 ♗c3 20. bc3 ♔g7 21. f4 ♖h8 22. ♖b1 b6 23. ♖b4 ♖c8 24. ♕e4⩲ Z. Bašagić 2380 – Matulović 2465, Jugoslavija (ch) 1991; *b)* 17... ♕f6?! 18. ♘d4⩲; *c)* 17... ♘f3 18. gf3 ♕f6! 19. g4 ♗f5 20. gf5 a6 21. a4 b5!= Matulović] **2. ♘f3 e6 3. c4 c5 4. d5 d6 5. ♘c3 ed5 6. cd5 g6 7. ♘d2** [RR 7. ♗f4 ♗g7 8. ♕a4 ♗d7 9. ♕b3 b5 10. ♗d6 c4 N (10... ♕b6 – 47/104) 11. ♕d1 ♕b6 12. ♗e5 b4 13. ♗d4 bc3! 14. ♗b6 ab6=∞ 15. ♕d4 (15. b3!?) cb2 16. ♕e5 ♔f8! (16... ♗e6?! 17. ♕b2 ♗d5 18. e4!? 0–0!? 19. e5 ♗f3 20. gf3 ♘fd7 21. f4± Čeluškina 2335 – Prudnikova 2240, SSSR (ch) 1991) 17. ♕b2 ♘d5 18. ♕c1 b5 19. e3 ♘b4 △ ♗a1 Prudnikova, Čeluškina] **♗g7 8. ♘c4 0–0 9. ♗g5 h6 10. ♗h4 ♘a6 11. e3 ♘c7 12. a4 b6 13. ♗e2 ♗a6 14. 0–0 ♗c4 N** [14... ♕e7] **15. ♗c4 a6** [△ ♕d7, ♘g4] **16. h3! ♕d7 17. ♕d3 ♘h7?!** [17... ♖fb8!? △ ♘fe8] **18. f4! f5 19. e4 ♔h8** [19... ♗c3? 20. bc3 b5 21. ♗a2 c4 22. ♕g3±] **20. ♔h1 ♖fe8 21. ef5 gf5 22. ♖ae1 ♘f8 23. ♖e8 ♖e8 24. ♗e1!** [24. ♗a6 ♘g6 25. ♗g3 (25. ♗e1? ♘f4) ♗d4⇆] **♘g6 25. ♗d2 ♔h7 26. ♗b3** [26. ♗a6 ♗c3 △ ♕a4∞] **b5 27. ab5 ab5 28. ♗c2 ♘e7 29. ♗e1 c4?⊕** [29... ♖f8 △ b4∞] **30. ♕f3 ♖f8 31. ♗h4 ♘g6 32. ♗f2 b4 33. ♘d1±** [⊡, ×c4, f5] **b3 34. ♗b1 ♘b5 35. ♖e1** [△ ♖e6, g4] **♗d4 36. ♗d4 ♘d4 37. ♕c3 ♕g7 38. ♕d2!? ♘c2** [38... ♔h8 39. ♖f1 △ ♘e3] **39. ♗c2 bc2 40. ♘c3 ♖f7?** [40... ♕b7 41. ♖c1 ♕b2 42. ♖c2±] **41. ♖c1+– ♖e7 42. ♖c2 ♘f8 43. ♔h2 ♘d7 44. ♘b5 ♘f6 45. ♘d6 ♖d7 46. ♘c4 ♘e4 47. ♕e1 ♖d5 48. ♘e3** **1 : 0**
[Ehlvest, E. Vladimirov]

82. A 62

DAUTOV 2595 – H.-U. GRÜNBERG 2530
Bad Lauterberg 1991

1. d4 ♘f6 2. c4 g6 3. ♘f3 ♗g7 4. g3 0–0 5. ♗g2 c5 6. d5 e6 7. ♘c3 ed5 8. cd5 d6 9. 0–0 ♘a6 10. ♗f4 ♘c7 11. a4 b6?! 12. e4 N [12. ♕d2] **♗g4** [12... ♘h5 13. ♗g5 f6 14. ♗e3 f5 15. ♗g5! ♗f6 (15... ♕d7 16. ef5±) 16. ♗h6 ♖e8 17. ef5 ♗f5 18. h3⩲] **13. h3 ♗f3 14. ♗f3 ♘fe8** [14... ♖e8 15. ♖e1± △ e5] **15. ♕d2! a6 16. ♗g2 ♖b8** [16... b5? 17. ab5 ab5 18. ♖a8 ♕a8 19. e5 b4 20. ♘e4 de5 21. ♗e3±] **17. ♗g5!** [17. ♗h6 ♗h6 18. ♕h6 b5 19. ab5 ab5 20. b4 cb4 21. ♘a2?! ♘a6 22. ♕d2 ♕a5∞] **♕d7 18. ♗h6 ♗h6 19. ♕h6 f6** [19... b5 20. ab5 ab5 21. b4 cb4 22. ♘e2±] **20. ♕d2 ♘g7 21. f4± ♖be8 22. g4!?** [×♘g7] **♕d8** [22... ♖e7 23. ♖ad1 ♖fe8 24. ♖fe1 △ 24... f5 25. gf5 gf5 26. e5 de5 27. d6+–; 22... f5 23. ef5 gf5 24. g5±] **23. ♗f3 g5 24. ♘e2** [△ b4] **a5⊕ 25. ♗g2 ♕e7 26. ♘g3 gf4?!** [26... ♘a6 27. ♖ae1 ♘b4 28. fg5 fg5 29. ♖f8 ♖f8 30. e5 de5 31. d6±] **27. ♖f4 ♕e5 28. ♖af1→ ♖c8** [28... ♖f7 29. ♕f2 (29. ♖1f2!? △ ♗f1) ♖ef8 30. h4] **29. ♖1f2 c4 30. ♘f5!+– ♘a6** [30... ♘f5 31. ♖f5 ♕e7 32. g5 ♘e8 33. ♕d4] **31. g5 ♘c5 32. ♘h6 ♔h8 33. ♖f6** **1 : 0** **[Dautov]**

83. A 65

A. KUZ'MIN 2520 – ŠIROV 2610
SSSR (ch) 1991

1. d4 ♘f6 2. c4 g6 3. ♘c3 ♗g7 4. e4 d6 5. f3 0–0 6. ♗e3 c5 7. ♘ge2 ♘c6 8. d5 ♘e5 9. ♘g3 e6 10. ♗e2 ed5 11. cd5 a6 12. a4 h5 N [12... ♗d7 – 50/86] **13. 0–0 ♘h7 14. ♕d2 h4** [14... ♗d7?! 15. f4!? ♘g4 16. ♗g4 ♗g4 17. e5 ♖e8 18. h3 ♗d7 19. ♘ge4⩲] **15. ♘h1 f5 16. ♘f2 ♕f6!=** [16... fe4 17. ♘fe4 ♗f5 18. ♖ab1 △ b4⩲] **17. ef5** [17. ♗h6?! f4!? (17... ♗h6 18. ♕h6 g5 19. ♕f6 ♘f6=) 18. ♗g7 ♔g7 19. ♘d3 ♘g5∓] **gf5 18. f4 ♘g4** [18... ♘f7!? 19. ♘fd1 ♗d7 20. ♖b1 ♖ac8∞] **19. ♘g4 fg4** [△ ♗f5∓] **20. f5 ♗f5** [20... g3?! 21. ♗d3!↑] **21. ♗g4 ♕g6 22. ♗f5 ♖f5 23. ♖f5 ♕f5 24. ♖f1 ♕g6 25. ♖f4?!** [25. h3

♘f6 (25... ♖e8 26. ♗f4 ♗d4 27. ♔h1 ♖f8?! 28. ♕e1!±) 26. ♗g5 ♘e4 27. ♘e4 ♕e4 28. ♗f6 ♖f8 29. ♗g7 ♖f1 30. ♔f1 ♔g7 31. ♕g5=] **♘f6!** [25... h3 26. ♖f3 ♕g2 27. ♕g2 hg2 28. ♗f4=] **26. h3** [26. ♖h4 ♘g4=∞] **b5! 27. ♖h4** [27. ab5? ab5 28. ♘b5 ♖a1 29. ♖f1 ♖f1 30. ♔f1 ♘e4→] **b4 28. ♘d1** [28. ♘e2 ♕b1 29. ♔h2 (29. ♕c1 ♕c1 30. ♗c1 ♘d5∓; 29. ♘c1 ♕f5∓) ♘e4 30. ♕c1 ♗e5 31. g3 (31. ♗f4? ♕c1 32. ♘c1 ♗b2−+) ♕c1 32. ♗c1 ♘f2!?; 32... ♘f6∓] **♖e8 29. ♘f2 ♕b1** [29... ♖e5? 30. ♘g4±; 29... ♕f5 30. ♗h6 ♕d5 31. ♕d5 ♘d5 32. ♖g4∞] **30. ♔h2 ♘e4** [30... ♕f5!? 31. ♗h6 ♕e5 32. ♗f4 (32. ♔g1 ♕e1 33. ♕e1 ♖e1 34. ♔h2 ♖e2∓) ♕d5 33. ♕d5 ♘d5 34. ♗d6 ♗b2 35. ♘d3⩲; 34... ♖e2=∞] **31. ♘e4 ♖e4 32. ♖e4 ♕e4 33. ♗f4** [33. b3? c4 34. bc4 b3−+] **♕d4** [33... ♕f4 34. ♕f4 ♗e5 35. ♕e5 (35. ♔g3?? c4−+) de5 36. d6 ♔f7 37. h4 c4 38. d7 ♔e7 39. h5 c3 40. bc3 bc3 41. d8♕ ♔d8 42. h6] **34. ♕d4** [34. b3? c4 35. bc4 ♕f4 36. ♕f4 ♗e5 37. ♕e5 de5−+] **♗d4 35. ♗d6 b3 36. g3** [36. ♔g3?? ♗b2 37. ♗c5 ♗e5−+] **♔f7 37. ♔g2 ♗b2 38. ♗c5 ♗c3 39. ♗a3 ♔f6 40. ♔f3 ♔e5 41. d6 ♔e6 42. ♔e4 b2 43. ♗b2 ♗b2 44. h4 ♔d6 45. ♔f5= ♔e7 46. g4 ♔f7 47. h5 a5 48. g5 ♔e7 49. ♔g6 ♗c1 50. ♔f5 ♔f7 51. g6** [51... ♔g7 52. ♔e6 ♔h6 53. ♔f7 ♗b2 54. ♔g8 ♔h5 55. ♔h7] **1/2 : 1/2** [A. Kuz'min]

84.* **A 65**

I. ROGERS 2550 − KINDERMANN 2505

Praha 1992

1. d4 ♘f6 2. c4 g6 3. ♘c3 ♗g7 4. e4 d6 5. f3 0−0 6. ♗e3 c5 7. ♘ge2 ♘c6 8. d5 ♘e5 9. ♘g3 e6 10. ♗e2 ed5 11. cd5 a6 12. 0−0!? N b5 13. ♕d2 ♖e8 [13... ♗d7!? 14. ♗h6!⩲ van der Sterren 2535 − Kindermann 2505, Praha 1992] **14. b3! ♗d7** [14... b4 15. ♘a4 ♗d7 16. ♘b2± △ a4] **15. a4 ♖b8?!** [15... b4?! 16. ♘d1 ♘d5 (16... a5 17. ♘b2±) 17. ed5 ♘f3 18. ♗f3 ♗a1 19. ♘e4±; 15... ba4! 16. ♘a4 (16. ba4!?) ♗b5⩲] **16. h3!** [△ f4+−] **c4□** [16... b4 17. ♘d1±] **17. ab5 ab5** [17... ♗b5? 18. f4 ♘d3 (18... ♘ed7 19. bc4+−) 19. bc4+−] **18. b4! ♖c8 19. ♖a5!?** [19. ♖a3!±] **♘d3! 20. ♘b5?** [20. ♗d3 cd3 21. ♘b5 (21. ♕d3? ♖c3!) ♗b5 22. ♖b5 ♘d7 23. ♕d3?! ♖c3 24. ♕d2 ♘e5⇆; 23. f4!?± W. Watson] **♗b5?** [20... ♘b4!! 21. ♕b4 ♘d5 22. ed5 ♖e3 23. ♖a3□ (23. ♗c4?! ♖c4! 24. ♕c4 ♕a5∓; 23. ♘d6 ♗c3 24. ♕b7 ♗a5 25. ♘c8 ♗c8 26. ♕a8∓) ♕b6 (23... ♖e2 24. ♘e2 ♕b6 25. ♔h1 ♕b5 26. ♕b5 ♗b5 27. ♘c3±) 24. ♕d6!? (24. ♖e3 ♕e3 25. ♔h2!? ♕f4! 26. ♕d6 ♗e5 27. ♕d7 ♕g3=) ♕d6 25. ♘d6 ♖a3 26. ♘c8 ♗c8 27. ♗c4=] **21. ♖b5 ♘d7 22. ♖b7! ♖a8** [⌓ 22... ♖b8 23. ♖b8 ♕b8 24. ♗d3 cd3 25. ♕d3 ♕b4±] **23. ♗d3 cd3 24. ♖c1! ♖c8□ 25. ♖c6 ♘e5 26. ♗g5! ♖c6□** [26... f6 27. ♗h6+−] **27. dc6** [27. ♗d8 ♖c2 28. ♕d1 ♖d8∞] **♕a8 28. b5+− ♕a3 29. ♕c1 ♕a2 30. ♘f1** [30. c7 ♕a8 31. ♖b6 ♖c8±] **♖c8 31. ♘d2 ♕a4 32. ♗e3 ♕c2⊕ 33. ♕c2 dc2 34. ♘b3 ♘c4?! 35. c7⊕ 1 : 0** [I. Rogers]

85. !N **A 65**

MEULDERS 2305 − DOUVEN 2405

Nederland 1991

1. d4 ♘f6 2. c4 g6 3. ♘c3 ♗g7 4. e4 0−0 5. f3 c5 6. d5 d6 7. ♗e3 e6 8. ♕d2 ed5 9. cd5 a6 10. a4 ♖e8 11. ♘ge2 ♘bd7 12. ♘d1! N [12. ♘g3?! − 48/109] **♘e5 13. ♘ec3 ♕a5 14. ♗e2!⩲** [14. ♖a3 ♕b4 △ ♘c4] **b5 15. 0−0 ♘fd7 16. ♘f2 ♘c4** [16... b4 17. ♘cd1 ♘b6 18. ♗h6±] **17. ♗c4 bc4 18. f4 ♖b8 19. e5! de5 20. ♘fe4 ♕b6 21. f5! gf5?** [21... ♕b2 22. ♕e1! △ ♖b1] **22. ♖f5± ♕b2 23. ♕e1! ♖b6 24. ♖b1 ♕a3 25. ♖b6 ♘b6 26. ♖g5! ♔h8**

27. ♖g7! ♔g7 28. ♕g3 ♔h8 29. ♗h6 ♕a1 30. ♔f2 ♕b2 31. ♘d2 ♗g4!□ 32. ♕g4 ♖g8 33. ♕f5 ♘d7!□ 34. ♘e2! ♕b6 35. ♗e3 ♕f6 36. ♕f6 ♘f6 37. d6! ♖d8 [37... ♘g4 38. ♔f3 f5 (38... ♘h2 39. ♔e4 ♘g4 40. ♘c4+−) 39. h3+−] **38. ♗c5+− ♖c8 39. ♗b4 ♔g8 40. ♘c3 ♘d7 41. ♘de4 f6 42. ♘d5 ♔f7 43. a5 c3 44. ♗c3 ♖c4 45. ♔e3 f5 46. ♘g5 ♔g6 47. ♘f3 ♖c5 48. ♘e7 ♔f6 49. ♔d2 h6 50. ♗b4 ♖c4 51. ♘d5 ♔e6 52. ♘c7 ♔f7 53. ♗c3 e4 54. ♘e5 ♘e5 55. ♗e5 ♖c5 56. d7 ♔e7 57. ♗d6! ♔d7⊕ 58. ♗c5 ♔c7 59. ♔e3 ♔c6 60. ♗b6 ♔b5 61. ♔f4 ♔c4 62. ♔f5 ♔d3 63. ♔f4 1 : 0 [Meulders]**

86. A 65

V. RAIČEVIĆ 2415 – BRENJO 2325
Jugoslavija (ch) 1991

1. d4 ♘f6 2. c4 g6 3. ♘c3 ♗g7 4. e4 0–0 5. f3 d6 6. ♗g5 c5 7. d5 e6 8. ♕d2 ed5 9. cd5 ♘bd7 10. ♘h3 h6 11. ♗e3 ♘e5 N [11... a6 – 33/125] **12. ♘f2 h5** [12... ♔h7!?] **13. ♗e2 a6 14. a4 ♖b8 15. 0–0 ♗d7 16. h3!** [16. a5?! b5! 17. ab6 ♕b6 △ ♗b5∞] **b5 17. ab5 ♗b5** [17... ab5 18. f4 ♘c4 19. ♗c4 bc4 20. e5!±] **18. ♘b5 ab5 19. b4!± ♘fd7** [19... c4?! 20. ♗d4 △ ♘d1-c3] **20. ♖ac1 c4 21. f4 c3□ 22. ♕a2 ♘c4 23. ♗c4 bc4 24. ♕c4 ♕c8! 25. ♕c6! ♕c6 26. dc6 ♘b6 27. ♖fd1?** [27. c7! ♖b7 28. ♗b6 ♖b6 29. e5 ♖c6 (29... de5 30. ♖c3 ♖c8 31. ♖d1 ♗f6 32. fe5+−) 30. ed6! ♖d6 31. ♖fd1 ♖c6 (31... ♖d1 32. ♖d1 ♗f6 33. ♘e4+−) 32. ♖d7!+−] **♖fc8! 28. e5□ ♘c4?** [28... de5! 29. ♖c3 ef4 30. ♗d4 ♘d5 31. ♗g7 ♘c3 32. ♗c3 ♖c6 33. ♘e4!±] **29. ♗a7!+− ♖a8** [29... ♖b4 30. ed6] **30. b5 ♖a7 31. ♖c3 ♘b6 32. ♖d6 ♗f8 33. ♘e4 ♖a1 34. ♔h2 ♖b1 35. ♖c5 ♗d6 36. ed6 ♖d1 37. d7 ♖c7 38. ♘f6** [38. ♖d5!!] **♔f8 39. ♖d5! ♖d5 40. ♘d5 ♖d7 41. ♘b6! 1 : 0 [V. Raičević]**

87. A 65

ZO. VARGA 2370 – PÉTURSSON 2515
Andorra 1991

1. e4 g6 2. d4 ♗g7 3. c4 d6 4. ♘c3 ♘f6 5. f3 0–0 6. ♗g5 c5 7. d5 h6 8. ♗e3 e6 9. ♕d2 ed5 10. cd5 h5 11. ♘ge2 ♘bd7 12. ♘f4 N [12. ♘c1 – 51/73] **♘e5 13. ♗e2 a6 14. a4 b6** [RR 14... ♗d7 15. 0–0 ♖b8 16. a5 ♕e8!? △ ♗b5∞ Sulipa] **15. 0–0 ♗d7 16. ♘h3!?** [△ ♘f2, f4] **c4** [16... ♗h3 17. gh3 ♕c8 18. f4 ♘ed7 19. ♖ac1∞] **17. f4** [17. ♘f2? b5 18. h3 b4 19. ♘cd1 a5 20. f4 ♘d3] **♘eg4 18. ♗d4** [18. ♗c4] **b5 19. e5 de5 20. fe5 ♘h7 21. ab5 ♘e5?!** [21... ab5 22. ♖a8 ♕a8 23. e6 fe6 24. de6 ♖f1 25. ♗f1 ♗e6 26. ♗g7 ♔g7 27. ♘b5 ♕a1 28. ♘f4 ♗f7 29. h3=] **22. ba6 ♖e8** [⌓ 22... ♗h3 23. gh3 ♕c8] **23. ♘f2 ♕h4 24. ♘fe4 f5 25. ♗f2 ♕e7 26. ♘c5 ♘f6 27. d6 ♕f7 28. ♘d7 ♕d7 29. ♗g3 ♔h7 30. h3?!⊕** [30. ♗e5 ♖e5 31. ♗c4+−] **♕c6 31. ♗e5 ♖e5 32. ♗f3 ♕b6 33. ♔h1 ♗h6 34. ♕d1 ♖a7 35. ♗b7 ♘d7 36. ♘a4 ♕b4 37. ♖e1 ♗g5** [37... ♗f4 38. ♖e5 ♗e5 39. ♕g1! ♖b7 40. ab7 ♕b7 41. ♘c5 ♘c5 42. ♕c5 ♕b2 43. ♖a7 ♔h6 44. d7 ♕c1 45. ♕g1 ♕d2 46. d8♕+−] **38. ♖e5 ♘e5 39. ♕d4 ♖b7 40. ab7 1 : 0 [Zo. Varga]**

88. A 65

SULIPA 2380 – RENET 2485
Groningen (open) 1991

1. d4 ♘f6 2. c4 g6 3. ♘c3 ♗g7 4. e4 d6 5. f3 0–0 6. ♘ge2 c5 7. d5 e6 8. ♗g5 h6 9. ♗e3 ed5 10. cd5 ♘bd7 11. ♕d2 h5 12. ♘f4! a6 N 13. ♖c1 ♘e5 14. b3 [×c4] **b5 15. ♗e2 ♖e8** [15... b4 16. ♘d1 △ ♘b2-c4±; 15... ♘h7 16. 0–0 f5 17. ♘e6!±; 15... g5 16. ♘d3±] **16. 0–0 ♗d7 17. ♔h1** [17. ♘d3 ♘d3 18. ♗d3 b4 19. ♘d1 ♗b5 20. ♔h1 (20. ♘b2? ♘d5!) ♘d7∞] **♕e7 18. ♖fe1** [18. ♘d3 ♘d3 19. ♗d3 ♘h7 (19... b4 20. ♘d1 ♗b5 21. ♗f4 ♘d7 △ ♘e5∞) 20. ♗f2 ♕f8 △ f5=] **h4! 19. ♘d1!** [19. ♘d3 h3 20. g3 b4! 21. ♘d1 ♘eg4! 22. ♗g5 (22. fg4 ♕e4−+) ♘e4!! 23. ♗e7 ♘d2 24. ♗g5 (24. ♗d6 ♗b5! △ ♗d3−+) ♗h6! 25. ♗h6 ♘h6 26. ♖c2 (26. ♘1f2 ♗b5∓) ♘b1!∓] **a5** [19... g5 20. ♘d3 g4 (20... ♘d3 21. ♗d3 g4 22. ♗g5 h3 23. f4 △ e5±) 21. ♘e5 ♕e5 22. ♗f4 ♕h5 23. ♘f2±] **20. ♘f2 b4** [△ a4⇆] **21. ♘4d3?!** [21. ♘4h3! (△ ♗g5) a4 22. ♗g5 ♗h3 23.

♘h3 ♘ed7 24. ♗b5±] **♘d3 22. ♗d3 ♘h5! 23. f4!** [23. ♕e2 ♗e5∓] **♗c3 24. ♖c3 bc3 25. ♕c3⩱ ♕f6** [25… f5!?] **26. ♕c1?** [26. ♕d2 a4 27. ♖f1 ab3 28. ab3 ♖a1 29. ♗b1 △ e5∞] **a4 27. ♖f1** [27. ♗e2!?] **ab3 28. ab3 ♖a2?** [28… ♘g3! 29. hg3 hg3 30. ♘h3 ♗h3 31. gh3 ♖a2! 32. ♖e1□ g2! (32… ♕h4 33. ♗f1 g2 34. ♗g2 ♕g3 35. ♗d2±) 33. ♔h2 (33. ♔g1 ♕h4−+) g1♕ 34. ♔g1 ♕h4 35. ♖e2□ ♖e2 (35… ♕g3 36. ♔f1 ♕f3 37. ♔e1 ♕h1 38. ♔f2∞) 36. ♗e2 ♕g3 37. ♔f1 ♖e4−+] **29. f5!∞ ♕b2** [29… gf5 30. ♗b1! ♖a1 31. ♘g4→⟫] **30. ♕d1 ♗f5!?** [30… ♘g7 31. ♗b1 ♖a1 32. ♘g4→] **31. ef5 ♖e3 32. fg6 fg6 33. ♗g6 ♘f6** [33… ♘g7 34. ♗b1 ♖a1 35. ♘g4+−; 33… ♘f4! 34. ♗b1 ♕f2 35. ♖f2 ♖f2 36. ♕g4=] **34. ♗b1 ♖a1?** [34… ♕f2! 35. ♗a2! (35. ♖f2 ♖f2 36. ♗d3 ♔f8∓) ♘e4!! (35… ♕a2 36. ♖f6±) 36. ♗b1! (36. ♕g4 ♔h8 37. ♕h5 ♔g7 38. ♕g4=) ♕e2 (36… h3? 37. ♗e4+−) 37. ♕e2 ♖e2 38. ♗d3=] **35. ♘g4! ♘e4□ 36. ♘e3?!** [36. ♘h6! ♔h7 (36… ♔h8 37. ♘f7 ♔g7 38. ♕g4 ♔f8 39. ♕c8+−) 37. ♕h5! ♖b1□ 38. ♘f5! ♔g8 39. ♕e8 ♔h7 40. ♕f7 ♔h8 41. ♕f8 ♔h7 42. ♕h6 ♔g8 43. ♘e7#] **♘f2 37. ♖f2 ♕f2 38. ♘c2?!⊕** [38. ♘f1 ♕b2 39. ♕g4 ♔f8 40. ♗d3±] **♖a7 39. ♕g4 ♖g7 40. ♕f3 ♕f3** [40… ♕d2 41. ♕f1∞] **41. gf3 ♖b7 42. ♗a2 ♖a7 43. ♗b1 ♖b7 44. ♘e1** [△ ♗e4, ♘c2] **♖a7!=** [44… c4? 45. b4 ♖b4 46. ♗e4 △ ♘c2+−]

1/2 : 1/2 **[Sulipa]**

89.** !N **A 70**

TUNIK 2470 − ČERNJAK 2420

SSSR 1991

1. d4 ♘f6 2. c4 e6 3. ♘f3 c5 4. d5 ed5 5. cd5 d6 6. ♘c3 g6 7. e4 ♗g7 8. h3 0−0 9. ♗d3 a6 [RR 9… ♖e8 10. 0−0 c4 11. ♗c2 ♘a6 12. ♗e3 ♗d7 N (12… ♘b4 − 52/95) 13. a3 ♖c8 14. ♗d4 ♘c5 15. ♖e1 ♘h5 16. ♗g7 ♔g7 17. e5 de5 18. ♘e5 ♕f6 19. ♘d7 ♖e1 (19… ♘d7? 20. ♖e8 ♖e8 21. ♗a4! ♖d8 22. ♗d7 ♖d7 23. ♕g4+− Zsu. Polgár 2535 − Tolnai 2480, Magyarország (ch) 1991) 20. ♕e1 ♘d7∞ Zsu. Polgár; 9… b5 10. ♘b5 ♖e8 11. ♘d2 ♘e4! (11… ♘d5 − 51/77) 12. ♗e4 ♗a6 13. a4 ♕a5 14. ♘d6 ♘d7 15. ♕c2 f5 16. ♔d1 (16. ♘e8 − 50/90) fe4 17. ♘2c4 ♕d8! N (17… ♗c4 − 48/(115)) 18. ♘e8 ♕e8 19. ♗d2 ♕f7! 20. ♘d6 ♕f2!? (20… ♕d5 21. ♕e4 ♕b3 22. ♕c2=) 21. ♕e4 ♘e5 (21… ♖f8!?) 22. ♖a3?! ♖d8 23. ♘b5 ♗b7! 24. ♘c3 (Matveeva 2355 − Prudnikova 2240, SSSR (ch) 1991) ♕d4!? 25. ♕d4 cd4 26. ♘b5∓; 24… c4!∓; 22. ♘b5!? Prudnikova] **10. a4 ♘h5 11. 0−0 ♘d7 12. ♖e1 N** [12. ♗g5 − 48/(118)] **♘e5 13. ♗e2 ♘f3 14. ♗f3 ♕h4!?** [14… ♘f6 15. ♗f4±] **15. ♗h5 gh5 16. ♕d2!? ♗d7** [16… f5 17. ♕f4 ♕f6 18. a5 ♗d7 19. ♖a3 c4 20. ♘a4 ♗a4 21. ♖a4 c3 22. bc3 ♕c3 23. ♗d2 ♕c2 24. ♖b4 fe4 25. ♕e3⩲] **17. ♕f4 ♕e7 18. ♕g3! h4 19. ♕g5 ♕g5 20. ♗g5 ♗e5 21. a5 b5 22. ab6 ♖fb8 23. ♖a2 ♖b6 24. ♖e2** [24. ♗h4 ♖b2!] **♗b5?** [24… f5!? *a)* 25. ♗h4? ♖b4 26. f3 fe4 27. ♘e4 (27. fe4 a5↑⟪) ♗b5 28. ♖d2 ♗f4 ×b2, d5; *b)* 25. ef5 ♖b4 26. f4 ♗f4 (26… ♗d4 27. ♔h2 ♗f5 28. ♗h4∞) 27. ♗f4 ♖f4 28. ♘e4 ♖f5 29. ♖f2 ♖f2 30. ♔f2 ♗b5 31. ♘d6 ♖d8 32. ♘b5 ab5 33. ♖a5=; *c)* 25. f4! ♗d4 26. ♔h2 ♖e8 27. ♗h4 ♗c3 28. bc3 ♗b5 (28… fe4 29. c4±) 29. ♖ab2 ♖bb8 30. ♖e3 fe4 31. f5⩲] **25. ♘b5 ♖b5 26. f4 ♗d4 27. ♔h2 f6 28. ♗h4 a5 29. ♗f2 ♖e8 30. ♗e1! f5 31. ♖a5 ♖b2** [31… ♖a5 32. ♗a5 fe4 (32… c4 33. e5±; 32… ♖e4 33. ♖e4 fe4 34. b3+−) 33. ♗c7±] **32. ♖b2 ♗b2 33. e5± c4** [33… de5 34. ♗h4!+−] **34. ♗h4! c3 35. ed6 c2 36. d7 ♖d8** [36… ♖f8 37. ♖c5 c1♕ 38. ♖c1 ♗c1 39. g3!+−] **37. ♗d8! c1♕ 38. ♗g5 ♗f6**

39. ♖c5!+− ♕d2 40. ♗f6 ♕f4 41. ♔g1 ♕e3 42. ♔h1 **1 : 0** **[Tunik]**

90. **A 70**

ZSU. POLGÁR 2535 – JUDASIN 2595
Pamplona 1991/92

1. d4 ♘f6 2. c4 e6 3. ♘f3 c5 4. d5 ed5 5. cd5 d6 6. ♘c3 g6 7. h3 ♗g7 8. e4 0–0 9. ♗d3 a6 10. a4 ♘h5 11. 0–0 ♘d7 12. ♗e3 ♖e8 13. ♖e1 ♘e5 [13... ♖b8 – 49/104] **14. ♗e2 N** [14. ♘e5 ♗e5∞] **♘f3 15. ♗f3 ♘f6** [15... ♕h4 16. ♕d2⩲] **16. ♗f4! ♘d7! 17. ♗d6!** [17. ♕d2 ♘e5 18. ♗e2 ♗d7 19. ♗h2 g5 20. f4∞] **♕b6 18. e5** [18. ♗f4? ♕b2∓] **♘e5 19. ♗e5 ♗e5 20. a5! ♕d8** [20... ♕b2 21. ♘a4=/∞] **21. d6! ♖e6!** [21... ♗d4? 22. ♖e8 ♕e8 23. ♘d5±] **22. ♕b3!** [22. ♗d5 ♗c3! 23. bc3 ♖d6 24. ♕a4∞] **♕d6** [22... ♗d6?! 23. ♖e6 ♗e6 (23... fe6 24. ♖d1±) 24. ♕b7±] **23. ♗d5** [23. ♖ad1 ♗d4] **♖e7 24. ♘e4 ♕c7 25. ♘g5 ♗f6?!** [25... ♗d4] **26. ♖e7 ♕e7 27. ♘f7 ♔g7 28. ♕b6! ♖b8?** [28... ♗d7!?] **29. ♘d6 ♗h3!? 30. ♘e4!** [30. gh3? ♖d8] **♖d8 31. ♗b7⊕** [31. ♘f6 ♕f6 32. ♗b7 ♗c8 33. ♗c8 ♕b6 34. ab6 ♖c8 35. ♖a6±] **♗c8! 32. ♗c8 ♕e4** [32... ♖c8?? 33. ♘f6 ♕f6 34. ♕b7+–] **33. ♗a6 ♕c2 34. ♖f1 ♕b2 35. ♕c7 ♔h6?! 36. ♗b7 ♕d4 37. a6 c4 38. g3 ♖d7 39. ♕c8 ♖d8 40. ♕c7 ♖d7 41. ♕b8 ♕b6** [41... ♖d8 42. a7+–] **42. ♕f8** [42. a7? ♖b7 43. ♕f8 ♗g7 44. ♕f4 g5] **♔g5** [42... ♗g7 43. ♕c8+–; 43. ♕f4+–] **43. ♔g2 ♖b7 44. f4** [44... ♔f5 45. ♕c8+–] **1 : 0**
[Zsu. Polgár]

91.* **A 79**

GAVRIKOV 2585 – KAPENGUT 2450
Reggio Emilia II 1991/92

1. d4 ♘f6 2. c4 c5 3. d5 e6 4. ♘f3 ed5 5. cd5 g6 6. ♘c3 ♗g7 7. e4 0–0 8. ♗e2 d6 9. 0–0 ♖e8 10. ♘d2 ♘a6 11. f3 ♘c7 12. a4 b6 13. ♘c4 ♗a6 14. ♖b1!? [14. ♗g5 h6 15. ♗e3 ♖b8 N (15... ♗c4 – 44/108) 16. ♖e1!? ♗c4 (16... ♕d7? 17. ♕d2 ♔h7 18. e5! de5 19. d6 ♘a8 20. ♘e5 ♖e5 21. ♗a6+– Gaprindašvili 2425 – Kapengut 2450, Reggio Emilia II 1991/92) 17. ♗c4 a6⩲] **♕e7 N** [14... ♖b8 15. ♗g5 ♕d7 16. b4±; 14... ♗c4 – 5/103; 14... ♕d7] **15. ♗g5 h6 16. ♗e3** [16. ♗h4!? △ 16... g5?! 17. ♗f2 ♘h5 18. ♘e3±] **♘d7** [△ f5] **17. ♕d2 ♔h7 18. ♖fe1! ♕f8 19. ♔h1** [△ b4] **♖ac8!? 20. ♗f1** [20. b4? ♗c4 21. ♗c4 cb4 22. ♖b4 ♘a6–+] **♘e5 21. ♘e5?!** [21. b3±] **♗e5** [21... ♗f1? 22. ♘c6] **22. ♗a6** [22. ♘b5 ♘b5 23. ab5 ♗b7 △ f5] **♘a6 23. ♘b5 ♘b4! 24. ♘a7 ♖a8 25. ♘c6 ♘c6** [25... ♖a4 26. ♘e5 de5∞] **26. dc6 ♖a4 27. b4!∞ ♖c8! 28. bc5** [28. b5?! f5∓] **bc5 29. ♕d5 ♔g7?⊕** [29... ♕e8!∞] **30. ♗c5± ♕e8 31. ♗d6 ♗d6 32. ♕d6 ♕c6 33. ♕g3 ♖a2 34. h4 ♕e6 35. ♖bc1 ♖d8 36. ♖ed1 ♕f6 37. ♔h2!? ♖a5** [⌓ 37... ♖d1 38. ♖d1 ♖a5 △ ♖h5] **38. e5! ♕e7 39. ♖d8 ♕d8 40. ♖c4 ♕d5 41. ♖e4 ♖a6 42. ♕f4 ♖e6 43. ♕e3 ♕d8 44. ♔h3 ♕d1** [44... ♕d5] **45. ♖d4 ♕h1 46. ♔g3 ♕a1 47. ♖d5 ♕b2 48. ♔h3 ♕a1 49. ♔h2 ♕b2 50. f4 h5 51. ♖d6 ♖e7?!⊕** [51... ♕b4] **52. ♖b6 ♕a2?** [52... ♕c2±] **53. f5+– ♖c7 54. f6 ♔h7 55. ♖b8 1 : 0** **[Gavrikov]**

92. **A 81**

ŠABALOV 2535 – MALJUTIN 2435
SSSR (ch) 1991

1. ♘f3 f5 2. d4 ♘f6 3. g3 g6 4. b3 ♗g7 5. ♗b2 0–0 6. ♗g2 d6 7. ♘bd2 ♘c6 N [7... ♕e8 – 49/(113)] **8. ♘c4!?** [8. 0–0] **♘d5!?** [8... ♕e8] **9. a4** [9. ♘g5 e6] **♘b6 10. d5** [10. ♘b6 ab6 11. 0–0 e5] **♘c4 11. ♗g7 ♔g7 12. dc6** [12. bc4 ♘b8 13. h4 h6 14. ♕d4 e5 15. de6 ♕f6] **♘a5 13. ♘d4 ♖f6!** [×e6, △ e5; 13... ♘c6 14. ♘c6 bc6 15. ♗c6 ♖b8 16. ♕d4 e5 17. ♕a7⩲] **14. f4! ♘c6** [14... e5 15. ♕d2!? ed4 (15... b6 16. ♘b5 ×♘a5; 15... ♘c6 16. ♘c6 bc6 17. ♗c6 ♖b8 18. fe5) 16. ♕a5 bc6 17. ♗c6 ♖b8 18. ♕a7 ♖b6 19. ♗f3±] **15. ♘c6 bc6 16. ♗c6 ♖b8 17. 0–0 ♗b7?!** [⌓ 17... ♗d7 18. ♗g2 e5!?] **18. ♗b7 ♖b7 19. e4! fe4 20. ♖e1 c6** [20... d5? 21. ♖e4; 20... ♖b4 21. c3] **21. ♖e4⩲ ♕b6 22. ♔h1 e5?! 23. fe5 de5 24. ♕d3!** [24. ♖e5 ♖bf7=/∞] **♖bf7 25. ♖ae1 ♖f3 26. ♕c4 ♖f2 27. ♖e5** [△ ♖e7] **♕d8** [27... ♖d2 28.

♕c3] **28. ♖5e2!** [28. ♕c6? ♕d2] **♕f6!** [28... ♖e2 29. ♕e2 ♕d5 30. ♔g1 (30. ♕e4?? ♖f1−+) ♕c5 31. ♔g2 ♕d5 32. ♕e4±] **29. ♖f2 ♕f2 30. ♕e2 h5⊕** [30... a5±] **31. a5± a6 32. c4 ♕e2 33. ♖e2** [♖6/e] **♖f3 34. ♖e7 ♔h6 35. ♖c7?!⊕** [35. ♖b7! △ ♖b6±] **♖b3 36. ♖c6 ♖c3 37. ♔g2 ♔g5 38. ♔f2 ♔f5 39. ♔e2 ♖c2 40. ♔e3** [40. ♔d3!? ♖h2 41. ♖a6 ♖a2 42. ♖a8 ♔e6! 43. a6 ♔d7 44. a7 ♔c7 45. ♖g8 ♖a7 46. ♖g6±] **♖h2 41. ♖a6 ♖a2! 42. c5** [42. ♖a8 ♔g4! (42... ♔e6 43. a6 ♔d7 44. a7 ♔c7 45. ♖g8 ♖a7 46. ♖g7 ♔b8 47. ♖a7 ♔a7 48. ♔f4+−) 43. a6 ♔g3 44. c5 h4 45. c6 ♖c2! 46. ♖c8 ♖a2 47. c7 ♖a3 (47... ♖a6 48. ♖e8! ♖c6 49. c8♕+−) 48. ♔e4 ♖a6 (48... ♖a4? 49. ♔d5 ♖a6 50. ♖g8+−) 49. ♖g8!? ♖c6 50. ♖g6!? (50. c8♕ ♖c8 51. ♖c8 h3=) ♖g6 51. c8♕ h3 (51... ♖g4 52. ♔f5+−) 52. ♕c3 ♔h2 53. ♔f4 ♖g2=] **g5! 43. ♖a8 ♔e5 44. ♖g8** [44. a6 ♖a3 45. ♔e2 ♖a2 46. ♔d3 (46. ♔f3 ♖a3 47. ♔g2 ♖a2 48. ♔h3 g4 49. ♔h4 ♔f5! 50. ♖f8 ♔g6 51. ♖g8 ♔h6=) ♔d5 47. a7 ♔c6 48. ♖c8 ♔b7 49. ♖g8 ♖a7 50. ♖g5 (50. ♖g7 ♔b8 51. ♖g5 ♖h7 △ h4=) ♖a2!? (50... ♔c6 51. ♔e3 ♖h7 52. ♔f3± △ ♔g2-h3-h4) 51. ♔e3 ♖h2±] **♖a3 45. ♔f2 ♖a2 46. ♔e1 g4! 47. ♖g5 ♔f6 48. ♖h5 ♖a5 49. ♖d5 ♖a3 50. ♔f2 ♖f3 51. ♔g2 ♖c3**

1/2 : 1/2 **[Maljutin]**

93.* A 81

TAL 2575 − SAKAEV 2495

SSSR (ch) 1991

1. ♘f3 f5 2. b3 d6 3. d4 ♘f6 4. g3 g6 5. ♗g2 ♗g7 6. 0−0 0−0 7. ♗b2 ♕e8 8. ♘bd2 ♘c6 9. ♘c4 [RR 9. ♖e1 N e5 10. de5 de5 11. e4 fe4?! 12. ♘e4 ♘e4 13. ♖e4 ♗f5 14. ♖e3 ♖d8 (14... ♗h6 15. ♖e2 ♖d8 16. ♕e1±) 15. ♕f1!± Székely 2430 − Glek 2540, Moskva 1991; 11... f4 12. ♘c4 fg3 13. fg3 ♗g4 14. h3 ♗f3 15. ♗f3 ♘d4= Glek] **h6 10. ♘e1!? N** [10. d5 − 51/(83)] **g5** [10... e5?! 11. ♗c6 △ de5±] **11. ♘d3 ♔h8** [11... ♕h5 12. e3 ♕d1 13. ♖ad1±; 11... ♗e6 12. ♘e3! ♗d7 13. d5 ♘d8 14. c4 ♕h5∞; 13. c4±] **12. e3** [12. d5 ♘d8 13. ♘e3 c5 14. c4 b5!? 15. cb5 ♕b5 △ ♘f7, ♗d7=; 12. a4!?] **♗e6 13. ♕e2 ♗d5 14. ♗d5** [14. f3!?∞] **♘d5 15. e4 fe4 16. ♕e4 ♕f7 17. ♖ae1** [17. ♘d2 e6! 18. ♖ae1 ♖ae8=; 17. ♘e3 e6 18. ♖ae1 ♖ae8=] **♕f5 18. ♘d2 ♕e4 19. ♖e4 b5!=** [19... ♖ae8 20. c4 ♘db4 21. ♘b4 ♘b4∞; 20. ♖fe1!±] **20. c4 bc4 21. bc4 ♘f6 22. ♖e2** [22. ♖e6 ♘g8!□ 23. d5 (23. ♖e4=) ♗b2 24. ♘b2 ♘d4 25. ♖e4 c5=] **♘d7** [22... ♘g8?! 23. ♘b3 △ d5±] **23. d5** [23. ♘b3 e5 24. d5 ♘e7 25. ♘d2 (25. f4 gf4 26. gf4 ♘g6 27. f5 ♘e7 28. ♖ef2 ♘f6 △ c6∞) ♘f5 26. ♘e4 ♖ab8=] **♘ce5 24. ♘e5 ♘e5 25. f4 gf4 26. gf4 ♘g6 27. ♗g7 ♔g7 28. ♘b3** [28. f5 ♘e5 29. ♘f3 ♖f5 30. ♘e5 ♖e5 31. ♖e5 de5 32. ♖f5 (32. ♖b1 c6=) ♖b8 33. ♖e5 ♔f7 34. ♖e6 ♖b6=] **e5!□= 29. fe5** [29. de6?! ♖f4∓] **♖f1** [30. ♔f1 ♘e5 31. ♘d4 ♘c4 32. ♘e6 ♔f7 33. ♘c7 ♖b8=]

1/2 : 1/2 **[Sakaev]**

94. A 84

LINDSTEDT 2345 − KRAMNIK 2490

Maringá 1991

1. d4 d5 2. c4 e6 3. ♘f3 c6 4. e3 f5 5. ♗d3 ♘f6 6. 0−0 ♗d6 7. b3 ♕e7 8. ♗b2 N [8. a4 − 40/130] **0−0 9. ♕c2 ♗d7** [9... ♘bd7 10. ♘e5±; 9... b6 10. ♘c3 ♗b7 11. cd5 cd5 12. ♘b5 ♖c8 13. ♕e2±] **10. ♘e5 ♗e8 11. f3± c5 12. ♘c3! ♘a6** [12... ♘c6 13. ♘c6 bc6 14. ♖ae1±] **13. a3 ♘c7 14. ♖fe1 ♖c8 15. ♕d2** [15. cd5 ♘cd5 16. ♘d5 ♘d5 17. e4 ♘f4 18. ef5 ♘d3 19. ♘d3 ♖f5 20. dc5 ♗c5 21. ♘c5 ♖fc5=] **♖d8 16. ♕c2?!** [16. ♕f2 ♘e4; 16. ♕e2±] **♔h8 17. a4** [△ ♘b5] **♘a6!?** [17... a6 18. a5± △ ♘a4] **18. ♕f2 ♘b4** [18... ♘e4? 19. ♕e2 ♘c3 20. ♗c3± ×♘a6] **19. ♗f1 ♘c6! 20. cd5?** [20. ♘c6?! bc6 21. ♗a3 e5!∓; 20. ♘b5 ♗b8 21. ♗a3! ♗e5 22. ♗c5 (22. de5 ♘e5 23. ♘a7 dc4 24. bc4∞) ♗d6 23. ♘d6 ♖d6 24. ♕g3 (24. cd5 ♘d5 25. ♕g3 f4!) e5 25. de5 ♘e5∞; 21... b6!?] **♘e5!** [20... ed5 21. ♘c6 bc6 22. ♗a3⇆] **21. de5 ♗e5 22. de6**

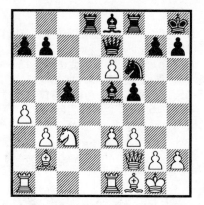

22... ♘g4!! [22... ♕e6 23. ♗c4 ♕e7 24. ♖ad1=] **23. fg4 fg4 24. ♕f8□** [24. ♕e2 ♗h2! 25. ♔h2 ♕h4 26. ♔g1 g3−+] **♕f8∓ 25. ♗c4 g6!?** [25... g3 26. ♖f1 ♕e7 27. ♖f5! gh2 28. ♔h1 ♗f6 29. ♖af1∞; 25... ♖d2 26. ♖f1 ♕e7 27. ♖f5!□] **26. ♖ad1 ♖d1 27. ♘d1** [27. ♖d1? ♕h6] **♕g7 28. ♖f1!? ♗b2 29. ♘b2 ♕e5! 30. ♖f8 ♔g7 31. ♖e8 ♕e3 32. ♔f1 ♕c1 33. ♔f2 ♕b2∓** [♕ 5/h] **34. ♔f1 ♕f6 35. ♔g1 h5** [△ h4, g3] **36. g3□** [36. ♖g8?! ♔h6] **a6!** [△ b5] **37. a5?!** [37. e7 ♔h6; 37. ♖b8 ♕d4 38. ♔f1 ♕e4∓] **♕a1 38. ♔f2 ♕a5! 39. ♖g8?** [39. e7 ♔f6−+; 39. ♖e7!? ♔h6 40. ♖b7 ♕d2 41. ♗e2□ ♕d4 42. ♔e1 ♕a1 43. ♔d2□] **♔h7 40. e7 ♕d2 41. ♗e2** [41. ♔f1 ♕d1 42. ♔f2 ♕f3 43. ♔g1 ♕e3−+] **♕d4 42. ♔e1 ♕c3!** [43. ♔f1 ♕f6; 43. ♔d1 ♕b3 △ ♕g8]   **0 : 1**
[Kramnik]

95.   **A 85**

LAUTIER 2560 − M. GUREVIČ 2630
Beograd 1991

1. ♘f3 [RR 1. d4 d5 2. c4 e6 3. ♘c3 f5 4. ♗f4 ♘f6 5. e3 ♗e7 6. ♘f3 c6 7. ♗d3 0−0 8. h3 ♘e4 9. g4 N (9. ♕c2) ♗d6!? (9... ♕a5 10. ♕b3 ♘d7 11. gf5 ef5 12. ♖g1 ♘df6 13. ♗h6 ♘e8 14. cd5 ♘c3 15. bc3 cd5 16. ♗b5±) 10. ♗d6 (10. ♘e5 ♘d7 11. ♗e4 fe4 △ 12. ♘c6?! ♕h4!∓) ♘d6 (10... ♕d6 11. gf5 ef5 12. cd5 cd5 13. ♕b3 ♘c3 14. bc3 ♘c6±) 11. ♘e5 ♘d7 12. gf5 ♘e5 13. de5 ♘f5 (13... ♘c4?! 14. ♗c4 dc4 15. f6 ♕d1 16. ♖d1 gf6 17. ef6 e5 18. ♖g1 ♔f7 19. ♘e4±) 14. ♕g4 ♕c7 15. ♕f4 b5!? (15... dc4 16. ♗c4 b5 17. ♗b3 a6 △ c5-c4∞) 16. cb5 c5 (16... cb5!?) 17. ♖g1 a6!? (Zarubin 2435 − Guliev 2375, Moskva 1991; 17... ♘d4!? 18. ♗h7 ♔h7 19. ♕f8 ♘c2 20. ♔d2 ♘a1 21. ♖g4 ♗b7 22. ♖h4=; 17... ♗b7!?) 18. ba6!? ♗a6 19. ♘d5 ed5 20. ♗f5 ♗c8 21. ♗h7 ♔h7 22. ♕f8 ♕a5 23. b4□ ♕b4 24. ♔d1 ♕a4= Guliev, Magerramov] **d6** [RR 1... e6 2. d4 f5 3. ♗f4 ♘f6 4. e3 ♗e7 5. h3 0−0 6. c4 d6 7. ♘c3 ♘e4 N (7... ♕e8 − 49/120) 8. ♘e4 fe4 9. ♘d2 d5 10. ♗e2 ♘c6 11. ♗h2 ♗d6 12. ♗d6 ♕d6 13. ♖c1 ♘e7 14. ♕b3 c6 15. 0−0 ♘f5 16. cd5 cd5 17. ♖c3 ♗d7 18. ♖fc1 ♗c6 19. ♗b5 ♗b5 20. ♕b5 ♕e7 21. ♖c7 ♕g5 22. ♕e2 ♘d6= Je. Piket 2615 − P. Nikolić 2635, Wijk aan Zee 1992] **2. c4 f5 3. ♘c3 ♘f6 4. d4 g6 5. e3 ♗g7 6. ♗d3 0−0 7. 0−0 ♘c6 8. d5 ♘b4 9. ♗e2 ♘a6!? N** [9... c6 − 51/85] **10. ♖b1 ♘c5 11. b4 ♘fe4 12. ♘e4 ♘e4 13. ♗b2 ♗b2!?** [13... ♘c3 14. ♗c3 ♗c3 15. ♘d4 a5 16. a3 ab4 17. ab4 △ ♕d3±] **14. ♖b2 a5 15. a3 ab4 16. ab4 e5!? 17. de6 ♗e6 18. ♕d4** [△ c5] **b6 19. ♖c2?!** [19. ♘d2 ♕f6 20. ♘e4 ♕d4 21. ed4 fe4 22. ♖e1=] **♖a4 20. ♕b2 ♕f6 21. ♘d4 ♗f7 22. ♖fc1 ♖fa8** [22... c5 23. bc5 bc5 24. ♘b5 ♕b2 25. ♖b2 ♖d8 26. f3=] **23. f3 ♘g5** [23... ♕g5? 24. fe4 ♕e3 25. ♔h1 ♖a2 26. ♕c3 ♕c3 27. ♖c3 c5 28. bc5 dc5 29. ♘c2+−] **24. c5! ♖a2 25. ♕c3 ♖c2** [25... ♖8a3 26. ♖a2 ♖c3 27. ♖a8 ♔g7 28. ♖c3 dc5 29. bc5 f4 30. cb6 cb6 31. ♖aa3 fe3 32. ♘c2∞] **26. ♖c2 dc5 27. bc5 bc5 28. ♕c5 ♖a1 29. ♗f1** [29. ♔f2? ♘e4 30. fe4 ♕h4 31. g3 (31. ♔f3?? fe4#) ♕h2 32. ♔f3 ♕h1 33. ♔f4 (33. ♔f2 fe4 △ ♕g1#) ♕e4 34. ♔g5 ♕e3 35. ♔f6 ♕g3∓; 29. ♖c1 ♖c1 30. ♕c1 ♕b6∓] **f4?!⊕** [29... ♘h3 30. gh3 ♕g5 31. ♖g2 (31. ♔f2 ♕h4 32. ♔g1=) ♕e3 32. ♖f2 ♕g5 33. ♔h1 ♕e3=] **30. ef4 ♕f4 31. ♘e2 ♕f6?! 32. ♗c7 ♔g7 33. ♕c5 ♘e4!** [△ ♘d6-f5] **34. ♕e3 ♘d6 35. ♕c3 ♘f5 36. ♕f6 ♔f6 37. ♖c1** [37. ♔f2? ♖f1 38. ♔f1 ♘e3−+] **♖c1 38. ♘c1 h5 39. ♔f2 h4 40. ♗d3 g5= 41. ♘e2** [41. ♗f5 ♔f5 42. ♘e2 ♗d5 43. ♔e3 ♔e5 44. ♘c3 ♗a8 45. ♘e4 ♔f5=] **♘d6 42. ♘c3 ♔e5 43. ♘e4 ♘e4 44. ♗e4 ♔f4 45. ♗c6 ♗c4**

[45... g4? 46. g3 hg3 47. hg3 ♔e5 48. f4 ♔d6 49. ♗e4±] **46. ♗d7 ♗b3**
1/2 : 1/2 **[M. Gurevič]**

96. **A 86**

KHALIFMAN 2630 – V. SALOV 2665
Reggio Emilia 1991/92

1. d4 f5 2. g3 ♘f6 3. ♗g2 c6 4. c4 d6 5. d5 e5 6. de6 ♗e6 7. ♘d2 N [7. ♕c2 – 49/123] **g6 8. b3 ♗g7 9. ♗b2 ♘a6 10. ♘h3 0–0 11. 0–0 ♕e7 12. ♕c2 ♘c5 13. ♖ad1 a5 14. ♖fe1 ♘fe4 15. ♘f4 ♗b2 16. ♕b2 g5?** [16... ♗f7! 17. ♘d3=] **17. ♘e6 ♕e6 18. ♘e4 fe4 19. ♕d2! e3** [19... ♕f6 20. ♖f1 ♖fd8 21. ♕d4 ♕e7 22. f4±] **20. fe3 ♖f6 21. ♖f1! ♖f1?** [21... ♖g6 22. ♖f2 a4 23. b4 ♘e4 (23... ♘d7? 24. c5! d5 25. e4!+–) 24. ♗e4 ♕e4 25. ♕c3±] **22. ♖f1 h6 23. e4! ♕e7** [23... ♔g7 24. ♖f5!±] **24. ♕d4 ♕e5 25. ♖d1 ♕d4□ 26. ♖d4** [♖ 9/i] **♖d8 27. e5 ♔f7 28. ed6 ♔e6 29. ♔f2 ♖d6 30. ♔e3 a4!?** [30... ♘a6 31. ♖d6 ♔d6 32. ♔d4 ♘b4 33. c5 ♔e7 34. a4 ♘c2 35. ♔c3 ♘e3 36. ♗h3+–] **31. b4 ♘a6 32. ♗h3 ♔e5 33. ♖e4 ♔f6 34. c5! ♖d1 35. ♗c8 ♖b1 36. a3 ♘b4 37. ab4 ♖b3 38. ♔f2 a3 39. ♖e6??** [39. ♗e6 a2 40. ♗b3 a1♕ 41. ♗c2 ♕h1 42. h4=; 39. b5! cb5 40. ♖e6 ♔f7 41. ♖b6+–] **♔f7 40. ♖d6 a2 41. ♗e6 ♔e7 42. ♗b3** [42. ♖d1 ♖b1 43. ♗a2 ♖d1–+] **a1♕ 43. b5 cb5** [♕ 5/h] **44. h3!? ♕c3 45. ♖d3 ♕c5 46. ♔f1 h5 47. ♗d5 b6 48. ♔g2** [48. ♗f3 b4 49. ♗h5 ♕c4] **b4 49. ♔f1 ♔f6 50. ♔g2 ♔e5 51. ♗b3 ♕c6 52. ♔g1 ♕e4 53. ♔f2 ♕h1 54. ♖e3 ♔d4 55. ♖d3 ♔c5 56. ♗e6 ♕h2 57. ♔f1 ♕h1 58. ♔f2 b5 59. g4** [59. ♖e3 ♔d6–+] **♕h2 60. ♔f1 ♕e5! 61. ♗b3 hg4** **0 : 1**
[V. Salov]

97. **A 86**

SEIRAWAN 2615 –
M. GUREVIČ 2630
Beograd 1991

1. d4 f5 2. g3 ♘f6 3. ♗g2 g6 4. c4 ♗g7 5. ♘h3 c6 N [5... 0–0 – 40/131] **6. ♘f4 d6 7. d5 e5! 8. de6 ♕e7 9. ♘d2!?** [9. ♘c3 ♘a6 10. 0–0 ♗e6 11. ♘e6 ♕e6 12. b3; 9. ♗e3 ♘a6 10. ♗d4 ♘c7 11. ♘c3 ♘e6 12. ♘e6 ♗e6 △ 13. b3 c5 ⇗a1-h8] **0–0 10. 0–0 ♗e6** [10... ♘a6 11. ♖e1 ♘c5 12. e4±] **11. ♘e6** [11. b4!? ♘bd7 (11... ♘e4 12. ♘e4 ♗a1 13. ♕d6 ♕d6 14. ♘d6 ♗c8∞) 12. ♘e6 ♕e6 13. ♖b1 – 11. ♘e6] **♕e6 12. ♖b1 ♘bd7** [12... a5! 13. b3 ♘a6 14. ♗b2 (14. ♗a3 ♘b4) ♘c5=] **13. b4! ♘b6?!** [13... d5 14. cd5 ♘d5 15. ♕b3 ♘7f6= M. Gurevič] **14. c5! ♘bd5 15. ♗b2 ♖ad8 16. ♕b3! ♘c7!** [16... ♕e2 17. ♘c4 (17. ♗f6 ♗f6 18. ♗d5 cd5 19. ♕d5 ♖f7 20. cd6 ♕e5) dc5 18. bc5 △ 18... ♘e4? 19. ♗f3+–] **17. cd6** [17. ♘c4 d5 18. ♘d6 b6 △ ♘ce8] **♖d6 18. ♘c4 ♖d7 19. a4! ♘g4?** [19... ♕e2? 20. ♘e5+–; 19... ♘e4 20. b5 ♘d5 21. bc6 bc6 22. ♖fc1±] **20. h3! ♘f6!** [20... ♘e5? 21. ♗e5!+–; 20... ♗b2 21. hg4 ♗g7 22. gf5 gf5 23. b5±] **21. b5 ♘e4 22. ♗g7 ♔g7 23. ♕b2 ♔h6?⊕** [23... ♔g8 24. bc6 bc6 25. ♖fc1 ×c6] **24. ♕c1?⊕** [24. bc6 bc6 25. ♘e5 ♖d6 (25... ♖d2 26. ♕c1 ♕e5 27. ♗e4 ♕d4 28. ♗d3+–) 26. ♗e4 fe4 27. ♘g4→] **♔g7 25. ♕b2 ♖f6?** [25... ♔g8] **26. ♖fc1 ♔h6? 27. bc6 bc6 28. ♗e4 fe4 29. ♘e5+– ♕h3 30. ♘d7 ♖f5 31. ♕d2 ♔g7 32. ♕d4 ♔h6 33. ♕e3 ♔g7⊕** [34. ♕d4 ♔h6 35. ♘f6] **1 : 0**
[Seirawan]

98. **A 87**

RUBAN 2575 – MALANJUK 2510
SSSR (ch) 1991

1. d4 f5 2. g3 ♘f6 3. ♗g2 g6 4. ♘f3 ♗g7 5. 0–0 0–0 6. b3 ♘e4!? 7. ♗b2 d5 8. c4 c6 9. ♘bd2 ♗e6 10. ♕c2 N [10. ♘e5?! ♘d2 11. ♕d2 ♗e5 12. de5 dc4; 10. e3 – 44/114] **♘d7 11. ♖fd1 ♖c8 12. e3 ♘df6** [12... ♔h8 13. ♘e1 △ ♘d3, ♘f3] **13. ♘e5 g5 14. ♖ac1± ♘d6 15. ♘d3!? h6** [15... ♘fe4 16. ♘c5!±] **16. ♗a3 ♘fe4 17. cd5! cd5** [17... ♗d5?! 18. ♘c4±] **18. ♕b2 b6?!** [18... ♘b5±] **19. ♘f3!** [△ ♘fe5 ×c6] **♖c1** [19... ♘b5!] **20. ♖c1 ♕a8 21. ♘fe5 ♖c8 22. f3 ♘f6 23. ♘g6!± ♖c1 24. ♕c1 ♕b7 25. ♘b4! ♗f7 26. ♘e5 ♗e8?!** [26... a5 27. ♘bc6±] **27. ♗f1!** [△ ♗a6] **a5□ 28.**

♘a6!+− **♗b5** [28... ♘b5 29. ♗b5 ♗b5 30. ♘c7] **29. ♘c7 ♗f1 30. ♔f1 ♘fe8** [30... b5 31. ♕c6] **31. ♘e8** [31. ♗d6 ♘d6 32. ♕c6 ♗e5 33. ♕b7 ♘b7 34. de5+−] **♘e8 32. ♕c6 ♕c6 33. ♘c6 e6 34. ♗e7** [34. ♘d8 ♘c7 35. ♗d6 ♘b5 36. ♗b8+−] **♗f6⊕** [34... ♘c7 35. ♗d8 ♘a8 36. ♘e7 ♔f7 37. ♘c8 ♔e8 38. ♘b6 ♔d8 39. ♘a8 ♔d7 40. ♘b6] **35. ♗f6 ♘f6 36. ♘d8 ♘e8 37. ♘e6 ♔f7 38. ♘d8 ♔e7 39. ♘c6 ♔d6 40. ♘a7 ♔d7 41. ♘b5 ♘f6 42. ♔e2 ♔e6 43. ♘c3 ♔d6 44. h3 ♔c6 45. g4 fg4 46. hg4 b5 47. ♔d3 b4 48. ♘d1 h5 49. gh5 ♘h5 50. ♘f2 ♘g7 51. ♘g4 ♔d6 52. ♘e5 ♘e6 53. ♔d2 ♘d8 54. e4 ♘e6 55. ♔e3 ♘d8 56. ed5 ♔d5 57. ♘c4 ♘c6 58. ♘b6 ♔d6 59. ♔e4 ♘e7 60. ♘c4 ♔e6 61. ♘e3 ♘g6 62. d5 ♔f6 63. ♘c4 ♘f4 64. ♘a5 ♘e2 65. ♘c6 ♘c3 66. ♔d4 ♘a2 67. ♔c4 1 : 0** **[Ruban]**

99.* A 87**

DREEV 2610 – MALANJUK 2510
SSSR (ch) 1991

1. d4 f5 2. g3 ♘f6 3. ♗g2 d6 4. ♘f3 g6 5. b3 ♗g7 6. ♗b2 0–0 7. 0–0 h6 [RR 7... ♕e8 8. c4 ♘a6 9. ♘bd2 N (9. ♕c2 – 52/105) ♖b8!? (Kramnik) 10. ♖c1 b5 11. d5 b4 (11... bc4 12. ♘c4 ♘b4 13. ♘e3 ♗h6 14. ♗f6 ef6 15. ♕d4±; 11... e5!?) 12. ♘d4 e5 *a)* 13. de6? ♗b7! (13... ♗e6 14. e4⩲) 14. ♘b5 ♗g2 15. ♔g2 ♕e6 (15... ♖b7!?) 16. ♘a7 c5 17. ♘b5 d5=∞ Vaulin 2495 – M. Makarov 2475, SSSR 1991; *b)* 13. ♘c6! ♖b7 14. a3 ♗d7 15. ♘b4 ♘b4 16. ab4 ♖b4 17. ♗a3 ♕b8!? (17... ♖b7 18. c5±) 18. ♗b4 ♕b4± M. Makarov] **8. c4 ♕e8 9. ♕c2!?** [RR 9. ♘bd2 N g5!? 10. e3 ♘fd7!? 11. e4 f4 12. gf4 ♖f4 13. ♘e1 ♘c6 (13... e5!? 14. ♘d3 ♖f8∞; 14... ♖f7!?) 14. ♘d3 ♖f8 (14... ♖h4!?) 15. e5□ de5 16. ♗c6!? (16. d5!? ♘d4 17. ♖e1 ♕f7∞) bc6 17. de5 ♖f5 18. ♕e2 ♘f8 19. ♘e4 ♘e6 20. ♘g3 ♖f8 21. ♕h5! ♕h5 22. ♘h5 c5! 23. f4! ♘d4! 24. ♘c5 (24. ♗d4 cd4 25. ♘g7 ♔g7 26. fg5 hg5∞) ♘e2 25. ♔g2 ♘f4 26. ♘f4 gf4 27. ♖ae1 ♖f5! 28. h4 (28. ♖e4 ♖g5 29. ♔h1 ♗h3↑) ♗f8! 29. ♔f2 e6 (Smejkal 2555 – Glek 2530, BRD 1991) 30. ♗d4= Glek] **♘a6 10. ♘bd2 c6 11. ♖ae1 ♕f7!? N** [11... g5 – 52/105] **12. ♗c3!** [12. e4?! fe4 13. ♘e4 ♘e4 14. ♕e4 ♗f5 15. ♕e7 (15. ♕e3 ♘b4∓) ♗d3 16. ♕d6 ♗f1 17. ♔f1 ♖ad8 18. ♕e6 ♘b4∓] **g5 13. e4 fe4 14. ♘e4 ♗d7** [14... ♗g4!? 15. ♘f6 ♕f6 16. ♘d2!?↑; 16. ♖e3±; RR 14... ♔h8 15. ♘eg5 hg5 16. ♘g5 ♕h5 17. h4 ♘g8 18. d5 c5 19. ♗g7 ♔g7 20. ♕c3 ♖f6 21. ♖e3 ♔f8 22. ♖fe1=∞ Lputjan 2570 – Malanjuk 2510, SSSR (ch) 1991] **15. ♘f6 ef6 16. d5! c5□** [16... cd5? 17. ♘g5+−]

17. ♖e6! [17. ♖e3 f5 18. ♖fe1 ♖ae8±] **♘c7** [17... ♗e6 18. de6 ♕e7 (18... ♕e6? 19. ♘g5!+−) 19. ♕f5 ♖ae8 20. ♘d2 ♗h8 21. ♗e4 ♘c7 (21... ♘b8 22. h4 ♘c6 23. ♔g2 ♕g7 24. hg5 hg5 25. ♖h1 ♘e7 26. ♕f3+−) 22. h4 ♕g7 23. hg5 hg5 24. ♔g2 ♖e7 25. ♖h1 ♖fe8 26. ♗d5!+−] **18. ♖d6 ♕e7** [18... ♘e8 19. ♖e6! (19. ♖d7 ♕d7 20. ♖e1 ♘d6 21. ♖e6 ♖ae8 22. ♗h3∞) ♗e6 20. de6 ♕e7 21. ♕f5 ♖c8 (21... ♘d6 22. ♕c5) 22. ♖d1 ♘d6 23. ♖d6! ♕d6 24. ♘d2 ♖fe8 25. ♗d5±] **19. ♖d7 ♕d7 20. ♖d1!** [△ d6] **♖ad8** [20... ♕d6 21. ♕f5↑ △ ♗f1-d3] **21. b4! b6□** [21... cb4?! 22. ♗b4 ♖fe8 23. ♘d4±] **22. bc5 bc5 23. d6! ♘e8 24. ♕g6!! ♔h8?** [24... ♕a4 25. ♖d2! ♖d6 (25... ♕c4 26. ♘g5) 26. ♘g5! hg5 27. ♖d6 ♘d6 28. ♗d5 ♖f7 29. ♗f7 ♘f7 30. ♗f6 ♕d1 31. ♔g2+−; 24... ♘d6 25. ♘g5 ♕f5 (25... hg5 26. ♗d5 ♖f7 27. ♗f6+−) 26. ♗d5 ♔h8 27. ♘f7 ♖f7 28. ♗f7 ♕f3 29. ♖d3+−; 24... ♖f7 25. ♘d2 ♘d6 26. ♘e4! ♕e6 27. ♖d6 ♖d6 28. ♘d6 ♕d6 29. ♗d5 ♕e7 (29... ♕d7 30. ♗f6)

30. ♗b2! ♔f8 31. ♗a3 ♕e1 32. ♔g2 ♖c7 33. ♗c5!+−; 24... ♕f7 25. ♘e5! ♕g6 26. ♘g6 ♖f7 (26... ♖d6 27. ♗d5) 27. ♗d5±] **25. ♘g5! fg5** [25... hg5 26. ♕h5 ♔g8 27. ♗d5 ♖f7 28. ♗a5!+−] **26. ♕h6 ♔g8 27. ♗d5 ♖f7 28. ♕g5 ♔f8 29. ♗f7 ♔f7 30. ♗g7** [30. ♖e1 ♕d6 31. ♕h5 ♔f8 32. ♖e8 ♖e8 33. ♗g7 ♔e7 34. h4+−] **♘g7 31. ♕c5+− ♘e8 32. ♕h5 ♔f8 33. ♕h8 ♔f7 34. ♕h5⊕ ♔f8 35. c5 ♕e6 36. ♖d4 ♖d7 37. ♕h8 ♔f7 38. ♕h7 ♔f8 39. ♖f4**

1 : 0 **[Dreev]**

100. **A 87**

HÜBNER 2615 − ČEHOV 2525

BRD 1991

1. c4 c5 2. ♘f3 g6 3. d4 ♗g7 4. d5 f5 5. ♘c3 ♘f6 6. g3 0−0 7. ♗g2 d6 8. 0−0 ♘a6 9. ♗g5?! N [⌓ 9. ♖e1 − 35/141] **h6** [9... ♘c7?! 10. ♕d2±] **10. ♗f6 ♗f6?!** [⌓ 10... ♖f6 11. ♖e1 ♖f7 K. Bischoff] **11. ♕d2 g5?** [⌓ 11... ♗g7 12. ♖ae1 ♘c7 13. e4 fe4 14. ♖e4 ♖f7] **12. h4 g4?!** [12... e5 13. de6 ♗e6 14. ♘d5+−; 12... f4 13. ♘e4±; ⌓ 12... ♘c7 13. hg5 hg5 14. ♘g5 e5 15. ♘h3 ♖f7±] **13. ♘e1 f4?!** [13... ♔h7 14. ♘d3± ×f4] **14. ♗e4+− fg3** [14... ♘c7 15. ♕f4 ♗c3 16. ♕h6 ♗g7 17. ♕h7 ♔f7 18. ♕h5; 14... ♗e5 15. ♘d3] **15. ♕h6 gf2 16. ♖f2 ♖f7 17. ♗g6 ♖g7 18. ♘g2 ♘b8 19. ♘e4 ♘d7 20. ♖af1 b5 21. ♘e3** [21. ♖f5 △ ♖h5+−] **bc4** [21... ♗d4 22. ♗f7 ♖f7 23. ♖f7 ♗e3 24. ♕e3 ♘f6 25. ♖7f6 ef6 26. ♕h6; 21... ♘e5 22. ♖f6] **22. ♘f5 ♕f8 23. ♕h5**

1 : 0 **[Hübner]**

101.* **A 87**

V. NEVEROV 2520 − MALANJUK 2550

Warszawa 1992

1. d4 f5 2. ♘f3 ♘f6 3. c4 g6 4. g3 ♗g7 5. ♗g2 0−0 6. 0−0 d6 7. ♘c3 ♕e8 8. b3 ♘c6!? 9. ♘b5 N [9. ♗a3 − 48/(138); 9. d5] **♕d8 10. d5** [10. ♗a3 ♘e4 11. ♗b2 h6 12. e3 ♔h7 13. ♖c1 ♗d7 14. ♘c3 ♘c3 15. ♗c3 e5∓ Budnikov 2525 − Vyžmanavin 2590, SSSR (ch) 1991] **♘e5 11. ♘e5?!** [11. ♘bd4; 11. ♗b2] **de5 12. ♗b2 a6 13. ♘a3 e4 14. f3 ef3 15. ef3** [15. ♗f3 e6=] **f4! 16. ♖e1 ♘h5! 17. ♗g7 ♘g7 18. ♕d4** [18. g4 e6=] **fg3!?** [18... e6 19. g4□ ♕d6 20. ♘c2 ed5 21. ♕d5 ♕d5 22. cd5=] **19. hg3 ♕d6 20. c5 ♕g3 21. ♖e7 ♘f5 22. ♕e5 ♕h4!** [22... ♕e5 23. ♖e5±] **23. ♖c7** [23. ♖e1 ♘e7 24. ♕e7 ♕d4∓; 23. d6 ♘e7 24. de7 ♖e8 25. ♖e1 h6! (△ ♕g5) 26. f4 ♗h3] **♗d7! 24. ♖d7?** [24. ♘c2□ ♖ae8 25. ♕h2 ♖e2! 26. ♕h4 ♘h4 27. ♘e1 ♘g2 28. ♘g2 ♗h3 29. ♘e1 g5 30. d6 ♖d2→] **♖ae8 25. ♕b2 ♘d4 26. ♘c2□ ♘e2 27. ♔f1 ♖f3! 28. ♗f3 ♕h3 29. ♗g2** [29. ♔e1 ♘d4 30. ♔d2 ♘f3 31. ♔c3 ♘e1 32. ♔c4 ♕d3 33. ♔b4 ♘c2−+] **♕f5 30. ♔e1 ♘f4!** [30... ♘d4 31. ♔d2 ♖e2 32. ♔c3 ♘c2 33. ♖d8!] **31. ♔f2** [31. ♘e3 ♘d3! 32. ♔d2 ♕f2 33. ♔d3 ♖e3 34. ♔c4 ♕b2−+] **♘d3 32. ♔g1 ♘b2 33. c6** [33. ♖f1 ♕c2 34. c6 ♖e2 35. ♗h3 ♕c5 36. ♔h1 ♕b4!−+] **♖e2** [33... ♕c2 34. ♖f1□ (34. cb7 ♘d1−+) ♖e2−+] **34. ♘e3⊕** [34. ♘e1 ♕f2 35. ♔h1 ♖e5! 36. ♘f3 ♖h5 37. ♘h2 ♕g3−+] **♕f2 35. ♔h1 ♖e3 36. cb7** [36. c7 ♕h4 37. ♔g1 ♕d4 38. ♔h1 ♖c3! 39. ♖d8 ♔g7 40. c8♕ ♖c8 41. ♖c8 ♘d1! 42. ♖ac1 ♘f2 43. ♔h2 ♘g4 44. ♔h3 ♕f4−+] **♖e8⊕ 37. ♖c1 ♕h4 38. ♔g1 ♕d4 39. ♔h1 ♘d3** [39... ♕g4! 40. ♖dc7 ♕h4 41. ♔g1 ♖e1−+] **40. ♖c8 ♘f2 41. ♔h2 ♘g4** [41... ♕e5 42. ♔g1 ♘g4 43. ♖e8 ♕e8 44. ♖e7 ♕b8−+] **42. ♔h3 ♕e3 43. ♔g4 h5 44. ♔h4 ♕f4 45. ♔h3 ♕g4 46. ♔h2 ♕d7** [47. b8♕ ♕c8! 48. ♕g3□ ♔g7−+] **0 : 1** **[Malanjuk]**

102. **A 87**

V. SALOV 2665 − M. GUREVIČ 2630

Reggio Emilia 1991/92

1. d4 d6 2. ♘f3 g6 3. g3 ♗g7 4. ♗g2 f5 5. 0−0 ♘f6 6. c4 0−0 7. ♘c3 ♕e8 8. d5 ♘a6 9. ♖b1 e5?! N [9... c5 − 49/131, 132] **10. de6 ♗e6 11. ♘d4 c6?!** [11... ♘c5±] **12. b4!± ♗c4?!** [12... ♘e4 13. ♘e4 fe4 14. ♘e6 ♕e6 15. ♕c2 ♖fe8 16. ♗e3 ♘c7 17. ♖fd1±] **13. b5 cb5 14. ♘db5 ♖d8 15. ♗a3** [15. ♘d6! ♕e6 16. ♗a3 ♘e4 17. ♘ce4 fe4 18. ♕c2!+−] **d5□**

16. ♘d6! ♕e5 17. ♘c4 dc4 [17... ♕c3? 18. ♖c1!+−] 18. ♕c2 ♘c5 19. ♗c5?? [19. ♘a4! b6 20. ♘c5 bc5 21. ♕c4+−] ♕c5 20. ♖b5 ♕d6! 21. ♖b7 ♗h8! 22. ♘b5? ♕c5! 23. a4 a6 24. ♘c3 [24. ♖c7?? ♕e5!−+] ♘g4 25. h3 ♘e3 [25... ♘e5!?] 26. fe3 ♕e3 27. ♔h2 f4?? [27... ♕c3! 28. ♕c3 ♗c3 29. ♖c1 ♗e5 30. ♖c4 f4 31. ♗f3 fg3 32. ♔g2=] 28. ♖f3! fg3 29. ♖g3 ♗e5 [29... ♕g3 30. ♔g3 ♗e5 31. ♔g4 ♖f4 32. ♔g5] 30. ♖h7!　　　 1 : 0
[V. Salov]

103. !N　　　　　　　　　　　A 88

HRÁČEK 2455 − MALANJUK 2510
Kecskemét 1991

1. d4 f5 2. g3 ♘f6 3. ♗g2 g6 4. ♘f3 ♗g7 5. 0−0 0−0 6. c4 d6 7. ♘c3 ♕e8 8. d5 ♘a6 9. ♖b1 c5 10. dc6 bc6 11. b4 ♗d7 12. b5 [12. a3] ♘c5 13. ♘d4 ♘fe4 14. ♘e4 ♘e4 15. bc6 ♗c6 16. ♘e6 ♕c8! N 17. ♘g7 ♔g7 [17... ♘c3?! 18. ♕d3 ♗g2 19. ♕c3 ♗f1 20. ♔f1 a) 20... f4 21. gf4 (21. ♗f4? ♖f7⊼⊼) ♖f7 22. ♗b2+−; b) 20... ♖f7 21. ♗h6 e5 22. f4+−→] 18. ♗e4! ♗e4 19. ♗b2 ♔f7 20. ♖c1 ♕e6! 21. ♕d4 ♖ab8! 22. ♗a1 ♖fc8? [22... ♖bc8! 23. ♕g7 ♔e8 24. ♕h7 ♖c5∞⇆; 24... f4⊼⊼] 23. ♖fd1 ♖g8□ [23... ♖c5?? 24. ♕g7 △ ♕h8+−; 23... ♖b4 24. ♕g7 ♔e8 25. c5!] 24. f3 ♗a8 [△ 24... ♗c6] 25. ♔f2 g5 26. c5! d5□ 27. ♖b1? [27. ♖d3!±] ♖b1 28. ♖b1 ♗c6 29. ♖b3 ♕h6 30. ♔g1 ♕g6⊕ 31. ♖e3 f4 32. ♖e5 ♖d8 [32... ♕b1 33. ♔g2 ♕a2 34. ♖e7+−] 33. g4 ♗e8 34. ♔g2 ♗d7 35. h4 h6 36. ♖f5 ♕e6 37. ♕e5?⊕ [37. ♔f2] ♕e5 38. ♗e5 ♖g8 39. h5 ♔e8! 40. ♗d4 ♖f8 41. ♖f8 [41. ♗g7 ♖f5 42. gf5 ♔f7 43. ♗h6 ♔f6 44. ♗f8 ♗d7 45. h6 ♗f5 46. c6 e5=] ♔f8◼ 42. ♔f2 ♔f7 43. e3 fe3 44. ♔e3 ♗a4 45. a3 ♗d7 46. ♔f2 a5 47. ♔g3 ♗c6 48. f4 a4 49. fg5 hg5 50. ♗e3 ♔f6 51. h6 ♔g6 52. ♗g5 e5 53. h7 [53. ♗d2 d4 54. g5 ♗d5 (54... e4? 55. ♔f4 e3 56. ♗e3+−) 55. ♗a5 e4 △ e3=] ♔h7 54. ♗f6 d4!= [54... e4? 55. ♔f4 △ ♗d4, ♔e5-d6+−] 55. ♗e5 d3 56. ♗c3 ♔g6 57. ♔f4 ♔f7 58. ♔e5 ♔e7 59. g5 ♗e8! 60. ♔d4 ♗g6 61. ♔c4

♔d8 62. ♔b5 ♗e8 63. ♔b6 ♔c8 64. ♗d2 ♗h5 65. ♗f4 ♗e8 66. c6 ♗g6 67. ♔b5 ♗e8　　1/2 : 1/2　　　　[Malanjuk]

104.　　　　　　　　　　　　A 88

MARIN 2525 − S. GRÜNBERG 2380
Buziaş 1991

1. d4 f5 2. g3 ♘f6 3. ♗g2 g6 4. ♘f3 ♗g7 5. 0−0 0−0 6. c4 c6 7. d5 d6 8. ♘c3 ♗d7 9. ♗e3 ♘a6 10. ♖c1 ♕a5 [10... ♘g4!?] 11. ♘d4 N [11. ♕d2 − 36/139] ♖fc8 12. ♘b3 [12. ♕d2!?] ♕d8 [△ c5] 13. c5 dc5 14. ♘c5 ♘c5 15. ♗c5 e6!□ [15... e5 16. ♕b3±; 15... cd5 16. ♘d5±] 16. d6!? b6 17. ♗d4 ♖ab8?! [17... c5! 18. ♗f6 (18. ♗e5 ♗c6!) ♕f6 19. ♗a8 ♖a8⊼⊼] 18. e4!± c5 19. ♗e5 b5 [19... fe4 20. ♘e4 ♘e4 21. ♗g7 ♘g3 22. fg3 ♔g7 23. ♕d2 △ ♕c3±] 20. ef5 gf5 [20... ef5 21. ♘d5±] 21. ♖e1! ♗h6 [21... ♖b6 22. f4 (△ h3, g4) ♘g4 23. ♘d5!+−; 21... ♘e8 22. f4±] 22. h3!? [22. f4 ♘g4 23. ♖c2±] ♖b6 [22... ♗c1 23. ♕c1→] 23. ♘e2 ♘e8 24. ♘f4 ♗g7 25. ♕e2 ♗e5 26. ♕e5 ♖d6 27. ♖c5 ♖c5 28. ♕c5 a5 [28... ♕b6 29. b4!±] 29. ♗f1?! [29. g4! ♕b6 (29... fg4 30. hg4 ♕b6 31. ♕g5) 30. ♕b6 ♖b6 31. g5±] ♕b6= 30. ♕b6 ♖b6 31. ♘d3 ♘f6 32. ♘e5 ♔f8 33. ♖c1 ♔e7 34. ♖c5 ♗e8 35. ♖c8 a4 36. g4⊕ h6? [36... ♘d5 37. f3=; 37. g5!?] 37. f4!± fg4 [37... ♘d5 38. g5±] 38. hg4 ♘d5 39. g5! hg5 [39... ♘f4 40. gh6+−] 40. fg5 ♗h5?! 41. g6+− ♔d6 [41... ♘f6 42. ♖h8 (42. g7 ♗e8!) ♔d6 43. g7 ♗e5 44. ♖h5 ♔d4 45. ♖h8 △ ♖f8] 42. g7 ♘e7 43. g8♕ ♘g8 44. ♖g8 ♔e5 45. ♖g5 ♔d4 46. ♖h5 e5 47. ♔f2 b4 48. ♖h3 e4 49. ♔e2 a3 50. ♖b3 [50. ♔d2?? b3 51. ♔c1□=] ab2 51. ♔d2 e3 52. ♔c2 ♔e4 53. ♗e2 ♔f4 54. a4! ♔e4 55. ♖b2 ♖b8 56. ♔b3 ♔d4 57. ♖c2　　1 : 0
[Marin]

105.****　!N　　　　　　　　A 89

JEŽEK 2235 − MIH. CEJTLIN 2480
corr. 1987/91

1. c4 f5 2. d4 ♘f6 3. g3 g6 4. ♗g2 ♗g7 5. ♘f3 0−0 6. 0−0 d6 7. ♘c3 ♘c6 8. d5

♘a5 [RR 8... ♘e5 9. ♘e5 de5 *a)* 10. ♕b3 h6 11. c5 ♔h8 12. ♖d1 g5 13. ♗d2! N (13. ♘b5 — 48/141) f4 14. ♗e1! ♗f5!? (14... a6 15. ♘e4±; 14... g4 15. ♘e4 ♗f5 16. ♘f6 ♗f6 17. ♕b7 ♖b8 18. ♕a7 ♖b2 19. ♗a5 △ d6±) 15. ♕b7 ♖b8 16. ♕a7 ♖b2 17. ♕a3 (17. a4? e4⇆) ♖b8 (17... ♕b8!? 18. ♖ac1±) 18. d6! ed6 19. cd6 cd6 20. ♖d6 ♕e8 21. ♘d5 ♘e4 (21... fg3 22. hg3 ♘g4 23. ♘e3 ♕h5 24. ♘g4 ♗g4 25. ♕e3 ♗e2 26. ♗c3±) 22. ♖a6 (I. Ibragimov 2485 − Glek 2530, SSSR 1991) ♕b5 (22... ♕h5 23. g4!+−; 22... ♖f7!? 23. ♖c1±) 23. ♘e7! (23. ♗e4?! ♗e4 24. ♘c3 ♕b7 25. ♖a7 ♕c6 26. ♘e4 ♕e4 27. ♕e7 ♖g8∞) ♗h7 (23... ♕e2 24. ♘f5 ♖f5 25. ♗f3+−) 24. ♘g6 ♗g6 25. ♖g6± I. Ibragimov; *b)* 10. e4 f4 11. gf4 ef4 12. e5 ♘g4 13. e6 ♘e5 14. ♖e1 ♘c4 N 15. ♖e4 ♘d6 16. ♖f4 *b1)* 16... b6 17. h4! ♗b7 18. h5 ♖f4 19. ♗f4 ♕f8 20. ♗g3 ♖c8 21. ♖c1± Moreno 2235 − Y. Pérez 2215, Cuba 1991; *b2)* 16... c6!? 17. dc6 bc6 18. ♖f8 ♕f8 19. ♗c6 ♖b8 20. ♕a4 ♗e6 21. ♕a7 ♖b4!⇆; 17. ♘e4! Lebredo] **9. ♘d2** [RR 9. ♕d3 c5 10. ♖b1 ♘e4 11. ♘g5 ♘c3 12. bc3 ♕e8 13. ♖b5 b6 14. ♘e6! N (14. e4 — 49/141) ♗e6 15. de6 ♖b8 16. ♗d5 ♘c6 17. f4! (17. ♖b3 ♘e5 18. ♕d1 b5∞) ♘b4 18. cb4 a6 19. bc5 ab5 20. cd6 bc4 21. ♗c4 b5 22. ♗b3 ♔h8 23. d7+− Ve. Sergeev 2365 − J. Novikov, SSSR 1991; 17... ♔h8 18. ♖b1 △ e4± Ve. Sergeev] **c5 10. ♕c2** [RR 10. ♖b1 e5 11. de6 ♗e6 12. b4!? N (12. b3) cb4 13. ♖b4 ♖f7 14. ♘d5 ♖c8 15. ♗b2 (15. ♘f4!? ♗c4 16. ♘c4 ♖c4 17. ♖c4 ♘c4 18. ♘e6 ♕c8 19. ♘g5 ♖e7 20. ♗d5 ♔f8 21. ♗c4 ♕c4 22. ♕d6+−; 15... ♗d7∞ Rechlis) ♘d5 16. cd5 ♗d7 17. ♗g7 ♔g7 18. ♘f3 ♕f6 19. ♘d4± Rechlis 2510 − Mih. Cejtlin 2480, Ostrava 1991] **e5 11. de6 ♗e6 12. ♖d1 ♘c6 13. ♘b3 ♕e7** [13... ♘b4!? 14. ♕b1 ♕b6 15. ♗f4 ♖ad8; 14. ♕d2∞] **14. ♗f4 ♖fd8 N** [14... ♖ad8 — 43/(126)] **15. a3 ♗c4 16. ♗c6 bc6 17. ♘a5 ♕e6 18. ♗d6** [18. ♘c4 ♕c4 19. ♖d6 ♖d6 20. ♗d6 ♘e4∓; 18. ♖d6 ♖d6 19. ♗d6 ♗d5 20. ♘d5 cd5∓] **♗d5! 19. ♗c5 ♘e4** [19... f4!?] **20. ♗d4 ♘c3 21. bc3** [21. ♗c3 ♗h6! (21... f4 22. ♗g7 ♕h3 23. ♖d5 ♖d5 24.

♗c3 ♖h5 25. ♕b3 ♔f8 26. ♕b4) 22. e3 ♖d7! △ ♖ad8, c5, ♗a8∓; 21. ♕c3 ♕e4 (21... ♗d4 22. ♖d4 ♕e2 23. ♖ad1±) 22. f3 ♗d4 23. ♖d4 ♕e2 24. ♖ad1 (24. ♘c6 ♗c6 25. ♖d8 ♖d8 26. ♕c6 ♖d2) ♖e8 25. ♘c6 ♗f3 26. ♖4d2 ♕e3 27. ♕e3 ♖e3 28. ♖d8 ♖e8∓] **♗f8!** [21... f4 22. ♗g7 ♕h3 23. ♖d5 ♖d5 24. ♗d4 fg3 (24... ♖a5? 25. ♕b3 ♖d5 26. ♕b7) 25. fg3 ♖h5 26. ♕b3±] **22. c4 ♗e4 23. ♕c3 c5 24. ♗f6** [24. ♗e5 ♖d1 25. ♖d1 ♖e8 26. f4 ♗a8∞] **♖d1 25. ♖d1 ♖e8 26. f4 ♗a8 27. ♗e5 g5! 28. ♕d3** [△ ♕d7] **♕g6 29. e3 h5 30. ♘b3 h4∞ 31. ♕e2 ♕h7 32. ♘d2 g4** [32... hg3 33. ♘f1!] **33. gh4! ♖d8 34. ♖b1** [34. ♘f1? ♗f3] **♗e7 35. ♖b8 ♖b8 36. ♗b8 ♗h4** [△ ♕b7] **37. e4! ♕d7 38. ♗e5** [38. ef5 ♕d4 39. ♔f1 ♕a1−+] **fe4 39. ♘f1** [39. ♘e4 ♗e4 40. ♕e4 ♕d1=] **♔f7! 40. h3! ♕b7! 41. ♕g4 e3! 42. ♕h5** [42. ♕g7 *a)* 42... ♔e6 43. f5 (43. ♕b7 ♗f2 44. ♔h2 ♗b7 45. ♘g3 ♗f3−+) ♔f5 44. ♘e3 ♔e4∓; *b)* 42... ♔e8 43. ♕h8 ♔d7=] **♔e6!** [42... ♔f8? 43. ♗d6 ♗e7 44. ♗e7] **43. ♕e8 ♗e7 44. ♕g6 ♔d7 45. ♕g4 ♔e8 46. ♘e3 ♕h1 47. ♔f2 ♗h4 48. ♔e2** [48. ♕h4 ♕f3!=] **♕e1 49. ♔d3 ♕b1 50. ♘c2 ♕f1!** [50... ♗e4? 51. ♔e4 ♕c2 52. ♔d5 ♕d3 53. ♔c6! ♕e4 54. ♔c7 ♗d8 55. ♔b8 ♕b1 56. ♔c8+−] **51. ♔d2** [51. ♔c3 ♗e4!] **♗e4! 52. ♕h4** [52. ♕e6 ♗e7 (52... ♔d8 53. ♗c7 ♔c7 54. ♕e4 ♕h3 55. ♘e3+−) 53. ♘e1 ♕f2 54. ♔d1 ♗f3 55. ♘f3 ♕f3 56. ♔c2 ♕e2 57. ♔b3 ♕d1=] **♕g2 53. ♔e1 ♕h1 54. ♔d2 1/2 : 1/2 [Mih. Cejtlin]**

106.*   **A 90**

AKOPJAN 2590 − ULYBIN 2565

Mamaia 1991

1. d4 e6 2. c4 f5 3. g3 ♘f6 4. ♗g2 c6 5. ♘f3 d5 6. 0−0 ♗d6 7. b3 ♕e7 8. a4 [RR 8. ♘e5 0−0 9. ♘d2 ♘e4!? N (△ b6; 9... ♗d7 − 50/115) 10. ♗b2 (10. ♘e4!? △ f3) b6 11. ♕c2 (11. ♘e4!? fe4 12. f3) ♗b7 12. ♘e4 fe4 13. f3 ef3 14. ef3 ♗e5! (14... ♘d7 15. ♘d7 ♕d7 16. f4± ×e6) 15. de5 c5 (△ d4; 15... ♘d7 16. f4±) 16. cd5□ ♗d5 (16... ed5 17. f4±↑》) 17. f4 *a)* 17...

♖d8? 18. f5! ♘c6 (18... ef5? 19. ♗d5 ♖d5 20. ♕c4 ♕f7 21. e6+−; 18... ♗g2? 19. f6 ♕b7 20. f7 ♔f8 21. ♕h7+−) 19. f6 ♕f7 20. fg7 ♕g7 21. ♖f6± Gagarin 2410 − Zarubin 2435, Smolensk 1991; *b)* 17... ♗g2! 18. ♕g2 ♘a6∞ ×♗b2 Gagarin] **a5 9. ♗a3 ♗a3 10. ♘a3 b6 N** [10... 0−0 − 46/139] **11. ♘e5 0−0 12. ♕c2 ♗b7 13. ♖fc1** [△ c5±] **♘a6** [13... ♘bd7 14. cd5 ♘e5 15. de5 (15. dc6? ♘c6 16. ♗c6 ♖ac8−+) ♘d5 16. ♘c4 △ ♘d6±; 13... ♘fd7 14. ♘d3±] **14. cd5 cd5** [14... ♘b4?! 15. d6! ♕d6 16. ♕b2 △ ♘ac4±] **15. ♘b5 ♖fc8 16. ♕d2 ♘b4 17. h3± ♘e4** [17... ♕d8±] **18. ♗e4 de4 19. ♖c8 ♖c8 20. ♖c1 ♖c1 21. ♕c1 ♘d5 22. e3 g5?!** [⌓ 22... ♕d8± △ 23. ♕a3 ♘b4] **23. ♕d1! ♗a6 24. ♕h5 ♗b5 25. ab5** [♕ 8/c] **♔g7! 26. ♔h2** [26. ♘c6 ♕f6 27. ♕e8 f4! 28. ef4 gf4 29. ♘d8 fg3 30. ♘e6 ♔h6 31. fg3 e3 32. ♕f8 (32. ♘f4 ♘f4 33. ♕e3 ♕d4!!−+) ♕f8 33. ♘f8 ♘c3=] **♘c7 27. ♘c6 ♕f6 28. ♕e2 ♘d5 29. ♘e5 ♕e7** [29... f4? 30. ef4! (30. gf4 gf4 31. ♕g4 ♔h6 32. ♕g8!+−; 31... ♔h8∞) gf4 31. ♕e4 fg3 32. ♔g3±] **30. ♔g2 ♕d8 31. ♕h5 ♕e7 32. ♔f1 ♕f6 33. ♔e1 ♕e7 34. ♘c6 ♕f6 35. ♕e8 f4 36. ef4 gf4 37. g4** [37. ♘d8 fg3 38. ♘e6 ♔h6 39. fg3 e3 40. ♕f8 (40. ♘f4 ♘f4 41. ♕e3 ♕e6!−+) ♕f8 41. ♘f8 ♘c3 42. ♘d7 ♘b5 43. d5 ♔g7 44. ♔e2 ♘d4 45. ♔e3 ♘b3 46. ♘b6 ♔f6=] **e3 38. ♘e5 ef2 39. ♔f2 ♕h4 40. ♔e2 ♘c3?⊕** [40... f3! 41. ♘f3 (41. ♔d3? ♕f6) ♕h3 42. ♕d7 ♔f8 43. ♕d6 ♔g7 44. ♕e5 ♔f8=] **41. ♔d3 ♕h3** [41... ♕g3 42. ♔c4+− ×♔g7] **42. ♔c2!+−** [42. ♔c4? ♕f1 43. ♔c3 ♕c1 44. ♔d3 ♕e3 45. ♔c2 ♕e2=] **♘d5** [42... ♘e4 43. ♕f7 ♔h6 44. ♕f4+−] **43. ♕f7 ♔h6 44. ♕e6 ♔g5 45. ♕d5 1 : 0 [Akopjan, Dement'ev]**

107. A 90

CIFUENTES PARADA 2535 − MOSKALENKO 2480

Ca'n Picafort 1991

1. d4 e6 2. ♘f3 d5 3. c4 c6 4. ♕c2 f5 5. g3 ♘f6 6. ♗g2 ♗d6 7. 0−0 0−0 8. ♗f4 ♗f4 9. gf4 ♘e4 N [9... ♗d7 − 49/146] **10. ♘e5 ♘d7 11. ♘d2 ♘e5 12. de5 ♘d2 13. ♕d2 ♕e7** [13... dc4 14. ♕c3 b5 15. ♗c6 ♖b8 16. ♖fd1±] **14. ♖ac1 ♖d8 15. ♖fd1 ♗d7 16. cd5?!** [16. b4±] **ed5 17. b4 ♗e6 18. ♕d4 ♖dc8 19. e3 ♖c7 20. ♖c3 a5 21. ♖a3** [21. a3!? ab4 22. ab4 ♖a4 23. ♖b1⩲] **c5 22. bc5 ♖c5 23. ♖c3⩲** [×d5, ♗e6] **♖ac8 24. ♖c5 ♖c5 25. a4! ♕c7 26. ♕b2 ♕c6 27. ♗f3 b5 28. ab5 ♕b5 29. ♕a1 h6 30. ♔g2 ♕c6 31. ♖b1** [⌓ 31. h4 △ h5±] **g5 32. ♖b8 ♔g7 33. ♕d4 ♕c7 34. ♕b2 ♖c2 35. ♕b5 ♕c6 36. ♖b7** [36. ♕a5 g4 37. ♕d8 gf3 38. ♔h3 ♗c8! (38... ♗f7? 39. ♕h8 ♔g6 40. ♖g8! ♗g8□ 41. ♕g8 ♔h5 42. e6!!+−) 39. ♖b6 ♕c7 40. ♕f6 ♔g8 41. ♖d6 ♕g7!−+] **♔g6 37. ♖b6 ♕b5 38. ♖b5** [♖ 9/k] **a4 39. ♖a5 ♖d2 40. ♖a6** [40. ♖a4?? g4−+] **♔f7 41. ♗h5 ♔e7 42. ♖a4 g4 43. ♔g3 ♔f8 44. ♖d4! ♖a2** [44... ♖d4 45. ed4 ♔e7 46. f3 gf3 47. ♔f3 ♔d7 48. ♔e3 ♔c6 49. ♗e8!+−] **45. h3! gh3 46. ♗f3 ♖a5** [46... h2 47. ♖d1 △ ♖h1+−] **47. ♔h3 ♔e7 48. ♔g3 ♗f7 49. ♖b4 ♖a7 50. ♖b6 ♗e6 51. ♖d6 ♖a5 52. ♔h4+− ♖a2 53. ♗d5 ♗d5 54. ♖d5 ♖f2 55. ♖d6 ♖h2 56. ♔g3 ♖h1 57. ♖f6 1 : 0 [Cifuentes Parada]**

108. A 90

B. GEL'FAND 2665 − EPIŠIN 2620

Wijk aan Zee 1992

1. d4 e6 2. c4 f5 3. g3 ♘f6 4. ♗g2 ♗b4 5. ♘d2 0−0 6. ♘f3 b6 7. ♘e5 ♘e4 N [7... c6] **8. 0−0 ♗d2 9. ♗d2 ♗b7 10. ♗c1** [10. f3 ♘d2 11. ♕d2 ♕f6!=] **♕e7 11. b3** [11. ♘d3 c5!⇆] **d6 12. ♘d3 c5** [12... ♘c3 13. ♕c2 ♗g2 14. ♔g2 ♘e4 15. f3±; 12... ♘d7 13. ♗b2 e5 14. ♘b4!±] **13. ♗b2** [13. dc5 bc5 14. ♗b2 a5=] **cd4** [13... a5 14. ♘f4 △ d5±; 13... ♘d7!?] **14. ♗d4 ♘d7 15. ♗b2 a5= 16. ♘f4** [16. f3?! ♘ef6 △ e5] **a4** [16... ♘df6!? 17. f3 ♘c5 18. ♗f6 ♖f6 19. ♕d2 g5 20. ♘d3 h6=] **17. f3** [17. ♕d3?! a3 18. ♗c1 ♘dc5∓] **♘ef6 18. ♗a3!? ♘c5 19. b4 ♘cd7 20. ♖c1 ♖fd8** [20... ♖fc8 21. ♕d3 (21. ♕d2 b5 22. cb5 e5 23. ♘d3 ♘b6↑) ♘e5 22. ♕d4±] **21. ♖c3!?** [21. ♕d3 ♖ac8 22. ♖fd1 ♘e5 23. ♕d4 ♘c4 24. ♖c4 e5 25.

♕d3 ef4 26. b5 ♘d5⇆] **b5?!** [21... e5!? 22. ♘d5 ♘d5 23. cd5 ♖ac8 24. ♖c8 ♖c8 25. ♕a4 ♗d5 26. ♖c1 ♖a8! 27. ♕b5 ♘f6⇆] **22. cb5 e5 23. ♘h3** [23. ♖c7? ef4 24. ♖b7 ♕e3−+] **♘b6** [23... ♘d5!? 24. ♖d3 ♘7b6 25. e4 fe4 26. fe4 ♘f6 27. ♘f2 d5 (27... ♕d7 28. ♗c1 h6 29. g4→) 28. ed5 ♗d5 29. ♗d5 ♘bd5 30. ♖e1±] **24. ♕d3 ♘fd5 25. ♖c6! f4** [25... ♗c6 26. bc6 ♘c7 27. ♕f5 (27. b5 ♕e6⇆) ♘b5 28. ♗c1 △ f4±→] **26. ♖fc1 ♖ac8 27. ♘f2 ♕e8 28. ♖c8 ♖c8** [28... ♗c8 29. ♘e4±] **29. ♗h3 ♖c1 30. ♗c1 ♗c8 31. ♗d2 h6** [31... ♗h3 32. ♘h3 ♕c8 33. ♘g5±] **32. gf4 ♗h3** [32... ef4 33. ♕e4!±] **33. ♘h3 ♕h5 34. e4! ♕h3 35. ed5 ♘d7 36. ♕e2?!** [36. b6! ♘b6 37. fe5 de5 (37... ♘d7 38. ♗f4 de5 39. ♗g3+−) 38. ♗c3 ♘d7 39. ♗e1+−] **♕h5 37. ♔h1 ♔h8 38. ♕d3 ♕h4⊕** **1 : 0**

[B. Gel'fand, Huzman]

109. **A 96**

M. PAVLOVIĆ 2440 − NAUMKIN 2490

Wildbad 1991

1. d4 e6 2. c4 f5 3. g3 ♘f6 4. ♗g2 ♗e7 5. ♘f3 0−0 6. 0−0 d6 7. ♘c3 a5 8. ♕d3!? ♘c6 [8... d5!?] **9. e4 ♘b4 10. ♕e2 fe4 11. ♘e4 ♘e4 12. ♕e4 e5! 13. de5!? N** [13. g4 − 4/85] **♗f5 14. ♕b7 ♖b8** [14... c6!? 15. ed6 ♗d6 16. ♗g5 ♕e8∞; 16. ♘d4!?; 15. ♘d4∞] **15. ♕a7 ♗d3□** [15... ♖a8? 16. ♕d4! ♘c2 17. ♕d5 ♔h8 18. ♘d4!±; 15... ♘c2? 16. ♘d4! ♘a1 17. ♘c6 ♕e8 18. ♕c7!±→⊞] **16. ♖e1** [16. ed6!? ♗d6 (16... ♗f1? 17. de7; 16... cd6? 17. ♖e1) 17. ♗g5 ♕c8 18. ♖fc1 ♘c2 19. ♖c2!∞; 17... ♕e8!?∞̄] **♘c2 17. ed6! ♗d6** [17... ♘e1? 18. ♘e1 △ 19. dc7, 19. ♘d3; 18. dc7!?] **18. ♗g5 ♕d7?!** [18... ♕c8! 19. c5? ♖a8−+; 19. ♕a5∞] **19. c5↑⊞ ♘e1 20. ♖e1** [20. ♘e1?! ♗e5 21. ♖d1 ♕g4!] **♖a8 21. ♕b7 ♗c5 22. ♘e5! ♗f2 23. ♔h1 ♕f5** [23... ♕b5? 24. ♗d5 ♔h8 25. ♘f7+−; 23... ♕c8!?] **24. ♕d5?!** [24. ♗d5! ♔h8 25. ♘f7 ♖f7 26. ♕a8 ♖f8 27. ♖e8 ♗c5 28. ♗f4!± ×c7] **♔h8 25. ♘d3** [25. g4!? ♕c8□ 26. ♖d1 (26. ♘d3 ♗e1 27. ♘e1 ♕g4∞) ♗e2 27. ♖d2∞] **♗e1** [25... ♕d5?! 26. ♗d5 ♗e1 27. ♗a8 ♖a8 28. ♘e1±] **26. ♕f5 ♖f5 27. ♗a8 ♖g5!** [27... ♗g3?! 28. hg3 ♖g5 29. ♔g2∞] **28. ♘e1 ♖e5 29. ♘f3** [29. ♘d3!? ♖e3 30. ♘c5 (30. ♘f4?! g5 △ ♖e2) ♖e2!? 31. b3! ♖a2 32. ♗d5=] **♖e2 30. a4 ♖b2** [♖ 8/b5] **31. ♗c6! ♖c2 32. ♘e5 ♖c5!□** [32... ♔g8? 33. ♗b5 △ 34. ♘c6, 34. ♘c4] **33. ♘f7 ♔g8 34. ♘d8 ♖c2! 35. ♗d5** [35. ♗b5? c5 36. ♘c6 c4∓] **♔f8 36. ♘e6?** [36. ♘b7!? ♔e7 37. ♗f3 ♖c4 38. ♘a5 ♖a4∓; 37... c5!?; ⌓ 36. ♘c6 ♖c5 37. ♗f3∓] **♔e7 37. ♘g7?** [37. ♘d4∓] **♔f6! 38. ♘e6** [38. ♘h5 ♔e5 39. ♘f4 c5 △ c4] **c6 39. ♗b3 ♖c3−+ 40. ♘d8!** [40. ♗a2 ♖c1−+] **♔e7** [40... ♖b3?! 41. ♘c6 △ ♘a5∓] **41. ♘c6 ♖c6 42. ♔g2 ♖b6 43. ♗d5** [43. ♗c4 ♖b4 44. ♗b5 ♖b5] **♔d6 44. ♗f7 ♖b2 45. ♔h3 ♖e2 46. ♗c4 ♖e4 47. ♗b5 ♖b4 48. ♗e8 ♖b8 49. ♗f7** [49. ♗h5 ♔c5 △ ♔b4] **♔e5 50. g4?⊕** [⌓ 50. ♗h5 ♖b4 51. ♗e8 ♔d5−+] **♔f6! 51. ♗d5 ♖b4 52. ♗c6 ♔g5** **0 : 1** **[Naumkin]**

B

110. **B 00**

LYRBERG 2350 – MALANJUK 2510

Lindgby 1991

1. e4 ♘c6 2. ♘f3 d6 3. d4 ♘f6 4. ♘c3 ♗g4 5. ♗e2 e6 6. ♗e3 ♗e7 7. ♕d2 a6!? N [7... 0–0 – 37/(127); 7... d5 8. ed5 ♘d5 9. ♘d5 ed5=] **8. d5 ed5 9. ed5 ♗f3 10. gf3?!** [10. ♗f3] **♘e5 11. f4 ♘ed7 12. 0-0-0 0–0 13. ♖hg1 c5!⇆ 14. ♖g2 ♖e8** [14... ♘e8 15. ♘e4! △ ♘g3 ×f5±] **15. ♖dg1 ♗f8 16. ♗f3** [△ ♘e2-g3] **♕a5 17. ♔b1 ♔h8 18. ♗g4!? ♖ad8!** [18... b5?! 19. ♗d7 ♘d7 20. ♕d3 ♘f6 21. f5→] **19. ♕d3 b5 20. ♗d7 ♖d7 21. ♕f5** [△ ♕f6+–] **♕d8 22. ♘e2 g6 23. ♕d3 ♗g7 24. f5 ♖e5 25. fg6 hg6** [25... ♖d5 26. ♕a3] **26. ♘f4 ♕a8! 27. ♖g5 ♖de7** [27... ♖g5!? 28. ♖g5 ♖e7 29. h4 (29. ♖g6? ♖e3) ♖e5∓] **28. h4! ♖g5 29. hg5⊕ ♘d7 30. ♕f1 ♔g8 31. ♕h3 ♘e5 32. ♖h1 ♖e8 33. ♗d2** [33. ♗c1] **b4 34. ♗c1 ♕c8 35. ♖e1! ♔f8 36. ♕g2** [36. ♕c8!? ♖c8 37. ♘d3 ♘f3 38. ♖e4∓] **a5! 37. ♕e4 ♖e7 38. ♘d3 a4 39. ♗f4 ♕d7 40. ♗e5?** [40. ♖h1 ♕g4∓; 40. ♘e5! ♗e5 41. ♗c1 b3!∓] **♗e5∓ 41. f4?!** [41. ♕c4∓] **♗d4 42. ♕h1 ♖e1 43. ♕e1 ♕f5 44. ♕h1 b3!–+ 45. ab3 ab3 46. ♕f3 c4** [46... bc2? 47. ♔c1 △ ♘e1∓] **47. ♘e1 ♗c5 48. ♔c1 ♗b4 49. c3 ♗c5⊙**

0 : 1 **[Malanjuk]**

111. **B 01**

I. ROGERS 2565 – P. LUKÁCS 2500

Budapest 1991

1. ♘c3 d5 2. e4 de4 3. ♘e4 ♘d7 [3... ♘f6!? 4. ♘f6 gf6 – 35/180; 4... ef6=] **4. d4 N** [4. ♗c4] **♘gf6 5. ♘f6 ♘f6 6. ♘f3 ♗f5** [6... ♗g4=] **7. c3 e6 8. ♘e5 ♗e7** [8... c6?! 9. g4 ♗g6 10. h4±] **9. ♕b3 ♕c8 10. ♗e2 0–0?!** [10... h6⩲] **11. g4! ♗e4** [11... ♗g6 12. h4 c5 13. h5 ♗e4 14. f3 △ g5±] **12. f3 ♗d5 13. c4 ♗c6 14. ♗f4!** [14. ♘c6 bc6 △ ♖b8=] **♕e8** [⌓ 14... ♘d7 15. 0-0-0! (15. ♘c6 bc6 △ ♖b8) ♘e5 16. ♗e5⩲ △ h4→] **15. ♘c6 ♕c6** [15... bc6 16. ♗c7± ×b8] **16. 0-0-0 ♗d6** [16... ♘d5 17. ♗g3 △ ♔b1±] **17. ♗g3 a6 18. ♔b1 ♖ab8 19. g5! ♘e8?** [19... ♘h5! 20. f4! (20. ♗d3 ♗f4! 21. ♗e4 ♕d6∞) g6! (20... ♘f4 21. ♗f3 ♕d7 22. c5+–) 21. ♗h5 gh5±] **20. ♗d3 g6** [⌓ 20... ♕d7±] **21. ♗e4 ♕d7 22. c5! ♗g3□** [22... ♗e7 23. c6+–] **23. hg3 c6 24. g4!** [△ ♕c2-h2+–] **♘c7** [24... f5 25. gf5 gf5 26. ♗d3+– ×e6; 24... f6□±] **25. ♕c2 f5 26. gf6 ♖f6 27. ♖h6! ♖bf8** [27... ♕g7 28. g5 ♖f7 29. ♗g6+–] **28. ♖dh1 ♖f3** [28... ♕d4 29. ♖h7 ♖6f7 30. ♕h2+–] **29. ♗f3 ♖f3 30. ♕g6!** [30. ♖h7?? ♕h7! 31. ♖h7 ♖f1–+] **1 : 0** **[I. Rogers]**

112.*** !N **B 01**

CHANDLER 2605 – HODGSON 2570

Hastings 1991/92

1. e4 d5 2. ed5 ♘f6 [RR 2... ♕d5 3. ♘c3 ♕a5 4. d4 ♘f6 5. ♘f3 c6 (5... ♗g4!? 6. h3 ♗h5 7. g4 ♗g6 8. b4?! ♕b4 9. ♗d2 ♕b2!∞) 6. ♗c4 ♗g4 7. h3 ♗h5 8. ♗d2 e6 9. ♘d5 ♕d8 10. ♘f6 gf6 11. g4 (11. c3 – 38/138) ♗g6 12. ♕e2!? N (12. ♗f4±) ♗c2 13. ♖c1 ♗g6 14. 0–0 ♗e7 (Schmittdiel 2490 – I. Rogers 2565, Budapest 1991) 15. ♗f4!? ♘d7! 16. d5 cd5 17.

♗d5 ed5 18. ♗c7 ♕c8 19. ♗d6 ♕d8 20. ♗c7=; 15. ♗h6!? △ h4-h5∞ I. Rogers]
3. d4 ♘d5 4. ♘f3 [RR 4. c4 ♘b6 5. ♘f3 g6 6. ♗e2 ♗g7 7. ♘c3 0–0 8. 0–0 ♘c6 9. d5 ♘e5 10. c5! N (10. ♘e5 — 49/(152)) ♘bd7 11. ♗e3 ♘f3 12. ♗f3 ♘e5 13. ♗e2 c6 14. f4! ♘d7 15. ♗f3 ♕c7 (15... ♕a5? 16. dc6 ♘c5 17. ♘d5+– M. Brodskij 2415 – Maljutin 2435, SSSR 1991; 15... cd5 16. ♕d5 ♕a5 17. c6!±) 16. ♖c1 ♘f6 17. ♕e2 ♖d8 18. ♖fd1± M. Brodskij, A. Vajsman] **g6** [RR 4... ♗g4 5. h3 ♗h5 6. g4 ♗g6 7. ♘e5 ♘c6 8. ♘g6 hg6 9. ♗g2 ♕d6 10. 0–0 N (10. ♘c3 ♘f4 11. ♗f4 ♕f4 12. ♘e2 ♕d6 13. f4±) ♘f4 11. ♗f4 ♕f4 12. ♘c3 0-0-0 13. ♘e2 ♕d6 14. c3 f5 (14... e5 15. ♕b3±) 15. ♘g3 e5 16. gf5 ed4 17. ♕f3? ♖h4∞ Aseev 2525 – Gipslis 2475, Brno 1991; 17. ♕g4± Aseev] **5. c4 ♘f6 6. ♘c3 ♗g7 7. ♗e2** N [7. h3 — 4/133] **0–0 8. 0–0 c6 9. ♖e1 ♗g4 10. h3 ♗f3 11. ♗f3 ♘bd7** [11... ♘e8? (△ ♘d6-f5) 12. ♗g5!] **12. ♕b3!?** [12. ♗f4] **e5!□ 13. de5** [13. ♕b7? ed4∓; 13. ♗e3!? ed4 14. ♗d4 ♕c7 15. c5±⩲] **♘c5 14. ♕c2** [14. ef6? ♘b3 15. fg7 ♘a1 16. gf8♕ ♕f8–+; 14. ♕d1 ♘fd7 15. ♗f4 ♖e8=] **♘fd7 15. ♗e3** [15. ♗f4 ♖e8 16. ♖ad1 ♕c7 17. e6?! ♕f4 18. ed7 ♖e1 19. ♖e1 ♘d7∓⩲] **♘e5 16. ♗e2** [16. ♗c5? ♘f3 17. gf3 ♕g5∓] **♘e6 17. ♖ad1** [17. f4? ♘f4 18. ♗f4 ♕d4–+] **♕h4 18. ♕e4 ♕e7 19. f4 f5 20. ♕c2 ♘f7 21. ♗f1 ♖fd8 22. ♖d8 ♖d8 23. ♗a7 ♕d6!** [23... c5?! 24. ♘d5 ♕d6 25. ♗b6±] **24. ♗e3** [24. ♖d1!? ♕f4 25. ♖d8 ♘fd8 26. ♕f2 ♕e5∓] **♘f4 25. ♖d1!** ♕e5 [25... ♘h3? 26. ♔h1□ ♕e7 (26... ♕e5 27. ♖d8 ♘d8 28. ♕d2+–) 27. ♖d8 ♘d8 28. ♕d2! f4□ 29. ♗b6+–] **26. ♖d8 ♘d8 27. ♕d2 ♘de6 28. ♘d1?!**⊕ [28. c5! (△ ♗c4) a) 28... ♕e3?! 29. ♕e3 ♗d4 30. ♕d4 (30. ♔f2?! ♗c5!) ♘d4 31. ♔f2±; b) 28... ♘d5!? 29. ♘d5 cd5 30. b4 f4! 31. ♗f2 ♘g5→] **♗f8 29. b4 c5 30. bc5 ♗c5 31. ♗c5 ♕c5?!** [31... ♘c5] **32. ♘f2 ♕e5 33. a4 b6?** [33... ♘c5∓] **34. ♕d7** [34... ♕e1!? 35. ♕e8 ♔g7 36. ♕e7 ♔h6 37. ♕h4 ♘h5?? 38. ♘g4+–; 37... ♔g7=]
1/2 : 1/2 [Hodgson]

113.***** **B 04**

ULYBIN 2565 – BAGIROV 2485
SSSR (ch) 1991

1. e4 ♘f6 2. e5 ♘d5 3. d4 d6 4. ♘f3 de5 5. ♘e5 g6 6. ♗c4 c6 7. 0–0 ♗g7 8. ♖e1 [RR 8. ♘d2 N 0–0 9. ♕df3 ♘d7 10. ♖e1 ♘e5 11. ♘e5 a) 11... ♘b6 12. ♗b3 c5 13. dc5 ♗e5 14. ♕d8 ♖d8 15. cb6∞ Mojseev 2460 – A. G. Pančenko 2430, Budapest 1991; 13. c3!? Kuporosov; b) 11... ♗e6 12. ♗b3 a5 13. c3 b1) 13... ♘c7 14. ♗e6 ♘e6 15. ♕b3 ♕c8 16. a4± Kuporosov 2485 – A. G. Pančenko 2430, Budapest 1991; b2) 13... ♕c7!? 14. ♘d3 ♗f5 15. ♗g5 ♖fe8 16. ♕d2 ♗d3 17. ♕d3 a4 18. ♗c4 a3∞ Holmov 2495 – Bagirov 2485, Brno 1991] **0–0 9. ♗b3 ♗e6** [9... ♘d7!? 10. ♘f3 a5] **10. ♘d2 N** [RR 10. h3 N ♘d7 11. ♘f3 ♘c7 a) 12. c3 ♗d5! 13. ♗g5 ♘e6 14. ♗e3 b5? 15. ♗d5! cd5 16. ♕b3 ♘c7 17. ♗f4! e6 (Zsó. Polgár 2430 – Keņgis 2575, Wien (open) 1991) 18. a4!±; 14... ♘b6= Keņgis; b) 12. c4!? ♘b6 13. ♕e2 a5 14. a4 ♖e8 15. ♘c3 ♘c8 16. ♗e3 ♘d6 17. ♖ad1± Titov 2505 – A. G. Pančenko 2490, SSSR (ch) 1991] **♘d7 11. ♘ef3** [11. ♘df3 ♘e5 12. de5 (RR 12. ♘e5 — 8. ♘d2) a5=] **♗g4 12. h3 ♗f3 13. ♘f3 e6** [13... a5 14. ♗g5 ♖e8 15. c4 ♘5b6∞] **14. ♗g5 ♕c7 15. c4 ♘5f6 16. ♕d2 a5 17. a4** [17. ♗f4! ♕b6 18. ♗d6 ♖fd8 19. c5 △ ♘e5±] ♖fe8 **18. ♗f4 ♕b6 19. ♗a2 c5!= 20. ♗e3 ♖ac8 21. ♖ad1 e5! 22. de5** [22. d5 ♘e4 23. ♕c2 ♘d6 △ h6, f5∓; 22. dc5 ♘c5∓] **♘e5 23. ♘e5 ♖e5 24. ♗b1 ♖ce8 25. ♗d3 ♖5e6 26. ♖e2 ♗f8** [26... ♘e4!? 27. ♗e4 (27. ♕c2 f5) ♖e4 28. ♕d6 ♕d6 29. ♖d6 ♗d4∓] **27. ♕c2 ♗d6 28. ♗g5 ♗e5 29. b3 ♗d4 30. ♖de1 ♔g7 31. ♗d2 ♖e2** [31... ♕c7! 32. ♖e6 ♖e6 33. ♖e6 fe6=] **32. ♖e2 ♖e2 33. ♗e2 ♕c7 34. ♗f3 b6 35. ♕d3 ♕e5 36. ♗b7 h5 37. g3 ♘d7 38. ♔g2 ♕f6 39. ♗f3 ♕e7** [39... ♘e5!? 40. ♕f6 ♔f6 41. f4 ♘d7 42. ♗f3 ♕e7 43. ♔e4 ♘f6=] **40. ♗d5 ♘e5 41. ♕e2 ♕f6 42. h4 ♕f5 43. ♗g5 ♘g4 44. ♕f3! ♕f3 45. ♔f3 f6 46. ♗f4 ♘e5 47. ♔e2 ♔f8 48. f3 ♔e7?!** [48... ♘d7! 49. ♗c6 (49. ♗c7

73

♗e5 50. ♗d8 ♔e8) ♗e5! 50. ♗d7 ♗f4 51. gf4 f5!!=] **49. g4⩲ hg4 50. fg4 ♘g4 51. ♗c7 ♗c3 52. ♗b6 ♗b4 53. ♔f3 f5 54. ♗c7 ♗e1 55. ♔e2 ♔d7 56. ♗b6 ♗b4 57. ♔f3 ♔d6 58. ♗d8 ♘e5 59. ♔e3 ♗c3 60. ♗g5 ♔d7 61. ♔e2 ♘g4 62. ♗f7 ♘e5 63. ♗f6 ♗d4! 64. ♗e5 ♗e5 65. ♗g6 ♔e6 66. ♔f3 1/2 : 1/2 [Bagirov]**

114. !N B 04

HOWELL 2445 – KEŃGIS 2575

London 1991

1. e4 ♘f6 2. e5 ♘d5 3. ♘f3 d6 4. d4 de5 5. ♘e5 g6 6. ♗c4 c6 7. 0–0 ♗g7 8. ♖e1 0–0 9. ♗b3 ♗e6 10. c3 ♘d7 11. ♘f3 ♘c7 12. ♗e6 ♘e6 13. ♕b3 ♕b6 14. ♕c4?! c5 15. d5 ♘c7 16. ♖e7 ♕d6 17. ♖e1 ♕d5 18. ♘a3 ♘b6! N [18... ♕c4 19. ♘c4 △ a4⩲] **19. ♕d5** [19. ♕h4 ♖fe8!∓ ×a2] **♘cd5 20. ♗g5** [20. ♗d2!?] **h6! 21. ♗d2** [21. ♗e7 ♖fc8 22. ♖ad1 ♖c6! 23. ♗h4 f5∓] **♘a4!∓ 22. ♖ab1 ♖fe8** [22... ♖fd8 23. ♖e4!=] **23. ♔f1 a6 24. ♘c4 b5?!** [24... ♖e1! 25. ♘e1 b5 26. ♘e3 ♖d8!∓] **25. ♘e3** [25. ♘ce5 ♖e6∓] **♖ed8** [25... ♘f4 26. ♘f5!=] **26. ♖ec1** [⌓ 26. ♘d5 ♖d5 27. ♖ec1∓] **♘f6! 27. c4 ♘e4 28. ♖c2 ♖d3 29. ♗e1 ♖e8 30. ♘d2 ♘d6! 31. ♔e2** [31. ♘b3 ♖de3–+] **♖de3! 32. fe3 ♘f5 33. ♗f2□ ♘d4 34. ♔d1 ♘c2 35. ♔c2 f5∓ 36. a3 ♔f7** [36... h5!?] **37. b3 ♘c3 38. ♖f1 h5 39. h3 ♘e4!? 40. ♘e4 ♖e4** [♖ 9/k] **41. cb5?** [41. ♔d3∓] **ab5 42. ♖d1 ♗h6! 43. ♔d3 ♔e6 44. ♔e2 ♗g5! 45. ♔f3 h4 46. ♖d2 ♗f6 47. ♖a2 ♔d5 48. a4 b4!–+ 49. a5 c4 50. bc4** [50. a6 cb3 51. a7 ♖e8 52. a8♕ ♖a8 53. ♖a8 b2] **♔c4 51. a6 b3 52. ♖a4** [52. a7 ba2 53. a8♕ a1♕; 52. ♖a5 b2 53. a7 b1♕ 54. a8♕ ♕d1#] **♔b5** [53. ♖e4 fe4 54. ♔e2 b2! 55. a7 b1♕ 56. a8♕ ♕d3 57. ♔e1 ♗c3#] **0 : 1 [Keņgis]**

115.* !N B 04**

N. SHORT 2660 – TIMMAN 2630

Tilburg (Interpolis) 1991

1. e4 ♘f6 2. e5 ♘d5 3. d4 d6 4. ♘f3 g6 5. ♗c4 ♘b6 6. ♗b3 ♗g7 7. ♕e2 [RR 7. a4 a5 8. ♘g5 e6 9. f4 de5 10. fe5 c5 11. 0–0 0–0 12. c3 cd4 13. cd4 ♘c6 14. ♘f3 f6 15. ♘c3?! fe5 16. ♗g5 ♕d7 17. de5 ♘e5 18. ♘e5 ♖f1 19. ♕f1 ♕d4 20. ♔h1 ♕e5 21. ♗d8 ♖a6! N (21... ♕c5? – 49/158) *a)* 22. ♕b5? ♗d7 23. ♕e5 ♗e5 24. ♖d1 ♗c3 25. bc3 ♗a4! (25... ♔f8 26. ♗b6 ♖b6 27. ♖d7 ♖b3 28. ♔g1 b6!∓ Žukov – Puškin, SSSR 1991) 26. ♗e6 ♔f8! 27. ♖b1 ♘d7 28. ♗d7 ♗d7 29. ♖b7 ♔e8! 30. ♗g5 a4 31. ♖b1 a3 32. ♗e3 ♗e6 33. c4 a2 34. ♖a1 ♗f5!–+; 23. ♕f1!?∓; *b)* 22. ♖e1! ♕f5 23. ♕f5 gf5 24. ♗e6 ♗e6 25. ♖e6 ♗c3! 26. bc3 ♘a4 27. ♖a6 ba6 28. c4! ♘b2! 29. c5 a4 30. c6 a3 31. ♗f6 ♘c4∓; 23. ♕e2!? Puškin; 7. ♘g5 e6 8. ♕f3 ♕d7 9. ♘e4 de5 *a)* 10. ♗h6!? N f5□ 11. ♘c5!? ♕e7 (11... ♕d4? 12. ♗g7 ♖g8 13. ♗e6! ♖g7 14. ♗c8 ♘c8 15. ♘e6 ♕b2 16. ♘g7 ♔f7 17. ♘f5!+–) 12. ♗g7 ♕g7 13. ♗e6 ♘c6!? (13... ♗e6 14. ♘e6 ♕d7 15. d5 c6 16. ♕c3! ♕d6∞) 14. ♗c8 ♖c8 (14... e4∞) 15. c3 e4 16. ♕e2 ♘d7 (1/2 : 1/2 Anjuhin – Puškin, SSSR 1991) 17. ♘e6 (17. ♘b7 ♖b8 18. ♘c5 ♘c5 19. dc5 ♘e5⇆; 17. f3 ♘c5 18. dc5 ♕e7⇆; 17. ♘d7 ♕d7 18. f3 0–0∞; 17... ♔d7!?∞) ♕e7 18. ♘f4= Puškin; *b)* 10. ♘f6 ♗f6 11. ♕f6 ♖g8 12. ♗g5 ed4 N (12... ♘c6 – 50/(124)) 13. ♘d2! ♘c6 14. 0-0-0 ♘d5 15. ♗d5 ♕d5 16. ♘f3 ♕f5 17. ♘d4 ♕f6 18. ♗f6 ♗d7 19. ♘c6! ♗c6 20. h4! b5 21. b3 ♗d5 (21... b4 22. ♖he1 ♖b8 23. ♖e3 ♖c8 24. a3! a5 25. ♖e5+– Bielczyk 2380 – Lindarenko 2350, Czerwionka 1991) 22. ♖he1 ♔f8 23. c4 bc4 24. bc4 ♗c4 25. ♖d7⩲ Bielczyk] **♘c6 8. 0–0 0–0 9. h3 a5** [9... ♘a5!?] **10. a4 de5 11. de5 ♘d4 12. ♘d4 ♕d4 13. ♖e1 e6** [13... ♗e6!?] **14. ♘d2 ♘d5 N** [14... ♗d7 – 44/(135)] **15. ♘f3 ♕c5 16. ♕e4!** [△ ♕h4, ♗h6→] **♕b4! 17. ♗c4** [17. ♗d5 ed5 18. ♕d5 ♗e6⩱] **♘b6**

(diagram)

18. b3! ♘c4 19. bc4⩲ [△ ♗a3] **♖e8 20. ♖d1 ♕c5 21. ♕h4 b6 22. ♗e3! ♕c6 23. ♗h6 ♗h8 24. ♖d8 ♗b7** [24... ♗d7!? 25. ♘d4 (25. ♖a8!?± Timman) ♖ad8 26. ♘c6 ♗c6 27. ♕f4 ♖d7 28. ♗g5±] **25. ♖ad1**

♗g7 [25... ♕a4!? 26. ♕e7 (26. ♖a8 ♗a8 27. ♖d8 ♗f3 28. ♕e7? ♕a1 29. ♔h2 ♗e5−+) ♗f3 27. ♖a8 (27. gf3 ♕c6! △ 28. ♖a8 ♕a8!, △ 28. ♖1d7 ♕d7!) ♗a8 28. ♖d8 ♕a1 29. ♔h2 ♗e5 30. f4 ♗f4 31. ♗f4 ♖d8 32. ♕d8 ♔g7 33. ♕a8±] **26. ♖8d7!** [26. ♗g7? ♖ad8] **♖f8** [26... ♗e5 27. ♖f7!; 26... ♕e4 27. ♖f7!] **27. ♗g7 ♔g7 28. ♖1d4 ♖ae8 29. ♕f6 ♔g8 30. h4 h5 31. ♔h2 ♖c8?** [31... ♗c8!□ 32. g4! hg4 (32... ♗d7 33. gh5 gh5 34. ♕g5) 33. ♗g5 g3! (33... ♗d7 34. h5; 33... ♗b7 34. f3) 34. fg3 (34. ♔g3 ♗d7 35. ♔h2!!+− Speelman) ♗b7 35. ♗e4 ♕a4 36. h5 ♕c2 37. ♗f2 gh5 (37... ♕f5 38. hg6!) 38. ♖d3 ♗e4 39. ♖d2 ♕b1 40. ♖d1 ♕c2 41. ♖7d2 ♕c4 42. ♖d4+−] **32. ♔g3! ♖ce8 33. ♗f4! ♗c8 34. ♔g5 1 : 0**
[N. Short]

---

116. B 06

NUNN 2610 − FAULAND 2475
Wien 1991

1. e4 g6 2. d4 ♗g7 3. ♘c3 c6 4. ♗c4 d6 5. ♕f3 e6 6. ♘ge2 ♘d7 7. 0−0 ♘gf6 8. ♗b3 0−0 9. ♗g5 ♕e7 10. ♖ad1 h6 11. ♗h4 e5 12. ♕e3 ♖e8 13. f4 ed4 14. ♕d4 ♘e4 15. ♗e7 ♗d4 16. ♖d4 ♘c3 17. ♗c3 ♖e7 18. ♖d6 ♘f8 N [18... ♔g7 − 48/(170)] **19. ♖d8□** [19. ♖fd1 ♗e6=] **b6 20. a4!** [20. ♖fd1 ♗b7 21. ♖a8 (21. ♖8d6±) ♗a8 22. ♖d8 ♗b7±] **♗b7** [20... a5 21. ♖fd1 ♗b7 22. ♖a8 ♗a8 23. ♖d8 ♗b7 24. ♖b8 ♔g7 25. ♘e4!±] **21. ♖d6!±** [△ f5] **♗a6 22. ♖fd1** [22. ♖a1 ♖ae8 23. ♖c6

♖d8 △ ♗b7, ♖d2⇆] **♖c8 23. a5** [23. f5?! gf5 24. ♖h6 ♔g7 25. ♖h5 f4 △ ♘g6] **ba5** [23... b5 24. ♘d5+−; 23... ♔g7 24. ab6 ab6 25. ♖a1 ♗b7 26. ♘a4 ♗d7 27. ♖ad1 ♖cd8 28. ♖d7 ♖d7 29. ♖a1 ♖d2 30. ♘b6 c5 31. ♖a7+−] **24. ♖a1 ♖cc7** [△ ♗c8-e6] **25. ♖a5 ♖e1 26. ♔f2 ♖f1 27. ♔g3** [27. ♔e3 ♖e7 28. ♖e5±] **♖e7 28. h3!+−** [28. ♖a6? ♖e3 29. ♔g4 h5 30. ♔h4 (30. ♔g5 ♔g7 31. ♖a4 ♖f2!) ♖f4 31. ♔g5 ♖f5 32. ♔h6 h4 33. ♗f7 ♖f7∞ 34. ♖ac6? ♖e5 35. ♖g6 ♔h8!−+] **♗c8** [28... ♖e3 29. ♔h2 ♗c8 30. ♖d8 ♗e6 31. ♗e6 ♖e6 32. ♖a7 ♔g7 33. ♖aa8 ♘h7 34. ♖g8 ♔f6 35. ♖h8] **29. ♖c6 ♗e6** [29... ♗b7 30. ♘d5! ♖e2 31. ♖c7 ♖ff2 32. ♘f6! ♔h8 33. ♖f7 g5 (33... ♖g2 34. ♔h4 g5 35. ♔h5) 34. ♖f8 ♔g7 35. ♖g8 ♔f6 36. fg5 ♔e7 37. ♖g7] **30. ♘d5 ♗d5 31. ♖d5 ♖e3 32. ♔h2 ♖f4 33. ♖a7 ♖e2 34. ♖cc7 ♘e6 35. ♖e7 ♖ff2 36. ♖e8 1 : 0** **[Nunn]**

---

117. !N B 06

MIH. CEJTLIN 2480 − McNAB 2425
Hastings (open) 1991/92

1. d4 d6 2. e4 g6 3. ♘c3 ♗g7 4. ♗g5 ♘c6 5. ♘ge2! N [5. ♗b5; 5. ♘f3] **♘f6 6. ♕d2 h6 7. ♗h4 0−0** [7... g5 8. ♗g3 ♘h5 9. 0-0-0±] **8. 0-0-0 b5?!** [8... ♖b8; 8... a6!?] **9. ♗f6! ef6** [9... ♗f6 10. ♘b5 (10. ♕h6? e5!) e5 11. de5±] **10. ♘b5 ♖b8 11. ♘g3!** [△ f4-f5] **a6 12. ♘c3 f5!? 13. ef5 ♘d4 14. fg6 fg6 15. ♗c4** [15. ♗d3] **♔h7?!** [15... ♔h8] **16. h4! c5?!** [16... c6] **17. ♘ge4! ♗f5 18. ♖de1!** [18. f3 ♗e4 19. ♘e4 (19. fe4 ♗e5!) d5!; 18. ♘g5 ♔h8 19. ♘f7 ♖f7! 20. ♗f7 ♕b6⨀] **♕a5** [18... ♕b6!] **19. ♘g5! ♔h8 20. ♘f7 ♔h7** [20... ♖f7? 21. ♗f7 △ ♖e8±] **21. ♖e7!** [△ 22. ♕h6! ♗h6 23. ♘g5 ♔h8 24. ♖h7#; 21. ♕h6? ♗h6 22. ♘g5 ♔h8 (22... ♗g5 23. hg5 ♔g7 24. ♖e7+−; 22... ♔g7 23. ♖e7 ♔f6 24. ♘d5‡) 23. ♖e7 ♘e6!−+] **♖f7 22. ♖f7! ♕b4 23. ♗b3!** [23. b3? ♗c2!] **♗c2** [23... c4? 24. ♕d4] **24. ♗c2!** [24. h5 a) 24... ♘b3 25. ab3 ♗b3 (25... ♕b3 26. hg6 ♔g6 27. ♖g7 ♔g7 28. ♕c2+−) 26. hg6 ♔g6 27. ♖g7 ♔g7 28. ♕h6 ♔f7; b) 24... ♗b3 25. hg6 ♔g6 26. ♖g7 ♔g7 27.

75

♕h6 ♔f7] **♕b2 25. ♔d1 ♕a1 26. ♕c1 ♘c2 27. ♖g7!** [27. ♕a1 ♘a1∞] **♔g7 28. ♔c2+− ♕c1 29. ♖c1 ♖f8 30. f3 ♖f4 31. ♖d1 ♖h4 32. ♖d6 ♖h2 33. ♖d2**

1 : 0 **[Mih. Cejtlin]**

118.* !N **B 07**

DAUTOV 2595 – S. MOHR 2465

Bad Lauterberg 1991

1. d4 d6 2. ♘f3 ♗g4 3. e4 ♘f6 4. ♗d3 e5 5. c3 [5. d5!?] **♘bd7 N** [5... d5 6. h3!? (6. ♗g5!?) ♗h5 7. g4 ♗g6 8. ♘e5 ♗e4 9. f3 ♗d3 10. ♕d3⩲; 5... ♘c6 6. d5! N (6. de5 — 52/(65)) ♘e7 (6... ♘b8 7. c4⩲) 7. h3 ♗c8 (RR 7... ♗d7 8. c4⩲ N. Nikčević 2395 – Striković 2515, Jugoslavija (ch) 1991) 8. c4⩲] **6. 0–0 ♗e7 7. ♖e1 0–0 8. ♘bd2 d5!?** [8... ♖e8 9. ♘f1 d5 10. ed5 ed4 11. c4 c5 (11... ♘c5 12. ♗c2±) 12. dc6 bc6 13. h3±] **9. ed5** [9. h3 ♗h5! (9... ♗f3 10. ♕f3 de4 11. ♘e4 ed4 12. cd4 c6 13. ♘c3 ♘b6 14. ♗f4 △ ♗e5⩲) 10. ed5 (10. g4? ♗g6 11. de5 ♘e4 12. ♘e4 de4 13. ♗e4 ♗e4 14. ♖e4 ♘e5!∓) ed4 11. c4 ♘c5 12. ♗f1 (12. ♕c2 c6 13. dc6 bc6 14. ♘e5 ♖c8∞) c6 13. dc6 bc6 14. g4 ♗g6 15. ♘e5 ♕c7! 16. ♗g2 ♗d6 17. ♘c6=/∞] **ed4 10. c4 ♘c5** [10... c5 11. dc6 bc6 12. h3 ♗h5 13. g4 ♘c5 14. ♕e2! ♘d3 15. ♕d3 ♗g6 16. ♕d4 ♕c7 17. ♘b3 △ ♗f4] **11. ♕c2! c6□ 12. dc6 bc6 13. ♘e5 ♗d6! 14. ♘df3!** [14. ♘c6? ♕d7 15. ♘e5 ♗e5 16. ♖e5 ♕d6 △ ♖fe8↑; 14. ♗h7 ♔h8! (14... ♘h7? 15. ♘g4 ♕h4 16. h3 ♖ae8 17. ♖e8 ♖e8 18. ♘f3±) 15. ♗d3 ♗e5 16. ♖e5 ♕d6=/∞] **♘d3** [14... ♗f3 15. ♘f3 h6 16. ♗f5⩲] **15. ♕d3 c5 16. ♘g4 ♘g4 17. h3 ♘f6 18. ♗g5⩲ ♗e7?⊕** [18... h6 19. ♗h4 g5 20. ♗g3 ♗g3 21. fg3 △ ♕f5± ×♔g8; ⌓ 18... ♖b8 19. ♖e2 ♖b6 20. ♖ae1 ♗b8⩲] **19. ♖e5! ♕d6 20. ♖ae1±** [⇔e] **♗d8 21. ♕f5!? ♕b6 22. b3** [22. ♖c5?? g6] **g6 23. ♕f4 ♘h5** [23... ♘d7 24. ♖d5±] **24. ♕e4 ♗g5 25. ♘g5 ♖ac8?** [25... ♘f6 26. ♕h4 (△ ♕h6, ♖e7, ♘e6) h5 27. ♕g3 (△ ♘e6) ♖ae8 28. ♖e8 ♖e8 29. ♖e8 ♘e8 30. ♕e5±⊥ ×c5] **26. ♘h7!+− f5** [26... ♘f6 27. ♘f6 ♕f6 28. h4] **27. ♕h4 ♔h7 28. ♖e6!** [28. ♖e7?! ♔g8 29. ♕g5 ♕f6 30. ♕h6 ♖f7 31. ♖7e6 ♕d8∞] **♕d8** [28... ♖c6 29. ♖c6 ♕c6 30. ♕e7 ♔g8 31. ♖e6] **29. ♖e7 ♔g8 30. ♕g5 ♖f7 31. ♕g6**

1 : 0 **[Dautov]**

119.* **B 07**

LAGUNOV 2445 – HARTOCH 2365

Berlin 1991

1. ♘f3 d6 2. d4 ♗g4 3. e4 ♘f6 4. ♘c3 e6 5. h3 ♗h5 6. ♕e2 c6 7. g4 ♗g6 8. h4 h5 9. g5 ♘fd7 10. ♗h3 ♗e7 11. ♗e3 d5 12. ♘d2 ♕a5 N [12... b5!? N 13. a3 ♘b6 14. 0–0 ♘8d7 15. f4 de4 16. f5!? ef5 17. ♗f5 ♗f5 18. ♖f5 g6 (18... 0–0 19. ♘de4 g6 20. ♖f2±) 19. ♖f4 (19. ♖f2 f5!? 20. gf6 ♘f6 21. ♘ce4 ♘g4∞) 0–0 (19... f5 20. gf6 ♘f6 21. ♕g2!±) 20. ♘de4 ♘c4 21. ♖af1 ♘e3 22. ♕e3⩲ Lagunov 2445 – Gausel 2425, Berlin 1991; 21... ♘b2!?∞; 20... a5!? △ b4, ♘d5; 14. f4!?; 12... ♘b6 — 49/68] **13. 0–0 ♘a6 14. f4 de4 15. ♘ce4! ♗e4?!** [15... 0-0-0? 16. ♘c4 ♕c7 (16... ♕d5 17. ♘c3) 17. f5! ♗f5 18. ♗f5 ef5 19. ♗f4+−; 15... 0–0 16. ♘c4 ♕d8 17. f5 ef5 18. ♗f5±; 15... ♗f5!? 16. ♘c4 ♕c7 17. ♗f5 ef5 18. ♘c3⩲] **16. ♘e4 g6**

17. f5! gf5 18. ♗f5! 0-0-0 [18... ef5 19. ♘d6! ♔f8 (19... ♗d6 20. ♗d2) 20. ♖f5 ♕b4! (20... ♕c7 21. ♕c4!) 21. ♖f7 ♔g8 22. ♖e7 ♕d6 23. ♕c4 ♕d5 24. ♕d5 cd5 25. ♖d7+−] **19. ♗h3±** [⊞, ×f7] **♖h7 20. c3! ♘c7 21. ♗f4! ♘f8** [21... ♘d5 22. ♗d6 ♖f8 23. c4+−] **22. ♗g3 ♖d7 23. ♖f2 ♘e8 24. ♖af1 ♗d8** [24... ♕a2 25. ♖f7+−] **25.**

♘c5 ♖e7 26. ♖f7! ♖hf7 27. ♖f7 ♖f7 28. ♕e6!! [28. ♗e6 ♖d7] ♘e6 29. ♗e6 ♖d7 30. ♗d7# 1 : 0 [Lagunov]

120.** B 07

EPIŠIN 2615 − MOKRÝ 2525

Wien 1991

1. d4 d6 2. e4 ♘f6 3. ♘c3 c6 [RR 3... e5 4. de5 de5 5. ♕d8 ♔d8 6. ♗g5 ♗e6 7. 0-0-0 ♘d7 8. f4 ef4 9. ♘f3 h6 10. ♗f4 c6 N (10... ♗b4 − 49/(163)) 11. a3 ♗c5 12. ♘d4 ♗g4 13. ♗e2 ♗e2 14. ♘de2 ♘g4 15. ♘a4 ♗e7 16. ♖hf1 ♔e8 17. h3 ♘ge5 18. ♘d4 g6 19. ♘f3 ♘f3 20. ♖f3 ♗g5 21. g3 ♔e7 22. h4 ♗f4 23. gf4 h5 24. ♘c3 ♖ad8= Maljutin 2435 − Titov 2505, SSSR (ch) 1991] 4. ♘f3 [RR 4. f4 ♕a5 5. ♗d2 ♕b6 6. e5 ♘d5 7. ♘f3 ♗g4 8. ♘a4!? N (8. ed6 − 48/177) ♗f3 9. ♘b6 (9. ♕f3 ♕d4 10. c4 de5 11. ♕b3 ♕e4 12. ♗e2 ♘b6 13. ♘c5 ♕g6 14. 0-0∞ Mih. Cejtlin 2480 − Vokáč 2440, Ostrava 1991; 9. gf3 ♕c7 10. c4 ♘b6 11. ♘c3±) ♗d1 10. ♘d5 (10. ♘a8 ♗c2∞) cd5 11. ♖d1 ♘c6 12. c3 e6± Mih. Cejtlin] ♗g4 5. h3 ♗h5 6. ♕e2 e6 7. g4 ♗g6 8. ♗g5 ♗e7 9. ♗f6 ♗f6 10. h4 N [10. 0-0-0 − 49/(68)] h5 [10... h6!?] 11. g5 ♗e7 12. 0-0-0 ♘d7 13. ♗h3 d5 14. ♘e5! [14. ♖he1 de4 (14... 0-0? 15. ed5 cd5 16. ♘d5±) 15. ♘e4 ♕c7 △ 0-0-0∞] ♘e5 15. de5 ♕a5 16. ed5 cd5 17. f4 0-0 [17... ♖c8? 18. ♖d5!±; 17... ♗b4!?] 18. f5 ef5! 19. ♖d5 ♕b4∞ 20. ♗g2 [20. e6? ♕h4∓; 20. ♖d7? ♕h4∓] ♖fe8! [×e5] 21. ♔b1 [21. ♖b5 ♕f4 22. ♔b1 ♗f8∞; 22... ♗d6∞] ♗f8 22. ♕f2 [22. ♖b5 ♕f4∞] a6 23. ♖hd1 ♖ac8⇆ 24. ♘e2? [24. a3?! ♗c5!∓; 24. ♖1d4 ♗c5 (24... ♕e7!?) 25. ♖b4 ♗f2∞] f4∓ 25. ♖1d2!? [25. ♖5d2 ♖e5! (25... ♗c5? 26. ♕f4 ♕f4 27. ♘f4 ♗e3 28. ♘g6 ♗d2 29. ♖d2 fg6 30. ♗d5 ♔h7 31. ♗b7 ♖c4? 32. ♗a6 ♖h4 33. c4 ♗e5 34. b4±; 31... ♖cd8!∞) 26. ♘f4 (26. ♕f4? ♖c2!−+) ♖b5! 27. ♘d3 ♕c4∓→; 25. ♘d4 ♗c5] ♖e5 26. ♘c3 [26. ♕f4? ♖e2 27. ♕b4 ♖e1−+; 26. ♘f4? ♖c2!−+; 26. a3? ♖d5−+] ♗c5 27. a3 [27. ♕f1 ♖d5 28. ♗d5 (28. ♖d5 ♗d4−+) ♗e3−+] ♗f2 28.

ab4 ♖e1 29. ♔a2 ♗h4 30. ♖a5 ♖c7 31. ♖c5?⊕ [31. b5∓; 31. ♘d5∓] ♖c5 32. bc5 ♖e5!⊕ 33. b4 [33. ♗b7 ♖c5 △ a5−+] f3!−+ 34. ♗f3 ♖e3 35. ♗b7 ♖c3 36. ♔b2 ♖e3 37. c6 ♗g3 38. ♖a6 [38. ♖d7 ♗e5 △ ♖c3] h4 39. b5 ♗c7 40. ♖d7 ♗e5 41. ♔a2 h3 42. b6 h2 43. ♖d1 ♖c3 0 : 1 [Mokrý]

121.* B 07

EHLVEST 2605 − RIVAS PASTOR 2450

Logroño 1991

1. e4 d6 2. d4 ♘f6 3. ♘c3 c6 4. f3 b5!? N [4... e5 − 50/134] 5. ♗e3 ♕c7 [RR 5... ♘bd7 6. ♕d2 ♘b6 7. b3 ♕c7 8. ♗d3 e5 9. ♘ge2 ♗e7 10. 0-0 0-0 11. ♘d1!? ♖d8 12. ♘f2 c5! 13. c3□ c4 14. ♗c2 a5 15. f4 ♗b7 16. ♕e1 ♘bd7 17. g4 h6∞ Pisuliński 2345 − Agrest 2480, Polska (ch) 1991; 12. ♕e1!? Agrest] 6. ♘ge2 e5 7. g4 a5 8. ♘g3 ♗a6 9. ♕d2 g6 10. 0-0-0 ♘fd7? [10... b4 11. ♘a4 ♗f1 12. ♖hf1 ♘fd7] 11. d5!± b4 12. dc6 bc3 13. cd7 ♘d7 14. ♕c3 ♕c3 15. bc3 ♗e7 16. ♔d2! [⇔b] 0-0 17. ♖b1 ♘c5?! [17... ♗f1!? 18. ♖hf1 ♖fb8 △ ♘f8-e6] 18. ♗a6 ♖a6 19. ♗c5! [19. ♖hd1 ♘e6⇆ △ ♗g5] dc5 20. ♖hd1 ♖d8 21. ♔e2 ♖d1 22. ♔d1 [♖ 9/i] ♗g5 23. ♔e2+− a4 24. ♘f1 f5?! [24... ♔g7 △ ♗f4, ♔f6-g5] 25. ef5 gf5 26. gf5 a3 27. ♔d3 ♔g7 28. ♘g3 ♖d6 29. ♔c4 ♖h6⊕ 30. ♘e4 ♗d8 31. ♖b7 ♔f8 32. ♖b8 ♔e7 33. f6 1 : 0

[Ehlvest, E. Vladimirov]

122.* B 07

KVEINYS 2470 − ZAJČIK 2470

SSSR 1991

1. e4 d6 2. d4 ♘f6 3. ♘c3 g6 4. ♗c4 [RR 4. ♗e2 ♗g7 5. h4 h5 6. ♗g5 c6 (6... ♘c6) 7. ♕d2 ♕a5 N (7... b5) 8. 0-0-0 0-0 9. ♗h6 e5 (9... b5 10. ♗g7 ♔g7 11. e5!±) 10. ♗g7 ♔g7 11. f4 b5 12. de5 de5 13. fe5 ♘g4 14. ♗g4 ♗g4 15. ♘f3 b4 16. ♘b1 a) 16... ♘a6 17. ♕g5! ♕a2 18. ♘d4!! ♘c5 19. ♘f5 ♗f5 20. ef5 ♖ae8 21. ♖he1 (21. ♕f6 ♔h7 22. e6!±)

♕c4 22. ♖e3 (22. ♖d6 ♘b3 23. ♔d1 ♘d4 24. ♖g6 fg6 25. ♕g6 ♔h8 26. ♕h6 1/2 : 1/2 Donev 2410 – Reich 2400, Österreich 1991) ♘e4 (22... ♕g4 23. f6 ♔h7 24. ♕g4 hg4 25. ♖d4±) 23. ♘d2! ♘d2 24. ♖d2±; *b)* 16... ♘d7 17. e6! ♗e6 18. ♘d4⩲ Donev] **♗g7 5. ♕e2 c6 6. e5 de5 7. de5 ♘d5 8. ♗d2 0–0 N** [8... ♗e6 – 39/(166)] **9. 0-0-0⩲ b5!? 10. ♗d5 cd5 11. ♗g5 ♗e6 12. ♘f3** [12. ♘d5?? ♗d5 13. ♕b5 ♗c6–+; 12. ♕b5 ♘d7 13. ♘d5 ♖b8 14. ♘e7 ♔h8∞̅] **h6?!** [12... ♘c6! 13. ♕b5 ♕c7 14. ♘d5 ♗d5 15. ♖d5 ♖ab8∞̅; 13. ♘d4!?] **13. ♗f4 b4 14. ♘b5 ♗g4 15. ♘bd4 ♕a5 16. ♔b1± e6 17. ♕d2 ♗f3 18. ♘f3 g5** [18... ♔h7 19. h4±→] **19. ♗g3 ♘d7 20. h4 ♘c5** [20... g4 21. ♘h2 (21. ♘d4±) ♘e5 22. ♗e5 ♗e5 23. ♘g4 ♗g7 24. ♘h6±] **21. hg5 ♘e4 22. ♕e3 ♘c3** [22... ♖fc8 23. gh6 ♘c3 24. ♔c1!+–] **23. bc3 bc3 24. ♘d4 hg5 25. ♘b3 ♖ab8 26. ♖d4 ♖fc8 27. ♕g5 ♖c4 28. ♖hh4 ♕a3 29. ♕c1 ♕a4 30. ♖c4 dc4 31. ♖g4 ♖b7** [31... ♖d8 32. ♖g7! ♔g7 33. ♕g5+–] **32. ♕h6 1 : 0 [Kveinys]**

123. B 07

JUDASIN 2595 – A. CHERNIN 2605
Pamplona 1991/92

1. e4 d6 2. d4 ♘f6 3. ♘c3 g6 4. ♗e3 c6 5. f3 ♘bd7 6. g4! ♕b6 7. ♕c1! [△ 8. d5, 8. h4, 8. e5!?] **♗g7** [7... ♕c7 8. ♕d2 △ g5, 0-0-0±] **8. ♘ge2 a6 N** [8... c5 9. dc5 ♘c5? 10. e5 de5 11. b4! ♕b4 12. ♖b1 ♕a5 13. ♖b5+–; 9... dc5±; 8... h6!?; 8... 0–0 – 21/140] **9. h4! c5 10. h5! ♖g8** [10... gh5? 11. g5±] **11. a3!±** [△ dc5, b4, △ ♗g2, d5, h6, g5, f4↑] **♕c6!?** [11... ♕c7] **12. ♗g2 b6** [12... b5!?±⇆] **13. ♕d2 ♗b7 14. ♖g1!** [⤢h1-a8] **♕c7 15. h6!±⊂ ♗h8 16. g5 ♘h5 17. 0-0-0 cd4** [17... 0-0-0 18. f4 △ 19. f5, 19. ♗f3, 19. ♘d5±; 18. ♘d5!?±] **18. ♗d4 ♗d4 19. ♕d4!** [19. ♘d4 ♘e5⇆] **♕c5 20. f4! ♕d4 21. ♖d4 ♘c5** [21... ♘f4 22. ♘f4 e5 23. ♖d6 △ ♘d5+–; 21... e5] **22. ♘d5! ♖c8!? 23. ♔b1! b5** [23... ♗d5 24. ed5 △ ♗f3±] **24. ♗f3! ♘e6 25. ♖b4 ♗c6 26. f5! a5 27. ♖b3 ♘c5 28. ♖e3! ♔d8** [△ e5] **29. ♘d4 e6⊕ 30. ♗h5! ed5□ 31. fg6 fg6 32. ♗g4! ♗d7□ 33. ed5 ♖e8 34. ♖e8 ♔e8 35. ♖e1 ♔f7** [35... ♔d8 36. ♘c6 ♖c6 37. ♗d7 ♖b6 38. ♗c6+–] **36. ♗d7 ♘d7 37. ♘b5 1 : 0 [Judasin]**

124. B 09

ULYBIN 2565 – BOLOGAN 2535
Mamaia 1991

1. d4 d6 2. e4 ♘f6 3. ♘c3 c6 4. f4 g6 5. ♘f3 ♗g7 6. ♗d3 0–0 7. 0–0 ♗g4 N [7... b5 – 52/143] **8. h3 ♗f3 9. ♕f3 ♕b6 10. ♘e2 c5 11. c3! cd4 12. cd4 e5 13. ♗e3!** [13. fe5? de5 14. ♗e3 ♘c6 15. d5 ♘d4=] **ef4 14. ♕f4 ♘a6 15. a3 ♖ae8?** [15... ♕b3! 16. ♖fd1! ♖ae8 17. ♘c3 ♕b2 18. ♘b5 ♖e4 19. ♗e4 ♘e4 20. ♖ab1 ♕c2 21. ♕f1! ♘c3 22. ♘c3 ♕c3 23. ♗f2 ♕c8 24. ♖dc1⩲] **16. b4!±○ ♘c7 17. ♕f3!** [17. d5? ♘cd5!] **d5□ 18. e5 ♘d7 19. ♘f4 ♘b8?!** [19... ♗h6] **20. ♔h1!** [20. ♘h5? gh5 21. ♕h5 h6 22. ♖f6 ♖e5!! 23. ♕e5 ♗f6 24. ♕f5 ♖e8 25. ♕h7 ♔f8 26. ♗h6 ♔e7 27. ♖e1 ♔d8–+] **♘c6 21. ♘h5! ♘e6** [21... ♘d4 22. ♘g7 ♖e5 23. ♗d4 ♕d4 24. ♕f6+–] **22. ♘f6 ♗f6 23. ♕f6 ♖c8 24. ♖ad1 ♕d8 25. ♕f2 ♕e7 26. b5! ♘a5 27. ♗d2 ♕a3 28. ♗h6 ♕b4?** [28... ♘b3! 29. ♗e2!! △ ♖d3, ♗g4] **29. ♕f6+– ♘b3 30. ♗f5! gf5 31. ♖f5 1 : 0 [Ulybin]**

125. B 09

BAREEV 2680 – SPEELMAN 2630
Hastings 1991/92

1. d4 d6 2. e4 ♘f6 3. ♘c3 g6 4. f4 ♗g7 5. ♘f3 0–0 6. ♗d3 ♘a6 7. 0–0 ♖b8?! N 8. e5 ♘e8 9. a3 [9. ♗e3 ♘b4 10. ♗e2 ♗f5 11. ♖c1 c6=] **c5 10. ♗e3 cd4 11. ♗d4 de5 12. fe5 b6** [12... ♗g4 13. ♗a7 ♖a8 14. ♗e3 ♗e5 15. h3±] **13. ♘e4?** [13. ♗c4! (Speelman) ♘ac7 (13... ♘c5 14. ♗c5 ♕d1 15. ♖ad1 bc5 16. ♘d5 e6 17. ♘e7 ♔h8 18. ♘g5+–) 14. ♘g5 ♘e6 15. ♘e6 ♗e6 16. ♗e6 fe6 17. ♖f8±] **♘ec7 14. b4 ♘e6 15. ♗e3** [15. ♗b2 ♘f4=] **♘ac7 16. c4 f5?** [16... ♗b7 17. ♕e2 ♕e8=] **17. ef6 ef6**

18. c5!! [18. ♕c2 f5 19. ♘c3 ♗b7∓] **f5 19. ♘d6 bc5 20. bc5 ♗a1 21. ♕a1∞ ♖b3?!** [21... ♗a6 22. ♗a6 ♘a6 23. ♕a2 ♘c7 24. ♖e1∞; 21... ♕f6 22. ♘c8 ♕a1 23. ♖a1 ♖bc8 24. ♗c4∞] **22. ♖d1!± ♗a6 23. ♗a6 ♖e3** [23... ♘a6 24. ♘f5 gf5 25. ♖d8 ♖d8 26. ♕e5] **24. ♘f5 gf5** [24... ♕d1 25. ♕d1 ♖f5 26. ♗c4 ♖c5 27. ♕d4!+−] **25. ♖d8 ♖d8 26. ♗c4 ♖e4 27. ♕c3 ♘d5 28. ♕b3 ♘ec7** [28... ♖e3!? 29. ♗d5 ♖b3 30. ♗e6 ♔g7 31. ♗b3 ♖d3∞; 29. ♕b7!±] **29. c6! ♔f8 30. ♗g5! ♖e3 31. ♕b7 ♖e7 32. ♕b2+− ♖g7** [32... ♔g8 33. ♕f6] **33. ♗d5 ♖d5 34. ♕b8**
1 : 0 [Bareev]

126.* **B 09**

DOLMATOV 2605 − PFLEGER 2495
BRD 1991

1. e4 d6 2. d4 ♘f6 3. ♘c3 g6 4. f4 ♗g7 5. ♘f3 0−0 6. ♗d3 ♘a6 7. 0−0 c5 8. d5 ♖b8?! [RR 8... ♗g4 9. ♕e1 ♘b4 10. a3 N (10. ♕h4 − 51/(128)) ♘d3 11. cd3 e6 (11... ♖b8?! 12. ♕h4 ♗f3 13. ♖f3 e6 14. f5! ♘d7 15. ♗g5! f6 16. ♖h3 h5 17. ♗f4 ef5 18. ♗d6 fe4 19. ♗f8 ♕f8 20. g4! ♘e5 21. gh5!+− Mih. Cejtlin 2480 − V. Sekulić 2320, Banja Vrućica 1991) 12. de6 ♗e6 (12... fe6 13. ♘d2±) 13. ♘g5 d5 14. ♕h4± Mih. Cejtlin] **9. e5!? N** [9. ♔h1 − 52/144] **de5** [9... ♘d7!?] **10. ♗a6 ba6** [10... e4?! 11. ♘e5 ba6 12. ♘c6 ♗g4 13. ♕e1 ♕d6 14. ♘b8 ♖b8 15. ♘e4±] **11. fe5 ♘g4 12. ♗f4 ♖b2?!** [12... ♖b4!? 13. ♕d2 ♖f4 14. ♕f4 ♗h6 15. ♕g3 ♘e3 16.

♕h4 ♔g7 17. ♖f2±] **13. h3 ♕a5?** [13... ♘h6? 14. ♕c1+−; 13... ♖b4 14. ♕d2 ♖f4 15. ♕f4 ♗h6 16. ♘g5! f6 (16... e6 17. ♘ce4 ed5 18. ♘f6 ♘f6 19. ef6 △ ♕h4±; 16... ♘f6 17. ef6 ef6 18. ♕f6 ♕f6 19. ♖f6 ♗g5 20. ♖f3±) 17. hg4 ♗g5 18. ♕g3 (△ ♘e4) fe5 19. ♖f8 ♕f8 20. ♘e4 ♗f4 21. ♕f3 △ g3±] **14. ♘e2!± ♕a4** [14... ♘h6 15. ♕c1 ♕b5 16. ♗h6 ♕e2 17. ♖f2 ♗h6 18. ♕h6+−; 14... g5 15. ♗d2+−] **15. hg4 ♗g4** [15... ♕c2 16. ♕c2 ♖c2 17. ♔f2! ♗g4 18. ♖fc1+−] **16. ♖c1 ♕a2 17. ♕d2 ♗f5 18. ♘c3 ♕c4 19. ♗h6! ♗h6?** [19... ♖d8□±] **20. ♕h6+− f6 21. ef6 ef6 22. ♖fe1! ♖b7** [22... ♕c3 23. ♖e7 ♖f7 24. ♖e8] **23. ♖e3 ♖bf7 24. ♖ce1 ♗d7□** [24... a5 25. ♖e8] **25. ♘d2 ♕b4 26. ♘de4 ♕b6 27. d6 ♗c6 28. ♖d1?!** [28. ♖b1! ♕d8 29. ♖d1+−] **c4 29. ♘d5 ♗d5 30. ♖d5 f5 31. ♘c5 f4 32. ♖e7 f3 33. ♖f7 ♖f7 34. gf3 ♖f3 35. ♕d2!** [35. d7?? ♕b1−+; 35. ♔g2?! ♕c6] **♕d8 36. d7 ♖g3 37. ♔f2 ♖g4 38. ♔f3 h5 39. ♘e6 ♕f6 40. ♘f4 1 : 0** [Dolmatov]

127.* **B 10**

BOLOGAN 2535 − EPIŠIN 2615
SSSR (ch) 1991

1. e4 c6 2. c4 [RR 2. d3 d5 3. ♘d2 e5 4. ♘gf3 ♗d6 5. ♕e2 ♕e7 6. d4 ed4 7. ed5 cd5 8. ♘d4 ♘c6 9. ♘2b3 ♘f6 10. ♕e7 ♔e7 11. ♗d2 ♖e8 12. 0-0-0 ♘g4 N (12... a6 − 52/(146)) 13. ♖e1 ♔f8 14. ♖e8 ♔e8 15. ♗b5 ♗d7 16. f3 ♘ge5 17. ♗c3 f6 18. ♖d1 a6 19. ♗f1 ♘e7 20. g3 ♖c8 21. ♗e1 ♘c4= Ljubojević 2600 − Seirawan 2615, Beograd 1991] **d5 3. cd5 cd5 4. ed5 ♘f6 5. ♗b5 ♘bd7 6. ♘c3 a6 7. ♕a4 g6 8. ♘f3 ♗g7 9. 0−0 0−0 10. ♗d7 ♘d7!? N** [10... ♗d7 − 43/(153)] **11. ♕h4!** [△ d4, ♗h6±] **h6?!** [11... ♘f6] **12. d4 g5 13. ♕g3 ♘f6** [13... f5 14. ♘e5 f4 15. ♕f3±] **14. ♘e5** [14. h4!?] **♘d5 15. h4 f6 16. ♘g6!± ♖e8** [16... ♖f7 17. f4 ♘b4 (17... ♗f5?! 18. fg5 ♗g6 19. gh6) 18. fg5 fg5 19. ♗e3±] **17. f4 ♘c3?! 18. bc3± ♕c7 19. ♗a3 ♗f5?!**

20. ♘e7!+− ♖e7 **21.** ♗e7 gh4 [21... ♕e7 22. fg5 ♗g6 23. gh6] **22.** ♕e3 ♖e8 **23.** ♖ae1 ♗f8 **24.** ♕f3! [24. ♗d6? ♖e3 25. ♗c7 ♖c3±] ♖e7 **25.** ♕d5 ♖f7 **26.** ♕f5 ♕c3 **27.** ♕e4 f5 **28.** ♕e3 ♕e3 **29.** ♖e3 [♖ 9/o] ♖d7 **30.** ♖d3 ♖d5 **31.** ♖b1 b5 **32.** ♔f2 ♔f7 **33.** ♖c1 ♗d6⊕ **34.** ♔e3 a5 **35.** ♖c6 b4 **36.** ♖a6 ♔e7 **37.** ♖d1 h5 **38.** ♔d3 ♗f4 **39.** ♔c4 ♖d8 **40.** ♖a5 ♔f6 **41.** d5 [41. ♔b4+−] ♗d6 **42.** ♖a6? [42. ♔b5 △ ♔c6+−] h3! **43.** gh3 f4 **44.** ♔d4 ♗f5 **45.** ♖a7 ♖f8 **46.** ♖d7 ♗e5 **47.** ♔c5 f3 **48.** d6 f2 **49.** ♔d5 ♖f6 **50.** ♖f1 ♗g3 **51.** ♖d8 ♔f4 **52.** d7 ♔f3 **53.** ♔c5 ♖f7 **54.** ♔c6 ♖f6 **55.** ♔b7 ♖d6 **56.** ♖f8 ♔g2 **57.** ♖1f2 ♗f2 **58.** d8♕ ♖d8 **59.** ♖d8 ♔h3 **60.** ♔c6 h4 **61.** ♔b5 ♔g2 **62.** ♔b4   1/2 : 1/2
[Bologan]

128.   **B 12**

ANAND 2650 − AN. KARPOV 2730
Tilburg (Interpolis) 1991

1. e4 c6 **2.** d4 d5 **3.** e5 ♗f5 **4.** ♘f3 e6 **5.** ♗e2 a6 N **6.** 0−0 ♘d7 **7.** ♘bd2 [7. c4 dc4 8. ♗c4 ♘e7] ♗g6! **8.** a3 ♘h6! [8... ♘e7 9. ♘h4] **9.** c4 ♗e7 **10.** ♘b3 0−0 [10... ♘f5 11. ♗d2 a5 12. cd5 cd5 13. ♗b5 b6 14. ♗c3±; 12... ed5!?] **11.** ♗h6 gh6 **12.** ♕d2 ♔g7 **13.** ♘a5 ♕c7 **14.** cd5 [14. b4 b6 15. ♘b3 dc4 16. ♗c4 a5⇆ An. Karpov] ed5! **15.** b4 f6 **16.** ♖ae1 ♖ae8 **17.** ♕c3 ♗d8 **18.** ♗d3 fe5 **19.** ♗g6 hg6 **20.** de5 c5!∓ **21.** e6 ♘f6 **22.** ♘b3 cb4 **23.** ♕b4 [23. ♕c7∓] ♗e7 **24.** ♕d2 ♗a3∓ **25.** ♕d3 [25. ♘bd4 ♗e7 26. ♕d3 ♗c5] ♗d6 **26.** ♘bd4 ♕c4 [26... ♖e7∓] **27.** ♕b1 ♕b4

28. e7 ♖f7 [28... ♖g8? 29. ♘e6 ♔h8 30. ♕a1 ♗e7 31. ♘c7 ♖d8 32. ♖e6 ♖gf8 33. ♘e5±] **29.** ♘e6 ♔h7 **30.** ♘f8 ♖ef8 **31.** ef8♘ ♗f8 **32.** ♕d3 ♕c4 **33.** ♕e3 ♕e4 **34.** ♘e5 ♖g7 [34... ♖e7 35. ♕c5 ♕f5 36. ♘g6±] **35.** ♕b6 ♕f5 **36.** ♘f3 ♖f7 **37.** ♖e5 ♕f4 **38.** ♖e6 ♘d7 **39.** ♕b1 ♕g4 **40.** ♖e3 [40. ♖fe1!? ♖f3? 41. h3 ♕g5 42. h4 ♕g4 43. h5!→] ♗c5 **41.** ♖d3 ♕f5 [41... ♕e4 42. ♖e1 ♕f5∞] **42.** ♘d4 ♕h5? [42... ♕e4 43. ♖e1 ♕h4 44. g3 (44. ♖g3 ♘f8 45. ♘f3 ♕f6) ♕h5∞] **43.** ♖h3 ♕g4 **44.** ♘f3± ♖e7 **45.** ♕b7 ♕c4 [45... ♘f6! 46. ♕a6 (46. ♕c6 ♘e4 47. ♕d5 ♕f5! △ 48. ♕f5 gf5 ×f2, ♖h3) ♘e4∞] **46.** ♕b2!± h5 **47.** ♖g3 ♖e2 **48.** ♕a1 a5? **49.** ♘g5 ♔g8 **50.** ♘h3 ♘e5 **51.** ♕a5!+− ♗e7 **52.** ♕a7 ♘g4 **53.** ♖f3! ♘e5 **54.** ♖e3 ♔f7 **55.** ♕b7! ♔f6 **56.** ♖e2 ♕e2 **57.** ♘f4   1 : 0
[Anand]

129.**   **B 12**

N. SHORT 2660 − ADAMS 2615
England (ch-m/4) 1991

1. e4 c6 **2.** d4 d5 **3.** e5 ♘f5 **4.** ♘f3 e6 **5.** ♗e2 ♘d7 **6.** 0−0 ♘e7 [RR 6... h6 7. c3 ♕c7 N (7... ♘e7 − 52/150) a) 8. a4 g5 9. ♘a3 f6 10. ♗d3 ♗d3 11. ♕d3 0-0-0 12. ef6 ♘gf6 13. ♖e1 ♖e8 14. c4 ♘e4 15. ♘d2 ♗b4 16. ♖e4 de4 17. ♘e4 ♖d8 18. ♘c2 ♗e7 19. ♗e3 ♘f6 20. b4 ♖hf8 21. ♘f6 ♗f6 22. ♕e4∞ Anand 2650 − Timman 2630, Paris 1991; b) 8. ♗e3 0-0-0 9. ♘bd2 ♘e7 10. c4 dc4 11. ♘c4 ♘d5 12. ♗d2 ♘7b6 13. ♘a5 g5 14. ♖c1 ♗b8 15. a3 ♘f4 16. ♗f4 gf4 17. ♗d3 ♗d3 18. ♕d3 ♘d5 19. b4 ♕b6 20. ♘c4 ♕b5 21. ♕e4 ♗e7 22. ♖fd1 ♖hg8 1/2 : 1/2 Kindermann 2505 − W. Watson 2535, Praha 1992] **7.** ♘h4 ♕b6 N [7... ♗g6 − 52/151] **8.** ♘f5 ♘f5 **9.** c3 c5 **10.** ♗d3 ♘e7 **11.** dc5 ♕c5 **12.** ♕e2 ♕c7 **13.** f4 g6 **14.** ♘d2 ♘f5 **15.** ♘f3 ♗c5 **16.** ♔h1 h5 [△ h4, ♘g3] **17.** g3 ♘b8 [17... h4 18. g4] **18.** ♗d2 ♘c6 **19.** b4 ♗b6 **20.** ♖ac1 ♔f8 **21.** c4 dc4 **22.** ♖c4 ♕d7 **23.** ♗e4 ♔g7 **24.** a4?! [24. ♖d1 ♖ad8 25. ♖cc1] ♘cd4! **25.** ♘d4 ♗d4 **26.** ♖f3 [26. ♖d1 h4! 27. g4? ♗g3 28. hg3 hg3 29. ♔g2 ♖h2] ♖ac8 **27.** ♖c8 ♖c8 **28.** ♔g2 ♖d8 **29.** a5 ♗b2 **30.** ♖d3 ♕c4 **31.**

♕f3 ♘d4 32. ♕d1 b5 33. ab6 ab6 34. ♔h3 ♖c8 35. ♕b1?! ♘c2! 36. ♕h1 [36. ♕b2 ♕e4] ♘b4 37. ♖d7 ♕b5

38. ♖f7!? ♔f7 39. ♗g6! ♔e7 [39... ♔g6 40. ♕e4 △ ♕b7] 40. ♕b7 ♔d8 41. f5 [△ ♗g5♯] ♕f1 42. ♔h4 ♕c4 43. ♔g5 ♘d5 44. fe6 ♘c7? [44... ♗a3−+] 45. ♕b6 ♗a3

46. ♔f6!→ ♗c5 [46... ♗e7 47. ♔f7 h4 48. ♕d6! ♗d6 49. ♗g5 ♗e7 50. ♗e7♯] 47. ♗g5! ♖a8! [47... ♗b6 48. ♔f7♯; 47... ♕g4 48. ♕c5 ♕g5 49. ♔f7+−] 48. ♔f7 ♔c8 49. ♕c6 ♖a6 50. ♕d7 ♔b8 51. ♗f5 ♖a7 52. ♔g6 ♖a6   1/2 : 1/2
[Chandler]

130.   B 12

ANAND 2650 − AN. KARPOV 2730
Reggio Emilia 1991/92

1. e4 c6 2. d4 d5 3. e5 ♗f5 4. ♘f3 e6 5. ♗e2 c5 6. 0−0 ♘c6 7. c3 ♗g4 8. ♘bd2 N [8. ♗e3!? − 52/149] cd4 [8... ♘ge7 9.

dc5 ♘g6 10. b4!?∞] 9. cd4 ♘ge7 10. h3 ♗f3 11. ♘f3 ♘f5 12. ♖b1!? [12. g4 ♘h4 13. ♘h4 ♕h4 14. ♔g2 h5⇆] ♕b6 [12... ♗e7 13. g4!? ♘h4 14. ♘h4 ♗h4 15. b4±] 13. ♗e3 [13. b4 ♘fd4 14. ♘d4 ♘d4 15. ♕a4 ♕c6 16. b5 ♘e2 17. ♔h1 ♕c4−+] ♗e7 14. b4 0−0 15. ♗d3 [15. b5 ♘a5 (15... ♘e3 16. fe3 ♘a5) 16. ♗d3 ♖ac8⇆] ♘e3 16. fe3 ♖ac8 17. ♔h1 [17. ♘h2 ♘e5!? 18. de5 ♕e3 19. ♔h1 ♕e5∞] ♕d8 [17... a5 18. ba5 ♕a5 19. ♖b7 ♕a2 20. ♕b1±] 18. ♕e1 [18. a3?! a5 19. b5 (19. ba5 ♘a5 20. a4 ♖c3⇆) ♘b8 20. a4 ♘d7∓] a6?! [18... g6!?] 19. b5!± ab5 20. ♖b5 ♖b8 21. ♕b1 [21. e4!?] h6! [21... g6] 22. e4? [22. ♖b7 ♘b4 (22... ♖b7 23. ♕b7 ♕a8 24. ♖b1!±) 23. ♖b8 ♕b8 24. a4 ♖c8! (24... ♘d3 25. ♕d3 ♕b4 26. ♖a1 ♖a8 27. ♕c2±) 25. ♗b5 ♖c3∞; 22. ♖c1!? ♘a5 (22... ♕d7 23. ♖b6 ♘a7 24. e4±) 23. e4 de4 24. ♗e4 b6±] ♘d4!= 23. ♘d4 de4 24. ♘e6 fe6 25. ♖f8 ♗f8 26. ♗e4 ♕d4 27. ♕d3 [27. ♗b7 ♗c5⇆]
1/2 : 1/2   [An. Karpov]

131.   B 12

NUNN 2615 − SEIRAWAN 2600
Wijk aan Zee 1992

1. e4 c6 2. d4 d5 3. e5 ♗f5 4. ♘f3 e6 5. ♗e2 c5 6. 0−0 ♘c6 7. c3 c4?! N 8. b3 b5 9. a4 a6 10. ♘a3! [10. ♘bd2 △ ♖e1, ♘f1-g3] h6! [10... ♘h6? 11. ♗h6 gh6 12. ab5±; 10... ♖b8 11. ab5 ab5 12. bc4 bc4 13. ♕a4 ♕d7 14. ♘b5± △ ♗a3; 10... ♘ge7 11. ab5 ab5 12. ♘b5!? ♖a1 13. ♘d6 ♔d7 14. ♘f7 ♕b8!? 15. bc4!?∞↑] 11. ♗b2! [11. ♗f4? ♗a3! 12. ♖a3 ♘ge7 13. ♕a1? 0−0; 13. b4] ♗a3 [11... ♖b8! 12. ab5 ab5 13. bc4 bc4 14. ♕a4 ♕b6! 15. ♘d2 ♘e7 16. ♘ac4 dc4 17. ♘c4 ♕b3 18. ♘d6 ♔d7] 12. ♗a3 ♘ge7 13. ♗c5! 0−0 14. b4! ♖b8 [△ a5] 15. ♘h4 [15. a5] ♗h7 16. f4?! [16. a5!] ♖e8? [16... a5□ 17. ab5 ♖b5 18. ♕a4 ♕b8 19. ♗e7 ♘e7 20. ba5 ♘c6 21. a6 ♕b6 22. f5 ♖a5 23. ♕c6! (V. Salov) ♕c6 24. ♖a5] 17. a5!+− ♗e4? [17... ♕d7 △ ♘d8-b7] 18. ♕d2 ♘f5 19. ♘f3 [19. ♘f5?? ef5] ♖b7 20. ♖ae1 ♘h4

21. ♕e3 ♘f3 22. ♗f3 ♗d3 23. ♗e2 ♗e4 24. ♗g4?! [24. ♗d1 △ ♖f2, ♗c2, f5] **g6?** [24... ♘e7] **25. ♗f3! ♗d3 26. ♖f2** [26. ♗e2 ♗e4 27. f5! ♕g5 (27... ef5 28. ♕h6) 28. ♕g5 hg5 29. f6+−] **♔h7 27. g4 ♘e7 28. ♖g2 ♖h8?⊕** [28... ♘g8! △ f5] **29. ♖g3 ♘g8 30. ♕f2 ♖d7 31. ♕g2 ♔g7 32. ♗d1!** [△ ♗c2, f5] **♗e4 33. ♖e4! de4 34. ♕e4??** [34. f5! ♕g5 35. f6 ♔h7 36. ♕e4+−] **♘e7 35. f5 ♘d5 36. ♗c2??** [36. f6 ♔g8 37. h4 △ g5] **♕g5 37. fe6 fe6 38. h4 ♕c1 39. ♔h2 ♘f4−+ 40. ♖f3 ♕d2 41. ♔g3 g5** [△ ♕g2#] **42. ♖f4 gf4 43. ♔f3 ♕c3 44. ♔e2 ♕e3 45. ♕e3 fe3 46. ♔e3 ♔f7! 47. ♔e4 ♖g8! 48. ♗d1 ♔e8!** [△ ♖dg7, c3] **49. g5 hg5 50. ♗h5 ♖f7 51. d5 ♖h8** [52. de6 ♖h5 53. ef7 ♔f7 54. hg5 ♔e6!] **0 : 1** **[Seirawan]**

132. !N **B 13**

MALANJUK 2510 − JUDASIN 2595

SSSR (ch) 1991

1. d4 ♘f6 2. ♘f3 c5 3. e3 d5 4. c4 cd4 5. ed4 ♘c6 6. ♘c3 ♗g4 7. cd5 ♘d5 8. ♕b3 ♘b6 9. d5 [9. ♘e5 ♗e6 10. ♘c6 bc6=] **♗f3 10. gf3 ♘d4 11. ♕d1 e5 12. de6 fe6 13. ♗e3 ♗c5 14. ♗g2!? ♕h4! N** [14... 0−0 15. 0−0 ♘c4? 16. ♘a4! b6□ 17. b4!!±; 15... e5 − 44/(157)] **15. 0−0** [15. ♘e4 ♘c2!? (15... ♗b4 16. ♔f1 ♘c6∞; 16... ♘f5!?∞) 16. ♕c2 ♗e3 17. ♕b3 ♘d5∞] **♗d6!** [15... ♖d8 16. ♘e4 ♘f5 17. ♕b3!±; 15... e5 16. ♘e4 △ f4±↑] **16. h3** [16. f4?! ♗f4 17. ♗f4 ♕f4 18. ♗b7 ♖d8∓↑] **♘f5 17. ♕b3!** [17. ♗b6?! ab6 18. ♕b3 ♔f7 △ ♕f4, ♘h4→; 17. ♘e4 ♗e7 18. ♕b3 ♘d5!?∞] **0−0! 18. ♕e6 ♔h8 19. ♕e4!** [19. ♗b6 ab6 20. ♖fe1 ♖f6 △ ♖g6→; 20... ♕f4 △ ♖f6→; 19. ♘e4 ♖ae8=∞] **♕f6 20. ♕g4!** [△ ♘e4±⊞] **♕f7!** [△ ♘c4↑] **21. f4!** [21. ♘e4 ♗e5↑] **♘c4! 22. ♗c1□** [22. ♗d5 ♘ce3 23. fe3 (23. ♗f7 ♘g4∓) ♘e3 24. ♗f7 ♘g4∓] **♘h6!⊕ 23. ♕f3⊕ ♗f4** [24. ♗f4 ♕f4 25. ♕f4 ♖f4 26. ♗b7 (26. b3 ♘a5=) ♖b8=; 24. b3 ♗h2! 25. ♔h2 ♕f3 26. ♗f3 ♖f3 27. ♗h6 gh6=; 24. ♕b7 ♕b7 25. ♗b7 ♖ab8 △ ♘b2=] **1/2 : 1/2** **[Judasin]**

133. **B 13**

HENNIGAN 2300 − MIH. CEJTLIN 2480

Hastings (open) 1991/92

1. e4 c6 2. d4 d5 3. ed5 cd5 4. c4 ♘f6 5. ♘c3 ♘c6 6. ♗g5 ♗e6!? 7. ♗f6 ef6 8. c5 g6 9. ♗b5 h5 10. ♘ge2 N [10. ♕a4 − 27/198] **♗h6 11. 0−0 0−0 12. a3 f5** [12... ♘e7!] **13. f4 ♔h7** [13... ♘e7!] **14. ♗c6! bc6 15. b4 a5!∞ 16. b5 cb5 17. ♘b5 a4!** [17... ♕d7 18. a4±] **18. ♖b1 ♕a5 19. ♖b4 ♖fb8! 20. ♘ec3 ♗d7 21. ♘d6 ♗c6!** [21... ♖b4 22. ab4 ♕b4 23. ♘d5+−] **22. ♕b1** [22. ♘f7 ♖b4 23. ab4 ♕b4 24. ♕d2 ♗g7∞] **♖f8** [22... ♕a7] **23. ♕a2 ♖ad8! 24. ♕b2** [24. ♘d5? ♖d6!; 24. ♖b6? ♖d6!] **♗g7 25. ♖d1 ♕c7 26. ♘a4** [26. ♕d2] **♕e7!** [26... ♗a4 27. ♖a4 ♕c5 28. dc5 ♗b2 29. ♖d5 ♖a8 30. ♖a8 ♖a8 31. ♘b5±] **27. ♕d2 ♖a8! 28. ♖e1 ♕d8** [28... ♕c7? 29. ♘c3 ♖a3 30. ♘cb5+−] **29. ♘c3 ♖a3 30. ♖b6 ♕a8 31. ♘db5 ♗b5 32. ♘b5 ♖a2 33. ♕c3 ♖e8!−+ 34. ♖e8 ♕e8 35. h3 ♕e4 36. ♕f3 ♖a1 37. ♔h2 ♕e1 38. ♘c3 h4 39. ♖b1 ♖b1 40. ♘b1 ♗d4 0 : 1** **[Mih. Cejtlin]**

134. **B 14**

VAJSER 2565 − B. FINEGOLD 2455

Groningen (open) 1991

1. c4 c6 2. e4 d5 3. ed5 ♘f6 4. d4 cd5 5. ♘c3 ♘c6 6. ♗g5 e6 7. cd5 ed5 8. ♗b5 ♗e7 9. ♘ge2 0−0 10. 0−0 h6 N [10... ♗e6 − 2/143] **11. ♗h4 ♗f5 12. ♗c6!? bc6 13. ♖c1 ♖e8 14. ♘a4!? ♕a5! 15. ♘ec3 ♕a6! 16. ♖e1 ♕d3 17. ♖e3?!** [17. ♕d3=] **♕d1 18. ♘d1 g5! 19. ♗g3 ♘e4! 20. ♖c6!? ♗d7 21. ♖a6 ♗f6 22. ♗e5 ♖ac8! 23. f3!** [23. ♗f6? ♖c1 24. ♖e1 (24. ♖d3 ♗b5−+) ♘f6−+] **♖c1 24. ♖e1 ♗e5 25. de5 ♖e5! 26. fe4!** [26. ♖a7?! ♗a4! (26... ♘c5?! 27. ♖e5 ♖d1 28. ♔f2 ♗a4 29. ♖ee7!=) 27. ♖a4 ♘c5! 28. ♖a8 ♔g7 29. ♖e5 ♘d3! 30. ♖e1 (30. ♔f1 ♘e5 31. ♔e2 ♖c2∓) ♘e1 31. ♘e3 d4! 32. ♘f1 ♖c2!∓] **♖e4 27. ♖e4 ♖d1 28. ♔f2** [28. ♖e1!?] **de4 29. ♘c3⊕ ♖d2 30. ♔e3 ♖g2 31. ♘e4?** [31. ♖h6!∓] **♗e6 32. b4?** [32. ♘c5 ♖h2! (32... ♖b2? 33. ♘e6 fe6 34.

h4!∓) 33. ♘e6 fe6 34. b4! ♔f7 35. ♖a7 ♔f6∓] ♖a2–+ **33. ♖a2 ♗a2 34. h4 f5 35. ♘d6 f4 36. ♔f3** [36. ♔e4 ♗b1] **♔g7 37. ♘b5?! ♗d5 38. ♔g4 f3! 39. ♔g3 gh4 40. ♔f2 h3 0 : 1** **[B. Finegold]**

135.** **B 14**

WAHLS 2560 – SKEMBRIS 2510

Kavala 1991

1. e4 c6 2. d4 d5 3. ed5 cd5 4. c4 ♘f6 5. ♘c3 e6 6. ♘f3 ♗b4 7. cd5 ♘d5 [RR 7... ed5 8. ♗b5 ♗d7 9. ♕e2 ♘e4 10. 0–0 ♗c3 11. bc3 0–0 12. ♗d3 ♖e8 13. ♘e5 ♘c6 14. ♘f7 ♕f6 15. ♘e5 ♘e5 16. de5 ♕e5 N (16... ♖e5 – 50/162) 17. ♗e3 (17. ♖e1?! ♕c3 18. ♗b2 ♕d2∓) *a)* 17... ♘c3 18. ♕d2 ♗b5!? (18... ♘e4 19. ♕b4=∞) 19. ♖fe1=∞; *b)* 17... ♘f2!? 18. ♔f2 ♕h2! 19. ♕d2 (19. ♗b5? ♖e3! 20. ♕e3 ♖f8! 21. ♔e1 ♖e8 22. ♕e8 ♗e8 23. ♗e8 ♕e5∓; 19. ♖ab1?! ♖e3 20. ♕e3 ♖f8 21. ♔e1 ♖e8 22. ♕e8 ♗e8∓) ♖e7 (19... ♗h3 20. ♖g1 ♖e7 21. ♗e2∞; 19... ♖e5!? 20. ♗c5! ♗h3 21. ♖g1 d4∞) 20. ♗h7! (20. ♗e2?! ♖f8 21. ♗f3 ♗g4→) ♕h7□ (20... ♔h7 21. ♖h1 ♖f8 22. ♗f4+–; 20... ♔h8 21. ♖h1 ♖f8 22. ♗f5! ♖f5 23. ♗f4+–) 21. ♕d5 ♗e6 22. ♕g5 ♖f8? 23. ♔g1 △ ♗d4±; 22... ♕f5! 1/2 : 1/2 Svešnikov 2540 – Savon 2460, SSSR (ch) 1991; ⌓ 17. ♗b2 Svešnikov] **8. ♕c2 ♘c6 9. ♗e2** [RR 9. ♗d3 ♘f6 10. a3 N (10. 0–0 – 37/140) ♗e7 11. ♗e3 ♗d7?! 12. 0–0 ♖c8 13. ♖fd1 0–0 14. ♗g5 h6 15. ♗f4 ♕a5 16. ♕d2! ♖fd8 (Rechlis 2510 – Hába 2485, Ostrava 1991) 17. b4! ♕h5 18. ♘e2 (△ ♗c7, ♘f4, h3+–) ♘d5 19. b5 ♘b8 20. ♘g3 ♕g4 21. ♗e5! (△ h3) f5 22. ♕a5; 22. ♕e1 △ ♗b8, ♘e5± Rechlis] **♘de7!? N** [9... ♗e7 – 48/(205)] **10. 0–0 0–0 11. ♖d1 ♕a5!** [△ ♕f5, ♖d8] **12. ♘g5!? ♘g6 13. h4!?** [13. d5 ♗c3 14. dc6 (14. bc3 ed5=∞) ♗e5∞ Wahls] **♖d8!** [13... h6? 14. h5 hg5 15. hg6±] **14. ♗e3** [14. ♘h7 ♘d4∓] **h6 15. h5!? ♘f8 16. ♘ge4 ♗c3!? 17. bc3 b6 18. ♗f4?!** [18. ♕c1 ♕f5∞; 18. ♖ab1 ♗a6∞; 18. c4!?± Wahls] **♕f5! 19. ♗h2 ♗b7** [△ ♘d4] **20. ♗f3 ♘a5!?∞** [20... ♖ac8 21. ♕b1± ×d6] **21. ♕d3** [21. ♕e2 ♖ac8 22. ♘d6?! ♗f3 23. gf3 ♕h5 24. ♘c8 ♖c8∓] **♗d5!** [△ ♘c4∓ ×d6; 21... ♖ac8?! 22. ♘d6 ♕d3 23. ♖d3 ♗a6 24. ♘c8 ♗d3 25. ♘a7±] **22. g4!? ♕h7 23. ♕e3** [△ g5] **f5?!** [23... ♘c4∓↑] **24. ♘d6!?** [24. gf5?! ♕f5∓] **fg4** [24... ♖d6? 25. ♗d6 ♘c4 26. ♕f4 g5 27. ♕g3 f4 28. ♕g2+–] **25. ♗e2** [△ ♗f3; 25. ♗g4 ♘c4∓] **g5!□ 26. ♗g4?!** [26. hg6? ♕g6∓; 26. ♗d3 ♕g7!? (26... ♕e7 27. ♘f5 ♕h7 28. ♘d6) 27. ♗e5 ♕e7 28. ♘e4 ♘h7 29. ♕g3 ♖ac8∞]

26... ♖d6! 27. ♗d6 ♘c4 28. ♕g3 ♕e4∓ 29. f3□ ♕e3 30. ♔g2 ♕e2??⊕ [30... ♕c3!∓] **31. ♔h3! ♘d6 32. ♖e1!** [32. ♕d6 ♗f3 33. ♕g3±; 32... ♖c8=∞] **♕d3 33. ♕d6 ♕c3 34. ♖ac1 ♕d4 35. ♖e6!+– ♘e6 36. ♗e6 ♗e6 37. ♕e6 ♔f8 38. ♕h6??⊕** [38. ♖c7! g4 39. ♔g2! ♕d2 (39... gf3 40. ♔h3+–) 40. ♔g3+–] **♕g7 39. ♖c6 ♕h6 40. ♖h6 ♔f7 41. ♖g6 ♖e8± 42. ♖g5 ♖e3 43. ♔g4?!** [43. ♖f5 ♔g7 44. a4 ♖a3 45. ♖f4 ♔h6 46. ♔g4 ♖a1±] **♖e2** [43... ♖a3=] **44. h6! ♖a2= 45. ♖g7 ♔f6 46. ♖b7** [46. ♔g3 ♖a1 47. ♔g2 ♖a2 48. ♔g3 ♖a1] **♖h2 47. h7 ♔g6** [48. f4 ♖h7 49. f5 ♔h6 50. ♖b8 ♖f7∓; 48. ♖a7=]
1/2 : 1/2 **[Skembris]**

136. **B 14**

ILLESCAS CÓRDOBA 2545 –
DE LA VILLA GARCÍA 2470

Pamplona 1991/92

1. ♘f3 ♘f6 2. c4 c5 3. ♘c3 d5 4. cd5 ♘d5 5. e3 e6 6. d4 cd4 7. ed4 ♗b4 8. ♕b3 ♘c6 9. ♗d3 ♗e7 10. 0–0 0–0 11.

a3 ♗f6 [11... ♘c3 12. bc3 e5!? 13. d5 ♘a5 (13... ♗g4? 14. dc6 ♗f3 15. cb7 ♖b8 16. ♕c2+−) 14. ♕c2 ♕d5 15. ♗h7 ♔h8 16. ♗e4 ♕c5 17. ♗e3 ♕c7 18. ♗d5∞] **12. ♖d1 ♖e8 N** [12... ♕b6 – 34/174] **13. ♗e4 ♘ce7 14. ♘e5 g6 15. ♗h6 ♗h8?!** [15... b6!? 16. ♘g4 ♗g7 17. ♗g7 ♔g7 18. ♗d5 ed5 19. ♘e5 (19. ♘e3 ♗e6) f6 20. ♘d3 (20. ♘f3 ♗g4) ♗e6 21. ♘f4 ♗f7⩲; 15... ♗g7] **16. ♘d5** [16. ♖ac1!?] **ed5** [16... ♘d5? 17. ♕g3→⟫] **17. ♗f3 ♗e6?** [17... f6 18. ♘d3 (18. ♘g4 b6) b6 19. ♘f4 ♗b7⩲; 17... b6 18. ♗g5 (18. ♘c6? ♘c6 19. ♗d5 ♗e6) ♗b7 (18... f6? 19. ♘c6 ♘c6 20. ♗d5 ♔g7 21. ♗c6 fg5 22. ♗a8 ♗e6 23. d5+−) 19. ♘g4 ♕d6⩲] **18. ♕b7 ♘f5 19. ♗f4 ♖b8 20. ♕a7 ♖b2 21. ♘c6!± ♕a8** [21... ♕h4 22. g3 ♕h3 23. ♗g2] **22. ♕a8 ♖a8 23. ♗e5** [23. g4?! ♘h4 24. ♗d5 ♗d5 25. ♘e7 ♔f8 26. ♘d5 ♖d8] **♖c8 24. ♘b4 ♖c4** [24... ♗e5 25. de5 d4 26. ♘d3] **25. ♗d5 ♗d5 26. ♘d5 ♗e5** [26... ♘d4? 27. ♘e7 ♔f8 28. ♗h8] **27. de5 ♖cc2 28. ♖f1 ♔g7 29. ♖ad1 ♖e2? 30. ♘f4 ♖ec2** [30... ♖e5? 31. ♘d3] **31. ♖d7+− g5 32. ♘h5 ♔f8** [32... ♔g6 33. g4 ♘e3? 34. ♖d6] **33. ♘f6 ♘e3 34. ♖d8 ♔g7 35. ♖g8 ♔h6 36. h4! gh4 37. fe3 h3 38. ♘g4 ♔h5 39. ♖f5** **1 : 0**
[Illescas Córdoba, Zlotnik]

137.* **B 15**

GOLUBEV 2465 – MIRKOVIĆ 2400
Beograd 1991

1. e4 c6 2. d4 d5 3. ♘c3 de4 4. ♘e4 ♘f6 5. ♘f6 ef6 6. c3 ♗e6 7. ♗d3 ♗d6 8. ♘e2 ♕c7 9. ♘g3 [9. ♗e3 N ♘d7 10. ♕d2 ♘b6 11. ♗f4 0-0-0 12. ♗d6 ♕d6 13. 0–0 h5 14. ♘g3 h4 15. ♘e4 ♕c7 16. ♘c5 ♘d5 17. ♖fe1 ♘f4∞ Ermenkov 2510 – Mirković 2390, Beograd 1991; 14. a4!?] **♘d7 N** [9... 0–0 – 48/(208)] **10. ♘e4 0-0-0 11. ♘d6 ♕d6 12. 0–0 h5! 13. ♗e3 ♘b6 14. ♕f3 h4** [14... ♘d5!?∞] **15. h3 ♕d7?** [15... g5! *a)* 16. ♕f6 ♘d5 17. ♕f3 (17. ♕g5 f6! 18. ♕g6 ♖dg8−+) ♕d7! △ g4→; *b)* 16. ♗f5 ♘d5∞] **16. ♖ac1! g5 17. c4** [17. ♕f6 ♘d5 18. ♕e5 f6 19. ♕h2 (19. ♕e4 f5) g4∓] **g4 18. hg4 ♗g4 19. ♕f6 ♖dg8** [19... h3 20. g3 h2 21. ♔h1±] **20. ♔h2±** [20. f3!? ♗e6 (20... ♗h3 21. ♖f2) 21. d5?! h3! 22. ♖f2 (22. de6 ♕d3 23. ♗b6 hg2−+; 22. g4 ♗g4 23. fg4 ♕g4 24. ♔f2 ♕g2 25. ♔e1 ♖e8 26. ♕f4 h2−+) hg2→; 21. ♔h2±] **♔b8 21. ♗g5?** [21. d5! cd5 22. ♕f4 (22. ♗b6!?) ♕c7 (22... ♔a8 23. ♗b6 ab6 24. ♖c3+−) 23. ♕c7 ♔c7 24. cd5±] **♔a8 22. ♗h4?** [22. f4?! h3! 23. g3 ♖d8⇆; 22. ♗e3!?]

22... ♗f3! 23. g3 [23. gf3 ♕d6! 24. ♕d6 ♖h4#; 23. ♕f3 ♖h4 24. ♔g1 ♕d4∓] **♕g4 24. ♖c3 ♘d7−+ 25. ♗f5** [25. ♕e7 f6! (△ ♖h4) 26. ♗h7 ♖g7] **♘f6 26. ♗g4 ♗g4 27. f3 ♗e6 28. ♖h1 ♘h5 29. ♔g2 ♘g3! 30. ♗g3 ♖h1 31. ♔h1 ♖g3**
0 : 1 **[Mirković]**

138.* !N **B 15**

ALEXA. IVANOV 2565
– M. ROHDE 2550
Washington D. C. 1991

1. e4 c6 2. d4 d5 3. ♘d2 de4 4. ♘e4 ♘f6 5. ♘f6 ef6 6. c3 ♗d6 7. ♗d3 0–0 [RR 7... c5 8. ♘e2 ♘c6 9. ♗e3 ♕e7 10. 0–0! N (10. dc5 – 3/176) ♗g4 (10... 0–0 11. ♕c2±) 11. ♕a4 ♗e2 12. ♗e2 0–0 13. ♗f3 ♖ac8 14. ♖fe1 ♖fe8 15. ♗d2?! ♕c7! 16. h3 (16. ♖e8 ♖e8 17. d5 ♕a5 18. ♗d1 b5!) ♕b6= Ma. Schäfer 2460 – Engqvist 2365, Budapest 1991; 15. h3±; 15. g3± Engqvist] **8. ♘e2 ♕c7 9. ♕c2 h6 10. h3** [10. ♗e3 ♖e8 11. 0-0-0∞] **♘d7 11. 0–0 ♖e8 12. ♗e3 ♘f8 13. c4!? N** [13. ♖ae1 – 34/176] **♘e6 14. c5?!** [14. f4 c5 15. d5 ♘d4 16. ♘d4 ♖e3! 17. ♘b5 ♕b8⇆; 14.

♖ae1!? △ f4] **♗f4 15. ♖ae1 ♗d7** [15... b6!?] **16. ♘c3 b6 17. b4 bc5** [17... a5? 18. ♘a4!±] **18. bc5 ♕a5!? 19. ♗c4 ♗e3 20. fe3 f5!** [20... ♘g5? 21. h4 △ 21... ♗e6? 22. ♗d3+−] **21. ♖d1!?** [21. ♖f5? ♘d4 22. ♗f7 ♔h8 23. ♕d3 (23. ♕d2 ♘f5−+) ♘f5 24. ♗e8 ♗e8 25. ♕f5 ♕c3−+; 21. ♕f5?! ♕c3 22. ♕f7 ♔h8 23. ♕d7 ♕c4 24. ♕c6 ♕a2!?∓; 21. ♕d3?! ♖ad8! 22. ♖f5 ♘d4! *a)* 23. ♖f7 ♗e6! 24. ♕g6 ♗f7 25. ♗f7 ♔h8 26. ♗e8 ♕c3 27. ♔f1 (27. ♖f1 ♕e3 △ ♕e8−+; 27. ♖d1 ♘e2−+) ♘c2∓; *b)* 23. ♗f7 ♔h8 24. ♖ff1 ♗f5 25. ♕c4 (25. ♖f5 ♘f3∓) ♗d3! 26. ♕d3 ♘f3 27. ♖f3 ♖d3 28. ♗e8 ♕c3∓] **♘g5?!** [21... g6!? 22. e4 ♘g7∞] **22. e4! ♕b4** [22... ♘e4 23. ♗f7 ♔f7 24. ♘e4 ♔g8 25. ♘d6±; 22... fe4 23. h4 ♗e6 24. ♗e6 ♘e6 25. ♘e4 △ ♘d6↑] **23. ♗b3 ♗e6 24. ef5 ♗c4?!** [24... ♗b3 25. ♕b3 ♕b3 26. ab3 ♖e3 27. ♖c1 ♖d8? 28. d5 cd5 29. c6 ♖e7 30. ♘d5!±; 27... ♘e4!?⩲] **25. ♗c4 ♕c4 26. ♕d3 ♕d3 27. ♖d3 ♖ab8 28. ♖f2⊕** [28. d5!? △ 28... cd5 29. ♘d5 ♖b2 30. ♖c1±] **♖b4 29. ♖c2 ♖c4 30. h4 ♘h7 31. ♖e2 ♖e2?!** [31... ♖d8! 32. ♖ed2 ♘f6=∞] **32. ♘e2** [♖ 9/h] **♖c2 33. ♘c3 ♘f6 34. ♔h2** [34. a3?! ♘g4] **h5?!⊕** [34... ♘g4?! 35. ♔g3 ♘f2 36. ♖e3 ♖c3 37. ♔f2 ♖c4 38. ♖e8 ♔h7 39. ♔e3±; 34... g6!?=∞] **35. a3 ♔h7 36. ♘d1 g6 37. fg6 ♔g6 38. ♘e3± ♖e2 39. ♔g3 ♖a2 40. ♔f3 ♖a1 41. g3 ♖a2 42. d5! ♘d5** [42... cd5 43. c6 ♖a1 44. ♖c3 △ c7+−] **43. ♘d5 cd5 44. ♖c3!+−** [44. ♔e3 ♔f6 45. ♔d4 ♔e6 46. ♖e3 ♔d7 47. ♔d5 ♖d2] **d4 45. c6 dc3 46. c7 c2 47. c8♕ ♖a3 48. ♔f2 ♖a2 49. ♔e3 ♔g7** [49... ♖a3 50. ♔d2 ♖g3 51. ♕g8] **50. ♔d2 a5 51. ♕c4 ♖a3 52. ♕c5** [52... ♖g3 53. ♕e5; 52... ♖a2 53. ♕d5 ♖a3 54. ♕g5] **1 : 0**
[Alexa. Ivanov]

139.* **B 17**

KAMSKY 2595 – AN. KARPOV 2730
Tilburg (Interpolis) 1991

1. e4 c6 2. d4 d5 3. ♘c3 de4 4. ♘e4 ♘d7 5. ♘g5 [RR 5. ♘f3 ♘gf6 6. ♘g3 e6 7. ♗d3 c5 8. 0–0 cd4 9. ♘d4 ♗c5 10. c3 0–0 11. ♕e2 N (11. ♘h5) *a)* 11... ♗d4 12. cd4 ♘b6 13. ♖d1 ♘bd5 (13... ♗d7 14. ♗f4 △ ♗e5±) 14. ♘h5!⩲; *b)* 11... b6! 12. ♘e4 (12. ♕f3 ♘d5 13. c4 ♗d4 14. cd5 ♘c5! 15. de6 ♗e6∓) ♗b7 13. ♘c5 ♘c5 (13... bc5 14. ♘c2 △ ♘e3±) 14. ♗c4 a6 (14... ♗d5 15. ♗d5 ♕d5 16. ♗e3⩲) 15. ♕e5?! ♘fd7 16. ♕h5 b5 17. ♗e2 ♖c8 18. ♖d1 ♕e7∓ Dvojris 2525 – Epišin 2615, SSSR (ch) 1991; 15. a4= Epišin] **♘gf6 6. ♗d3 e6 7. ♘1f3 ♗d6 8. c3 h6 9. ♘e4 ♘e4 10. ♗e4 0–0 11. 0–0 c5 N** [11... e5 12. ♗c2 ed4 13. ♕d4±; 12... ♖e8 – 47/(192)] **12. ♗c2** [12. dc5 ♗c5 (12... ♘c5?! 13. ♗c2 ♕c7 14. ♕e2) 13. ♗c2 ♕c7 14. ♕e2 ♘f6 15. ♘e5 ♗d6 16. ♗f4 b6 17. ♖ad1 ♗a6=] **♕c7 13. ♖e1 ♖d8 14. h3 ♘f6 15. ♕e2 cd4** [15... b6 16. dc5 ♗c5 17. ♘e5 △ ♗f4±] **16. ♘d4 ♗h2 17. ♔h1 ♗f4 18. ♘b5 ♕b8 19. a4** [19. ♗f4 ♕f4 20. ♖ad1 ♖d1 (20... ♗d7 21. ♘d6 △ ♖d4±) 21. ♖d1 ♗d7 22. ♘d6 ♗c6] **♗d7 20. ♗f4 ♕f4 21. ♘d4 ♗c6!= 22. ♖ad1** [22. ♘c6 bc6 23. ♖ad1 ♖d5] **♗d5 23. ♕e3 ♕c7** [23... ♕e3!?=] **24. ♔g1 a6 25. f4↑ b5!⇆ 26. ab5 ab5 27. f5 ef5 28. ♘f5 ♗c4** [28... ♗e6 29. ♘d4 ♗d7 30. ♗b3±] **29. ♖d8 ♖d8 30. ♕f2! ♖e8 31. ♖e8 ♘e8 32. ♕d4 ♗e6** [32... ♔f8? 33. b3 ♗e6 34. ♕b4] **33. ♕e4 ♕c5 34. ♘d4 ♗d7** [34... ♔f8!? 35. ♕e3 ♘c7!] **35. ♗d3 ♔f8 36. ♔f2 ♘c7** [36... ♘d6!?] **37. ♕b7!± g6 38. ♔e2 h5 39. ♔d2 ♔g7 40. ♔c2 h4 41. b4 ♕e5 42. ♕e4 ♕e4 43. ♗e4 ♔f6** [43... f5?! 44. ♗c6 ♗c6 45. ♘c6 ♔f6 46. ♔d3±] **44. ♔d3 ♘e6! 45. ♘e6** [45. ♗c6 ♘f4 46. ♔e4 ♗c6 47. ♘c6 ♘g2] **♔e6 46. c4 bc4 47. ♔c4 f5 1/2 : 1/2**
[An. Karpov]

140. !N **B 22**

MINERVA – FOMIN
corr. 1987/91

1. e4 c5 2. c3 d6 3. d4 ♘f6 4. dc5 ♘c6 5. ♗c4 ♘e4 6. ♗f7 ♔f7 7. ♕h5 g6 8. ♕d5 ♔g7!? 9. ♕e4 ♗f5! N [9... e5!? – 45/(165)] **10. ♕h4?!** [⌓ 10. ♕e3] **♘e5!∓** [×d3] **11. ♕d4 ♔f7 12. ♕d5 e6 13. ♕b7 ♔g8 14. ♗e3 ♖b8 15. ♕a7 dc5 16. ♘f3**

♘f3 [16... ♘d3!? 17. ♔e2 ♖b2 18. ♘bd2] **17. gf3 ♖b2 18. ♘d2 h6** [18... ♕d3!?] **19. ♕a3 ♖c2 20. ♖d1 ♗d3?!** [20... ♕d3!↑] **21. c4 ♖h7 22. ♗c5 ♖d7 23. ♗f8 ♗e2!?** [23... ♕f8 24. ♕f8 ♔f8 25. ♘b3±]

24. ♖g1! ♖dd2 [24... ♖cd2? 25. ♖d2 ♖d2 26. ♖g6 ♔h7 (26... ♔h8 27. ♕c3+−; 26... ♔f7 27. ♖g7 ♔f6 28. ♗e7+−) 27. ♖g7 ♔h8 28. ♕e3!+−; 24... ♔f7!?] **25. ♖g6 ♔h8!□** [25... ♔f7? 26. ♕a7! ♔g6 (26... ♔e8 27. ♖e6 ♔f8 28. ♕c5! ♔g8 29. ♖g6 ♔h7 30. ♖h6 ♔h6 31. ♕e3 ♔h5 32. ♖d2+−) 27. ♕g7 ♔f5 28. ♕g4 ♔e5 29. ♕e4 ♔f6 30. ♕f4 ♔g6 31. ♕h6 ♔f7 32. ♖d2 ♖d2 33. ♕d2 ♕d2 34. ♔d2 ♗c4 35. a4! ♔f8 36. ♔c3 ♗d5 37. f4 ♔f7 38. ♔d4+−] **26. ♗g7!?** [26. ♖h6 ♔g8 27. ♖g6 ♔h8=] **♔h7 27. ♖h6! ♔g7 28. ♕a7!! ♔h6 29. ♕e3 ♔h5** [30. ♕e5=; 29... ♕g5 30. ♖d2 ♖d2 31. ♔d2 ♗c4 32. a4 ♔g6 33. ♕g5 ♔g5 34. ♔e3=]
1/2 : 1/2 **[Minerva]**

141. **B 22**

V. SALOV 2655 − B. GEL'FAND 2665

Wijk aan Zee 1992

1. e4 c5 2. c3 d5 3. ed5 ♕d5 4. d4 ♘c6 5. ♘f3 ♗g4 6. ♗e2 cd4 7. cd4 e6 8. ♘c3 ♕a5 9. 0−0 ♘f6 10. h3 ♗h5 11. a3 ♗e7 12. ♕b3 N [12. ♗e3] **♕c7!** [12... ♗f3 13. ♗f3 ♘d4 14. ♕b7 ♘f3 15. ♕f3 0−0 16. ♗e3±] **13. d5 ♘d5 14. ♘d5 ed5 15. ♕d5 ♗g6 16. ♗e3 0−0 17. ♖ac1 ♖ad8 18. ♕b3 ♕b8 19. ♖fd1 ♖d1?!** [19... ♗f6=] **20. ♖d1 ♖d8 21. ♖d8 ♗d8 22. ♕d5!± ♗f6 23. b4 ♘e7 24. ♗a7** [24. ♕d7 ♕c8] **♘d5 25. ♗b8 ♗b2 26. ♘e5 ♗a3** [26... ♘c3! 27. ♗f1 b5 28. ♘g6 hg6 29. ♗e5 ♘e2 30. ♗e2 ♗e5 31. ♗b5 ♗b2=] **27. ♘g6 hg6 28. b5 ♗c5 29. ♗e5 ♘e7** [29... f6? 30. ♗c4 fe5 31. ♗d5 ♔f8 32. ♗b7+−] **30. ♔f1 ♘f5 31. ♗d3 ♘d4 32. h4! f6 33. ♗f4 ♔f7 34. g3 ♘e6 35. ♗c1 ♘d4 36. ♗e3 ♘e6 37. ♗d2** [37. ♔e2!? ♗e3 38. ♔e3 b6□ 39. ♗c4 ♔e7 40. ♔e4 ♘c7 41. g4 ♔d6!] **♘d4 38. ♔g2 ♗d6 39. ♗c4 ♔e7 40. g4 ♗c5 41. ♗e3 ♘e6 42. ♗c1** [42. ♔f3! ♗e3 43. ♔e3 ♘c7 (43... b6 44. ♗e6 ♔e6 45. ♔e4 ♔d6 46. h5+−) 44. ♔d4 b6 45. h5±] **g5! 43. hg5 ♘g5 44. ♗d5 b6 45. f4 ♔d6 46. ♗c4 ♘e4 47. ♔f3 ♘c3= 48. g5 f5 49. ♗b2 ♗d4 50. ♗a3 ♗c5 51. ♗b2 ♗d4** **1/2 : 1/2**
[V. Salov]

142.* **B 22**

VOROTNIKOV 2415 − V. GUREVIČ 2440

SSSR 1991

1. e4 c5 2. c3 d5 3. ed5 ♕d5 4. d4 ♘f6 5. ♘f3 ♘c6 6. ♘a3 [6. dc5 ♕c5 7. ♗e2 N (7. ♘a3 − 52/(159)) g6 8. ♗e3 ♕f5!? (8... ♕a5 9. b4 ♕c7 10. ♘a3 △ ♘b5±) 9. ♘d4 ♘d4 10. ♕d4 ♗g7 11. ♗d3 ♕a5 12. ♕c5 ♕c5 13. ♗c5 0−0 14. 0−0 ♖d8 15. ♗e2 e5= Kerkmeester 2205 − V. Gurevič 2440, Mondorf 1991] **♗g4 7. ♗e3!? N** [7. ♗e2 − 45/167] **cd4?!** [7... ♗f3! 8. gf3 cd4 9. ♘b5 0-0-0! 10. ♘d4 e5 11. ♘c6 ♕c6 12. ♗h3 ♔c7 13. ♕e2 ♗c5 14. ♗g5 ♖he8∞] **8. ♘b5 ♖c8 9. ♘bd4 ♘d4 10. ♕d4 ♗f3** [10... a6 11. ♘e5±] **11. gf3 ♕d4?!** [⌓ 11... a6 12. ♕a4 ♕d7 13. ♕b3±] **12. ♗d4 a6 13. f4±⊞ e6** [13... ♘d7 14. ♗g2 ♖c7 15. 0-0-0±] **14. ♗g2 ♖c7 15. ♗e5 ♖d7 16. ♖d1! ♖d1 17. ♔d1 b6 18. ♔e2 ♔d7□ 19. ♖d1 ♔c8 20. ♗c6 ♗e7 21. ♗f6 ♗f6** [♖ 9/j] **22. ♖d7 ♖d8 23. ♖f7 a5 24. ♗b7! ♔b8 25. ♗e4 ♖d6?** [25... ♔c8□±] **26. ♗h7 b5 27. ♗e4 ♖b6 28. ♖f8 ♔c7 29. ♖a8! a4** [29... b4 30. ♖a5+−] **30. a3+− e5 31. fe5 ♗e5 32. h4 ♗f6 33. h5 ♗g5 34. ♔d1 ♗f6 35. ♗d3 ♔d6 36. ♖e8 ♔c5 37. ♖e4 ♖d6 38. ♔c2 ♖d8 39. ♖f4** [△ 40. ♖f5, 40. h6+−]
1 : 0 **[V. Gurevič]**

143.* !N **B 22**

BRYNELL 2390 – HENKIN 2495
Stockholm 1991/92

1. e4 c5 2. c3 d5 3. ed5 ♕d5 4. d4 e6 5. ♘f3 ♘f6 6. ♗e2 [RR 6. ♗d3 ♗e7 7. c4 ♕h5! N (7... ♕d8 – 19/307) 8. ♘c3 0–0! (8... cd4 9. ♘b5 ♘a6 10. ♗f4±) 9. 0–0 ♖d8! (9... cd4 10. ♘d4 ♕d1 11. ♖d1±⊥) 10. ♘e2!? (10. dc5 ♘a6! 11. ♕e2 ♘c5 12. ♗c2 b6∓) cd4 11. ♗g5!? (11. ♘ed4? e5∓; 11. ♘fd4? e5∓) ♗d6! (11... e5 12. h3!! ♗h3 13. ♘g3 ♕g4 14. ♗f5+–) 12. ♗f6 gf6 13. ♘ed4 ♘c6! (13... e5? 14. ♘b5 e4 15. ♗e4 ♗h2 16. ♘h2 ♖d1 17. ♖ad1⩱↑⟳) 14. ♘c6 (14. ♘b5 ♗b8∓) bc6 15. ♖e1 c5!∓ V. L. Ivanov 2360 – Dončenko 2370, Moskva (open) 1991; 8. 0–0= V. L. Ivanov] **cd4 7. cd4 ♘c6 8. ♘c3 ♕d6 9. 0–0 ♗e7 10. ♗e3?! 0–0 11. ♖c1 ♘g4!? N** [11... ♘b4 – 44/(177)] **12. ♗d3! b6?!** [12... ♘e3 13. fe3 *a)* 13... b6 14. ♕c2! ♘b4□ 15. ♗h7 ♔h8 16. ♕b1□ ♗a6 17. ♖fd1! f5 (17... g6 18. ♗g6 fg6 19. ♕g6±→) 18. ♗g6 ♖f6 19. ♘e5±; *b)* 13... g6! 14. ♘e4 (14. ♗e4 ♗f6=) ♕d8 △ f5!=] **13. ♘e4?!** [⌓ 13. ♗h7!! ♔h7 14. ♘e4 ♕d5□ (14... ♘e3? 15. ♕d3!! ♘f5□ 16. ♘d6 ♘b4 17. ♕e4 ♗d6 18. ♕a8+–) 15. ♘fg5 ♗g5 (15... ♔g8 16. ♕g4 f6 17. ♘c3!±) 16. ♘g5 ♔g8 17. ♕g4 f6 18. ♘e4!! e5 (18... f5 19. ♘c3+–) 19. ♕f3!±] **♘e3!□** [13... ♕d5?! 14. ♗g5!±↑ ×♘g4] **14. fe3□ ♕d5 15. ♘g3 ♗b7!** [15... f5? 16. ♘f5!! ♖f5 17. e4+–] **16. ♗e4** [16. ♕c2?! ♘b4! 17. ♗h7 ♔h8 18. ♕b1 g6 19. ♗g6 fg6 20. ♕g6 ♖f6 21. ♕g4 ♖h6! 22. ♕f4 ♖h7∓] **♕d6 17. ♘e5** [17. ♕c2 ♖ac8! 18. ♗h7 ♔h8 19. ♕b1□ f5! 20. ♗g6 ♖f6 21. ♘g5 ♖cf8 22. ♗h5 ♘d4!! 23. ed4 ♕d4 24. ♔h1 ♕h4!⩱→»] **♘e5 18. ♗b7 ♖ab8 19. ♗e4** [19. de5? ♕d1 20. ♖fd1 ♖b7] **♘g6∓** [×e3] **20. ♕a4 f5! 21. ♗d3** [21. ♗f3?! ♘h4 △ 22. ♗e2 ♕d5 23. ♖f2 ♗g5∓] **♗g5 22. ♖fe1 ♘e5! 23. ♗b5! ♘g4 24. ♖c6 ♕d8!□ 25. ♘f1** [25. ♖e6?! ♗e3! 26. ♖6e3 ♘e3 27. ♖e3 f4∓; 25. ♕b3 ♔h8!∓]

25... ♗e3! 26. ♖e3 [26. ♘e3? ♕h4–+] **♘e3 27. ♘e3 f4 28. ♘g4 f3 29. ♕c4?⊕** [29. ♖e6!∞ △ 29... ♕g5 30. ♕b3!!] **♔h8!∓ 30. ♖e6 ♕g5 31. gf3?** [31. ♘e3□∓] **♖f3–+ 32. d5 ♖f4⊕ 33. ♕f4 ♕f4 34. ♘e5 ♕c1 35. ♗f1 ♕c5**
0 : 1 **[Henkin]**

144.* **B 22**

SVEŠNIKOV 2540 – GORJAČKIN 2490
Böblingen 1991

1. e4 c5 2. c3 ♘f6 3. e5 ♘d5 4. ♘f3 [RR 4. d4 cd4 5. cd4 e6 6. ♘f3 b6 7. ♘c3 ♘c3 8. bc3 ♕c7 9. ♗d2 ♗b7 10. ♗d3 d6 11. 0–0 ♘d7 12. ♖e1 de5 13. ♘e5 ♘e5 14. ♖e5 ♗d6 15. ♗b5!? N (15. ♖h5 – 43/(182)) ♗c6 16. ♕f3! 0-0-0□ (16... ♖c8 17. ♗c6 ♕c6 18. d5 ♕b7 19. ♖g5±↑) 17. ♗c6 ♗e5 18. a4! ♖d6!□ (18... a6 19. ♖b1±) 19. ♗b5 ♖d5 20. c4 (20. de5 ♖d2 21. ♕a8 ♕b8 22. ♕c6 ♔d8 △ ♔e7∓) ♖d4 (20... ♗h2!? 21. ♔h1 ♖f5) 21. ♗c3 ♕b7 (Sequeira 2285 – Akopjan 2590, Mamaia 1991) 22. ♗c6! ♕c7=; 19. ♗e4!⩱; 15... ♔f8!? Akopjan, Dement'ev] **e6 5. ♗c4 d6 6. 0–0 ♗e7 7. d4 cd4 8. cd4 0–0 9. ♕e2** [9. ♘bd2 ♗d7 10. ♘e4 de5 11. de5 ♗c6⇆] **♗d7 10. ♘c3! ♘c3** [10... ♗c6 11. ♗d5 ♗d5 12. ♘d5 ed5 13. ♕b5±] **11. bc3 ♗c6 12. ♗f4 N** [12. ed6 – 40/172] **♕c7** [⌓ 12... ♗f3 13. ♕f3 ♘c6⩲] **13. ed6 ♗d6 14. ♗d6 ♕d6 15. ♘e5 ♘d7 16. f4! ♖ac8 17. ♗b3 ♘b6?** [⌓ 17... b5±] **18. ♖ad1 ♘d5 19. ♖d3!±→ ♘e7 20. ♖h3 g6**

21. f5! ⟐f5 [21... ef5 22. ♕e3 ♕f6 23. ⟐g4! ♕g7 24. ⟐h6 ♔h8 25. ♕e7+−] **22. g4** [22. ♕d2 f6⇆] ⟐g7 [△ 22... ⟐d4 23. cd4 ♕d4 24. ♕e3 ♖cd8 25. ⟐c6 bc6 26. ♕d4 ♖d4 27. g5±⊥] **23. ♕e3 g5**☐ [23... h5 24. gh5 ⟐f5 25. ♖f5+−] **24. ♗c2** [24. ♕g5 ♗e4∞] **h5**☐ **25.** ⟐c6 [25. ♕g5 ♕d5!∞] ♖c6 26. ♕g5 ♕d5 [26... f5 27. gh5+−] **27. ♕h6 f5**☐ **28. ♗b3 ♕e4 29.** ♖e3 ♖f6☐ **30.** ♖e4 ♖h6 **31. gf5** ♖c3 **32. f6** ♖b3 **33. ab3** ⟐f5 **34.** ♖e6 ♔f7 **35.** ♖f5 [35... ♔e6 36. f7+−] **1 : 0**
[Svešnikov]

145. **B 22**

M. MARIĆ 2300 − ČERNJAEV
Hastings (open) 1991/92

1. e4 c5 2. ⟐f3 ⟐c6 **3. c3** ⟐f6 **4. e5** ⟐d5 **5. d4 cd4 6.** ♗c4 ⟐b6 **7.** ♗b3 d5 **8. ed6** ♕d6 **9. 0−0** ♗e6 **10.** ♗e6 ♕e6 **11.** ⟐d4 ⟐d4 **12.** ♕d4 ♖d8 **13.** ♕h4 ♕e2 **14.** ♗e3 ♕b2 [14... e6 15. ♗b6 ab6 16. ⟐a3 ♗a3 (16... b5 17. ♕g5 ♗a3 18. ♕g7 ♗b2 19. ♖ae1 ♕h5 20. ♕h8 ♔e7⁼) 17. ♕a4 ♔e7 18. ♕a3 ♖d6=] **15.** ⟐d2 ♖d2 **16.** ♗d2 ♕d2 **17.** ♖fd1 ♕h6☐ **18.** ♕g3 ♕c6 **19.** ♖d4 N [19. ♖ab1 − 38/(192)] f6 **20.** ♕b8 ⟐c8 **21.** ♖ad1 ♔f7 **22.** ♖d7 [22. ♖d8 ⟐d6] **g5! 23.** ♖c7 [23. ♖b7 ♗g7 24. ♖c7 ♕b6! 25. ♖b7 (25. ♕b6 ab6∓) ♕e6∓; 23. ♕b7 ♕b7 24. ♖b7 ♗g7∓] **♕a4 24.** ♖d8 ♕a3!∓ **25. h3?!** [△ 25. g3 ⟐d6 26. c4 (26. ♔g2 h5! △ h4-h3) ♕b4! a) 27. ♕a7 ♗g7! 28. ♖dd7 (28. ♖h8 ♕e1 29. ♔g2 ♗h8∓) ♕e1 29. ♔g2 ⟐f5 30. ♕b7 h5!∓; b) 27. ♔g2 f5! (27... h5?! 28. a3! ♕a3

29. c5 ⟐e4 30. ♕b7∞; 27... g4 28. ♕a7! ♗g7 29. ♖h8 ♗h8 30. ♕e3∞) b1) 28. c5 ♕e4 29. ♔f1 ♕h1 30. ♔e2 ⟐e4 31. ♖cc8 ♗g7! 32. ♖h8 ⟐c3−+; b2) 28. ♕a7 ♗g7! 29. ♖dd7 (29. ♕e3 ⟐c4−+) ♗f6 30. a3! ♕d2! 31. ♕b7! (31. ♖b7 ♗d4! 32. ♖e7 ♔f6 33. ♖f7 ⟐f7 34. ♖f7 ♔g6−+) ♔g6 32. c5 (32. ♕f3 g4 33. ♕f4 ♕f4 34. gf4 ♖b8 35. c5 ⟐e4 36. ♖b7 ♖b7 37. ♖b7 ⟐c5−+) g4!! 33. ♕b1 (33. ♕b4 ♕d5 34. ♔g1 ♕d1 35. ♔g2 ♕f3 36. ♔g1 ⟐e4−+) ♗d4 34. ♕f1 ⟐e4 35. ♖c6 ♔h5!−+; b3) 28. a3 ♕a3 29. c5 ⟐e4! b31) 30. ♖cc8 ♕b2! 31. ♖f8 ♔g6! 32. ♖g8 (32. ♖c6 ♔g7−+) ♔h5 33. ♖g5 ♔g5 34. ♕f4 ♔g6−+; b32) 30. ♕b7 ♕a2! (30... g4? 31. ♕d5 ♔g6 32. ♖c6 ♔g5? 33. ♕e4!! fe4 34. ♖d5+−; 32... ⟐f6∞) 31. ♕d5 ♕d5 32. ♖d5 ♔e6 33. ♖d8 ♗g7∓] ⟐d6 **26. g3 h5! 27. c4 h4** [27... ♕b4!?] **28. c5** ⟐f5 **29.** ♖cc8 hg3! **30.** ♖f8 ♔e6 **31.** ♖h8 gf2 **32.** ♔f2 ♕a2 **33.** ♔f3 ♕b3 **34.** ♔f2 [34. ♔g4 ♕d1⧺] ♕c2 **35.** ♔e1 [35. ♔f1 ♕d1 36. ♔f2 ♕d2 37. ♔g1 ♕e1 38. ♔g2 ♕e2 39. ♔g1 ⟐d4 40. ♕g3 ⟐f3−+] ⟐d4 **36.** ♖c6☐ **bc6 37.** ♕c8⊕ ⟐e5 **38.** ♕c7 ♔e6⊕ **39.** ♕c8 ♔d5 **40.** ♕d7 ♔c4 **41.** ♕e7 ♕g2!−+ **42.** ♖d8 ♕g1 **43.** ♔d2 ♕f2 **44.** ♔d1 ♕f1 **45.** ♕e1 [45. ♔d2 ⟐b3] ♕f3 **46.** ♔c1 ♕a3 **0 : 1**
[Širov, Černjaev]

146. **B 23**

CHRISTIANSEN 2600 − FTÁČNIK 2575
Groningen 1991

1. e4 c5 2. ⟐c3 d6 **3. f4 g6 4. d4?!** cd4 **5. ♕d4** ⟐f6 **6. e5** ⟐c6 **7. ♗b5** ⟐h5! [7... de5 8. ♕d8 ♔d8 9. ⟐f3∞] **8.** ⟐f3 N [8. e6 ♗g7 9. ef7 ♔f7 10. ♕f2 ♖f8∓; 8. ♗e3 − 28/304] ♗g7 **9. 0−0 0−0 10.** ♗c6 bc6∓ **11.** ♗e3 ♗g4 **12.** ♖ae1 ♕a5! [×e5] **13.** ♗c1 ♖ad8 **14.** ♕e4 ♕b6?! [14... d5 △ f6∓] **15.** ♔h1 d5 **16.** ♕d3 ♗c8 [△ 16... f6 17. ♗e3 ♕b2? 18. ♖b1 ♕a3 19. ⟐d5!∞; 17... ♕a5!∓] **17.** ⟐a4 ♕c7? [17... ♕a5 18. ♕d4 f6 19. b3±] **18.** ⟐c5± ♗h6 **19.** ⟐d4 ⟐g7 **20.** ♖g1 [△ 20. h3 ⟐f5 21. g4±] f6 **21.** ♗d2 fe5 **22. fe5** ♗d2 **23. ♕d2** ♖f7 **24.** ♖gf1 ♖df8 **25.** ♖f7 ♖f7

26. ♔g1± ♕b6 27. b4 ♘e6 28. ♘de6 ♗e6 29. ♕d4 ♗f5⊕ 30. c3 a5?! [30... ♖f8] **31. ♘b3+− ♕b5** [31... ♕d4 32. ♘d4 ab4 33. cb4+− ×c6] **32. ♘a5 ♕a4 33. ♕d2 c5 34. ♘b3 cb4 35. cb4 ♕a7** [⌓ 35... ♗e4] **36. ♘c5 ♗e4 37. a4 ♖f5 38. ♕d4 ♖g5 39. g3 ♖f5 40. a5 ♖f3 41. ♖f1 ♖f5** [41... ♖d3 42. ♖f8!] **42. ♖f5 gf5 43. ♕e3 ♕c7 44. ♕g5 ♔h8 45. ♕h6** [45. ♘e6?? ♕e5] **♔g8 46. ♘e6 ♕a7 47. ♔f1 ♔f7 48. ♘g5 ♔e8 49. ♕c6 ♔f8 50. ♕e6 ♔g7 51. ♕f7 ♔h6 52. ♘e6 1 : 0**
[Christiansen]

147.* B 23

ANAND 2650 − B. GEL'FAND 2665
Reggio Emilia 1991/92

1. e4 c5 2. ♘c3 d6 3. f4 ♘c6 4. ♘f3 g6 5. ♗c4 ♗g7 6. 0−0 e6 7. d3 ♘ge7 8. ♕e1 h6 N [8... ♘d4 − 52/161; RR 8... 0−0 N *a)* 9. f5!? gf5!? (9... d5 10. ♗b3 − 9. ♗b3) 10. ♕h4∞; *b)* 9. ♗b3 d5 10. ♔h1 (10. f5!? c4!? 11. ed5 ed5 12. dc4 dc4 13. ♗c4 ♗f5=) *b1)* 10... a6 11. f5?! de4 12. de4 ef5 13. ♕h4 b5! (Tischbierek 2480 − Gen. Timoščenko 2505, Oostende 1991) 14. ♘g5 h6 15. ♘f7 ♖f7 16. ♗f7 ♔f7 17. ef5 ♘f5 18. ♕d8 ♘d8∓; 11. a4∞; *b2)* 10... f5!? 11. e5 (11. ed5 ed5=) a6 12. a4 ♖b8 13. ♘e2 b5 14. ab5 ab5 15. c3∞ Gen. Timoščenko] **9. ♗b3± a6** [9... 0−0 10. f5! (RR 10. ♕h4± Anand) ef5 11. ♕h4±] **10. a4! ♖b8 11. ♕g3** [△ f5 ×d6] **♘d4?!** [RR 11... b5!? 12. f5 ef5 13. ♗f4 c4!∞ Anand] **12. ♘d4 cd4 13. ♘e2 b5 14. ab5 ab5 15. ♕f2!** [△ f5; 15. f5? ef5 16. ♗f4 ♖b6 17. e5 g5! 18. h4 ♘g6 19. hg5 de5−+] **♕b6 16. f5 ef5 17. ef5 gf5□ 18. ♘g3!?** [18. ♘f4±] **♗e5 19. ♗f4 ♗e6 20. ♖ae1 ♕c7 21. ♘h5?!** [21. ♕e2! ♔d7 22. ♗e5 de5 23. ♕e5±; RR 23... ♕e5 24. ♖e5± Anand] **♔d7! 22. ♖e2 ♖bf8!** [22... ♘g6? 23. ♕g3! △ ♗e6±] **23. ♗e6?!** [⌓ 23. ♖fe1 ♘g6 (23... ♘c6 24. ♘g3) 24. ♕g3 ♘f4 25. ♘f4 *a)* 25... ♖fg8? 26. ♕f3 ♖g4 27. ♘d5 ♕c6 (27... ♕b8 28. ♖e5! de5 29. ♘f6 ♔e7 30. ♗e6!+−) 28. ♖e5 de5 29. ♖e5; *b)* 25... ♖hg8! 26. ♕h4!? (26. ♕f3 ♖g4 27. ♘d5 ♗d5 28. ♕d5 ♔e7! 29. ♕b5 ♔f6±) ♖g4 27. ♕h6 ♖h8 28. ♗e6 ♔d8 29. ♕h8! ♗h8 30. ♗f5 ♖g8 31. ♘d5≅] **fe6 24. c3 ♗f4 25. ♘f4 e5 26. ♖fe1 ♖f7 27. ♘h5 dc3 28. d4 ♕b6!□** [28... e4 29. bc3 △ ♖e4±] **29. bc3 ♖c8 30. de5± ♕f2 31. ♔f2 de5 32. ♖d1 ♔e6 33. ♘f4 ♔f6 34. ♖d6 ♔g7 35. ♖e5 ♘g8!** [35... ♖c3? 36. ♘h5 ♔g8 (36... ♔h7 37. ♖d7 ♔g6 38. ♘f4 ♔g5□ 39. ♘d5! ♖c2 40. ♔g3 ♘c6 41. ♖f7 ♘e5 42. ♖g7) 37. ♖d8 ♖f8 38. ♘f6 ♔f7 39. ♖f8 ♔f8 40. ♖e7!+−] **36. ♖b5 ♘f6** [36... ♖c3] **37. ♔f1 ♖c3 38. ♖f5 ♖c1 39. ♔e2 ♖e7 40. ♘e6 ♔g6!** [40... ♔f7? 41. ♔d2+−] **41. ♖e5 ♖c8 42. ♖e3 ♖ce8 43. ♔d3 ♖d7 44. ♖g3 ♔h7 1/2 : 1/2**
[Romero Holmes]

148. B 23

SAX 2600 − B. GEL'FAND 2665
Wijk aan Zee 1992

1. e4 c5 2. ♘c3 d6 3. f4 ♘c6 4. ♘f3 g6 5. ♗c4 ♗g7 6. 0−0 e6 7. d3 ♘ge7 8. ♕e1 h6 9. ♕g3?! N d5 10. ♗b3 0−0 11. f5?! [⌓ 11. ♕h4 f5 12. ed5 ed5=] **de4 12. de4** [⌓ 12. f6 ♗f6 13. ♘e4 ♗g7 14. ♘c5 ♘f5∓] **ef5 13. ♕h4 fe4 14. ♘e4 ♘f5 15. ♕d8 ♖d8 16. ♘c5 b6** [16... ♘cd4 17. c3 ♘f3 18. ♖f3 b6 19. ♖d3 ♖e8 *a)* 20. ♗d5? ♖b8 21. ♘e4 (21. ♗f4 bc5 22. ♗b8 ♗a6∓) ♗a6 22. ♖d1 ♖bd8∓; *b)* 20. ♗a4! ♖e1 21. ♔f2 ♖c1 22. ♖c1 bc5 23. ♖d8 ♔h7 24. ♗d7 ♗b7 (24... ♘e7 25. ♖e1 ♗f6 26. ♖e7 ♗e7 27. ♖c8=) 25. ♖a8 ♗a8 26. ♗f5 gf5 27. ♖d1⇆] **17. ♘e4 ♘cd4 18. c3 ♘f3!** [18... ♗b7 19. ♘d4 ♗d4 20. cd4 ♗e4 21. g4 ♘d4 22. ♗h6 ♘f3 23. ♔f2 ♘h2 24. ♖g1∞; 18... ♘b3 19. ab3 ♗b7 20. ♘g3 ♘g3 21. hg3 ♖d3∓; 18... ♘e2 19. ♔f2 ♗b7! (19... ♘c1 20. ♖ac1∓) 20. ♗c2! (20. ♘g3 ♘eg3 21. hg3 ♗f8!∓; 20. ♔e2 ♗e4 21. ♖d1 ♖d1 22. ♗d1 ♖e8 23. ♔f2 ♗f8∓) ♘c1 21. ♖ac1∓] **19. gf3** [19. ♖f3 ♗b7∓] **g5!** [19... ♗b7 20. ♗f4 △ ♗g3∓] **20. ♔f2!** [20. ♗c2 ♘h4!∓] **♗b7 21. ♗e3 ♘e3?** [21... ♗e5! 22. ♖ae1 ♗h2 23. ♘f6 ♔f8∓] **22. ♔e3 ♗e5 23. h4! ♗f4** [23... gh4!? 24. ♖h1 ♗e4∓] **24. ♔f2 ♗e4** [24... g4 25. ♖g1! h5 26. ♖ae1⇆] **25. fe4 ♖d2 26. ♔f3 ♖b2** [26... ♖d3! 27. ♔f2!] **27. hg5?** [27. ♖ad1

♖c8 28. hg5 hg5 29. ♖d7 ♖c3 30. ♔g4 ♖g2 31. ♔f5 ♖c5 32. ♗d5 △ ♔f6=] **hg5 28. ♖ad1 ♗g7! 29. ♖h1** [29. ♖d7 ♖h8! 30. ♔g4 (30. ♖f7 ♔g6 31. ♗e6 ♖c2!−+; 30. ♗f7 ♔f6 31. e5 ♔f5−+; 30. e5 ♔g6!−+; 30. ♖f2 g4!−+) ♔f6! 31. e5 ♔e5 32. ♖e1 ♔f6 33. ♖f7 ♔g6 34. ♖e6 ♔f7 35. ♖e2 ♖b3−+] ♖c8 **30. ♖d7 ♖c3 31. ♔g4 ♖g2?⊕** [31... ♖bb3 32. ab3 ♖b3∓] **32. ♔f5?⊕** [32. ♔h5 ♖c7 33. ♖hd1=] ♖c5! **33. ♗d5** ♖c7 **34.** ♖c7 ♗c7−+ 35. ♖c1 ♖f2 36. ♔g4 ♗e5 37. ♖c8 ♔g6 38. ♖g8 ♔f6 39. ♖a8 a5 40. ♖c8 ♖f4 41. ♔h3 ♖h4 42. ♔g2 g4 43. ♖f8 ♖h2 44. ♔f1 ♖h7 45. ♖g8 ♖h1 46. ♔e2 g3 47. ♖g4 b5 48. ♖g8   **0 : 1** [B. Gel'fand, Huzman]

149.* !N   B 25**

SPASSKY 2550 − HJARTARSON 2550
Lyon − Bayern 1991

1. e4 c5 2. ♘c3 ♘c6 3. g3 g6 4. ♗g2 ♗g7 5. d3 d6 6. f4 e6 7. ♘f3 ♘ge7 8. 0−0 0−0 9. ♗e3 ♘d4 10. ♗f2 [RR 10. e5 ♘ef5 11. ♗f2 ♘f3 12. ♕f3 ♗d7 13. ♘e4! N (13. ♕b7 − 51/145) *a*) 13... ♗c6 14. c3 (14. ed6 ♘d6 15. ♗c5 ♘e4∓) de5 15. ♗c5 ♘d6 16. fe5 ♗e4 17. de4 ♗e5 18. ♖ad1 ♕c7 19. ♗d4± Stjažkin − Kazakov 2320, Šumen 1991; *b*) 13... de5 14. ♗c5 ef4 15. ♕f4 (15. ♗f8?! ♕f8 16. ♕f4 ♗b2 17. ♖ab1 ♗d4 18. ♔h1 ♗c6∞) ♗c6 (15... ♗b2 16. ♖ab1 △ 16... ♗d4? 17. ♗d4 ♘d4 18. ♘f6+−) 16. ♗f8 ♕f8 17. c3 ♗h6 18. ♕e5□ (18. ♕f3? ♘e3 19. ♖fe1 ♘g2 20. ♕g2 f5 21. ♕h3 fe4 22. ♕e6 ♔h8 23. de4 ♕c5∓) ♗g7 19. ♕c5 (19. ♘f6 ♔h8 20. ♗c6 bc6 21. g4 ♕d8 22. gf5 ♗f6 23. ♕e4 ♕b6 24. d4 ef5=) ♕c5 20. ♘c5 ♗g2 21. ♖f5! (21. ♔g2 ♘e3= Stjažkin) gf5 22. ♔g2 b6 23. ♘b3 ♔f8 24. d4± Stjažkin − T. Todorov, Šumen 1991] ♘ec6 **11. ♘d4 ♘d4 12. e5 de5 13. fe5 ♗e5 14. ♘e4 f5 15. ♘c5 ♕d6 16. b4 ♘c6! N** [16... ♖b8? − 45/173] **17. ♖b1 ♗d4!=** [△ ♘b4; 17... b6?! 18. ♘b3 (18. d4 ♗d4 19. ♗d4 ♕d4 20. ♕d4 ♘d4 21. ♗a8 bc5 22. ♖f2 ♗a6 23. ♗g2 cb4 24. ♖b4 ♘e2 25. ♔h1 ♘c3∞) ♗b7 19. d4

♗f6 20. c4!± △ 20... ♕b4? 21. ♘c5; 17... ♖b8 18. ♕e1!? ♗g7 (18... ♗d4 19. ♗d4 ♕d4 20. ♕f2±) 19. ♘b3 b6 20. c4± Radulovski − V. Georgiev 2280, Stara Zagora 1991] **18. ♕d2 ♗f2** [18... a5!? 19. ♗c6 (19. a3?! ab4 20. ab4 ♖a2∓) ♗f2 (19... bc6 20. c3 ♗f2 21. ♕f2 ab4 22. cb4 e5 23. a4 ♗e6 24. ♘e6 ♕e6 25. a5 ♕d5=) 20. ♕f2 bc6 (20... ♕c6? 21. b5 ♕d6 22. ♘a4 ♗d7 23. ♕c5±) 21. a3 e5=] **19. ♕f2 ♖b8 20. a3 b6 21. ♘b3 ♗b7** [21... e5!=] **22. d4 ♘d8** [22... e5?! 23. d5 ♘e7 24. c4 ♕f6 25. ♖bd1±] **23. c4 ♘f7 24. ♗b7 ♖b7 25. ♕e3 e5 26. de5** [26... ♕e5=; 26. d5 ♖c7 27. ♖bc1 ♖fc8=]   **1/2 : 1/2** [Hjartarson]

150.   B 26

JUDASIN 2595 − KISELËV 2510
Podol'sk 1991

1. e4 c5 2. ♘c3 ♘c6 3. g3 g6 4. d3 ♗g7 5. ♗e3 d6 6. ♗g2 ♖b8 7. ♕d2 b5 8. f4 b4 9. ♘d1 ♕b6!? N [△ f5; 9... e6 − 41/153] **10. ♘f3 f5! 11. a3** [11. ♘h4 ♘f6 12. h3 △ 0−0=; 11. 0−0 ♘f6 12. e5!?∞; 11... ♘h6!?∞] **a5 12. ab4 ab4 13. ♖b1?!** [13. ♘h4!? ♘f6 14. h3 △ 0−0=; 13. 0−0!? ♘f6 14. e5!?∞; 13... ♘h6!?∞] **♘f6∓ 14. ♘f2** [14. e5 ♘g4 (14... de5!?) 15. ed6 ed6 16. h3 ♘e3 17. ♕e3 (17. ♘e3 ♘e7∓) ♘e7 △ ♗f6∓] **♘g4! 15. ♘g4?** [15. 0−0 ♘e3 16. ♕e3 0−0?! 17. ef5 gf5 18. ♘g5⇆; 16... ♘d4∓⊡] **fg4 16. ♘h4 ♗c3!−+ 17. bc3 bc3 18. ♕c3 ♕b1 19. ♔d2 ♕b2 20. e5 ♕c3 21. ♔c3 ♔d7! 22. h3** [△ 22. ed6 ed6 23. f5] **gh3 23. ♗h3 ♔c7 24. ed6 ed6 25. ♗c8 ♖bc8 26. f5 ♘e7! 27. g4 gf5 28. gf5 ♖cf8 29. ♗h6 ♖f7 30. ♖a1 ♖b8 31. ♖f1 ♖g8 32. ♗d2 ♖g4 33. ♗e1 ♖g5**   **0 : 1** [Kiselëv, Gagarin]

151.   B 26

BROOKS 2440 − J. BENJAMIN 2555
Las Vegas 1992

1. e4 c5 2. ♘c3 ♘c6 3. g3 g6 4. ♗g2 ♗g7 5. d3 d6 6. ♗e3 ♖b8 7. ♕d2 b5 8. ♘ge2 ♘d4 9. 0−0 e6 10. ♘d1 b4 11. ♘c1

♘e7 [11... ♕a5! △ 12. c3 bc3 13. bc3 ♘c6∓] 12. c3 bc3 13. bc3 ♘dc6 14. ♗h6 0—0 15. ♗g7 ♔g7 16. ♘e3 ♗a6 N [16... ♗b7 — 34/198] 17. ♖d1 ♕a5?! 18. ♘b3 ♕a3? [○ 18... ♕a4] 19. f4 f6 20. f5 e5 21. h4 gf5 22. ef5 ♔h8 23. g4 ♕a4 24. ♖f1 [24. ♗e4!?] c4 [24... ♖g8 25. c4] 25. dc4 ♗c4 26. ♖fd1 ♖bd8 27. ♕f2 ♖g8 28. g5?! fg5 29. f6 ♖df8 [△ ♘g6] 30. h5□ ♗e6 31. ♖f1 ♘c8 32. ♖ad1 g4? [32... ♘d8∓] 33. ♕h4→ ♕a2? [33... ♖f7] 34. ♘c1 ♕a6 35. f7 ♖g7 36. ♕f6+− ♕b6 37. ♖de1⊕ [37. h6! ♕e3 38. ♔h1+−] ♖f7□ 38. ♕e6 ♖f1 39. ♗f1 [○ 39. ♔f1] ♘8e7 40. ♗d3? [40. ♕d6] ♘d8 41. ♕f6 ♘g8 42. ♕h4 ♘e6⚌ 43. h6 ♖f7 [43... ♖g5 44. ♗c4 ♘f4 45. ♗g8 ♔h3 46. ♔h2 ♔g8 47. ♘g4+−; 43... ♖c7!?] 44. ♕g4 ♘f4 [44... ♖f6!?] 45. ♗f1 ♘h6 46. ♕c8 ♘g8 47. ♗d3 ♖f6 [○ 47... ♖g7 48. ♔h2 d5 49. ♘f2 (49. ♘f4 ef4 50. ♘g4 ♖g4−+) ♕h6 50. ♗h3 (50. ♘h3 ♘h3 51. ♗h3 ♕f4 52. ♔h1 ♕f2−+) ♕h4−+] 48. ♔h2 ♖h6 49. ♔g3! ♘h5 50. ♔f3 ♖f6 51. ♔e2 e4? [51... ♘g3 52. ♔d2 ♕b3! 53. ♔c1 ♕a3 54. ♔b1 (54. ♔c2 ♕a2 55. ♔c1 ♘f1−+) ♘e4−+→] 52. ♘b4 a5 53. ♘bc2 ♘g3 54. ♔d2 d5?!⊕ 55. ♕e8 ♕d6 56. ♗e2 ♖f8 57. ♕a4 ♘e2? 58. ♖e2 ♘e7 59. ♕a5 ♖d8 60. ♘d4± ♘g6 61. ♘df5 ♕f6 62. ♘d5?⊕ ♘f4 63. ♖e4 ♘d5 [63... ♖d5? 64. ♕d5 ♘d5 65. ♖e8+−] 64. ♘d4 ♕f2? [64... ♕g5! 65. ♔e1□ ♖b8→] 65. ♖e2 ♕f4 66. ♔c2 ♕g5 67. ♖e5 ♕e5 68. ♕d8 ♔g7 69. ♕d7 ♔g6 **1/2 : 1/2** [J. Benjamin]

152. B 28

ILLESCAS CÓRDOBA 2555
− BELLÓN LÓPEZ 2435

Sevilla 1992

1. ♘f3 c5 2. e4 ♘c6 3. ♘c3 a6 4. d4 cd4 5. ♘d4 e5 N [○ 5... e6 — B 46] 6. ♘f5 d6 7. ♗c4 ♗f5? [7... ♗e6; 7... g6] 8. ef5 ♘f6 9. 0—0 [9. g4 h6 10. ♗e3 ♗e7 11. ♖g1] ♖c8 10. ♘d5! ♘d4 11. ♘f6 [11. ♕d3?! ♗f5 (11... ♘c2 12. ♘f6 gf6 13. ♕c2 b5 14. ♗f7 ♔f7 15. ♕b3) 12. ♗g5 ♗e7 13. ♗f6 ♗f6 14. ♗a6 ba6 15. ♕f5] ♕f6 12. ♗d5 ♖c7 [12... ♘c2?! 13. ♗b7

(13. ♕g4!?; 13. ♖b1!?) ♖c7 14. ♖b1±; 14. ♕g4±] 13. ♗e3!± ♗e7 [13... ♘c2? 14. ♗b6+−; 13... ♘f5? 14. ♗b6 ♖d7 15. c4! (15. c3 ♘e7!?) ♘e7 (15... ♗e7 16. ♕a4) 16. ♕a4 ♘d5 17. cd5+−] 14. c3 ♘c6 [14... ♘f5? 15. ♗b6 ♖d7 16. ♕a4] 15. ♕g4 [15. ♕d3] g6 [15... 0—0 16. g3! △ h4] 16. fg6 hg6 [16... ♕g6 17. ♕c4] 17. f4 [17. g3?! ♕g7 ⇔h] ♕h4 18. ♕h4 ♗h4 19. g3 [19. ♗b6?! ♖d7 20. g3 ♗d8] ♗f6 [19... ♗e7?! 20. f5!] 20. ♗b6 ♖d7 21. ♖ad1 0—0 [21... ♘e7? 22. ♗f7 ♔f7 23. fe5+−; 21... ♗d8? 22. ♗d8 ♘d8 (22... ♖d8 23. ♗c6 bc6 24. fe5 de5 25. ♖d8 ♔d8 26. ♖f7; 22... ♔d8 23. ♗c6 bc6 24. fe5) 23. fe5 de5 24. ♗f7!+−; 21... ef4 22. ♖f4 ♗e5 23. ♖c4!±] 22. f5! ♘e7? [22... g5 23. ♖f2 ♔g7 24. ♖fd2±] 23. ♗e6!+− [23. fg6 ♘d5 24. gf7? ♖df7 25. ♖d5 ♗d8! 26. ♗f2 ♗b6 27. ♖d2 e4−+; 24. ♖d5] ♘c8 [23... fe6 24. fe6 ♘c8 25. ed7 ♘b6 26. ♖f6] 24. ♗d7 ♘b6 25. fg6 **1 : 0** [Illescas Córdoba, Zlotnik]

153.* B 30

KOSTEN 2535 − SADLER 2480

Hastings (open) 1991/92

1. e4 c5 2. ♘c3 ♘c6 3. ♘f3 e5 4. ♗c4 ♗e7 5. d3 d6 6. ♘d2!? N [△ ♘f1-e3 ×d5 Hebden; 6. 0—0 — 50/176; 6. a3 — 50/(176)] ♘f6 [6... ♗g5 7. ♘f1 ♗c1 8. ♖c1 ♘ge7 9. ♘e3 0—0 10. 0—0 ♘g6 11. ♘e2 ♗e6 12. c3 ♕b6 13. ♕d2 ♖ad8 14. ♖fd1 ♘ge7 15. ♗d5 ♗d5 16. ed5 ♘b8 17. d4 ed4 18. cd4 ♘d7 19. dc5 ♘c5 20. b4 ♘e4 21. ♕d4± Kosten 2515 − Harlov 2450, Torcy 1991] 7. ♘f1 ♗g4 [7... 0—0?! 8. ♘e3 △ g4→] 8. f3 ♗e6 9. ♘e3 ♘d4 10. 0—0 0—0 11. a4 ♘d7 12. ♘cd5 ♗g5 13. c3 ♘c6 14. g3! [△ f4±] ♗e3□ 15. ♗e3 ♔h8 16. ♕d2 ♘b6 17. ♗g5!? ♘c4 [17... ♕d7? 18. ♗f6! ♕c7 19. f4+−; 17... f6 18. ♘b6 ab6 19. ♗e6± ∥a2-g8] 18. dc4 f6 19. ♗e3 ♗h3 [19... ♘a5 20. ♕d3 ♖c8 21. f4±] 20. ♖f2 f5 21. ef5 ♖f5? [21... ♗f5±] 22. g4!± [×♗h3] ♖f7 23. ♔h1 [△ ♖g1-g3] e4 24. ♘f4 ♕h4 25. ♖g1 ♖f4 [25... ♘e5 26. ♘h3 f3 (26... ♕h3?? 27. ♖g3 ♕h4 28. ♗g5+−) 27. ♖f3 ef3 28.

♗g5 ♖ff8 29. ♗f2 ♕h6 30. ♖g3±] **26.**
♗f4 ef3 27. ♖f3 ♗g4 28. ♖fg3 ♗f5 29.
♖e1 ♗g6 30. b3 ♘a5 31. ♗g5 ♕h5 [31...
♘b3? 32. ♕d5 ♕h5 33. ♕b7+−] **32. ♕d6**
♘b3 33. ♔g1 b6 34. ♗d8 ♔g8 35. ♖f1
♗f7 36. ♕f6   1 : 0   **[Kosten]**

154.* !N   B 30**

KR. GEORGIEV 2485
− ANDRIANOV 2440
Athens 1991

1. e4 c5 2. ♘f3 ♘c6 3. ♗b5 e6 4. 0−0
[RR 4. ♗c6 bc6 5. b3 d5?! 6. e5!? N (6.
♕e2 − 37/171) ♗a6 7. d3 c4 8. dc4 dc4
9. ♕d8 ♖d8 10. ♗a3! ♘e7 11. ♘bd2 ♘d5
(11... c3?! 12. ♘e4 ♘d5 13. ♗f8 ♖f8 14.
0-0-0±) 12. ♗f8 ♖f8 13. ♘c4 ♗c4 14. bc4
♘b6 (14... ♘b4 15. ♔e2 ♘c2 16. ♖ab1±)
15. ♘d2 ♖d4 16. 0-0-0 ♘d7 (16... ♘c4
17. ♘c4 ♖c4 18. ♖d6 △ ♖hd1±) 17.
♖he1± Sedina 2300 − Ioseliani 2445, Ju-
goslavija 1991; 5... d6!? Sedina] ♘ge7 **5.**
b3!? a6?! 6. ♗c6 ♘c6 7. ♗b2 d6 [RR
7... b5 8. a4 b4 *a)* 9. d4 cd4 10. ♘d4
♕f6 N (10... ♗b7 − 49/(202)) 11. ♖a2
♘d4 12. ♗d4 ♕g6 13. f3 (13. ♘d2 ♗b7
14. ♖e1 ♗e7 15. ♖e3 f6 16. ♖g3 ♕f7 17.
♗e3 d5! 18. ed5 ♗d5∓) *a1)* 13... ♗e7
14. ♘d2 a5!? (14... d5? 15. ed5 ed5 16.
♕e2 ♗e6 17. f4!± Maljutin 2435 − R.
Ščerbakov 2525, SSSR (ch) 1991; 14...
0−0 15. ♘c4±) 15. ♘c4 ♗a6; *a2)* 13...
♗b7!? 14. ♘d2 d5 15. e5∞ Maljutin; *b)*
9. d3 N d6 10. ♘bd2 e5 11. ♘c4 ♗e7 12.
♘e1 0−0 13. f4 ef4 14. ♖f4 f5 15. ef5 d5
16. ♘e5 ♘e5 17. ♗e5 ♗g5 18. ♖f1 ♗f5
19. ♘f3 ♗g4 20. ♕e1 ♗f3 21. ♖f3 ♖f3
22. gf3 ♕e7 23. f4 ♗f6= Frolov 2470 −
Kramnik 2490, SSSR (ch) 1991] **8. d4 cd4**
9. ♘d4 ♕f6 10. ♘a3! N [10. c4 − 24/
(331)] ♘d4 [10... d5 11. ♘c4! dc4 12.
♘c6!] **11. ♗d4 ♕g6** [11... e5 12. ♗b2 △
♘c4±] **12. ♘c4!** [12. ♖e1? d5!] **♕e4 13.**
♖e1 ♕h4 14. ♗c3 ♕d8 15. ♕f3→C ♖b8
16. ♖ad1 b5 17. ♗g7!+− bc4 18. ♗h8
cb3 19. ab3 ♖b5 20. ♗f6 ♕c7 21. c4 ♗b7
22. ♕h3 ♖a5 23. b4 ♖a4 24. ♖e6! fe6
25. ♕e6 ♗e7 26. ♖e1   1 : 0
[Andrianov]

155.   **B 30**

SVEŠNIKOV 2540 −
R. ŠČERBAKOV 2525
SSSR (ch) 1991

1. e4 c5 2. ♘f3 ♘c6 3. ♗b5 e6 4. 0−0
♘ge7 5. c3 a6 6. ♗a4 b5 7. ♗c2 d5 8.
e5! [8. ed5 ♘d5 9. d4 cd4 10. cd4? ♗e7∓;
10. ♘d4=] **d4?! N** [8... h6? − 18/344; ◯
8... ♗b7±] **9. ♗e4 ♗b7 10. a4!± ♘g6**
11. ab5 ab5 12. ♖a8 ♗a8 [12... ♕a8!?]
13. ♘a3 ♘a7 [13... ♘ce5 14. ♗a8 ♕a8
15. ♘e5 ♘e5 16. cd4 cd4 17. ♘b5±] **14.**
♗a8 ♕a8 15. ♕b3 ♕b7 [15... c4 16. ♘c4!
bc4 17. ♕a4 ♔d8 18. ♘d4+→] **16. cd4**
cd4 17. ♘d4 ♗a3 18. ba3 ♘e5 [18... 0−0
19. ♘f3 △ d4±] **19. ♗b2 ♘c4** [19... 0−0
20. ♘e6 ♘f3 21. gf3 fe6 22. ♕e6 ♔h8
23. ♕e4+−] **20. ♕g3!+− 0−0** [20... ♘b2
21. ♕g7 ♖f8 22. ♘e6] **21. ♗c3** [21. ♘f5?
f6!⇆] **g6** [21... e5 22. ♘f5 f6 23. d3 ♘b6
24. ♗b4 ♖b8 25. ♗e7] **22. d3 ♘b6 23.**
♕e5 ♘d7 [23... f6 24. ♕e6 ♔g7 25. ♕d6
(△ ♘e6) ♖e8 26. ♘e6 ♔f7 27. ♘g5]

24. ♕g7! [24... ♔g7 25. ♘f5 ♔g8 26.
♘h6#]   **1 : 0**   **[Svešnikov]**

156.* !N   B 31

ZAJCEV 2405 − KRASENKOV 2550
SSSR (ch) 1991

1. e4 c5 2. ♘f3 ♘c6 3. ♗b5 g6 4. 0−0
♗g7 5. c3 [RR 5. ♖e1 ♘f6 6. c3 a6 7.
♗c6 dc6 8. h3 0−0 9. d4 cd4 10. cd4 c5
11. e5 ♘d5 12. dc5 ♗e6 13. ♕d4 ♕c7

14. ♕h4! N (14. ♘c3 — 47/213) ♕c5 15. ♘bd2! ♗f5 (15... ♕b4 16. ♘e4 ♗f5 17. a3 ♕b6 18. ♗h6 ♗e4 19. ♖e4 ♕b2 20. ♖ae1 f6 21. ♗g7 ♔g7 22. ♘d4!±) 16. ♘b3 ♕c8 (16... ♕b4 17. ♘bd4±) 17. ♗h6 ♗h6 (17... f6 18. ♖ac1 ♕e8 19. ♗g7 ♔g7 20. ef6 ♖f6 21. ♘bd4±) 18. ♕h6 f6 19. ♖ac1 (Kapengut 2450 — Babula 2330, Brno III 1991) ♕d8 20. ♘bd4± B. Gel'fand, Kapengut] **e5 6. b4!? N** [6. d4 — 24/(333); 6. d3 — 24/333] **cb4** [6... ♕b6 7. ♘a3 cb4 8. ♘c4 ♕c7 9. d4 a6 10. de5!? (10. ♗c6 ♕c6 11. ♘fe5±↑) ab5 11. ♘d6 ♔f8 12. cb4 ♘ge7 (12... ♘e5 13. ♗f4 ♘f3 14. ♕f3 ♗a1 15. ♕b3+−) 13. ♗f4 ♘d8 14. ♖c1 ♘ec6 15. ♘b5 ♕b6 16. ♕d6 ♔g8 17. ♘c7 ♖a2 18. ♘d5 ♕a7 19. ♘e7 ♘e7 20. ♕e7+−] **7. d4! ed4** [7... bc3 8. ♘c3 ed4 (8... ♘d4 9. ♘d4 ed4 10. ♘d5±↑; 8... ♘ge7 9. ♗a3 0−0 10. ♘d5 ♖e8 11. ♗c6 ♘c6 12. ♗d6±) 9. ♘d5±↑↑] **8. cd4 ♕b6 9. ♗c4 ♘d4** [9... ♘ge7 10. ♗b2 (10. ♗e3 d5 11. ed5 ♘a5 12. d6 ♘c4 13. de7 ♘e3 14. fe3 ♕e6 15. ♕a4 ♗d7 16. ♕b4 ♕e3 17. ♔h1 ♕e7 18. ♖e1 ♗e6 19. ♕a4 ♕d7 20. ♕a3 ♕e7=) 0−0 11. ♘bd2±↑↑] **10. e5! ♘e6** [10... ♘f3 11. ♕f3 ♘h6 12. ♗h6 ♗h6 13. ♕f7 ♔d8 14. e6 ♖e8 15. ♕h7±; 10... d5 11. ♗d5 ♗e6 12. ♗e6 ♘f3 (12... ♘e6 13. ♕a4!±) 13. ♕f3 fe6 14. ♘d2±↑↑] **11. ♘bd2 ♘e7** [11... d6 12. ♘e4! de5 13. ♗e3 ♕d8 (13... ♕c6 14. ♗b5+−) 14. ♕a4 ♗d7 15. ♕b4±↑] **12. ♘e4 0−0 13. ♘f6** [13. ♘d6!?± f6 14. ♗b2] **♗f6?!** [13... ♔h8 14. ♗b2 d5 △ 15. ed6 ♘g8±] **14. ef6 ♘f5 15. ♗b2± d5 16. ♗d3 ♔h8?!** [16... ♘d6 17. ♕d2 ♔h8 18. ♕h6 ♖g8 19. ♖fe1 ♘e4 20. ♗e4 de4 21. ♘e5 ♕c7 22. ♖ac1+−; 16... ♘f4!? 17. ♗f5 (17. g4 ♘e3) ♗f5 18. ♕d2 g5! (18... ♘e6 19. ♕h6 g5 20. ♘g5 ♕c7 21. ♗e5! ♕d7 22. ♖ad1+−) 19. ♘g5 (19. ♗d4 ♕a6 20. ♘g5 ♘e2) ♘d3∞] **17. ♕d2** [17. ♗f5!? gf5 18. ♘e5 d4 19. ♕h5 ♕c7 20. ♖fe1 b6 21. ♖ac1 ♕b7 (△ ♕g2) 22. ♖c6±↑] **♘ed4 18. ♘d4 ♘d4 19. ♕h6** [19. ♗g6? ♘f3! 20. gf3 ♖g8] **♖g8 20. ♖ae1 ♗f5** [20... ♘f5? 21. ♕g7!+−] **21. ♖e3! ♘e6**

22. g4? [22. ♖fe1+− d4 (22... ♕d6 23. ♗f5 gf5 24. ♖e6; 22... ♘f8 23. ♖e8 △ ♕g7) 23. ♖e6 fe6 (23... ♗e6 24. ♖e5 △ ♕h7, ♖h5♯) 24. ♗f5 gf5 (24... ef5 25. ♖e7) 25. f7] **♗g4 23. ♖g3 ♗f5!** [23... ♗h5 24. ♖e1 d4 25. ♖e5 △ ♕h7+−] **24. ♖e1 ♕d6!□ 25. ♗f5 gf5 26. ♖g7!** [26. ♖e6 ♕e6 27. ♖g7 ♕e1 28. ♔g2 ♕e4 29. f3 ♕c2! 30. ♔h3 f4∓] **♖g7 27. fg7 ♔g8 28. ♖e3 f6!□** [28... ♕f4 29. ♖e6 ♕g4 30. ♔f1+−] **29. ♕f6 ♖e8 30. ♗e5??⊕** [30. ♕h6 (△ ♖h3) ♕e7 31. ♗f6 ♕c7 (31... ♕f7? 32. ♖h3 ♕g6 33. ♕g6 hg6 34. ♖h8+−) 32. ♖h3±↑] **♕d8!−+ 31. ♕f5 ♕g5 32. ♕g5 ♘g5 33. ♗d4 ♖e3 34. ♗e3 ♘f3 35. ♔g2 d4 36. ♗f4 ♘e1 37. ♔f1 ♘d3 38. ♗d2 a5 39. ♔e2 ♘c5 40. ♗f4 a4 0 : 1** [Zajcev]

157.***** !N B 33

JUDASIN 2595 — HARLOV 2515
SSSR (ch) 1991

1. e4 c5 2. ♘f3 ♘c6 3. d4 cd4 4. ♘d4 ♘f6 5. ♘c3 e5 6. ♘db5 d6 7. ♘d5 [RR 7. a4 a6 8. ♘a3 ♗e6 9. ♗c4 ♗e7 10. 0−0 *a)* 10... ♗c4 N 11. ♘c4 ♘e4 12. ♘e4 d5 13. ♕g4 g6 14. ♖d1 f5 15. ♕g3 fe4 16. ♗e3 d4 17. ♘e5± Rublevskij 2420 — Svešnikov 2540, SSSR (ch) 1991; *b)* 10... ♖c8 11. ♗g5 N (11. ♖e1 — 24/(353)) 0−0 12. ♗f6 ♗f6 13. ♘d5 ♗g5 14. c3± Rublevskij 2420 — Čehov 2525, SSSR (ch) 1991] **♘d5 8. ed5 ♘b8** [RR 8... ♘e7 9. c4 ♘f5 10. ♗d3 g6 11. ♕a4 ♗d7 12. ♗f5 gf5 13. ♕b4 ♕b8 14. ♗h6! N (14. f4 — 26/(373)) a5!? (14... ♗h6? 15. ♘d6 ♔f8

16. ♘f5 ♔g8 17. ♘h6 ♔g7 18. ♕e7+−; 14... ♗e7 15. 0-0-0 △ f4±) 15. ♕d2 (15. ♕a3 ♗b5 16. ♗f8 ♖f8 17. cb5 ♕c7±) ♗b5 16. cb5 f4 17. ♗f8 ♔f8 (Dundua – Reuter, Lyngby 1991) 18. 0-0-0!± ♕c8 19. ♔b1 ♕f5 20. ♔a1 Dundua] **9. c4 ♗e7 10. ♗e2 a6 11. ♘c3 0–0 12. 0–0 f5 13. a3!? N** [13. a4 — 29/308; RR 13. ♖b1 N ♘d7 14. b4 e4 15. ♗e3 ♗f6 16. ♗d4 ♗e5 17. c5 ♕f6 18. ♗e5 ♘e5 19. c6! ♘f3!? 20. gf3 ♕c3 21. ♕c1 ♕f6 22. f4 ♕h4 23. ♔h1 ♖f6 24. ♕e3? ♖h6 25. ♕g3 ♕g3 26. fg3 b6∓ Ye Jiangchuan 2515 – Čehov 2515, Beijing 1991; 24. ♖b3! △ 24... ♖h6 25. h3±; 19... ♖f7!?; 19... ♔h8!? Čehov] **♘d7 14. b4 e4 15. ♗e3** [15. ♕b3 ♗f6= Adla 2435 – Harlov 2515, Maringá 1991; 15. ♗f4 ♗f6! △ ♗e5=] **♗f6 16. ♗d4 ♗e5 17. ♗e5 ♘e5 18. ♕d4 ♗d7** [RR 18... f4!? 19. ♘e4 f3 20. gf3 ♖f3 21. ♕e5!?±; 20... ♕h4=/∞ Judasin] **19. c5± ♕f6** [19... ♕e7 20. ♖fc1 ♖fc8 21. ♘d1 △ ♘e3±] **20. ♖fd1 ♖fc8 21. ♖ac1 ♖c7 22. h3 ♕e7 23. ♔f1!** [23. cd6? ♕d6 24. ♘e4?? fe4 25. ♖c7 ♕c7 26. d6 ♕c2!−+] **♖e8! 24. c6□ bc6 25. dc6 ♖c6 26. ♘d5 ♕f7 27. ♖c6** [27. ♘c7 ♖d8! 28. ♘a6 f4!→] **♘c6 28. ♕b6** [28. ♕d2!?∞] **f4! 29. ♗a6⊕ ♕h5⊕** [29... f3!?] **30. ♖c1! f3 31. ♘f4 fg2 32. ♔g1 ♕g5 33. ♖c6** [33. ♕e3 ♘d4 34. ♕d4 ♕f4 35. ♖c7 ♕f5!] **♕f4 34. ♖c3 ♕d2!?** [34... ♕e5!?] **35. ♖g3??** [35. ♕e3!∞] **e3! 36. ♖e3** [36. fe3 ♕c1 37. ♔g2 ♗c6−+] **♕c1 37. ♔g2 ♗c6 38. f3 ♖e3 0 : 1** **[Harlov]**

158. **B 33**

ADAMS 2615 – CHANDLER 2605

Hastings 1991/92

1. e4 c5 2. ♘f3 e6 3. d4 cd4 4. ♘d4 ♘f6 5. ♘c3 ♘c6 6. ♘db5 d6 7. ♗f4 e5 8. ♗g5 a6 9. ♗f6 gf6 10. ♘a3 f5 11. ef5 ♗f5 12. ♘c4 ♘d4 N [12... ♗e6 — 24/(366)] **13. ♘e3 ♗e6 14. ♗c4 ♕g5!?** [14... ♗g7? 15. ♗e6 fe6 16. ♕h5 ♔d7 17. ♘e4→ △ c3, 0-0-0] **15. ♘cd5 ♖c8 16. ♗b3** [△ 17. c3 ♘b3 18. ♕b3!?] **♘b3 17. ab3 f5 18. g3 f4!=/∞ 19. h4 ♕g6 20. gf4 ♗h6 21. ♖a4?!** [⌓ 21. h5] **♖f8 22. h5 ♕g8! 23. fe5?!** [23. f5∞]

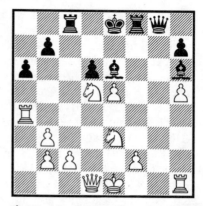

23... ♗d5! 24. ♕d5□ [24. ♘d5 ♕g2 25. ♖f1 ♖c5 26. ♖d4 (26. c4 ♖f5! 27. f4 ♗f4−+) ♖d5 27. ♖d5 ♕e4 28. ♕e2 ♕d5 29. ed6 ♔f7∓] **♗e3?** [24... ♕d5 25. ♘d5 ♖c2∓] **25. ♕g8?** [25. ♕b7!□ ♗f2 26. ♔d1 ♕e6 27. ed6!? ♖f7 28. ♖e4!=] **♗f2!−+ 26. ♔f1 ♖g8 27. ♔f2 ♖c2 28. ♔f3 de5 29. ♖e1 ♖g5 30. ♖g4 ♖h5 31. ♖g7 ♖f5 32. ♔e4 ♖f7 33. ♖g8 ♔d7 34. ♖d1 ♔c7 35. ♖g3 ♖b2⊕** [35... ♖e2 36. ♖e3 ♖f4 37. ♔e5 ♖e3−+] **36. ♖c3 ♔b6 37. ♔e5 ♖e2 38. ♔d6 ♖e8 39. ♖h1 ♖g7 40. ♖h4 a5 41. ♖h5 ♖d8 42. ♔e6 ♔a6 0 : 1** **[Chandler]**

159.*** **B 33**

JUDASIN 2595 – ČEHOV 2525

SSSR (ch) 1991

1. e4 c5 2. ♘f3 ♘c6 3. d4 cd4 4. ♘d4 ♘f6 5. ♘c3 e5 6. ♘db5 d6 7. ♗g5 a6 8. ♘a3 b5 9. ♘d5 ♗e7 [9... ♕a5 10. ♗d2 ♕d8 11. ♘f6 ♕f6 12. c4!? b4 13. ♘c2 ♕g6 14. ♕f3!? N (14. f3 — 21/(334)) ♖b8! 15. ♗d3 ♗e7 16. 0–0 0–0 17. b3 a5! 18. ♖fb1 ♗d8! 19. ♗e3 (19. a3 ba3 20. ♖a3 ♗b6∞) ♘e7!⇆ 20. ♕g3 ♕e6! 21. f4!? ef4! 22. ♗f4 ♘g6! 23. ♗g5□ (23. ♗d6? ♗h4∓) ♘e5 24. ♗d8 ♖d8 25. ♘d4= Judasin 2595 – Dvojris 2525, SSSR (ch) 1991; 18. ♔h1 △ ♕e2, f4±; 16. ♕g3±] **10. ♘e7 ♘e7 11. ♕f3 ♘d7** [11... ♗g4?! 12. ♕g3 N (12. ♕e3 — 23/373) ♗e6 13. ♗d3 (13. ♗f6 gf6 14. ♕g7 ♘g6∞) ♘g6 14. 0–0 0–0 15. c4! h6 16. ♗f6 ♕f6 17. cb5 ab5 18. ♘b5 (18. ♗b5 ♖fb8=/∞⇆) ♗a2 19. ♖fc1± Kuprejčik 2440

– Deev 2410, Podol'sk 1990; 13... d5!?±] **12. b4 N** [12. 0-0-0] **f6** [12... h6 13. ♗d2 ♗b7 14. c4 bc4 (14... f5 15. ♕g3!± △ 16. ♕g7, 16. cb5) 15. ♘c4 ♘f6! 16. ♗d3□ d5 17. ed5 ♗d5 18. ♕g3! ♗c4! (18... e4?! 19. ♗e2 0–0 20. ♘e3 ♗e6 21. ♗c3± Judasin 2595 – Čehov 2525, Moskva 1991) 19. ♗c4 ♘e4 20. ♕e3 ♕d2±] **13. ♗d2 ♘b6** [13... ♗b7!? 14. c4 f5 15. cb5 ♗e4 16. ♕g3!? (16. ♕b3±) 0–0 17. ba6 f4 18. ♕b3±] **14. c4 bc4 15. ♘c4 ♗e6□ 16. ♘a5!** [16. ♘b6 ♕b6 17. ♕e3 ♕b7⇆] **0–0** [16... d5?! 17. ♘b7 △ ♘c5±] **17. ♗d3 ♕d7!?** [17... d5 18. ♘b7±↑; 17... f5!?] **18. ♕e2! ♘c6! 19. ♘c6** [19. ♗a6? ♘d4→] **♕c6 20. 0–0** [20. ♗a6? ♖a6! 21. ♕a6 ♗c4 △ ♕e4→] **♕b7 21. ♖fc1 f5!?** [21... d5 22. ♖c5!±] **22. ef5** [22. b5?! ab5! 23. ♗b5!? (23. ef5?! ♗c4!∓) ♕e4$\overline{\infty}$; 22. a4 fe4 23. ♕e4 ♕e4 24. ♗e4 d5 25. ♗d3 ♘c4 26. ♗c3=; 22. f3!?±] **♗f5 23. ♗f5** [23. b5!? ab5 (23... ♗d3 24. ♕d3 ♘d5!±) 24. ♗b5 ♗e4 25. f3 ♗d5 26. a4±] **♖f5 24. b5 d5!** [×c4] **25. g4!?** [25. ba6 ♕a6 26. ♕a6 ♖a6 27. ♖c6 ♖f6∓; 25. ♖c6 ♘c4⇆; 25. ♖c5 ♘d7] **♖f6 26. ba6** [26. ♕e5 ♘c4 27. ba6 ♖fa6∓] **♕d7!** [26... ♕a6 27. ♕e5±; 26... ♖a6 27. ♕e5 ♘c4 28. ♕d4±] **27. ♖c5!** [27. h3 ♘c4 △ ♖fa6↑; 27. g5 ♖e6∓] **♘c4□ 28. ♖d1! ♖c6!** [28... ♘d2? 29. ♖d2→ ×d5, e5; 28... ♖d6? 29. ♗b4!; 28... ♘b2 29. ♖b1 ♘c4 30. ♗b4↑] **29. ♗b4 ♖c5□ 30. ♗c5 ♕c6□⊕ 31. ♗b4⊕** [31. ♕f3?! e4 (31... ♕c5 32. ♖d5 ♕f8 33. ♕b3 ♕f3 34. ♖c5 ♕g4 35. ♔f1 ♕e6 36. ♕b7 ♕h3∞; 36. ♖c4=) 32. ♕f5 ♕c5 33. ♖d5 ♕c8 34. ♖d7 ♘e5!∓] **e4 32. ♗c3 ♖a6** [33. ♖b1 △ ♕d1-d4∞] **1/2 : 1/2** **[Judasin]**

160. **B 33**

P. WOLFF 2570 – M. KUIJF 2440

Wijk aan Zee II 1992

1. e4 c5 2. ♘f3 ♘c6 3. d4 cd4 4. ♘d4 ♘f6 5. ♘c3 e5 6. ♘db5 d6 7. ♗g5 a6 8. ♘a3 b5 9. ♘d5 ♗e7 10. ♘e7 ♘e7 11. ♗d3 ♗b7 12. ♕e2 ♘g6!? N [12... ♘d7 – 27/368] **13. c4 b4 14. ♘c2 a5** [14... h6!? 15. ♗f6 (15. ♗d2) ♕f6 16. ♘b4 ♘f4 17. ♕f3 ♕g6∞] **15. f3 h6 16. ♗e3** [16. ♗d2 ♘d7 17. ♘e3 ♘f4 18. ♕f1 ♘c5=] **♘d7 17. 0–0 0–0 18. ♕d2 ♕c7** [18... ♘c5] **19. ♖fd1 ♘c5 20. ♗f1 ♖ad8 21. ♕f2!** [21. ♗f2 f5=] **♘e7** [21... f5? 22. ef5 ♖f5 23. ♗c5±] **22. g4! ♕c6 23. b3 ♖b8** [23... h5!?] **24. ♖d2± ♘e4? 25. fe4 ♕e4** [25... f5 26. gf5 ♕e4 (26... ♘f5 27. ♗g2+–; 26... ♖f5 27. ♕g3 △ ♗g2+–) 27. ♗g2+–] **26. ♕g2 ♕h7** [26... ♕g6 27. ♕g3] **27. ♕h3! f5 28. gf5 ♘f5 29. ♗g2 ♕g6 30. ♔h1 ♕f7 31. ♗b7 ♕b7 32. ♕g2 e4⊕ 33. ♖d5 a4 34. ♕g4 ♕d7? 35. ♘d4 h5 36. ♕h3 g6 37. ♖g1** **1 : 0**
[P. Wolff]

161.** **B 33**

A. SOKOLOV 2550 – VAJSER 2565

Réunion 1991

1. e4 c5 2. ♘f3 ♘c6 3. d4 cd4 4. ♘d4 ♘f6 5. ♘c3 e5 6. ♘db5 d6 7. ♗g5 a6 8. ♘a3 b5 9. ♘d5 ♗e7 10. ♗f6 ♗f6 11. c3 [RR 11. c4 b4 12. ♘c2 a5 13. ♘f6 N (13. ♗e2 ♗g5 14. 0–0 0–0 15. ♗g4 ♗b7! 16. b3 ♘b8 △ ♘a6-c5=; 13... 0–0 – 21/335) ♕f6 14. ♗e2 0–0 15. 0–0 ♖d8 16. ♕d2 ♗e6 17. b3 ♖ab8 18. ♖fd1 ♖d7 19. ♕e3± Frolov 2470 – Jakovič 2560, SSSR (ch) 1991; ⌓ 17... ♕e7 Frolov] **0–0** [RR 11... ♘e7 12. ♘f6 gf6 13. ♘c2 ♗b7 14. ♗d3 f5!? N (14... d5 – 46/(209)) 15. ef5 ♗g2 16. ♖g1 ♗b7 17. a4 ba4 (17... ♕b6?! 18. ab5 ab5 19. ♖a8 ♗a8 20. ♘e3± M. Brodskij 2415 – Osipov, SSSR 1991) 18. ♖a4 d5∞ M. Brodskij, A. Vajsman] **12. ♘c2 ♖b8 13. ♕d3 N** [13. ♗e2 – 45/(185)] **♗g5 14. ♖d1 f5** [14... ♗e6 15. ♘cb4 ♘b4 16. ♘b4 ♖b6 17. ♗e2±] **15. ♘de3 f4** [15... ♗e3 16. ♘e3 f4 17. ♘f5±] **16. ♘f5 ♗f5** [16... d5!? 17. h4 (17. ♕d5? ♕d5 18. ♖d5 g6 19. ♘d6 ♗e6∓) ♗f6 18. ♗e2 ♗f5 19. ef5 ♘e7∞] **17. ef5 ♕b6 18. ♗e2** [18. ♕d6 ♔h8!∓] **♖bd8** [18... ♘e7 19. ♕d6 ♘f5 20. ♕b6 ♖b6 21. ♗f3±] **19. ♗f3 ♘e7 20. h4 ♗h6** [20... ♗f6 21. ♘b4±] **21. ♘b4 ♘f5 22. ♘d5!** [22. ♗e4 ♘e7! 23. ♗h7 ♔h8 24. ♗e4 d5! 25. ♘d5 ♘d5 26. ♗d5 e4 27. ♕d4 ♕g6∞] **♕a7 23. ♗e4 g6 24. h5 ♗g5?** [24... ♔g7 25. ♕h3 (25. hg6 hg6 26. ♕h3 ♖h8 27. ♗f5? ♗g5∓) ♖h8 26. ♗f5 gf5 27. ♕f5 ♖hf8

28. ♕e6±] **25. hg6 hg6 26. ♕h3 ♘h6** [26... ♗h4 27. ♖d2+−; 26... ♕g7 27. ♕g4 ♗h6 28. ♖d3 △ ♖dh3+−] **27. ♗g6 f3** [27... ♕d7 28. ♕h5 ♕g4 29. f3 ♕g2 30. ♖d2 ♕g3 31. ♔f1+−] **28. gf3 e4 29. ♕e6 ♔g7 30. ♗e4 ♕f7 31. ♕f7 ♘f7 32. f4 ♖fe8 33. f3 ♗h6 34. ♔f2 ♖e6 35. ♖dg1 ♔f8 36. f5 ♖e5 37. ♖g6 ♗g5 38. ♖g5 ♖d5 39. ♗d5 1 : 0**
[A. Sokolov]

162.** !N **B 33**

DVOJRIS 2525 – IKONNIKOV 2480
SSSR 1991

1. e4 c5 2. ♘f3 ♘c6 3. d4 cd4 4. ♘d4 ♘f6 5. ♘c3 e5 6. ♘db5 d6 7. ♗g5 a6 8. ♘a3 b5 9. ♗f6 gf6 10. ♘d5 ♗g7 11. ♗d3 [RR 11. c3 f5 12. ef5 ♗f5 13. ♘c2 ♗e6 14. ♘ce3 ♘e7 15. g3 ♘d5 16. ♘d5 0–0 17. ♗g2 a5 18. 0–0 ♖b8 19. ♕h5 f5 20. ♖ad1 ♔h8 21. ♖d2 ♗f7! N (21... ♕d7 – 49/208) 22. ♕e2 ♕e8 23. ♘e3 (23. a3 e4!∓ △ ♗h6, ♗h5, ♖d8) ♗a2 24. ♖a1 (24. b4? ♗b3 25. ba5 f4 26. ♖b2 ♕f7 27. ♘f5 ♕f5 28. ♖b3 f3−+; 24. ♖d6 f4 25. ♖a1 fe3∓) ♗b3 *a)* 25. ♖a5? f4 26. ♘f1 (26. ♘d5 ♗h6 27. gf4 ef4−+) ♕f7∓ Kozakov 2265 – Rogozenko 2305, România 1992; *b)* 25. ♖d6□ a4∓ Rogozenko] **♘e7 12. ♘e7 ♕e7 13. c4 f5 14. 0–0 0–0 15. ♕h5** [RR 15. ♕f3! N *a)* 15... d5? 16. cd5 fe4 17. ♗e4 ♕d6 (17... f5? 18. d6+−) 18. g4!±; *b)* 15... ♖b8 16. ef5 bc4 (16... e4 17. ♗e4 ♗b2 18. ♖ae1±) 17. ♘c4 ♗b7 18. ♗e4 d5!? 19. ♗d5 e4 20. f6! ♗f6 21. ♕g4 ♗g7□ 22. ♖ad1! ♔h8 23. ♕f5 ♗d5 24. ♕d5 (24. ♖d5!? ♗b2 25. ♘b2 ♖b2 26. ♖e5 ♕d6 27. a4± Itkis) f5 25. b3± Vlad 2275 – Itkis 2355, București 1991; *c)* 15... bc4!? 16. ♗c4 (16. ef5?! cd3 17. ♕a8 ♗f5$\overline{\overline{\infty}}$) fe4 17. ♕e4 ♗b7 18. ♗d5 ♗d5 19. ♕d5 ♔h8∞; 16. ♘c4± Vlad] **♖b8 16. ef5 e4 17. ♖ae1 ♗b7 18. b3 N** [18. ♕g4 – 51/157] **bc4 19. bc4 ♔h8** [19... d5 20. cd5 (20. ♘c2 ♕f6 21. ♗e2 d4∓) ♕a3 21. f6 ♗f6 22. ♗e4 ♖fe8 23. ♖e3 ♕c5∞] **20. ♘b1?** [20. ♘c2] **♖g8?** [20... ♗e5! 21. ♗c2 (21. ♗e2 ♖g8∓↑») ♖bc8 22. ♘d2 d5 23. ♖b1 ♗a8$\overline{\overline{\infty}}$] **21. g3 ♖be8 22. ♘d2 ♗c3 23. ♖e4** [23. ♘e4 ♗e1 24. f6 ♕e4 (24... ♕e5 25. ♘g5 ♗f2 26. ♖f2 ♕e1 27. ♗f1 ♖g5 28. ♕g5±) 25. ♗e4 ♖e4 26. ♕f7 ♗a8 27. ♕c7 ♗c3 28. ♕d6 ♗e5 29. ♕a6 ♖f8∞] **♗e4 24. ♘e4 ♗f6 25. ♕h6** [25. ♖b1!? ♖b8?? 26. ♖b8 ♖b8 27. ♘g5! ♗g5 28. f6 ♕e1 29. ♔g2 h6 30. ♕f7+−] **♗g5 26. ♕h5** [26. ♕d6 ♖d8 27. ♕e7 ♗e7 28. ♗c2 f6∓] **f6 27. f4 ♕a7 28. ♔g2 ♕d4 29. fg5 ♕d3** [29... ♖e4 30. ♗e4 ♕e4 31. ♕f3 ♕c4 32. gf6 ♕a2 33. ♖f2 ♕f7 34. ♕d3 ♕f6 35. ♕a6±] **30. ♘f6 ♖e2 31. ♔h3 ♖g7 32. ♖f2! ♖ge7 33. ♕h6 ♖f7 34. ♖e2 ♕e2 35. g6 ♕f1 36. ♔h4 ♕c4 37. g4 ♕e2** [37... ♕d4 38. ♔h5 ♕b2 39. h4 ♕f6 40. gf7 ♕f7 41. ♔g5 ♕g8 42. ♔f6 ♕d8 43. ♔e6 ♕e8 44. ♔d6 ♕d8 45. ♔c6 ♕e8 46. ♔b6 ♕d8 47. ♔c5 ♕a5 48. ♔c6 ♕b5 49. ♔c7+−] **38. h3 ♕f2 39. ♔h5 ♕g3 40. h4 ♖g7 41. ♘h7 1 : 0 [Dvojris]**

163. **B 33**

VAN DER WIEL 2540 – NUNN 2615
Wijk aan Zee 1992

1. e4 c5 2. ♘f3 ♘c6 3. d4 cd4 4. ♘d4 ♘f6 5. ♘c3 e5 6. ♘db5 d6 7. ♗g5 a6 8. ♘a3 b5 9. ♗f6 gf6 10. ♘d5 ♗g7 11. ♗d3 ♘e7 12. ♘e7 ♕e7 13. c4 f5 14. 0–0 0–0 15. ef5?! N e4□ [15... bc4 16. ♗e4!±; 15... ♗b7 16. ♖e1±] **16. f6□** [16. ♖e1 ♗f5 △ ♖fe8∓ ×b2] **♗f6 17. ♖e1 d5!** [17... ♗f5 18. ♗e4 ♗e4 19. ♕g4 ♗g7 20. ♖e4 f5 21. ♖e7 fg4 22. ♖b1 ♖ac8! (22... ♗d4 23. ♖e2 ♖ae8 24. ♖d2! ♗c5 25. cb5 ♗a3 26. ba3 ab5 27. ♔f1±) 23. b3 (23. ♖e4 d5 24. ♖g4 dc4 25. ♘c2 ♖cd8∓; 23. cb5 ♗b2 24. ♖e3 ♗d4 25. ♖e2 ♗c5∞) d5!∞ △ 24. cd5 ♗b2!, △ 24. cb5 ♗b2!] **18. cd5 ♗b2 19. ♗e4!?** [19. d6 ♕d6 20. ♗e4 ♕d1 21. ♖ad1 ♖b8 22. ♘c2∓] **♕a3 20. ♖e3** [20. d6 ♖a7 21. ♖e3 (21. ♕h5 f5 22. ♗d5 ♔h8 23. ♖e8 ♕d6 24. ♖ae1 ♗d7−+) ♕c5∓] **♕d6 21. ♗h7□ ♔h7 22. ♕c2 ♕g6!** [22... f5 23. ♕b2 ♕f6 (23... f4 24. ♖e5∞) 24. ♖e5 △ f4, ♖ae1$\overline{\overline{\infty}}$] **23. ♕b2 ♖g8 24. ♖g3 ♕e4∓ 25. ♕f6?⊕** [25. ♖d1! ♖g3 (25... ♗g4?! 26. ♕d4! ♕d4? 27. ♖d4 ♗h5 28. ♖h3 ♖g5 29. g4 ♖ag8 30. ♔f1±; 26... ♕e2∞) 26. hg3 ♗f5 27. ♕f6! △ ♖d4∞; 25...

♖g6!∓] **♖g3 26. hg3 ♕d5 27. ♖e1 ♗f5!**−+ [27... ♗b7? 28. f3! (28. ♕h4 ♔g6 29. ♕g4 ♕g5 30. ♕d7 ♗d5−+) ♕c5 29. ♔f1 ♗d5 30. ♕f5=; 27... ♕f5!−+] **28. ♖e5** [28. g4 ♗g6 (28... ♗g4? 29. ♖e5 ♕d1 30. ♔h2 ♗h5 31. ♕h4 ♔g7 32. ♖h5 ♕h5 33. ♕h5 ♖h8 34. ♕h8 ♔h8 35. ♔g3=) 29. ♖e3 ♔g8!□ 30. ♖h3 ♗h7 31. ♕h6 ♕e4 △ ♖c8−+] **♕d1 29. ♔h2 ♗g6** [△ ♖h8] **30. ♖e4 ♗e4 31. ♕f7 ♔h6** [31... ♔h8 32. ♕f6 ♔g8 33. ♕e6 ♔f8−+] **32. ♕f4 ♔g7 33. ♕e5 ♔f7 34. ♕f4 ♔g8 35. ♕g5 ♔h7 36. ♕h4 ♔g7 37. ♕e7 ♔h6 38. ♕e4 ♕h5 39. ♔g1 ♖e8 40. ♕f4 ♔h7 41. f3 ♕c5 42. ♔h2 ♔g6** **0 : 1**
[Nunn]

164. **B 33**

ROMERO HOLMES 2490
– V. SALOV 2655
Wijk aan Zee 1992

1. e4 c5 2. ♘f3 ♘c6 3. ♘c3 e6 4. d4 cd4 5. ♘d4 ♘f6 6. ♘db5 d6 7. ♗f4 e5 8. ♗g5 a6 9. ♘a3 b5 10. ♗f6 gf6 11. ♘d5 f5 12. g3 fe4 13. ♗g2 ♗e6 14. ♗e4 ♗g7 15. ♕h5 ♖c8 16. c3 ♘e7 17. ♖d1 ♖c5!? N [17... ♘d5 − 49/(209)] **18. ♘b4 ♕b6 19. ♕g5! ♔f8 20. ♕e3 h5!? 21. ♘d3** [21. ♘a6? ♗h6! (21... ♕a6?? 22. ♕c5 dc5 23. ♖d8#) 22. ♖d6 ♕d6 23. ♕c5 ♕d2−+; 21. 0−0!?] **♖c6 22. ♗c6 ♕c6**$\overline{\overline{\infty}}$ **23. f3 ♗h6 24. ♕f2 a5 25. 0−0 h4 26. g4 ♘d5** [26... h3 27. ♘e5 de5 28. ♖d8 ♔g7 29. ♖h8 ♔h8 30. ♕h4 ♘g8 31. g5 ♕b6 32. ♔h1 ♕d8∞] **27. ♘c2 h3 28. ♘c1?!** [28. ♕e2!∞] **♗g5! 29. ♘e2 ♗d8 30. ♔h1 ♗b6 31. ♕g3 b4!**∓ **32. ♘cd4?! ed4 33. ♘d4 ♗d4 34. ♖d4 bc3 35. bc3 ♔e7 36. g5 ♘e3 37. ♖f2 ♘f5 38. ♕f4 ♖h4** **0 : 1**
[V. Salov]

165.** !N **B 33**

WANG ZILI 2500 – ČEHOV 2515
Beijing 1991

1. e4 c5 2. ♘f3 ♘c6 3. d4 cd4 4. ♘d4 ♘f6 5. ♘c3 e5 6. ♘db5 d6 7. ♗g5 a6 8. ♘a3 b5 9. ♗f6 gf6 10. ♘d5 f5 11. ♗d3 ♗e6 12. ♕h5 [RR 12. 0−0 ♗g7 13. ♕h5 f4 14. c4 bc4 15. ♗c4 0−0 16. ♖ac1 ♖b8 17. b3 ♕a5 18. ♗d3 ♘b4 19. ♘c4 ♕a2!! N (19... ♕d8 − 48/(233)) 20. ♘b4 ♖b4 21. ♖a1 ♕b3 22. ♖a3 ♗c4 23. ♖b3 ♗b3 24. ♗a6 d5! 25. ed5 ♗d5 26. ♗d3 h6 27. ♕f5 ♖d8= Rubinčik − Hamarat, corr. 1990/91; 20. ♗b1!?∞ Hamarat] **♖g8 13. g3 ♖g5!? N** [13... ♖c8 − 45/188; 13... h6 − 45/(188); RR 13... ♖g4!! N *a)* 14. f3 ♖g6 15. f4□ (15. ♕h4? ♕h4 16. gh4 ♗d5 17. ed5 ♘e7−+ Brustman 2325 − Kramnik 2490, Groningen (open) 1991) ♖c8∓↑; *b)* 14. ♕h7 ♘d4∓↑; *c)* 14. h3 fe4 15. hg4 ed3 16. ♘e3 d5 17. cd3 ♕a5 18. ♔f1 ♕d2∓↑; *d)* 14. ♘e3 fe4 15. ♘g4 ed3 16. cd3 (16. c3 e4 17. 0−0 d5∓) ♕a5 17. ♔f1 ♕b4! 18. ♘f6 ♔e7 19. ♕g5 ♗h3 20. ♔g1 ♘d4!! 21. ♘d5 ♔e8 (21... ♔e6 22. ♕h5!) 22. ♕h5 ♕b2 23. ♕h3 ♕a1 24. ♔g2 ♕a2 25. ♘c7 ♔d8 26. ♘a8 ♕d5−+; 22. ♘f6= Kramnik; 16... ♘d4!∓ Širov] **14. ♕h7 ♗d5 15. ed5 ♘e7 16. 0-0-0!** [16. ♘b5 e4 17. ♗e2 ♕b6!; 16. c3 ♘d5] **e4 17. ♗e2 ♕b6!? 18. ♔b1!?** [18. c3 ♖g6 △ 19... ♕f2, 19... ♖h6; 18... ♖c8 △ ♗g7-c3] **♕f2?!** [18... ♖g6! (△ ♖h6) 19. ♕h4 ♕f2⇆] **19. ♘b5 ab5 20. ♗b5 ♔d8 21. ♕f7 ♔c7 22. c3?!** [22. ♗e8! ♖g8 23. a4↑] **♖g7** [22... ♕c5 23. ♗e8±] **23. ♕e6 ♖d8 24. a4** [24. ♖d4 ♖g6 25. ♕f7 e3!⇆] **♖g6** [24... ♕f3 25. ♖hf1 (25. ♕f6 ♘d5 26. ♕d4 ♘b6 27. a5 ♘c8 28. ♖hf1 ♕h5 29. ♕d5 ♘e7) ♕h5 26. ♕f6 ♕h2 27. ♕d4→] **25. ♕f7 ♕f3?!** [25... ♕e3! 26. ♗e8 (26. ♖d4 ♕h6 27. ♖c4 ♔b8 28. ♖b4 ♖f6∓) ♕h6 27. ♖d4 ♖f6 28. ♕h5 ♕h5 29. ♗h5 ♗g7∓] **26. ♗e8 e3 27. ♖he1 ♕e4 28. ♔a1 ♗g7**

29. ♖d3!! ♗h6 [29... ♕d3 30. ♕e7 ♔c8 31. ♗g6 ♗c3 32. ♕e3+—; 29... f4 30. gf4 e2 (30... ♕d3 31. ♕e7 ♔c8 32. ♗g6 ♕g6 33. ♖e3+—) 31. ♖d2 ♗c3 (31... ♖g1 32. ♖g1 e1♕ 33. ♖e1 ♕e1 34. ♔a2 ♕d2 35. ♕e7 ♔c8 36. ♗c6+—) 32. ♖de2 (32. bc3 ♖g1! 33. ♖g1 e1♕) ♗b2 33. ♔a2 ♕c4 34. ♔b1 ♕d3 35. ♖c2+—] **30. ♖d4 ♕e5 31. ♖c4 ♔b8 32. ♖b4 ♔c7** [32... ♔c8 33. ♗b5! △ ♗a6; 32... ♔a7!? 33. ♗c6 ♖g7 34. ♕h5 (34. ♖b7?! ♔a6 35. ♕h5 ♘c6 36. dc6 ♖b7 37. cb7 ♕e6) ♘c6 35. dc6 ♕e6 (35... ♗g5 36. h4 ♕g3 37. ♖d1 △ ♖d5+—) 36. ♕h4!→] **33. ♗c6 ♖g7 34. ♕h5 ♘c6 35. dc6 ♕e6 36. ♕e2 ♖b8** [36... d5 37. ♕a6 ♕c6 38. ♕a5 ♔c8 39. ♖b6+—] **37. ♕a6+— ♖b4 38. cb4 d5 39. b5 ♔d8? 40. c7   1 : 0**   [Čehov]

166.   **B 35**

K. BACHLER — SZPISJAK
corr. 1991

1. e4 c5 2. ♘f3 ♘c6 3. d4 cd4 4. ♘d4 g6 5. ♗e3 ♘f6 6. ♘c3 ♗g7 7. ♗c4 ♕a5 8. 0—0 0—0 9. ♗b3 d6 10. h3 ♗d7 11. ♘d5!? N [11. ♖e1 — 42/183] **♘e4 12. ♘c6 bc6 13. ♘e7 ♔h8 14. ♗d4 ♘d2 15. ♗g7 ♔g7 16. ♖e1 ♘b3 17. ab3 ♕c5 18. ♕d2!** [△ 19. b4, 19. ♖a5] **a5 19. ♖a4 d5 20. ♖h4 h5 21. ♖h5 ♖h8 22. ♖he5 f6 23. ♘g6 ♔g6** [23... fe5 24. ♕g5→] **24. ♖e7!** [24. ♕d3? ♔f7!] **♕d6 25. ♕d3 ♗f5 26. ♕f3 ♖h4 27. g4 ♗d7 28. ♕d3 f5 29. gf5 ♔f6 30. ♖1e6 ♗e6 31. ♖e6 ♕e6 32. fe6 ♖g8 33. ♔h2 ♔e6** [♕ 6/b] **34. ♕a6 ♖gh8 35. ♕c6 ♔e5 36. ♕c3 ♔d6 37. f4 ♖8h5 38. b4 ab4 39. ♕b4 ♔e6 40. ♕e1 ♔d7 41. ♕g3 ♖h7 42. ♔g2 ♖4h6 43. f5 ♖f7 44. ♕e5 ♖hf6 45. ♕d5** [♕ 6/a] **♔e8 46. ♕a8 ♔d7 47. ♔f3 ♖f5 48. ♔e3 ♖h5 49. b4 ♖fh7 50. ♔d2 ♖h3 51. ♔c1 ♖7h4 52. ♕d5 ♔c7 53. ♕c5 ♔b7 54. ♔b2 ♖h6 55. ♕d4 ♔c6 56. c3 ♖6h5 57. ♔b3 ♖h2 58. ♕f6 ♔b7 59. c4 ♖h1 60. c5 ♖h6 61. ♕g7 ♔c6 62. ♕g2 ♔c7 63. ♔c4 ♖6h4 64. ♔b5 ♖h6 65. ♕g7   1 : 0**
[K. Bachler]

167.   **B 36**

ADAMS 2615 — HODGSON 2570
Hastings 1991/92

1. e4 c5 2. ♘f3 ♘c6 3. d4 cd4 4. ♘d4 g6 5. c4 ♘f6 6. ♘c3 d6 7. ♗e2 ♘d4 8. ♕d4 ♗g7 9. ♗e3 0—0 10. ♕d2 ♗e6 11. ♖c1 a6 12. f3 ♕a5 13. ♘d5 N [13. 0—0 — 24/340] **♕d2 14. ♔d2 ♗d5 15. cd5+⊡ ♖fc8 16. g4** [16. a4 △ 16... ♘d7 17. b4] **e6!⇆ 17. g5 ♘h5!?** [17... ♘d7; 17... ♘e8] **18. de6 fe6 19. f4!?** [19. ♗c4 ♔f7 20. b4 ♔e7 △ d5∞] **♗b2 20. ♖c8 ♖c8 21. ♖b1 ♗c3 22. ♔d3 b5□ 23. ♖c1□** [23. f5 ♗a5∓] **b4 24. f5 d5!?** [24... ef5 25. ef5 ♘g7 26. f6 ♘f5∞] **25. f6□ d4! 26. ♗d2□ ♖c5!?** [26... ♔f7] **27. h4! ♔f7 28. ♗d1 ♘g3?!** [28... a5; 28... ♖c8] **29. ♗f4!± ♘h5** [29... ♘h1 30. ♖c2 a5 31. ♖h2+—] **30. ♗d6 ♖c6 31. ♗h2** [⫽h2-b8] **a5 32. ♗a4 ♖c8 33. ♗d6 ♖d8 34. ♗e5 ♖c8 35. ♖b1** [△ a3] **h6!? 36. gh6 ♖h8 37. ♖f1 ♖c8□** [37... ♖h6 38. ♗e8+—] **38. ♗d1 ♖h8!□ 39. ♗a4!** [39. ♗h5 gh5 40. ♖g1 ♖h7□∞] **♖c8 40. ♗d7 ♖h8** [40... ♖d8 41. h7 ♖h8 42. ♗e6 ♔e6 43. f7+—] **41. ♗d6** [△ 42. ♗e6 ♔e6 43. f7+—] **♖h7□** [41... ♖d8 42. h7+—] **42. ♖f3 ♗b2 43. e5 ♗c1 44. ♔d4 ♗h6 45. ♔c5?** [45. a3±] **♗d2 46. ♖d3 ♗c3 47. ♗e7** [△ 48. ♗e8 ♔e8 49. ♖d8 ♔f7 50. ♖f8#] **♖h8□ 48. ♔d6 ♘f4 49. ♖f3** [△ 49. ♖e3=] **♖h5!□ 50. ♖e3□** [50. ♗e8 ♔e8 51. ♖f4 ♔f7—+] **♖h4?** [50... ♗b2∓] **51. ♗e8!+— ♔e8 52. f7 ♔f7 53. ♗h4 ♔g8 54. ♗g5 ♘h5 55. ♖d3** [55. ♔c6? ♗d2] **♘g7 56. ♗f6 g5 57. ♔e7 ♘f5 58. ♔e6 ♘d4 59. ♔d5 a4 60. e6 ♘e2 61. ♗g5   1 : 0**
[Adams]

168.   **B 41**

LEJLIĆ 2310 — V. RAIČEVIĆ 2415
Jugoslavija (ch) 1991

1. e4 c5 2. ♘f3 e6 3. d4 cd4 4. ♘d4 a6 5. ♘d2 d5 N [5... d6 — 47/(223)] **6. ed5 ♕d5** [6... ed5] **7. ♘4b3** [7. ♘2b3? e5!∓; 7. ♘4f3!?] **♘f6 8. ♗e2!? ♕g2 9. ♗f3 ♕h3 10. ♘c4 ♘bd7 11. ♗f4 e5!□** [11... ♕f5? 12. ♘d6 ♗d6 13. ♗d6 ♘e5 14.

♗a3!±] **12. ♕e2** [12. ♘e5 ♘e5 13. ♗e5 ♗e7∞] **♗b4! 13. c3 0–0! 14. ♘e5?** [14. cb4! ef4 15. 0-0-0∞] **♘e5 15. ♗e5**

15... ♗g4!!–+ **16. ♘d4 ♖fe8 17. ♖g1** [17. 0-0-0 ♗d6] **♗f3 18. ♘f3 ♖e5! 19. ♘e5 ♗c3 20. ♔d1** [20. bc3 ♕c3] **♗e5 21. ♕e5 ♕d3 0 : 1** [**V. Raičević**]

169.* **B 42**

N. SHORT 2660 – KAMSKY 2595
Tilburg (Interpolis) 1991

1. e4 c5 2. ♘f3 e6 3. d4 cd4 4. ♘d4 a6 5. ♗d3 ♕c7 [RR 5... ♘f6 6. 0–0 d6 7. c4 g6 8. ♘c3 ♗g7 9. ♗g5 0–0 10. ♕d2 ♖e8 11. ♖fd1 N (11. ♖ad1 – 41/174) ♘bd7 12. ♘f3 ♕c7 13. ♗e2 ♗f8 14. ♕f4 ♘h5 15. ♕e3 b6 16. b4 ♗b7 17. ♖ac1 ♖ac8 18. a3 ♘hf6 19. h3 ♕b8 20. ♗f4 e5 21. ♗g5± P. Popović 2550 – Plachetka 2470, Starý Smokovec 1991] **6. 0–0 ♘c6 7. ♘c6 dc6?! N** [7... bc6 – 10/398] **8. a4 a5 9. f4 e5 10. ♔h1** [10. fe5!?±] **♘f6 11. f5± ♗c5 12. ♕e2** [12. ♘d2 h5! 13. ♘f3 ♘g4 14. ♕e2 ♕b6∞] **h6** [12... h5 13. ♗e3; 13. ♗g5!?] **13. ♘d2 ♗d7 14. ♘c4 b5?! 15. ♘e3 b4 16. ♘g4 h5 17. ♘f6 gf6 18. ♗d2±** [×c4, h5] **♔e7 19. ♖f3 ♖h7 20. ♗c4 ♖g8 21. ♖d1 ♕a7 22. ♖d3 ♗c8 23. ♗e1 h4 24. ♖h3 ♖gh8 25. c3 ♕b6 26. ♕d3 ♕c7 27. ♗b3!** [△ 28. ♖h4 ♖h4 29. ♗h4 ♖h4 30. ♕c4] **♕b6 28. ♗f2! bc3 29. bc3 ♖g8?** [29... ♗f2 30. ♕d6 ♔e8 31. ♕f6 ♗c5□ 32. ♗f7 ♖f7 33. ♕e5 ♗e7 34. ♕h8 ♖f8 35. ♕h5 ♖f7 36. ♖hd3+–] **30. ♗a2 ♖hg7 31. ♖f3! ♖h7** [31... ♖g2 32. ♕c4+–; 31... ♕a7 32. ♖d2 △ ♗h4+–; 31... ♗f2 32. ♕d6 ♔e8 33. ♖f2+–] **32. ♕d2 ♖hg7 33. ♖d3⊖** [33... ♗f2 34. ♖d7] **1 : 0** [**N. Short**]

170.** **B 42**

J. POLGÁR 2550 – L. PORTISCH 2570
Magyarország (ch) 1991

1. e4 c5 2. ♘f3 e6 3. d4 cd4 4. ♘d4 a6 5. ♗d3 b6 N 6. 0–0 ♗b7 7. f4!? [7. ♕e2 d6 8. f4 ♘d7 9. c4 g6 10. f5 ♗g7 11. ♗e3 ♕e7 12. ♘c3 ♘gf6 13. ♖ae1 ♘e5 14. fe6 fe6 15. ♘f3 ♘ed7? 16. ♘a4 ♘c5 17. e5! de5 18. ♗c5 bc5 19. ♕e5± Sax 2600 – L. Portisch 2570, Magyarország (ch) 1991; 15... ♘fd7!?; RR 7. ♘c3 d6 8. ♔h1 ♘d7 9. f4 ♘gf6 10. ♕e2 ♘c5 11. ♗d2 ♗e7 12. ♖f3 g6 13. ♘b3 0–0= Landenbergue 2415 – L. Portisch 2570, Reggio Emilia II 1991/92] **♗c5 8. c3 ♘c6 9. ♗e3 ♘f6 10. ♕e2 ♕c7 11. ♘d2 0–0** [11... e5 12. ♘f5!? (12. ♘c6 ♗e3 13. ♕e3 ef4) ♗e3 13. ♕e3 g6 14. ♘h6∞] **12. ♔h1 ♖fe8?** [12... d6!? 13. ♘c6 ♕c6 (13... ♗e3?! 14. ♘e7 ♕e7 15. ♕e3±) 14. ♗c5 bc5 15. e5 de5 16. fe5 ♖fd8 17. ♘f3 ♘h5 18. ♗c2 ♘f4 19. ♕e3 ♘g6 20. ♖f2 ♖d7 21. ♖af1±] **13. ♘c6! ♗e3 14. ♕e3 ♕c6 15. ♕g3** [15. ♕h3 e5! 16. fe5 ♖e5 17. ♘f3 ♖h5] **d6** [15... d5 16. e5 ♘e4 17. ♗e4 de4 18. ♖fe1 ♕b5 19. b3 ♕d3 20. ♕d3 ed3 21. ♘c4±] **16. e5 ♘h5** [16... de5 17. fe5 ♘h5 18. ♕f2 ♕c7 19. ♘c4±] **17. ♕h3 g6** [17... de5? 18. ♗e4+–] **18. ♘e4** [18. ♗e4!? d5 (18... ♕d7 19. ed6) 19. ♗d3±] **de5 19. fe5 ♖ad8 20. ♖ae1 ♕d5 21. ♘d6?** [21. ♗c2! ♕e5?! 22. ♘f6 ♕f6 23. ♖f6 ♘f6 (23... ♖d2 24. ♕e3! ♖c2 25. ♖f2+–) 24. ♕e3 ♖d6 25. ♖d1±] **♖d6□ 22. ed6 ♕d6**$\overline{\overline{\infty}}$ **23. ♗e4 ♗e4 24. ♖e4 e5 25. ♕e3?** [25. g4 ♘f4! 26. ♖ff4 ♕c6!=; 25. ♖e2!?] **♖e6 26. ♖c4?! ♕d7 27. ♔g1 ♔g7 28. ♖e4 ♕c7 29. ♖d1 ♘f6 30. ♖h4 h5∓ 31. h3 ♕c6 32. ♔h2⊕ a5 33. g4?! ♘d5 34. ♕g3 ♕c5 35. ♖e1** [35. gh5? ♘e3–+] **♖f6 36. ♖e2 ♘f4⊕ 37. ♖f2 ♔f8?!** [37... hg4 38. b4□ (38. hg4? ♘h5–+) ab4 39. cb4 ♕b4 40. ♖g4 ♕c5∓] **38. b4 ab4 39. cb4 ♕d6?** [39... ♕b4!] **40. gh5 ♘h5?** [40... gh5!] **41. ♖f6 ♕f6 42. ♕e1 ♘f4 43. ♖g4 ♕f5 44. ♕f2 ♕d3 45.**

♖g3 ♕d6 46. b5 e4 47. ♕e3 ♔g8 [47...
♘h5? 48. ♕a3] 48. ♔h1? [48. ♕e4 ♘h5
49. ♕d3 ♕g3 50. ♕g3 ♘g3 51. ♔g3 ♔f8
52. ♔f4 ♔e7 53. ♔e5=] ♘d5 49. ♕f2
[49. ♕e1] e3 50. ♕f3 e2 [50... ♕e5∓]
51. ♖g1 ♘f4 52. ♕e3 [52. ♖e1 ♕d2]
♕d5 [52... ♕d1 53. ♕e8 ♔g7 54. ♕e5
♔h7 55. ♕f4=] 53. ♔h2 e1♕? [53...
♕a2! 54. ♖e1 ♕c4∓] 54. ♕e1 ♕a2 55.
♔h1 ♕d5 56. ♔h2 ♕a2 57. ♔h1 ♕d5
58. ♔h2 ♕b5 59. ♕e3 ♕c4 60. ♖d1 ♘e6
61. ♖c1 ♕d5 62. ♖c8 ♔h7 63. ♕f2 ♕e5
64. ♔g1 ♘f4 65. ♕h4 ♘h5 66. ♕f2 ♔g7
67. ♖c4   1/2 : 1/2   [J. Polgár]

171.   **B 42**

GAVRIKOV 2585 –
CHRISTIANSEN 2600
Biel 1991

1. e4 c5 2. ♘f3 e6 3. d4 cd4 4. ♘d4 a6
5. ♗d3 ♗c5 6. ♘b3 ♗a7 7. ♕e2 ♘c6 8.
♗e3 ♘f6 9. ♘c3 d6 10. f4?! N [10. 0-0-0;
10. g4 – 51/172] b5 11. 0–0 [11. 0-0-0
e5!=] e5 12. ♗a7 ♖a7 13. f5?! [13. ♔h1]
♘e7!∓ [13... 0–0?! 14. a4 b4 15. ♘d5±]
14. a4 b4 15. ♘d1 0–0 16. a5 [16. ♘e3]
d5! 17. ed5 ♖e8 18. ♘e3 [18. ♕e5 ♘f5
19. ♕b8 (19. ♕f4 ♘d5 20. ♕f2 ♘fe3 21.
♘e3 ♘e3 22. ♖fe1 ♖ae7∓) ♖b7 20. ♕a8
♕d5∓] ♘ed5 19. ♘d5 ♕d5 20. ♖a4 e4!
[20... ♕d6 21. ♕e3∞] 21. ♗c4 ♕e5 22.
♖b4 ♕b2! 23. ♖b6□ ♕e5 24. ♗a6 ♗a6
25. ♖a6 ♘g4 26. g3 ♖a6 27. ♕a6 e3 28.
♕e2□ ♘f2!–+ [△ 29... ♕e4, 29... ♕d5]
29. ♕f3 ♕c3! 30. ♕e2 [30. a6 ♘h3 31.
♔g2 ♘g5 32. ♕e2 ♕c6] ♕c6 31. ♖f2 ef2
32. ♕f2 ♖d8 [32... ♕d5!] 33. ♕e2 h6
34. h4 [34. a6 ♖a8] ♕c3 35. ♔h2 ♖c8
36. ♔h3 ♕b2 37. a6 ♖c2 38. ♕e8 ♔h7
39. a7 [39. ♕f7 ♖h2 40. ♔g4 ♕e2 41. ♔f4
♖f2#] h5   0 : 1   [Christiansen]

172.   **B 42**

JUDASIN 2595 – NIKOLAEV 2430
Podol'sk 1991

1. e4 c5 2. ♘f3 e6 3. d4 cd4 4. ♘d4 a6
5. ♗d3 ♗c5 6. ♘b3 ♗a7 7. ♕e2 ♘c6 8.

♗e3 ♘f6 9. ♘c3 d6 10. ♗a7!? N ♖a7 11.
f4 [11. g4!?] e5 [11... 0–0!? △ 12. g4?!
d5 13. ed5? ed5∓ △ ♖e8, ♗g4; 13. e5?!
♘d7∓; 13. 0-0-0∞] 12. f5! b5 [12... d5?
13. ♘d5 ♘d5 14. ed5 ♕d5 15. 0-0-0±;
12... ♘b4!? 13. a3 ♘d3 14. ♕d3; 13. 0–0
△ a3↑⊞; 13. g4!?] 13. 0-0-0 0–0?! [13...
b4!? 14. ♘d5 ♘d5 15. ed5 a) 15... ♕g5
16. ♔b1 ♘e7 17. h4!→; b) 15... ♘a5 16.
♘a5! ♕a5 17. ♔b1! ♕d5 (17... f6 18.
♗e4 △ g4↑) 18. ♗e4 ♕c5 19. ♖d5 ♕b6
(19... ♕c7 20. ♖hd1 △ 21. ♖d6, 21. f6±)
20. ♖hd1 ♖d7 21. f6!→; c) 15... ♘e7 16.
f6! gf6 (16... ♘d5 17. fg7 ♕g5 18. ♔b1
♕g7 19. ♗b5±) 17. ♕f2 ♖c7 18. ♕f6
♘g6 19. ♕f2±↑] 14. g4 ♘d4?! [14... b4±]
15. ♕g2 [15. ♘d4! ed4 16. ♕f2! ♘g4
(16... ♕b6 17. ♖hg1 △ ♘e2±; 16... dc3
17. ♕a7 ♕a5 18. ♕d4!±) 17. ♕d4 △
♖hg1, ♘d5±] b4 16. ♘e2 ♘e2 17. ♗e2!?
[△ g5, ↑×d6] a5!? [17... ♘e4? 18. ♕e4
♕g5 19. ♔b1 ♗b7 20. ♕b4+–; 17...
♗b7 18. ♘d2! △ g5±→] 18. ♘d2! [18.
g5!? ♘e4 19. ♕e4 ♕g5 20. ♔b1 ♗b7 21.
♕d3 ♗h1 22. ♖h1 △ h4↑》; 20...
♗f5!?∞] ♗a6!? [18... a4 19. g5 ♘d7 20.
g6!? △ ♗c4→; 20. ♔b1!?] 19. g5 ♘d7
20. ♗a6! [20. ♘c4 ♗c4 21. ♗c4 ♘b6∞]
♖a6 21. ♘c4! a4! 22. ♔b1! ♕c7 23. ♘e3
b3 [23... ♘b6 24. g6! fg6 25. fg6 h6 26.
♖hf1 ♖aa8 27. ♘f5 ♖ad8□± ×d6, h6]
24. cb3 ab3 25. a3 ♘c5 26. ♘d5 ♕b7
[26... ♕a7 27. ♘f6 ♔h8 28. ♘h7!+–] 27.
♖he1! ♖a4?! [27... ♖fa8 28. g6+–→] 28.
♘f6! ♔h8 29. ♘h7!! [29... ♖e4 30.
♕h3+–; 29... ♘e4 30. ♖e4 ♖e4 31. ♘f6!
gf6 32. gf6 ♖g8 33. ♕h3+–; 29... ♔h7
30. g6 ♔g8 31. ♕h3 ♖fa8 (31... fg6 32.
fg6 ♖f2 33. ♕h7 ♔f8 34. ♕h8 ♔e7 35.
♕g7 ♔e6 36. ♕g8+– △ ♕h7, g7) 32.
♕h7 ♔f8 33. ♕h8 ♔e7 34. ♕g7 ♖f8 35.
♖d6+–]   1 : 0   [Judasin]

173.   **B 43**

TOLNAI 2480 – J. POLGÁR 2550
Magyarország (ch) 1991

1. e4 c5 2. ♘f3 e6 3. d4 cd4 4. ♘d4 a6
5. ♘c3 ♕c7 6. f4 b5 7. ♗d3 ♗b7 8. ♕f3

♘f6 9. ♗e3 ♘c6 10. 0-0-0 N [10. g4 – 30/337; 10. ♘b3 – 45/(214), B 48] b4 11. ♘ce2 ♘a5 12. g4 d5 13. e5 ♘d7 14. ♔b1 [14. b3 g5!? 15. fg5 ♗g7 16. g6 hg6 17. ♗g6 fg6 (17... ♘e5?! 18. ♘e6!) 18. ♘e6 ♕e5 19. ♘g7 ♕g7 20. ♗d4 ♘e5; 20... ♕h6] ♘c4 [14... g5!?] 15. ♗c1 0-0-0 [15... g5!?] 16. h4 [16. b3 ♘a3 17. ♔a1 (17. ♗a3 ba3) g5∞] ♘c5 17. b3 ♘a3 18. ♔a1 f6?! [18... ♔b8!? △ ♖c8] 19. c3? [19. ♕e3 fe5 20. ♕e5 (20. fe5 g5!) ♗d6 21. ♕e3 ♖he8 22. ♗b2 e5 23. fe5±] fe5 20. fe5

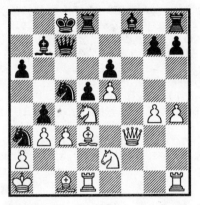

20... ♘c4!∓ 21. ♘e6 [21. cb4 ♘e5 *a)* 22. ♕g3 ♘cd3 23. ♘e6 ♕e7 (23... ♕d7 24. ♘d8 ♕d8 25. ♖d3 ♘d3 26. ♕d3±) 24. ♘d8 ♘c1∓; *b)* 22. ♕e3 ♘cd3 23. ♘e6 ♕d7 24. ♘d8 d4!] ♘e5 22. ♕g3 [22. ♕f5 g6 23. ♕f6 ♘e6 24. ♕e6 (24. ♕h8 ♗g7–+) ♔b8 25. ♗a6?! ♗g7 26. ♗b7 ♕b7–+] ♘e6 23. ♗f5 ♔b8 [23... ♖e8 24. ♗f4 (24. ♘d4? ♘d7–+) ♗d6 25. ♘d4] 24. ♗e6 bc3 25. ♘c3 [25. ♗f4 c2 26. ♖d2 ♗d6 27. ♗d5 ♘g6] d4 26. ♖hf1 [26. ♖he1 ♗b4] ♗b4 27. ♘a4 ♖he8 28. ♗f5 ♗c6 29. ♗b2 g6 30. ♗b1 ♗a4 31. ba4 ♗c3 32. ♗c3 ♕c3 33. ♕c3 dc3 34. ♖c1 ♖c8 35. ♖f4 ♖c5 36. ♖b4 ♔a7 37. ♖b3 ♖ec8 38. ♗e4 ♖8c7 39. ♖cb1 ♘c6 40. ♗c6 ♖5c6 41. ♖b4 ♖c4 42. a3? [42. ♖c4 ♖c4 43. ♖g1 ♖b4 44. a3 ♖b3 45. ♔a2 ♖b2 46. ♔a1 ♖h2∓] ♖b4 43. ab4 ♖c4 44. h5? [44. ♔a2 c2 45. ♖c1 ♖g4 46. ♖c2 ♖h4∓] a5! 45. hg6 hg6 46. ♔a2 ♖b4 47. ♖g1 c2 48. g5 ♔b7 [49. ♖c1 ♖a4 50. ♔b3 ♖b4–+] **0 : 1** **[J. Polgár]**

174. **B 43**

ADAMS 2615 – SUĖTIN 2405
Hastings 1991/92

1. e4 c5 2. ♘f3 e6 3. d4 cd4 4. ♘d4 ♘c6 5. ♘c3 ♕c7 6. f4 a6 7. ♘c6 bc6 8. ♗d3 d5 [8... ♗c5 9. e5 f5!?∞] 9. 0–0 ♘f6 10. ♔h1 ♗e7 11. ♕f3 N [11. e5 – 42/199] ♗b7?! [11... 0–0 12. ♗d2 ♗b7 13. ♕h3±] 12. f5! e5 [12... de4 13. ♘e4±→; ⌓ 12... d4 13. ♘b1 ef5 14. ♕f5 ♕c8±] 13. ♕g3 d4 [13... g6 14. ♗g5±] 14. ♘b1□ c5 15. ♘d2 0–0 16. ♘c4± [16. b3±] ♔h8 [16... ♘e4 17. ♗e4 ♗e4 18. f6 ♗f6 19. ♖f6±; 16... ♗e4 17. ♗h6 ♘h5 18. ♕g4 ♗d3 19. cd3 g6 (19... ♕c6? 20. f6 ♗f6 21. ♕h5 gh6 22. ♕h6+–) 20. ♗f8±] 17. ♖e1 ♘d7 18. ♗d2 a5 19. a4! [×a5] ♗f6 [⌓ 19... f6 △ ♖g8, ♘f8, g6] 20. ♖a3 ♘b8 21. ♕g4 ♘c6 22. ♗e2 ♖fd8? [22... g6 23. ♖h3 ♘b4±] 23. ♖h3 ♔g8 24. ♖h6! g6 [24... ♔h8 25. ♖h5 ♔g8 26. ♖f1 △ ♖f3-h3+–] 25. ♕h3+– ♘e7 26. ♗d3! [26. ♖h7 ♗e4±] ♖a6 27. ♖h7 ♗g7 28. ♖g7! ♔g7 29. ♕h6 ♔g8 30. ♗a5 ♕c6⊕ [30... ♖a5 31. f6; 30... ♕c8 31. ♗d8 ♕d8 32. ♘e5] 31. ♗d8 ♘f5 32. ♕g5 **1 : 0** **[Adams]**

175.* **B 44**

OLL 2600 – GRANDA ZUNIGA 2595
Pamplona 1991/92

1. e4 c5 2. ♘f3 ♘c6 3. d4 cd4 4. ♘d4 e6 5. ♘b5 d6 6. c4 ♘f6 7. ♘1c3 a6 8. ♘a3 ♗e7 9. ♗e2 0–0 [RR 9... b6 10. 0–0 ♗b7 11. ♗e3 ♘b8 12. f3 ♘bd7 13. ♕d2 0–0 14. ♖fd1 ♕c7 15. ♖ac1 ♖ac8 16. ♘c2 N (16. ♔h1 – 51/176) ♕b8 17. ♗f2 ♖fe8 18. ♘e3 ♘e5 19. b4± Th. Ernst 2525 – Kiik 2415, Groningen (open) 1991] 10. 0–0 b6 11. ♗e3 ♗b7 12. ♕b3 ♘d7 13. ♖ad1 ♘c5 14. ♕c2 ♗f6 15. ♘ab1 ♕e7 N [15... ♕c7 – 7/351] 16. a3 a5 17. ♘b5± ♖fd8 18. ♘1c3 a4 19. ♖d2 ♘a5 20. ♗c5! [20. ♖fd1 ♗c3!] bc5 21. ♘a4 ♘c6 22. ♘ac3 ♗e5?! [22... g5!∞] 23. f4 ♘d4 24. ♕d3 ♗f6 25. ♔h1 ♖ab8 26. ♘d4 ♗d4 27. ♘b5 ♗f6 28. ♖fd1 ♗c6 29. a4!± ♕b7 30. ♗f3 ♕b6 31. ♕e2 ♗e7 32. h3

g6 33. b3 ♕a5 34. ♖d3?! [34. f5!±] **♗b5! 35. ab5** [35. cb5 c4!] **♗f6! 36. ♖d6 ♖d6 37. ♖d6 ♗d4 38. e5 ♕c3 39. g3 g5 40. f5! ef5 41. e6± fe6** [41... g4 42. ef7 ♔f8 43. ♗g2!] **42. ♖e6! ♖f8 43. ♔g2 f4** [43... g4 44. hg4 fg4 45. ♗d5+−] **44. ♖e7** [44. b6!?] **♖f7! 45. ♖e8 ♔g7 46. b6 ♕a1 47. ♕d1** [⌓ 47. ♕e1 ♕a2 48. ♖e2+−] **♕a2 48. ♖e2 ♕a6 49. ♖e6 ♕a2 50. ♕e2 ♕a1 51. ♕e1 ♕a2 52. ♖e2 ♕b3 53. b7 ♗e3** [53... ♖b7 54. ♖e7+−] **54. gf4 g4** [54... gf4 55. ♖e3; 54... ♗f4 55. ♕a1] **55. hg4 ♗f4 56. ♕a1 ♔g6 57. ♖e6 ♔g5 58. ♖e5 1 : 0 [Oll]**

176.* **B 44**

NUNN 2610 – LJUBOJEVIĆ 2600

Beograd 1991

1. e4 c5 2. ♘f3 e6 3. d4 cd4 4. ♘d4 ♘c6 5. ♘b5 d6 6. c4 ♘f6 7. ♘1c3 a6 8. ♘a3 ♗e7 9. ♗e2 0–0 10. 0–0 b6 11. ♗e3 ♗b7 12. ♕b3 ♘d7 13. ♖fd1 ♘c5 14. ♕c2 ♗f6 [RR 14... ♕c7 15. ♖ac1 ♖ac8 16. ♕d2 N (16. ♘ab1 – 41/181) ♘e5 17. f3 ♖fd8 18. ♘c2 ♕b8 (18... ♘cd7 19. ♘d4 ♘c4? 20. ♗c4 ♕c4 21. ♘d5+−) 19. ♘d4 h6 20. b3 ♗f6 21. ♗f1 d5 *a)* 22. cd5 ed5 23. f4 de4 (23... ♘g4 24. e5 ♘e3 25. ♕e3 ♗e7=) 24. fe5 ♗e5 25. ♕f2 (25. g3? ♘d3!) ♗h2 26. ♔h1 ♗g3 27. ♕f5∞; *b)* 22. ed5 ed5 23. cd5 ♗d5 24. ♕f2 (24. ♘d5 ♖d5 25. b4 ♘e6 26. ♗a6 ♖c1 27. ♖c1 ♘d4 28. ♗d4 ♖d4!−+) ♗b7 25. ♕g3 (25. b4 ♘cd7 26. ♘f5 ♖c3! 27. ♖c3 ♘f3 28. gf3 ♗c3 29. ♗d4 ♘e5−+) b5 (25... ♘g6 26. ♕b8 ♖b8 27. b4±) 26. b4 (26. ♘f5!? ♘cd3 27. ♘e4 ♗e4 28. ♖c8 ♕c8 29. fe4∞) ♘e6 27. ♘e6 ♖d1 28. ♖d1 fe6 (Renet 2485 – A. Sokolov 2550, Réunion 1991; 28... ♖c3? 29. ♖d8!+−) 29. ♘e2 ♘c4 30. ♕b8 ♖b8 31. ♗c5 ♖d8= A. Sokolov] **15. ♖ac1 ♗c3 16. ♕c3 ♘e4 17. ♕b3!** [17. ♕d3 ♘b4!? (17... ♘e5 18. ♕d4 ♕f6∞) 18. ♕b3 a5 19. ♘b5 d5∞] **♖b8** [17... ♘c5 18. ♗c5+−] **18. ♗b6 ♕f6 19. ♕e3 ♗a8** [19... ♕b2 20. ♗c7 ♖bc8?! 21. ♖b1 ♕e5 22. ♖b7 ♘c5 23. ♕e5 de5 24. ♖db1±] **20. b3?** [20. ♗f3 ♘g5! 21. ♗c6 ♗c6 22. ♖d6 ♖b6! 23. ♕b6 ♘f3! 24. gf3 ♕g5−+; 23. c5!?; 20. ♖b1 ♖fc8∓; 20. f3! ♘c5 (20... ♘g5 21. h4 ♕b2 22. ♖b1+−; 20... ♕b2 21. ♖b1 ♕c3 22. ♖d3+−) 21. ♗c7!±] **♕b2?** [20... ♘b4! 21. ♗a5□ (21. f3 ♘a2 22. fe4 ♘c1 23. ♖c1 ♖b6! 24. ♕b6 ♕b2−+; 21. ♗d4 e5∓) ♘a2 22. ♖c2∓] **21. ♗f3! ♘e5?** [21... ♕a3 22. ♗e4 ♕a2 23. ♖d6±; 21... ♘b4 22. ♗e4 ♗e4 23. ♕e4 ♖b6 24. c5! d5 25. ♘c4! ♕a2 26. ♕e3 △ ♖d2±; 21... f5 22. ♗e4 fe4 23. ♘c2! (23. ♗c7 ♕a3 24. ♗d6 ♕a2∞) ♘e5 24. ♗d4 ♕a2 25. ♗e5 de5 26. ♕g5 ♕b3 27. ♖d7 ♖f7 28. ♖f7 ♔f7 29. ♘e3↑] **22. ♗e4 ♗e4 23. ♗c7!+− ♖bc8** [23... ♘g4 24. ♕d4 ♕a3 25. ♗d6 ♕a2 26. ♗b8] **24. ♗d6 ♖fd8 25. f3! ♖d6 26. ♖d6 ♘d3 27. ♖d1 ♕a3 28. ♕b6 ♗g6 29. ♖1d3 ♗d3 30. ♖d8 ♖d8 31. ♕d8 ♕f8 32. ♕d3 ♕c5 33. ♔f1 h5 34. ♕c3 h4** [34... a5 35. a3 ♕a3 36. c5] **35. b4 ♕d6 36. c5 ♕h2 37. c6 ♕c7** [37... h3 38. gh3 ♕h3 39. ♔e1 △ ♔d2-c1-b2-a3] **38. a4 ♔f8 39. b5 ab5 40. ab5 g5 41. b6 ♕b6 42. c7 ♕b1** [42... ♕a6 43. ♔g1 ♕c8 44. ♕h8] **43. ♔e2 ♕b5 44. ♔e1 ♕b1 45. ♔d2** [45... ♕a2 46. ♔c1] **1 : 0 [Nunn]**

177.* **B 45**

ROMERO HOLMES 2490 – NUNN 2615

Wijk aan Zee 1992

1. e4 c5 2. ♘f3 ♘c6 3. d4 cd4 4. ♘d4 ♘f6 5. ♘c3 e6 6. ♘c6 bc6 7. e5 ♘d5 8. ♘d5 cd5 9. ♗d3 d6 10. ♗f4 ♖b8?! [10... ♗e7 – 26/398] **11. 0–0! ♖b2 N** [11... ♖b4?! 12. ♕f3 (12. ♗g3 ♖b2 13. ♕g4 h5!) g5 13. ♗g3 ♗g7 14. ed6± de la Villa García 2475 – W. Arencibia 2530, León 1991] **12. ♕g4** [12. ♕f3!? △ 12... g6 13. ed6 ♗g7 14. c4±] **g6□** [12... h5?! 13. ♕g3±; 12... g5 13. ♗d2!±] **13. ♗g5! ♗e7 14. ♗e7 ♕e7** [14... ♔e7 15. ed6 ♔d6 16. ♕d4 △ c4±] **15. ed6 ♕b7** [15... ♕f6 16. ♕a4+−] **16. ♗a6! ♕a6 17. ♕d4 0–0 18. ♕b2 ♕d6 19. ♕d4! ♗a6 20. ♖fe1 ♕c7 21. h4 h5□** [21... ♕c2 22. h5±] **22. ♖e3?** [22. g4! hg4 23. h5 g5 24. ♖e5! ♕e7□ 25. ♕g4 f5±] **♗c4** [22... ♕c2 23. ♕a7!+−] **23. ♖ae1?!** [23. g4 hg4 24. h5 gh5 25. ♖e5 f6 26. ♖e6 ♔g7±; 23. a3! (△ ♖ae1, ♖g3) ♕b6! 24. ♕f6 d4! 25. ♖g3! (25. ♖e4 ♗d5! 26. ♖d4 ♕b2=) ♕b2

26. ♖e1 ♖b8! *a)* 27. ♖e5 d3! (27... ♕c1 28. ♔h2 ♖b1 29. ♖g6 fg6 30. ♕g6 ♔f8 31. ♕f6 ♔e8 32. ♖c5!+−) 28. cd3 ♗d3! 29. ♖e6 fe6 30. ♕e6 ♔h8□ 31. ♖d3 ♕b1 32. ♔h2 ♕d3 33. ♕e5 ♔h7 34. ♕b8 ♕a3=; *b)* 27. ♖f3!? ♖b7 28. ♖f4 (△ g4) ♗d5! 29. ♖d4 ♖d7±] **♗a2!! 24. ♖a3 ♕c2 25. ♖a7 ♗c4 26. ♖e6 ♕b1! 27. ♔h2 ♕b8= 28. g3** [28. ♔h3 ♕c8! (28... ♗d3? 29. ♖e5 ♗f5 30. ♖f5 gf5 31. ♖a3±) 29. ♖ae7 ♕e6 30. ♖e6 fe6=] **♕a7 29. ♖g6 fg6 30. ♕a7 ♗d3! 31. ♔g2** [31. f3!? ♗e2=] **♗e4 32. ♔f1 ♖f3 33. ♕e7 ♔h8 34. ♔e1 ♔g8 35. ♔e2 ♔h8 36. ♕g5 ♔h7 37. ♕e5 ♔g8 38. ♕e6 ♔g7 39. ♕d7 ♔g8 40. ♕e7 ♔h8 41. ♕g5 ♔h7 42. g4**

1/2 : 1/2 **[Romero Holmes]**

178. **B 45**

FERNÁNDEZ GARCÍA 2470 − ILLESCAS CÓRDOBA 2545

Pamplona 1991/92

1. e4 c5 2. ♘f3 e6 3. d4 cd4 4. ♘d4 ♘c6 5. ♘b5 ♘f6 6. ♘1c3 ♗b4 7. a3 ♗c3 8. ♘c3 d5 9. ed5 ed5 10. ♗d3 d4 11. ♕e2 ♗e6 12. ♘e4 ♘e4 13. ♕e4 ♕d5 14. ♕d5 ♗d5 15. ♗f4 N [15. 0−0 − 50/(206)] **0−0** [15... ♗g2? 16. ♖g1 ♗d5 17. ♖g7±] **16. 0−0±** [16. 0-0-0? ♗g2 17. ♖hg1 ♗f3] **♖fe8 17. ♖fe1 f6 18. ♖e8** [18. h4!] **♖e8 19. ♖d1** [19. h4 ♘e5=] **g5!?** [19... ♗e4?! 20. ♖e1! ♗g6 21. ♖e8 ♗e8±⊥] **20. ♗g3 ♗f7 21. f4** [⌓ 21. f3 ♗g6 22. ♔f1 ♗d3 23. ♖d3] **gf4 22. ♗f4 ♗g6 23. ♔f2 ♔g7 24. ♖d2 ♗d3 25. ♖d3 ♖e4!= 26. ♖g3** [26. ♔f3 ♖e1!; 26. g3 b5! (26... ♔g6? 27. ♖b3 b6 28. ♖b5! △ ♖d5±) 27. ♖b3 a6=] **♔f7 27. ♗d2** [27. ♗h6!? ♖h4 28. ♖g7 ♔f8 29. ♖g6 ♔f7 30. ♖g7=] **♘e5∓ 28. h3** [28. c3?! d3 29. ♖e3 f5∓] **h5! 29. ♗h6 ♔e6 30. ♖g7 ♘f7 31. ♗d2 ♖e5! 32. ♗b4?!** [32. g4] **a5 33. ♗f8 ♖b5 34. b4** [34. b3 b6! △ ♖d5-d8-c8 ×c2] **b6 35. ♔e2?** [35. ba5 ba5 36. ♔e2∓] **a4!∓ 36. ♔d3?!** [36. ♖g3!] **♖d5−+ 37. b5** [37. ♖h7 ♖d8 38. ♗g7 ♘e5] **♘e5 38. ♔e4** [38. ♔e2 ♖b5] **f5 39. ♔f4 ♔f6! 40. ♔g3** [40. ♖g8 ♔f7] **♘d7** **0 : 1**

[Illescas Córdoba, Zlotnik]

179.* **B 45**

EHLVEST 2605 − ROMERO HOLMES 2485

Logroño 1991

1. e4 c5 2. ♘c3 e6 3. ♘f3 ♘c6 4. d4 cd4 5. ♘d4 ♘f6 6. ♘db5 ♗b4 7. a3 ♗c3 8. ♘c3 d5 9. ed5 ed5 10. ♗d3 0−0 11. 0−0 ♗g4 [RR 11... d4 12. ♘e2 ♕d5 13. c4 dc3 14. ♘c3 ♕a5 15. ♗d2 N (15. ♗f4? − 5/397) ♖d8 16. ♘b5 ♕a6 17. ♕c2 ♘e5 18. ♗e2 ♗g4 19. ♗c3 ♖ac8 20. ♖ad1 ♘d5 21. ♗g4 ♘g4 22. ♕d3 ♖d7 23. ♕f5 ♕e6 24. ♕e6 fe6 25. h3 a6 26. ♘a7 ♖cd8 27. ♗a5 ♖a8 28. hg4 ♖a7 29. ♗c3 ♖a8 30. ♖fe1 ♖ad8 31. ♗e5± Dvojris 2525 − Maljutin 2435, SSSR (ch) 1991] **12. f3 ♗h5 N** [12... ♗e6 − 15/366] **13. ♗g5 ♕b6!? 14. ♔h1 ♘e4 15. ♘e4 de4 16. ♗e4 ♕b2 17. ♕b1! ♕b1 18. ♖fb1 f5 19. ♗d3 b6 20. ♖b5!± ♗g6 21. ♖d1!** [×♗g6] **♖ac8 22. ♖d5! f4!?** [22... ♘a5!?] **23. ♗g6 hg6 24. h4** [×f4, g6] **♖c7** [24... ♘a5 25. ♖d7 ♖c2 26. ♖a7±] **25. ♖d7 ♖d7 26. ♖d7± ♖f5 27. ♖d6 ♘e5 28. ♖d4 ♘c6 29. ♖c4!** [29. ♖f4 ♖c5⇆] **♘a5 30. ♖c8 ♖f8** [30... ♔h7 31. ♖c7±] **31. ♖f8 ♔f8 32. ♗f4 ♘c4 33. ♗c1 ♔e7 34. ♔h2 ♔e6 35. ♔g3 ♔f5 36. a4 a6 37. c3 b5 38. ab5 ab5 39. ♔h3** [⌓ 39. ♔f2] **♘e5 40. ♗a3 g5 41. hg5 ♔g5 42. ♗d6 ♘d7** [42... ♘d3 43. g4!? ♘f4 44. ♔g3 ♘e2 45. ♔f2 ♘c3 46. ♗e5 b4 47. ♗g7 ♘a4 48. ♔e3 b3 49. ♔d2 ♔f4 50. ♗d4+−] **43. g4 ♘b6 44. f4 ♔f6 45. ♗e5 ♔f7 46. ♔g3 ♘c4 47. ♔f3 g5 48. ♔e4 gf4 49. ♗f4 ♔e6 50. ♔d4 ♘b6 51. ♗e5! ♘d5 52. ♗h8 b4** [⌓ 52... ♔d6] **53. c4 ♘f4 54. ♗g7 ♔f7 55. ♗h6 ♘e2 56. ♔d3 b3 57. ♗d2!+− ♔e6 58. ♗c3 ♘f4 59. ♔d2 ♔d6 60. ♗f6 ♘e6 61. ♔c3 ♘c5 62. ♗d4** **1 : 0**

[Ehlvest, E. Vladimirov]

180.**** **!N** **B 47**

N. SHORT 2660 − ANAND 2650

Tilburg (Interpolis) 1991

1. e4 c5 2. ♘f3 ♘c6 [RR 2... e6 3. d4 cd4 4. ♘d4 a6 5. ♘c3 ♕c7 6. ♗e2 ♘c6 7. 0−0 ♘f6 8. ♔h1 ♘d4 9. ♕d4 ♗c5 10.

♕d3 h5 11. f4 ♘g4 12. e5 ♘f2!? N (12...
d6 — 51/181) 13. ♖f2 ♗f2 14. ♘e4 ♗c5
15. ♕c3 b6! 16. b4 ♗b7 17. ♗f3 d5 18.
ed6 ♗d6 19. ♕g7 0-0-0∓ Muhametov
2395 — Rublevskij 2420, ČSFR 1991] 3.
d4 cd4 4. ♘d4 ♕c7 5. ♘c3 e6 6. g3 a6
7. ♗g2 ♘f6 [RR 7... d6 8. 0—0 ♗e7 9.
♖e1 a) 9... ♖b8 10. ♘c6 bc6 11. e5 d5
12. ♘e2! N (12. ♘a4 — 46/(233)) c5 13.
c4 d4 14. ♘f4 g6 15. ♘d3 h5 a1) 16. ♗d2
♗d7! (16... ♘h6?! 17. ♕a4! ♔f8 18. ♗a5
♕d7 19. ♗c6 ♕a7 20. b4!±↑) 17. ♕c1
♗c6 18. ♗e4 ♗e4 19. ♖e4 ♔f8 (△ ♔g7,
♘h6; 19... ♕c6!? 20. f3 ♔f8) 20. ♕d1
♘h6 21. ♗h6 ♖h6 22. ♕a4 ♕b7 23. ♖ae1
h4 24. g4 h3! 25. ♕c2 ♔g7 26. ♕e2
♖bh8= Tivjakov 2520 — Plachetka 2425,
Torcy 1991; a2) 16. ♕a4!? ♔f8□ 17. ♗d2
♗b7 18. ♗a5 ♕c8 △ ♘h6± Plachetka;
b) 9... ♗d7 10. ♘c6 ♗c6 (10... bc6? 11.
e5! de5 12. ♕h5 ♘f6 13. ♕e5 ♕e5 14.
♖e5±) 11. ♕g4 h5 12. ♕e2 ♘f6 13. ♗f4
(13. a4 — 42/(208)) h4 (13... b5? 14. a4
b4 15. ♘a2 a5 16. c3±; 13... ♘g4!? △
♘e5) 14. a4 ♖c8 N (14... hg3 15. hg3
0—0 16. a5 △ ♗e3, f4→; 14... ♔f8!?) 15.
a5 e5 16. ♗g5! ♘h7! (16... ♘e4? 17. ♘e4
♗e4 18. ♕e4 ♗g5 19. c3±; 16... ♘h5?!
17. ♗e3 ♘f6 18. ♗b6 ♕d7 19. b3!± Ro-
mero Holmes 2485 — P. Cramling 2485,
Las Palmas 1991) 17. ♗e3 hg3 18. hg3
♘g5± Romero Holmes] 8. 0—0 ♘d4 [RR
8... ♗e7 9. ♖e1 0—0 10. ♘c6 dc6 11. e5
♖d8 12. ♗d2 ♘d5 13. ♕g4 ♘c3 N (13...
b5 — 45/(210)) 14. ♗c3 b5 15. ♗b4 ♗b4
16. ♕b4 c5 17. ♕c3 ♗b7 18. ♗b7 ♕b7
19. ♕c5 ♖dc8 20. ♕d4 ♖c2 21. ♖ac1
♕c6 22. ♖c2 ♕c2= Tivjakov 2535 — Ru-
blevskij 2420, SSSR (ch) 1991] 9. ♕d4
♗c5 10. ♗f4 d6 11. ♕d2 h6 12. ♖ad1 e5
13. ♗e3 ♔e7 14. f4 ♗e6 15. fe5 de5 16.
♘d5 ♗d5 17. ed5 ♖hd8 [17... ♖ad8 18.
♔h1 ♖he8 (18... ♘e8?? — 44/(211)) 19.
♕c3 ♗d6 (19... ♔d6 20. ♗h6+—) 20.
♕c7 ♗c7 21. c4±; 20. ♕b3↑] 18. ♔h1
♖ac8! N [18... ♗e3 — 48/(251)] 19. c4
[19. b4 ♗e3 20. ♕e3 ♕d6=] ♕d6 20.
♗c5 ♖c5 21. ♕e2 ♖dc8 22. ♗h3 ♖8c7
23. b3?! [23. ♖fe1 ♔d8! (23... ♖c4 24.
♕e5 ♕e5 25. d6! ♔f8 26. ♖e5+—; 23...
b5 24. b4!+—; 23... e4 24. ♖d4+— △ 25.
b4, 25. ♖e4) 24. b3 (24. ♕e5 ♕e5 25.

♖e5 ♖c4 26. d6 ♖7c6=) b5 25. cb5 ab5
26. ♕e5 ♕e5 27. ♖e5 ♖c1=] b5 24.
♖f5?! [24. ♖fe1 bc4 25. bc4 ♔d8 26. ♕b2
(26. ♖c1 ♖c4) ♖c4 27. ♕b8 ♔e7∞] bc4
25. ♖e5 ♔f8 26. ♖e1 [26. ♖f1 ♖d5] g6
27. bc4 ♖c4 28. ♕b2 [28. ♗f1! ♖a4∓]
♖c2 29. ♕d4 ♔g7 30. ♗g2 ♖7c4 31. ♕a1
♕a3 32. ♖5e3 ♕a2 33. ♕a2 ♖a2 34. ♗f3
♖cc2 35. h4 ♖d2 36. ♖e7 ♘d5 37. ♗d5
♖d5 38. ♖f1 ♖f5 39. ♖f5 gf5 [♖ 6/j] 40.
♖c7 a5 [40... ♔g6—+] 41. ♖c6 a4 42.
♖a6 a3 43. ♔g1 h5 44. ♔f1 ♖a1 45. ♔g2
a2 46. ♔h2 ♔f8 47. ♖a7 ♔e8 48. ♔g2
♔d8 49. ♔h2 ♔c8 50. ♔g2 ♔b8 51. ♖a4
♔b7 52. ♖a3 ♔b6 53. ♖a8 f4! 54. gf4
[♖ 6/b] f5 55. ♖a3 ♔c5 56. ♖a8 ♔c4
57. ♖a3 ♔d4 58. ♖a8 ♔e4 59. ♖a4 ♔e3
0 : 1   [Anand]

181.   B 48

KASPAROV 2770 — ANAND 2650
Tilburg (Interpolis) 1991

1. e4 c5 2. ♘f3 ♘c6 3. d4 cd4 4. ♘d4
♕c7 5. ♘c3 e6 6. ♗e3 a6 7. ♗d3 ♘f6 8.
0—0 ♘e5 9. h3 ♗c5 10. ♔h1 d6 11. f4
♘c6? N [11... ♘ed7 — 9/332; 11... ♘g6]
12. e5! ♘e5 [12... de5 13. ♘db5 ab5 14.
♗c5+—; 12... ♘d7 13. ♘e6 fe6 14. ♕h5
♔d8 15. ♕h4 ♘e7 16. ♘e4±→; 13. ed6±;
12... ♘d5 13. ♘d5 ed5 14. ♘c6! (14. ed6
♕d6) ♗e3 (14... ♕c6 15. ♗c5 dc5 16.
c3±) 15. ♘b4 ♕c5 16. ♕f3!±; 12... ♗d4
13. ♗d4 de5 14. fe5 a) 14... ♘d5 15. ♘e4
0—0 (15... ♘d4 16. ♘d6 ♔f8 17. ♖f7 ♕f7
18. ♘f7 ♔f7 19. ♕h5+—; 15... ♘e5 16.
♕h5 ♘d3 17. ♖f7!+—) 16. ♘f6 gf6 17.
♗h7!+—; b) 14... ♘d7 15. ♘e4! ♘ce5
(15... ♘de5 16. ♗c5+—) 16. ♕h5±→; c)
14... ♘e5 15. ♖f6! gf6 16. ♘e4 f5 17.
♘f6 ♔e7 18. ♕e2 ♔f6 19. ♖e1 ♔e7 20.
♗e5 ♕d8 21. ♗f5±→] 13. fe5 de5 14.
♗b5?! [14. ♘db5! ab5 15. ♗b5 a) 15...
♗d7 16. ♗d7 ♘d7 17. ♗c5 ♕c5 (17...
♘c5 18. ♘b5+—) 18. ♖f7+—; b) 15...
♔e7 16. ♗g5 h6 17. ♗h4 ♗e3 18. ♘e4
♗g5 (18... ♗f4 19. ♖f4 ef4 20. ♕d4 e5
21. ♗f6 gf6 22. ♕b4 ♔e6 23. g4!! fg3 24.
♖f1+—) 19. ♘g5 hg5 20. ♗g5±] ab5?
[14... ♔f8!□ 15. ♖f6! a) 15... ed4 a1)
16. ♗h6? dc3! (16... gh6 17. ♕h5!; 16...

ab5? 17. ♕h5 dc3 18. ♖af1 ♔e8 19. ♗g7!+−) 17. ♕f3! (17. ♕h5? ♗d4!) ♗d4 18. bc3! ♗f6 19. ♕f6 ♖g8! 20. ♖d1 gh6□ 21. ♖d8 ♕d8 22. ♕d8 ♔g7 23. ♕d4 f6 24. ♗d3∞; *a2)* 16. ♗f4!? ♕e7 (16... ♕b6 17. ♖f7! ♔f7 18. ♕h5 g6 19. ♕f3! ♔g8 20. ♗e5+−) 17. ♘e4 ab5 18. b4!? (18. ♗h6? gh6! 19. ♕h5 ♖g8 20. ♖af1 ♖g7 21. ♘c5 b6∓; 18. ♗g5?! gf6 19. ♗f6 ♕c7 20. ♗h8± ×♔f8) ♗b4 (18... gf6 19. bc5 e5 20. ♗h6 ♔e8 21. ♗g7+−) 19. ♕d4± △ 19... ♗c5 20. ♘c5 ♕f6 21. ♗e5+−; *b)* 15... ♗d4 16. ♖f7! ♕f7 17. ♗d4 ed4 (17... ab5 18. ♗c5+−) 18. ♕d4 ♔g8 19. ♖f1 ♕e7 20. ♗c4±] **15. ♘db5 ♕c6 16. ♗c5 ♕c5 17. ♘d6 ♔e7**

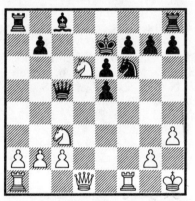

18. ♖f6! gf6 19. ♘ce4 ♕d4 [19... ♕c7 20. ♕h5 ♖f8 21. ♕h6! f5 (21... ♕c2 22. ♖c1 ♕b2 23. ♖c7+−) 22. ♘f5! ef5 23. ♕f6 ♔e8 24. ♘d6 ♔d7 25. ♘b5+−] **20. ♕h5 ♖f8 21. ♖d1!** [21. ♕h4?! ♔d7±] **♕e3 22. ♕h4 ♕f4 23. ♕e1 ♖a4□ 24. ♕c3 ♖d4 25. ♖d4 ♕f1 26. ♔h2 ed4 27. ♕c5!** [27. ♕c7? ♗d7 28. ♕c5 ♕f4! 29. g3 ♕e5 30. ♘f5 ♔d8 31. ♕f8 ♔c7 32. ♘fd6 ♕h5∞] **♔d7 28. ♘b5! ♕f4 29. g3 1 : 0** **[Kasparov]**

182.** !N **B 50**

N. SHORT 2660 − KASPAROV 2770

Tilburg (Interpolis) 1991

1. e4 c5 2. ♘c3 [RR 2. ♘f3 d6 3. c3 ♘f6 4. ♗e2 *a)* 4... ♘c6 5. d4 cd4 6. cd4 ♘e4 7. d5 ♕a5 8. ♘c3 ♘c3 9. bc3 ♘e5 10. ♘e5 ♕c3 11. ♗d2 ♕e5 12. 0−0 a6! N (12... ♕d5 − 45/(219)) 13. ♖b1 (13. ♖e1!? ♕d5 14. ♖b1=∞) g6!! *a1)* 14. ♖b7!? ♗g7□ 15. ♖c7 (15. ♕a4? ♔f8−+) 0−0 16. ♗c3 ♕g5 (16... ♕c3?! 17. ♖c3 ♗c3 18. ♕c2± ×a6, e7) 17. f4 ♕h4 18. g3 ♕h6 19. ♗g7 ♕g7 20. ♖e7 ♕f6 △ ♗e3=; *a2)* 14. ♖c1 ♗g7 15. ♗c3 ♕c3 16. ♖c3 ♗c3 17. ♕c2 (17. ♕b3 ♗e5 18. ♕b6 0−0= Obuhov) ♗f6 18. ♗a6! 0−0 19. ♗d3 ♖a3=∞ 1/2 : 1/2 Nikolenko 2450 − Obuhov 2265, Smolensk 1991; *b)* 4... g6 5. 0−0 ♗g7 6. ♗b5 ♘bd7 (6... ♗d7 − 46/241, 242) 7. ♖e1 *b1)* 7... 0−0!? 8. d4 e5 9. de5 ♘e5! (9... de5 10. ♗g5±) 10. ♘bd2 a6 11. ♗f1 ♖e8=; *b2)* 7... a6 N 8. ♗f1 0−0 9. d4 e5 10. de5 ♘e5! 11. ♗g5 ♕b6! (11... ♗g4 12. ♘bd2 h6 13. ♗h4 ♘f3 14. ♘f3 g5 15. ♗g3 d5 16. ed5 ♕d5 17. ♕d5 ♘d5 18. ♗d6 ♖fc8 19. ♘e5±) 12. ♘e5 de5 13. ♕c2 ♗e6 14. ♘d2 h6 15. ♗h4 (Keņgis 2575 − Lukin 2445, Groningen (open) 1991) ♕c6! 16. ♘c4 ♘h5 17. ♖ad1 b5= Lukin] **e6 3. ♘f3 a6 4. g3 b5 5. ♗g2 ♗b7 6. d3 d6 7. 0−0 ♘d7 8. a3 N** [8. ♘e1 − 41/192] **♖c8 9. ♗d2 ♘gf6?!** [9... ♗e7!=] **10. ♘h4 ♗e7?** [10... ♕c7 11. f4±] **11. e5 ♘d5 12. ed6?** [12. ♘f5! ef5 (12... ♘c3? 13. ♘g7 ♔f8 14. ♘e6! fe6 15. ♗h6+−) 13. ed6 ♗d6 14. ♖e1 ♘e5 15. ♘d5 △ ♘f6±] **♗h4 13. ♘d5?** [13. ♗d5 ♗d5 14. ♘d5 0−0 15. gh4! (15. ♘c7 ♗f6; 15... ♘b8!? Kasparov) ed5 16. ♕f3±] **♗d5 14. ♗d5 ♗f6!** [14... ed5? 15. ♖e1+−] **15. ♕e1 ♕b6** [15... 0−0? 16. ♗a5! ♘b6 17. ♗b7±] **16. ♖b1** [16. ♗e6? fe6 17. ♕e6 ♔d8 18. ♖ae1 ♖c6 19. ♗f4 g5−+] **0−0 17. ♗g2 ♕d6= 18. ♕e2 ♖fd8 19. ♖fe1 ♘b6 20. ♗f4 ♕e7 21. h4 a5 22. c3 h6** [⌓ 22... b4! 23. ♖bc1 (23. ab4 cb4! ×c3) bc3 24. bc3 c4 25. d4 ♘d5 (25... ♕a3? 26. ♗b7) 26. ♗d2 ♕a3 27. ♗e4=∞] **23. ♖bc1 b4 24. ab4 ab4 25. ♗e4 bc3** [26. bc3 ♘d5 27. ♗d2 ♖b8 28. ♕g4 ♔f8=] **1/2 : 1/2** **[N. Short]**

183.** !N **B 51**

ULYBIN 2565 − JUDASIN 2595

SSSR (ch) 1991

1. e4 c5 2. ♘f3 d6 3. ♗b5 ♘c6 [RR 3... ♘d7 4. 0−0 ♘f6 5. d4 a6 6. ♗d7 ♕d7

a) 7. ♖e1!? cd4 8. ♕d4 h6!? (8... e5 9. ♕d3 h6 10. c4 ♗e7 11. ♘c3 0–0 12. a4 ♗d8! △ ♘e8, f5, △ ♗a5, △ ♗b6⇆) 9. c4 e6; *b)* 7. ♘c3 cd4 *b1)* 8. ♕d4 e5 9. ♕d3 h6 10. a4 ♗e7 N (10... ♕c6 – 28/399) 11. ♘d2 ♕c7 12. ♘c4 ♗e6 13. ♘e3 ♖c8 14. ♗d2 ♗c4∓ Šabanov 2425 – Obuhov 2265, SSSR 1991; *b2)* 8. ♘d5! ♘d5 9. ed5 ♕g4 10. ♖e1!↑ Obuhov] **4. 0–0 ♗d7 5. c3 a6 6. ♗c6 ♗c6 7. ♖e1 ♘f6 8. d4 ♗e4 9. ♗g5 d5** [RR 9... ♗d5 10. ♘bd2 c4 11. b3 b5 12. bc4 bc4 13. ♘h4! N (13. ♘f1 – 51/186) ♕d7 (13... e6 14. ♘f5±) 14. ♖b1 h6 15. ♗f6 gf6 16. ♕h5 *a)* 16... ♕c6 17. ♖b6! ♕b6 18. ♕d5 ♖d8 (18... ♖c8 19. ♘c4 ♕c6 20. ♘d6 ♔d7 21. ♕f7! ♕d6 22. ♘g6+–) 19. ♘f5 ♕b5 20. ♘d6 ♖d6 21. ♕d6 e6 22. ♕c7 ♕d7 23. ♕b8 ♕d8 24. ♕d8 ♔d8 25. ♘c4+– Ricardi 2435 – Cifuentes Parada 2510, Buenos Aires 1991; *b)* 16... ♗e6 17. ♕f3 ♖c8 18. d5 ♗g4 19. ♕f6± Cifuentes Parada] **10. ♘bd2 ♗f3 11. ♕f3 cd4!? N** [11... e6 – 26/435] **12. ♗f6 gf6 13. ♕f6** [13. c4!? ♖g8 (13... ♗g7 14. cd5 0–0 15. ♘b3±; 13... ♕d7 14. cd5 0-0-0 15. ♘c4 ♔b8 16. ♕f4 ♕c7 17. d6±; 13... e5!?) 14. cd5 ♖g5!?∞] **♖g8 14. ♕d4 ♕d7= 15. ♖ad1** [15. ♘f3 ♕g4!∓] **0-0-0 16. ♕d3** [16. ♘f3 ♕g4!∓; 16. ♕a7!? ♕c7 17. ♘f3 e6 18. ♘e5 f6∞; 18... ♖g7 △ ♗c5∞] **♕g4 17. g3 h5⇆ 18. ♘f3 h4 19. ♘e5 ♕h5 20. ♕e3!** [20. g4 f6 21. ♔h1 ♕e8 22. ♕f5 ♔b8 23. ♘f3 h3∞; 23... ♕d7∞; 20... ♖g4!?⩱; 20... ♖g7!?; 20... f5!?] **e6!?** [20... hg3 21. fg3↑ ×f7] **21. c4!?** [21. ♕f4 hg3 △ ♖g7, f5∓↑; 21... ♖g7; 21. ♕f3∓] **♗b4!** [21... hg3 22. fg3 ♖h8 *a)* 23. ♖e2 d4!; *b)* 23. ♖d2 d4!; *c)* 23. h4 ♖g8∞; 23... f6∞; *d)* 23. ♕e2!±↑ ×e6, f7] **22. cd5□ ♗e1□ 23. ♖c1 ♔b8 24. ♘c6! bc6 25. ♕b6 ♔a8 26. ♕a6 ♔b8 27. ♕b6 ♔a8 28. ♕a6** [28. dc6? ♗f2!–+] **♔b8 29. ♕b6⊕ ♔a8 30. ♕c6 ♔b8 31. ♕b6 ♔a8 32. ♕a6 ♔b8 33. ♕b5 ♔a8 34. ♕a4 ♔b8 35. ♕b3 ♔a8 36. ♕a3** [36. ♖c7? ♗f2 37. ♔f2 (37. ♔f1 ♕d5!–+) hg3 38. hg3 ♕f5 39. ♔g1□ ♖g3! 40. ♕g3 ♕b1∓→] **♔b8 37. ♕b3 ♔a8 38. ♕a4 ♔b8 39. ♕b5 ♔a8 40. ♕c6 ♔b8 41. ♕c7 1/2 : 1/2**
[Judasin]

184.* !N B 54**

BOLOGAN 2535 – FROLOV 2470
SSSR (ch) 1991

1. e4 c5 2. ♘f3 e6 [RR 2... d6 3. d4 cd4 4. ♘d4 ♘f6 5. f3 e5 6. ♘b3 *a)* 6... d5 7. ♗g5 ♗e6 8. ♗f6 N (8. ed5) gf6 9. ed5 *a1)* 9... ♗d5 10. ♘c3 ♗b4 11. ♕d3 ♘c6 12. 0-0-0 ♗b3 13. ab3 ♗c3 14. bc3 ♕d3 (14... ♕e7? 15. ♕e4 ♕a3 16. ♔b1 a5 17. ♗b5 ♕c5 18. ♖d5 ♕c3 19. ♕f5 a4 20. ♕f6 0–0 21. ♕g5 ♔h8 22. ♕f6 ♔g8 23. ♖d3 ♕c5 24. f4! ef4 25. ♕f4 ♘e7 26. ba4± Maljutin 2385 – Nesterov 2365, SSSR 1990) 15. ♗d3±; *a2)* 9... ♕d5 10. ♕d5 ♗d5 11. ♘c3 ♗e6 (11... ♗b4?! 12. 0-0-0!) 12. 0-0-0 ♘c6 (12... ♘d7?! 13. ♘b5 ♔d8 14. ♘a5 ♔c8 15. ♗c4!± Maljutin 2385 – Dvojris 2560, SSSR 1990) 13. ♗b5!? (△ ♘a5) a6 14. ♗c6 bc6 15. ♘e4± Kimel'fel'd, Maljutin; *b)* 6... ♗e6 7. c4 ♘bd7! N (7... ♗e7) 8. ♗e3 (8. ♘c3 ♘b6! 9. ♘d5 ♖c8 10. ♘d2 ♘h5 11. g3 f5 12. ef5 ♗f5 13. ♘b6 ♕b6∓) ♖c8 9. ♘3d2 ♘b6 10. b3 ♘h5! 11. ♘c3 ♗e7 12. g3 g6 13. ♗g2 0–0 (13... ♗g5!? 14. ♗f2 0–0 15. 0–0 ♗h6 △ f5∞ Obuhov) 14. 0–0 f5!?∞ Maljutin 2435 – Obuhov 2265, SSSR 1991] **3. d4 cd4 4. ♘d4 ♘c6 5. ♘c3 d6 6. g4 a6 7. ♗e3 ♘ge7** [7... ♘d4 8. ♕d4 ♘e7 9. 0-0-0 ♘c6 10. ♕d2±] **8. ♘b3! N** [×♘c6, ♘e7; 8. ♕e2 – 45/227] **♘g6 9. ♕e2! ♗e7 10. 0-0-0 b5 11. f4 h6** [11... b4 12. ♘a4 ♖b8 13. ♕f2± ×b6] **12. ♕f2 ♗d7 13. ♔b1 ♖b8 14. ♗e2±** [△ f5, h4, g5±] **♘a5 15. ♘a5 ♕a5 16. ♗d3 ♗h4!? 17. ♕d2** [△ e5] **♗c6 18. ♖hf1 ♗e7**

19. h4! ♘h4 [19... ♗h4 20. e5! d5 (20... de5 21. ♗g6 fg6 22. ♕d6+−) 21. ♗g6 fg6 22. ♕d3 0–0 23. ♕g6 ♖be8 24. f5+−] **20. f5± e5** [20... b4 21. ♘e2 ♘g2 22. ♘d4 ♘e3 23. ♕e3! ♗d7 24. fe6 fe6 25. e5! △ ♗g6+−] **21. ♕h2 ♕d8 22. ♗e2 g5 23. ♕f2 f6 24. ♘d5+−** [△ ♖d2, ♖c1, c4 ×♘h4] **0–0 25. ♖d2 ♖f7 26. c4 ♕a5 27. ♖c1 ♗d8 28. cb5 ♗d5!? 29. ♖d5 ab5 30. ♗d3! ♖c7 31. ♕e2 ♖a8 32. a3 ♖b7 33. ♗b5 ♔g7 34. ♔a2 ♖ab8 35. b4 ♕b5 36. ♖b5 ♖b5 37. ♗a7 ♖8b7 38. ♖c8 ♗e7 39. ♕c4 d5 40. ♕c6 ♗b4 41. ♕e8**
1 : 0 **[Bologan]**

185.* **B 56**

W. WATSON 2525 – KUPREJČIK 2490
Jyväskylä 1991

1. e4 c5 2. ♘f3 d6 3. d4 cd4 4. ♘d4 ♘f6 5. ♘c3 ♗d7 [RR 5... ♘c6 6. ♗e3 e5 7. ♘f3 ♗e7 8. ♗c4 0–0 9. 0–0 ♘a5 10. ♗b3 N (10. ♗e2 – 48/255) ♗e6 11. ♕e2 (11. ♘g5 ♗c4∓) a6 12. ♖fd1 ♘b3 (12... ♕c7? 13. ♗e6 fe6 14. ♘g5 ♕c8 15. ♘a4±) 13. ab3 ♕c7 14. ♗g5! (14. ♖ac1?! h6∓) ♖ac8 15. ♗f6 (15. ♖ac1 ♘h5 16. ♗e7 ♕e7∞) ♗f6 16. ♘e1 ♗d8 (Konguvel 2380 – Wang Zili 2495, Penang 1991) 17. ♕d3 ♗e7 18. ♘d5 ♗d5 19. ♕d5 ♔h8 △ f5 Wang Zili] **6. h3?! N** [6. ♗g5 – 11/350, B 67] **e5 7. ♘db5 ♗c6 8. ♗g5** [8. ♘d5 ♗d5 9. ed5 a6 10. ♘c3 ♘bd7∞] **a6 9. ♘a3** [9. ♗f6 gf6 10. ♘a3 f5 11. ef5 d5∓] **♘bd7** [9... b5!?] **10. ♘c4 h6 11. ♗h4** [11. ♗f6 ♘f6∓] **g5** [11... ♕c7!?] **12. ♗g3 ♘e4 13. ♘e4 ♗e4 14. ♘d6 ♗d6 15. ♕d6 ♗c2 16. h4!?** [16. ♗e5 ♘e5 17. ♕e5 ♕e7 18. ♕e7 ♔e7 19. ♗e2 f5=] **♕e7 17. ♕d2 ♗h7 18. hg5 hg5 19. ♖c1 ♘c5?!** [19... ♘f8!?; 19... f5!?] **20. ♕e3 ♘d7□** [20... ♘e4 21. ♕e4!+−; 20... ♖c8 21. b4 ♘d3 22. ♗d3 ♕b4 23. ♔e2+−] **21. ♗d3 f6□ 22. ♖c7 ♕d6 23. ♖b7 0-0-0!! 24. ♖b3□ ♘c5 25. ♖c3 ♗d3 26. ♖h8 ♖h8 27. ♕c5** [27. ♖c5? ♔b7∓] **♕c5 28. ♖c5 ♔b7 29. ♖d5 ♗b5∓ 30. f3 ♔c6 31. ♖d1 ♖h1** [⌓ 31... a5] **32. ♔d2 ♖d1 33. ♔d1 ♗f1 34. a4!** [△ b4-b5] **♗g2 35. ♔e2 ♗h3 36. b4 ♗d7 37. ♗e1⊕ ♔d5 38. b5 ab5** [38... ♗b5!?] **39. ab5 ♗b5 40. ♔f2 f5** [△ f4, ♔e6-f5, ♗c6-f3] **41. ♗a5!** [△ ♗d8=] **g4 42. fg4 fg4 43. ♗d2** **1/2 : 1/2** **[Kuprejčik]**

186.* **B 57**

VELIMIROVIĆ 2530 – KOŽUL 2560
Jugoslavija (ch) 1991

1. e4 c5 2. ♘f3 d6 3. d4 cd4 4. ♘d4 ♘f6 5. ♘c3 ♘c6 6. ♗c4 ♕b6 7. ♘db5 [RR 7. ♘b3 e6 8. 0–0 ♗e7 9. ♗g5 ♘e5 10. ♗e2 0–0 11. ♔h1 ♗d7!? N (11... a6 – 51/190) 12. f4 ♘g6 13. e5 ♘e8 14. ♗e7 ♘e7 15. ♗d3 ♗c6 16. ♕h5?! g6 17. ♕g5 ♘f5 18. ♗f5 ef5∓ Minasjan 2510 – Ruban 2575, SSSR (ch) 1991; 16. ♕e2=] **a6 8. ♗e3 ♕a5 9. ♘d4 e6 10. 0–0 ♗e7 11. ♗b3 0–0 12. f4 ♗d7 13. ♕f3 N** [13. f5 – 49/228] **♖ae8?!** [13... ♕h5 14. ♕h5 ♘h5 15. f5 (15. g4? ♘d4 16. ♗d4 ♘f4 17. ♖f4 e5∓) ♘d4 16. ♗d4 ♘f6 17. ♖ad1±; 13... ♘d4 14. ♗d4 ♗c6 15. ♖ae1 (15. f5 ef5 16. ♕f5 ♕f5 17. ef5 ♖fe8=) ♖ae8 △ ♗d8∞] **14. ♘de2!± ♔h8** [14... ♗d8 15. g4 g5 16. e5 gf4; 15. ♖ad1! △ 15... ♗b6 16. ♖d6 ♗e3 17. ♕e3 ♘g4 18. ♕d2 ♕c5 19. ♔h1] **15. g4 g5?!** [15... h6] **16. e5□** [16. fg5 ♘e5 17. ♕g3 ♘fg4 18. ♗f4 (18. ♗d4 ♗g5 19. ♕g4 ♗e3!−+) ♖g8 19. h4 f6] **de5** [16... ♘g4!? 17. ♕g4 gf4 18. ♕f4 de5 19. ♕f2 f5=∞] **17. fg5± e4 18. ♕h3 ♘d5 19. ♘d5 ed5 20. ♖ad1! ♗e6 21. ♔h1 ♗d6** [21... ♗c5 22. ♗c5 ♕c5 23. ♖f6 △ ♖h6; 21... ♖g8 22. ♘d4! ♗g5 23. ♘e6 fe6 24. ♖f7+−] **22. ♘d4 ♕c7** [22... ♗e5 23. g6!+−] **23. ♖f6 ♖g8** [23... ♗e5 24. g6+−; 23... ♘d4 24. ♗d4 ♗e5 25. g6! fg6 26. ♖f8 ♖f8 27. ♕g3!+−] **24. ♖h6 ♖g7 25. ♘f5+− ♗e5 26. ♘g7 ♗g7 27. ♖h7 ♔g8 28. g6! fg6 29. ♗h6 ♗g4 30. ♕g4 ♔h7 31. ♗f4 ♘e5 32. ♕h4 ♔g8 33. ♗d5 ♔f8 34. ♖f1** **1 : 0**
[Kožul]

187. **B 61**

FEDOROWICZ 2525 –
DZINDZICHASHVILI 2555
New York 1991

1. e4 c5 2. ♘f3 ♘c6 3. d4 cd4 4. ♘d4 ♘f6 5. ♘c3 d6 6. ♗g5 ♗d7 7. ♕d2 ♖c8

8. 0-0-0 ♘d4 9. ♕d4 ♕a5 10. ♗d2 ♕c5 11. ♕c5 ♖c5 N [11... dc5?! – 10/479] **12. f3!±** [12. ♗e3 ♖c3! 13. bc3 ♘e4 14. ♗a7 ♘c3 15. ♖d3 ♘a2 16. ♔b1 ♘b4 17. ♖b3 ♘c6 18. ♖b7 ♘a7 19. ♖a7 e6=∞] **a6 13. ♗e3 ♖c8 14. g4 h6?!** [14... ♗c6 15. g5 ♘d7±○] **15. h4 e6 16. ♗h3! ♗c6 17. g5 ♘d7 18. g6!± ♗e7 19. ♘e2 ♘e5** [19... ♗h4 20. gf7 ♔f7 21. ♗e6±] **20. gf7 ♔f7 21. ♘d4 ♗d7 22. f4 ♘c6** [22... ♘c4 23. ♗f2± ×♘c4] **23. ♘e2! ♘b8 24. e5 d5** [24... de5 25. fe5 ♗h4 26. ♖df1 ♔g8 27. ♗g2 ♗g5 28. ♗g5 hg5 29. ♖h8 ♔h8 30. ♗b7±] **25. h5! ♗c5?!** [25... ♖hd8 △ ♗f8±] **26. ♗c5 ♖c5 27. ♖hg1 ♘c6 28. ♖g3 ♘e7 29. ♖dg1 ♖g8 30. c3 b5 31. ♘d4 ♖c4?!** [31... b4? 32. ♗e6! ♗e6 33. ♖g7 ♖g7 34. ♖g7 ♔g7 35. ♘e6 ♔f7 36. ♘c5+–; 31... ♖cc8±] **32. ♗f1 ♖cc8 33. ♗d3+–** [△ ♗h7] **g5** [33... ♘f5 34. ♗f5 ef5 35. ♖g6] **34. hg6 ♔g7 35. ♔d2 ♘c6 36. ♘e2! b4 37. ♖h3 bc3 38. bc3 ♗e8 39. ♖g4 ♘e7 40. ♘g3! ♗g6□ 41. f5 ef5 42. ♘f5 ♘f5 43. ♗f5 ♖c6 44. ♖hg3 ♔h7 45. e6! ♗f5 46. ♖g8** [46... ♗e6 47. ♖3g7#; 46... ♖c7 47. ♖e8 ♗g6 48. ♖d8 ♗f5 49. ♖e3 ♖e7 50. ♖d7!]

1 : 0 **[Byrne, Mednis]**

188.* **B 63**

BORRISS 2400 – LEKO 2385

Kecskemét 1991

1. e4 c5 2. ♘f3 d6 3. d4 cd4 4. ♘d4 ♘f6 5. ♘c3 ♘c6 6. ♗g5 e6 7. ♕d2 ♗e7 [RR 7... h6 8. ♗f6 gf6 9. 0-0-0 a6 10. ♔b1 ♗d7 11. f4 ♕b6!? N (11... h5 – 19/376) 12. ♘c6 ♗c6 13. f5 ♕c5 14. ♘e2 ♗e4 15. fe6 fe6 16. ♘f4 e5 17. ♗d3 ♗d3 18. ♘d3 ♕d4 19. ♖hf1 ♗e7 20. ♘b4 ♕d2 21. ♖d2 0–0 22. ♘d5 ♖ae8 23. ♘e7 ♖e7 24. ♖d6 ♔g7= Romero Holmes 2490 – Je. Piket 2615, Wijk aan Zee 1992] **8. 0-0-0 0–0 9. ♘b3 a6 10. ♗f6 gf6 11. ♕h6 ♔h8 12. ♕h5 ♕e8 13. f4 ♖g8 14. ♗d3 ♖g7 15. g4 b5 16. h4 b4 17. ♘e2 e5** [17... a5 18. ♘bd4⩲] **18. f5 a5 19. ♔b1** [19. ♘d2 b3!? 20. ♘b3 a4 21. ♘d2 a3 22. b3 ♘b4 23. ♔b1 d5=∞] **a4 20. ♘d2 ♗b7!? N** [20... b3 – 49/(233)] **21. ♖hf1!?** [21. ♖hg1] **♘b8! 22. g5 ♘d7 23. ♘f3** [23. ♗b5?! ♕d8! (△ ♘c5) 24. ♗d7 ♕d7∓] **♘c5** [23... b3 24. a3 ♘c5 25. ♘c3±] **24. ♕h6!□** [24. ♘g3? b3→] **♕d8** [24... fg5? 25. hg5 ♘e4 26. f6 ♖g6 27. ♕h4+–] **25. ♘g3 ♗f8** [25... fg5? 26. ♘h5 ♖g8 27. f6 ♖g6 (27... ♗f8 28. ♘g5+–) 28. ♘g5! ♖h6 (28... ♕g8 29. fe7+–) 29. ♘f7 ♔g8 30. ♘h6 ♔f8 31. fe7 ♔e7 32. ♖f7 △ ♘g7#] **26. ♖g1** [△ ♕f6] **b3! 27. ♕f6 ♕f6?!** [27... ba2! 28. ♔a2□ ♕a5 29. ♘e5□ (29. ♘h5? ♘d7) de5 30. ♕e5 *a)* 30... ♘d3?! 31. ♕a5 ♘c1 (31... ♖a5 32. cd3±) 32. ♖c1 ♖a5 33. ♖cd1±; *b)* 30... ♕b4 31. ♘h5 (31. h5? ♘d3 32. ♖d3 ♕c5∓) a3 32. b3 *b1)* 32... ♗e4 33. ♘g7 (33. ♖g4 ♖e8!→) ♗g7 34. f6 ♗d3 (34... ♗f8? 35. ♖g4 ♘d3 36. ♖d3 ♖c8 37. c3+–) 35. fg7 ♔g8 36. cd3 ♕b3 37. ♔a1 ♘d3 38. ♕f6 ♕b2 39. ♕b2 ab2 40. ♔b1 ♖a1 41. ♔c2 ♖c1 42. ♖c1 bc1♕ 43. ♖c1 ♘c1 44. ♔c1 ♔g7 45. h5 h6 46. g6=; *b2)* 32... ♘e4 33. ♗e4 (33. ♘g7 ♕c3!∓) ♗e4 (33... ♕e4 34. ♕e4 ♗e4 35. ♘g7 ♔g7 36. f6 ♔g6 37. c3=) 34. ♘g7 (34. ♖g4 ♖c8 35. ♕e4 ♕c3 36. ♕d4 ♕c2 37. ♔a1 f6! 38. ♕d2□ ♕f5 39. ♘f6 ♖gc7=∞) ♗g7 35. f6 ♗c2! 36. fg7 ♔g8∞] **28. gf6 ♖g3□** [28... ♖g4 29. ♘g5 ♔g8 30. ♘h5→] **29. ♖g3 ♘e4 30. ♖gg1** [30. ♗e4? ♗e4=∞] **h6** [30... ♘f6 31. ♘g5±] **31. ♘g5! hg5 32. hg5 ba2?!** [32... ♔g8] **33. ♔a1** [33. ♔a2 a3] **♔g8 34. ♖de1± ♘c5** [34... ♘d2 35. ♖e2 ♘f3 36. ♖g3±] **35. ♖e2 ♖c8 36. ♖h2 a3** [36... ♘d3 37. cd3 ♗d5 38. g6 fg6 39. fg6 ♖c7 40. f7 ♖f7 (40... ♔g7 41. ♖h7 ♔f6 42. ♖h8+–) 41. gf7 ♔f7 42. ♖g4 ♗b3 43. ♖h7+–] **37. ba3+– ♘d3 38. cd3 ♗d5 39. g6 fg6 40. fg6 ♖c7 41. g7** [41. f7] **♗g7 42. ♖g7 ♖g7 43. fg7 ♔g7 44. a4 ♔f7 45. a5 ♔e7 46. a6 ♔d7 47. a7** [47... ♔c7 48. ♖h8] **1 : 0**

[Borriss, Uhlmann]

189. **B 63**

I. ROGERS 2565 – KOTRONIAS 2550

Crete 1991

1. e4 c5 2. ♘f3 d6 3. d4 cd4 4. ♘d4 ♘f6 5. ♘c3 ♘c6 6. ♗g5 e6 7. ♕d2 ♗e7 8. 0-0-0 0–0 9. ♘b3 ♕b6 10. f3 ♖d8 11. ♗e3 ♕c7 12. ♕f2 d5 13. ed5 ♘d5 14.

♘d5 ♖d5 15. ♖d5 ed5 16. g4 ♗e6 [16... a5 17. a3 ♘e5 18. ♔b1 ♘c4 19. ♗d4±] **17. ♔b1 N** [17. a3 — 46/257] **♗f6!** [17... ♗d6 18. h4!? ♗f4 19. ♕d2⩲; 18. ♘d4⩲ Kotronias] **18. ♗d3 ♘b4 19. ♗d4?!** [19. ♖d1! d4!? (19... ♘d3 20. ♖d3±) 20. ♗d4 ♗b3 21. cb3! ♘d3 22. ♖d3 ♖d8?! 23. ♖c3!±] **♘d3 20. cd3 ♗d4 21. ♘d4** [21. ♕d4!? ♖c8 (21... b6 22. f4±) 22. ♖c1 ♕h2 23. ♖c8 ♗c8 24. ♕d5 ♕c7⩲] **♕f4! 22. h3 ♗d7 23. ♖e1 ♔f8** [23... ♖e8 24. ♖e8 ♗e8 25. ♘f5 ♗b5 26. ♕c2⩲] **24. ♕e3 ♕e3 25. ♖e3 f6** [25... ♖c8!? ×♔b1] **26. ♔c2 ♔f7 27. ♔d2 ♖c8 28. ♖e1 h5!** [28... g5 29. h4⩲] **29. gh5!?** [29. ♖c1?! ♖c1 30. ♔c1 g5 31. ♔d2 f5!∓] **♗h3 30. ♘b5 ♖c6! 31. ♘d4** [31. ♘a7?! ♖b6! 32. b3 ♗g2!? 33. ♘c8∞; 32... d4!?∓] **♖c8 32. h6?** [32. ♘b5=] **g5!** [32... gh6 33. ♖h1⩲] **33. ♘b5 ♖h8** [33... ♖c6?? 34. h7+−] **34. ♘d6 ♔g6 35. ♖e7 ♖h6 36. ♔e3** [36. ♖b7? ♗g2∓] **♖h4! 37. ♖b7** [37. ♘b5 a6! 38. ♘d4 ♖h7∓] **d4 38. ♔f2 ♖f4! 39. ♔g3 ♗f1 40. ♖a7 ♗d3?** [40... ♗e2! 41. ♖e7 ♖f3 42. ♔g2 ♗d1∓] **41. ♖e7 f5!?** [41... ♖h4 42. ♘e4!? ♗e4 43. fe4 d3∓] **42. ♖e6 ♔g7 43. b3! ♖h4 44. ♘c4 ♖h1 45. ♖d6 f4 46. ♔g4!** [46. ♔f2 ♖f1 47. ♔g2 ♖d1!∓] **♖g1 47. ♔h5 ♗f5** [48. ♘e5 d3 49. ♘d3 ♗d3 50. ♖d3 ♔f6 51. ♖d6 ♔f5 52. ♖d5 ♔f6=] **1/2 : 1/2**

[I. Rogers]

190.* **B 63**

VAN DER WIEL 2540 — V. SALOV 2655

Wijk aan Zee 1992

1. e4 c5 2. ♘f3 ♘c6 3. d4 cd4 4. ♘d4 ♘f6 5. ♘c3 d6 6. ♗g5 e6 7. ♕d2 ♗e7 8. 0-0-0 0—0 9. ♘b3 ♕b6 10. f3 ♖d8 11. ♗e3 ♕c7 12. ♕f2 d5 13. ed5 ♘d5 14. ♘d5 ♖d5 15. ♖d5 ed5 16. ♗b5 ♘e5!? N [16... ♗f5 — 45/237] **17. ♗a7!** [RR 17. ♖d1 ♘c4 18. ♗c5 ♗g5 19. ♔b1 ♗e6∓ Fedorowicz 2525 — P. Wolff 2545, USA (ch) 1991] **♘c4 18. ♗c5?** [18. ♗d4! ♖a2 19. ♕g3 ♕g3 20. hg3 ♗e6 21. ♖e1±] **♖a2** [18... ♗c5?! 19. ♕c5 ♕c5 20. ♘c5 ♖a2 21. ♘b3 ♗f5 22. ♖e1 h5 23. ♗c4 dc4 24. ♘d4±; 21... ♗e6±] **19. ♗e7** [19. ♖e1?? ♗c5−+] **♕f4!** [19... ♕e7 20. ♖e1 ♗e6 21. ♗c4! dc4 22. ♕c5□ ♖a1 (22... ♕f6?? 23. ♕c8!) 23. ♔d2 ♕d8 24. ♘d4⩲; 24. ♕d4!] **20. ♔d1** [20. ♔b1? ♖b2 21. ♔a1 ♕e5! 22. ♕d4 ♕e7−+] **♖b2!∓** [△ 21... ♖b1, 21... ♘e3; 20... ♘b2?! 21. ♔e2? ♘c4→; 21. ♔e1!± △ ♕c5] **21. ♖e1□** [21. ♗c4? ♖b1; 21. ♗a3? ♘a3 22. ♕c5 ♗f5 23. ♕a3 ♗c2 24. ♔e2 ♕e5 25. ♔f1 h5−+] **♖b1 22. ♔e2 ♕e5 23. ♔f1 ♘e3! 24. ♔g1 ♘g4?** [24... ♖e1 25. ♕e1 ♕e7 *a)* 26. ♕c3 ♗h3! 27. ♗f1 (27. gh3? ♕g5−+) ♘f1∓; 27... ♗d7∓; *b)* 26. ♔f2 ♘f5 27. ♕e7 ♘e7 28. ♘d4∓⊥; 28. ♘c5!?] **25. ♖b1□ ♕h2** [25... ♘f2 26. ♗h4!] **26. ♔f1 ♘f2 27. ♔f2** [27. ♖e1 ♘h3!−+] **♕c7 28. ♗c5!** [28... b6 29. ♖e1 (29. ♗b4?! ♕c2 30. ♘d2∓) ♗e6□ 30. ♖a1 ♗c8□ 31. ♖a8? ♕b7; 31. ♖e1=] **1/2 : 1/2**

[van der Wiel]

191. **B 65**

J. POLGÁR 2550 — SAX 2600

Magyarország (ch) 1991

1. e4 c5 2. ♘f3 d6 3. d4 cd4 4. ♘d4 ♘f6 5. ♘c3 ♘c6 6. ♗g5 e6 7. ♕d2 ♗e7 8. 0-0-0 ♘d4 9. ♕d4 0—0 10. f4 ♕a5 11. ♗c4 ♗d7 12. ♖he1 ♗c6 13. ♗b3?! N [13. ♔b1?! — 35/259; 13. f5!? ef5 14. ef5 *a)* 14... ♕f5 15. ♕h4! ♖fe8 (15... h6 16. ♗h6) 16. ♗d3+−; *b)* 14... ♖ae8 15. g4 ♗f3 (15... d5 16. ♖e7) 16. ♖d3 ♗g4 17. ♗f6 ♗f6 18. ♗f7 ♔f7 19. ♕c4 d5 20. ♖d5 ♖e1 21. ♖d1 ♔e7 22. ♖e1 ♔d8 23. ♕g4 ♗c3=; 13. ♘d5 ed5 14. ed5 ♖ae8 15. dc6 bc6∞] **♖fe8** [13... b5 14. ♘d5 ♘d5 15. ed5 ♗g5 16. dc6±] **14. f5 ef5 15. e5 de5 16. ♖e5 ♕c7 17. ♖f5** [17. ♖de1 ♗e4! 18. ♘e4 fe4 19. ♗f6 ♗f6 20. ♖e8 ♖e8 21. ♖e4=] **♖ad8 18. ♕c4 ♖d1 19. ♘d1 ♗d8 20. ♘e3??** [20. ♖f2=; 20. g3] **♕d7! 21. ♖f2** [21. ♖f1? ♗b5−+] **h6?** [21... ♗b6! 22. ♖d2 ♕c7 23. ♖e2 (23. ♗f4 ♖e3−+; 23. ♘f5 ♘e4; 23. ♖d3 ♖e4 24. ♕c3 ♕h2∓) ♖e4 24. ♕d3 ♕h2∓] **22. ♖d2 ♕d2??** [22... ♕c7 23. ♗f4; 22... ♕e7 23. ♘f5 ♕f8 24. ♖d8! ♖d8 25. ♘h6 gh6 26. ♗f6±; 24... hg5] **23. ♔d2 ♘e4 24. ♔d1 ♗g5 25. ♕f7 ♔h8 26. ♘d5 ♘d6** [26... ♗d7 27. h3] **27. ♕f2 b5 28. ♘f4**

♖d8 29. ♔e1 ♖e8 30. ♔d1 ♖d8 31. ♘d3 ♘c4 32. ♕c5 ♗g2 [32... ♘b2 33. ♔e2] 33. ♗c4 bc4 34. ♕c4 ♖e8 35. ♕f7 ♖e7 36. ♕f8 ♔h7 37. ♕f5 ♔g8 38. h4?! [38. ♘e5] ♗f6 39. ♘f4 ♗e4 [39... ♗f3 40. ♔d2] 40. ♕c8 ♔h7 41. ♘d5! ♗d5 42. ♕f5 ♔h8 43. ♕d5 ♖e8 44. ♕b5 ♖d8 45. ♔e2 ♗h4 46. c4 ♗g3 47. b4 ♖f8 48. ♕a5! g5 49. ♕a7 ♗f4 50. ♕e7 ♔g8 51. a4 **1 : 0** [J. Polgár]

192.   B 65

KOVALËV 2550 − LEKO 2385
München 1991

1. e4 c5 2. ♘f3 d6 3. d4 cd4 4. ♘d4 ♘f6 5. ♘c3 ♘c6 6. ♗g5 e6 7. ♕d2 ♗e7 8. 0-0-0 0-0 9. f4 ♘d4 10. ♕d4 ♕a5 11. ♗c4 ♗d7 12. e5 de5 13. fe5 ♗c6 14. ♗d2 ♘d7 15. ♘d5 ♕d8 16. ♘e7 ♕e7 17. ♖he1 ♖fd8 18. ♕g4 ♘f8 19. ♗f1 ♘g6 20. ♗b4 N [20. ♖e3 − 42/(227)] ♖d1 21. ♖d1 ♕c7?! [21... ♕h4!?] 22. ♕d4! [22. ♗d6 ♕a5] ♗d5 [22... ♘e5? 23. ♗d6+−; 22... ♕e5? 23. ♕d8+−] 23. ♗c3!± [23. ♗d6 ♕c6⇄] ♕e7 24. g3 ♕g5 25. ♕d2 [25. ♔b1!? ♖d8 26. b3] ♕h5 26. h3! ♕f3 [26... ♘e5 27. g4+−] 27. ♕d3 ♖c8 28. ♕f3 ♗f3 29. ♖d3 ♗e4 [△ 29... ♗d5] 30. ♖e3 ♗c6 31. ♗d4 a6 32. ♗b6 [32. c4] ♘e7 33. c4 ♘d5!? [33... ♗b5 34. ♖c3 ♘d5!? 35. cb5 ♘c3 36. bc3 ♖c3 37. ♔b2 ♖g3 38. ba6 ba6 39. ♗a6 ♖h3 40. ♗b7+−] 34. cd5 ♗b5 35. ♔d2 ♗f1 [♖ 9/j] 36. d6 ♗b5 37. ♖b3 ♗c6! [37... ♗d7 38. ♗c7 b5 39. ♖a3 ×a6] 38. ♗c7 [△ ♖b6; 38. ♖c3 ♗d7] ♔f8 39. ♖b4! f6!? [39... ♔e8 40. ♖g4 g6 41. ♖f4 ×f7] 40. ♖d4 ♗d7□ [40... ♔e8 41. ♖h4+−] 41. ♖h4 ♔g8 42. ♖b4 ♗c6? [42... b5□ 43. ♖b3! fe5 44. ♖a3 ♖a8 45. ♔e3±] 43. ♖b6 **1 : 0** [Kovalëv]

193.*   B 66

TH. ERNST 2535 − LERNER 2525
Gausdal 1992

1. e4 c5 2. ♘f3 d6 3. d4 cd4 4. ♘d4 ♘f6 5. ♘c3 ♘c6 6. ♗g5 e6 7. ♕d2 a6 8. 0-0-0 h6 9. ♗f4 ♗d7 10. ♘c6 ♗c6 11. f3 d5 12. ♕e1 ♗b4 13. a3 ♗a5 14. ed5 ♘d5 15. b4 ♘f4□ 16. ♖d8 ♗d8 17. h4 0-0 18. ♕e3 ♘d5 19. ♘d5 ♗d5 20. g4 [20. ♗d3 − 3/458] a5!? N [20... b5 21. g5 h5 22. ♔b2 ♗e7 23. ♗d3± Th. Ernst 2500 − Lerner 2545, USA 1990] 21. b5 ♗e7 22. g5 h5 23. ♔b2 ♖fc8 24. ♕f4?! [24. c4 ♗c4 25. ♗c4 ♖c4 26. ♖c1 (26. ♕b6 ♖ac8 27. ♕b7 ♖c2→) ♗c5! 27. ♕d3 ♖c1 28. ♔c1 b6=; 24. ♗d3 g6 25. ♖c1 ♗c5 26. ♕f4 b6 27. c4 ♗b7 28. ♗g6 fg6 29. ♕f6∞; 26... ♖e8!=] ♗a3! 25. ♔a3 ♖c2 26. ♖h2 ♖c3 [26... ♖ac8?? 27. ♖c2 ♖c2 28. ♕b8 ♔h7 29. ♗d3+−] 27. ♔b2 ♖b3 28. ♔a1 [28. ♔c1? ♖f3−+] ♖c8 [△ ♖f3] 29. ♖f2 [29. ♗h3? ♖c4−+; 29. ♗e2? ♖cc3! (△ ♖b4) 30. ♕d2 ♖a3 31. ♔b1 ♖cb3 32. ♔c1 ♖a1 33. ♔c2 ♖a2−+; 29. ♕d2! ♖a3 (29... ♖cc3 30. ♕e1±) 30. ♔b1 ♖b3=] ♖a3 30. ♔b1 ♖b3 31. ♔a1 a4!? [31... ♖cc3? 32. ♖b2□ ♖a3 33. ♔b1 ♖f3 34. ♕b8 ♔h7 35. ♗g2±] 32. g6 [32. ♕d2 a3 33. ♗d3 ♖b2 34. ♗c2 a) 34... ♖c4? 35. ♕d3 ♖a2 36. ♔b1 (36. ♔a2 ♖c2 37. ♔a3 ♖f2∓) ♖b4 (36... g6 37. ♗b3!) 37. ♔c1 ♖a1 38. ♔d2 a2 39. ♕c3+−; b) 34... ♖a2 35. ♔b1 ♖b2=] fg6 33. ♗h3 ♖c4 [33... a3 34. ♖f1!□ (34. ♖e2? ♖f3 35. ♗e6 ♗e6−+; 34. ♕d2? ♖bc3 35. ♖f1 ♖c2 36. ♕e3 ♖a2! 37. ♔b1 ♖cc2 38. ♗e6 ♔h7−+) a) 34... ♖bc3? 35. ♖e1!; b) 34... ♖c2? 35. ♕e5! (35. ♕d6? ♖e3!−+) ♖a2 36. ♔a2 ♖e3 37. ♕d5+−; c) 34... ♖b2 35. ♖c1□ ♖a2=] 34. ♕d2 ♖a3 35. ♔b2 ♖b3 [36. ♔a1 ♖bc3? 37. ♖e2 a3 38. ♗e6? ♗e6 39. ♖e6 ♖c1 40. ♔a2 ♖4c2∓; 38. ♖e1!±; 36... ♖a3=] **1/2 : 1/2** [Lerner]

194.**   B 66

DVOJRIS 2525 − SERPER 2490
Gausdal 1991

1. e4 c5 2. ♘f3 d6 3. d4 cd4 4. ♘d4 ♘f6 5. ♘c3 ♘c6 6. ♗g5 e6 7. ♕d2 a6 8. 0-0-0 h6 9. ♗e3 ♘d4 10. ♗d4 b5 11. f4 ♗e7 12. ♗d3 b4 13. ♘e2!? N [13. ♘a4 − 46/263] e5! [RR 13... ♕a5 14. ♔b1 e5 15. ♗e3 ♘g4 a) 16. ♗c4 0-0 17. h3 ♘f6 (17... ♘e3!?) 18. ♘g3 ♕c7 a1) 19. b3? ♗e6! 20. fe5 (20. ♗e6 fe6 21. f5 ♕b7!

22. ♕d3 d5∓) de5 21. ♗d3 a5 22. ♖hf1 a4 23. ♘f5 ♗f5 24. ♖f5 ab3 25. cb3 ♖fd8 26. ♕e2 ♕a5∓ M. Brodskij 2415 – M. Makarov 2475, SSSR (ch) 1991; *a2)* 19. ♗d3!? ♖d8 △ d5∞; *b)* 16. ♗g1 ♗e6 17. b3! ef4 18. ♘f4 ♘e5 (18... ♗f6? 19. ♘e6 fe6 20. ♗c4 ♕e5 21. ♗d4 ♕d4 22. ♕d4 ♗d4 23. ♖d4 ♔e7 24. ♗e2+– M. Makarov) 19. ♗d4± Dvojris 2560 – M. Makarov 2480, SSSR 1990] **14. ♗e3** [14. fe5?! de5 15. ♗e5 ♕a5↑] **♖b8!?** [14... ♘g4 15. ♗g1 ef4∞] **15. ♔b1 0–0 16. ♖hf1 ♕a5 17. fe5 de5 18. ♘g3 ♗e6 19. b3 ♘g4! 20. ♗g1 ♗c5= 21. h3 ♗g1 22. ♖g1 ♘f6 23. ♖gf1** [△ ♖f6] **♘d7 24. ♘f5** [△ 25. ♘e7-c6, 25. ♘h6] **♔h7! 25. ♖f3** [25. ♘e7!? ♕c5 26. ♘d5 a5∞] **♘c5! 26. ♖g3** [26. ♘h6? ♘a4! (26... gh6?? 27. ♖f6+–) 27. ba4 ♕a4→] **♗f5 27. ef5 e4∓ 28. ♗c4 ♖bd8 29. ♕e2 ♖d1 30. ♕d1 ♕c7!** [30... ♖d8?? 31. ♕g4] **31. ♖e3** [31. ♕g4 ♕e5] **♖d8 32. ♕e1 a5 33. ♖e2 ♖d7!**[△ ♕d8] **34. ♖d2 ♖d2 35. ♕d2 ♘a4! 36. ba4 ♕c4–+** [♙e] **37. ♔b2 ♕c5! 38. ♕d7 e3 39. ♔c1?⊕** [39. ♕f7 ♕e5 △ e2] **e2 40. ♔d2 ♕f2 0 : 1** **[Serper]**

195. **B 66**

JUDASIN 2595 – OLL 2600
Pamplona 1991/92

1. e4 c5 2. ♘f3 d6 3. d4 ♘f6 4. ♘c3 cd4 5. ♘d4 ♘c6 6. ♗g5 e6 7. ♕d2 a6 8. 0-0-0 h6 9. ♗e3 ♗e7 10. f4 ♗d7 11. ♗d3 b5 12. ♔b1 [12. ♗b5? ab5 13. ♘db5 ♘b4!∓] **0–0 13. h3 ♘d4** [13... b4 14. ♘ce2 △ g4-g5→; 13... ♖c8 14. g4] **14. ♗d4 ♗c6 15. ♕e3** [15. e5 de5 16. fe5 (16. ♗e5 ♘d7=) ♘d5 17. ♘e4 ♖c8∞; 17... ♘b4!∞; 16... ♘d7!? △ ♕c7; 15. g4 b4 16. g5 hg5 17. fg5 bc3 18. ♕c3 ♘e4⇆; 17... ♘h5∞; 17... ♘d7!?] **♕c7** [15... ♘d7 16. ♕g3!; 15... b4 16. ♘e2 ♘d7!? 17. ♕g3 e5! 18. fe5 de5 19. ♗e5 ♘e5 20. ♕e5 ♗f6$\overline{\overline{\infty}}$; 18. ♗e3=] **16. e5!? N** [16. g4?! b4 17. ♘e2 e5 18. ♗b6 ♕b7∓↑⊞; 16. ♖hf1 – 48/(286)] **de5 17. ♗e5 ♕b7 18. ♖he1!?** [18. ♖hf1 b4 19. ♘e2 ♗b5!∞] **♖ad8** [18... ♗g2 19. ♖g1→; 18... b4 19. ♘e2 ♗g2? 20. ♖g1 ♕f3 (20... ♗d5 21. f5→) 21. ♕d2 △ ♘d4±→; 19... ♗b5!?∞; 18... ♖fd8!?] **19. g4 b4! 20. ♘e2 ♘d5! 21. ♕g1!?** [21. ♕g3 f6! 22. ♗d4 ♗d6!⇆] **♗b5! 22. g5?!** [22. ♗b5!? ♕b5! (22... ab5 23. g5→) 23. ♘d4 ♕b6 24. g5∞; 24. f5!?∞] **hg5 23. fg5** [23. ♗b5!? ♕b5 24. fg5 ♘c3! 25. ♘c3 bc3 26. ♗c3 ♕g5∞] **b3!! 24. ab3** [24. cb3?? ♘b4–+] **♘b4 25. ♗b5** [25. ♘c1∓] **ab5** [25... ♖d1!? 26. ♖d1 *a)* 26... ♕b5 27. ♕h2! (27. ♕e3? ♕a5 △ 28... ♕a1! 29. ♔a1 ♘c2∓) ♗g5 28. ♘c3 ♕b7 29. ♕g3!→; *b)* 26... ab5 (△ ♕e4→ ×c2, ♘e2, ♗e5) 27. ♗c3!∞] **26. ♖d8! ♖d8 27. g6! f5!** [27... f6 28. ♗c3 △ ♕g4-h4→] **28. ♗c3?!⊕** [28. ♘c1!? (△ c3) ♖d2? 29. ♗c3! ♖g2 30. ♕e3+–; 28... ♕f3⇆; 28... ♗h4!?∞] **♘c2!?⊕** [28... ♘d5!? (△ b4, ♖a8→) 29. ♕d4!□ ♗f6 30. ♕f2∞; 29... ♘c3∞] **29. ♔c2 ♕e4 30. ♔c1 ♖c8!?** [30... ♖a8 31. ♔d2!!±; 30... b4 31. ♘d4!±; 30... ♗h4!? 31. ♖d1!□ ♕e2 32. ♖d8 ♗d8 33. ♕d4 ♗f6 34. ♕d7 ♕f1 35. ♔c2 ♕g2 36. ♔d1! (36. ♔b1 ♕g6∓⊥) ♕g6 37. ♕e6 ♔h7 38. ♗f6=⊥; 36... ♕f1=] **31. ♔d2!!** [31. ♘d4? ♗g5! 32. ♕g5 ♕e1 33. ♔c2 b4 34. ♕h5 ♖c3!–+; 31. b4?! ♗h4∓] **b4** [31... ♖d8=] **32. ♘d4 bc3 33. bc3 ♕f4!□** [33... ♕a8? 34. ♕e3+–] **34. ♕e3!□ ♕e3 35. ♔e3** [35. ♖e3? ♗g5] **♗h4?** [35... ♖c3 36. ♔d2 ♖h3 (36... ♗b4?! 37. ♖e6!±) 37. ♖e6 (37. ♖a1 ♖h2! 38. ♔d3 ♖h3 39. ♔c4 ♖h4!=) ♔f8±] **36. ♖e2?** [36. ♖a1! ♖c3 (36... ♔f8 37. ♖a7!+–) 37. ♔d2 ♖c8 38. ♘e6+–] **♖c3 37. ♔d2 ♖h3 38. ♖e6 ♔f8 39. ♖b6!?** [△ ♖b7, ♘e6+–→; 39. ♘f5 ♗f6 40. ♘d6 ♗e7 41. ♔c2 (41. b4?! ♖b3=) ♖f3!! △ 42. b4 ♖f6! 43. ♖f6 gf6 44. ♘f5 ♗b4=] **♗f6! 40. ♘f5 ♔e8 41. ♖b7 ♖f3!= 42. ♘d6 ♔d8 43. ♘e4 ♗e7 44. b4 ♖f4 45. ♘c5 ♖f6 46. ♖b8 ♔c7 47. ♖b7 ♔d8 48. ♖b8 ♔c7 49. ♖g8 ♖g6 50. ♖g7 ♖g7 51. ♘e6 ♔b8 52. ♘g7 ♗b4**
1/2 : 1/2 **[Judasin, Oll]**

196. !N **B 66**

GAŽÍK 2455 – P. POPOVIĆ 2550
Starý Smokovec 1991

1. e4 c5 2. ♘f3 ♘c6 3. d4 cd4 4. ♘d4 ♘f6 5. ♘c3 d6 6. ♗g5 e6 7. ♕d2 a6 8. 0-0-0 ♗d7 9. f3 ♖c8 10. g4 h6 11. ♗e3

♘e5! N [11... b5 – 41/(215)] **12. h4?!** [12. ♔b1 b5 13. ♗d3] **b5 13. ♗d3 b4 14. ♘ce2 d5! 15. ed5** [15. g5 de4! 16. fe4 ♘fg4∓] **♘d5 16. ♘f4 ♘d3?!** [16... ♕a5! 17. ♔b1 (17. ♘d5 ♕a2!) ♘f3! 18. ♘f3 ♘c3–+; 18. ♕f2∓] **17. ♕d3 ♘e3 18. ♕e3 ♗c5 19. ♘h5?!** [19. ♘d3 ♗e7 20. ♘e5±; 19... ♗a7!∞; 19. ♖h2!? △ 19... 0–0 20. g5↑] **0–0 20. g5** [20. ♕e5 f6 21. ♕e4 ♕e8] **♕c7! 21. ♖d2 ♗a4 22. gh6 ♗c2?** [22... ♖fd8 23. ♘f6! gf6 24. ♕g1 ♔f8 25. ♕g7 ♔e8 (25... ♔e7 26. ♘f5) 26. ♕g8 ♔e7 27. ♘f5 ef5 28. ♖e1 ♕e5 29. ♖e5 fe5 30. ♕g5 f6 31. ♕g7 ♔e6 32. ♖d8 ♖d8 33. b3 △ h7; 22... g6! 23. ♘f6 ♔h8∓] **23. hg7 ♗g6 24. gf8♕?⊕** [24. ♔d1!! (△ ♕h6) ♗d4 25. gf8♕+–] **♗f8 25. ♘c2□ ♗c2 26. ♘f6 ♔h8 27. ♘e8 ♕c6□ 28. ♕e5 ♔g8 29. ♖d6??** [29. ♘f6=] **♗h6 0 : 1** [P. Popović]

197.** **B 67**

NUNN 2610 – DAMLJANOVIĆ 2585

Beograd 1991

1. e4 c5 2. ♘f3 ♘c6 3. d4 cd4 4. ♘d4 ♘f6 5. ♘c3 d6 6. ♗g5 e6 7. ♕d2 a6 8. 0-0-0 ♗d7 9. f4 b5 10. ♗f6 gf6 11. ♔b1 [RR 11. ♘c6 ♗c6 12. ♕e1 b4 13. ♘d5 a5 *a)* 14. ♖d4 N f5!? 15. ef5 (15. ♖c4 ♗d5 16. ed5 ♕f6 17. de6 fe6 18. ♖c7 ♔d8! 19. ♖c6 ♗g7 △ ♖c8⇆) ♗g7 16. f6 (16. ♖d1 ♗d5 17. ♖d5 ♕f6 △ ♖c8 Levit) ♗f6 17. ♘f6 ♕f6 18. ♕e3 ♔e7!⇆ Batakov – Levit, corr. 1991; *b)* 14. ♗d3 ♗g7 15. ♘e3 N (15. f5 – 49/244) f5 16. ef5 *b1)* 16... 0–0 17. ♕g3 ♕f6 18. c3 ef5 (18... bc3? 19. ♘g4!+–) 19. ♘f5 bc3 (Y. Grünfeld 2505 – Yermolinsky 2575, Philadelphia 1991) 20. ♕g7! ♕g7 21. ♘g7 cb2 22. ♔b2 ♔g7 23. ♖d2± ×a5, d6, f7, h7 Yermolinsky; *b2)* 16... ♕f6!? 17. c3 (17. ♘c4 0–0 18. ♕g3 ef5 19. ♕g5∞ Yermolinsky) bc3 18. ♗c2! Y. Grünfeld] **♕b6 12. ♘ce2 h5 13. g3 ♘a5 14. b3 ♖b8 15. ♗g2 N** [15. c3 – 50/231] **♘c4 16. ♕d3** [16. bc4?! bc4 17. ♘b3 cb3 18. cb3 a5→; 16. ♕c1 d5 17. bc4 bc4 18. ♔a1 e5∞] **♘a3** [16... a5!? 17. ♔a1 ♘a3 18. c3 a4] **17. ♔b2 b4 18. c4 ♗g7** [18... bc3 19. ♘c3 ♘b5 20. ♘db5 ab5 21. e5±→] **19. ♘f3** [19. f5 e5 20. ♘c2 ♘c2 21. ♔c2 ♔e7∓] **0–0** [19... ♔e7 20. e5 fe5 21. fe5 d5 (21... ♖bd8 22. ♕d6 ♕d6 23. ♖d6 ♗e5 24. ♘e5 ♔d6 25. ♘f7+–) 22. ♘f4! (22. cd5 ♗b5 23. d6 ♔d7 24. ♕d2 ♖hc8→) ♗b5! 23. cb5 ♖hc8∞; 20. ♖d2 △ ♖hd1±] **20. ♕d6 ♕f2! 21. ♕d7 ♖bd8□** [21... ♕g2? 22. ♕d3±] **22. ♕d8□ ♖d8 23. ♖d8 ♔h7 24. ♖e1 ♕g2 25. ♖d3 ♕f2 26. ♔c1 ♗f8** [26... e5!?] **27. ♔d2 ♗c5 28. ♖c1 ♔g7 29. h3 1/2 : 1/2** [Damljanović]

198. **B 67**

P. POPOVIĆ 2550 – KOŽUL 2560

Jugoslavija (ch) 1991

1. e4 c5 2. ♘f3 d6 3. d4 cd4 4. ♘d4 ♘f6 5. ♘c3 ♘c6 6. ♗g5 e6 7. ♕d2 a6 8. 0-0-0 ♗d7 9. f4 b5 10. ♗f6 gf6 11. ♔b1 ♕b6 12. ♘ce2 ♘a5 13. ♘g3 h5 N [13... ♘c4 14. ♗c4 bc4 15. ♘h5±; 13... 0-0-0 – 24/409] **14. ♗e2 ♘c4 15. ♕c3!** [15. ♕d3 h4 16. ♘h5 ♗e7 △ 0-0-0] **♕c5** [15... h4 16. ♘h5 ♖h6 (16... ♗e7 17. ♘f5!) 17. ♕h3±] **16. ♕f3!** [16. ♘h5 ♖h5 17. b4 ♕c7 18. ♗h5 a5⇆] **♖c8 17. ♘h5 ♘b2** [17... ♖h5 18. ♕h5 e5 19. fe5 de5 (19... fe5 20. ♖hf1) 20. ♗c4 ♕c4 21. ♘b3+–] **18. ♘f6 ♔e7 19. ♘d7 ♔d7** [19... ♕b4 20. a3] **20. ♔b2 ♗g7 21. e5 ♔e7 22. ♖hf1! ♖hd8 23. ♔b1 a5 24. f5!+– ♗e5 25. fe6 f6 26. ♕h5 ♕b4 27. ♘b3 ♖f8 28. ♕h7 ♔e6 29. ♗d3 1 : 0** [P. Popović]

199. **B 67**

MATULOVIĆ 2465 – KOŽUL 2560

Jugoslavija (ch) 1991

1. e4 c5 2. ♘f3 ♘c6 3. d4 cd4 4. ♘d4 ♘f6 5. ♘c3 d6 6. ♗g5 e6 7. ♕d2 a6 8. 0-0-0 ♗d7 9. f4 b5 10. ♗f6 gf6 11. ♔b1 ♕b6 12. ♘ce2 ♖c8 13. f5 ♘d4 14. ♘d4 e5 15. ♘e2 b4 16. ♘g3 h5 17. h4 ♔e7 18. ♗d3 N [18. ♗e2 – 24/418] **a5 19. ♕e2 a4 20. ♗c4** [20. ♘h5 b3 (20... a3 21. g4 ♕d4 22. c3 bc3 23. ♗c2±) 21. cb3 ab3 22. a3 ♗h6 23. g4 ♗e3 △ ♗a4, ♖c2→] **♗h6 21. ♘h5 ♖c4!?** [21... ♖hg8! *a)* 22. g4 ♖g4! 23. ♕g4 ♖c4 △ b3=∞; *b)*

22. b3 ab3 23. cb3 ♕e3! 24. ♖he1!? (24. g4? ♗c6 25. ♕e3 ♗e3 26. ♖he1 ♗f2) ♕e2 25. ♖e2 ♖g4 26. g3 ♗c6 27. ♗d3 ♖h8!; c) 22. ♖d5!?] **22. ♕c4 ♖c8 23. ♕d5□** [23. ♕d3 ♗b5 24. ♕f3 ♕c5 25. ♖c1 a3 △ ♗c1, ab2, ♕d4−+] **♗b5□** [23... ♖c5? 24. ♘f6! ♔f6 25. ♕d6+−] **24. g4 ♗c4** [24... ♗e2 25. ♘f6! ♗d1 26. ♖d1 ♔f6 27. ♕d6 ♕d6 28. ♖d6 ♔g7 29. g5+−]

25. ♘f6! ♕a6□ [25... ♔f6 26. ♕d6+−] **26. ♘g8!** [26. ♕d6 ♕d6 27. ♖d6 ♔d6 28. ♖d1 ♔c6 29. g5 ♗f8 30. ♘d7 ♗d6] **♖g8 27. f6 ♘d7** [27... ♔f6 28. g5 ♔e7 29. ♕d2 ♗g7 30. ♕b4±] **28. ♕e5 ♖e8 29. ♕f5 ♗e6 30. ♕f3!±** [△ g5] **b3 31. cb3 ab3 32. a3 ♕c6⊕** [32... ♕c4 33. e5!+−] **33. g5??⊕** [33. ♖h2! ♖h8 34. ♖e2 (34. ♖dh1?! ♕c5! △ 35. g5 ♗g5−+) ♗f8 35. ♖h1 (35. ♖c1 ♕b5) ♕a4!? △ 36. g5 d5 37. ♖d2 ♗d6] **♕c2 34. ♔a1 ♖a8!−+ 35. ♖d6□ ♔c7** [35... ♔e8 36. ♖e6 fe6?? 37. ♕h5+−; 36... ♔f8−+] **36. ♕c3 ♕c3 37. bc3 ♖a3 38. ♔b1 ♔d6 39. gh6 ♖a8 40. ♖d1 ♔e5 41. ♖d4 ♖h8 42. ♖b4 ♖h6 43. c4 ♖h4 44. ♖b3 ♗c4 45. ♖b6 ♖h2 46. ♔c1 ♗e4 47. ♖d6 ♔e5 48. ♖c6 ♔d4 49. ♔d1 ♔c3 50. ♔e1 ♖e2**　　**0 : 1**
[Kožul]

200.　　　　　　　　　　**B 70**

SMIRIN 2545 — MARK CEJTLIN 2415
Israel 1991

1. e4 c5 2. ♘f3 d6 3. d4 cd4 4. ♘d4 ♘f6 5. ♘c3 ♘c6 6. ♗e2 g6 7. 0−0 ♗g7 8. ♘b3 0−0 9. ♔h1 a6 10. a4 ♗e6 11. f4

♘a5 12. ♘a5 N [12. f5 — 33/(290)] **♕a5 13. ♗d3 ♖ac8** [13... b5!? 14. f5 ♗d7 15. ♗d2 ba4 (15... b4? 16. ♘a2 ♖fb8 17. ♕e1±) 16. ♘a4 ♕c7 17. ♘c3 ♖fb8 18. ♖a2∞] **14. f5 ♗c4 15. ♕e2 ♗d3** [15... ♕b4 16. a5±] **16. cd3 e6! 17. ♗d2** [17. ♗g5 ♖ce8! 18. ♕f3 ♘d7∞] **ef5 18. ef5** [18. ♘d5? ♖c2] **♖fe8 19. ♕d1!** [△ 20. ♗g5, 20. ♕b3; 19. ♕f3 ♕f5=] **gf5?** [19... ♕b6 20. a5 ♕d4! (20... ♕b2? 21. ♖a2 ♕b4 22. ♘e4 ♕d4 23. fg6 hg6 24. ♖a4 ♕d3 25. ♘f6 ♗f6 26. ♖f6 ♖e2 27. ♖a2±) 21. ♕f3 ♕g4! 22. fg6 hg6 23. ♕b7 ♖b8∞] **20. ♘e4 ♕d5 21. ♘g3 ♕d3 22. ♘f5 ♖e2□ 23. ♗c3 ♕e4**

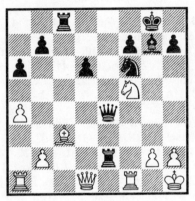

24. ♕e2!! [24. ♖f3 ♘g4 (△ ♕f3) 25. ♕f1! ♗c3 26. bc3 (26. ♘g3 ♕e5 27. ♕e2 ♗b2∞) ♕e5! 27. ♖g3 h5 28. h3 (28. ♘h6 ♔g7∞) ♖e3!!□=] **♕e2 25. ♖ae1 ♕c2** [25... ♕g4? 26. ♗f6 ♗f8 27. ♖f3 ♖c5 28. ♖g3 ♕g3 29. ♘g3+−; 25... ♕e1 26. ♖e1 ♖e8□ 27. ♖e8 ♘e8 28. ♗g7 ♘g7 29. ♘d6 b6 30. ♘c4 b5 31. ab5 ab5 32. ♘a3 b4 33. ♘c2 b3 34. ♘d4+−; 25... ♕c4 26. ♘d6 ♕c6 (26... ♕f1? 27. ♖f1 ♖c7 28. ♗f6 ♗f6 29. ♘e8+−; 26... ♕a4 27. ♘c8 ♘d5 28. ♗g7 ♔g7 29. ♘d6±→) 27. ♘c8 ♕c8 28. ♗f6±; 25... ♕d3 26. ♘e7 ♔f8 27. ♘c8 ♘e8 (27... ♘e4? 28. ♖f3 ♕c2 29. ♖e4! ♗c3 30. ♖ef4+−) 28. ♖f3 △ ♖fe3±; 25... ♕h5! 26. ♘e7 ♔f8 27. ♘c8 ♘g4 28. ♗g7 ♔g7 29. h3 ♕h4! 30. ♖e2 (30. ♘d6? ♘f2 31. ♔g1 ♘h3) ♕d8! 31. ♘e7 ♘e5? 32. ♘f5 ♔f8 33. ♖d1±; 31... ♘h6!±] **26. ♘e7 ♔f8 27. ♘c8 ♘e4?** [27... ♘e8□ 28. ♗g7 ♔g7 29. ♘d6 f5±] **28. ♖e4! ♕e4** [28... ♗c3 29. ♘d6+−] **29. ♖f7 ♔g8□ 30. ♖g7 ♔f8 31.**

♖f7 ♔g8 32. ♖f1+– ♕e6** [32... ♕c4 33. ♘e7#] **33. ♘b6 d5 34. a5 ♕e2 35. ♖e1 ♕b5** [35... ♕d3 36. ♘d7 d4 37. ♘e5] **36. h3 d4 37. ♗d4 ♕a5 38. ♖e7 ♕b5 39. ♖g7 ♔f8 40. ♖h7 ♔e8 41. ♖b7 ♕c6 42. ♖a7 ♕c1 43. ♗g1 ♕b2 44. ♖a6 ♕b1 45. ♖a4 ♕b5 46. ♖g4 ♕e2 47. ♘d5 ♕d1 48. ♘c3 ♕a1 49. ♘e4 ♔f7 50. ♘d2 ♔f6 51. ♘f3 ♔f5 52. ♔h2 ♕c1 53. ♗d4
1 : 0** **[Smirin]**

201. **B 70**

BAŠKOV 2470 – RECHLIS 2510

Ostrava 1991

1. e4 c5 2. ♘f3 ♘c6 3. d4 cd4 4. ♘d4 ♘f6 5. ♘c3 d6 6. ♗e2 g6 7. 0–0 ♗g7 8. ♘b3 0–0 9. ♗g5 a6 10. f4 b5 11. ♗f3 b4 12. ♘a4 ♕c7 13. ♖c1 N [13. ♖f2 – 38/273] **a5! 14. ♖e1 ♗a6 15. c4 bc3 16. ♘c3 ♘b4?** [16... ♕a7 17. ♔h1 ♘b4 18. ♗e2 ♖fc8! (△ ♖c3!) 19. ♗f1 a4 20. ♘a1 ♗f1 21. ♖f1 a3–+] **17. e5 ♘d3** [17... ♕a7 18. ♕d4!∞] **18. f5!** [18. ♕d2 ♕a7 19. ♕e3 ♘c1!] **♘e1 19. ♕e1 de5 20. ♘d5! ♕d6 21. ♖d1! ♘d5 22. ♗d5 ♕c7** [22... ♖ad8!? 23. ♗f7 ♖f7 24. ♖d6 ♖d6∓] **23. fg6 hg6 24. ♗a8 ♖a8 25. ♕a5 ♕a5 26. ♘a5 ♗e2 27. ♖d5 e4** [27... e6 28. ♖d8 ♖d8 29. ♗d8 e4∞] **28. ♗e7 e3 29. ♖d8 ♖d8 30. ♗d8 ♗b2 31. ♗b6 ♗c1 32. ♘b3 ♗d2 33. ♗a5!= ♗a5 34. ♘a5 f5 35. ♘c6 ♗b5 36. ♘e7 ♔f7 37. ♘d5 ♗c4
1/2 : 1/2** **[Rechlis]**

202.** **B 70**

HÜBNER 2615 – ROMERO HOLMES 2490

Wijk aan Zee 1992

1. e4 c5 2. ♘f3 d6 3. d4 cd4 4. ♘d4 ♘f6 5. ♘c3 g6 6. ♗e2 [RR 6. g3 ♘c6 7. ♘de2 ♗d7 8. ♗g2 ♕c8 9. h3 ♗g7 10. ♗e3 *a)* 10... b5 N 11. ♖c1 b4 12. ♘d5 ♘d5 13. ed5 ♘e5 14. b3 ♗b5 15. 0–0 ♕a6 16. ♖e1 ♗e2 17. ♕e2 ♕e2 18. ♖e2 a5= I. Marinković 2485 – M. Jovičić 2310, Beograd 1991; *b)* 10... 0–0 11. ♖c1 ♖d8 N (11... b5 12. b3 ♖b8 13. ♕d2 a5 – 41/(221); 13... ♕a6!?) 12. b3 d5! 13. ed5 (13. ♘d5 ♘d5 14. ed5 ♘b4 15. c3 ♘d5 16. ♗d5 ♗c6 17. c4 e6=) ♘b4 14. ♗d2 (14. ♗g5 ♗e6!? 15. ♗f6 ♗f6 16. ♕d2 ♗d5!=; 14. ♗d4 ♘bd5!?∞) e6 (14... ♗e8=/∞) 15. 0–0 ♘bd5 16. ♘d5 ed5 (16... ♘d5 17. c4 ♘f6=) 17. ♘f4 ♗c6 18. ♗a5 b6 19. ♗b4 ♘e4 20. c4!= I. Marinković 2485 – Golubev 2465, Beograd 1991; 17... d4!? Golubev] **♗g7 7. 0–0 0–0 8. ♗g5 ♘c6 9. ♘b3 a6 10. f4 b5 11. ♗f3 b4 12. ♘a4 ♕c7 13. c4 N** [△ c5] **h6?!** [13... ♘d7 14. ♔h1 (14. ♗h4 ♘b6 15. ♘b6 ♕b6 16. ♗f2 ♕c7=) ♘b6 15. ♘b6 ♕b6 16. e5±; 13... ♖d8!?] **14. ♗h4 g5** [14... e5 15. f5± g5 16. ♗f2 g4 17. ♗g4 ♘e4 18. ♗e3 △ ♘b6] **15. fg5 hg5 16. ♗g5 ♘e5 17. ♘d4** [×f5; 17. c5 dc5 18. ♘ac5 ♘eg4 (18... ♘fg4? 19. ♗f4 ♗h6 20. ♗g4+–) 19. g3 ♘e5∞] **♕c4?** [17... ♗d7 18. ♘f5 ♗f5 19. ef5 ♘f3 20. ♕f3+– ♕c4 21. ♘b6 ♕c5 22. ♗e3; 17... ♕a7 18. ♔h1 ♘f3 19. gf3 ♘e4 20. ♗e3 △ ♖g1±↑; 17... e6 18. ♖c1± ×♘f6; 17... ♘f3 18. ♕f3 ♕a5 19. e5 ♕e5 20. ♗f6 (20. ♘c6 ♕g5 21. ♘e7 ♔h8 22. ♕a8 ♗d7∞ 23. ♕a6 ♘g4↑) ♕f6 21. ♕a8 ♕d4 22. ♔h1 ♗e6∞; 18. gf3±] **18. ♖c1 ♕d3** [18... ♕a2 19. b3+–] **19. ♘c6+–** [△ 20. ♘e7, 20. ♘b6] **♗e6** [19... ♖e8 20. ♘b6 ♕d1 21. ♖fd1 ♘c6 22. ♘a8] **20. ♘e7 ♔h8** [20... ♔h7!?] **21. ♘f5 ♕d1 22. ♖cd1 ♗a2 23. ♖d6 ♘g8** [⌓ 23... ♘h7] **24. ♗e2 f6** [24... a5 25. ♖f4] **25. ♗d2 a5⊕** [25... ♗c4 26. ♖f4 ♗e2 27. ♖h4 ♗h6 28. ♘h6 ♘h6 (28... ♘g6 29. ♖h3) 29. ♗h6 ♖f7 30. ♗d2] **26. ♖f4 ♘g6 27. ♖f3 ♘8e7 28. ♖h3 ♔g8 29. ♘g7 ♔g7 30. ♗h6 ♔g8 31. ♗f8** [31. b3!?] **♖f8 32. ♖g3 ♔f7 33. ♗h5 ♖c8 34. ♖f3 ♔g7 35. ♗g6 ♘g6 36. ♖ff6 ♘e5 37. ♖f5⊕ 1 : 0** **[Hübner]**

203. **B 72**

ĆIRIĆ 2380 – NEULINGER 2220

Wr. Neustadt 1991

1. e4 c5 2. ♘f3 ♘c6 3. ♘c3 g6 4. d4 cd4 5. ♘d4 ♗g7 6. ♗e3 ♘f6 7. ♗c4 d6 8. h3 0–0 9. ♗b3 ♘a5 10. 0–0 b6 11. ♗g5 N [11. ♕d3 ♘b3 12. ab3 ♗b7 13. ♖fd1 (13. ♖ad1 – 47/(255)) a6 14. ♘de2 b5?!; 14... ♘d7 △ ♖e8∞] **♘b3 12. ab3 ♗b7 13. ♖e1**

h6 14. ♗h4 a6 15. ♕d3 ♘h5?! [15... ♖e8 △ ♖c8, ♕c7, ♘d7] 16. ♖ad1 [△ ♕f3] ♗d4 17. ♕d4 e5

18. ♕d5!! [18. ♗d8 ed4 19. ♗e7 dc3 (19... ♖fe8 20. ♘d5!) 20. ♗f8 ♔f8 21. bc3 ♔e7∞] ♗d5 19. ♗d8 ♗b3 20. ♗e7 ♗c2 21. ♖c1! [21. ♖d2 ♖fe8 22. ♘d5 ♖ac8 23. g4 ♗b3!! 24. gh5 ♗d5=] ♗b3 [21... ♖fe8 22. ♘d5 ♖ac8 23. g4 ♗b3 24. ♖c8+−] 22. ♗f8 ♔f8 23. ♘d5 ♗d5 24. ed5 [♖ 9/n] ♘f4 25. ♖c6 ♔e7 26. ♖c7 ♔e8 27. ♖d1 b5 28. ♔f1 a5 29. ♖b7 b4 30. g3! ♘h3 31. f4!+− [△ ♔g2] ef4 32. ♔g2 ♘g5 33. ♖e1 ♔f8 34. gf4 ♘h7 35. ♖ee7 ♔g8 36. ♖f7 ♘f8 37. ♖g7 ♔h8 38. ♖gc7 ♔g8 39. ♖c6 ♖d8 40. ♖bb6 ♖e8 41. ♖d6 ♖e2 42. ♔f3 ♖b2 43. ♖d8 ♖d2 [43... ♔f7 44. ♖b7 ♔g8 45. ♖bb8] 44. ♖f6 1 : 0 [Ćirić]

204.*** B 72

P. POPOVIĆ 2550 − SINANOVIĆ 2425
Jugoslavija (ch) 1991

1. e4 c5 2. ♘f3 d6 3. d4 cd4 4. ♘d4 ♘f6 5. ♘c3 g6 6. ♗c4 [RR 6. ♗e3 ♗g7 7. h3 0−0 8. g4 ♘c6 9. ♗g2 N (9. g5) ♗d7 10. 0−0 ♘d4!? (10... ♘a5 11. b3 ♖c8 12. ♕d2 a6 13. ♘d5!±○ Shamkovich 2390 − M. Miller, USA 1991; 10... ♘e5 11. b3 ♖c8 12. ♘ce2±) 11. ♗d4 ♕a5± Shamkovich] ♗g7 7. h3 0−0 8. 0−0 ♘c6 9. ♗e3 ♗d7 10. ♗b3 ♘a5 [RR 10... ♖c8!? 11. ♖e1 ♘e5!? a) 12. ♕e2?! N ♘c3! 13. bc3 ♘e4 a1) 14. ♗d2 ♘d2 15. ♕d2 e6! 16. a4 ♕a5! 17. ♘b5 d5 18. ♕e3 a6 19. ♘d4 ♖c8 20. ♘e2 ♘c4 21. ♗c4 ♖c4∓ N.

Aleksić 2425 − Tivjakov 2535, Amantea 1991; a2) 14. f4!? ♘c3 15. ♕f1 ♘c6 16. ♕d3 ♕a5 17. ♘c6 ♗c6 18. ♗d4 ♗d4 19. ♕d4 e6!? (19... ♖e8∓) 20. ♖e3 (20. ♖e6? ♘b5! 21. ♕e3 fe6 22. ♕e6 ♔h8 23. ♖d1 ♕b6 0 : 1 N. Mitkov 2490 − Tivjakov 2535, Mamaia 1991) ♘b5 21. ♕d3 ♕b6∓; b) 12. f4 ♘c4 13. ♗c4 ♖c4 14. ♕d3 ♖c8! (14... ♕c8? − 19/336) 15. ♖ad1 (15. e5 ♘e8=) a6!?= Tivjakov] 11. ♖e1 [11. ♕d2 b5!] ♖c8 12. ♕d3! a6 13. ♘d5 ♘b3 N [△ 13... b5; 13... ♘d5 − 47/256] 14. ab3 ♗c6?! [14... e6±] 15. ♘c6! ♖c6 16. c3 ♘d7 17. ♗g5 ♖e8 18. ♕e3± [△ ♕a7; 18. f4!?] ♘c5□ 19. b4 ♘e6 20. ♗h6 [20. ♗h4!?] ♘c7 21. ♖ad1 ♗h6 [21... e6 22. ♗g5] 22. ♕h6 e6 [22... ♘d5 23. ed5 ♖c4 24. b3! ♖c3 25. ♖d4] 23. ♘e3 ♕e7 [23... f5 24. ef5 gf5 25. ♖d4→] 24. ♖d3?! [24. ♘g4! ♔h8? 25. e5+−; 24... ♖d8 △ ♘e8±] ♕f8 25. ♕h4 ♕e7 26. ♕g3 [26. ♕e7 ♖e7 27. ♖ed1 ♘e8] ♖c8 27. ♖ed1 ♘e8 28. ♕f4 [△ 28. ♘g4] ♕f6 29. ♕g3 [29. ♕f6 ♘f6 30. ♖d6 ♘e4] ♖6c7 30. ♘g4 ♕g7 31. ♕e3 h5 32. ♘h2 ♖c4?! [32... ♕f6±] 33. ♘f3 ♖4c7 34. ♘g5 ♕f6 35. f4 [35. h4!? △ ♕h3] e5 36. fe5 de5 37. ♖f1 ♕c6 38. ♖d5 f6 39. ♘f3 ♔h7 40. ♖fd1± ♕e6?⊕ 41. ♖e5! ♕a2 42. ♖ed5 ♕b2 43. ♖d7 ♕g7 44. e5! ♖d7 45. ♖d7 ♖c3 46. ♖g7! ♔g7 47. ef6 ♔f6 48. ♕e5 ♔f7 49. ♘g5 ♔g8 [49... ♔f8 50. ♕f6 ♔e8 51. ♕e6 ♔d8 52. ♘f7 ♔c7 53. ♕d6 ♔c8 54. ♕d8#] 50. ♕e8 ♔g7 51. ♕e7 ♔h6 52. ♘f7 ♔g7 53. ♘e5 ♔h6 54. ♕f8 ♔g5 55. h4 1 : 0 [P. Popović]

205.* B 76

DOLMATOV 2605 − B. ALTERMAN 2495
Beer-Sheva 1991

1. e4 c5 2. ♘f3 d6 3. d4 cd4 4. ♘d4 ♘f6 5. ♘c3 g6 6. ♗e3 ♗g7 7. f3 0−0 8. ♕d2 ♘c6 9. g4 ♗e6 10. ♘e6!? [RR 10. 0-0-0 ♘d4 11. ♗d4 ♕a5 12. a3 ♖fc8 13. h4 ♖ab8 14. h5 b5 15. hg6 b4 16. ♘d5!? N (16. gh7 − 49/(249)) ♗d5 17. g5!? e5 18. gf6 ♗f6 19. gh7 ♔h8 20. ♖g1 ed4 21. ♕h6 ♖c2 22. ♔c2 ♕a4 23. ♔d2 ♗e5 24. ♗b5 1 : 0 Zsó. Polgár 2430 − Lindemann

2265, Wien (open) 1991] **fe6 11. 0-0-0 ♘e5 12. ♗e2 ♖c8!? N** [12... ♕c8 13. ♗h6?! — 45/(251)] **13. ♘b5!** [13. h4 ♕a5! 14. h5 ♘fg4! 15. fg4 ♘f3 16. ♗f3 ♖c3 17. ♕e2 ♕a2!↑] **♘c4** [13... ♕d7!? 14. ♔b1? ♘f3!∓] **14. ♗c4 ♖c4 15. ♘d4 ♕d7 16. ♔b1** [16. ♕d3!? ♖fc8 17. ♖d2±] **♖fc8 17. ♖c1 ♘e8?!** [17... e5!? 18. ♘e2 e6 19. ♖hd1 ♗f8! △ ♕f7, ♘d7∞] **18. h4** [18. ♖hd1!? △ f4-f5→] **d5 19. ♘b3! ♕b5** [19... ♕c7?! 20. ed5 ♕e5 21. c3 ed5 22. ♗d4±; 19... d4!? 20. h5! e5 21. hg6 hg6 22. ♗h6± ×e5] **20. ed5! ♕d5□** [20... ed5 21. c3 △ h5±] **21. ♕d5 ed5 22. ♗a7 d4! 23. ♗b6 ♘d6?!** [23... e5! △ ♘f6-d5-e3⇆] **24. a3 e5 25. ♗a5 ♖4c6⊕ 26. c3?** [26. ♘d2! ♘c4 27. ♘c4 ♖c4 28. ♗d2 ♔f7±] **♘c4! 27. cd4** [27. ♗b4 dc3 28. bc3 ♖a8!∓] **ed4 28. ♗b4 d3! 29. ♖hd1** [29. ♖h2? ♗e5 30. ♖g2 ♗f4∓] **♘b2 30. ♖c6 bc6!! 31. ♖c1!** [31. ♖d2 ♘a4 32. ♖d3 c5−+] **♘a4** [32. ♘c5!□ ♘c5 33. ♖c5 ♗d4 34. ♖c4 c5 35. ♔c1! ♗e3 36. ♗d2 ♗d4∓]

1/2 : 1/2 **[B. Alterman, A. Vajsman]**

206.** !N B 76

KRAMNIK 2490 – ROSSELLI 2355

Maringá 1991

1. e4 c5 2. ♘f3 d6 3. d4 cd4 4. ♘d4 ♘f6 5. ♘c3 g6 6. ♗e3 ♗g7 7. f3 0–0 8. ♕d2 ♘c6 9. 0-0-0 d5 10. ♕e1 e5 [RR 10... e6 11. g4 *a)* 11... ♕e7 12. ♘b3 ♖d8 13. ♗c5 ♕c7 14. ♕g3 ♕g3 15. hg3 de4 16. ♗b5 ♗d7 17. g5 ♘d5 18. ♘e4 b6 19. ♗f2 N (19. c4 — 50/237) ♘e5 20. ♗e2 ♖ac8 21. ♖h4 a5 22. a3 (22. ♖dh1 ♘b4 23. ♘c3∞) ♗a4? 23. ♘f6! ♗f6 24. ♖a4± Kuporosov 2500 – Sedrakjan, SSSR 1991; 22... a4!?± Kuporosov; *b)* 11... e5! N 12. ♘c6 bc6 13. ed5 (13. g5?! d4 14. gf6 ♕f6∓) cd5 14. ♗g5 (14. ♗c5 d4 15. ♗f8 ♕f8 16. ♘e4 ♘d5⩱) ♗b7 15. ♕e5?! h6∓ Morozevič – Savčenko 2485, Moskva (open) 1991; 15. ♗c4!?∞ Savčenko] **11. ♘c6 bc6 12. ed5 ♘d5 13. ♗c4 ♗e6 14. ♘e4 ♕c7 N** [14... h6 — 47/262] **15. ♗c5 ♖fd8** [15... ♖fb8 16. ♗d6 ♕b6 17. ♗b8 ♖b8 18. b3 h6 (18... ♗f8 19. ♗d5 △ ♘f6+−) 19. g4 ♔h8 20. g5!± ×f6] **16. ♕h4** [16. g4] **h6 17. g4± ♖ab8 18. g5 h5 19. ♕f2 ♕b7** [19... a5 20. a4 ♕b7 21. b3±] **20. b3** [20. ♗b3? a5] **♕c7!? 21. a4 ♕a5 22. ♗a7!** [22. ♕e1±] **♗f8!** [22... ♖b4? 23. ♕c5+−] **23. ♗b8** [23. ♗c5 ♘c3!∞] **♗a3 24. ♔b1 ♖b8** [24... ♘c3 25. ♘c3 ♕c3 26. ♖d8 ♔h7 27. ♗e5 ♕e5 28. ♕d4+−] **25. ♗d5 cd5 26. ♘f6 ♔f8** [26... ♔g7?! 27. ♕e1] **27. ♕e1! ♕a4** [27... ♕c7 28. ♘d5 ♕c4 29. ♕e5 ♖b3 30. cb3 ♕b3 31. ♔a1+−] **28. ♕e5 ♖b3 29. cb3 ♕b3 30. ♔a1 d4** [30... ♕a4 31. ♕b8 ♔e7 32. ♘d5 ♗d5 33. ♖he1+−] **31. ♘d7! ♗d7** [31... ♔g8 32. ♕b8+−; 31... ♔e7 32. ♕f6 ♔e8 33. ♕h8 ♔e7 34. ♕f8 ♔d7 35. ♖d4 ♔c6 36. ♕a8 ♔c5 37. ♕a7 ♔c6 38. ♕a4+−] **32. ♕h8 ♔e7 33. ♕d4 ♔f8⊕** [33... ♗b2 34. ♕b2 ♕a4 35. ♔b1 ♗f5 36. ♔c1 ♕c4 37. ♔d2+−] **34. ♕h8 ♔e7 35. ♖he1**

1 : 0 **[Kramnik]**

207. B 76

JANSA 2460 – W. WATSON 2535

Praha 1992

1. e4 c5 2. ♘f3 d6 3. d4 cd4 4. ♘d4 ♘f6 5. ♘c3 g6 6. ♗e3 ♗g7 7. f3 0–0 8. ♕d2 ♘c6 9. 0-0-0 d5 10. ♕e1 ♖e8?! N 11. ♗b5 ♗d7 12. ♗c6!± [12. ed5? ♘d4 13. ♗d4 ♗b5 14. ♘b5 ♕d5 15. ♘c7 ♕a2 16. ♘e8 ♖e8⩱] **bc6?!** [12... ♗c6 13. e5 ♘d7 (13... ♘h5 14. g4+−) 14. e6±] **13. e5 c5□ 14. ♘b3!** [14. ef6?! cd4 15. ♗d4 ef6 (15... e5? 16. ♗e5 ♗f6 17. ♗f6+−) 16. ♕f2±] **c4!?** [14... d4 15. ♘c5 dc3 (15... de3 16. ef6+−) 16. ef6 ♕b6 17. ♕c3 ♗f6 18. ♘d7+−] **15. ♘c5** [⌓ 15. ♘d4] **♗c6 16. ef6 ♗f6 17. ♕f2** [△ f4, ♗d4+−] **♖b8 18. f4 ♕b6!? 19. ♘b3** [19. ♗d4? e5! 20. ♘5a4□ (20. fe5? ♗g5 21. ♗e3 ♕c5!−+) ♕d4! 21. ♖d4 ed4⩱] **♕b7 20. ♘d4+− ♗d7 21. ♔d2?!** [21. h3 (△ g4) ♗f5 22. ♔d2 ♕b2 23. ♖b1+−] **♗g7 22. ♖hf1 e6** [22... f6 23. f5] **23. ♘de2 a5** [23... f6 24. ♗a7] **24. h3** [24. g4?! e5 25. fe5 ♗g4⇆; 24. h4! f6 (24... h5 25. g4 hg4 26. h5 gh5 27. ♕h4→) 25. h5→] **f6□ 25. g4 ♗c6!?** [25... e5 26. fe5 fe5 27. ♕f7+−] **26. ♘d4 ♗d7** [26... e5 27. ♘c6 ♕c6 28. fe5 fe5 29. ♕f3! (29. ♕f7? ♔h8 30. ♘d5 ♖f8∞) e4 30. ♕f7 ♔h8 31. ♔c1+−] **27. ♘de2⊕** [27. ♕g2 (△ g5+−) e5 28. ♕d5 ♕d5 29.

♘d5 ed4 30. ♗d4±] **♗c6 28. g5!?** [⇗a1-h8] **fg5 29. ♗d4 gf4 30. ♗g7 ♕g7 31. ♕f4 e5 32. ♕f6 ♕d7⊕** [32... ♕h6 33. ♔e1+−] **33. ♔c1 ♕b7** [33... d4 34. ♘g3 ♕b7 (34... ♖e6 35. ♘ce4) 35. b3! dc3 36. ♘f5 gf5 37. ♖g1 ♗g2 38. ♖d7!+−] **34. b3 cb3 35. ab3 a4** [35... d4 36. ♘g3! (36. ♘d4? ed4 37. ♖d4±) dc3 37. ♘f5+−] **36. ba4?** [36. ♘g3! ab3 37. ♘f5+−] **d4= 37. ♘b5 ♗b5 38. ab5 ♕b5 39. ♕f7 ♔h8 40. ♕f6 ♔g8 41. ♕f7**
1/2 : 1/2 **[Jansa]**

208.* **B 76**

AM. RODRÍGUEZ 2500 – CLAVIJO
Bogota 1991

1. e4 c5 2. ♘f3 d6 3. d4 cd4 4. ♘d4 ♘f6 5. ♘c3 g6 6. ♗e3 ♗g7 7. f3 0–0 8. ♕d2 ♘c6 9. 0-0-0 d5 10. ed5 ♘d5 11. ♘c6 bc6 12. ♗d4 ♘c3 13. ♕c3 ♗h6 14. ♗e3 ♗e3 15. ♕e3 ♕b6 16. ♕e7 ♗e6 17. ♗d3 N [RR 17. ♕a3 ♕f2 (17... a5 18. ♗d3 ♕b4 19. ♗e4± A. Sokolov, I. Armaş) 18. ♕a5 ♗f5! (18... ♖ab8? – 52/213) 19. ♕d2 ♕c5 20. ♕c3 ♕c3 21. bc3 ♗e6 22. c4±; 17... ♖fd8!? Pupo] **♕e3** [17... ♕a5? 18. a3±; 17... ♖ab8?! 18. ♕f6±; RR 18. b3 c5 (18... a5 19. h4 a4 20. h5 ab3 21. ab3 ♖fe8 22. ♕f6 ♗b3 23. hg6 fg6 24. ♗g6+−) 19. ♖he1 c4 (19... a5 20. ♖e4+− A. Sokolov 2570 – Dinu, Belfort 1991) 20. ♖e6! fe6 21. ♗c4± A. Sokolov, I. Armaş; 17... ♗a2?! *a)* 18. h4→ ♖fe8 (18... c5 19. h5 ♖fe8 20. ♕h4 ♖ab8 21. hg6 ♕b2 22. ♔d2 ♕b4 23. ♕b4 cb4 24. gh7±) 19. ♕f6 ♕e3 20. ♖d2 c5 21. h5±; *b)* RR 18. b3 a5 19. ♗c4 ♖a7 (19... a4 20. ♖d7+−) 20. ♕f6! (20. ♕a3 a4 21. ♕a2 ♕e3 22. ♔b1 ab3 23. ♕b3 ♕c5!=∞) a4 21. ♖d3! ab3 22. cb3 ♕c5 23. ♕d4 ♕g5 24. ♖d2± A. Sokolov, I. Armaş] **18. ♖d2□ c5!** [18... ♖ab8 19. ♕f6! (△ h4-h5; RR 19. b3 a5 20. ♕h4 ♖b4 21. ♕f2± A. Sokolov, I. Armaş) c5 20. h4 c4 21. h5 ♕h6 (21... ♖fd8 22. hg6 fg6 23. ♖h7!+−) 22. ♗e4 ♖fd8 23. f4±] **19. ♖d1** [19. ♕h4! (△ ♖e1+−) c4□ (19... ♕e5 20. ♖e1 ♕c7 21. ♗c4 ♗c4 22. ♕c4 ♕h2 23. ♕c5±) 20. ♖e1! ♕c5□ 21. ♖e6! fe6 (21... cd3 22. ♖e4 ♖ac8 23. ♕f2±) 22. ♗c4± △ 22... ♕e3? 23. ♕f2! ♕f2 (23... ♕e5 24. ♖e2) 24. ♗e6 ♔g7 25. ♖f2+−, △ 22... ♖ae8 23. ♕e4 ♖e7] **♖ad8!** [△ ♖d7, c4] **20. ♕h4 c4 21. ♖e1!** [21. ♕e4 ♕c5 22. ♗f1 ♖d2 23. ♖d2 c3→] **♕b6□** [21... ♕c5? 22. ♗g6!+−] **22. ♖e6! fe6** [22... ♕e6 23. ♗g6 hg6 24. ♖d8 ♕e3 25. ♖d2 c3 26. bc3 ♕g1 27. ♖d1 ♕g2±] **23. ♕c4 ♕e3?** [23... ♖d4 24. ♕c3 ♖fd8∞] **24. ♕e4! ♕e4 25. ♗e4** [♖ 2/l] **♖d2 26. ♔d2 ♔g7?** [26... ♔f7] **27. c4 ♔f6 28. ♔c3 ♔e5 29. c5!** [△ ×♔e5] **a5 30. b3 ♖d8 31. a3 ♖d1 32. ♔c4 ♖a1**

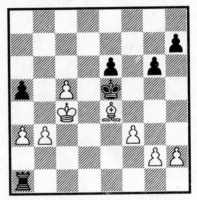

33. b4!! ♖a3 [♖ 2/j] **34. b5 ♖a4 35. ♔c3 ♖a3 36. ♔b2 ♖a4 37. ♔c3 ♖a3 38. ♔b2 ♖a4 39. b6!+− ♖c4 40. c6 ♔d6** [40... ♖b4 41. ♔c3 ♖b6 42. c7] **41. c7 g5 42. ♔b3 ♖c5 43. ♗b7** **1 : 0**
[Am. Rodríguez]

209.** **B 78**

WIBE 2315 – NESIS
corr. 1991

1. e4 c5 2. ♘f3 d6 3. d4 cd4 4. ♘d4 ♘f6 5. ♘c3 g6 6. ♗e3 ♗g7 7. f3 ♘c6 8. ♕d2 0–0 9. ♗c4 ♗d7 10. 0-0-0 ♖c8 11. ♗b3 ♘e5 12. h4 ♘c4 13. ♗c4 ♖c4 14. h5 ♘h5 15. g4 ♘f6 16. e5 [16. ♗h6 ♘e4 17. ♕e3 ♖c3 18. bc3 ♘f6 19. ♗g7 ♔g7 20. ♖h2 ♖h8 21. ♘b3 h5!? N (21... ♗c6 – 48/299) 22. g5 ♘h7 23. f4 ♗g4! (△ e5∞) 24. ♖e1 1/2 : 1/2 J. S. Morgado – Nesis, corr. 1990/91; RR 16. ♘d5 ♘d5 17. ed5 ♕b6 18. b3 ♖c5 19. ♕h2 h5 20. gh5 ♖fc8 21. ♔b1 ♖d5 (21... g5 – 39/266; 21... ♖c3

22. hg6! ♖e3 23. ♕h7 ♔f8 24. gf7 ♔f7 25. ♖h4! ♖f8 26. ♕h5 ♔g8 27. ♖g1+− Nadanjan) 22. hg6 fg6 23. ♕h7! ♔f7 24. ♖dg1! g5 25. ♘e6! ♕e3 26. ♕g7 ♔e6 27. ♖e1 1 : 0 Nadanjan − Konovalov, corr. 1991] **de5 17. ♘b3 ♖c6 18. ♗c5!? N** [18. ♕h2!? − 45/256] **h6!?** [18... b6? 19. g5!±] **19. ♖h6!? b6!?** [19... ♗h6 20. ♕h6 △ ♖h1+−] **20. ♖h4?!** [20. ♗e3 ♗h6 21. ♗h6 ♖d6∓; 20. ♗f2 ♖d6 21. ♕g5 ♖d1 22. ♘d1 ♗h6∓; 20. ♗a3!?] **bc5 21. ♕h2 ♖e8 22. ♖h1 ♔f8 23. ♖h8 ♘g8** [23... ♗h8? 24. ♕h8 ♘g8 25. ♖h7 e6 26. ♕g7 ♔e7 27. ♕f7 ♔d6 28. ♘b5 ♔d5 29. ♕d7 ♕d7 30. ♖d7 ♔c4 31. ♘a3 ♔b4 32. c3 ♔a4 33. ♖a7+−] **24. ♖h7** [△ 25. ♖g7 ♔g7 26. ♕h8 ♔f8 27. ♖h7+−] **g5!∓ 25. ♘c5 ♗c8 26. ♖g7 ♔g7 27. ♕e5** [27. ♕h8 ♔f8 28. ♖h7 ♖g6∓] **♔f8 28. ♖h7 ♖g6 29. ♘3e4 f6 30. ♘e6** [30. ♕e6 ♖g7 31. ♘g5 fg5 (31... ♖h7? 32. ♕f7! ♖f7 33. ♘ce6 ♗e6 34. ♘e6#) 32. ♖g7 ♔g7−+] **♗e6 31. ♕e6 ♖g7 32. ♘g5 fg5** [32... ♖h7? 33. ♕f7! ♖f7 34. ♘e6#]

0 : 1 **[Nesis]**

210. **B 78**

BLUMENFELD 2365 − GASPARD

New York 1991

1. e4 c5 2. ♘f3 d6 3. d4 cd4 4. ♘d4 ♘f6 5. ♘c3 g6 6. ♗e3 ♗g7 7. f3 0−0 8. ♕d2 ♘c6 9. ♗c4 ♗d7 10. 0-0-0 ♖c8 11. ♗b3 ♘e5 12. h4 h5 13. ♗h6 a5 14. ♗g7 ♔g7 15. a4± ♖c5 16. ♘db5 N [16. g4?! − 50/243] **♕b6 17. f4 ♘eg4 18. ♖he1↑⊞ ♗b5 19. ♘b5 ♘f2 20. ♕f2 ♖b5 21. ♕b6 ♖b6 22. e5± ♘g4** [22... ♘e8 23. ed6 ed6 24. ♖d5 ♖a6 25. ♖e7 b6 26. ♖b5 △ ♖b7+−; 22... de5 23. ♖e5; 22... ♘d7 23. ed6 ed6 24. ♗c4 ♘c5 25. ♗b5] **23. ed6 e6** [23... ed6 24. ♖e7±] **24. ♗c4! ♖d8 25. d7 ♖c6 26. ♗b5 ♖c7 27. ♖d3 ♔f8 28. b3 ♔e7 29. ♔b2 ♘f6 30. g3 ♖c5⊕** [30... ♘d7 31. ♖ed1 b6 (31... f6 32. ♖d6 e5 33. fe5 fe5 34. ♖g6 ♘f8 35. ♖g7 ♔f6 36. ♖c7 ♖d1 37. ♖b7+−) 32. c3 ♔e8 33. b4 ab4 (33... ♔e7 34. ba5 ba5 35. c4 △ c5-c6+−) 34. cb4 ♔e7 35. ♖d7 ♖cd7 36. ♖d7 ♖d7 37. ♗d7 ♔d7 38. ♔c3 ♔d6 39. ♔d4 f6 40. a5+−] **31. c4 ♘g4 32. ♔c3 f6 33. b4 ab4 34. ♔b4 ♖f5 35. ♔a5** **1 : 0** **[Blumenfeld]**

211.** **B 78**

MARK CEJTLIN 2415 − B. ALTERMAN 2495

Beer-Sheva 1991

1. e4 c5 2. ♘f3 d6 3. d4 cd4 4. ♘d4 ♘f6 5. ♘c3 g6 6. ♗e3 ♗g7 7. f3 0−0 8. ♕d2 ♘c6 9. ♗c4 ♗d7 10. 0-0-0 ♖c8 11. ♗b3 ♘e5 12. h4 h5 13. ♗g5 ♖c5 14. g4 [RR 14. ♔b1 b5 *a)* 15. g4 *a1)* 15... a5 16. gh5 a4 17. ♗f7 ♔f7 18. hg6 ♘g6 19. h5 ♘e5 20. ♕g2!? N (20. h6 − 48/301) ♖g8 21. h6 ♗h8 22. f4 ♘c4 23. ♕h2 ♘b2 24. ♖dg1 ♖c3 25. h7 ♖g6 26. f5 ♖g5 27. ♖g5 ♖c8 28. ♕h6 e5 (A. Schmidt − Zá. Varga 2290, BRD 1991) 29. ♖g8! ♘g8 (29... ♕a5 30. ♕g6 ♔e7 31. ♖g7!+−) 30. ♕g6 ♔e7 31. ♘c6!+− A. Schmidt; *a2)* 15... hg4 16. h5 ♖c3 17. bc3 ♘f3 18. ♘f3 ♘e4 19. ♕h2 ♘c3 20. ♔c1 ♕a5 21. ♖d4 ♗f5∞ Postema; *b)* 15. ♖he1 a5 16. f4 ♘c4 17. ♗c4 ♖c4 18. e5 b4 N (18... ♗g4? − 42/246) 19. ef6 (19. ♕d3 ♖c3∞ A. Schmidt) bc3 20. ♕e2 ♖d4 21. fe7 ♕b6 22. ef8♕ ♗f8 23. b3 ♗g4 24. ♕e8 ♖d1 25. ♖d1 ♗d1 26. ♗h6 ♗c2□ 27. ♔c2 ♕f2 28. ♔c3 ♕c5= Zá. Varga 2290 − A. Schmidt, Magyarország 1991] **hg4 15. f4 ♘c4 16. ♕e2 b5 17. f5 gf5 18. ♗f6 ef6!? N** [18... ♗f6 − 49/254] **19. ♗c4!** [19. ef5?! ♗h6 20. ♔b1 ♘e3 21. ♖dg1 ♖f5! 22. ♘f5 (22. ♖g4 ♘g4 23. ♕g4 ♖g5 24. ♕f3 ♖g6∓) ♗f5 23. ♖g3 ♖e8!∞̄] **fe4?!** [19... ♖c4 20. ef5 ♗h6 21. ♔b1 ♔h7 22. ♕g4 ♖g8 23. ♕h5 ♖g7 24. ♘d5!±; 19... bc4!? 20. ef5 ♗h6 21. ♔b1 ♖e5!?±] **20. ♗b5?!** [20. ♗b3! f5 21. ♘d5 ♗h6 22. ♔b1 ♗e6 23. ♘e3! ♕d7 24. ♖hf1±] **f5 21. ♗d7 ♕d7 22. ♖hf1 ♖b8 23. ♕e3!** [23. ♘f5?! ♖f5 24. ♕g4 ♕b7!⇆] **♖e8!□** [23... ♔h7? 24. ♘f5! ♗c3 25. ♕h6 ♔g8 26. ♕g5! ♔f8 27. bc3+−] **24. ♕f4?!** [24. ♘ce2! ♖ee5 25. ♔b1 a5 26. c3 a4 27. a3! △ ♘f4, ♘de2, ♖d2, ♖fd1±] **♖ee5 25. h5 ♔h7 26. h6 ♗f6 27. ♘b3?** [27. ♖de1!? ♕e7?! 28. ♘e4±; 27...

♗h4!∞; 27. ♘ce2! ♕e7 28. ♕e3 ♗g5 29. ♘f4±] ♖c3!!∞ **28. bc3 ♕e7 29. ♔b1?!** [29. ♕h2! ♗g5 30. ♔b1 e3 31. ♕e2 f4! 32. ♕g4! (32. ♘d4 f3 33. ♘f3 gf3 34. ♖f3 f5∓) e2 33. ♖g1 ed1♕ 34. ♕d1∞] **♗g5 30. ♕g3 e3 31. ♖h1 ♕b7!!−+ 32. ♕h2** [32. ♖de1 ♕f3! 33. ♕f3 gf3 34. ♘d4 f2 35. ♖e2 f4 36. ♔c1 ♗h6 37. ♔d1 ♖g5 38. ♘f3 ♖d5 39. ♔c1 ♔g6; 32. ♖h5 e2 33. ♖e1 ♗d2! 34. ♖f5 ♖f5] **f4 33. ♕e2 f3 34. ♕d3 ♕e4! 35. ♕d6 e2 36. ♕f8⊕** [36. ♖de1 f2 37. ♕f8 fe1♕ 38. ♖e1 ♕g6] **ed1♕ 37. ♖d1 ♕g6 38. ♖d7 ♖f5 39. ♖d6 ♗h6! 40. ♕d8 f2 0 : 1**
[B. Alterman]

212.* !N B 81

IVANČUK 2735 – TIMMAN 2630
Hilversum (m/6) 1991

1. e4 c5 2. ♘f3 d6 3. d4 cd4 4. ♘d4 ♘f6 5. ♘c3 e6 6. g4 h6 [RR 6... ♘c6 7. g5 ♘d7 8. ♗e3 ♗e7 9. ♖g1 0–0 10. ♕h5 g6 11. ♕h6 ♘de5 12. 0-0-0 f6 13. gf6 ♗f6 14. ♘c6! N (14. ♗e2? – 50/(255)) bc6 15. ♗e2 ♘f7? 16. ♖g6! hg6 (16... ♔h8 17. ♕h5+− Keņgis 2575 – Murugan 2395, Gausdal 1991) 17. ♕g6 ♗g7 18. ♖g1 ♘g5 19. ♗g5 ♕d7 20. ♗h6 ♖f7 21. e5! d5 22. ♗d3+−; 15... ♗g7∞ Keņgis] **7. h4 ♗e7 8. ♖g1 d5 9. ♗f4**

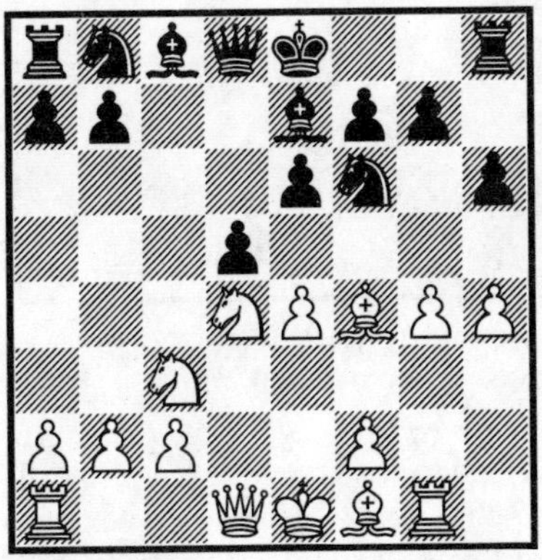

9... ♗b4! N [9... ♘e4?! – 36/288] **10. ♘b5 ♘c6** [10... ♘e4? 11. ♕d4±; 10... 0–0!? 11. g5 ♘e4 12. gh6 ♕f6!∞] **11. ♘c7 ♔f8 12. ♘a8** [12. ed5 ♘d5 13. ♘a8 ♘f4⩱] **♘e4 13. a3** [13. ♗d2 ♘d2 14. ♕d2 ♗d7 15. a3 ♗e7⩱] **♕h4□** [13... ♗c3 14. bc3 ♕f6 15. ♕f3 e5 16. ♘c7±] **14. ♗g3 ♗c3** [14... ♘g3? 15. ab4+−] **15. bc3 ♕f6 16. ♕d3 ♘c3!** [16... ♘e5 17. ♗e5 ♕f2 18. ♔d1 ♕g1 19. ♔c1±] **17. ♗g2 ♗d7 18. ♘c7 ♔e7 19. ♔d2 d4?!** [19... ♘a5 20. ♕c3 ♘c4 21. ♔d3 ♘b2=] **20. f4!± ♖c8 21. ♘b5 ♘a5 22. ♘d4 ♖c4 23. ♗f2!** [23. ♘e2? ♘e2 24. ♔e2 ♗b5!∓; 23. ♕c4 ♘c4 24. ♔c3 ♘e3! 25. ♗e4 ♗c6!∓; 23. ♔e3 ♘b5 24. ♘e2 e5→] **♕f4 24. ♗e3 ♕h2 25. ♖ae1?!⊕** [25. ♖af1!? △ 25... ♘d5 26. ♖f2; 25. ♔c1!?±] **♘d5!⩱ 26. ♔c1 ♖c3 27. ♕d2 ♘c4 28. ♗d5 ♘d2 29. ♗d2 ♕c7!□ 30. ♗c3?** [30. ♔b2 ♖c5 31. ♗b3∞] **♕c3 31. ♘b3 ♗a4−+ 32. ♖e4? ♗b3 33. ♗b3 ♕a1**
0 : 1 [Timman]

213. B 81

YERMOLINSKY 2575
– FEDOROWICZ 2525
Philadelphia 1991

1. e4 c5 2. ♘f3 d6 3. d4 cd4 4. ♘d4 ♘f6 5. ♘c3 a6 6. h3?! e6 7. g4 b5 8. ♗g2 ♗b7 9. a3 d5 N [9... ♗e7 – 17/495] **10. e5?** [10. ed5 ♘d5 11. ♘de2] **♘fd7 11. f4 ♕h4 12. ♔f1 ♗c5 13. ♗e3 ♘c6 14. ♘ce2 ♘d4 15. ♘d4 ♕e7∓ 16. ♗f3 f6 17. ef6 ♕f6 18. ♔g2 0–0 19. c3 e5 20. fe5 ♘e5 21. ♖f1 ♘c4** [21... ♖ae8 22. ♗e2 ♕g6 23. ♖f8 ♖f8 24. ♕b1 ♘c4] **22. ♗c1□ ♖ae8 23. b3 ♘d6 24. ♖a2 ♕e5!** [↗b8-h2] **25. b4 ♗a7 26. ♖af2 ♘e4?** [26... ♗b8! △ ♘e4−+] **27. ♗e4 ♖f2** [⌓ 27... de4 28. ♖f8 ♖f8 29. ♖f8 ♔f8 30. ♗e3 ♗b8∓] **28. ♖f2 de4 29. ♗e3 ♗b8 30. ♔f1!∞ h6** [30... ♕g3 31. ♕b3 ♔h8 32. ♕e6 (32. ♕f7? ♕h3 33. ♔e2 ♕g4 34. ♔d2 ♕c8−+) ♕h3 33. ♔e2 ♖g8 34. g5 ♕e6 35. ♘e6⩱] **31. ♔e2 ♗d5 32. ♔d2⊕ ♗c4⊕ 33. ♕g1 ♗d3** [△ ♕d5] **34. ♖f5 ♕c7 35. g5! hg5?** [35... h5 36. g6 ♕c4 37. ♕g5 ♕a2 38. ♔d1 ♕a1 39. ♔d2 (39. ♗c1 e3−+) ♕a2 (39... ♖c8? 40. ♖f8!! ♔f8 41. ♕f5 ♔g8 42. ♕d5 ♔h8 43. ♕h5 ♔g8 44. ♕h7 ♔f8 45. ♕h8 ♔e7 46. ♕g7 ♔d6 47. ♗f4 ♔d5 48. ♕f7#) 40. ♔d1=]

36. ♕g5 ♕h2? [36... ♕c4 37. ♕g6 ♖c8 38. ♕e6±] **37. ♖f2 ♕e5 38. ♘f5→ ♗c4 39. ♖g2 ♕d5 40. ♗d4 e3 41. ♔e1+− ♗e5 42. ♘g7** [42... ♗d4 43. ♘e8 ♔f7 44. cd4] **1 : 0** **[Yermolinsky]**

214. !N **B 81**

ASEEV 2525 – SAKAEV 2495
SSSR (ch) 1991

1. e4 c5 2. ♘f3 e6 3. d4 cd4 4. ♘d4 ♘f6 5. ♘c3 d6 6. g4 a6 7. g5 ♘fd7 8. ♗e3 b5 9. a3 ♘b6 10. ♕g4!! N [10. h4 – 51/224] **♘8d7** [10... ♗b7? 11. 0-0-0±; 10... e5?! 11. ♘f5 g6? 12. ♗b6 gf5□ (12... ♕b6 13. ♘d6 ♗d6 14. ♕c8+−) 13. ♗d8 fg4 14. ♗f6 ♖g8 15. ♘d5±; 10... ♘c4 11. ♗c4 bc4 12. 0-0-0!?± △ 12... e5 13. ♘f5 g6 14. ♘d5 gf5 15. ef5+−→] **11. ♖d1! ♘e5** [11... ♗b7? 12. g6! hg6 13. ♘e6 fe6 14. ♕g6 ♔e7 15. ♗g5 ♘f6 16. e5±] **12. ♕g3 ♕c7 13. f4 ♘ec4 14. ♗c1 ♗b7** [14... e5±] **15. ♗g2** [15. b3!? e5 (15... ♘a5±) 16. ♘f5 g6□⇆] **♖c8** [15... 0-0-0±] **16. ♘de2 ♕c5 17. b4!?⊕** [17. ♖d3!?; 17. h4!?] **♕c7 18. 0−0 ♗e7 19. f5** [19. ♖d3±] **ef5□ 20. ef5 0−0 21. f6** [21. ♖d4!? △ ♖h4→] **♗d8 22. fg7 ♖e8 23. ♖d4 ♗g2 24. ♕g2 ♘e3** [24... ♕c6!?] **25. ♗e3 ♖e3 26. ♖df4 ♖e5?** [26... ♖e7±] **27. h4 ♘c4 28. ♘d5 ♖d5 29. ♕d5** [29. ♖f7 ♕f7□ (29... ♕c6?? 30. ♖f8 ♔g7 31. ♖1f7 ♔g6 32. ♘f4#) 30. ♖f7 ♖d1□ 31. ♖f1 ♘e3 32. ♖d1±] **♘e3 30. ♕f7** [30. ♕e4 ♘f1 31. ♖f1 ♕c6□; 31. ♔f1!?±] **♕f7 31. ♖f7 ♘f1 32. ♖f1** [♖ 9/i] **♗b6 33. ♔h1 ♖c2 34. ♘g3 ♗d4□** [34... ♔g7 35. ♖f6+−] **35. ♘f5 ♗e5 36. ♔g1** [△ h5] **♗h2 37. ♔h1 ♗e5 38. ♖f3 ♗g7 39. ♘e7 ♔h8 40. ♖f7 ♗e5 41. ♘f5 ♖c8 42. ♔g2+− d5 43. ♔f3 ♗b2 44. h5??** [44. ♘e7 ♖d8 (44... ♖c3 45. ♔e2+−) 45. h5 ♖e8 (45... ♗a3 46. g6 hg6 47. hg6 △ ♖h7#) 46. ♘d5+−] **♖g8 45. ♘e7 ♖g5 46. h6 ♖g8! 47. ♘g8 ♔g8± 48. ♖f4 ♗a3 49. ♔g4 ♗c1 50. ♖f6 ♗d2 51. ♖a6 ♗b4 52. ♖a8 ♗f8 53. ♔h5 b4 54. ♖d8 ♔f7 55. ♖d5 ♔e6= 56. ♖d8 ♗d6 57. ♖h8 b3 58. ♖h7 ♔d5 59. ♖b7 ♔c4 60. h7 ♗e5 1/2 : 1/2** **[Aseev]**

215.* !N **B 82**

ANAND 2650 – KASPAROV 2770
Tilburg (Interpolis) 1991

1. e4 c5 2. ♘f3 d6 3. d4 cd4 4. ♘d4 ♘f6 5. ♘c3 a6 6. f4 e6 [RR 6... ♘bd7 7. ♘f3 e6 8. ♗d3 ♕c7 9. 0−0 b5 10. ♕e1 ♗b7 11. ♔h1 b4! N (11... ♗e7) 12. ♘a4 d5 13. e5 ♘e4 14. a3! (14. ♗e4 de4 15. ♘d4 g5!? 16. ♕g3 gf4 17. ♗f4 h5!↑ Agrest) ba3 15. b3 h6! 16. ♗a3 ♗a3 17. ♖a3 0−0 18. c4 ♘ec5 19. ♘c5 ♘c5 20. ♗e2 dc4 21. ♗c4 ♖fd8∞ Dvojris 2525 – Agrest 2480, Budapest 1991] **7. ♗d3 ♘bd7 8. 0−0 ♕b6 9. ♗e3 ♕b2 10. ♘db5!** [10. ♕d2 ♘g4∓] **ab5 11. ♘b5 ♖a5! N** [11... ♕b4? – 29/356] **12. ♖b1!** [12. a4 d5 (12... ♖b5 13. ab5 ♕c3∞) 13. ♖b1 ♕a2 14. ♖a1=] **♖b5□** [12... ♕a2 13. ♘c3 ♕a3 14. ♖b3+−] **13. ♖b2 ♖b2 14. ♕a1 ♖b6□ 15. ♗b6 ♘b6 16. ♕c3!** [16. ♖b1? ♘bd7 △ ♘c5∓] **♗e7 17. ♖b1 ♘fd7!** [17... ♗d8 18. ♕d4 ♘fd7 19. ♕d6±] **18. ♕g7 ♗f6 19. ♕h6 ♔e7?** [19... ♖g8 20. ♗b5 (20. e5 de5 21. ♖b6 e4!) ♔e7 – 19... ♔e7]

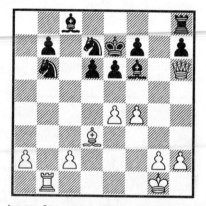

20. ♗b5? [20. g4!! ♖g8 (20... ♗d4? 21. ♔f1 ♘c5 22. ♖b4+−; 20... ♘c5? 21. e5 de5 22. g5+−) 21. g5 ♗g7 22. ♕h4 (22. ♕h7?? ♗d4 △ ♖h8−+) e5! 23. ♔h1 ef4 *a)* 24. g6? ♗f6 25. gh7 ♖h8 26. ♕h5 ♗e5! 27. ♕g5 ♘f6! 28. ♖b6 ♖h7 29. ♖b5! (29. ♗e2 f3 30. ♗f3 ♖h2 31. ♔g1 ♖c2$\overline{\overline{\infty}}$) ♖h5 30. ♖e5 de5 31. ♕g1 ♗d7! 32. ♕c5 ♔e8 33. ♗b5 ♗b5 34. ♕b5 ♔f8 35. ♕b7 ♔g7∞; *b)* 24. e5! *b1)* 24... ♗e5 25. g6 ♔e8 26. gh7 ♖h8 27. ♖b5!! (P.

Wolff, ×d5, ♗e5) ♘a4 28. ♖e5 de5 29. ♕g5+−; *b2)* 24... de5 25. g6 ♗f6 26. gh7 ♖h8 (26... ♖f8 27. ♕h6 ♘d5 28. ♖g1 ♗h8 29. ♖g8 ♘5f6 30. ♖f8 ♘f8 31. ♕g5 ♘g6 32. ♗g6 fg6 33. ♕e5+−) 27. ♕h5 ♘a4 (27... ♘d5 28. ♗c4 ♘e3 29. ♕f7 ♔d6 30. ♖b6+−) 28. ♖g1 ♘ac5 29. ♗c4 ♘e6 30. ♗e6! ♔e6 31. ♖g8+−] **♖g8?** [20... e5! 21. ♖f1 (21. a4 ♘c5 22. a5 ♘bd7) ♖g8 22. fe5 ♗e5 23. ♕h7 ♖g7 24. ♕h4 ♘f6∓] **21. ♖d1! e5?** [21... ♘c5?! 22. e5! de5 23. fe5 ♗e5 24. ♕e3 ♘bd7 (24... ♗d6? 25. ♕d4! ♘d5 26. c4+−) 25. ♗d7 ♘d7 26. ♖d7 ♗d7 27. ♕e5 ♗c6 28. g3±; 21... ♖g4! 22. e5! (22. g3? e5! 23. a4 ef4 24. a5 fg3 25. ab6 gh2 26. ♔h1 ♗e5∓) de5 23. ♕h3 ♖f4 24. ♕a3 ♔e8 (24... ♔d8? 25. ♕f8 ♔c7 26. ♕d6+−) 25. ♕c5 ♗d8 26. a4 e4 (26... ♖f5!?) 27. ♖f1! (27. a5? ♖f5 28. ♕b4 ♘d5 29. ♕c4 ♘e7∓) ♖g4! 28. h4! (28. a5 ♖g5 29. ♕f2 f6∓ △ 30. c4 ♘a8) f5 29. a5 ♔f7 30. ♗d7 ♗d7 31. ab6 ♗e7 32. ♕e5 ♖h4∞] **22. f5 ♘c5?** [22... ♖d8 23. g4 ♘c5 (23... ♖g8 24. h3+−) 24. g5 ♘e4 25. gf6 ♘f6 26. ♕e3! (26. c4?! ♖g8 27. ♔f1 ♗f5 28. c5 dc5 29. ♕e3 ♘bd7∞; 26. ♖f1 ♖g8 27. ♔h1 ♖g4!⇆) ♘bd5 (26... ♘bd7 27. ♕a7! ♘c5 28. ♖d6! ♖g8 29. ♔f1 ♔d6 30. ♕b6+−) 27. ♕b3 ♘c7! (27... ♘f4 28. ♕c4+−) 28. ♕c4 (28. ♗c4 ♖g8 29. ♔f1 ♖g4) ♘b5 29. ♕b5 ♖g8±] **23. ♖d6+− ♗g5 24. ♕h7 ♘e4 25. ♖b6 ♖d8** [25... ♗e3 26. ♔f1 ♖g4 27. f6 ♔f8 (27... ♔d8 28. ♕f7) 28. ♔e2] **26. ♗d3 ♗e3 27. ♔f1 ♗b6 28. ♗e4 ♖d4 29. c3 1 : 0**
[Kasparov]

216. B 82

B. IVANOVIĆ 2535 – KOŽUL 2580
Jugoslavija 1991

1. e4 c5 2. ♘f3 d6 3. d4 cd4 4. ♘d4 ♘f6 5. ♘c3 ♘c6 6. ♗c4 ♕b6 7. ♘b3 e6 8. 0–0 a6 9. ♗e3 ♕c7 10. f4 ♗e7 11. ♕f3 0–0 12. ♗d3 g6!? N [12... b5 – 24/382] **13. ♘d4 ♗d7** [13... ♘d4 14. ♗d4 e5?! 15. fe5 de5 16. ♕g3 ♗c5 17. ♗c5 ♕c5 18. ♔h1 ♘h5 19. ♕g5±] **14. ♖ae1 ♖ac8** [14... ♖ad8!?] **15. ♔h1** [15. f5?! ♘d4 16. ♗d4 e5 17. ♗e3 gf5 18. ef5 ♗c6∓] **♔h8** [△ 15... b5] **16. ♘c6 ♗c6 17. ♕h3 b5 18. e5! de5** [18... ♘e8 19. f5! ef5 (19... gf5 20. ♖f5 ef5 21. ♗f5+−) 20. ♗d4!±] **19. fe5 ♕e5! 20. ♗h6 ♕d4!? 21. ♖f4** [21. ♗f8 ♖f8 △ b4∓] **♕d6 22. ♖f2 ♕b4?** [22... ♘h5 23. ♗f8 ♖f8 24. ♘e4 (24. ♗e4 ♗d7! △ f5, e5=∞) ♕e5! △ f5=∞] **23. ♗g6??** [23. ♗f8 ♖f8 24. ♗g6! *a)* 24... fg6 25. ♕e6 ♘g4 (25... ♗d6 26. ♖d1! ♘g4 27. ♖f8 ♗f8 28. ♖f1!+−) 26. ♖f8 ♗f8 27. ♖f1! (27. ♕c6? ♕f4 28. g3 ♕f2−+) ♗b7 (27... ♗d6 28. ♕c8+−) 28. ♕f7? ♗g2 29. ♔g2 ♘e3; 28. a3!+−; *b)* 24... ♕g4 25. ♕g4 ♘g4 26. ♖f4! hg6 (26... ♘e3 27. ♗e4!+−) 27. ♖g4 ♔g7 28. ♖d4 ♖c8! △ b4, ♗d5, f5±] **♕g4!−+ 24. ♗f8** [24. ♗e4 ♕h3 25. gh3 ♘e4 26. ♘e4 f5; 24. ♕g4 ♘g4 25. ♖f7 ♖f7 26. ♗f7 ♘h6 27. ♗e6 ♖d8] **♕h3 25. ♗e7 ♘g4 0 : 1**
[Kožul]

217. B 83

ANAND 2650 – POLUGAEVSKIJ 2630
Reggio Emilia 1991/92

1. e4 c5 2. ♘f3 d6 3. d4 cd4 4. ♘d4 ♘f6 5. ♘c3 a6 6. ♗e3 e6 7. a4 ♘c6 8. ♗e2 ♗e7 9. 0–0 ♗d7 10. ♘b3 ♘a5 11. ♘d2 0–0 12. f4 ♗c6 13. ♗f2 N [13. b4? d5 14. ♘a2 (14. ba5 d4∓) ♘c4 (14... de4?! 15. ba5 ♘d5=∞) 15. ♘c4 dc4∓; 13. ♗d4 – 18/448] **♖c8 14. ♗d3 ♗e8 15. ♕f3** [15. ♘e2 (△ c3) ♘g4! ×♗f2] **♘d7 16. ♕h3** [16. ♘e2 ♘c5 17. b4 ♘d3 18. ♕d3 ♘c6 19. c3!?] **♘c5 17. ♗c5 ♖c5!** [17... dc5 18. e5 g6 19. ♘de4±] **18. e5 g6 19. ♘ce4 de5 20. ♘c5 ♗c5 21. ♔h1 ♘c6 22. ♖ad1 ♕c7 23. fe5 ♕e5** [23... ♘e5 24. ♕g3] **24. c3 ♗e7 25. ♘f3** [25. ♗c2!] **♕c7 26. ♗e2 ♗f6 27. ♘d2 ♗g7 28. ♘e4 ♘e5 29. b3 ♕e7 30. ♕e3 ♗c6 31. ♘d6 h5!** [31... f5 32. ♘c4 ♘f7 33. ♗f3] **32. ♘c4 ♘c4 33. ♗c4 ♖c8!∓** [×«] **34. ♖c1 ♔h7 35. a5 ♗e8 36. ♕d3 ♕c7 37. ♖a1 ♕e5 38. ♖f3 ♖c5?** [38... ♖c7 △ ♗c6] **39. ♕d8!** [×f7] **♗c6 40. ♖f7 ♕c3 41. ♖af1 ♖f5 42. ♖7f5!** [42. ♗e6 ♗g2 43. ♔g2 ♕c6 44. ♔g1! (44. ♗d5? ♖d5! 45. ♖g7 ♔h6 46. ♕h8 ♔g5 47. ♖g1! ♔h4!!−+→) ♖f1 45. ♖f1 ♕e6⇆ ×♔g1] **ef5 43. ♗d5 ♗b5** [43... ♗d5 44. ♕d5 ♕c7±] **44. ♖d1 f4?**

[×g6] 45. ♕g8 ♔h6 46. ♗e4 ♕f6 47. ♕d8 ♕e6 48. ♕d5 ♕f6 49. ♕b7 ♗e2 50. ♖b1 ♕g5 51. ♕d5 ♕e7 52. ♕c6 ♗f6 53. ♕c2 ♗g4 54. ♗g6 f3 55. ♗e4 fg2 56. ♗g2 ♗e5 57. ♕c6 ♗d6 58. ♕c1 ♔g7 59. ♕c3 ♔g6 60. ♖f1 ♗e2 61. ♖g1 ♔h7 62. ♕d4   1 : 0   [Anand]

√218.**   B 84

SMAGIN 2550 − JANSA 2460
Praha 1992

1. e4 c5 2. ♘f3 d6 3. d4 cd4 4. ♘d4 ♘f6 5. ♘c3 a6 6. ♗e2 e6 7. 0−0 [RR 7. ♗e3 ♘bd7 8. g4 h6 9. f4 ♘c5 N (9... g6 − 41/259) 10. ♗f3 e5 11. ♘f5 a) 11... ♗f5?! 12. ef5 ♕b6 (12... ♗e7 13. ♕d2 △ 0-0-0±) 13. ♘d5! ♘d5 14. ♕d5 ♖c8 (14... ♕b2 15. 0−0 ♕c3 16. ♖fe1±↑) 15. 0-0-0± Liang Jinrong 2465 − R. Rodríguez 2420, Penang 1991; b) 11... g6 12. fe5 ♘fe4! 13. ♘e4 ♘e4 14. ♘d6 ♗d6 15. ♗e4 ♕a5! 16. ♕d2 ♕d2 17. ♗d2 ♗e5 18. 0-0-0 Liang Jinrong] ♕c7 [RR 7... ♘bd7 8. a4 b6 9. f4 ♗b7 10. ♗f3 ♖c8 11. ♕e1 ♖c4 a) 12. ♘f5 N ♕a8! 13. ♘e3 ♖c8 (13... ♖c3!? 14. ♕c3 ♘e4 15. ♕c7 ♗e7∞) 14. f5 ♘e5 15. fe6 (15. ♕g3 ♘f3!? △ e5) fe6 16. ♕h4 ♘f3! 17. ♖f3 ♗e7 18. ♕h3 ♖c3! 19. bc3 ♕c8∞ Efimov 2470 − V. Atlas 2435, Genève 1991; 13... ♖c7!∓; b) 12. ♗e3 ♕c7!?; 12... ♕a8⇆ B. Gel'fand, V. Atlas; c) 12. ♘b3 − 30/449] 8. a4 b6 9. ♗g5!? ♘bd7 10. f4 N [10. ♗h5] ♗b7 [10... ♗e7] 11. f5! ef5□ [11... e5 12. ♘e6! fe6 13. fe6 ♘c5 14. ♖f6! gf6 15. ♗f6 ♖g8 (15... ♗g7 16. ♗h5 ♔f8 17. e7 ♔g8 18. ♕g4) 16. ♗h5 ♖g6 17. ♕g4+−] 12. ♘f5 g6!? [12... ♘e4 13. ♘e4 ♗e4 14. ♗f3 d5 15. ♗e4 de4 16. ♔h1!±] 13. ♕d4! [13. ♗b5!? ab5 14. ♘b5 ♕c6 15. ♘fd6 ♗d6 16. ♘d6 ♔f8 17. ♘b7 ♕b7 18. ♗h6 ♔e8 19. e5!∞] ♕c5□ 14. ♕c5 bc5 15. ♗f6 ♘f6 16. ♘d6 ♗d6 17. ♖f6 ♗e5 18. ♖b6 ♖a7 [18... ♖b8!?] 19. ♗c4 0−0 20. ♘d5 ♔g7 21. ♖f1 [21. a5!?] a5! 22. c3 ♗d5 23. ed5 [23. ♗d5!? ♖c8 △ ♖cc7±] ♖b8 24. ♖b5 ♗d6 25. g3 [25. g4!] h5 26. ♔g2 ♖e7 27. b3 ♖a7 28. ♔f3 ♔f8 29. ♖e1 ♖e8 30. ♖e8 ♔e8 [♖ 9/j] 31.

♖b6 ♔e7 32. ♖c6 ♗e5 33. ♔e4 [33. d6!? ♗d6 34. ♗f7 ♔f7 35. ♖d6 ♖b7 36. ♖c6 ♖b3 37. ♖c5±] ♗d6 [33... ♗c3? 34. d6+−] 34. ♗b5 ♖a8 35. ♔f3 ♖a7 36. ♖c8 ♗c7 37. h3 ♗d6 38. g4 hg4 39. hg4 ♔f6 40. ♖e8 ♗c7 [40... ♗e5? 41. g5+−] 41. ♔e4 ♗d6 42. ♖d8! ♖e7 43. ♔d3 ♔e5 44. ♖a8 ♔d5 45. ♖a5 f5 46. ♗c4 ♔c6 [46... ♔e5 47. gf5 gf5 48. b4±] 47. ♖a6 ♔c7 48. ♗b5! ♖e6 [△ 48... ♖e1] 49. ♖c6 ♔b7 50. g5!+− ♖e1 51. a5 ♗e7 52. ♖g6 f4 53. ♖g7 f3 54. ♖f7 f2 55. ♔c2
1 : 0   [Smagin]

219.* !N   B 84

LUKIN 2445 − JUDASIN 2595
SSSR (ch) 1991

1. e4 c5 2. ♘f3 d6 3. d4 cd4 4. ♘d4 ♘f6 5. ♘c3 a6 6. f4 e6 7. ♗e2 ♕c7 8. 0−0 ♗e7 9. ♔h1 0−0 10. a4 b6!? 11. ♗f3 ♗b7 12. e5 de5 13. fe5 ♘fd7 14. ♗b7 [14. ♗f4 ♘c6 a) 15. ♗c6 ♗c6 16. ♕g4 ♔h8 17. ♖ad1 (17. ♘c6 ♕c6 18. ♖f3 f5=) ♗b7 △ ♖ad8∞; 17... ♘c5!?; b) 15. ♘c6 ♗c6 16. ♕e2 N (16. ♕e1 − 48/(327)) ♘c5 17. ♗g3 ♗f3 18. ♖f3 ♕c6 19. ♖f4 f5= Jurtaev 2525 − Lukin 2445, SSSR (ch) 1991] ♕b7 15. ♗f4 ♘c6! 16. ♕f3 ♖ac8 17. ♖ad1 ♔h8! N [△ →×c2, f5; 17... ♘c5? − 51/(231)] 18. ♖f2 [18. ♖d2 ♘c5 19. ♖fd1 (19. ♘c6=) ♘d4 (19... f6=) 20. ♕b7 ♘b7 21. ♖d4 ♘c5 22. h3 (22. b4 ♘b3! 23. ♖4d3 ♘d4!∓) h6=; 18. ♘c6!? ♖c6 19. ♖d2 (19. ♖f2 f5!?=; 19. ♖d4 f5!?=) ♖c7∞; 19... ♘c5; 19... ♗b4!?; 19... ♕c8!?; 19... f5!?=] ♘c5! 19. ♘c6 ♕c6 20. ♕c6 ♖c6 21. b4? [21. ♖fd2 h6=] ♘b7! 22. ♘a2 [22. ♖d7 ♗b4! 23. ♖b7 (23. ♘a2 ♗c5∓) ♗c3 24. ♗e3 ♔g8] ♖d8 23. ♖d8 [23. ♖fd2? ♖c2!] ♘d8∓ 24. ♗e3 [24. ♖d2!? ♖c4!? (24... ♔g8!? 25. ♗e3 ♔f8 26. b5 ♖c4 27. ♗b6 ♖a4 28. ♘c3 ♖a1 29. ♘d1 ♔e8) 25. ♖d7 (25. ♗e3 b5 − 24. ♗e3) ♖f4 26. g3 ♖f2 (26... ♖f1 27. ♔g2 ♖a1 28. ♖e7 h6! 29. ♘c3 ♖c1) 27. ♖e7 g5 28. ♖e8 ♔g7 29. ♖d8 ♖c2 30. ♖a8 a5 31. ba5 ba5 32. ♖a5 ♖a2] b5 25. ♖d2 [25. ab5? ab5 26. ♖d2 ♖a6!] ♖c4! [25... ♔g8 26. ♗c5! ♗c5 (26... ♗g5

27. ♗e3! ♗e7 28. ♗c5=) 27. bc5 (27. ♖d8 ♗f8∓) ♖c8□ 28. ♘b4∞⇆] **26. ab5 ab5 27. ♖d7** [27. ♗c5 ♗g5 28. ♗e3? ♖e4−+; 27. c3 h6 △ ♘c6, ♖e4−+] **♘c6 28. c3□ ♖e4! 29. ♗g1□ h5! 30. ♖c7** [30. g4 ♗g5 △ 31... ♖e2, 31... ♘e5−+→] **♗g5 31. ♖c6** [31. ♖f7 ♖e1 32. ♖f3□ ♘e5 33. ♖h3 g6 △ ♘g4−+] **♖e1 32. g3** [32. g4 ♗e3 33. ♔g2 ♖g1 34. ♔f3 ♗d2! 35. ♖d6 (35. gh5 ♖a1 36. ♖a6 ♗c3−+) ♗h6 36. gh5 ♖e1∓] **♗e3 33. ♔g2 ♗g1** [33... ♖g1 34. ♔f3 ♗h6 35. c4!⇆ △ 35... ♖a1 36. cb5! ♖a2 37. b6] **34. ♖c7** [34. ♖c8 ♔h7 35. ♖b8? ♗a7! △ ♖e2−+] **♖a1!?** [34... ♗b6 35. ♖b7 ♖e2 36. ♔f3 ♖f2 37. ♔e4⇆] **35. ♖b7?⊕** [35. ♖f7 ♗b6 36. ♖f8 ♔h7 37. ♖a8 ♗c7∓] **♗e3 36. ♔f3** [36. ♖b8 ♔h7 37. ♖a8 g5−+] **♗d2**
0 : 1 **[Judasin]**

220.* **B 85**

GLUZMAN 2425 − TRINGOV 2430
Beograd 1991

1. e4 c5 2. ♘f3 e6 3. d4 cd4 4. ♘d4 ♘f6 5. ♘c3 d6 6. ♗e2 a6 7. a4 ♕c7 8. 0−0 ♗e7 9. f4 ♘c6 10. ♔h1 0−0 11. ♗e3 ♖e8 [RR 11... ♖d8 12. ♗d3 e5!? N (12... ♘d4 − 41/268) 13. fe5 de5 14. ♘f5 ♗f5 15. ♖f5 ♘d4 16. ♖f1 ♘e6!? (16... h6? 17. ♘d5! ♕d6 18. c3 ♘e6 19. ♕f3!± Mokrý 2525 − J. Polgár 2550, Wien 1991) 17. ♘d5 ♘d5 18. ed5 ♘f4± Mokrý] **12. ♗f3 ♗d7 13. ♘b3 ♘a5 14. g4!? N** [14. ♘a5 − 48/334] **♘c4** [14... ♘b3!? 15. cb3 ♗c6 16. ♖c1 △ b4-b5, ♘d5] **15. ♗c1 ♗c8** [15... ♗c6 16. g5 ♘d7 17. ♘d5] **16. g5 ♘d7 17. ♗g2** [△ ♖f3-h3, ♕h5] **♗f8 18. ♖f3 b6 19. ♖h3 g6 20. ♘d4 ♗b7** [20... ♗g7 21. b3 ♘a5 22. ♗b2 △ f5] **21. b3 ♘a5 22. ♕g4?!** [22. ♗b2 (△ f5) e5! (22... f5?! 23. ef5 ♗g2 24. ♔g2 gf5 25. ♕h5→) 23. ♘de2 ef4 24. ♘f4 ♕c5 25. ♕g4 ♖ad8 26. ♖d1 △ ♘fd5±] **♗g7 23. ♘de2 f5! 24. gf6** [24. ef5? ef5 25. ♕h4 ♗g2 26. ♔g2 ♖e2 27. ♘e2 ♕c2−+] **♘f6 25. ♕h4 e5?** [25... ♘h5 26. ♗b2∞] **26. f5! gf5 27. ♗h6! ♔h8** [27... f4? 28. ♖g1 ♔h8 29. ♗f3] **28. ♖g1 ♕f7 29. ♗g7 ♕g7 30. ♘g3! ♖g8** [30... f4? 31. ♘f5 ♕f8 32. ♗f3 △ ♖g7+−] **31. ♘f5 ♕f8 32. ♘e3 ♕g7 33. ♖f1⊕ ♖af8 34. ♖g3 ♕e7 35. ♘f5 ♕d7 36. ♘h6 ♖g3 37. ♕g3 ♕e7 38. ♕g5 ♘g8 39. ♖f8 ♕g5 40. ♘f7 ♔g7 41. ♖g8 ♔g8 42. ♘g5 1 : 0** **[Gluzman]**

221. **B 85**

KAMSKY 2595 − KASPAROV 2770
Tilburg (Interpolis) 1991

1. e4 c5 2. ♘f3 e6 3. d4 cd4 4. ♘d4 ♘f6 5. ♘c3 d6 6. ♗e2 a6 7. a4 ♘c6 8. ♗e3 ♗e7 9. 0−0 0−0 10. f4 ♕c7 11. ♔h1 ♖e8 12. ♗f3 ♖b8 13. ♕d2 ♗d7 14. ♖ad1 ♘a5 N [14... ♘d4 − 48/331; 14... b5!?] **15. b3!** [15. ♕f2 ♘c4 16. ♗c1 b5 (16... e5!?) 17. ab5 ab5 18. b3 ♘a5↑] **♖ec8** [15... ♖bc8?! 16. ♘de2 b5? 17. ab5 ab5 18. e5! de5 19. fe5 ♕e5 20. ♗d4 ♕d6 (20... ♕c7 21. ♗f6 ♗f6 22. ♘e4) 21. ♗f6 ♕d2 22. ♖d2 ♗f6 23. ♖d7 ♗c3 24. ♘c3 ♖c3 25. ♖a7!+−] **16. ♘de2 ♗e8 17. ♗a7!** [17. e5?∓; 17. g4?! b5 18. ab5 ab5 19. g5 ♘d7∓] **♖a8 18. ♗d4 ♘c6!** [18... ♘d7? 19. f5±→] **19. ♗f6 ♗f6 20. ♕d6 ♕b6?!** [20... ♕d6 21. ♖d6 *a)* 21... ♗c3?! 22. ♘c3 ♘b4 (22... ♘e5 23. ♘d5!±) 23. ♘e2 ♖c2 (23... ♘c2 24. ♖c1±) 24. ♖b6±; *b)* 21... ♗e7 22. ♖d2 ♘b4 23. e5 ♖c7 24. ♖c1 (24. ♘e4!?) ♖ac8 (24... ♗c5 25. ♘d1±) 25. ♘e4±; *c)* 21... g5! 22. g3 (22. fg5 ♗e5! 23. ♖d2 ♘b4∓; 22. e5 ♗e7 23. ♖dd1 gf4 24. ♘f4 ♖ab8∞) gf4 23. gf4 ♗c3 24. ♘c3 ♘b4 25. ♘e2 ♖c2 26. ♖b6 (26. e5 ♗c6∞) a5 27. ♖b7 ♖d8=] **21. e5 ♗e7 22. ♕d2 ♗b4 23. ♕d3** [23. ♕c1 ♘e5 24. a5! ♕a7! (24... ♕a5? 25. ♗b7±) 25. fe5 ♗c3 26. ♘c3 ♖c3∞] **♖d8 24. ♕e4 ♕c5 25. ♘a2** [25. ♘b1!? ♖d1 26. ♖d1 ♕f2 27. ♘bc3!±] **♗d2 26. c3** [△ b4, a5] **a5! 27. ♘ac1! ♗c1!** [27... ♕e3 28. ♕e3 ♗e3 29. ♘d3 △ ♘b2-c4±] **28. ♖c1 ♖ac8 29. ♘g3?** [29. ♖fd1 ♕b6! 30. ♕b1 ♕e3±; 29. ♕b1! ♕e3 30. ♘g3±] **♘b4!⇆** [29... ♘d4? 30. ♕b7!+−] **30. ♖cd1** [30. ♕b7 ♘d3 31. ♖c2 ♘f4⩱; 30. ♖fd1 ♖d1 31. ♖d1 ♘d5! 32. ♘e2 ♕b6⩱] **♕c3** [30... ♖d1 31. ♗d1! ♘d5 32. c4±] **31. ♕b7 ♕b3 32. ♖d8 ♖d8 33. ♕c7**

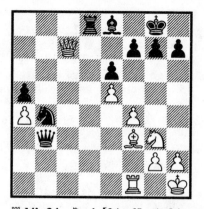

33... Rd4! 34. Ne4 [34. f5 *a)* 34... ef5? 35. Nf5! (35. Qb8? Qa4 36. Nf5 Qb5!∓) Qd3 36. Ng3±; *b)* 34... Qa4 35. fe6 fe6 36. Bh5 Bh5! (36... Qd7? 37. Qc5+−) 37. Nh5 Qd7=] **Qd3 35. Rg1** [35. Re1 h6 36. Nd6 (36. Qa5 Nc2) Rf4 37. Ne8 Rf3 38. gf3 Qf3 39. Kg1 Qg4=; 36... Qd2!?] **Re4** [35... h6!? *a)* 36. Nc5 Qc4! 37. Qc8 Kh7 (37... Kf8!?) 38. Qe8 Qc5 39. Qf7 Nd3→; *b)* 36. Nd6 Qe3 (36... Rf4? 37. Ne8 Rf3 38. Nf6!+−) *b1)* 37. Qc8? Nd3 38. Qe8 Kh7 39. Be4 Re4 40. Ne4 Qe4 41. Rf1 Qe2! 42. Rb1 Nf2 43. Kg1 Qe3 44. h3□ Nh3 45. Kh2 Nf4 46. Qb5 (46. Qf7 Qf2−+) Ne2−+; *b2)* 37. h3! Nd3 38. Rf1 Nf2 39. Rf2 Qf2 40. Qc8 Rf4 41. Qe8 Kh7 42. Qb5 g6=] **36. Qc8 Kf8 37. Qc5 Kg8 38. Qe7 g6 39. Qe8 Kg7 40. Be4 Qe4 41. Rf1** [41. Qd8 Qf4 42. Qf6 (42. Qa5 Nd3) Qf6 43. ef6 Kf6 44. Rc1 Nd3=] **Nd3!** [41... Nc2? 42. Qb5 Ne3 43. Qe2+−; 41... Qe2? 42. Qb5 Nd3 43. Qb1 h5 44. h3±] **42. Qb5** [42. Qd8 Qe2 43. Qf6 Kh6 44. Rb1 Qc2=] **Qe3!=** [42... Nf4? 43. Qb2! Nd3 (43... Qa4 44. Qf2 g5 45. h4! h6 46. g3+−) 44. Qd2±] **43. h3 Nf2 44. Kh2 Qf4 45. Kg1 Nh3 1/2 : 1/2**
[Kasparov]

222. **B 85**

VARAVIN 2455 – ŠESTOPEROV 2450
SSSR 1991

1. e4 c5 2. Nf3 e6 3. d4 cd4 4. Nd4 Nc6 5. Nc3 Qc7 6. Be2 a6 7. 0–0 Nf6 8. Be3 Be7 9. f4 d6 10. Kh1 0–0 11. Qe1 Bd7 12. Qg3 Kh8!? 13. Nf3!? Nb4! 14. e5 N [14. Rac1 d5 15. e5 Ne4 16. Ne4 de4 17. Nd2 Na2 18. Ra1 Nb4; 14. Bd3] **de5!?** [14... Nh5 15. Qh3 (15. Qf2 Nc2 16. Rac1 Ne3 17. Qe3 Qc5! 18. Qc5 dc5 19. Nd2 g6) Nc2 16. Bd2! Na1 17. Qh5 Nc2 18. Bd3 g6 19. Qh6 Nb4 20. Ne4!+−; 14... Nfd5! 15. Bd4 f6! 16. Nd5 Nd5 17. c4 (17. ef6 Bf6 18. Bf6 gf6 19. Nd4 e5 20. fe5 fe5∓) Nf4! 18. ef6 Bf6 19. Qf4 e5 20. Ne5 de5 21. Qg3∞] **15. fe5 Nfd5** [15... Nc2 16. ef6 Qg3 17. hg3 Bf6 18. Rfd1! Na1 (18... Bc6 19. Bc5!; 18... Rfd8 19. Bb6) 19. Rd7 Nc2 20. Bf4±] **16. Bg5! f6** [16... Bg5 17. Ng5 f6 18. Nd5 ed5 (18... Nd5 19. ef6 Qg3 20. fg7 Kg7 21. hg3±) 19. Qh4! fg5 20. Qb4 Rfe8 21. Bd3 a5 (21... Qe5 22. Rae1) 22. Qd4 Re5 (22... Qe5 23. Rf8) 23. Rf7 Rae8 24. Raf1⩱→] **17. Nd5 Nd5?!** [17... ed5! 18. ef6 Qg3 *a)* 19. fg7 Kg7 20. hg3 Bg5 21. Ng5 Nc2 22. Rac1 (22. Rf8 Rf8 23. Rc1 Rc8 24. Nh7 Nd4 25. Rc8 Bc8 26. Bd3 Ne6!) Rf1 23. Bf1 Bf5 24. g4 Bg6 25. Ne6 Kf6 26. Nf4 Ne3∓; *b)* 19. hg3 Bf6 20. Bf6 Rf6 21. Nd4±] **18. c4! fg5□ 19. cd5 ed5 20. Ng5 Bf5 21. Bd3! Bg5** [21... Bd3 22. Rf8 Bf8 (22... Rf8 23. Ne6) 23. Qd3 g6 24. Qd5+−; 21... Qd7 22. Bf5 Rf5 23. Nf7 Kg8 24. Nh6+−] **22. Rf5 Rf5 23. Bf5**↑▭ **Qe7** [23... Bc1 24. Qh4 g6 (24... h6 25. Qg4 g5 26. Qh5) 25. Bg6 Rf8 26. Bd3 Rf4 27. Qe1 Bb2 28. e6 Bf6 (28... Ba3 29. Rc1!) 29. Rc1↑] **24. Qh3 Bh6 25. Re1 Qb4 26. Rf1 Rf8** [26... Qb2 27. Bc8! Qb4 28. Qd7+−; 26... Re8 27. g4 Qd2 28. Bd7 Rd8 29. e6 Bg5 30. Qf3→] **27. g4! g6?** [27... Qe7 28. e6 d4 29. Re1] **28. Qh6 gf5 29. Qf4!+− Qb2** [29... Qf4 30. Rf4 d4 (30... Re8 31. Rf5 d4 32. Kg2 d3 33. Kf2 Rd8 34. Ke1 d2 35. Kd1 Kg7 36. e6) 31. e6! (31. gf5 d3 32. f6 Rd8 33. Rf1 d2 34. Rd1 Kg8 35. e6 Rd6 36. Rg1 Kf8 37. e7 Kf7 38. Rd1=) d3 32. Rd4 Kg7 (32... fg4 33. e7 Re8 34. Rd8) 33. Rd3 fg4 34. Rd7 Kf6 35. e7 Re8 36. Rb7 Re7 37. Re7 Ke7 38. Kg2 Kf6 39. Kg3 Kg5 40. b4 h5 41. a4 h4 42. Kg2 Kf4 43. a5 Ke5 44. b5 Kd6 45. b6] **30. e6! Rg8 31. Qf5 Qg7 32. Qd5 Qg4 33. e7 Qg7 34. Qg8! 1 : 0** **[Varavin]**

223. **B 86**

B. IVANOVIĆ 2470
– RAŠKOVSKIJ 2540
Skopje 1991

1. e4 c5 2. ♘f3 d6 3. d4 cd4 4. ♘d4 ♘f6 5. ♘c3 a6 6. ♗c4 e6 7. ♗b3 ♘bd7 8. ♗g5 ♘c5 9. ♕f3 N ♗e7 10. 0-0-0 ♗d7 11. ♖he1?! [11. ♔b1! △ g4, ♖g1] **♕c7 12. ♔b1 0–0!= 13. g4 b5 14. ♗h4?!** [14. ♗c1] **♖ab8!?** [14... b4?! 15. g5 ♘e8 16. ♘f5! (16. ♘d5∞) ♗d8 (16... ef5? 17. ♘d5 ♕d8 18. ef5+–) 17. ♘d5!∞] **15. g5 ♘e8 16. ♖e3** [△ ♕h5] **g6 17. ♘f5?! ♗c6?!** [17... ef5! 18. ♘d5 (18. ef5 ♗d8 19. ♘d5 ♕b7–+) ♕d8 19. ef5 (19. ♘e7 ♕e7 20. ef5 ♕d8–+) ♗g5 20. fg6 hg6 21. ♖g1 ♗h4!–+] **18. ♘h6** [18. ♘e7 ♕e7 19. ♘d5 ♗d5 20. ed5 e5∓] **♔g7 19. ♘d5 ♗d5** [19... ed5? 20. ed5 ♗a8 21. ♖de1+–] **20. ed5 e5∓ 21. c3 ♘b3 22. ab3 f5?!** [22... f6! 23. gf6 ♗f6∓] **23. ♕e2! f4 24. ♖e4⊕ a5 25. f3 ♔h8 26. c4 bc4 27. bc4 ♘g7 28. ♕c2 a4 29. ♖d3 ♘f5 30. ♘f5 gf5 31. ♖e2 ♖b4 32. ♗e1?** [32. ♖c3 a3 33. b3 h6∓] **♖c4–+ 33. ♖c3 ♖c3 34. ♗c3 ♕b7 35. ♕a4 ♕d5 36. ♖f2 ♗g5 37. ♖d2 ♕e6 38. ♕a5 ♗e7 39. b4 ♖c8 40. b5 ♕b3 41. ♗b2 ♕f3 42. b6 ♕h1 43. ♔a2 ♖a8**
0 : 1 **[Raškovskij]**

224.* **B 86**

ISTRĂȚESCU 2420 – VOTAVA 2395
Rishon Lezion 1991

1. e4 c5 2. ♘f3 d6 3. d4 cd4 4. ♘d4 ♘f6 5. ♘c3 a6 6. ♗c4 e6 7. ♗b3 ♘bd7 8. ♗g5 ♘c5 9. f4 ♗e7 10. ♕e2 [10. ♕f3!? N ♕c7 11. 0-0-0 b5 12. ♗f6!? ♗f6 13. ♘f5!? ♘b3 14. ab3 ef5 15. ♘d5 ♕b7! (15... ♕d8? 16. e5±; 15... ♕b8 16. ef5 ♗f5 17. ♖he1 ♔f8 18. g4 ♗e6 19. ♘f6 gf6 20. f5 ♗d7 21. ♕c3↑) 16. ef5 0–0 17. ♘f6! (17. ♖he1? ♔h8!∓ 18. g4 ♗d8! 19. ♕h3?! f6 20. ♕h5 ♔g8!–+ Istrățescu 2420 – Akopjan 2590, Mamaia 1991) gf6 18. ♕g4 ♔h8 19. ♕h4 ♕e7 20. ♖he1 ♕d8 21. g4 △ ♖d3-e3$\overline{\overline{\infty}}$↑] **h6 11. ♗f6 ♗f6 12. 0-0-0 ♗d7** [12... ♕c7 – 52/(233)] **13. ♔b1 ♕c7 14. g4!? N** [14. ♖he1 – 48/339] **b5** [14... g5!? 15. f5 0-0-0 16. ♕e3!?±] **15. a3! ♘b3** [15... g5?! 16. ♕f3!± △ 16... gf4 17. e5! de5 18. ♕a8 ♔e7 19. ♘f5!+–] **16. cb3 ♖c8 17. h4± ♕b6** [17... ♕c5 18. b4 ♕c4 19. ♕e3 △ e5±] **18. e5 de5 19. fe5 ♗e7 20. ♘e4 ♗c6 21. ♘c6 ♕c6 22. ♖hf1?!** [22. ♖hg1! △ 22... 0–0 23. g5 h5 24. ♘f6!+–] **0–0 23. g5 h5□ 24. ♘f6 ♗f6 25. gf6 g6 26. ♖g1 ♔h7± 27. ♖g5** [△ ♖h5] **♔h6□ 28. ♔a2!** [△ 29. ♖h5! gh5 30. ♕e3 ♔h7 31. ♕g5+–] **♖g8!** [28... ♕c2? 29. ♕e3 ♔h7□ 30. ♖d7 (△ ♕a7) ♖c7 (30... ♖cd8 31. ♖c7!+–) 31. ♖c7 ♕c7 32. ♖h5! gh5 33. ♕g5 ♖g8 34. ♕h5#] **29. ♖d6 ♕c1!** [29... ♕b7? 30. ♕e3 ♔h7 31. ♖b6! ♕a7 32. ♕e4! ♔h6 33. ♖b7+–] **30. ♖g2 ♖gd8 31. ♕d3 ♖d6 32. ♕d6 ♕c6 33. ♕d2 ♔h7 34. ♖g5 ♕c1 35. ♕d7 ♕c7** [35... ♖c7 36. ♕e8+–] **36. ♕d3 ♔h6?** [36... ♔g8!±] **37. ♕d2!+– ♕c1 38. ♕d6?⊕** [38. ♖g6! ♔g6 39. ♕d3 ♔h6 40. ♕g3+–] **♕c6?** [38... a5] **39. ♕d2 ♕c1 40. ♕d6?** [40. ♖g6!+–] **♕c6 41. ♕d2 ♕c1** **1/2 : 1/2**
[Stoica, Istrățescu]

225.* !N **B 86**

ANAND 2670 – KING 2505
Calcutta 1992

1. e4 c5 2. ♘f3 d6 3. d4 cd4 4. ♘d4 ♘f6 5. ♘c3 a6 6. ♗c4 e6 7. ♗b3 ♘bd7 8. f4 ♘c5 9. f5 ♗e7 10. 0–0 e5 N [RR 10... 0–0 11. fe6 fe6 12. ♘f5 b5! N (12... ♘b3 – 48/(342)) 13. ♗g5 b4 14. ♘e7 ♕e7 *a)* 15. ♘d5?! ed5 16. ♗f6 gf6 17. ♗d5 ♗e6 18. ♗a8 ♖a8 19. ♕d4 ♖e8! (S. Nikolov 2380 – Topalov 2485, Šumen 1991) 20. ♖f6 ♘e4 21. ♖f4 d5∓; *b)* 15. ♗f6 ♖f6 16. ♖f6 ♕f6 17. ♘d5 ♕g5 18. ♕f3 ♘b3 19. ♖f1+–; 17... ♕d8!∞ Topalov] **11. ♘de2 h6** [11... ♘b3 12. ab3 b5 13. ♗g5 ♗b7 14. ♗f6 ♗f6 15. ♘d5∞] **12. ♗e3 ♘b3 13. ab3 0–0 14. ♘g3 b5 15. ♘h5** [15. ♘b5!? d5 16. ed5 ♘d5 17. ♕e2∞] **♗b7 16. ♘f6 ♗f6 17. ♘d5 ♗g5 18. ♗f2** [18. ♗g5! hg5 (18... ♕g5 19. ♖f3 △ ♖g3±) 19. f6! (19. ♖f3 ♖c8 20. ♖h3 ♗d5 21. ed5 ♕b6 22. ♔h1 f6∞) ♗d5 20. fg7 ♔g7 (20... ♗e4 21. gf8♕ ♕f8 22. ♖f6!±) 21. ♕d5±] **b4! 19. ♗b6** [19. c4!? bc3 20.

bc3 ♗d5 21. ♕d5 ♕c7 22. c4±] **♕d7** [19... ♕b8!? 20. ♗a5 (20. ♗c7 ♕a7 21. ♗b6=) ♖c8 21. c3 ♗d5 22. ed5 (22. ♕d5 ♖c5 △ ♖a5−+) bc3 23. bc3⇆] **20. f6** [20. ♗c5 a5 21. ♘b6 ♕c6]

20... ♗d5! 21. fg7 ♖fb8 22. ♕d5 ♕b7 23. ♕b7 ♖b7 24. ♗f2 ♖c7 25. ♖ad1? [25. ♗e1! ♖c2 26. ♗b4=] **♖c2 26. ♖d6 ♖d8! 27. ♖d8** [27. ♖a6 ♖dd2−+] **♗d8 28. ♗e3 ♔g7?** [28... ♖b2! (Anand) 29. ♗h6 ♖b3 △ ♖c3, b3−+] **29. ♖f2= ♖c6 30. ♖e2** [⌓ 30. ♖d2] **♔g6 31. ♔f2 f5 32. ♔f3 ♗g5 33. ♗f2 h5 34. g3?** [34. ♗g3=] **♖d6−+ 35. h4 ♖d3 36. ♔g2 ♗d2 37. ♗c5 fe4 38. ♖e4 ♔f5 39. ♖c4 ♖b3 40. ♖c2 ♗e3** [⌓ 40... ♗e1] **41. ♗e3 ♖e3 42. ♖c6 a5?** [42... ♖e2 43. ♔f3 ♖b2 44. ♖a6 ♖b1 △ b3-b2−+] **43. ♖h6 ♔e4 44. ♖h5 ♖e2 45. ♔h3 ♖b2** [♖ 6/d] **46. ♖h6 a4 47. ♖a6 a3 48. h5 ♖b1 49. ♔g2 ♖b2 50. ♔h3 ♖b1 51. ♔g2 ♖c1 52. h6 ♖c2 53. ♔h3 ♖c7−+ 54. ♖a4 ♖b7 55. ♔h4 ♔d5 56. g4 b3 57. ♖a5 ♔e4 58. ♖a4 ♔d5 59. ♖a5 ♔e6 60. ♖a6 ♔f7 61. g5 b2 62. g6 ♔e7 63. g7 b1♕ 64. g8♘ ♔f7 0 : 1** **[King]**

226.* !N **B 88**

BOSCH 2250 –
CIFUENTES PARADA 2535

Nederland 1991

1. e4 c5 2. ♘f3 ♘c6 3. d4 cd4 4. ♘d4 ♘f6 5. ♘c3 d6 6. ♗c4 e6 7. ♗b3 ♗e7 8. 0−0 0−0 9. ♗e3 a6 10. f4 ♘d4 11. ♗d4 b5 12. e5 de5 13. fe5 ♘d7 14. ♘e4 ♗b7 15. ♘d6 ♗d6 16. ed6 ♕g5 17. ♖f2 a5 18. a4 ♖a6 [RR 18... e5 19. ♗c3 b4 20. ♗d2 ♕g6 21. c3 ♘c5! N (21... ♕d6 − 39/312) 22. ♗c2 ♗e4 23. ♗e1 ♗c2 24. ♕c2 (24. ♖c2 ♘b3∓ A. N. Pančenko) ♕d6 25. cb4 ♘d3 26. ba5 ♘f2∓ T. Yilmaz 2340 − A. N. Pančenko 2445, Čeljabinsk II 1991] **19. ab5 ♖d6 20. ♕d2 ♕b5! N** [20... ♕h5? − 37/271] **21. ♕c3?!** [21. ♖a5 ♕c6 22. ♕f4!? e5 23. ♗f7 ♔h8 24. ♖e5 ♘e5 25. ♕e5 ♖f6!□ 26. ♕f6 (26. ♗b3? ♕g2!−+) gf6 27. ♗f6 ♕f6 28. ♖f6 ♔g7=] **e5 22. ♗e3 ♘f6!∓ 23. ♗c5 ♖c8 24. ♗d6 ♖c3 25. bc3 h5 26. c4 ♕e8 27. c5 e4 28. ♖e1** [28. ♖a5 e3 29. ♖e2 ♘g4 30. h3 ♘f2∓] **e3 29. ♖f4** [29. ♖fe2 ♕e4∓] **♘d5 30. ♗d5** [30. ♖f5 ♕e4 31. ♖e5 ♕b4!∓] **♗d5 31. ♖d4 ♕e6 32. ♗f4 e2 33. ♔f2 ♕f6 34. ♔e3 ♕e7 35. ♔d2 ♕c5 36. ♗e3 ♕c6 37. ♖e2 a4 38. g3 a3 39. ♖e1 ♗e4!−+ 40. c4 a2 41. ♔c3 ♕a4 42. ♖e4 ♕a5 43. ♔b2 ♕e1 44. ♖e8** [44. ♔a2 ♕e2 45. ♔a1 ♕f1] **♔h7 45. ♔a2 ♕c3 0 : 1**
[Cifuentes Parada]

227. **B 89**

NIJBOER 2465 – D. GARCÍA 2370

Groningen (open) 1991

1. e4 c5 2. ♘f3 d6 3. d4 cd4 4. ♘d4 ♘f6 5. ♘c3 ♘c6 6. ♗c4 e6 7. ♗e3 ♗e7 8. ♕e2 a6 9. ♗b3 ♕c7 10. f4 b5 N [10... 0−0 − 48/351] **11. f5 ♘d4□** [11... e5 12. ♘c6 ♕c6 13. ♗g5± △ ×d5] **12. ♗d4 b4 13. e5** [13. fe6? bc3 14. ef7 ♔f8 15. bc3 a5!∓; 13. ♘a4? e5 14. ♘b6 (14. ♗f2 ♗b7? 15. ♘b6 ♖b8 16. ♘d5 ♘d5 17. ed5±; 14... ♖b8!∓) ed4 15. ♘a8 ♕c6 16. 0-0-0 0−0! (16... ♕a8 17. e5 ♕e4 18. ♖he1 ♕e2 19. ♖e2 de5 20. ♖e5∞) 17. ♖d4 ♕a8∓] **de5** [13... bc3 14. ef6 cb2 15. fe7!? (15. ♗b2 ♕a5! 16. ♔d1 ♗f6 17. ♗f6 gf6 18. fe6 fe6 19. ♗e6 ♕e5=) ba1♕ 16. ♗a1 e5 17. f6! gf6 18. ♕f3 ♖b8 19. ♕f6 ♖b3□ 20. ♕h8 ♔e7 21. ab3 ♕a5 22. ♔e2 ♗g4 23. ♔e3 ♕c5 24. ♔d2 ♕f2 25. ♔c1 ♗f5 26. ♔b2 ♕c2 27. ♔a3 ♕c5 28. b4? ♕e3 29. ♔a4 ♗c2 30. ♔a5 ♕a3 31. ♔b6 ♕b4 32. ♔a7 ♕c5 33. ♔a6 ♗d3 34. ♔b7 ♕a5!−+; 28. ♔b2=] **14. ♗e5 ♕a5 15. ♘b1?!** [15. fe6! ♗e6 (15... bc3 16. ef7 ♔f8 17. ♗c3±) 16. ♗e6 fe6 17.

♘b1 b3 18. ♘c3 bc2 19. 0–0 0–0 20. ♖ae1± **ef5!** [15... 0–0 16. fe6 ♗e6 17. ♗e6 fe6 18. ♘d2 ♘d5 19. ♕g4 ♗f6 20. ♕e6 ♔h8 21. ♘b3! ♕b5 22. 0-0-0±; RR 21... ♖ae8! 22. ♕e8 ♖e8 23. ♘a5 ♖e5∞∞ 24. ♔d1! (24. ♔f2 ♖f5 25. ♔g3 ♗e5 26. ♔h3 ♘e3! △ ♖h5♯) ♘e3 25. ♔d2 ♖a5 26. ♔e3 ♗b2 27. ♖ad1 h6 △ ♖a2 S. Veličković] **16. ♗d4?!** [16. ♗f6 gf6 17. ♘d2 ♕e5 18. ♘f3= ♕b2? 19. 0–0→; 16. ♘d2∞∞] **♗e6?!** [16... ♘e4 17. ♗g7 ♖g8 18. ♗d4 ♗b7→] **17. ♗e6 fe6 18. ♕e6 ♕d5 19. ♕d5 ♘d5 20. ♘d2 0–0 21. 0-0-0± ♖ac8 22. ♘f3 g5 23. h3 ♖c6 24. ♗e5 ♖c5** [24... ♘e3 25. ♖d7 ♖e6 26. ♖e7 ♖e7 27. ♗d6] **25. ♖he1 g4 26. ♗d4** [26. ♘d4 ♘e3! 27. ♖e3 ♗g5 28. ♗d6 ♗e3 29. ♔b1 ♗d4 30. ♗f8 ♔f8 31. ♖d4 ♖e5∞; 26. hg4 fg4 27. ♗d4 ♖c7 28. ♘e5±] **gf3 27. ♗c5 ♗c5 28. gf3!** [28. ♖d5 ♗f2! 29. ♖dd1 fg2 30. ♖g1 ♗g1 31. ♖g1=] **♘e3 29. ♖d7 ♖c8 30. ♖g1 ♔f8 31. ♖gg7 ♘c2? 32. ♖df7** [32. ♖c7? ♖c7 33. ♖c7 b3! 34. ab3 ♘d4=] **♔e8 33. ♔c2** 1 : 0 [Nijboer]

228.*** B 89**

HECTOR 2500 – FISHBEIN 2460
Stavanger 1991

1. e4 c5 2. ♘f3 ♘c6 3. d4 cd4 4. ♘d4 ♘f6 5. ♘c3 d6 6. ♗c4 e6 7. ♗e3 a6 8. ♕e2 ♕c7 [RR 8... ♘d4 9. ♗d4 b5 10. ♗b3 ♗e7 11. 0-0-0 0–0 12. e5 N (12. f4 b4 13. ♘a4 ♘d7 14. f5 e5 △ ♗b7∞; 13... ♗b7 – 29/380) de5 13. ♗e5 (13. ♕e5!?) ♕b6 14. ♘e4 ♘d7! a) 15. ♗d4 ♕c7 16. ♖he1 ♖b8 17. ♕g4 e5 18. ♕g3 ♗b7 19. ♗c3 ♗e4 20. ♖e4 ♗f6 (Rublevskij 2420 – A. N. Pančenko 2445, Čeljabinsk II 1991) 21. f4! ♘c5! 22. ♖e5 ♘b3 23. ab3 ♖fc8∞∞; 23... ♖bc8∞∞; 16. ♔b1!?; b) 15. ♗d6 ♗d6 16. ♖d6 (16. ♘d6 ♘c5=) ♕c7 17. ♖hd1 ♘c5± A. N. Pančenko] **9. 0-0-0 ♗e7** [RR 9... ♘a5 10. ♗d3 b5 11. g4 b4 12. ♘b1 e5 N (12... ♗b7 – 45/(285)) 13. ♘f5 ♗e6 14. b3 g6 15. g5 ♘d7 16. ♘h6 ♗g7 17. h4 ♘c5 18. ♘d2 ♖c8 19. ♔b1 ♘d3 20. ♕d3 ♕c3 21. h5 ♘b7 22. ♕a6 ♕c2 23. ♔a1 ♕c3 24. ♔b1 ♕c2 25. ♔a1 1/2 : 1/2 Nunn 2615 – V. Salov 2655,

Wijk aan Zee 1992] **10. ♗b3 ♘a5** [RR 10... 0–0 11. ♖hg1 a) 11... ♘d7 12. g4 ♘c5 13. g5 b5 14. ♕h5 b4 15. ♘c6 ♘b3 16. ab3 ♕c6 17. ♗d4 ♗d7 18. ♖g4 ♖fc8!? N (18... bc3 – 51/(241)) 19. ♖h4 ♔f8□ (19... ♗g5? 20. ♕g5 e5 21. ♖g1 g6 22. ♕f6! bc3 23. ♖h7!+– Golubev 2465 – Kožul 2560, Skopje 1991) 20. ♕h7! (20. ♖f4 ♗e8! 21. ♕f7 ♘d8∞) ♗g5 21. f4! e5 22. fg5! ed4 23. ♕h8 ♔e7 24. ♕g7 ♗e6 25. ♖f1!↑ △ ♖f7 Golubev; b) 11... b5 12. g4 b4 13. ♘c6 ♕c6 14. ♘d5 ed5 15. g5 ♘e4 16. ♗d5 ♕a4 17. ♗d4 N (17. ♗e4 – 52/239) ♗f5 18. ♗e4 ♗e4 19. ♕e4 ♖fe8 20. ♕d5 ♗f8 21. ♕b3 ♕b3 22. ab3 a5 23. ♔d2 ♖e4! 24. ♗e3 ♖h4 25. ♔e2 g6 26. ♖d5 a4 27. ba4 ♖a4 28. ♖b5 ♖a8 29. ♗d2 ♖c8= W. Watson 2525 – Weindl 2350, San Bernardino 1991; 20. ♔b1!?] **11. g4 b5 12. g5 ♘b3 13. ab3 ♘d7 14. ♘f5 ef5 15. ♘d5 ♕d8 16. ef5 ♗b7 17. f6 gf6 18. ♖he1 ♗d5 19. ♖d5 ♖g8 20. ♗f4** [RR 20. gf6 ♘f6 21. ♖f5 ♗b8 22. ♗a7 ♖b7 23. ♗d4 ♘g4 24. ♕f3 ♕c8 25. ♕d5 ♘h6 26. ♖h5 ♖g6 27. ♗e3 N (27. f4) a) 27... ♖c7? 28. ♖h6 ♖c2 29. ♔b1 ♕c6?! 30. ♕d3 ♖h6 31. ♗h6 ♖c5 32. ♗g7! ♔d8 33. ♗d4! (33. ♕h7 ♕f3!= B. Ivanović 2470 – P. Popović 2550, Jugoslavija (ch) 1991) ♖h5 (33... ♕d5 34. ♕e3+–; 33... ♖d5 34. ♕e4+–) 34. ♕e2+–; 29... b4 △ ♖b2; b) 27... ♘g8 28. ♖h7±; c) 27... ♘g4! 28. ♖h7 ♖e6∓ P. Popović] **♔f8 21. ♕d2 ♖g5 22. ♗g5 fg5 23. h4 a5!? N 24. hg5?** [24. ♖b5 a4?! 25. ♕d4!; 24... ♘c5! ×♖b5] **a4 25. b4 a3 26. b3?** [26. ba3 ♖a3 27. ♕d4 ♗g5? 28. ♖g5 ♕g5 29. ♔b2 ♖a8 30. ♕d6=; 27... ♔g8!∓ △ ♗f8-g7] **♘e5!–+ 27. f4 a2 28. ♔b2 ♘f3 29. ♕c3 ♗f6 30. gf6 ♘e1 31. ♖d1 ♘c2!** 0 : 1 [Fishbein]

229. **B 89**

P. WOLFF 2545 – D. GUREVICH 2470
Los Angeles 1991

1. e4 c5 2. ♘f3 d6 3. d4 cd4 4. ♘d4 ♘f6 5. ♘c3 ♘c6 6. ♗c4 e6 7. ♗e3 a6 8. ♕e2 ♗e7 9. 0-0-0 ♕c7 10. ♗b3 ♘a5 11. g4 b5 12. g5 ♘b3 13. ab3 ♘d7 14. h4 b4 15. ♘a4 ♘c5 16. h5 ♗d7 17. ♔b1 ♘e4? N

[17... ♗a4 – 50/(271)] **18. g6 f5 19. h6!** [19. ♘b6!? ♕b6 20. ♘f5 *a)* 20... ♕b5 21. ♘g7 ♔d8 (21... ♔f8 22. ♕f3) 22. ♗b6 ♕b6 23. ♕e4 d5 24. ♕e5⩱; *b)* 20... ♕b7 21. ♘g7 ♔f8? 22. ♗h6 ♔g8 23. ♘f5 ef5 24. ♕c4; 21... ♔d8! △ 22. ♗b6 ♔c8] **hg6 20. f3!** [20. hg7? ♖g8 21. f3 ♘f6 22. ♕g2 ♔f7∓] **♘c5** [20... ♘g3 21. hg7 ♖g8 22. ♕g2 d5 23. f4+– ♘h1 24. ♕g6 ♔d8 25. ♕f7; 20... e5 21. fe4 ed4 (21... gh6 22. ef5+–) 22. ♕g2!?±→; 20... ♘f6 21. ♕g2 0-0-0 (21... ♔f7 22. ♖dg1+–; 21... gh6 22. ♕g6 ♔d8 23. ♘e6 ♗e6 24. ♗b6+–) 22. hg7 ♖h1 23. ♖h1± △ 23... e5 24. ♕g6! ed4 25. ♗d4+–] **21. ♘c5 dc5 22. ♗f4! ♕b6□** [22... ♕f4 23. hg7 ♖g8 24. ♘e6 ♕b8 (24... ♗b5 25. ♕g2) 25. ♘g5+– △ ♖h8; 22... ♕c8 23. ♕e5!+– ♗f6 (23... ♖h6 24. ♗h6 ♗f6 25. ♕g3) 24. hg7 ♗e5 25. gh8♕ ♗h8 26. ♖h8] **23. ♕e5?!** [23. ♗c7! ♕c7 24. ♘e6 *a)* 24... ♗e6 25. ♕e6 gh6 (25... ♖h6 26. ♕g8 ♗f8 27. ♖he1) 26. ♕g6 ♔f8 27. ♕f5 ♔e8 28. ♕g6 ♔f8 29. ♖h5+–; *b)* 24... ♕a7 25. hg7 ♖g8 26. ♘g5+– △ ♖h8; *c)* 24... ♕c6 25. hg7 ♖g8 26. ♘f8!!+– ♕f6 (26... ♖f8 27. gf8♕ ♔f8 28. ♖h8; 26... ♕b5 27. ♕e3 ♖d8 28. ♖h8 ♔f7 29. ♖g8; 26... ♗c8 27. ♖h8‖) 27. ♖d7 ♖g7 (27... ♕g7 28. ♘e6+–) 28. ♖h8! ♖f7 (28... ♔f7 29. ♕c4) 29. ♘g6 ♔d7 30. ♘e5; *d)* 24... ♕b6 25. hg7 ♖g8 26. ♘f8!+–] **♖h6!□** [23... ♗f6 24. hg7 ♗e5 (24... ♖h1 25. ♕f6!) 25. ♖h8 ♔f7 26. ♗e5 ♕b7 27. ♖dh1 cd4 28. ♖1h7!+–; 23... cd4 24. ♕g7 0-0-0 25. ♕e7+–; 23... 0-0-0 24. hg7 ♖he8 (24... ♖h1 25. ♖h1 cd4 26. ♖h8+–; 24... ♖hg8 25. ♘c6! ♗c6 26. ♕e6+–) 25. ♘c6! ♗c6 26. ♖d8 ♖d8 (26... ♕d8 27. ♕b8 ♔d7 28. ♖d1 ♗d5 29. ♕b7+–; 26... ♗d8 27. ♖h8+–; 26... ♔d8 27. ♖h8+–) 27. ♕e6+–] **24. ♗h6 gh6** [24... ♗f6 25. ♕g3+–] **25. ♖h6** [25. ♕h8!? (D. Gurevich) ♗f8 26. ♕f6 cd4 27. ♖d4 ♖d8 28. ♖hd1 ♕c7∞] **0-0-0** [25... cd4? 26. ♖h8 ♗f8 27. ♖f8! ♔f8 28. ♕f6 ♔e8 29. ♖h1 ♗c6 30. ♖h7+–] **26. ♘e2± ♕c7!** [26... g5 27. ♖h7 ♗f8 (27... ♖e8 28. ♘g3! ♕c7 29. ♕e2!) 28. ♕f6! ♗d6□ 29. ♕g5] **27. ♕c7?** [27. ♕e3! g5 (27... ♖g8 28. ♖h7 △ ♘f4+–) 28. ♖h7 (28. ♖e6? f4 29. ♕e4 ♗e6 30. ♕a8 ♕b8 31. ♕a6 ♔c7 32. ♖d8 ♕d8 33. ♕e6 ♕d1 34. ♘c1 ♗d6) ♖e8 (28... ♗f6 29. ♖dd7 ♖d7 30. ♕e6+–; 28... ♗d6 29. ♕d3+–; 28... ♗f8 29. ♕g5+–) 29. f4! gf4 (29... g4 30. ♘g3 ♕d8 31. ♕e2! ♔b7 32. ♘h5+–) 30. ♘f4 ♗d6 (30... ♕c6 31. ♘g6 ♗d6 32. ♘e5 ♗e5 33. ♕e5 ♖d8 34. ♖d6 ♕c7 35. ♖e6+–; 30... ♕b6 31. ♘g6 ♗d6 32. ♕d3 ♔c7 33. ♘e5+–) 31. ♕d3 ♗f4 32. ♖d7 ♕c6; 31. ♘g6!+–→] **♔c7 28. ♖g6 ♗e8!?** [28... ♗d6] **29. ♖d8 ♗g6** [♖ 9/c] **30. ♖a8!? ♗d6** [30... ♔b7?? 31. ♖g8+–; 30... ♔b6 31. ♘f4±; 30... ♗h5!? 31. ♖a7 ♔d6 (31... ♔d8 32. ♘f4 ♗f3 33. ♘e6 ♔e8 34. ♘g7) 32. ♖a6 ♔d7□ *a)* 33. ♘f4 ♗f3 34. ♖e6 (34. ♘e6 ♗d6! 35. ♘g5 ♗b7 ×♖a6) ♗d6⇆ ♙f; *b)* 33. ♘g1 ♗d6±] **31. ♖h8** [31. ♖a6 ♗h5 32. ♘g1 ♗h2!? 33. ♖a7 ♔d6 34. ♖h7 ♗g1 35. ♖h5 ♗d4 (35... ♔e5 36. ♖h4 ♗d4 37. c3!) 36. c3! bc3 37. bc3 ♗c3 38. ♔c2+–] **♔d7 32. ♔c1 ♗e8 33. ♔d2 ♗e5 34. ♖h7 ♔d6 35. c3⊕** [35. ♖a7!?] **♗c6⊕** [35... ♗b5!?] **36. f4 ♗f6 37. ♘c1?** [37. ♖h6! ♗g7 (37... ♔e7 38. ♘g3!) 38. ♖g6 ♗f8□ (38... ♗h8 39. ♘g3! △ 39... ♔d7 40. ♖h6 ♗g7 41. ♖h7) 39. ♘c1+– △ ♘d3-e5] **♗b5 38. ♖h6 ♗g7** [38... ♔e7 39. ♘d3!? (39. c4 ♗c6 40. ♘d3 ♗d4 41. ♘e5 ♗e8!±) bc3 40. bc3 c4 41. bc4 ♗c4 42. ♘e5!+–] **39. ♖g6 ♗f8?** [39... ♗h8□ 40. ♖g8 ♗f6 41. ♖f8 ♗g7 (41... ♔e7 42. ♖c8 ♔d6 43. ♘d3+–) 42. ♖f7 ♗h8±] **40. c4 ♗c6 41. ♘d3 a5 42. ♘e5 ♗e4 43. ♘f7 ♔d7 44. ♘g5 e5 45. ♘e4 fe4 46. f5 1 : 0**
[P. Wolff]

230. **B 90**

I. GUREVICH 2495 – PALAC 2495

Kecskemét 1991

1. e4 c5 2. ♘f3 d6 3. d4 cd4 4. ♘d4 ♘f6 5. ♘c3 a6 6. a4 ♘c6 7. ♗e2 e5 8. ♘c6 bc6 9. f4 a5 10. ♗e3 N [10. 0–0 – 50/(275)] **♗e7?!** [10... ♘d7 11. 0–0 ♗e7=] **11. fe5 de5 12. ♕d8 ♗d8 13. 0-0-0 ♗e6?** [13... ♗e7□ 14. ♗b6 ♗e6 15. ♗c7 ♘d7 16. b3±] **14. ♖d6!± ♗d7 15. ♗c4 ♗e7 16. ♖d3 0–0 17. ♗b6** [△ ♗c7] **♖fc8 18. ♖f1?** [18. h3 ♗e6 19. ♗e6 fe6 20. ♖e1 ♖a6 21. ♗g1±] **♗e6 19. ♗e6 fe6 20. h3**

c5! 21. ♘b5 ♖ab8? [21... ♖c6! 22. ♗c7 c4 23. ♖dd1 ♘e4 24. ♖fe1 ♘c5∓] **22. ♘a7! ♖e8 23. ♗a5 ♘e4 24. ♖e1 c4 25. ♖dd1 ♘c5 26. ♘c6 ♗g5 27. ♔b1 ♖bc8** [27... ♘a4!? 28. ♘b8 ♖b8 29. b3 cb3 30. c3±] **28. ♖e5 ♖c6 29. ♖g5 h6!?** [29... ♘a4 30. ♖d7 g6 31. h4±] **30. ♖g4 ♘a4 31. ♖d7 g5 32. h4 e5 33. hg5 h5 34. ♖h4 e4 35. ♖h5 e3 36. ♖hh7 ♖g6** [36... e2 37. ♖hg7 ♔h8 38. ♖ge7+−] **37. ♖he7 ♖e7 38. ♖e7 ♖g5 39. ♗b4 ♖g2 40. ♖e3 ♖g4?!** [40... ♖g1 41. ♔a2 ♖g2 42. ♖a3 ♘b6 43. c3 ♘d7 44. ♗d6±] **41. ♖e6!+− c3 42. bc3 ♖c4 43. ♔a2 ♖c7 44. ♔b3 ♔f7 45. ♖d6 ♘c5 46. ♗c5 ♖c5** [♖ 4/g] **47. c4 ♔e7 48. ♖d5 ♖c8 49. c5 ♔e6 50. ♔c4 ♖c7 51. ♖d2 ♖c8 52. ♔b5 ♖b8 53. ♔a6 ♖b4 54. c6 ♖c4 55. ♔b7 ♖b4 56. ♔c8 ♖c4 57. c7 ♔e7 58. ♔b7 ♖b4 59. ♔c6 ♖c4 60. ♔b6 ♖b4 61. ♔c5**
1 : 0   [I. Gurevich]

231.   **B 90**

HALLEBEEK 2370 −
A. PETROSJAN 2505
Eeklo 1991

1. e4 c5 2. ♘f3 d6 3. d4 cd4 4. ♘d4 ♘f6 5. ♘c3 a6 6. ♗e3 e5 7. ♘b3 ♗e6 8. ♕d2 ♘bd7 9. f3 ♖c8 10. g4 ♗e7 11. 0-0-0 b5!? N [11... ♘b6?! − 35/(338)] **12. g5 ♘h5 13. ♘d5 ♗d5 14. ed5 ♘b6 15. ♘a5!? ♘d5! 16. ♕d5** [16. ♘b7? ♕c7−+] **♕a5 17. ♗h3!∞ ♖c4!** [17... ♖b8 18. ♕c6 ♔f8 19. ♗a7? ♕a2!; 19. ♔b1!; 19. ♖d6!] **18. ♗f1** [18. b3 ♕c3!; 18. ♕a8!? ♕d8 19. ♕a6 0-0 20. ♕b5 ♕c7 (△ ♖b8∞↑) a) 21. ♕d7? ♖c2 22. ♔b1 ♖b2!; b) 21. ♕b6? ♖c2 22. ♔b1 ♖b2!; 21... ♗g5!; c) 21. ♗b6!; 20... ♖h4!?∞] **♖c7!** [18... ♖c8 19. ♗h3=] **19. ♕a8 ♗d8 20. ♗b5!** [20. ♖d6? ♕e1−+] **♕b5 21. ♖d6 ♖d7** [21... ♔e7?! 22. ♖hd1∞↑ a) 22... ♕e2? 23. ♕e4! ♖c2 (23... ♖e8 24. ♖d7 ♖d7 25. ♗c5+−; 23... ♕h2 24. ♗c5!+−) 24. ♕c2 ♕e3 25. ♔b1+−; b) 22... ♕c4 23. c3 b1) 23... ♖c8? 24. ♕b7! ♖c7 (24... ♗c7 25. ♖c6+−; 24... ♔e8 25. ♕d7 ♔f8 26. ♖c6!+−) 25. ♖d7 ♔e6 26. ♕b6! ♖c6 27. ♖1d6+−; b2) 23... ♘f4 24. ♖d8 ♘d3 25. ♖1d3 ♕d3 26. ♖h8 ♕e3=; c) 22... ♘f4

(△ ♘e6) 23. ♗f4 (23. ♖d8? ♘d3!!−+) ♕c4 24. ♖1d2 c1) 24... ef4 25. b3!; c2) 24... ♕f4 25. ♖d8? ♕d2!−+; 25. ♕d5!; c3) 24... ♕f1=] **22. ♖hd1?** [22. ♖d7 ♕d7 23. ♖d1 ♕c7 24. ♗c5!∞ △ 24... ♘f4 25. ♖d8! ♕d8 26. ♕c6 ♕d7 27. ♕a8=] **♖d6 23. ♖d6 ♔e7 24. ♖d5 ♗c7!−+ 25. ♕a7 ♕d5 26. ♕c7 ♔e6**   0 : 1
[A. Petrosjan]

232.   **B 90**

NUNN 2615 − B. GEL'FAND 2665
Wijk aan Zee 1992

1. e4 c5 2. ♘f3 d6 3. d4 cd4 4. ♘d4 ♘f6 5. ♘c3 a6 6. ♗e3 e5 7. ♘f3 ♕c7 8. a4 ♗e7 9. a5 0-0 10. ♗e2 ♕c6 11. ♕d3 h6 12. 0-0 N [12. ♘d2?! ♗e6 13. ♘c4 ♘bd7 14. 0-0 ♖ac8 15. ♖a4 ♘e4!∓] **♗e6 13. ♖fd1 ♘g4!?** [13... ♘bd7 14. ♘d5 ♗d5 15. ed5 ♕c7 16. ♘h4!±] **14. ♘d5?** [14. ♗b6! ♘d7 15. ♘d5 ♗d5 16. ed5 ♕c8 17. ♘d4! ♘b6 (17... ♘f2 18. ♘f5!) 18. ♘f5! ♕d8 19. ab6 (19. ♗g4 ♘c8!±) ♘f6 20. ♕g3 g6 21. ♘h6 ♔h7 22. ♕e3± ♗d5 15. ed5 ♕c8 16. ♗b6 f5!± 17. ♘d2 e4 18. ♕a3 ♘e5 19. c4 [△ b4, c5] ♘bd7 20. ♗d4 ♗f6 21. b4 [21. ♕d6?? ♘f7] ♘g6 22. ♗f6 ♘f6 23. c5 ♘f4? [23... f4! 24. f3±] **24. ♗f1!± dc5 25. d6 cb4 26. ♕b4 ♔h8 27. ♘c4 ♘4d5 28. ♕b3** [△ 29. d7, 29. ♖ac1] **f4**

29. d7! [29. ♘e5? ♕f5! 30. ♖d5 ♘d5 31. ♕d5 ♖ae8] **♕d7□** [29... ♕d8 30. ♘e5+−; 29... ♕c5 30. ♖ac1+−] **30. ♘b6 ♘b6 31. ♖d7 ♘bd7 32. ♕b7+− f3** [△ ♘e5] **33. ♕c7! fg2 34. ♗g2 ♖fe8 35. ♖b1**

♖ac8 [35... ♘e5 36. ♖b7] **36. ♕d6 ♘e5 37. ♕a6 ♘f3 38. ♗f3 ef3 39. ♕b7??⊕** [39. ♕d3 ♖c5 40. a6 ♖a5 (40... ♖g5 41. ♔h1 △ ♕f3) 41. h3 ♖a8 42. ♖b6 ♖a4 43. ♖d6 ♘g8 (43... ♘e8 44. ♕f3) 44. ♕b5 △ ♕b7; 39. h3] **♖c5!= 40. a6 ♖g5 41. ♔f1** [41. ♔h1? ♘e4 42. ♕a7 (42. ♖f1 ♘f2−+) ♖g2 43. ♖b8 (43. ♖f1 ♘f2−+) ♘f2 44. ♕f2 ♖b8 45. ♕f3 ♖a2−+] **♘g4** [41... ♘e4? 42. ♕d7+−] **42. ♔g1** [42. ♕c7 ♖e2! (42... ♖ee5? 43. ♖b8 ♔h7 44. ♕c2 ♖g6 45. ♖h8+−) 43. ♕g3 ♘e3 44. fe3 ♖g3 45. hg3 ♖a2 46. ♖b8 ♔h7 47. ♖f8=; 42. ♕b8 ♖b8 43. ♖b8 ♔h7 44. a7 ♘h2 45. ♔e1 ♖a5 46. a8♕ ♖a8 47. ♖a8 ♔g6=] **♘f6 43. ♔f1** **1/2 : 1/2**
[Nunn]

233.* **B 92**

DOLMATOV 2605 − HEISSLER
BRD 1991

1. e4 c5 2. ♘f3 d6 3. d4 cd4 4. ♘d4 ♘f6 5. ♘c3 a6 6. ♗e2 e5 7. ♘b3 [RR 7. ♘f5!? N *a)* 7... ♗f5 8. ef5 h6 9. ♗f3±⊡; *b)* 7... ♘e4 8. ♘g7 ♗g7 9. ♘e4 d5 10. ♗g5 ♕a5 (10... f6?! 11. ♗h5 ♔e7 12. ♗d2! ♘c6 13. ♘g3↑ ×♔e7) 11. ♘d2∞; 10. ♘g3!? △ ♘h5; *c)* 7... d5 8. ♗g5 d4 (8... ♗f5 9. ef5 ♗b4 10. 0−0 ♗c3 11. bc3⩲) 9. ♗f6 *c1)* 9... gf6 10. ♘b1 ♗f5 11. ef5 ♗b4 (11... ♕b6!? 12. 0−0! ♕b2 13. ♘d2=∞) 12. ♘d2 ♕a5∞; *c2)* 9... ♕f6 10. ♘d5 ♕d8 11. c4 ♘c6 12. 0−0 g6 13. ♘g3 h5!? (13... ♗g7 14. c5! △ ♘b6↑≪ King) 14. ♗f3! ♗e6 15. ♘e2 ♗g7 16. ♘c1 0−0 17. ♘d3 ♘e7∞ 1/2 : 1/2 King 2505 − A. Petrosjan 2505, Belgique 1991] **♗e7 8. ♗e3 ♗e6 9. ♕d2 0−0 10. f4 ef4 11. ♗f4 ♘c6 12. 0-0-0 ♘e5 13. h3 ♖c8 14. g4 b5 15. ♔b1 ♕c7!? N** [15... ♘c4 − 49/(288)] **16. ♖he1** [16. g5?! b4 17. ♘d5 ♗d5 (17... ♘e4 18. ♘e7 ♕e7 19. ♕b4 ♗b3 20. ab3 ♘f2∓) 18. ed5 (18. gf6 ♗b3 19. fe7 ♗c2∓) ♘e4→] **♖fe8!** [16... b4?! 17. ♘d5 ♗d5 (17... ♘e4 18. ♘e7 ♕e7 19. ♕b4±) 18. ed5 ♘e4 19. ♕c1⩲] **17. g5 ♘fd7?** [17... b4□ 18. ♘d5 ♘e4 19. ♘c7 ♘d2 20. ♗d2 ♖c7 21. ♗b4 ♗h3 22. ♗a6⩲] **18. ♘d5 ♗d5 19. ed5 ♗f8 20. ♗g4! ♖cd8 21. ♘d4?** [21. ♕g2!± (△ ♘d4-c6, ♗c1) ♘b6 22. ♗c1] **♘b6 22. ♕g2 ♕c4→ 23. ♗c1 ♘g4 24. ♖e8 ♖e8 25. hg4 ♘d5** [25... ♕d5? 26. ♕d5 ♘d5 27. ♘b5→] **26. ♘b5 ♖e2?** [26... ♘b4! 27. ♘c3 d5 28. a3 d4 29. ab4 dc3 30. b3 ♕b4 31. ♖d7∓]

27. ♘a3!□ [27. ♕d5? ♕c2 28. ♔a1 ab5∓] **♖g2 28. ♘c4 ♖g4 29. ♘d6 ♘c7?** [29... ♗d6 30. ♖d5 ♗e7 △ f6=] **30. c4?** [30. a3!?± ♘e6 (30... a5 31. ♔a2 ♘e6 32. ♖d5 ♘c7 33. ♖d3 ♘e6 34. ♗d2) 31. b4 ♘g5 32. ♗g5 ♖g5 33. c4] **♘e6 31. b4 ♖d4!=** [31... ♗d6? 32. ♖d6 ♖c4 33. a3!±; 31... ♘g5? 32. ♗g5 ♖g5 33. ♔c2 h5 34. c5±] **32. ♖d4 ♘d4 33. c5 ♗d6 34. cd6 ♘c6 35. ♔c2 f6!** [35... ♘b4? 36. ♔b3 ♘c6 37. ♔c4±] **36. ♔c3 ♔f7 37. ♔c4 ♔e6 38. gf6 gf6 39. ♔c5 ♘b4 40. ♔b4 1/2 : 1/2** **[Dolmatov]**

234. **B 92**

KRUPPA 2485 − ŠNEJDER 2540
SSSR (ch) 1991

1. e4 c5 2. ♘f3 d6 3. d4 cd4 4. ♘d4 ♘f6 5. ♘c3 a6 6. ♗e2 e5 7. ♘b3 ♗e7 8. ♗e3 ♗e6 9. 0−0 0−0 10. ♕d2 ♘bd7 11. a4 b6 N [11... ♖e8 − 51/245, 246] **12. ♖fc1!? h6! 13. f3 ♕b8** [13... ♕c7? 14. a5 b5 15. ♘d5 ♗d5 16. ed5 ♕b7 17. c4 bc4 18. ♗c4± △ ♕d3 ×a6] **14. ♘d5 ♗d5** [14... ♘d5 15. ed5 ♗f5 16. a5 b5 17. c4 bc4 18. ♗c4±] **15. ed5 ♕b7 16. c4** [⌓ 16. ♖d1 △ ♘c1-a2-b4] **a5!∓ 17. ♖f1 ♘c5 18. ♘c1 ♘fd7 19. ♗d1 ♕c7 20. ♘e2 ♕d8 21. ♗c2 ♗g5 22. ♘g3 ♗e3 23. ♕e3 ♕g5 24. ♕g5 hg5 25. ♘f5 ♘b7 26. ♘e7 ♔h8 27. ♔f2**

g6 28. ♖h1 ♔g7 29. h4 gh4 30. ♖h4 ♖h8 [⌂ 30... ♘d8 31. ♘c6 (31. ♖hh1 ♔f6 32. ♘c6 ♘c6 33. dc6 ♘c5−+) ♘c6 32. dc6 ♘f6 33. ♖d1 ♖ad8 34. g4 g5 35. c7 ♖d7 36. ♖hh1 ♖c7 37. ♖d6 ♖c4 38. ♗f5 ♖b4∓] **31. ♖h8 ♖h8 32. ♘c6 ♖a8 33. b3 ♘bc5 34. ♖h1 ♘a6 35. ♔e3! ♘b4 36. ♔d2 ♘c5 37. ♔c3 ♘a2 38. ♔b2 ♘b4 39. ♔c3 ♘ca6 40. ♗b1 ♖c8 41. g4!= ♘c6 42. dc6 ♔f6 43. ♗e4 ♘b4 44. ♖h7 ♖c7 45. ♔d2!= ♘c6 46. g5 ♔g5 47. ♗c6 ♖c6 48. ♖f7 d5 49. cd5 ♖d6 50. ♔e3 ♖d5 51. ♔e4 1/2 : 1/2** **[Šnejder]**

235.** **B 96**

SAVON 2460 – JUDASIN 2595

Podol'sk 1991

1. e4 c5 2. ♘f3 d6 3. d4 cd4 4. ♘d4 ♘f6 5. ♘c3 a6 6. ♗g5 e6 7. f4 ♕c7 [RR 7... ♘bd7 8. ♕f3 ♕c7 9. 0-0-0 b5 *a)* 10. ♗d3 ♗b7 11. ♗f6 ♘f6 12. g4 b4 13. ♘ce2 d5 14. e5 ♘e4 15. f5!? N (15. ♘g3?! – 14/498) *a1)* 15... ♕e5?! 16. fe6 fe6 17. ♗e4 de4 (17... ♕e4 18. ♕e4 de4 19. ♘e6±) 18. ♕b3 0-0-0 19. ♕e6 ♕e6 20. ♘e6 ♖d7 21. ♘2d4±; *a2)* 15... ef5 16. e6! (16. ♕f5? g6!∓; 16. gf5? ♕e5∓ Siegfriend – V. Gurevič 2440, Wattens 1991) fg4 17. ♕g4 ♘f2 18. ♕f5! ♘h1 19. ♖h1 f6 (19... g6? 20. ♕f6 ♗h6 21. ♔b1 0–0 22. ♘f5!+−) 20. ♕h5 ♔d8 21. e7! ♕e7 (21... ♔e7 22. ♖e1→) 22. ♘f4=/∞→ V. Gurevič; *b)* 10. e5 ♗b7 11. ♕h3 de5 12. ♘e6 fe6 13. ♕e6 ♗e7 14. ♘b5 ab5 15. ♗b5 ♗e4 16. c3 ♖d8 N (16... 0-0-0 – 39/(332)) 17. fe5 ♗d5 18. ♖d5 ♘d5 19. ♖d1! ♕b6! (19... ♔f8 20. ♗e7 ♘e7 21. ♖f1 ♘f6 22. ef6 ♘g6 23. ♗c4 ♘f4 24. ♕e7 ♕e7 25. fe7 ♔e7 26. ♖f4+−) 20. ♗c6 ♕c6□ 21. ♕c6 ♗g5 22. ♔b1 ♘e3 (22... ♘e7 23. ♕b5 0–0 24. ♖d7 ♖b8 25. ♖b7+− Čudinovskih 2315 – Karpman 2445, SSSR 1991) 23. ♕e6 (23. ♖d7?? ♖d7 24. e6 0–0) ♗e7 24. ♖d3 ♘g2 25. ♕c6 ♘f4 26. ♖d1 △ e6+− Čudinovskih; RR 24... ♖f8! 25. a3 (25. a4 ♖f1 26. ♔a2 ♘c2!∞) ♖f1 26. ♔a2 ♘g2∞ △ 27. ♕c6 ♘f4 28. ♖d2 ♖e1 T. Paunović; *c)* 10. ♗b5 ab5 11. ♘db5 ♕b8 12. e5 ♖a5 13. ef6 gf6 14. ♗h6 ♗h6 15. ♘d6 ♔e7 16. ♔b1 ♕a8 17. ♕f2 ♕c6 18. ♕h4 ♗g7 19. ♖he1 h5 20. f5 ♘e5 21. ♕b4 ♕c5 22. ♕b3 ♖a7 23. ♘cb5 ♗d7 24. ♘a7 ♕a7 25. ♖e5! fe5 26. ♕b4 ♔d8 (26... ♖b8 27. ♘c8 ♔d8 28. ♘a7+−) 27. ♘f7 ♔e8 28. ♘d6 ♔d8 29. fe6+− Boto] **8. ♗f6 gf6 9. ♕d2 ♘c6 10. 0-0-0 ♗d7 11. ♗e2 h5 12. ♔b1** [12. ♖hf1 0-0-0 13. ♖f3!?] **0-0-0 N** [12... ♗e7 – 36/339] **13. ♖hf1 ♔b8** [13... ♗e7!? 14. ♘b3 (14. ♖f3 ♘d4 15. ♕d4 ♕c5=) ♖dg8⇆] **14. ♘b3 ♗e7 15. ♖f3 ♘a5! 16. ♖h3** [16. ♗f1 ♘b3!?; 16... ♖c8 △ ♘c4!?] **♘b3 17. ab3 h4** [17... ♕c5? 18. ♗h5 ♖h5? 19. b4+−] **18. ♕e1 d5! 19. ed5** [19. ♖h4? de4 20. ♘e4 ♗c6 △ ♗e4, f5→] **♕f4 20. ♕g1!** [△ ♗a6, ×h2] **♗c8** [20... ♕c7 21. ♖hd3 (21. ♘a4!?) ♗c8 22. ♘a4!?; 22. ♗f3!?] **21. ♖hd3 f5! 22. ♘a4!** [22. ♗f3 ♗d6! △ e5∓↑ ×h2] **♖d5!** [22... ♗d6 23. de6 fe6 24. ♘b6 △ ♘c8↑ ×«] **23. ♖d5 ed5 24. ♘c3** [24. ♗f3 h3; 24. ♘b6 d4!?=; 24... ♕e5!?∞] **d4! 25. ♘d5!?** [25. ♕d4 ♕d4 26. ♖d4 h3 27. g3 ♗c5 28. ♖d1 f4!?∓↑ ×h2; 25. ♖d4 ♗c5 26. ♖f4 ♗g1 27. h3 ♗e3 △ f4, ♖g8⇆] **♕e5 26. ♕d4□** [26. ♘e7? ♕e7 △ ♕e3∓] **♕d4** [27. ♖d4 h3! 28. g3 (28. ♘e7 hg2 29. ♖d1 ♖e8 30. ♖g1 ♖e7 31. ♖g2=) ♗c5 29. ♖d1 ♗e6=] **1/2 : 1/2** **[Judasin]**

236.* **B 96**

JUDASIN 2595 – EHLVEST 2605

Pamplona 1991/92

1. e4 c5 2. ♘f3 d6 3. d4 cd4 4. ♘d4 ♘f6 5. ♘c3 a6 6. ♗g5 e6 7. f4 ♕c7 8. ♕f3 b5 9. f5 ♘c6 [RR 9... b4 10. ♘cb5 ab5 11. fe6 ♗e7 12. e5 de5 13. ♗f6 N (13. ♘b5) gf6 14. ♗b5 ♔f8 15. ♘f5 ♗e6 16. ♘e7 ♖a5 17. ♕f6 ♖b5 18. ♖f1 ♕c2 19. ♕e6 ♕e4= Murey 2450 – Judasin 2595, Podol'sk 1991] **10. ♘c6 ♕c6 11. fe6 N** [11. ♗e2?! b4 12. e5 ♗b7∞; 11. ♗f6 – 39/331] **fe6 12. ♗f6 gf6 13. ♕f6 ♖g8 14. ♗e2! ♗e7□** [14... ♕c5 15. ♖f1! ♖a7□ 16. ♘d5! ed5 17. ♗h5 ♔d7 18. ♕f7 ♔c6 19. ♕g8 ♕e3 20. ♗e2+−] **15. ♕d4! ♖b8?!** [15... ♕c5 16. ♕c5 dc5 17. ♗h5 ♔d7 18. 0-0-0 ♔c7 19. ♗f3±; 15... ♖g2! 16. 0-0-0!? (16. ♗f3!?∞; 16. ♕h8 ♔d7

17. ♕h7 b4 18. ♕h3 bc3 19. ♕g2 cb2∞; 17... ♕c5!?) ♕c5! 17. ♕h8 (17. ♕c5 dc5 18. ♗h5 ♔f8 19. ♖hf1 ♔g8∞) ♔d7 18. ♗f3! ♕g5 19. ♔b1 ♕g7 20. ♕g7 ♖g7 21. e5↑] **16. ♗h5** [16. 0–0!? ♕b6 17. ♕b6±; 16. ♗f3!? ♕c4! 17. ♕d3±; 17. 0-0-0!?] **♔d7 17. ♗f3 ♕b6?!** [17... ♕c4! 18. ♕d3! (18. 0-0-0 ♕d4 19. ♖d4 ♗f6⇆) ♗f6 19. 0-0-0±] **18. ♕d3! ♕c5 19. 0-0-0 ♕e5** [19... ♕c4 20. ♕c4 △ ♖d4] **20. ♘e2** [△ ♘d4, △ ♔b1, ♘c1] **♗b7** [20... ♗f6 21. ♕b3!? (△ ♔b1, ♘c1±) a5 22. ♔b1 b4 23. ♘c1 ♗a6⇆; 23. ♕a4!?; 23. ♘d4 △ ♕a4, △ ♖d2, ♖hd1; 21. ♘d4 △ ♔b1, ♖d2, ♖hd1] **21. ♔b1! a5** [21... ♗f6 22. ♕b3! (22. ♘d4 ♖bc8 23. ♖d2∞) ♗e7 23. ♖he1! △ ♘d4→] **22. ♘c1 b4 23. ♕e3!** [23. ♕c4!? △ 23... ♖gc8 24. ♘d3! ♕g5 25. ♕d4±] **♗g5□** [23... ♗f6 24. ♘d3 ♕d4? 25. ♘c5] **24. ♕a7! ♖gc8?** [24... ♗f6 25. ♘d3+–; 24... ♗c1□±] **25. ♘d3 ♕b5 26. ♕d4!+–→ ♗e7 27. ♗g4!** [△ ♘f4] **♕g5□ 28. h4! ♕g8□ 29. ♗h3 ♔e8 30. e5! d5□ 31. ♘f4 ♕g3** [31... ♖c6 32. ♕a7] **32. ♘e6** [32. ♗e6] **♖c4 33. ♕d2** [33. ♕a7 ♕e5] **♖bc8⊕** [33... ♕e5 34. ♖he1 ♖e4 35. ♖e4 ♕e4 (35... de4 36. ♕d7 ♔f7 37. ♖f1) 36. ♘g7 △ ♖e1, ♘f5→] **34. ♘d4 1 : 0** **[Judasin]**

237. **B 96**

M. BRODSKIJ 2415 – ŠABALOV 2535
SSSR (ch) 1991

1. e4 c5 2. ♘f3 d6 3. d4 cd4 4. ♘d4 ♘f6 5. ♘c3 a6 6. ♗g5 e6 7. f4 ♘c6 8. e5 h6 9. ♗h4 g5 N [9... de5 – 48/366] **10. fg5 ♘d5** [10... ♘h7 11. ♘c6 bc6 12. ed6±] **11. ♘d5 ed5 12. ed6 ♕d6 13. ♕e2 ♗e7 14. ♘c6** [14. ♘f3 ♗g4 15. ♗g3 ♕g6 16. 0-0-0 ♖c8∞̄] **bc6 15. ♗g3 ♕g6 16. gh6?** [16. ♕e5 ♖g8 17. ♗d3 (17. gh6 ♕c2∞) ♕g5=] **♗g4! 17. ♕e5 ♕c2! 18. ♗h4?!** [18. ♕h8? ♔d7 19. ♕c3 ♗b4 20. ♕b4 ♖e8–+; 18. ♕c3 ♕e4 19. ♔f2 ♖h6 20. ♖e1 ♕f5 21. ♔g1∓; 18. ♗f4 f6 19. ♕c3 ♕e4 20. ♕e3 ♗b4 21. ♔f2 ♗c5 22. ♕c5 ♕f4 23. ♔g1 ♔f7 24. h3∞] **f6 19. ♗f6 ♖h7 20. ♕e3?** [20. ♗b5□ ab5 21. 0–0 △ 21... ♕e4 22. ♕c3⇆] **♔d7 21. ♗d3 ♕g2 22. ♖g1 ♗b4 23. ♗c3 ♕b2–+ 24. ♗b4 ♕b4 25. ♔f2 ♖f7 26. ♔g2 ♕b2 0 : 1** **[M. Brodskij, A. Vajsman]**

238. !N **B 97**

JUDASIN 2580 – OLL 2600
Sevilla 1992

1. e4 c5 2. ♘f3 d6 3. d4 cd4 4. ♘d4 ♘f6 5. ♘c3 a6 6. ♗g5 e6 7. f4 ♕b6 8. ♘b3 ♗e7 9. ♗e2 ♘bd7 10. ♕d3 ♕c7! N [10... h6?! – 46/(338)] **11. ♗f3** [11. 0-0-0 b5 12. ♗f3 ♗b7] **♖b8 12. 0-0-0 b5 13. ♗f6!?** [13. g4 b4 14. ♘e2 a5 15. ♗f6 gf6!∞] **♘f6 14. g4 b4** [14... d5 15. ed5 ♕f4 16. ♔b1 △ d6, △ de6, ♘d4, △ ♘d4!?, △ g5↑] **15. ♘e2 e5! 16. f5!** [16. g5 ♘d7 △ a5-a4, ♘c5↑⟪] **a5!** [16... ♘d7!?] **17. ♔b1 ♘d7! 18. ♘g3** [18. h4!? a4 19. ♘bc1±→⟫] **0–0 19. h4 a4 20. ♘d2 a3!?** [20... ♖b6!? 21. ♗e2!? (△ ♘c4, b3±; 21. g5 ♗a6 22. ♕e3∞; 21. ♖c1!?) ♖c6 22. g5!? ♗a6 (22... a3 23. f6 gf6 24. ♘f5∞̄) 23. ♕e3 ♗e2 24. ♘e2 ♖c2 25. ♖c1∞̄] **21. b3□ ♗a6!!** [21... ♖b6 22. ♗e2! △ ♘c4±] **22. ♕a6□** [22. ♕e3 ♖fc8 23. ♖c1 d5!?→; 23... ♕c3!?∓↑] **♕c3 23. ♘c4 ♘c5** [23... ♕f3 24. ♕a7! (△ ♕e3±) ♘c5! – 23... ♘c5] **24. ♕a7 ♕f3□** [24... ♖b7?? 25. ♕b7! ♘b7 26. ♖d3+–] **25. ♕e7 ♕g3 26. ♖hg1!** [26. ♕d6? ♘e4; 26. ♖d6 ♘e4→; 26. ♖he1 ♖bd8! 27. ♘d6 ♕c3 28. ♘c4 ♖d1 29. ♖d1 ♘e4↑] **♕f3!** [△ →×e4; 26... ♕c3? 27. ♖ge1! △ 28. ♖e3+–, 28. ♕d6±] **27. ♖gf1!** [27. ♖ge1 ♘e4; 27. ♖d6 ♘e4; 27. ♘d6 *a)* 27... ♕c3? 28. ♘c4 ♘e4? 29. ♖d3+–; *b)* 27... ♘e4 28. ♘e4 ♕e4 29. ♖ge1 (29. ♖de1 ♕c6!?∞) ♕g4∞; *c)* 27... ♖be8!? 28. ♕c7 (28. ♘e8? ♕c3–+; 28. ♖d3? ♕f2–+) ♘e4∞↑] **♕g3** [27... ♕g4? 28. ♖g1 △ ♖g7!, ♖g1, ♕f6+–; 27... ♕c3? 28. ♖fe1±] **28. ♖g1 ♕f3 29. ♖gf1 ♕g3 30. ♖g1 1/2 : 1/2** **[Judasin, Oll]**

C

239. **C 00**

KAMSKY 2595 – BAREEV 2680
Tilburg (Interpolis) 1991

1. e4 e6 2. d3 d5 3. ♘d2 ♘f6 4. e5 N ♘fd7 5. f4 c5 6. ♘gf3 ♘c6 7. g3 b5 8. ♗g2 ♕b6 9. c3 ♗e7 [9... c4!? 10. d4 b4 11. 0–0 ♕a5↑⟪] **10. 0–0 0–0 11. ♔h1 ♗b7 12. ♕e2** [△ ♘b3, ♗e3, d4±⊞] **♖ae8 13. ♘b3 a5** [13... d4!? 14. cd4 cd4 15. ♕f2 ♘c5=/∞; 14... ♘d4!?] **14. ♗e3 a4 15. ♘bd2 f5! 16. ef6□ ♗f6 17. d4!∞** [×e6] **b4!** [△ 18... ♗a6, 18... a3; 17... cd4?! 18. cd4 b4 19. ♕f2 ♗a6 20. ♖fe1±] **18. dc5 ♕a5 19. ♘d4!?** [19. ♗d4!?] **bc3 20. bc3 ♗d4** [20... ♕c3!? 21. ♘b5 ♕a5 22. ♖ab1 ♗a6 23. f5∞] **21. cd4 ♗a6 22. ♕f2 ♗f1 23. ♖f1=/∞ ♘f6 24. ♗h3 ♕c3 25. ♘f3 ♕d3** [25... ♘b4!? △ 26... ♘c2, 26... ♘d3] **26. ♖e1 ♖b8?⊕** [26... ♘e4!? 27. ♕e2?! ♕e2 28. ♖e2 ♔f7 △ ♖b8, h6∓; 27. ♕g1!? △ 28. ♖d1, 28. ♘e5∞] **27. ♗e6 ♔h8 28. ♘e5± ♕e4?!** [28... ♘e5□ 29. de5 ♘e4 30. ♕e2 ♕e2 31. ♖e2±] **29. ♔g1 ♘e5 30. de5 ♖b1?** [30... ♘e8 31. c6 ♖b1 32. ♖b1 ♕b1 33. ♔g2 ♘c7 34. ♗d7 ♖b8 35. ♗d4±] **31. ♗c1□+– ♕c4□ 32. ef6 ♖c1 33. fg7 ♔g7 34. ♕b2 ♖c3 35. ♖e3**
1 : 0 **[Kamsky]**

240. **C 00**

KIIK 2415 – PRZEWOŹNIK 2400
Espoo 1991

1. e4 e6 2. d3 d5 3. ♘d2 ♘f6 4. ♘gf3 de4 5. de4 ♘c6 6. ♗b5! ♗d7 7. 0–0 a6 N [⌓ 7... ♗c5; 7... ♗e7] **8. ♗a4 b5 9. ♗b3 ♘a5** [9... ♗e7 10. e5 ♘d5 11. ♘e4±] **10. e5 ♘b3 11. ab3 ♘d5 12. ♘e4 ♗c6?!** [12... ♗e7 13. ♕e2 △ ♖d1±] **13. ♕e2 ♗e7 14. ♖d1 ♕b8 15. ♘d4 ♗d7 16. ♕g4± ♕b7** [16... g6 17. ♗g5±] **17. c4 bc4 18. bc4 ♘b4 19. ♗g5!** [19. ♕g7±] **♗g5 20. ♘g5 0–0□ 21. ♘h7!+– ♔h7 22. ♖a3 ♖h8** [22... f5 23. ef6 ♖f6 24. ♖g3 ♖g8 25. ♘f3 ♗e8 26. ♘g5 ♔h8 27. ♖h3 ♖h6 28. ♕e6 ♕c6□ 29. ♖h6 gh6 30. ♕e5 ♖g7 31. ♖d8 hg5 32. ♖e8 ♔h7 33. ♕f5] **23. ♖g3 g6 24. ♘f3 ♗e8** [24... ♗c6 25. ♘g5 ♔g7 26. ♘f7] **25. ♖h3 ♔g8 26. ♖h8 ♔h8 27. ♕h4 ♔g8 28. ♘g5 ♕c6 29. ♕h7 ♔f8 30. ♕h8 ♔e7 31. ♕f6!** [31. ♘h7?? ♕g2!–+] **♔f8 32. ♖d6! ♔g8** [32... cd6 33. ♘e6 ♔g8 34. ♕g7#] **33. ♖c6 ♘c6 34. h4 ♖d8 35. h5 gh5 36. ♕h6 ♘e5 37. ♕h7** **1 : 0** **[Oll, Kiik]**

241. **C 00**

OLL 2600 – EHLVEST 2605
Pamplona 1991/92

1. e4 d6 2. d4 ♘f6 3. f3 d5 4. e5 ♘fd7 5. f4 e6 6. ♘f3 c5 7. c3 ♘c6 8. ♗d3 N [8. ♘bd2 – 45/309] **♕b6 9. ♗c2 ♗e7** [9... cd4 10. cd4 ♘b4= △ 11. ♗b3 ♕a6] **10. 0–0 g6 11. ♔h1 a5 12. a4! cd4 13. cd4 ♘b4 14. ♗b3 ♘b8 15. ♘c3 ♗d7 16. ♗e3 ♘8c6 17. ♕d2 ♘a7 18. ♗d1 ♕d8 19. ♗e2 ♖b8 20. ♖ac1 b5?!** [20... h5!∞] **21. ab5 ♘b5 22. g4!± ♘a7** [22... h5 23. f5!] **23. ♘e1! ♕b6 24. ♘d3 ♕b7** [24... ♘d3 25. ♗d3 ♕b2 26. ♖b1+–] **25. f5! ♘ac6** [25... ef5 26. gf5 ♗f5 27. ♖f5!?; 26. ♗g5!] **26. fe6 fe6** [26... ♗e6 27. ♘f4 ♘e5 28. ♘e6 fe6 29. de5 d4 30. ♗f3 de3 (30... dc3 31. bc3 ♘c6 32. ♕g2+–) 31. ♕e3±] **27. ♖f2?** [27. ♘c5! ♗c5 28. dc5 *a)* 28... d4 29. ♘e4 ♘e5 30. ♗f3! (30.

♕d4 ♕e4 31. ♕e4 ♗c6=) de3 (30... ♘f3 31. ♘d6 ♔e7 32. ♘b7 ♘d2 33. ♗g5 ♔e8 34. ♘d6#) 31. ♘d6? ♔e7 32. ♕e3 ♕f3 33. ♖f3 ♘f3∞; 31. ♕e3!+−; *b)* 28... ♘e7 29. ♗d4±] **♘d3 28. ♗d3 ♘e5! 29. de5 d4 30. ♘e4 ♗c6!** [30... de3 31. ♕e3±] **31. ♔g1! ♗e4 32. ♗e4 ♕e4 33. ♕d4 1/2 : 1/2** **[Oll]**

242. !N **C 01**

KASPAROV 2770 − N. SHORT 2660

Tilburg (Interpolis) 1991

1. e4 e6 2. d4 d5 3. ed5 ed5 4. ♘f3 ♗g4?! 5. h3 ♗h5 6. ♕e2! N [6. ♗e2 − 49/305] **♕e7□** [6... ♗e7 7. ♕b5 ♘d7 8. ♕d5 ♘gf6 9. ♕b3±; 6... ♘e7 7. g4 ♗g6 8. ♘e5±] **7. ♗e3 ♘c6** [7... ♘d7 8. ♘c3 c6 9. 0-0-0±] **8. ♘c3 0-0-0** [8... ♗f3 9. ♕f3 ♘d4 10. ♕d1 c5 11. ♘d5 ♕e5 12. c3! (12. ♗c4? 0-0-0 13. 0−0 ♖d5 14. ♗d5 ♗d6∓) 0-0-0 (12... ♕d5? 13. ♗b5) 13. cd4 cd4 (13... ♕d5 14. ♕e2±) 14. ♕d4 ♕d4 15. ♗d4 ♖d5 16. ♗c3±⊞] **9. g4! ♗g6 10. 0-0-0 f6** [10... ♘f6? 11. ♘e5±] **11. a3 ♕d7 12. ♘d2! f5?!** [12... ♘a5 13. b4! ♘c6 (13... ♕c6 14. ♔b2) 14. ♘b3±↑⟪; 12... ♗d6 13. ♘b3 ♘ge7±] **13. ♘b3** [13. ♘f3!? ×e5] **♘f6 14. f3 ♗d6 15. ♕d2 ♖he8 16. ♗g5** [16. ♔b1! △ 16... a6 17. ♗g5± ↗c1-g5] **fg4!□ 17. hg4 ♕f7 18. ♘b5** [18. ♗b5? h6! 19. ♗c6 bc6 20. ♗f6 (20. ♗h4 ♘e4) ♕f6 21. ♕g2 ♖e3∓] **♔b8 19. ♘d6 cd6 20. ♗d3?!** [⌓ 20. ♔b1 ♖c8 21. ♖c1 (△ ♔a1, c4) ♘d7 22. ♗f4 △ ♕h2±] **♗d3 21. ♕d3 h6 22. ♗d2 ♖e6 23. ♘a5! ♘a5 24. ♗a5 ♖de8 25. ♗d2?!** [25. ♖de1±] **♘d7 26. ♖de1 ♘f8! 27. ♖e6 ♖e6?!** [27... ♘e6!] **28. ♖h5 ♖f6 29. f4 ♘e6** [29... g6! 30. ♖h6 ♖f4 31. ♖h1 (31. ♗f4 ♕f4 32. ♕d2 ♕f1=) ♖f3 (31... ♖g4? 32. ♖f1 △ ♕f3+−) 32. ♕e2±] **30. f5 ♘d8 31. b4!○⟪ ♘c6** [31... a6 32. a4!→] **32. b5 ♘e7 33. a4 ♘c8 34. a5± ♕e8 35. ♖h3 ♖f7 36. ♖e3 ♖e7 37. ♖e7 ♕e7** [♕ 8/f] **38. ♕f3 ♕f7 39. ♗b4** [39. ♗e1? ♕e8∓; 39. ♔d1! △ ♗e1-h4] **♔c7 40. ♕c3⊕ ♔d8 41. ♕f3** [41. a6? ♕c7∞] **♔c7** [41... a6?! 42. b6 ♔d7 43. c4 ♘e7 44. ♗d6! ♘c6□ 45. ♗c5 dc4 46. ♕e4! ♘a5 47. ♔c2 △ d5+−] **42. ♔d2 ♔d8** [42... ♘e7 43. a6 ba6 44. ♕c3 ♔d7 45. ♗d6! ♔d6 (45... ab5 46. ♕c7 ♔e8 47. ♗e5+−) 46. ♕c5 ♔d7 47. ♕a7 ♔d8 48. b6 ♕f6 49. b7 ♘c6 50. b8♕ ♘b8 51. ♕b8 ♔d7 52. ♕b7 ♔e8 53. ♕d5 ♕g5 54. ♔c3 ♕g4 55. ♕e6 △ d5±] **43. ♔d1! ♔c7 44. ♗e1 ♘e7 45. a6?** [45. ♗b4±] **b6?** [45... ba6 46. ♗a5 ♔d7 (46... ♔b7? 47. ♕e2! ab5 48. ♕b5 ♔c8 49. ♕a6+−) 47. ♕c3 ♕f6∞] **46. ♗h4 g5 47. ♗f2 ♕f6?!** [47... h5 48. gh5! (48. f6? hg4 49. ♕c3 ♔d7) ♕f5 (48... ♘f5 49. c4) 49. ♕f5 ♘f5 50. c4! (△ c5) dc4 51. d5 g4 52. ♔c2 ♔c8 (52... g3 53. ♗g3 ♘g3 54. h6) 53. ♔b2! (53. ♔c3 g3) ♔c7 54. ♔a3 ♔c8 55. ♔b4 c3 56. ♔c3 g3 57. ♗g1 ♔d7 58. ♔d3 ♔e7 59. ♔e4 ♔f6 60. ♔f3 △ ♗b6+−]

48. ♕h1!+− ♔d7 49. c4 ♔e8 50. ♔d2 ♔f7 51. cd5?⊕ [⌓ 51. ♔c3! ♔g7 52. ♗g3 ♔f7 (52... ♕f7 53. ♗d6 dc4 54. ♕b7+−) 53. cd5+−] **♔g7 52. ♔d3 ♕f7 53. ♗g3 ♕e8 54. ♔c4?** [⌓ 54. ♕b1! ♕d7! (54... ♘d5 55. ♗d6 ♕e3 56. ♔c4 ♕f3 57. ♗e5 ♔f8 58. ♕b3 ♘e3 59. ♔b4 ♘d5 60. ♔a3 ♕h1 61. ♕c2±) 55. ♔e4 ♘g8 56. ♗e5! de5 (56... ♘f6 57. ♗f6 ♔f6 58. ♕h1 ♕e8 59. ♔f3 ♔g7 60. ♕c1±) 57. de5±] **♘f5!= 55. gf5 ♕e2 56. ♔c3 ♕e3 57. ♔c4 ♕e2** [57... ♕g3? 58. ♕h5±] **1/2 : 1/2** **[Kasparov]**

243. **C 01**

KASPAROV 2770 − KORTCHNOI 2610

Tilburg (Interpolis) 1991

1. e4 e6 2. d4 d5 3. ed5 ed5 4. ♘f3 ♘f6 5. ♗d3 c5?! N [5... ♗d6 − 41/304] **6.**

0–0! c4 7. ♖e1 ♗e7 8. ♗f1 0–0 [8... h6 9. b3 cb3 10. ab3 0–0 11. ♘e5±] **9. ♗g5** [9. ♘e5!?] **♗g4 10. h3 ♗f3?! 11. ♕f3 ♘c6 12. c3 ♕d7** [12... ♕b6?! 13. ♘d2! ♕b2 14. ♖ab1 ♕a2 15. ♖b7± △ ♘c4; 12... ♘e4 13. ♗e7 ♕e7 14. ♗c4 ♘g5 (14... ♖fe8 15. ♗d5! ♘g5 16. ♖e7 ♘f3 17. ♗f3 ♖e7 18. ♘d2±) 15. ♕d1 ♘f3!? (15... ♘h3 16. gh3 ♕g5 17. ♕g4 ♕g4 18. hg4 dc4 19. ♘a3±) 16. gf3 ♕g5 *a)* 17. ♔h1 dc4 18. ♖e3 ♖fe8 (18... ♕f5 19. ♕f1!±) 19. ♖e8 ♖e8 20. ♘d2 ♕h6=; *b)* 17. ♔f1!? dc4 18. ♘d2 ♕f5 19. ♘c4 (19. ♖e3!? ♕h3 20. ♔e2 b5 21. ♕g1±) ♕h3 20. ♔e2⩲; 12... h6 13. ♗f6 ♗f6 14. ♘a3↑] **13. ♘d2** [13. ♘a3! *a)* 13... ♗a3 14. ♗f6 ♗d6 (14... ♗b2 15. ♕g3±) 15. ♗g5±; *b)* 13... ♖ae8 14. ♗f6 ♗f6 15. ♘c2±] **♖ae8 14. b3?** [×c3; ⌓ 14. ♖e3! ♗d8 (14... h6 15. ♗f4!⩲) 15. ♖ae1 ♖e6!? (15... ♖e3 16. fe3 ♘e4 17. ♘e4 de4 18. ♕g3 ♕d5 19. ♗d8 ♖d8 20. ♗e2±) 16. h4! ♖fe8 17. ♗f6 ♗f6 18. g3⩲ △ 18... ♖e3 19. ♖e3 ♖e3 20. fe3!±] **b5 15. bc4** [15. a4 ♘e4! 16. ♘e4 (16. ♗f4 b4!∓) de4 17. ♖e4! (17. ♕e3 ♗g5 18. ♕g5 b4!∓) ♗g5 18. ♖e8 ♖e8 19. ab5 ♘d4! 20. cd4 cb3 21. ♕b3 ♕d4=] **bc4 16. ♖ab1** [16. h4!?] **♗d8 17. h4?!** [17. ♖e8 ♖e8 18. h4!⩲; 17... ♘e8!=] **♖e1?** [⌓ 17... ♖e6!∓] **18. ♖e1 ♖e8 19. ♖b1!** [19. ♖e8 ♘e8 20. g3⩲] **h6** [19... ♘e4 20. ♘e4 ♖e4 21. g3±; 19... ♘g4!?] **20. ♗f6 ♗f6 21. g3 ♘e7 22. ♕d1! g5?!** [22... ♕f5 23. ♖b7±; ⌓ 22... g6 23. ♗g2 h5 24. ♘f1 ♗g7⩲] **23. hg5 hg5 24. ♗g2** [24. ♗e2 ♗g7 △ f5, g4] **g4 25. ♘f1?** [⌓ 25. a4 ♗g5 26. ♖b5 (△ 27. ♘e4, 27. ♘c4) f5 27. ♘f1 △ ♕b1, a5-a6±] **♗g5 26. ♖b2 ♔g7 27. ♕b1?!** [27. ♖e2±] **♖c8 28. ♖e2 ♖c6 29. ♖e5 f6 30. ♖e2** [30. ♖e7!? ♕e7 31. ♗d5 ♖b6 32. ♕f5? ♖b5; 32. ♕c2±] **♖b6 31. ♕d1 ♘f5 32. ♖e1 ♘h6 33. ♕e2 ♔f7 34. f4?!** [34. ♘e3 ♗e3 35. ♕e3 ♖e6 36. ♕c1 ♖e1 37. ♕e1±] **gf3 35. ♕f3 ♖d6 36. ♖e5 ♔g7 37. ♖d5 ♖d5 38. ♕d5 ♕a4??⊕** [⌓ 38... ♕d5 39. ♗d5 ♗c1 40. ♗c4 ♗b2 41. ♗e6 ♗c3 42. d5 ♗e5 43. g4 (43. ♔f2 f5) f5 44. ♗f5 ♘f5 45. gf5 ♗d4 46. ♔g2 ♔f6 47. ♘g3 ♔e5=] **39. ♕b7 ♔g6?** [39... ♔h8 40. ♗e4+–; 39... ♔f8 40. ♗d5+–] **40. ♗c6! ♕a5 41. ♗e8 ♔f5 42. ♕h7 ♔g4 43. ♕e4 ♔h3 44. ♗d7 f5 45. ♕g2 1 : 0** **[Kasparov]**

244. **C 01**

MAKARYČEV 2535 – ULYBIN 2565
SSSR (ch) 1991

1. e4 e6 2. d4 d5 3. ed5 ed5 4. ♘f3 ♘f6 5. ♗d3 c5?! 6. 0–0 c4 7. ♖e1 ♗e7 8. ♗f1 0–0 9. ♗g5 ♗g4 10. h3 ♗h5 N 11. ♘c3 [RR 11. g4 ♗g6 12. ♘e5⩲ Kasparov] **♘c6 12. g4 ♗g6 13. ♘e5→⊞ ♖e8!□** [13... ♕a5?? 14. ♘c6 ×♗e7; 13... ♕c7?? 14. ♗f6 ×d5] **14. ♗g2 ♕a5 15. f4** [15. ♗f6?=] **h6!□⇆** [15... ♘d4 16. f5 ♘f5 17. gf5 ♗f5 18. ♘d5 (18. ♕f3?! ♗e4! 19. ♘e4 de4 20. ♖e4 ♘e4 21. ♕f7 ♔h8∓) ♘d5 19. ♕d5 ♕d5 20. ♗d5 ♗g5 21. ♗f7 (21. ♘f7 ♗e3 22. ♖e3 ♖e3 23. ♘h6 ♔f8? 24. ♘f5 ♖e5 25. ♖f1!±; 23... ♔h8!=) ♔f8 22. ♗e8 ♖e8 23. ♘c4±] **16. ♗f6** [16. ♗h4 ♘d4 17. ♘g6 (17. f5 ♗h7∓) ♗c5 18. ♖e8 ♖e8 19. ♗f6 gf6 20. ♗d5 (20. ♘d5? ♖e1! 21. ♕e1 ♘f3∓) ♘c2 (20... ♖e1?+–) 21. ♔h1 ♘a1 22. ♕a1 ♗d4 23. ♗c4 ♗c3 24. bc3 ♕a4! 25. ♕f1 (25. ♗d5? ♕c2 26. ♘h4 ♕d2!–+) b5 26. ♗b5 (26. ♗d5 ♕c2 △ ♕d2∓) ♕e4 27. ♔g1 ♕e3 28. ♔h1 ♖b8 29. ♘h4 ♖b5 30. ♕b5 ♕h3 31. ♔g1 ♕h4∓] **♗f6 17. ♗d5?!∞** [17. ♘d5 ♗e5 18. de5 ♖ad8 19. f5 ♗h7 20. e6 fe6 21. ♖e6□ ♖e6 22. fe6 ♕c5 (22... ♖e8?! 23. ♕e1 ♕c5 24. ♕e3! ♕d6 25. e7 ♗c2 26. ♖e1 ♗d3±) 23. ♔h1 ♖e8! (23... ♕d6 24. ♕e2 ♘d4 25. ♕c4±) 24. ♕e1 ♘d4 25. ♕e5 ♘e6 (25... ♔h8? 26. e7±) 26. ♖e1 ♔h8 27. ♘f4±; 26... ♗g6!⩲⇆] **♗e5□ 18. de5** [18. ♗c6? bc6 19. ♖e5 ♖e5 20. fe5 ♖d8∓] **♕b6?!** [⌓ 18... ♖ad8!↑⊞ 19. f5 ♗h7 20. e6 fe6 21. ♖e6 ♖e6 22. ♗e6 ♔h8 23. ♕e1!□ ♕b6 24. ♔h1 ♕b2 25. ♖d1 ♖d1 26. ♘d1 ♕c2 27. ♗f7 ♗g8=] **19. ♔g2 ♕b2 20. ♕d2! ♕c2 21. ♕c2 ♗c2 22. ♘b5!→ ♘b4□ 23. ♗c4 ♗d3 24. ♖ec1 ♖e7 25. ♘d6 ♗c4 26. ♖c4 ♘d3!** [△ g5] **27. ♖d4 ♘c5 28. ♖c1 b6** [28... ♘e6 29. ♖dc4±] **29. h4 ♖d8 30. ♔f3± g5?** [⌓ 30... ♖ed7] **31.**

🗒cd1! [△ ♘f5!] ♘e6 32. 🗒4d2 🗒c7 33. hg5 hg5 34. f5 🗒c3 [34... ♘c5 35. 🗒h2 △ 🗒dh1] 35. 🗒d3 🗒d3 36. 🗒d3 ♘c5 37. 🗒d2 ♔g7 38. 🗒h2!+− ♘d7 39. ♘f7?? [⌓ 39. ♔e4 f6 40. e6 ♘c5 41. ♔d5 ♘b7 42. ♔c6! ♘d6 43. e7+−] ♔f7 40. e6 ♔g7 41. ed7 🗒d7 [🗒 7/h] 42. 🗒h5 🗒d2?? [⌓ 42... ♔f6 43. 🗒h6 ♔e5 44. 🗒e6 ♔d5 45. 🗒g6 ♔e5 46. 🗒g5 🗒d3 47. ♔g2 🗒a3!☐ (47... ♔f4? 48. 🗒g8+− ♔f) 48. 🗒g6 a) 48... b5? 49. f6 b4 50. g5! (50. f7?? 🗒a2 51. ♔g3 🗒a3 52. ♔h4 🗒f3=) ♔e6 51. 🗒g7 🗒a2 52. ♔g3 🗒a5 53. 🗒e7 ♔d6 54. ♔g4+−; b) 48... ♔f4!!☐ 49. 🗒g8! (49. f6? 🗒a2 50. ♔f1 ♔f3 51. ♔e1 ♔e3 52. ♔d1 ♔d3 53. ♔c1 ♔c3 54. ♔b1 🗒b2!☐ △ 55. ♔a1 🗒b4 56. 🗒g8 🗒f4) ♔e5!!☐ (49... 🗒a2? 50. ♔h3 🗒a3 51. ♔h4 🗒a1 52. ♔h5 🗒h1 53. ♔g6 ♔g4 54. f6 ♔f4 55. f7 🗒g1 56. ♔f6 🗒f1 57. 🗒e8!+−) 50. 🗒e8 ♔f6 51. 🗒e6 ♔g5 52. 🗒g6 ♔f4 53. 🗒g8 ♔e5! 54. 🗒f8 ♔f4! 55. f6 ♔g5!=] 43. 🗒g5 ♔f7 44. 🗒h5 🗒a2 45. ♔f4!+− ♔g7 46. ♔g5 🗒a5 47. 🗒h6 ♔d5 48. 🗒g6! ♔f7 49. 🗒c6 🗒c5 50. 🗒d6! 🗒c7 51. 🗒h6 ♔g8 52. f6! b5 53. ♔g6 b4 54. 🗒h3 🗒d7 55. 🗒h5 🗒b7 56. 🗒c5 🗒b8 57. 🗒c7 b3 58. 🗒g7 ♔f8 59. 🗒h7 [59... ♔g8 60. f7] 1 : 0   [Makaryčev]

245.   C 01

CHANDLER 2605 − BAREEV 2680
Hastings 1991/92

1. e4 e6 2. d4 d5 3. ed5 ed5 4. ♘f3 ♘c6 5. ♗b5 ♗d6 6. c4 dc4 7. d5 a6 8. ♗a4 b5 9. dc6 ba4 10. 0−0 ♘e7 11. ♕a4 0−0 12. ♘bd2!? N [12. ♕c4 ♗f5!? △ ♗d3] 🗒b8 13. a3 c3 14. bc3 🗒b6 15. 🗒e1!± [△ 15... 🗒c6? 16. 🗒e7] ♘c6 16. ♘c4 🗒b5 17. ♘d6 cd6 [17... ♕d6 18. ♗f4] 18. c4 🗒c5 [18... ♕a5?! 19. ♕a5 🗒a5 20. ♗f4 d5 21. ♗d6! 🗒d8 22. ♗c7] 19. ♗e3 ♘e5! [19... ♕a5 20. ♕a5 🗒a5 21. ♗f4±] 20. ♗c5 ♘f3 21. gf3 ♕g5 22. ♔h1 ♗h3 [22... ♗b7? 23. ♕b3!+−] 23. 🗒g1 ♕c5 24. ♕b4 [24. ♕a6!?] ♕f2⇆ 25. 🗒g3 ♗e6 26. ♕d6 g6 27. ♕f4 🗒d8 28. 🗒g2 ♕c5 29. 🗒d2 🗒d2 30. ♕d2 ♕c4 [♕ 9/c] 31. 🗒c1

♕b5 32. ♕d8 ♔g7 33. ♕d4 ♔g8 34. ♕d8 ♔g7 35. ♕d4 ♔g8 36. 🗒d1 h5 37. ♔g2!? ♕e2 38. ♔g3 h4 39. ♔f4 ♔h7!= [39... ♕h2? 40. ♔g5 ♔h7 (40... ♕g3 41. ♔h6) 41. ♕h4] 40. 🗒d2 ♕b5 41. ♔e3 ♕g5 42. ♔f2 h3 43. ♔e1 ♕e7 44. a4 ♕g5 45. 🗒e2 ♕c1 46. ♔f2 ♕g5 47. ♔e1 ♕c1 48. ♔f2 ♕g5 49. ♔e1   1/2 : 1/2
[Chandler]

246.   C 01

M. GUREVIČ 2630
− P. NIKOLIĆ 2625
Beograd 1991

1. d4 d5 2. c4 c6 3. ♘c3 e5 4. e3 ed4 5. ed4 ♘f6 6. ♘f3!? N [6. cd5 − 51/258] ♗d6 7. c5 ♗e7 8. ♗d3 b6 [8... 0−0 9. ♗f4 b6 10. b4 a5 11. a3±] 9. cb6 [9. b4?! a5 10. ♘a4 ♘fd7 11. a3 b5∓] ab6 10. 0−0 ♗a6 [10... 0−0 11. 🗒e1 ♗a6 12. ♗c2 △→≫; 10... ♗g4!?] 11. ♗a6 🗒a6 12. ♕d3 0−0 13. ♗g5!? h6 [13... 🗒e8 14. 🗒fe1 ♘fd7 15. ♗e7 🗒e7 16. 🗒e7 ♕e7 17. 🗒e1±] 14. ♗h4 ♘h5 15. ♗e7 ♕e7 16. 🗒fe1 ♕d8 [16... ♕b4?! 17. a3 ♕b2 18. 🗒a2! (18. 🗒eb1? ♘f4 19. ♕e3 ♕c3∓) ♕b3 19. ♘d2+−] 17. ♘e5 b5?! [17... 🗒a7 18. ♘e2!? 🗒e7 19. ♕f3 ♘f6 20. ♘g3 🗒e6 21. ♘f5↑] 18. a3!± [△ ♘a2-b4, 🗒ac1↑] ♘d7 19. ♘d7 ♕d7 20. ♘a2 ♘f4!? 21. ♕f3 ♘e6 22. ♘b4 🗒aa8 23. ♕c3!? [23. 🗒ed1 🗒ae8 24. 🗒ac1 ♘d8! △ 🗒e6, 🗒fe8⇆] 🗒ac8 24. 🗒ac1 c5 25. dc5 🗒c5 26. ♕f3 🗒c1 27. 🗒c1 🗒c8 28. 🗒d1 d4 29. h4! [△ g3, ♔g2, ♘d3, 🗒e1-e5] 🗒c5 30. g3 ♕c8?! [30... g5!? 31. ♘d3 🗒d5⇆] 31. ♘d3 🗒c7 [31... 🗒c2 32. ♕f5 ♕d7 33. ♘e5 ♕c7 34. ♘f7+−] 32. ♕d5 ♕b7 33. ♕b7 🗒b7 [🗒 9/h] 34. 🗒e1!± [△ 🗒e5-d5] ♔f8 35. 🗒e5 ♘d8 [35... ♔e7 36. 🗒d5 △ ♔f1-e2-d2-c2-b3-b4] 36. ♘b4! [36. 🗒d5 ♘c6 37. 🗒d6 🗒c7±] f6 37. 🗒d5 ♘f7 [37... ♘e6 38. ♘d3 △ ♔f1-b4+−] 38. 🗒d4 ♘e5 39. ♔g2 ♔f7 40. ♘d3 ♘c4 41. a4!+− ♔e7 [41... ♘a5 42. 🗒d5] 42. ab5 ♘d6 43. 🗒b4 ♘b5 44. ♘c5 🗒b8 45. ♘b3 [45. h5! ♔d6 (45... f5 46. ♘b3 🗒b7 47. ♘d4 ♘d6 48. ♘f5) 46. ♘e4 ♔c6 47. ♘c3] 🗒b7

46. ♘d4 ♘d6 47. ♘f5 ♔f8 48. ♖b7 ♘b7 49. h5 ♔f7 50. b4 g6 51. hg6 ♔g6 52. ♘d4 ♔g5 53. b5 f5 54. f4+– ♔f6 55. b6 ♘d6 56. ♔h3 ♔g6 57. ♘c6 ♘b7 58. ♘e5 1 : 0 [M. Gurevič]

247.* C 01

SCHMITTDIEL 2490 – DREEV 2610

Groningen 1991

1. e4 e6 2. d4 d5 3. ♘c3 ♘f6 [RR 3... ♗b4 4. ed5 ed5 5. ♗d3 ♘e7 6. ♕h5 c5 7. dc5!? N (7. a3 – 43/328) d4 8. a3 ♕a5 9. ab4 ♕a1 10. ♘ce2 ♕a2 11. ♘d4 ♕d5 12. ♕d5 ♘d5 13. c3 0–0 14. ♘gf3 a5 15. b5 ♘d7 16. ♗c4 ♖e8 17. ♔d1 ♘5f6 18. c6 ♘b6 19. ♗a2 bc6 20. ♘c6± Zijatdinov 2475 – Komarov 2460, Biel (open) 1991] **4. ♗g5 ♗b4 5. ed5 ed5 6. ♕f3 N** [6. ♗d3] **♘bd7 7. a3 ♗e7 8. ♗d3 0–0 9. ♘ge2 c6 10. 0-0-0** [⌓ 10. 0–0] **♖e8 11. ♘g3 ♘f8 12. ♘f5?!** [⌓ 12. h3∞] **♗f5 13. ♗f5 ♘6d7!∓ 14. ♗e7** [14. ♗f4 ♗g5] **♕e7 15. ♖d3 ♕g5** [15... ♘b6!?] **16. ♔b1 ♘b6 17. ♕g4 ♕g4 18. ♗g4 ♘c4 19. a4 ♖e7 20. b3 ♘d6 21. ♔c1 ♖ae8 22. ♖d2?!** [⌓ 22. a5 f5 23. ♗d1∓] **f5 23. ♗d1 ♔f7 24. g3 ♖e1!∓ 25. ♖e1 ♖e1 26. ♔b2 ♘e6 27. h4?!** [⌓ 27. a5] **a5 28. ♗f3 ♔f6 29. ♘d1 g5 30. c4 g4 31. ♗g2** [31. cd5 gf3 32. de6 ♘e4 33. ♖d3 ♖f1! △ 34. ♔c2 ♘f2 35. ♖f3 ♘d1 36. ♖f1 ♘e3–+] **dc4 32. d5 cd5 33. ♖d5 ♔e7–+ 34. bc4 ♘c4 35. ♔c3 ♘b6 36. ♖b5 ♘a4 37. ♔c4** [37. ♔d2 ♖d1] **♖d1 38. ♖a5 ♖c1 39. ♔d3 ♘ac5 40. ♔e2 ♖c2 41. ♔e3 ♖c3 0 : 1 [Dreev]**

248.* C 02

N. SHORT 2660 – BAREEV 2680

Tilburg (Interpolis) 1991

1. e4 e6 2. d4 d5 3. e5 c5 [RR 3... b6 4. ♘f3 ♕d7 5. c4 ♗b4!? N (5... ♘e7 – 29/192) 6. ♘c3 ♘e7 7. a3 ♗c3 8. bc3 ♗a6!? 9. cd5 ♕d5 10. ♗a6 ♘a6 11. 0–0 (11. ♕a4 ♕c6 12. ♕a6 ♕c3 13. ♔e2 ♕a1 14. ♕a4 c6 15. ♕b3 ♘d5∓) ♘b8 12. ♕d3 ♘bc6 13. c4 ♕d7 14. ♖d1 ♖d8 15. ♕e4 (△ ♗g5, d5) ♘a5 16. ♕g4 (16. d5 ♕a4 17. ♗g5 ♖d5!∓) ♘b3!? (16... 0–0 17. ♗h6 ♘g6 18. ♗g5 ♖c8 19. d5±) 17. ♖b1 (17. ♕g7 ♖g8 18. ♕h7 ♘a1 19. ♘g5 ♕c6∓) ♘c1 18. ♖bc1 0–0 19. ♘g5 f5!? 20. ef6 ♖f6 21. ♕e4 (21. h4) ♘g6 22. d5 ♘f8 23. h4 ♕a4!= Kuprejčik 2490 – Vaganjan 2585, Berlin 1991; ⌓ 22. h4± Kuprejčik] **4. ♘f3 cd4 5. ♗d3 ♘e7 N** [5... ♘c6 – 38/(378)] **6. 0–0 ♘g6!? 7. ♖e1** [⌓ 7. ♗g6 hg6 8. ♕d4 ♘c6 9. ♕f4=] **♘c6 8. a3?!** [8. ♘bd2] **♗d7 9. b4?! ♕c7 10. ♕e2 ♗e7 11. b5 ♘a5 12. ♗g5?** [⌓ 12. ♘d4∓] **♘c4?!** [12... ♗g5 13. ♘g5 ♘c4–+] **13. ♗e7 ♔e7 14. g3!** [14. ♗c4 ♕c4 15. ♕c4 dc4 16. ♘d4 ♖hc8 17. a4□ ♖c5 18. ♘f3 a6!∓] **♗b5 15. h4?** [15. ♘bd2! ♖hc8 (15... ♘d2 16. ♕d2 ♗d3 17. ♕b4!∞) 16. ♘d4 ♗a6 17. ♘2f3∓] **♖hc8! 16. ♘bd2** [16. h5 ♘ge5! 17. ♘e5 ♕e5 18. ♗c4 (18. ♕e5 ♘e5 19. ♖e5 ♗d3 20. cd3 ♖c1 21. ♔g2 ♖ac8–+) ♕e2 19. ♗e2 ♗a4! 20. ♘d2 ♗c2–+; ⌓ 16. ♘d4 ♗a6 17. f4∓] **♘d2 17. ♕d2 ♗d3 18. cd3 ♕c3–+ 19. ♕g5 ♔f8 20. h5 h6! 21. ♕g4 ♘e7 22. ♘d4 ♘c6 23. ♘b5 ♕d3 24. ♘d6 ♖c7 25. ♖ad1 ♕a6 26. ♖d5!? ♖d8** [26... ed5 27. ♘f5; 26... ♘e5!–+] **27. ♖dd1 ♘e5??** [27... ♖cd7 28. f4 ♕a3–+] **28. ♘f5!** [28... ♘g4 29. ♖d8#; 28... ♖d1 29. ♕g7 ♔e8 30. ♕h8 ♔d7 31. ♖d1+–; 28... ef5 29. ♖d8 ♔e7 30. ♕g7 ♔d8 31. ♕e5+–] **1 : 0 [N. Short]**

249. C 02

OSMEL GARCÍA –
ELIZART CARDENAS 2315

La Habana 1991/92

1. e4 e6 2. d4 d5 3. e5 c5 4. c3 ♕b6 5. ♗d3 ♗d7 6. ♕e2!? N [6. dc5] **cd4 7. ♘f3 ♘c6 8. 0–0 ♘ge7!? 9. a3! ♘g6 10. ♔h1 ♗e7 11. cd4 ♘d4 12. ♘d4 ♕d4 13. f4!±** [△ ♗e3, f5↑] **♕b6!** [△ 14. f5 ef5 15. ♗f5 ♗f5 16. ♖f5 0–0!∞] **14. ♘c3 d4!?** [14... 0–0 15. f5!±] **15. ♘e4 ♗c6 16. b4!** [△ b5, a4-a5↑] **♘h4!? 17. b5 ♗d5 18. ♗d2 0–0! 19. ♕e1**

19... ♘f5!! 20. ♗a5 ♗e4! 21. ♗b6 [21. ♗e4 ♕b5 22. ♖b1 ♕a4∓ ×a3] ♗d3 22. ♗a5 ♗b5!⊖⊖ [/a8-h1, ♘d] 23. ♖f3 ♗c5 24. ♗b4 b6! 25. ♖b1 ♗c6 26. ♖f2 ♖fd8? [26... ♖fc8! 27. ♗c5 bc5 28. ♖c1 c4!? (28... ♗d5 △ c4) 29. ♖c4 ♗g2!?∓] 27. ♗c5 bc5 28. ♖c1! [×c5] ♖d5 29. ♕a5! c4□ 30. ♕a6! ♗b5□ 31. ♕b7 ♖ad8 32. a4!∞ ♗a4□ 33. ♖c4 ♗b5! 34. ♖c7 a6! 35. h3⊕ h5⊕ 36. ♔h2 h4 37. ♖f7 ♖8d7 38. ♖d7 ♖d7 39. ♕c8   1/2 : 1/2 [Elizart Cardenas]

250.*   C 02

SVEŠNIKOV 2540 − BAREEV 2680
Poliot − „T. Petrosjan" 1991

1. e4 e6 2. d4 d5 3. e5 c5 4. c3 ♘c6 5. ♘f3 ♘h6?! 6. dc5!? N [6. ♗d3 − 50/292] ♘g4? [△ 6... ♗c5 7. ♗h6 gh6 8. b4 N (8. ♗d3 − 44/(315)) ♗f8 9. b5 ♘e7! 10. ♗d3 ♗g7 11. 0−0 ♘g6 (Svešnikov 2540 − Glek 2530, Moskva 1991) 12. ♕e2 0−0 (12... ♕c7 13. ♗g6 hg6 14. c4∞) 13. c4∞] 7. ♕a4!± h5□ 8. h3 ♘h6 9. ♗e3 [9. b4!?] ♘f5 10. ♗d4 ♗d7 11. ♗b5 g5?! 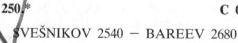 [11... a6 12. ♗c6 ♗c6 13. ♕c2 ♘d4 14. cd4 b6 15. cb6 ♕b6 16. 0−0±] 12. ♘bd2 ♖h6 13. 0-0-0 g4 14. ♘e1! a6 15. ♗c6 ♗c6 16. ♕c2 ♕c7 17. ♘d3 ♗b5 18. ♘f4 0-0-0 [18... ♗c5 19. ♗c5 ♕c5 20. ♘b3 ♕c7 21. hg4 ♕e5 22. ♘h5±] 19. g3! ♔b8 [19... ♗c5 20. ♗c5 ♕c5 21. hg4 hg4 22. ♖h6 ♘h6 23. ♕h7±] 20. ♘b3 ♗e7 21. hg4 hg4 22. ♖h6 ♘h6 23. ♔b1 ♘f5 24. ♖h1 [⇔h] ♗g5 25. ♘g2! ♕c8 26. ♖h5! ♖g8 27. ♕d1 ♗e7 28. ♘e3 ♘e3 29. ♗e3

♗e8 30. ♔a1 ♔a8 31. ♕d4+− ♗d8 32. ♖h7 ♕c6 33. ♘c1 a5 34. ♘d3 ♗e7 35. b3 ♔b8 36. ♘b2 ♕a6 37. a4 ♔c8 38. ♔c2 ♗d8 39. ♔d2 f6?!⊕ 40. ef6 ♗g6 41. ♖g7 [41... ♗f6 42. ♖g8 ♔c7 43. ♖g6 ♗d4 44. cd4]   1 : 0   [Svešnikov]

251.****** !N   C 02

SAX 2600 − BRENNINKMEIJER 2500
Wijk aan Zee 1992

1. e4 e6 2. d4 d5 3. e5 c5 4. c3 ♘c6 5. ♘f3 ♗d7 6. ♗e2 [RR 6. dc5 ♗c5 7. b4 ♗b6 8. b5 ♘a5 9. ♗d3 ♘c4! N (9... ♘e7 − 48/(373); 9... ♕c7 − 48/373) 10. a4 ♕c7 11. ♕e2 a6 12. ba6 ♖a6 13. 0−0 ♘e7 (13... ♖a4 14. ♖a4 ♗a4 15. ♘a3⊖⊖) 14. ♘a3 ♖a4 15. ♘c4 dc4 (15... ♖a1? 16. ♘d6 ♔f8 17. ♘g5+−) 16. ♖a4 ♗a4 17. ♗c4 0−0 18. ♗d3! ♘g6! (1/2 : 1/2 Harlov 2515 − Dreev 2610, SSSR (ch) 1991) 19. h4 ♗c6 20. h5 ♗f3 21. gf3 ♕e5! (21... ♘e5? 22. ♗f4 f6 23. ♕e4) 22. hg6 ♕g3 23. ♔h1 ♕h3= Dreev] ♘ge7 [RR 6... f6 7. 0−0 fe5 8. ♘e5 ♘e5 9. de5 ♗c6 10. c4 ♘e7 11. ♗g5 N (11. ♗g4 − 51/(259)) ♕d7 (11... dc4 12. ♗c4 ♕d1 13. ♖d1 ♗d5 14. ♘c3 h6 15. ♗h4 g5 16. ♗g3±) 12. ♗g4 a) 12... ♘g6 13. ♘c3 dc4 (13... d4 14. ♘d5 △ ♗e6±) 14. ♕e2 ♗e7 (14... ♕d3 15. ♕e1! h6 16. ♖d1 hg5 17. ♖d3 cd3 18. g3!±) 15. ♖ad1 ♕c7 (Svešnikov 2540 − Panbukčijan 2350, Anapa 1991) 16. ♗e7 ♕e7 17. f4! (17. ♖d6?! 0−0⇆) 0−0 18. g3 △ ♕c4, ♖d6±; b) 12... dc4 b1) 13. ♘d2 b5 (13... ♕d5 14. ♗f3 ♕e5 15. ♗e7 ♗e7 16. ♗c6 bc6 17. ♘c4 ♕d5 18. ♕e2±) 14. a4 a6∞; b2) 13. ♕d7! ♗d7 14. ♘d2± Svešnikov] 7. ♘a3 [RR 7. 0−0 a) 7... cd4 8. cd4 ♘f5 9. ♘c3 a1) 9... h5 N 10. ♗g5 ♗e7 11. ♗e7 ♕e7 12. ♕d2 g5 13. ♘b5 g4 14. ♘e1 ♔f8 15. ♘c2 a6 16. ♘c3 ♔g7 17. ♕f4 f6 18. ef6 ♕f6 19. ♖ad1± Romero Holmes 2490 − Kortchnoi 2585, Wijk aan Zee 1992; a2) 9... a6!? N (△ 10... ♕b6 11. ♘a4 ♕a7) 10. ♗e3!? (10. g4∞) ♗e7 11. ♗d3 ♘e3 12. fe3 0−0 13. e4! ♘b4 14. ed5 ed5 (14... ♘d3 15. de6! ♘e5 16. ♘e5 ♗e6 17. d5 ♗f6 18. ♕d4 ♗e5 19. ♕e5 ♗d7± Harlov) 15.

138

♗b1 ♗e6 16. ♘e2± Harlov 2515 − Doho-jan 2545, SSSR (ch) 1991; *a3)* 9... ♗e7 − 51/260; *b)* 7... ♘g6 *b1)* 8. ♗e3 ♗e7 9. dc5!? N (9. ♘e1 − 47/(333)) ♘ge5 10. ♘e5 ♘e5 11. f4 ♘c6 12. ♘d2 0−0 13. ♗d3 g6 14. ♕f3 ♗f6 (14... b6 15. cb6! ab6 16. ♕f2±) 15. ♕f2 ♗g7 16. ♘f3 ♘e7 17. h4!? f6!? (17... ♘f5 18. ♗f5 ef5 19. ♗d4 f6±) 18. h5 e5 19. h6!? ♗h8 (19... ♗h6 20. fe5 ♗e3 21. ♕e3 fe5 22. ♘e5±) 20. fe5 fe5 21. ♗g5 ♕e8 22. ♖ae1 ♘c6 23. c4 ♗e6 24. ♕e2 ♖c8 25. a3 (Harlov 2515 − Sakaev 2495, São Paulo 1991) e4! 26. cd5 ♗d5 27. ♗c4 ♕f7=; 24. ♕h4±; 21... e4!∞; 17. ♖ad1!?↑⊞ Sakaev; *b2)* 8. a3 N ·♗e7 9. b4 cd4 10. cd4 ♖c8 11. ♗e3 0−0 12. ♕d2 f6 13. ef6 ♗f6 14. ♘c3 ♘ce7 15. ♗d3 ♗e8 16. ♗g5 h6 17. ♗f6 ♖f6 18. ♘e5 ♘e5 19. de5 ♖f8 20. ♘e2 ♗g6= Romero Holmes 2490 − P. Nikolić 2635, Wijk aan Zee 1992] ♘f5 8. ♘c2 cd4 9. cd4 ♘b4 10. ♘e3 ♘e3 11. fe3 ♗e7 12. 0−0 N [12. a3 − 24/216] 0−0 13. ♗d2 ♕b6? [13... a5!∞] 14. a3 ♘c6 15. b4!±↑≪ f5?! [15... a6!? △ ♘a7] 16. ef6 ♗f6 17. ♗d3± ♘e7 18. ♕b1! h6?! [△ 18... g6] 19. a4 ♘f5 20. b5 a5 21. ♗c1! [△ ♖a2-f2→] ♖fc8 22. ♖a2 ♕d8 23. ♖af2 ♕e7 24. g4! ♖c1 [24... ♘d6 25. ♗a3 △ ♘e5+−; 24... ♘h4 25. ♘h4 ♗h4 26. ♗h7 ♔h8 27. ♖f7+−] 25. ♕c1 ♘d6 26. ♘e5 ♖c8 27. ♕b1 ♗e8 28. g5 [28. h4 △ g5+−] hg5 29. ♗h7 [29. ♘g4+−] ♔h8 30. ♖f3 g4□ 31. ♘g4 ♗h5 32. ♖g3 [32. ♘f6 gf6 33. ♖h3 ♕h7 34. ♕h7 ♔h7 35. ♖h5 ♔g6∞] ♗h4 33. ♖g2 ♗g5 34. ♗g6 ♗g4 35. ♖g4 ♗e3 36. ♔g2 [△ 36. ♔h1] e5? [36... ♗h6□ (△ ♘c4) 37. ♔h1±] 37. ♕e1! ♘c4 38. ♖f7 ♕e6 39. ♕g3??⊕ [39. ♕h4 ♗h6 40. ♕h6 gh6 41. ♖h7 ♔g8 42. ♗f5+−] ♗h6 40. ♖h4 ♘e3 41. ♔f2 ♔g8!□ [41... ♖c2 42. ♔e1 ♖c1 (42... ♘g2 43. ♔f1+−) 43. ♔e2!+−] 42. ♖f3? [42. ♖h6! ♘g4 43. ♔g2 ♘h6 (43... gh6 44. ♗f5! ♖c2 45. ♔h3 ♕f7 46. ♕g4 ♔f8 47. ♗c2 ♕f1 48. ♕g2+−) 44. ♖g7 ♔f8 45. ♖b7! (45. ♖h7 ♖c3! 46. ♕g5 ♕g4 47. ♕g4 ♘g4∞) ♕g4 46. ♕g4 ♘g4 47. ♖f7 ♔g8 48. b6+−] e4! 43. ♖ff4? [43. ♗f7□ ♕f7 44. ♖f7 ♖c2 45. ♔e1 ♖c1=] ♖c2 44. ♔e3 ♕e7? [44... ♖c3 45. ♔f2□ ♖g3 46. ♗f7 ♕f7 47. ♖f7 ♗e3! 48. ♔g3

♔f7∓] 45. ♗f7 ♕f7 46. ♖h6 ♖c3 47. ♔f2 ♖g3 48. ♖f7 ♔f7 49. ♖d6   1/2 : 1/2
[Brenninkmeijer]

252.*   **C 02**

GALDUNC 2445 − AMBARCUMJAN 2345
Armenia (ch) 1991

1. e4 e6 2. d4 d5 3. e5 c5 4. c3 ♘c6 5. ♘f3 ♕b6 6. a3 ♗d7 [RR 6... c4 7. ♘bd2 ♘a5 8. ♗e2 ♗d7 9. 0−0 ♘e7 10. ♖e1 ♘g6!? N (10... h6 − 48/(375); 10... ♕c6 − 48/375) 11. g3 ♗e7 12. h4 f5 13. h5!? ♘f8 14. ♖b1 g5∞ Motwani 2440 − I. Gu-revich 2495, Hastings II 1991/92] **7. b4 cd4 8. cd4 ♖c8 9. ♗b2 ♘a5 10. ♘bd2 ♘c4 11. ♘c4 dc4 12. ♖c1 a5 13. ♘d2 ab4 14. ♘c4 ♕d8 15. ab4 b5 16. ♘d6 ♗d6 17. ed6 ♘f6 18. ♖c5 0−0 19. ♗d3 ♘d5 20. 0−0 ♘b4?!** N [20... ♕b6 21. ♕h5 f5 22. ♖fc1 ♘b4! (22... ♖a8?! − 51/261) 23. ♖c8 ♗c8 *a)* 24. ♖c8? ♖c8 25. d7 ♖f8 26. ♗f1 ♘d5 27. ♕e8 ♕d6! (27... ♘f6 28. ♕e7 ♘d5=) 28. d8♕ (28. ♗b5 ♘c7−+; 28. ♗a3 b4 △ ♘c7−+) ♕d8 29. ♕e6 ♔h8 30. ♗b5 ♘c7 31. ♕e5 ♘b5 32. ♕b5 ♕b8−+; *b)* 24. ♕e2! *b1)* 24... ♘d3? 25. ♖c8 ♘f4 26. ♖f8 ♔f8 27. ♕e5+−; *b2)* 24... ♕d6? 25. ♗a3 ♗b7!? (25... ♕d4 26. ♗b4 ♕b4 27. ♖c8+−) 26. ♕d2! ♕d5 27. ♗f1 ♘c6 (27... ♘a2 28. ♖c5! ♕b3 29. ♖b5 ♕a3 30. ♖b7 ♘c3 31. ♕e3!+−) 28. ♗f8 ♔f8 29. ♕f4+−; *b3)* 24... ♗d7 25. ♗a3 ♕a5!=; 25. d5!?] **21. ♖h5 f5** [21... g6? 22. d5+−; 21... ♘d3 22. ♕d3 △ d5→]

139

22. d5!! ed5 [22... ♘d3 23. ♕d3 ♖c4 24. ♕h3 h6 *a)* 25. ♖h6? gh6 26. ♕h6 ♖g4 27. ♕h8 (27. de6? ♕h4 28. ♕h4 ♖h4 29. ed7 ♖h7 30. ♗f6 ♖d7 31. ♗e7 ♖b8∓; 27. g3 ♕g5 28. ♕h8 ♔f7 29. ♕h7 ♔e8 30. f4∞) ♔f7 28. ♕h5=; *b)* 25. de6! ♗e6 26. ♖h6 gh6 27. ♕h6 ♖g4 (27... ♕d7 28. ♕h8 ♔f7 29. ♕h5 ♔g8 30. ♕g6+−) 28. h3 ♖g5 29. ♕e6 △ ♖c1+−; 22... ♘d5 23. ♗f5 ef5 (23... ♖f5 24. ♖f5 ef5 25. ♕d5 ♔f8 26. ♖e1+−) 24. ♕d5 ♔h8 25. ♕d2!!+−] **23. ♕b3! ♘d3 24. ♕d3!** [24. ♕d5 ♖f7 25. ♕d3 ♖c4 26. ♕h3 h6 27. ♖h6? gh6 28. ♕h6 ♕h4−+; 27. ♖e1∞] **♖c4□** [24... ♗e6 25. ♕h3 h6 26. ♖h6 gh6 27. ♕h6+−; 24... ♖f7 25. ♕h3 h6 26. ♖h6 gh6 27. ♕h6+−] **25. ♕d5!** [25. ♕h3 h6 26. ♖h6 gh6 27. ♕h6 d4 28. ♕g6=; 27... ♖g4!?] **♕h8 26. ♕d2!!** [×h6] **♔g8□ 27. ♗g7 ♔g7 28. ♕h6 ♔f7 29. ♖e1 ♖e4 30. ♖e4 fe4 31. ♕h7 ♔f6 32. ♕h6 ♔f7 33. ♕h7?⊕** [33. ♖g5 ♕f6 34. ♕h5 ♔e6 35. ♖g6+−] **♕f6 34. ♕e4 ♖g8! 35. ♖h6 ♔f7 36. ♕d5 ♔g7 37. ♕h5 ♗f5! 38. g4! ♗d3?** [38... ♕e8] **39. ♖e6 ♔f8 40. ♖e7 ♗g6 41. ♕h6** **1 : 0**
[Galdunc]

253.* !N**   **C 05**

KUJALA − ANTON
corr. 1989/91

1. e4 e6 2. d4 d5 3. ♘d2 ♘f6 4. e5 ♘fd7 5. c3 [RR 5. f4 c5 6. ♘gf3 ♘c6 7. ♗d3!? N (7. c3 − 45/309) *a)* 7... ♕b6 8. c4! ♘b4 9. ♗b1 *a1)* 9... dc4 10. ♘c4 ♕a6 11. ♕e2 cd4 12. ♘d4 ♗c5 13. ♘b5! ♘d5 14. ♘cd6 ♔e7 (Donev 2410 − Lutzenberger, Gotzis 1991) 15. ♗d2 △ ♗d3±; *a2)* 9... cd4 10. a3! ♘c6 11. cd5 ed5 12. ♘b3±; *b)* 7... cd4 8. ♘b3 *b1)* 8... f6 9. 0−0 f5 (9... fe5 10. ♘e5 △ ♕h5±) 10. ♔h1! ♕b6 11. ♘fd4! ♘d4 12. ♗e3 ♕d8 (12... ♗c5 13. ♘c5 ♕c5 14. c3 ♕b6 15. ♗d4 △ 15... ♕b2? 16. a4! △ ♖f2+−) 13. ♗d4! (13. ♘d4?! ♘c5 △ ♘e4∞) ♗e7 14. g4 ♘f8 (14... g6 15. gf5±) 15. ♗c5! b6 16. ♗e7 ♕e7 17. ♘d4 g6 18. c3 ♕h4 19. gf5 gf5 20. a4± Donev 2415 − Schmid,

Feldkirch 1992; *b2)* 8... ♘c5 9. ♘c5 ♗c5 10. a3 a5 11. 0−0± Donev] **c5 6. f4 ♘c6 7. ♘df3 cd4** [RR 7... ♕b6 8. h4 cd4 9. cd4 ♗b4 10. ♔f2 f6 11. ♗e3 fe5 12. fe5 0−0 13. a3 N (13. ♗d3 − 51/(265)) ♗e7 14. b4 ♕d8 15. ♗d3 ♘de5! (15... ♖f7 16. ♕c2 ♘f8 17. ♘h3 h6 18. h5±; 15... ♗h4 16. ♔e2→) 16. de5 ♘e5 17. ♔e2 ♘g4! 18. ♕c2 h6 19. ♘h3! e5 20. ♗h7 ♔h8 21. ♘hg5 e4! 22. ♗d4 (22. ♘e4 ♘e3 23. ♔e3 de4 24. ♗e4 ♕b6 25. ♔e2 ♗d7−+) ef3 23. gf3 (Estrada 2260 − Watanabe 2325, Bariloche 1991) ♗g5 24. hg5 ♕g5 25. ♕g6! ♕g6 26. ♗g6 ♘f6 27. ♖ac1 ♗d7 28. ♖c7 ♗c6 29. ♔d3! △ ♖e1-e7∞ Estrada] **8. cd4 h5 9. ♗d3 ♕b6 10. ♘e2 ♗d7 11. a3 a5 12. b3 ♗e7 13. 0−0 g6 14. ♔h1 ♔f8 15. ♖g1 a4! N ⇆** [15... ♔g7 − 5/184] **16. b4 ♖c8 17. g4 hg4 18. ♖g4 ♘a7 19. ♗e3!? ♗b5 20. ♗g6!□ fg6 21. ♖g6 ♘c4 22. ♗c1 ♗e8** [22... ♔f7? 23. f5 △ ♘f4, ♕g1→] **23. ♖e6!□ ♗f7 24. f5 ♗e6 25. fe6 ♖h7 26. ♕g1** [△ ♕g6; 26. ♘f4!?] **♕e8 27. ♗g5! ♖c7?** [27... ♕h5? 28. ♖f1 ♔e8 29. ♘f4+−; 27... ♗g5 28. ♘g5 ♖g7 29. ♘h7! ♕g8 (29... ♖h7 30. ♖f1 ♔e7 31. ♕g5 ♔e6 32. ♕f5 ♔e7 33. ♕h7 ♔d8 34. ♖f7!+−) 30. ♘f6 ♔f8 31. ♘h7=; 31. ♘f4!?∞] **28. ♖f1 ♖g7 29. ♗h6 ♗d8 30. ♘g5! ♔g8 31. ♘f7!!+− ♖f7** [31... ♖g1 32. ♖g1 ♔h7 33. ♖g7#] **32. ef7 ♕f7 33. ♗g7 ♕g7 34. ♕f2 ♘d2 35. ♖g1 ♗g5 36. ♘c3** [△ h4] **1 : 0**
[Kujala]

---

254.   **C 05**

ANAND 2650 − TIMMAN 2630
Tilburg (Interpolis) 1991

1. e4 e6 2. d4 d5 3. ♘d2 ♘f6 4. e5 ♘fd7 5. ♗d3 b6 6. c3 ♗a6 7. ♗b1 c5 8. ♘e2 ♘c6 9. ♘f3 ♕c7 N [9... ♗e7!? − 42/330] **10. 0−0 ♖c8?!** [10... h6 △ 0-0-0] **11. ♖e1 ♗e7** [11... ♗e2 12. ♕e2 cd4 13. cd4 ♘d4 14. ♘d4 ♕c1 15. ♘e6!±] **12. ♗d2 ♘a5 13. ♘f4 ♘c4 14. ♗c1 b5 15. ♗d3 cd4 16. cd4 ♕b6 17. h4 h6 18. b3 ♘a5 19. ♗e3?!** [△ 19. ♗b2±] **♘c6 20. ♖c1**

140

20... ♔d8!= 21. ♕e2 ♗a3 22. ♖c2 ♘b4 23. ♖c8 ♔c8 24. ♗c1!? [24. ♗b1 ♘c6 25. ♗c1 ♗e7=] **♗c1?** [24... ♘d3 25. ♕d3 ♗e7] **25. ♖c1 ♔b8 26. ♘h5!± ♕a5 27. ♕d2 ♕a3 28. ♗b1 ♖g8 29. ♔h2** [⌓ 29. ♖d1] **♗b7 30. ♖d1 ♘c6 31. ♗h7 ♖h8 32. ♗d3 g6 33. ♘f6 ♘f6 34. ef6 ♕d6 35. ♔g1 a6?⊕** [35... e5□] **36. ♕e3 ♕d8 37. ♘e5 ♘e5 38. ♕e5 ♕c7 39. ♖c1!+− ♕e5 40. de5 g5 41. h5 ♖d8 42. f3 d4 43. ♖c5 ♗d5 44. ♔f2 ♔b7 45. g4 ♔b6 46. ♖c2 a5 47. ♔g3?!** [47. ♗g6 ♖d7 48. ♖c8+−] **a4 48. ba4??** [48. f4± △ 48... ab3 49. ab3 ♗b3 50. ♖b2] **♗c4!−+ 49. ♗e4 d3 50. ♖d2 ♔c5 51. ♔f2 ♔d4 52. a5 b4 53. ♗b7 ♖d7!** [53... ♗d5 54. ♗a6] **54. a6 ♗d5 55. ♖b2 ♔c3 0 : 1** **[Timman]**

255. **C 05**

I. GUREVICH 2495 – BORGES MATEOS 2435
Trinidad 1991

1. e4 e6 2. d4 d5 3. ♘d2 ♘f6 4. e5 ♘fd7 5. c3 c5 6. ♘df3 ♘c6 7. ♗d3 ♕a5!? 8. ♗d2 ♕b6 9. ♘e2?! N [9. ♕c2 — 44/(323)] **♕b2 10. 0–0 ♕a3 11. ♖e1 ♗e7 12. ♘f4 cd4?** [12... c4! 13. ♗c2 g6∓] **13. cd4 ♘b6 14. ♖e3 ♕a4 15. ♗c2 ♕a6 16. ♖b3?** [16. ♘h5! g6 17. ♘f6 ♗f6 18. ef6±] **♘c4?** [16... g6 17. ♗d3 ♘c4 18. a4∞] **17. ♘h5 g6 18. ♘f6 ♗f6 19. ef6 ♘d2 20. ♕d2** [△ ♕h6] **h6 21. ♕f4 ♕a5?!** [21... g5□ 22. ♕g3! ♕a5 23. h4±] **22. ♗g6!+− fg6 23. f7 ♔f8 24. ♘h4 ♘e7 25. ♕f6 ♖h7 26. ♖f3!** [△ ♕e7] **♗d7□** [26... ♕c7 27. ♕e7!+−] **27. ♘g6 ♘g6 28. ♕g6 ♖h8 29. ♕f6 ♖h7 30. ♖g3 ♖f7 31. ♕h8 ♔e7 32. ♕a8 b5 33. h3! ♕a4 34. ♕h8 ♕c2 35. ♖f1 ♕a2 36. ♕h6 b4 37. ♖g7 ♗e8** [37... ♖g7 38. ♕g7 ♔e8 39. h4 b3 40. h5 b2 41. ♕g6 ♔e7 42. h6+−] **38. ♕g5 ♔d7 39. ♖f7 ♗f7 40. ♕g7 ♔e7 41. ♖c1 ♕a5 42. ♖c8 b3 43. ♖b8 b2 44. ♖b7**
1 : 0 **[I. Gurevich]**

256. !N** **C 06**

DABETIĆ 2300 – STAMENKOVIĆ 2345
Jugoslavija 1991

1. e4 e6 2. d4 d5 3. ♘d2 ♘f6 4. e5 ♘fd7 5. ♗d3 c5 6. c3 ♘c6 7. ♘e2 cd4 8. cd4 f6 9. ef6 ♘f6 10. ♘f3 ♗d6 11. 0–0 0–0 12. ♗f4 ♗f4 13. ♘f4 ♘e4 [RR 13... ♘g4 14. ♘e2! N (14. g3 — 44/(328)) e5 (14... ♕d6 15. h3 ♖f3 16. hg4±) 15. ♘e5 (15. de5? ♖f3! 16. gf3 ♘ge5⩱) ♘ce5 16. de5 *a)* 16... ♕h4? 17. h3 ♘e5 (17... ♘f2 18. ♕e1±) 18. f4 ♘d3 19. ♕d3 ♗e6 20. f5 ♗f7 21. ♘f4±; *b)* 16... ♕b6?! 17. ♘d4! ♖f4 (17... ♘f2 18. ♗h7! ♔h7 19. ♖f2 ♖f2 20. ♔f2 ♕b2 21. ♕c2! ♕c2 22. ♘c2±; 17... ♕b2 18. ♗c2 ♘e5 19. ♗h7 ♔h7 20. ♕h5 ♔g8 21. ♕e5±) 18. ♘f3± Kruszyński 2345 – Laptev 2315, Kraków 1991; *c)* 16... ♘e5!? 17. ♘d4⩲ Kruszyński; 13... ♕b6 14. ♕d2 g6 15. ♘e2 ♗d7 16. a3 ♖ae8 17. ♕g5 ♘e4 18. ♕g4 ♘f6 19. ♕h4 e5 20. de5 *a)* 20... ♘e5 21. ♘e5 ♖e5 22. ♕d4 ♗f5! N (22... ♕d4?! — 45/(313)) 23. ♕b6 (23. ♕e5 ♗d3 24. ♖fe1 ♖e8 25. ♕d4 ♗e2∓) ab6 24. ♗b5 ♗d7!= Gavrilov 2370 – Seferjan 2290, SSSR 1991; *b)* 20... ♗g4!? 21. ef6 ♗f3 22. ♘f4! (22. gf3 ♘e5!∓) ♘e5 (22... ♗e4!? 23. ♖fe1 ♕d4∞) 23. ♖fe1 ♖f6 (23... ♘d3?? 24. f7+−) 24. ♖e5 ♖e5 25. gf3 ♕d4 26. ♘g2!∞ Seferjan] **14. g3 g5 15. ♘h5 e5! N** [15... ♗d7 — 51/(267)] **16. ♘e5!□** [16. ♗e4 de4 17. ♘e5 ♘d4!∓ △ 18. ♕a4? ♕d5! 19. ♕c4 ♕c4 20. ♘c4 ♗g4−+] **♘d4□ 17. ♕a4 ♕b6 18. ♗e4□ de4 19. ♖ad1 ♘f3! 20. ♘f3 ef3 21. ♖fe1!** [21. ♕c4? ♕e6!∓] **♗f5!□ 22. ♕c4** [22. ♖e7 ♗g6! 23. ♕c4 ♖f7] **♖f7 23. ♖e7** [23. ♖e5!? ♖c8! (23... ♕g6? 24. g4 ♗c2 25. ♖d7+−; 23... ♗g6?! 24. ♖g5 ♖e8!? 25.

♘f4 ♖e2 26. ♖f1!□ ♖b2 27. h4±; 23... ♕h6?! 24. g4 ♗g6 25. ♖dd5! ♗h5 26. gh5 ♔h8 27. ♖g5 ♖e8 28. ♕d4 ♕f6 29. ♕f6 ♖f6 30. h4±) 24. ♕d5 ♗g6 25. ♖g5 ♖c2! 26. ♖f1 ♕a6 (△ ♕f1) 27. ♕d8 ♖f8 28. ♕d1! ♖b2 29. ♘f4 ♕f6 30. h4 ♖a2 31. ♕f3∞] **♗g6! 24. g4 ♕b2 25. h4! gh4□ 26. ♖dd7 ♖af8□** [26... b5?? 27. ♕f7 ♗f7 28. ♖f7 △ ♘f6+−] **27. ♖b7□⊕** [27. ♘f4?? b5−+] **♕a1⊕ 28. ♔h2 ♗h5 29. gh5 ♕g7 30. ♕f7!□= ♕f7** [30... ♖f7 31. ♖b8 ♕f8 32. ♖f8 ♔f8 33. ♖e4=] **31. ♖f7 ♖f7 32. ♖b4** [32. ♖f7=] **♖f5 33. ♖h4 ♔g7 34. ♔g3 ♔h6 35. ♖a4 a5 36. ♔g4 ♖h5 37. ♔f3 ♖b5 38. ♖h4 ♔g6 39. ♖g4 ♔f6 40. ♖h4 h5 41. ♔g3 ♔g5 42. ♖c4 ♖d5 43. f3 ♔f6 44. ♔f4 ♖f5 45. ♔g3 ♔e6 46. ♖c8 1/2 : 1/2**
[Stamenković]

257.* !N **C 07**

P. POPOVIĆ 2550 − V. RAIČEVIĆ 2415

Jugoslavija (ch) 1991

1. e4 e6 2. d4 d5 3. ♘d2 c5 4. ♘gf3 ♘f6 [RR 4... ♘c6 5. ♗b5 cd4 6. ♘d4 ♗d7 7. ♘c6 ♗c6 8. ♗c6 bc6 9. c4 ♗c5! N (9... de4 − 18/206) 10. cd5 (10. ♕a4 ♘e7∞; 10. 0−0 ♘f6=) cd5 11. ed5 (11. ♕a4!? ♕d7 12. ♕d7 ♔d7 13. ed5 ed5 14. 0−0 ♘e7!=) ♕d5 (11... ed5 12. 0−0±) 12. ♕a4 (12. 0−0 ♘f6=) ♕d7 13. ♕d7 ♔d7 14. ♘e4 ♗b6! (14... ♗b4 15. ♔e2±; 14... ♗e7 15. ♗e3±) 15. ♗f4 (15. ♔e2 ♘e7 16. ♖d1 ♘d5=) ♘e7 16. 0-0-0 ♘d5 17. ♘c3 ♔c6 18. ♘d5 (1/2 : 1/2 Glek 2530 − Jusupov 2625, BRD 1991) ed5 19. ♖he1 ♖he8 20. ♖e8 (20. f3 ♖e6) ♖e8 21. f3 ♖e2 22. ♖d2 ♖e1= Glek] **5. ed5 ♘d5 6. ♘b3 ♘d7 7. ♗g5 ♗e7** [7... ♕c7!? *a)* 8. ♗b5? c4; *b)* 8. ♗c4 ♘7b6 (8... ♘5b6 9. ♗e2±) 9. ♗d5 ♘d5 10. c4 ♘f6∞; *c)* 8. dc5 ♘c5 9. ♗c4!?] **8. ♗e7 ♕e7 9. ♗b5 cd4 10. ♕d4 ♕b4?! N** [10... 0−0 − 52/262] **11. ♕b4 ♘b4 12. 0-0-0 ♔e7?** [12... a6□ 13. ♗d7 ♗d7 14. ♘e5 ♗c6 (14... ♖d8? 15. ♘c5) 15. a3! (15. ♖d4 ♗g2 16. ♖g1 ♘c6) ♗g2 (15... ♘d5 16. ♘c6±) 16. ab4±] **13. ♖d4! ♘d5 14. ♖e1 ♘5f6** [14... ♘7f6 15. ♘a5; ⌓ 14... ♘c7] **15. ♘a5 ♖b8 16. g4 h6 17. h4 a6 18. ♗c4 ♘e8 19. b4** [19. ♗a6! ♖a8 (19... ba6 20. ♘c6+−) 20. ♗b7+−] **♘c7 20. ♗b3 ♘b6 21. ♘e5 ♗d7 22. c4 ♖hc8□ 23. c5 ♘b5** [23... ♘bd5 24. c6+−] **24. ♖d3 ♗e8 25. a4 ♘a7 26. ♘g6!+− ♔f6 27. ♖f3 ♔g6 28. ♗c2 f5 29. ♖e6 ♔f7 30. ♖b6 ♗c6 31. ♖f5 ♔e7 32. ♗b3 ♖f8 33. ♘c6 ♘c6 34. ♖f8 ♔f8 35. ♗d5 ♘d8 36. ♔b2 ♔e7 37. ♔b3 1 : 0**
[P. Popović]

258. **C 07**

KASPAROV 2770 − ANAND 2650

Reggio Emilia 1991/92

1. e4 e6 2. d4 d5 3. ♘d2 c5 4. ed5 ♕d5 5. dc5 ♗c5 6. ♘gf3 ♘f6 7. ♗d3 N [7. ♗c4 − 4/213] **0−0 8. ♕e2 ♘bd7** [8... ♘c6 9. ♘e4 ♗e7 10. 0−0±] **9. ♘e4 b6! 10. ♘c5 ♕c5** [10... ♘c5 11. ♗c4 ♕f5 12. ♗e3 ♗b7] **11. ♗e3 ♕c7 12. ♗d4 ♗b7 13. 0-0-0** [13. 0−0? ♘g4 14. ♗h7 ♔h8!] **♘c5! 14. ♗e5** [14. ♗f6 ♕f4 (14... gf6 15. ♕e3 ♔g7) 15. ♔b1 gf6!?] **♘d3 15. ♖d3** [15. ♕d3 ♕c6] **♕c4 16. ♘d4** [16. ♗f6 ♕f4; 16. ♘d2 ♕g4! (16... ♕a2 17. ♗f6 gf6 18. ♕g4 ♔h8 19. ♕h4 ♖g8 20. ♕f6 ♖g7 21. ♖g3±) 17. f3 ♕g6 △ 18... ♗a6, 18... ♖ac8] **♗e4!** [16... ♕a2!? 17. ♗f6 ♕a1 18. ♔d2 ♕a5 19. b4 ♕b4 *a)* 20. ♔c1 gf6 21. ♕g4 ♔h8 22. ♕h4 (22. ♖h3 ♖g8 23. ♖h7 ♔h7 24. ♕h4 ♔g6!=) ♖g8 23. ♕f6 ♖g7 24. ♖g3=; *b)* 20. c3! ♕b2 21. ♘c2 gf6 22. ♕g4 ♔h8 23. ♕h4 ♖g8 24. ♕f6 ♖g7 25. ♖e1!→; 17... gf6!] **17. ♖e3 ♕a2! 18. ♗f6** [18. ♖e4? ♕a1 19. ♔d2 ♘e4−+] **♗g6! 19. ♖a3 ♕d5 20. h4** [20. ♗e5 f6!; 20. ♕e5 gf6 21. ♕d5$\overline{\overline{\infty}}$; 20... ♕g2!∓] **gf6 21. h5 ♕d4 22. hg6 hg6 23. ♖ah3 f5 24. ♖h4 f4 25. ♕f3?** [25. g3! (Kasparov) ♖ac8 (25... e5 26. ♕g4→) 26. gf4 *a)* 26... ♕f6 27. ♕e5 (27. ♕e3 ♖c5 28. ♕h3 ♕h4! 29. ♕h4 ♖h5=) ♕e5 28. fe5 g5□ 29. ♖h5 ♖fd8=; *b)* 26... ♖c5 27. f5 ♕f6 28. fg6 fg6 29. ♖h8 ♕h8 30. ♕e6 ♔g7 31. ♕e7 (31. ♕d7 ♔g8) ♖f7=] **♖ac8 26. ♖f4 ♕c5 27. c3 ♔g7∓ 28. ♖hh4** [28. ♖fh4! ♕g5 29. ♔c2 ♕f5 30. ♕f5 ef5!

(30... gf5 31. ♖a4 ♖c7 32. ♖ha1 a5 33. b4⇆) 31. ♖a4 ♖fe8!; 31. ♖d4∓] ♕e5 29. g3 ♕e1 30. ♔c2 ♖cd8 31. ♖d4 ♕e5 32. ♖hf4 ♕c7 33. ♕e3 e5 34. ♖d8 ♖d8 [♕ 9/e] 35. ♖e4 ♖d5 36. g4?! [36. f4!∓] b5 37. g5 ♕d6 38. f3 a5 39. ♕e2 ♕e6 40. ♕h2 ♕f5 41. ♕g3 [41. ♕h6 ♔g8 42. ♔b3 ♖d2−+; 42... ♖d4−+] ♕d7 42. ♕e1 b4! 43. cb4 [43. ♖e5 ♕a4 44. ♔c1 bc3−+; 43. b3□∓] ♕a4−+ 44. b3 [44. ♔c1 ab4 45. ♖e5 ♖d8−+; 44. ♔c3 ♕c6 45. ♖c4 ab4−+] ♕a2 45. ♔c3 a4 46. ba4 ♕a3 47. ♔c2 ♕a4 48. ♔c3 ♕a3 49. ♔c2 ♖d3   0 : 1   [Anand]

259.*   **C 07**

KOSTEN 2535 − SPEELMAN 2630

England (ch-m/2) 1991

1. e4 e6 2. d4 d5 3. ♘d2 c5 4. ed5 ♕d5 5. ♘gf3 cd4 6. ♗c4 ♕d6 7. 0−0 ♘f6 8. ♘b3 ♘c6 9. ♘bd4 ♘d4 10. ♘d4 a6 11. ♖e1 ♗d7 [RR 11... ♕c7 12. ♗b3 ♗d7 13. ♕f3 ♗d6 14. h3 N (14. ♘f5 − 48/(384)) 0-0-0 15. ♗g5 ♕c5!? 16. ♗e3 ♕e5 17. g3 ♕e4 18. ♖ad1 ♗c6 19. ♕e4 ♗e4 20. ♗g5 ♗g6 21. c3 ♗c5= Tivjakov 2535 − Kramnik 2490, SSSR (ch) 1991] **12. c3 ♕c7 13. ♗b3 N** [13. ♕e2 − 47/342] **♗d6 14. h3** [14. ♘f5? ♗h2 15. ♔h1 0-0-0−+] **h6 15. ♕f3?!** [△ 15. ♕e2] **0-0-0 16. ♗e3 ♔b8 17. a4 e5 18. ♘c2 ♗c6 19. ♕e2 ♘d5 20. ♖ad1 ♗e7** [20... ♘e3 21. ♘e3 △ 22. ♘d5, 22. ♘c4] **21. ♗c1 f6** [21... ♗f6 22. ♘b4 ♘b4 23. cb4 △ b5∞] **22. ♘d4!□ ed4 23. ♗d5 ♖d5 24. ♕e7 dc3 25. ♖d5 ♗d5** [25... ♕e7] **26. bc3** [26. ♕b4!? ♕c6∞] **♕e7** [26... ♕c3? 27. ♗f4 ♔a8 28. ♖c1±→◨; 26... ♕c6!? 27. c4!? ♕c4 (27... ♗g2?? 28. ♕g7+−) 28. ♗e3 ♗c6 (28... ♖c8? 29. ♕d6 ♔a8 30. ♕b6+−) 29. ♕d6 ♔a8 30. ♖d1 ♖c8 31. ♕d8 ♗a4 32. ♕b6∞] **27. ♖e7± g5 28. ♗e3 f5 29. a5 f4 30. ♗d4 ♖g8 31. ♖h7 g4 32. hg4** [32. h4 a) 32... g3?! 33. f3 ♖e8 34. ♖h8 ♖h8! (34... ♗g8? 35. ♔h1±) 35. ♗h8 h5 36. ♗e5 ♔c8 37. ♗f4 ♔d7 38. ♗g3 ♔e6 △ ♔f5=◨; b) 32... f3 33. g3 ♖g6 34. ♗b6 ♖c6=] **♖g4 33. ♖g7 ♖g7 34. ♗g7 f3 35. gf3   1/2 : 1/2   [Kosten]**

260.   **C 05**

ADAMS 2615 − SPEELMAN 2630

England (ch-m/2) 1991

1. e4 e6 2. d4 d5 3. ♘d2 c5 4. ed5 ♕d5 5. ♘gf3 cd4 6. ♗c4 ♕d6 7. 0−0 ♘f6 8. ♘b3 ♘c6 9. ♘bd4 ♘d4 10. ♘d4 a6 11. ♖e1 ♗d7 12. c3 ♕c7 13. ♗b3 0-0-0 N 14. ♕e2 ♗d6 15. h3 ♔b8 16. a4± h6?! [16... ♖hg8!? △ g5; 16... ♗c8] **17. ♗e3 ♖he8** [17... ♗c8!?] **18. ♘f3!±** [△ a5, △ ♗d4, ♘e5] **♗c6 19. a5 ♘d7 20. ♘d4 ♗e4 21. ♗a4 e5 22. ♘c2!** [△ 23. ♗b6, 23. ♘b4; 22. ♘f3 ♗c6∞] **♗c6 23. ♗c6 ♕c6 24. ♘b4 ♗b4** [24... ♕b5 25. ♕b5 ab5 26. a6±; 26. ♘d5!?] **25. cb4 ♘f6 26. ♖ac1 ♕a4?** [⊙ 26... ♕b5 27. ♕b5 ab5 28. ♗b6 ♖d7 29. ♖c5 ♘d5 30. ♖b5 ♘b6 31. ♖b6±] **27. ♕c4 ♘d5 28. ♗b6+−** [28. ♖ed1 a) 28... ♘e3 29. ♕c7+−; b) 28... ♕b5 29. ♖d5! ♕d5 (29... ♖d5 30. ♕c7 ♔a8 31. ♕c8 ♖c8 32. ♖c8#) 30. ♕c7 ♔a8 31. ♕b6+−; c) 28... ♕c6 29. ♕c6 bc6 30. ♖c6±] **♘b6 29. ♕c7 ♔a8 30. ab6 ♕d7 31. ♖e5 ♖f8 32. b5   1 : 0 [Adams]**

261.   !N   **C 07**

SMAGIN 2550 − LUTHER 2490

BRD 1992

1. e4 e6 2. d4 d5 3. ♘d2 c5 4. ed5 ♕d5 5. ♘gf3 cd4 6. ♗c4 ♕d6 7. 0−0 ♘f6 8. ♘b3 ♘c6 9. ♘bd4 ♘d4 10. ♘d4 a6 11. ♖e1 ♗d7 12. h3 0-0-0 13. c3 ♕c7 14. ♕e2 ♗c5 15. ♗e3! N [15. ♘f3 ♗c6 16. ♘e5 ♘e4↑; 15. b4 ♗a7 16. b5 ♗b8 (16... e5 − 44/(337)) 17. ♘f3 ab5 18. ♗b5 e5!∞] **e5 16. ♘c2 ♗e3 17. ♘e3** [×f7] **♗c6 18. ♖ad1!** [18. b4?! ♘e4! 19. b5 ♘c3 20. ♕b2 ♘b5∓] **g6** [18... ♖d1 19. ♖d1 ♖d8 20. ♘f5 g6 21. ♘h6!±] **19. ♕c2 ♖d1 20. ♖d1 ♖d8 21. ♕b3! ♖d1 22. ♘d1 ♗e8 23. ♘e3 ♘e4** [23... ♘h5 24. ♕b4 ♘f4 25. ♕f8 ♔d8 26. h4 △ g3±] **24. ♕b4!± f5** [24... ♕d6 25. ♗f7! ♕b4 26. ♗e6±; 24... ♘d6 25. ♘d5 ♕d8 26. ♕c5±; 24... ♘c5 25. ♘d5 ♕d6 26. ♘f6! ♕f6 27. ♕c5±] **25. ♕f8 ♔d8 26. ♗d5 ♘d6** [26... ♘c5 27. ♘c4±] **27. c4 b6** [27... ♕e7 28.

143

♕e7 ♔e7 29. c5+−] **28. b4 ♕e7 29. ♕h8! e4 30. ♕d4+− ♕c7 31. ♗e6 ♗d7 32. ♘d5 1 : 0** [Smagin]

262. **C 07**

IVANČUK 2735 – ANAND 2650

Reggio Emilia 1991/92

1. d4 e6 2. e4 d5 3. ♘d2 c5 4. ed5 ♕d5 5. ♘gf3 cd4 6. ♗c4 ♕d6 7. 0–0 ♘f6 8. ♘b3 ♘c6 9. ♘bd4 ♘d4 10. ♘d4 a6 11. ♗b3 ♕c7 12. ♕f3 ♗d6 13. ♔h1!? N [13. h3 – 48/384] **0–0 14. ♗g5** [14. c3? b5!∓] **♘d7 15. c3 ♘e5!** [15... b5? 16. ♖ad1 ♘c5 17. ♗c2 ♗b7 18. ♕h3!] **16. ♕h5** [16. ♕e4? b5!] **♘g6 17. ♗c2** [17. ♖ae1? ♕c5!; 17. ♖ad1!? ♗f4! (17... h6? 18. ♘e6+−; 17... ♕c5?! 18. ♕g4!±; 17... b5 18. ♗c2 △ f4) 18. g3!? ♗g5 19. ♕g5 b5 20. f4 ♗b7 21. ♔g1∞] **h6!** [17... ♕c5?! 18. ♘b3!] **18. ♘f3** [18. ♗e3 ♘f4 19. ♕h4 ♘d5!? 20. ♗d2 (20. ♗h6 gh6 21. ♕h6 f6!) ♗f4=; 19... ♗d7!=] **b5!?** [18... ♗f4?! 19. ♗f4 ♘f4 20. ♕e5±; 18... ♘f4 19. ♕h4 ♘g6 20. ♗g6 fg6 △ ♖f3!↑; 20. ♕h5=; 18... ♕c5 19. b4! ♕c3 20. ♖ac1 ♗f4 21. ♗g6 ♗c1 22. ♖c1 fg6 23. ♕g6∞] **19. ♖ad1 ♗f4! 20. ♗f4** [20. ♗g6 ♗g5 21. ♗e4 g6! 22. ♕h3 e5∓] **♘f4 21. ♕e5 ♕e5 22. ♘e5= ♗b7 23. f3 ♖fd8 24. ♔g1 ♖ac8 25. a3?!** [25. ♔f2 b4? 26. c4! f6 27. ♘g6±] **f6 26. ♘d3 ♘d3** [26... ♘d5!?] **27. ♖d3 ♖d3 28. ♗d3 ♖d8** [28... g5!] **29. ♖d1 ♔f8 30. ♗e2 ♖d1 31. ♗d1 g5 32. g3±** [32. ♔f2? f5! △ f4] **♔e7** [32... e5?! 33. g4!] **33. ♔f2 a5!?** [33... f5 34. f4 e5 35. ♔e3!] **34. f4?!** [⌓ 34. ♔e3 △ 34... ♔d6 35. f4 gf4 36. ♔f4!] **gf4 35. gf4 ♔d6 36. b4** [36. ♔e3!?] **ab4 37. cb4?⊕ e5= 38. ♔e3 ♗c6 39. ♗h5 ♗d7 40. ♗f7 ♗c6 41. h4 ♔e7 42. ♗b3 ♔d6 43. ♗d1 f5 44. ♗c2 ♗d7 1/2 : 1/2** **[Ivančuk]**

263. !N **C 08**

KRUSZYŃSKI 2345 – KNAAK 2535

Münster 1991

1. e4 e6 2. d4 d5 3. ♘d2 c5 4. ♘gf3 ♘f6 5. ed5 ed5 6. ♗b5 ♗d7 7. ♗d7 ♘bd7 8. 0–0 ♗e7 9. dc5 ♘c5 10. ♘d4 ♕d7 11. ♕f3 0–0 12. ♘f5 ♗d8 13. ♘b3 ♘ce4 14. ♗e3 g6 15. ♘g3 ♖e8 16. ♖fd1 ♖c8! N [16... ♕c6 – 48/386] **17. c3** [17. ♘d4!?] **a5 18. ♘d4 b5 19. a3 ♕b7 20. ♘c2 ♗c7 21. ♘e4 ♘e4 22. ♖d3 ♗e5 23. ♖ad1 ♖cd8 24. ♗f4?!** [24. ♕h3=] **♖d6!∓ 25. ♗e5 ♖e5 26. ♖f1 ♕e7 27. ♘e3 h5 28. ♕e2 ♘c5 29. ♖dd1 ♕d7 30. ♕f3 ♔h7 31. ♘c2 ♕e7 32. ♘d4 ♖f6 33. ♕h3 ♘a4 34. ♘f3** [34. b3 ♘c5 35. b4 ab4 36. ab4 ♘e4 37. ♘b5? ♘f2!−+] **♖e2** [34... ♖ef5?! 35. ♖fe1±] **35. ♖d5 ♖b2 36. ♖d7 ♕e8** [36... ♕a3!?] **37. ♖fd1 ♘c3?⊕** [37... ♔g7!?∞] **38. ♘g5 ♔h6 39. ♕c3 ♕d7 40. ♕c1!!+− ♕f5 41. ♘f3 g5 42. ♕b2 g4 43. ♘d4 ♕d5 44. ♕b5 1 : 0** **[Kruszyński]**

264.** **C 08**

ADAMS 2615 – N. SHORT 2660

England (ch-m/1) 1991

1. e4 e6 2. d4 d5 3. ♘d2 c5 4. ed5 ed5 5. ♘gf3 ♘f6 [RR 5... c4 6. b3 cb3 7. ♗b5 ♗d7 8. ♕e2 ♕e7 9. ♗d7 ♘d7 10. ab3 ♘h6 11. ♖a5 N (11. ♗a3 – 52/265) ♘b6 12. ♘f1 ♕e2 13. ♔e2 ♘f5 14. c4 f6 15. c5 ♘c8 16. ♘e3 ♘e3 17. fe3 a6 18. ♔d3 ♘a7 19. ♗d2 g6= Beljavskij 2655 – P. Nikolić 2625, Beograd 1991] **6. ♗b5 ♗d7 7. ♗d7 ♘bd7 8. 0–0 ♗e7 9. dc5 ♘c5 10. ♘d4 ♕d7 11. ♘2f3 0–0 12. ♗f4 N** [RR 12. ♘e5 ♕c8 13. ♕f3 N (13. ♗g5) ♖e8 14. ♘f5 ♘ce4 15. c3 ♗d8?! 16. ♘g4 ♖e6 17. h3 a5 (van der Wiel 2540 – Kortchnoi 2585, Wijk aan Zee 1992) 18. ♗e3 h5 19. ♘h2±; 15... ♗c5=; 15... ♗f8= van der Wiel] **♖fe8 13. ♖e1** [13. ♘e5!? ♕d8 14. ♘d3] **♘ce4 14. ♘e5 ♕d8 15. ♘d3!± ♖c8 16. c3 ♗f8 17. ♕b3 ♘h5 18. ♗g3?!** [18. ♕b7 ♘c5! 19. ♘c5 ♘f4⩱; 18. ♗e3±] **♘hg3 19. hg3 ♕d7= 20. ♖ad1 ♖cd8 21. ♘f3 ♕c8 22. ♖e2 ♘c5 23. ♕c2 ♖e2 24. ♕e2 ♘e4 25. ♕c2 g5?!** [25... a6; 25... g6 △ h5 ×e4] **26. ♘d4 ♗g7 27. ♘b4!** [27. ♘c1 f5∞] **f5?** [27... ♘g3□ 28. fg3 a5 29. ♘f5 ♕c5 30. ♔h2 ab4 31. ♕d2 ♗f6 32. cb4 ♕c4±] **28. ♕d3!+−** [△ ♕f3] **♔h8 29. ♕f3 a5 30. ♘bc2 ♖f8 31. ♘e3 ♗d4**

[31... f4 32. ♘d5 fg3 33. ♕e4 gf2 34. ♔f1 ♕c4 35. ♕e2 ♕d5 36. ♘e6] **32. ♖d4 f4 33. ♘d5 ♘c5 34. gf4 ♘e6 35. ♕e4! gf4** [35... ♘d4 36. ♕d4 ♔g8 37. ♘e7] **36. ♘e7! 1 : 0** [Adams]

265.* C 09

TIVJAKOV 2535 − KOSTEN 2535
Imperia 1991

1. e4 e6 2. d4 d5 3. ♘d2 c5 4. ed5 ed5 5. ♘gf3 ♘f6 [5... ♘c6 6. ♗e2 cd4 (6... ♗d6) 7. 0−0 (7. ♘b3) ♗d6 N (7... ♘f6 − 52/268; 7... ♗e7 − 52/269) 8. ♘b3 ♘ge7 (8... ♘f6 9. ♘bd4 0−0 10. ♗g5±) 9. ♗g5 (9. ♘bd4!? 0−0 10. ♗e3!?; 10. c3; 10. ♗g5 − 9. ♗g5) 0−0 10. ♘bd4 (10. ♗h4 ♕b6!; 10. ♘fd4) ♕b6 11. ♘b5! ♗b8 12. c3 a6 13. ♗e3 ♕d8 14. ♘bd4± ♕d6 15. ♕d2 ♘g6 16. g3! f5?! 17. ♘b3! (17. ♘c6?! bc6 18. b4∞) ♘ce7 18. c4! b6☐ (18... dc4 19. ♗c4 ♖h8 20. ♕d6 ♗d6 21. ♖ad1 ♗b8 22. ♗c5±) 19. c5 bc5 20. ♗c5± Tivjakov 2535 − Levitt 2465, Amantea 1991; 10... a6!? △ 11... ♕b6, 11... ♕c7; 9... ♕b6!?; 7... ♕b6!? △ 8. ♘b3 ♗c5] **6. ♗e2 ♘c6 7. 0−0 cd4** [7... ♗d6!? 8. dc5 ♗c5 9. ♘b3 ♗b6 (9... ♗e7 10. ♗g5 h6 11. ♗h4 0−0 12. c3 ♗e6 13. ♘fd4±; 10. ♗f4!?) 10. ♗g5 0−0 11. c3 ♖e8∞] **8. ♘b3 ♗e7 9. ♘fd4 0−0 10. ♗f4 ♘e4 11. ♗f3 ♗f6 12. c3 ♖e8 N** [12... ♘e5 − 52/268] **13. ♕c2** [13. ♖e1!?; 13. ♕d3!?] ♘**g5!? 14. ♗g5 ♗g5 15. ♖fe1** [15. ♖ad1; 15. g3!? △ ♗g2±] ♘**e5 16. ♖ad1±** ♗**f6 17. ♗e2!?** [△ 18. ♘f3, 18. ♘f5] **g6 18. ♘c5!?** [18. ♗b5 ♖f8∞] ♕**d6 19. ♘d3** ♘**g4?** [19... ♘c6!?±; 19... ♗d7!?; 19... ♗e6] **20. g3!** ♗**d7** [20... ♗d4 21. cd4±] **21. ♗f3** ♘**e5** [21... ♗d4 22. cd4± ×♗d7, d5, c5, e5] **22. ♘e5 ♖e5** [22... ♗e5 ×d5] **23. ♖e5± ♕e5** [23... ♗e5±] **24. ♘e2** [24. ♕e2!? △ 24... ♕d6 25. ♘c2 △ ♘e3, △ ♘b4, ♕d2±] ♗**f5!?** [24... ♗c6] **25. ♕b3** ♗**e4 26. ♗e4 de4☐ 27. ♖d7 ♖f8 28. ♖b7** [28. ♕b7 ♖b8 29. ♕a7 ♖b2⊞] **e3 29. ♕c4** [29. ♖b5!? ef2 30. ♔f2; 29. ♕b5!?] **ef2 30. ♔f2 ♗d8☐ 31. ♘f4** [31. ♔e1!? △ ♔d1-c2] ♗**b6 32. ♔g2 ♕e3☐** [⇆≫, ×♔g2] **33. ♕d5** [33. ♕e2 ♕g1 34. ♔h3

♕c5⊞] **♕g1 34. ♔h3 ♕f1 35. ♕g2** [35. ♘g2 ♖d8] **♕c4?** [△ 35... ♕b1⇆] **36. ♖d7! ♕a2** [36... ♕c8 37. ♕d5+−] **37. ♘d5 ♖d8?!⊕** [37... ♕c4 38. ♕f3+−; 37... ♕a4!?±] **38. ♕e4!+− ♖d7 39. ♕e8 ♔g7**

40. ♕e5!! ♔h6 [40... ♔f8 41. ♕h8#; 40... ♔g8 41. ♘f6 ♔g7 42. ♘d7 ♔g8 43. ♘f6 ♔g7 (43... ♔f8 44. ♘h7∥) 44. ♘h5! ♔f8 (44... ♔h6 45. ♕f4+−) 45. ♕d6+−; 40... f6 41. ♕f6 ♔h6 (41... ♔g8 42. ♕e6 ♖f7 43. ♘f6+−) 42. ♕f4! ♔g7 (42... g5 43. ♕f6 ♔h5 44. g4#) 43. ♕e5! ♔f8 (43... ♔h6 44. ♘f6+−; 43... ♔g8 44. ♕e6+−; 43... ♔f7 44. ♕f6+−) 44. ♕f6 ♔e8 (44... ♖f7 45. ♕h8#) 45. ♕e6+−] **41. ♘f6! ♕e6** [41... ♔g7 42. ♘d7 − 40... ♔g8] **42. ♘g4 ♕g4 43. ♔g4 f5 44. ♔h3 ♖f7** [△ g5, f4] **45. b4** [45. c4!?] **g5** [45... ♖c7 46. ♕f4 g5 (46... ♔g7 47. c4) 47. ♕f5 ♖c3 48. ♕f6] **46. c4 ♗c7** [46... f4 47. ♔g4] **47. ♕c5 ♔g6 48. ♕a7!? ♗g3 49. ♕a6 ♖f6 50. ♕c8** [♔b, c] ♗**h4 51. ♔g2 ♖d6 52. ♕e8 ♔f6 53. ♕e2! g4 54. c5 ♖e6 55. ♕c4 ♖e4 56. ♕d3 ♖e1 57. ♕d8 ♖e7 58. c6 ♔f7 59. ♕d3 ♔e8 60. ♕b5 1 : 0** [Tivjakov]

266.* !N C 10

SAX 2600 − EPIŠIN 2620
Wijk aan Zee 1992

1. e4 e6 2. d4 d5 3. ♘c3 de4 4. ♘e4 ♗d7 5. ♘f3 ♗c6 6. ♗d3 ♘d7 7. 0−0 [RR 7. c4 ♘gf6 8. ♘c3 ♗f3 N (8... ♗e7) 9. ♕f3 c5 10. ♗e3 ♕b6 11. ♘e2 cd4 12. ♗d4 ♗c5 13. ♗c3 ♗b4 14. 0-0-0 ♖c8 15. ♖he1

0–0 16. g4 ♖c5 17. ♕g3 ♖fc8 1/2 : 1/2 Nunn 2615 – Epišin 2620, Wijk aan Zee 1992] **♘gf6 8. ♘f6 ♕f6 9. ♗e2 ♗d6 10. c4 ♗e4! N** [10... ♕f5 – 25/(243)] **11. ♗e3** [11. ♘g5 ♗g6 12. f4!? ♖d8! 13. ♔h1 0–0 14. ♗e3 c5=] **0–0 12. ♘g5 ♗g6 13. c5?! ♗f4 14. ♘h3 ♗e3 15. fe3 ♕e7 16. ♗f3 e5!∓ 17. c6!** [17. ♗b7 ♖ab8 18. c6 ♘b6 19. de5 ♖bd8∓] **bc6 18. ♗c6 ♖ad8 19. ♖c1 ♘f6 20. ♖e1** [20. ♗f3 ed4 21. ed4 ♕e3 22. ♔h1 ♖d4 23. ♕e1 ♕e1 24. ♖fe1∓] **ed4 21. ed4 ♕b4 22. ♗f3□ ♖d4 23. ♕b3 ♕d6 24. ♕b7** [24. ♕c3 ♖d2∓] **♖d2 25. ♕a7 ♖b2 26. a4 ♕b6 27. ♕b6 cb6 28. ♘f4 ♗f5 29. ♖e5 g6 30. ♖b5** [30. a5] **♖b5 31. ab5 ♖c8 32. ♖d1** [32. ♖c6? ♖c6 33. bc6 ♔f8 34. c7 ♗c8∓] **♖c5 33. ♖d6 ♘e4 34. ♗e4 ♗e4 35. ♖b6 ♔g7 36. g3 ♖c2 37. ♖d6 ♖b2 38. b6 ♔f8 39. ♘d5!= ♗d5 40. ♖d5 ♖b6** [♖ 6/a] **41. ♖d2 ♔e7 42. ♔f2 h5 43. ♔f3?!** [43. h4=] **g5! 44. ♖d5! f6 45. h4 ♔e6 46. ♖a5 g4 47. ♔f4 ♖b4 48. ♔e3 ♖b3 49. ♔f2 f5** [49... ♖b2 50. ♔e3! ♖g2 51. ♖h5 ♖g3 52. ♔f4 ♖g1 53. ♖a5=] **50. ♖a6 ♔e5 51. ♖a5 ♔e4 52. ♖a4 ♔d3 53. ♖f4= ♖b5 54. ♔g2 ♔e2 55. ♖f2 ♔e3 56. ♖f4 ♖d5 57. ♔g1 ♔e2 58. ♖f2 ♔d3 59. ♖f4 ♖e5 60. ♔g2 ♔e3 1/2 : 1/2 [Epišin]**

267. **C 10**

OLL 2600 – TAL 2525

Sevilla 1992

1. e4 e6 2. d4 d5 3. ♘d2 de4 4. ♘e4 ♘d7 5. ♘f3 ♗e7 6. ♗f4 N [6. ♗d3 – 52/(274)] **♘gf6 7. ♘f6 ♘f6** [7... ♗f6 8. ♕d2 0–0 9. 0-0-0±] **8. ♗d3 c5 9. dc5 ♕a5 10. c3 ♕c5 11. 0–0 0–0 12. ♘e5!± ♘d5 13. ♗g3!** [13. ♗d2 ♕c7=] **g6** [13... f5 14. ♕c2±] **14. ♕c2 ♖d8 15. ♗e4! ♗d7 16. ♖fe1** [16. ♗d5 ed5 17. ♘f3 d4! 18. ♘d4 ♗f6±] **♗e8□ 17. ♕b3 b5 18. ♖ad1 a5! 19. a3** [19. ♗d5 a4 20. ♕b4 ♕b4 21. cb4 ♖d5=] **♖a7 20. ♗d5 ♖d5 21. ♖d5 ♕d5 22. ♕d5 ed5 23. ♘d3± f6 24. f3 ♔f7 25. ♗f2 ♖b7** [25... ♖a8! 26. ♗d4⩲] **26. b4!± ♖b8?** [26... ab4 27. ab4 △ ♖a1±; 26... a4 27. ♗c5 ♗d8 (27... ♗c5 28. bc5 ♖c7 29. ♔f2 ♗d7 30. g4±) 28. ♘f4±] **27. ba5!+– ♖a8 28. ♗b6 ♗a3 29. ♖a1 ♗d6 30. a6 ♗c6 31. ♗d4 ♔e6 32. a7 ♖c8 33. ♖a6 ♔d7 34. ♗f6 ♗a8 35. ♖b6 ♖c7 36. ♗d4 ♖b7 37. ♖a6 b4 38. ♗c5 bc3 39. ♖d6 ♔c7 40. ♖e6 ♖b1 41. ♖e1 1 : 0 [Oll]**

268. **C 10**

KAMSKY 2595 – KORTCHNOI 2610

Tilburg (Interpolis) 1991

1. e4 e6 2. d4 d5 3. ♘c3 de4 4. ♘e4 ♘d7 5. ♘f3 ♘gf6 6. ♘f6 ♘f6 7. ♗d3 b6 8. ♕e2 ♗b7 9. c3?! N [9. ♗g5 – 3/216] **♗e7 10. ♗g5 h6 11. ♗h4 ♕d5!** [11... 0–0 12. ♘e5∞] **12. ♘e5?!** [12. ♗b5!? c6 13. ♗c4 ♕h5 14. 0-0-0 0–0∞] **♘d7!∓ 13. ♗e7** [13. ♗b5? ♗h4 14. ♗d7 ♔e7∓] **♘e5 14. de5 ♕g2!** [14... ♔e7?! 15. f3 △ ♗e4∞] **15. 0-0-0□ ♔e7** [15... ♗f3? 16. ♕e3 (△ ♖dg1) ♗d1 17. ♗e4 ♕g4 18. h3 ♕h5 19. ♗a8 ♔e7 20. ♗c6 ♗e2 (20... ♖d8? 21. f3+–) 21. ♕d4! g6 22. ♖e1 a5 (22... ♖d8?? 23. ♕b4) 23. f3 ♖d8 24. ♕f4 △ ♕f6+–] **16. ♖hg1 ♕h2 17. ♕e3□ g5 18. ♖g4** [△ f4⇆] **♖ad8 19. f4 ♕h5?!** [19... ♖hg8!? 20. fg5 hg5 21. ♖dg1 ♖d5 22. ♖g5 ♕h6 23. ♗e2∓] **20. ♖dg1 ♖hg8 21. ♗e2 gf4!? 22. ♕f4□** [22. ♖g8? ♕h2 23. ♖d8 fe3 24. ♖gd1 ♕e5–+] **♖g4□ 23. ♕f6 ♔d7□** [23... ♔e8? 24. ♖g4±] **24. ♖d1!□** [24. ♗g4?! ♕g5 25. ♕g5 hg5 26. ♗h5∓] **♗d5 25. ♗b5 ♔c8□** [25... c6?? 26. ♖d5 ed5 27. ♕d6 ♔e8 28. ♗c6+–] **26. ♗a6 ♔d7 27. ♖d5 ed5 28. ♗b5** [28... ♔c8 29. ♗a6 ♔d7] **1/2 : 1/2 [Kamsky]**

269. **C 11**

ŠIROV 2610 – NIKOLENKO 2450

SSSR (ch) 1991

1. e4 e6 2. d4 d5 3. ♘c3 ♘f6 4. e5 ♘fd7 5. ♘ce2 c5 6. c3 ♘c6 7. f4 b5 8. a3!? N [8. ♘f3 – 51/(271)] **a5** [8... b4 9. ab4 cb4 10. ♘f3⩲] **9. ♘f3 b4** [9... c4!?; 9... ♖b8!?] **10. ab4 cb4 11. f5!? ef5 12. ♘f4 ♘b6 13. ♗b5 ♗b7!** [13... ♕c7? 14. c4+–; 13... ♗d7 14. e6! fe6 15. ♘e6 ♕c8 16.

♘f8 ♖f8 17. 0–0?! ♔f7∞; 17. ♘g5!±] **14. e6!** [14. ♕d3 g6 15. e6 f6!∞] ♗d6! [14... f6? 15. ♘e5! fe5 16. ♕h5 ♔e7 17. ♕f7 ♔d6 18. ♕b7 ♗c7 19. ♗c6 ♔c6 20. de5 ♔c5 21. ♗e3? ♔b5 22. ♕b6 ♕b6 23. ♗b6 ♔b6 24. ♘d5 ♔b7 25. e7 ♗e7 26. ♘e7 ♖he8=; 21. ♕f7!+–] **15. ef7 ♔f7 16. 0–0 ♖e8! 17. ♘d5!? ♗h2!** [17... ♘d5? 18. ♘g5 ♔g6 (18... ♔g8 19. ♕h5 h6 20. ♕f7 ♔h8 21. ♕b7 hg5 22. ♗c6 ♖b8 23. ♕f7 ♗h2 24. ♔h1+–) 19. ♖f5!! ♗f5 20. ♗d3 ♔f6 21. ♕f3 ♘f4 22. ♗f4 ♔e7 23. ♗d6 ♕d6 24. ♕f7 ♔d8 25. ♕b7+–] **18. ♔h2 ♕d5 19. c4! ♘c4 20. ♘g5 ♔g6!** [20... ♔g8 21. ♖f5! ♘4e5! (21... ♘6e5? 22. ♗c4 ♕c4 23. de5+–; 21... ♕f5 22. ♗c4 ♔f8 23. ♗d3! ♕d5 24. ♕f1 ♔e7 25. ♗c4! ♕d6 26. ♗f4 ♕h6 27. ♔g1±) 22. ♕h5! h6 23. de5 hg5! (23... ♘e5? 24. ♘f3!; 23... ♕b5 24. ♕f7 ♔h8 25. ♕g6 hg5 26. ♕h5 ♔g8 27. ♕f7 ♔h8 28. ♖g5+–) 24. b3!! a) 24... ♕b3 25. ♖g5 ♕f7 (25... ♖e7 26. ♕h4 △ ♖h5+–) 26. ♗c4! ♕c4 27. ♖g7 ♔g7 28. ♗h6 ♔h7 29. ♗g5 ♔g7 30. ♕h6 ♔f7 31. ♕f6 ♔g8 32. ♕g6 ♔f8 33. ♗h6 ♔e7 34. ♕d6+–; b) 24... ♖e5 25. ♗c4 ♕c4 (25... ♖f5 26. ♗d5 ♖d5 27. ♗b2!±) 26. ♖e5! ♕d4 (26... ♕b3 27. ♖g5±) 27. ♖f5! ♖f8□ 28. ♖f8 ♔f8 29. ♗b2! ♕b2 (29... ♕f4 30. ♔g1! ♕e3 31. ♔h1 ♘e5 32. ♕h2! ♘g4 33. ♕b8+–; 29... ♕h4 30. ♕h4 gh4 31. ♔h3 ♗c8 32. ♗h4 ♗e6 33. ♖c1! ♘e7 34. ♖c5±) 30. ♖f1 ♔e7 (30... ♔g8 31. ♕f7 ♔h7 32. ♖h1!+–) 31. ♕f7 ♔d6 32. ♖d1 ♔c5 33. ♕b7±] **21. ♗c4 ♕c4 22. ♕f3! ♖f8?** [22... ♘d4? 23. ♕b7 ♕f1 24. ♕f7 ♔h6 25. ♘e6+–; 22... ♘e7! a) 23. ♕b7?! ♕f1 24. ♕b6 ♔h5 25. ♘e6 ♖a6! 26. ♘g7 ♔g4 27. ♕b7 (27. ♕c7 ♕f2! 28. ♘e8 ♕h4=) ♕d3! 28. ♘e8 ♕g3 29. ♔g1 ♕e1=; b) 23. ♕g3! ♕f1 24. ♘e4 ♔f7 25. ♗h6! ♗e4! (25... gh6? 26. ♘d6 ♔e6 27. ♖f1+–; 25... ♕a1? 26. ♕g7 ♔e6 27. ♕e5 ♔d7 28. ♕d6 ♔c8 29. ♘c5! ♖d8 30. ♕e6 ♔b8 31. ♕e7+–) 26. ♕g7 ♔e6 27. ♖f1 ♖g8 28. ♕e5 ♔d7 29. ♖f2±] **23. ♕g3! ♕f1 24. ♘e6 ♔f7 25. d5+– ♖g8** [25... ♔e8 26. ♕g7 ♖f7 27. ♕g8 ♔e7 28. ♗g5 ♔d6 29. ♕f7 ♕a1 30. ♕b7] **26. ♕c7 ♔g6 27. dc6 ♗c8 28. ♘f4 ♔f6** [28...

♔g5 29. ♕e7 ♔g4 30. ♘d5 f4 31. ♗f4] **29. ♕d6 ♔f7 30. ♕d5 ♔f8 31. ♗e3** [31... ♕a1 32. ♗c5] **1 : 0** [Širov]

270. !N   C 11

ŠIROV 2610 – BAREEV 2680
Hastings 1991/92

1. e4 e6 2. d4 d5 3. ♘c3 ♘f6 4. e5 ♘fd7 5. ♘ce2 c5 6. c3 b5 7. f4 ♘c6 8. a3 cd4! N 9. ♘d4 ♘d4 10. ♕d4 [10. cd4 b4∞] **♗c5 11. ♕d3 0–0! 12. ♘f3** [12. ♗e3!?] **f6 13. ♘d4?** [13. ♗e3!?; 13. ef6!?]

13... ♘e5!? [13... ♕e8 14. ♘b5 ♗a6 (14... fe5 15. ♘c7±) 15. ef6 ♘f6 16. ♘c7±; 13... ♕e7! 14. ef6 ♖f6 △ e5∓] **14. fe5 fe5∞ 15. ♘c2!** [15. ♘b3 ♗f2 16. ♔d1 e4 17. ♕e2 ♕b6 18. ♕b5 ♕b5 19. ♗b5 ♖b8∓] **♗f2 16. ♔d1 e4 17. ♕e2** [17. ♕b5 ♗d7 18. ♕e2 ♕b6! 19. ♗e3 ♗e3 20. ♘e3 (20. ♕e3 ♕b2⊠) ♗a4 21. ♔e1 ♖ad8⊠] **e5 18. ♗e3 ♕h4 19. g3** [19. ♕b5 ♗e6 20. g3 ♗g3 21. hg3 ♕h1 22. ♔d2 ♗h8!∞] **♗g3 20. hg3** [20. ♕b5 ♗f4∓] **♕h1 21. ♔d2 a6** [21... ♗e6!? 22. ♕b5□ (22. ♗g2 ♕h2 23. ♖g1 d4 24. cd4 ♗c4 25. ♕g4 ♖ad8–+) ♔h8∞] **22. ♗g2 ♕h2 23. ♖g1! ♗e6 24. ♗f1 ♕e2 25. ♗e2 ♖ac8∓** [25... ♖fd8 26. ♗b6 (26. ♗c5 ♖ac8 27. b4 d4–+) ♖d7 27. b4∞] **26. b4!** [26. a4 ba4 27. ♗a6 ♖b8–+; 26. ♖c1 ♖fd8 27. b4 d4 28. cd4 ♗b3 29. ♘a1 ed4–+] **♖fd8 27. ♗b6!** [27. ♗c5 d4 28. cd4 ed4 29. ♘d4 ♖c5 30. bc5 ♖d4 31. ♔e3 ♖a4–+] **♖d7 28. a4! ba4!** [28... d4 29. cd4 ba4 (29... ♗b3 30. ♘a1! △ ♗g4)

30. ♗c5 ed4 31. ♗a6 e3 32. ♔c1∞] **29. ♗c5 ♖c6 30. ♔e3!** [30. ♖f1 *a)* 30… ♖d8 31. ♔e3 ♖dc8 32. ♖a1 ♗d7 33. ♔d2 a5 *a1)* 34. ♗b5!? ♖c5 35. ♗d7 ab4 36. ♘b4 ♖d8 37. ♗e6 ♔f8 38. ♖a4 ♔e7 (38… d4 39. c4∞) 39. ♗d5 ♖dd5 40. ♘d5 ♖d5 41. ♔e3 ♖d3 42. ♔e4 ♖c3 (42… ♖g3 43. c4!=) 43. g4 ♔f6 (43… ♖c5 44. ♔f5 g6 45. ♔g5 ♔e6−+) 44. ♖a6 ♔g5 45. ♖a7 g6 46. ♖h7 ♔g4−+; *a2)* 34. ♘e3 ab4 35. ♗b4 ♗e6 (35… d4 36. ♘d5 △ ♘e7) 36. ♗b5 △ ♗a4∓; *b)* 30… ♗f7! 31. ♔e3 ♖dc7 32. ♖a1 ♗e8 33. ♔d2 a5 34. ♘e3 ab4 35. ♗b4 d4 36. ♘d5 e3 △ ♖d7−+; 30. ♖a1 d4 31. cd4 ed4 32. ♘d4 ♖c5 33. bc5 ♖d4 34. ♔e3 ♖b4 35. ♗a6 ♔f7∓] **♖dc7 31. ♖a1 ♗d7 32. ♔d2!** [32. ♖d1 ♖c5 33. bc5 ♖c5 34. ♔d2 ♗b5∓; 32. c4 d4 33. ♔e4 g6! 34. g4 h5∓] **a5 33. ♘e3 ab4 34. cb4?⊕** [34. ♗b4! *a)* 34… d4 35. ♘d5 e3 *a1)* 36. ♔e1 ♖h6 37. ♘c7 ♖h1 38. ♗f1 ♗h3 (38… d3 39. ♘d5 d2 40. ♔e2 ♗g4 41. ♔e3 d1♕ 42. ♖d1 ♗d1∓) 39. ♔e2 ♗f1 40. ♖f1 d3∓; *a2)* 36. ♔c1 ♖b7 37. ♘e7 ♔f7 38. ♘c6 ♗c6 39. ♗c5 dc3 40. ♗e3 ♗e4 41. ♗d1 c2 42. ♗c2 ♖c7 43. ♖a4 (43. ♖a2 ♔e6−+) ♖c2 44. ♔d1 ♗d3∓; 40. ♗d3!=; *b)* 34… ♗e6 35. ♗b5! (35. ♖a4 d4∓) ♖b6 (35… ♖c3 36. ♗c3 d4 37. ♘d1=) 36. ♗a5 ♖b5 37. ♗c7 d4 38. ♖a4 de3 39. ♔e3 ♖c5 40. ♖a8 ♔f7 41. ♗a5 ♗f5∓] **♖c5 35. bc5 ♖c5−+ 36. ♖c1 ♖c1 37. ♔c1 ♗e6 38. ♘c2 d4 39. ♗b5 ♗b3 40. ♘a1 h5** [40… ♔f7−+] **41. ♘b3 ab3 42. ♗e8 e3 43. ♗h5 d3** [44. ♗d1 b2 45. ♔[illegible]2 e2] **0 : 1**
[Bareev]

271.* **C 11**

KAMSKY 2595 − M. GUREVIČ 2630
Beograd 1991

1. e4 e6 2. d4 d5 3. ♘c3 ♘f6 4. e5 ♘fd7 5. f4 c5 6. ♘f3 ♘c6 7. ♗e3 cd4 [RR 7… ♕b6 8. ♘a4 ♕a5 9. c3 c4 10. b4 ♕c7 11. ♗e2 b5 N (11… ♗e7 − 48/391, 392) 12. ♘c5 ♘c5 13. dc5 a5 14. a3 ♗e7 15. 0−0 0−0 16. ♕d2 ♗d7 17. ♖ae1 ab4 18. ab4 ♖a3 19. ♘d4 ♘d4 20. ♗d4± Kruppa 2485 − Dohojan 2545, SSSR (ch) 1991] **8. ♘d4 ♗c5 9. ♕d2 0−0 10. 0-0-0 a6 11. h4 ♘d4 12. ♗d4 b5 13. ♘e2 N** [13. ♗c5 − 43/(359)] **a5 14. ♕e3 ♕c7 15. ♗c5 ♘c5 16. ♘d4 b4 17. g4** [△ f5-f6↑] **♗a6?!** [17… a4!? △ 18. f5 b3↑] **18. f5 ♘e4** [18… ♗f1 19. ♖hf1 ♘e4!?] **19. fe6 ♕e5 20. ef7 ♖f7 21. ♗g2!=∞ ♖c8** [21… ♕f4 22. ♕f4 ♖f4 23. ♘e6? ♖g4 24. ♗h3 ♖g6 25. ♘c7 ♖a7 26. ♗e6 ♖e6□ 27. ♘e6 ♘f2∓; 23. ♘f5!? △ 23… ♖g4 24. ♗h3 ♖f4 25. ♘e7 ♔h8 26. ♘d5↑] **22. ♖he1±** [×♘e4, d5] **♖e7 23. ♘f5! ♖ec7 24. ♗e4 de4 25. ♖d2 ♕e6** [25… ♖c2? 26. ♖c2 ♖c2 27. ♔c2 ♗d3 28. ♔d1 ♕b2 29. ♕c1+−] **26. ♔b1 ♗b7** [△ a4, b3] **27. ♖ed1±** [△ ♕g5] **h6 28. ♕b3! ♕b3 29. ab3 e3□ 30. ♘e3 ♗f3 31. ♖d8 ♖d8 32. ♖d8** [♖ 9/i] **♔h7?! 33. ♖f8 ♗e4 34. ♖e8 ♗f3 35. ♖e5!+− ♖a7⊕ 36. g5?!** [36. c4!? bc3 37. bc3+−] **hg5 37. hg5 ♔g6 38. ♘c4⊕ ♖d7! 39. ♘e3** [39. ♖a5? ♖d5∞] **♖a7 40. ♔c1?** [40. c4!+−] **a4!± 41. ba4 ♖a4 42. ♔d2 ♖a7!** [×g7] **43. ♔d3 ♖c7 44. ♘f5??** [44. b3!? △ ♘c4, ♔e3-f4] **♔g5! 45. ♘g7 ♔f4□** [45… ♔g4 46. ♘e6±] **46. ♖f5 ♔g4 47. ♖g5 ♔g5 48. ♘e6 ♔f5 49. ♘c7 ♗e4!= 50. ♔d2 ♗b7 51. ♔e3 ♔e5 52. ♘b5 ♗e4 53. ♘d4 ♔d5!?** [53… ♗d5=] **54. ♘c6 ♗c2 55. ♘b4 ♔c4 56. ♘c2 ♔b3** **1/2 : 1/2**
[Kamsky]

272.**** **C 11**

AN. KARPOV 2730 − BAREEV 2680
Tilburg (Interpolis) 1991

1. e4 e6 2. d4 d5 3. ♘c3 ♘f6 4. ♗g5 de4 5. ♘e4 ♘bd7 [RR 5… ♗e7 6. ♗f6 *a)* 6… gf6 7. ♘f3 *a1)* 7… b6 8. c4 N (8. ♗c4 − 51/275, 278; 8. ♗d3 − 51/277) ♗b4 9. ♘c3 c5 10. ♗d3 ♗b7 11. 0−0 cd4 12. ♗e4 ♗e4 13. ♘e4 0−0 14. ♘d4 f5 15. ♘g3± Minasjan 2510 − Dreev 2610, SSSR (ch) 1991; *a2)* 7… f5 *a21)* 8. ♘g3 c5 9. ♗b5 ♗d7 10. ♗d7 ♕d7 *a211)* 11. d5 ed5 12. ♕d3 ♘c6 (12… f4!?) *a2111)* 13. 0-0-0 f4 14. ♘h5 0-0-0!? N (14… ♕g4? − 47/(354)) 15. ♘f4 ♘b4! 16. ♕a3 c4! 17. ♘e5 ♕c7 18. ♕h3 (18. ♕e3 ♗f6∓) ♔b8 (V. L. Ivanov 2360 − O. Daniel'an 2315, SSSR 1991) 19. ♕f5 ♘a2?! 20. ♔b1

♘c3! 21. bc3 ♕b6 22. ♔a2 ♕a6 23. ♔b1 ♗a3 24. ♘d5!□ ♖d5 25. ♘d7□ ♖d7 26. ♕e5 ♗d6 27. ♕h8 ♔c7 28. ♕d4 ♕b5 29. ♔a2 ♕a4=; 19... c3!∓; a2112) 13. ♕f5 ♕e6!∓; a2113) △ 13. 0-0; a212) 11. dc5 N ♘c6! 12. ♕d7 (12. ♕e2 0-0-0) ♔d7 13. c3 a5 14. ♔e2 ♖hg8!? 15. ♖hd1 ♔c7 16. ♔f1 ♗c5∓ Ciemniak 2230 − O. Daniel'an 2315, BRD 1991; a22) 8. ♘c3 ♗f6 9. ♕d2 c5 10. d5 0-0 11. 0-0-0 e5 12. h4 ♗g7!? N (12... ♘d7 − 51/276) 13. ♔b1 a6 14. h5 h6 15. ♕e3 ♘d7 16. ♘h4 ♘f6! (Muratov 2415 − O. Daniel'an 2315, SSSR 1991) 17. ♕c5 ♗d7 △ ♖c8, b5∞ O. Daniel'an; b) 6... ♗f6 7. ♘f3 0-0 8. ♕d2 ♘d7 9. 0-0-0 b6 10. ♗d3 ♗b7 11. ♕f4 ♗e7 12. h4 ♘f6 13. ♘eg5 ♗f3 14. ♘f3 ♕d6 15. ♘e5 c5 16. dc5 ♕c5 17. ♖he1 ♖ac8 N (17... ♖ad8 − 49/(342)) 18. ♔b1 ♖fd8 19. g4 ♗d6 20. g5 ♗e5 21. ♕e5 ♕e5 1/2 : 1/2 Nunn 2610 − M. Gurevič 2630, Beograd 1991] 6. ♘f3 ♗e7 [RR 6... h6 7. ♘f6 ♗f6 8. ♗f6 N (8. ♗d2 − 50/(310)) ♕f6 9. ♗b5!? c6 10. ♗d3 ♗d6 11. ♕e2 c5!? 12. dc5! a) 12... ♗c5 13. 0-0-0 (Zajcev 2405 − Janovskij 2425, Moskva (open) 1991) 0-0±; b) 12... ♕b2 13. ♗b5 ♘f8 14. 0-0 ♗c5 15. ♖ad1 ♕f6 16. ♘e5∞ Zajcev] 7. ♘f6 [7. ♗f6 ♘f6 8. ♘f6 ♗f6 9. ♗d3±] ♗f6!? 8. ♕d2 ♗g5 9. ♘g5 ♕f6 10. ♗e2 [10. ♗d3 0-0 11. 0-0-0 ♕d5?! 12. c4 ♕g2 13. ♖hg1 ♕c6 14. ♘h7 ♘h7 15. ♕h6+−; 11... b6 △ ♗b7, ♕e7, c5=] ♕d6 N [10... 0-0 11. 0-0 (11. ♖d1) c5 12. ♖fd1±] 11. 0-0-0 [11. 0-0 c5 12. ♖fd1 cd4 13. ♕d4 ♕d4 14. ♖d4 ♗d7=] 0-0 12. ♗f3 ♖b8 13. ♘e4 ♘e4 14. ♗e4 ♗d7 15. ♕e3 ♗c6 16. f3 ♖fd8 17. ♗d3?! [17. ♖d2±] b5! [17... ♗d5 18. c4!±] 18. ♔b1 b4 19. h4 ♔h8! 20. ♗e2 ♗b5!∓ 21. b3 a5 22. ♖he1 a4 23. ba4 ♗e2 24. ♖e2 ♖a8 25. ♕b3 ♖a5 26. ♖d3 ♖da8 27. d5! [27. ♖e5 ♖a4 28. ♖c5 h6 (△ ♕a6) 29. ♕c4 b3!∓] ♖d5 [27... ed5 28. ♖d4!] 28. ♖d5 ed5 29. ♕d3 c6 [29... ♕d7 30. ♕b5] 30. h5 h6 31. ♕f5!⇆ ♔g8 32. g4 ♕d8 [32... ♕f6!?] 33. f4 ♖a4 34. g5 ♖a8! 35. g6 [35. gh6 ♕a5!−+] ♕f6 [35... fg6 36. ♕e6!] 36. ♕f6 gf6 37. ♖e7 [37. f5? d4 △ ♖a5!] fg6 38. hg6 [♖ 6/g] ♖a3 39. ♖f7 h5? [39...

♖f3 40. ♖f6 ♔g7 41. ♖c6 ♖f4] 40. ♖f6± h4 41. ♖c6 h3?! [41... ♖f3 42. ♖d6 ♖f4 43. ♖d5 ♔g7=] 42. ♖c7! [42. f5 h2 43. ♖c8 ♔g7 44. ♖c7 ♔f6 45. ♖h7 ♔f5 46. g7 ♖g3=] ♖f3 43. ♖h7 ♖f4 44. ♖h3 ♔g4□ 45. ♖d3 ♖g6 [45... ♔g7 46. ♖d5 ♔g6 47. ♖e5! ♔f6 48. ♖e3] 46. ♖d5 [♖ 5/a] ♔f7 47. ♖b5 [47. ♖d4 ♖b6 48. ♔b2 ♔e6 49. ♔b3 ♖a6 50. ♖b4 ♔d5=] ♖g4 48. ♖e5 ♔f6 49. ♖e3 ♔f5 50. ♔b2 ♖g8 51. ♔b3 ♖b8 52. ♖e7 ♔f4 53. ♔c4 ♔f5 54. ♖e1 ♔f4 55. ♔c5 ♔f5 56. ♖e3 ♔f4 57. ♖e1 ♔f5 58. ♖e2 ♔f4 59. ♖e6 ♔f5 60. ♖e7 ♔f4 61. ♖e6 ♔f5 62. ♖e1 [62. ♖b6 ♖c8 63. ♔b4 ♖c2 64. a4 ♔e5 65. a5 ♔d5=] ♔f4 63. ♔c4 ♔f5 64. ♔b3 ♔f4 65. ♖e7 ♔f5 66. ♖c7 ♔e6 67. ♖c4 ♔d5 68. ♖b4 ♖a8 69. a4 ♔c6 70. c3 ♔c7 71. ♖f4♖a5 72. ♔b4 ♖h5 73. a5 ♔b7 74. c4 ♖g5 75. c5 ♖g1 76. ♔c4 ♖a6 77. ♖f7 ♖g4 78. ♔d5 ♖a5 79. ♔c6 ♖g6 80. ♔b7 ♔b5 81. ♖c7 ♖g5 82. c6 ♖g6 83. ♖c8 ♖h6 1/2 : 1/2 [An. Karpov]

273. C 11

B. GEL'FAND 2665 −
M. GUREVIČ 2630
Reggio Emilia 1991/92

1. e4 e6 2. d4 d5 3. ♘c3 ♘f6 4. ♗g5 de4 5. ♘e4 ♘bd7 6. ♘f3 ♗e7 7. ♘f6 ♗f6 8. ♗f6 ♘f6 9. ♕d2 N [9. ♗d3 − 29/204] 0-0 10. 0-0-0 b6 11. ♘e5 ♗b7 12. ♗d3 ♕d5! 13. c4 [13. ♔b1 c5↑] ♕d6 [13... ♕g2? 14. ♖hg1 ♕h2 15. ♗g7 ♔g7 16. ♕g5 ♔h8 17. ♕f6 ♔g8 18. ♕g5 ♔h8 19. ♖g1+−] 14. ♕f4 c5 15. ♖he1!? [15. dc5 ♕c5 16. ♔b1 a6⇆; 15. ♗c2 ♖ad8 16. dc5 ♕c5∞] cd4 16. ♖e3! [16. g4 ♖ad8 17. g5 ♘h5 18. ♕h4 g6∓] ♖ac8 [16... de3? 17. ♗h7 ♔h7 18. ♖d6 e2 19. ♕e3±] 17. ♖h3 [17. ♖g3 ♘h5! 18. ♕h6 (18. ♗h7 ♔h7 19. ♖h3 g6 20. g4 f6 21. gh5 g5∓) f5 19. ♕h5 ♕e5∓] ♖c5?! [17... b5! 18. ♖e1 ♖c4! (18... bc4 19. ♗h7 ♘h7 20. ♕h4 ♖fd8 21. ♕h7 ♔f8 22. ♕h8 ♔e7 23. ♕g7→) 19. ♔b1 (19. ♗c4 bc4∓) ♕b4 20. ♖e2 ♖c3!⇆ Kasparov] 18. ♖e1! [△ ♗h7; 18. ♗h7? ♘h7 19. ♕h4 ♗e4! 20. ♕e4 ♘g5−+] ♗g2!? [18... ♖d8 19. ♗h7 ♔f8

20. ♗d3 ♔e7 21. ♖g3↑] **19. ♖g3** [19. ♖h6?! ♗e4! 20. ♗e4 ♘e4 21. ♖e4 (21. ♕e4 gh6 22. ♖g1 ♔h8 23. ♘f7 ♖f7 24. ♕a8 ♖f8–+) f5? 22. ♖e1 gh6 23. ♕g3 ♔h8 24. ♘f7 ♖f7 25. ♕d6+–; 21... f6!] **♖e5 20. ♖e5 ♘h5**

21. ♕h6! [21. ♗h7? ♔h8 22. ♕g5 ♘g3 23. ♕g3 ♗f3 24. ♗d3 f5!∓] **f5 22. ♕h5** [22. ♖e6? ♕g3–+; 22. ♗f5? ♖f5 23. ♖e6 (23. ♖f5 ♘g3 24. ♖g5 ♘f5–+) ♕f4 24. ♕f4 ♘f4∓; 22. ♖f5 ♖f5 23. ♗f5 ♘g3 24. ♕e6 ♕e6 25. ♗e6 ♔f8 26. fg3=] **♕e5 23. ♖g2 ♕f4 24. ♔d1! e5 25. ♕g5 ♕f3** [25... ♕g5?! 26. ♖g5 e4 27. ♗f1 g6 28. f3!±] **26. ♔d2 g6 27. c5?!** [27. ♕g3?! ♕c6↑ △ e4; 27. h4! e4 28. ♗e2 e3 29. fe3 de3 30. ♔e1! ♕e4 31. h5 ♕d4 32. ♗f3±] **♕d5!** [27... ♔g7? 28. ♕e7 ♖f7 29. ♕e5+–] **28. ♗f5! e4!** [28... ♖f5? 29. ♕f5 ♕g2 30. ♕e6 ♔f8 31. ♕f6 ♔e8 32. c6+–] **29. ♗g6 ♕g5** [29... ♖f2? 30. ♔e1 ♕g5 31. ♖g5±; 29... e3? 30. ♔d3 ♕g5 31. ♖g5 ef2 32. ♗e4 ♔h8 33. ♗g2 f1♕ 34. ♗f1 ♖f1 35. cb6 ab6 36. ♖b5±] **30. ♖g5 hg6 31. cb6= ♖f2 32. ♔e1 ♖b2 33. ba7 ♖a2 34. ♖g6 ♔f7 35. ♖d6 d3 36. ♖d4 ♖a7 1/2 : 1/2 [M. Gurevič]**

274. C 11

TIMMAN 2630 – KORTCHNOI 2610
Tilburg (Interpolis) 1991

1. e4 e6 2. d4 d5 3. ♘c3 de4 4. ♘e4 ♘d7 5. ♘f3 ♘gf6 6. ♗g5 ♗e7 7. ♘f6 ♗f6 8. h4 c5 9. ♕d2 cd4!? N [9... h6 – 9/170] **10. 0-0-0 e5?!** [⌓ 10... 0–0] **11. ♖e1** [11. ♘d4? ed4 12. ♖e1 ♔f8 13. ♕b4 ♔g8 14. ♗c4 h6!–+] **0–0 12. ♘e5 ♖e8?** [12... ♘e5 13. ♖e5 ♗e6±] **13. ♘f7!+– ♖e1** [13... ♔f7 14. ♗c4 ♔f8 15. ♖e8 ♕e8 16. ♖e1] **14. ♕e1 ♔f7 15. ♗c4 ♔f8 16. ♕e6 ♗g5 17. hg5 ♕g5 18. ♔b1 ♘e5 19. ♕g8 ♔e7 20. ♖e1 ♗d7** [20... ♕f6 21. ♕d5] **21. ♕a8 ♕d2 22. ♖e5 ♔f6 23. a3 ♔e5 24. ♕b8 ♔f5 25. ♕f8 1 : 0**
[Timman]

275. C 11

ANAND 2650 – KORTCHNOI 2610
Tilburg (Interpolis) 1991

1. e4 e6 2. d4 d5 3. ♘c3 de4 4. ♘e4 ♘d7 5. ♘f3 ♘gf6 6. ♗g5 ♗e7 7. ♘f6 ♗f6 8. h4 0–0!? N 9. ♕d2 [9. ♗d3; 9. ♕e2] **e5! 10. 0-0-0** [10. de5 ♘e5 11. ♕d8 ♘f3=] **e4 11. ♗f6 ♘f6 12. ♘e5** [12. ♘g5!? h6 (12... b6 13. ♗c4 ♗b7 14. ♗b3±) 13. ♗c4↑; 13. f3↑] **♗e6 13. ♔b1?!** [13. c4! c5 14. d5 ♕d6 15. ♕g5! △ f4±] **c5!= 14. ♗c4** [14. dc5?! ♕c7∓] **♕d6 15. ♗e6 ♕e6 16. ♕c3** [16. f4!?] **♖ac8 17. ♕b3** [17. dc5 ♖fe8 18. f4 ♘d5 △ ♘f4∓] **♘d5** [17... cd4 18. ♕e6 fe6 19. ♖d4 ♖c5 20. f4 ef3 21. ♘f3 e5=; 17... c4!? 18. ♕b7 c3∞] **18. dc5** [18. ♘c4?! b5 19. ♘e3 c4 20. ♕b5 ♘c3 21. bc3 ♖b8∓] **♖c5 19. ♘c4 a6!?** [19... ♕c6 20. ♘e5 ♕e6=] **20. ♖d2** [20. ♖d4? ♕f6 21. ♖hd1 (21. ♖e4 ♖b5∓) ♕f2∓; 20. ♘e3? ♘c3 21. bc3 ♖b5∓] **♖fc8 21. ♘e3** [21. ♖hd1 ♖b5 22. ♕g3 e3! △ ♘c3∓] **♘c3 22. ♔a1 ♕b3 23. cb3 ♘d5 24. ♔b1** [24. ♘c4?! e3 25. fe3 ♘e3∓] **♘e3 25. fe3 [♖ 9/s] h5∓⊥** [25... ♖f5!?] **26. ♖hd1?!** [⌓ 26. ♖f1] **♖8c6?!** [26... ♖f5! △ ♖c6∓] **27. ♖f1 ♖c7** [27... ♖g6!? 28. ♖f4 (28. b4 ♖c7∓) ♖g4∓] **28. b4! ♖e5 29. ♖f4 ♔h7 30. ♖d4!= f5 31. ♖f1?** [31. ♖d6!=] **♖c6∓ 32. ♖d7 ♖g6** [32... b5 33. ♖f7 ♖g6 34. ♖a7=; 33. ♖c1!? △ ♖c5] **33. ♖b7 ♖g2 34. ♖c7** [34. a4 ♖d5 35. b5 a5 36. ♔a2 ♖dd2 37. ♖b1 f4! (37... ♖de2 38. ♖a7 ♖e3 39. b6 ♖g6 40. ♖a6 △ b7+–; 37... ♖ge2 38. ♖a7 ♖e3 39. ♖a5 ♖d4 40. b3 f4 41. ♔a3 f3 42. b6 ♖d8 43. ♖f1 ♖e2 44. ♖f5±) 38. ♖e7 fe3 39. ♖e4

♖g4 40. ♖g4 hg4 41. ♖e1 ♖d4 (41... e2? 42. ♔b3) 42. b3 (42. ♖e3 ♖a4 43. ♖a3=) g3 43. ♖e3 ♖g4 44. b6 g2 45. ♖e1 ♖h4 46. ♖g1 ♖b4 47. ♖g2 ♖b6=] **♖d5! 35. ♖c5?!** [35. ♖c2 ♖c2 36. ♔c2 g5 37. hg5 ♔g6∓; 35. ♔a1 ♖dd2 36. ♖b1 ♖h2∓; 35. a3!?] **♖dd2∓ 36. ♖ff5 ♖b2 37. ♔c1 ♖a2 38. ♖h5 ♔g8 39. ♔b1 ♖ab2 40. ♔c1 ♖be2 41. ♖c8 ♔f7 42. ♖f5 ♔e6** [42... ♔g6 43. ♖g5 ♖g5 44. ♖c6 ♔h5 45. hg5 ♖e3 46. ♖a6 ♔g5 47. ♔c2 △ ♖a1-b1=] **43. ♖f1 ♖e3 44. ♖c6 ♔e5 45. ♖a6 ♖c3 46. ♔b1 ♖b3 47. ♔c1 ♖f3 48. ♖e1! ♖c3 49. ♔b1 ♖b3 50. ♔c1 ♖b4 51. ♖a7! ♖c4 52. ♔b1?** [52. ♔d1] **♖g6! 53. ♖b7** [⌓ 53. h5] **♖cc6!∓ 54. ♖b5?** [54. h5 ♖b6 55. ♖b6 ♖b6 56. ♔c2 ♖d6−+; ⌓ 54. ♖b4] **♔f4 55. ♖f1 ♔g4??** [55... ♔g3 56. h5 (56. ♖e1 ♖b6 57. ♖b6 ♖b6 58. ♔c2 ♔f3 59. ♖g1 g6−+) ♖b6 57. hg6 ♖b5 58. ♔c2 ♖b6 59. ♔d2 ♔g2 60. ♖f4 ♖g6 61. ♖e4 ♖g3 △ g5-g4−+] **56. ♖e1 ♖b6??** [56... ♔h4 57. ♖e4 ♖g4 58. ♖e1 ♖g3∓] **57. ♖e4 ♔h3 58. ♖b6 ♖b6 59. ♔c2 ♖h6 60. ♖e7 g6 61. ♖e6 ♔h4 62. ♔d2 ♔g3 63. ♔e3 1/2 : 1/2** **[Kortchnoi]**

276.* !N **C 12**

MALININ – LUBOČSKIJ

corr. 1991

1. e4 e6 2. d4 d5 3. ♘c3 ♘f6 4. ♗g5 ♗b4 5. e5 [RR 5. ♘e2 h6!? 6. ♗f6 ♕f6 7. a3 ♗a5! N (7... ♗c3) 8. ed5 0–0 9. ♕d3 (9. ♕d2? ♖d8 10. de6 ♗e6 11. 0-0-0 ♘c6∓) ♖d8 10. de6 ♗e6 11. 0-0-0 ♕f2 12. ♘e4 ♕f5 13. ♘c5! ♕d3 14. ♖d3 ♗c8 15. g3 ♘d7 16. b4 ♗b6 17. ♗g2 c6 18. ♘f4! (18. ♖hd1 ♘f6 19. d5 cd5 20. ♗d5 ♗f5∓) a5 19. ♔b2 ♘f6 20. d5! ab4 21. ab4 ♗c5 22. bc5 (22. dc6 ♗d4 23. c3 ♗c3 24. ♖c3 bc6∓) ♗f5 23. dc6 bc6 (Unzicker 2455 – Piskov 2465, BRD 1991) 24. ♖d8 ♖d8 25. ♗c6 ♖c8 26. ♗b5 ♖c5 27. ♗d3= Piskov] **h6 6. ♗d2 ♗c3 7. bc3 ♘e4 8. ♕g4 g6 9. h4 c5 10. h5** [10. ♖h3 ♘c6 11. ♗d3 ♘d2 12. ♔d2 ♕a5 13. ♗g6 ♘d4! 14. ♘e2! ♘e2 15. ♗f7!∞] **g5 11. ♗d3 ♘d2 12. ♔d2 ♕a5 13. ♘f3 N** [13. f4?! – 49/(343)] **cd4 14. ♘d4 ♘c6 15. ♖ae1! ♘d4?** [15... ♗d7!? 16. ♘b5 ♘e5 17. ♖e5 ♗b5 18. ♖e6! fe6 19. ♕e6 ♔d8 20. ♕d5 ♔c7 21. ♕c5 ♔d8 22. ♗b5 ♕b6 23. ♕e5→; 15... a6 16. ♘c6 bc6 17. f4 ♖g8 18. ♖hf1 ♗d7 (18... d4?! 19. fg5 dc3 20. ♔d1 ♖g5 21. ♕f3 ♕c7 22. ♕f6±) 19. fg5 ♖g5 20. ♕f3 0-0-0 21. ♕e2 ♔b7 22. ♖f7∞] **16. ♕d4 ♗d7 17. f4 gf4 18. ♖hf1 ♖g8 19. ♕f4! ♖g2 20. ♖e2 ♖e2 21. ♔e2 0-0-0 22. ♕h6 ♗b5** [22... ♕c3? 23. ♕f4 a6 24. a4 d4 25. h6 ♗a4 26. h7 ♗b5 27. ♖c1 ♔b8 28. ♕g5 ♕c8 29. ♗b5 ab5 30. ♕d8! ♕d8 31. ♖g1 ♔a7 32. ♖g8 ♕c7 33. h8♕+–] **23. ♕d2 ♕a4 24. ♖f4 ♗d3 25. cd3** [♕ 9/f] **♕e8 26. ♖g4 ♕h8 27. ♕g5 ♕h7 28. h6! ♖h8 29. ♕h5! ♖g8 30. ♖g8 ♕g8** [♕ 4/l] **31. ♕h3 ♔d7 32. h7 ♕h8 33. ♕h5 ♔e7 34. ♔d2! ♔f8 35. ♕h6 ♔e8 36. ♔c2 b5 37. ♔b3 1 : 0** **[Malinin]**

277.* **C 14**

ROWLEY 2380 – G. ORLOV 2500

USA 1991

1. e4 e6 2. d4 d5 3. ♘c3 ♘f6 4. ♗g5 ♗e7 5. e5 ♘fd7 6. ♗e7 ♕e7 7. ♕d2 [RR 7. f4 0–0 8. ♘f3 c5 9. dc5 ♘c6 10. ♗d3 f6 11. ef6 ♕f6 12. g3 ♘c5 13. 0–0 ♗d7 14. ♕d2 ♘d3 15. cd3 e5 16. ♖ae1 ♗h3 17. ♖f2 d4 18. ♘e4 ♕f5 19. ♘fg5!? N (19. ♘e5 – 45/326) *a)* 19... ♗g4? 20. h3 ♗h3 21. ♖h2 ♗g4 22. ♖h7 ef4 23. ♕h2+–; *b)* 19... h6 20. fe5 ♕g4 21. ♘h3 ♕h3 22. ♘d6 ♕e6 23. ♖f8 ♖f8 24. ♕e2±; *c)* 19... ♕g4 20. fe5 ♘e5 21. ♘h3 ♖f2 (21... ♕h3? 22. ♘g5+–) 22. ♘hf2 ♘f3 23. ♔g2 ♕h5 (23... ♘e1 24. ♕e1 ♕e6 25. ♕b4±) 24. ♕d1 ♘e1 25. ♕e1± A. Sokolov 2550 – A. Jurković 2325, Belfort 1991; *d)* 19... ef4 20. ♖f4 ♕d7 21. ♘h3 (21. ♘c5? ♕d5 22. ♘h3 ♕c5=) ♕h3 22. ♖ef1± A. Sokolov] **0–0 8. f4 c5** [8... f6!? 9. ♘f3 fe5 10. fe5 c5 11. ♘b5 cd4 12. ♘c7 ♘c5! 13. ♘a8 ♘e4 14. ♕d4 (14. ♕a5 ♖f3 15. gf3 ♕h4 16. ♔d1 ♘f2 17. ♔e2 ♘h1∞̄→) ♘c6 15. ♕e3 ♕b4 16. c3 ♕b2 17. ♖c1 d4!∞̄] **9. ♘b5 cd4 N** [9... a6] **10. ♘c7** [10. ♘f3 ♘c5 11. ♘bd4 ♘e4 12. ♕c1 ♘c6=] **♘c5 11. ♘a8 ♘e4!** [11...

♘c6 12. 0-0-0 ♘e4 13. ♕e1 ♗d7 14. ♘f3! (14. ♘c7 ♖c8 15. ♘b5 ♘b4!∞) ♖a8 15. ♘d4±]

12. ♕a5!!□ [12. ♕d4 ♘c6 13. ♕a4 ♕c5 14. 0-0-0 ♘f2 (14... ♗d7!?→) 15. ♘f3 ♘h1∓] **♕h4?!** [12... b6 13. ♕a3 ♕b7 14. ♘f3 ♘c6 15. ♗b5 ♕a8 16. 0–0±; 12... ♘c6!? 13. ♕a3 ♕d8 14. ♘f3 ♗d7 15. ♗d3 ♕a8 16. 0–0±] **13. g3 ♘g3 14. hg3** [14. ♘f3?? ♕f4] **♕h1 15. ♘e2 ♘c6 16. ♕a3!** [16. ♕d2 ♗d7 17. ♘c7 a6 18. 0-0-0 ♖c8 19. ♘a6 ba6 20. ♘d4 ♘d4 21. ♕d4 ♕h2! 22. ♗d3 ♗b5=] **♕e4 17. 0-0-0 f6 18. ♘c7?** [18. ef6!? gf6 19. ♘c7! a6 20. ♕c5! (20. ♘a8?! e5! △ ♗f5) ♗d7□ 21. ♘d4 ♕e3 22. ♔b1 ♘d4 23. ♕d4 ♕d4 24. ♖d4 ♖c8 25. ♘a6 ba6 26. ♗a6±] **fe5 19. ♘b5 ♕e3! 20. ♕e3 de3 21. ♗h3** [21. ♖d3 d4 22. ♘d6 ♗d7 23. ♘b7 ef4 24. gf4 e5∞] **g5!□** [21... ef4? 22. gf4 g5? 23. ♖g1+−] **22. fg5** [22. fe5? ♘e5 23. ♘c7 g4∓; 22. ♘d6 gf4 23. gf4 ef4 24. ♘c8 f3! 25. ♗e6 ♔h8∞] **♖f2 23. ♗g4?!** [23. ♖e1!] **♗d7 24. ♘d6 e4!! 25. ♘e4** [25. ♘f4? ♘e5 26. ♗e6 ♗e6 27. ♘e6 e2−+] **de4 26. ♖d7 ♘e5 27. ♖d8□** [27. ♗e6? ♔f8 28. ♖d1 ♖e2] **♔g7?** [27... ♔f7! 28. ♗h5 ♔e7 29. ♖d1 ♘f3!] **28. ♗h5 h6!□** [28... ♘f3 29. ♘f4 e2? 30. ♘e6#] **29. gh6?** [29. ♘f4!! hg5 30. ♘e6 ♔f6 31. ♘c5 ♖h2±] **♔h6 30. ♘f4 ♘f3 31. ♗f3?⊕** [31. ♖d1!] **ef3−+ 32. ♖h8 ♔g5 33. ♘h3** [33. ♖h1 ♔g4] **♔g4 34. ♘f2 ef2 35. ♖h1 ♔g3 36. ♔d2 ♔g2 37. ♔e3□ f1♕ 38. ♖f1 ♔f1 39. ♔f3 ♔e1 40. ♔e3 ♔d1 41. ♔d3 ♔c1 42. b3 ♔b2 43. a4 a5!** **0 : 1**
[G. Orlov]

278.* **C 17**

ASEEV 2525 – BUDNIKOV 2525
SSSR (ch) 1991

1. e4 e6 2. d4 d5 3. ♘c3 ♗b4 4. e5 c5 5. a3 ♗a5 6. b4 [RR 6. ♕g4 ♘e7 7. dc5 ♗c3 8. bc3 ♕a5 9. ♗d2 ♘g6 10. h4 h5 11. ♕g5 ♘d7 12. c4 ♕c5 N (12... ♕a4 – 51/288) 13. ♘f3 dc4 14. ♗b4 ♕d5 15. ♖d1 ♕e4 16. ♗e2 f6 17. ef6 gf6 18. ♕e3 ♕e3 19. fe3 ♘b6 20. ♘d2 ♘e5 21. ♘e4 ♔f7 22. 0–0 ♘d5 23. ♖d5 ed5 24. ♘f6 ♔g6 25. ♗c3 ♗g4 26. ♘g4 ♘g4 27. ♗g4 hg4 28. ♗h8 ♖h8 29. ♖d1 ♖h4 30. ♖d5 g3= Kruppa 2485 – Lputjan 2570, SSSR (ch) 1991] **cd4 7. ♘b5 ♗c7 8. f4 ♘e7 9. ♘f3 ♗d7 10. ♘c7 N** [10. ♘bd4 – 41/(350)] **♕c7 11. ♗d3 ♘bc6 12. 0–0 a6 13. ♕e2 h5?! 14. ♗d2 ♘f5 15. ♖fb1!** [△ a4, b5] **♘ce7 16. a4 g6 17. ♕f2** [17. ♗e1] **♕b6 18. c3 ♔f8 19. cd4 ♔g7 20. ♗e1 ♘c6 21. ♔h1 ♖hc8 22. h3** [22. ♕b2!?±] **♖h8□ 23. ♗f5?!⊕** [23. ♕b2? ♘cd4 24. ♗f2 ♘f3! 25. ♗b6 ♘g3#; 23. b5±] **ef5 24. b5** [24. ♕a2!? △ ♗h4±] **♘d8 25. ♕h4 ab5?** [25... ♖e8 26. a5 ♕c7 (26... ♕e6?? 27. ♘g5 ♕e7 28. ♗b4+−; 26... ♕a7 27. ♕f6 ♔g8 28. ♘g5 ♖e6 29. ♘e6 ♘e6±⇆) 27. ♖c1 ♕b8 28. ♕f6 ♔g8 29. ♘g5 (△ ♘f7) *a)* 29... ab5 30. ♘f7 ♘f7 (30... ♖e6 31. ♕h8 ♔f7 32. ♕h7 ♔e8 33. ♕g8 ♔e7 34. ♗h4+−) 31. ♕g6 ♔f8 32. ♗b4+−; *b)* 29... ♖e6!□ 30. ♘e6 ♘e6±] **26. ab5 ♖c8** [26... ♖a1 27. ♖a1+− △ ♖a8, ♗a5] **27. ♗b4 ♘e6 28. ♕f6 ♔g8 29. ♘g5 ♗e8 30. ♗a5** [30... ♕d4 31. ♘e6 fe6 32. ♕e6 △ ♕c8]
1 : 0 **[Aseev]**

279.* **C 18**

KAMSKY 2595 – P. NIKOLIĆ 2625
Beograd 1991

1. e4 e6 2. d4 d5 3. ♘c3 ♗b4 4. e5 c5 5. a3 ♗c3 6. bc3 ♘e7 7. ♕g4 cd4 [RR 7... 0–0 8. ♗d3 f5 9. ef6 ♖f6 10. ♕h5 g6 11. ♕d1 ♘bc6!? N (11... ♕a5 – 47/371) 12. ♘f3 ♗d7 (12... ♕c7!? △ e5) 13.

♗g5 (13. 0–0 ♕c7 △ ♖af8⇆) ♖f7 14. h4!? (14. 0–0 ♕c7) ♕c7! 15. h5 e5 16. hg6 ♘g6 (16... hg6!? 17. ♗e7 ♖e7 18. ♗g6 ed4 19. ♔f1↑; 17... e4!?) 17. ♗g6 hg6 18. de5 ♘e5 19. ♕d5! *a)* 19... ♖e8 20. 0-0-0! ♘f3 (20... ♗c6 21. ♗f6) 21. ♖h8! (21. ♗f6?? ♕f4–+) ♔h8 (21... ♔g7 22. ♖h7) 22. ♕f7 ♘g5 23. ♖h1 ♘h3 24. ♖h3+–; *b)* 19... ♘f3 20. gf3 ♖e8 21. ♗e3 (V. Atlas 2435 – Joch. Schlenker 2235, Liechtenstein 1991) ♖e3! 22. fe3 ♕g3 23. ♔d1 ♕g2 24. ♖h8 ♔h8 25. ♕f7 ♗f5⩱ B. Gel'fand, V. Atlas] **8. ♗d3 ♕a5 9. ♘e2 ♘bc6 N** [9... ♘g6] **10. ♕g7 ♖g8 11. ♕f6!?** [11. ♕h7 ♘e5 12. ♗f4 ♘d3 13. ♕d3∞] **♘g6 12. f4** [12. ♗g5?! ♘ge5 13. ♗h7 ♘g4! 14. ♕f4 e5] **dc3 13. ♖b1 a6 14. 0–0** [⌓ 14. ♖b3 b5 15. 0–0 d4 16. ♘g3] **♕c5 15. ♔h1 b5 16. ♖b3 d4∞ 17. ♘g3 ♕e7 18. ♘e4 ♗d7 19. ♘d6 ♔d8 20. ♘f7 ♔c7 21. ♘g5 h6!** [21... ♖ae8 22. a4!] **22. ♘f7** [22. ♗g6?! ♕f6 23. ef6 ♖g6 24. ♘h7 ♘d8 25. f5 ef5 26. ♗f4 ♔c6 27. ♘f8 ♖f6 28. ♘d7 ♔d7 29. ♗e5 ♖e6 30. ♗d4±; 24... ♗e8! △ ♗f7∓] **♘h4! 23. ♗e4 ♕f6** [23... ♘f5?! 24. ♕e7 ♘fe7 25. ♘h6] **24. ef6 ♘f5 25. ♘e5 ♖af8 26. ♘d7 ♔d7 27. ♖d1 ♔c7 28. a4! ♖f6** [28... ba4 29. ♖a3 ♖f6 30. ♖a4↑《] **29. ab5 ab5 30. ♖b5 ♘d6 31. ♗c6 ♔c6 32. ♖e5 ♘b5 33. ♖de1 ♘c7 34. ♖5e4 ♔d5 35. h3! ♖a8 36. g4 ♔c5⊕ 37. ♖4e2⊕** [⌓ 37. g5 hg5 38. fg5 ♖f2 39. ♖4e2 ♖e2 40. ♖e2 ♖a1 41. ♖e1∞ ♘e8 (41... ♔d5 42. h4 e5 43. h5) 42. h4 ♘g7 43. ♔g2 ♔d5 44. ♔g3 e5 45. ♔g4 e4 46. h5] **♘d5 38. g5 hg5 39. fg5 ♖f3 40. h4?** [40. ♔g2! ♖ff8 41. ♖e6 ♖a2 42. ♖1e2 ♖a1 43. ♖e1 ♖a2 44. ♖6e2 ♘b4∞] **♖h3 41. ♖h2 ♖h2 42. ♔h2 ♖a2 43. ♔g3 ♖c2 44. g6 d3?** [44... ♖c1! 45. ♖c1 ♔c4 (45... d3? 46. ♖c3 ♘c3 47. g7 d2 48. g8♕ d1♕ 49. ♕e6) 46. g7 ♘f6 47. ♔f2 d3 48. h5 d2–+] **45. ♗g5 ♖a2 46. g7 ♖a8 47. h5 d2 48. ♖h1!** [48. ♖f1? ♘f6! 49. h6 ♘e4 50. ♔f4 ♘g5 51. ♔g5 c2] **♘f6! 49. ♔f3 ♘h5 50. ♗d2! ♘g7** [50... cd2 51. ♖h5 ♔d4 52. ♔e2=] **51. ♖c1** [51. ♗c3? ♖a3 52. ♖c1 ♔c4] **♖a3 52. ♖c3 ♖c3 53. ♗c3 ♘f5 1/2 : 1/2**
[P. Nikolić]

280.* !N **C 18**

AM. RODRÍGUEZ 2500 –
PECORELLI GARCÍA 2395
Cuba (ch) 1991

1. e4 e6 2. d4 d5 3. ♘c3 ♗b4 4. e5 ♘e7 5. a3 ♗c3 6. bc3 c5 7. ♕g4 ♕c7 8. ♕g7 [RR 8. ♗d3 c4 9. ♗e2 ♘f5! N (9... 0–0 – 52/(290)) *a)* 10. ♘f3 ♕a5 11. ♗d2 ♗d7! (△ ♗a4) 12. 0–0 (12. a4 b5∓) ♗a4 13. ♖a2 ♘c6 14. ♕h3 (14. ♕h5 h6 15. g4 ♘fe7 △ g6-g5) h6 15. g4 ♘fe7 16. ♗e1 (16. ♘h4? ♘d4–+) 0-0-0 17. ♘h4 (17. ♘d2?! g5 18. f4 ♘g6∓) g5 18. ♘g2 (Szalánczy 2410 – Apicella 2455, Budapest 1991) ♕b6 19. ♗d2 ♖df8 20. ♕e3 f6 21. ef6 ♖f6 22. f4 gf4 23. ♘f4 ♔b8∓; *b)* 10. ♗d1!? ♕a5 11. ♘e2 ♗d7 12. a4 b5 13. ♗a3 ba4 14. 0–0 Apicella] **♖g8 9. ♕h7 cd4 10. ♘e2 ♘bc6 11. ♗f4!? N** [11. f4 – 52/291, 292] **♗d7 12. ♕d3 dc3** [12... ♘e5 13. ♗e5 ♕e5 14. cd4±; 12... ♘g6 13. cd4 ♘f4 14. ♘f4 ♘e5 15. ♕d2±] **13. ♕c3 ♖c8** [13... 0-0-0!?⩱] **14. h4!? d4 15. ♕d2 ♘g6 16. ♗g3 ♘ge5 17. h5!?** [17. ♘d4 ♖g3! 18. fg3 ♘g4 19. ♘e2 ♕b6→] **♕d6** [17... ♘c4!? 18. ♗c7 ♘d2 19. ♔d2 (19. ♗d6?! ♘f1 20. ♔f1 e5 △ ♗f5) ♖c7 20. f4! f6 21. h6 e5 22. ♘g3!±] **18. ♖d1?!** [18. h6 d3 19. h7 ♖h8 20. ♖d1!?] **♕a3 19. ♗e5 ♘e5 20. ♘d4 ♕c5?** [20... ♕c3!] **21. ♖h3! a6 22. h6± ♗a4 23. ♗e2! ♘g6 24. ♔f1 ♗c6? 25. ♘c6! ♕c6 26. ♖d3!+– ♕c7 27. ♖d7 ♕h2 28. ♖d8 ♔e7 29. ♕g5 1 : 0**
[Am. Rodríguez]

281.* !N **C 19**

MIROSLAV MARKOVIĆ 2365
– V. RAIČEVIĆ 2415
Jugoslavija (ch) 1991

1. e4 e6 2. d4 d5 3. ♘c3 ♗b4 4. e5 c5 5. a3 ♗c3 6. bc3 ♘e7 7. ♘f3 [RR 7. h4 ♕c7 8. h5 h6 9. ♘f3 ♗d7 N (9... ♘bc6 – 52/293) 10. a4 ♘bc6 11. ♗b5 cd4! (11... 0-0-0?! 12. 0–0 f6 13. ♖e1±) 12. cd4 ♘b4 13. 0–0 (13. ♗d7? ♔d7∓) ♕c2 (13... ♘c2?! 14. ♖b1±) 14. ♕e1 (Kuczyński 2480 – J. Gdański 2430, Polska

1991) a5 15. ♗a3 ♗b5 16. ab5 0–0 17. ♗b4 ab4 18. ♕b4 ♖a1 19. ♖a1 ♘f5= Kuczyński] **b6 8. a4 ♗a6!? 9. ♗b5 ♗b5 10. ab5 ♕d7!? 11. ♕e2** [11. ♖b1 c4 (11... a6?! 12. dc5 bc5 13. b6! ♘bc6 14. ♗a3 c4 15. ♘d4!±) 12. ♗a3 a6=] **c4 12. ♗a3 h6! N** [12... ♕b5 – 44/364] **13. ♘h4 ♕b5?** [13... a6! 14. ♗e7 ♕e7 15. ♕g4 ♕g5 16. ♕g5 hg5 17. ♘f3 g4=] **14. ♕g4! ♖g8□ 15. 0–0?** [15. ♗e7! ♔e7 16. f4 △ f5±] **♕d7 16. ♖fb1 ♘bc6 17. ♕h5?** [17. ♗e7!=∞] **0-0-0!∓ 18. ♘f3** [18. ♕f7? g6!–+ 19. ♘f3 ♖df8 20. ♕h7 ♖h8 21. ♕g7 ♔b7 △ ♕e8] **♘f5** [18... f5!?] **19. ♘d2 f6 20. ♕e2 fe5 21. de5 g5 22. g4!? ♘h4?!** [22... ♘fe7!–+] **23. ♗d6! ♕f7?** [23... ♘e7∓] **24. f4!!=∞ gf4** [24... ♕f4?? 25. ♖f1+–] **25. ♘c4! ♖g4!□** [25... dc4? 26. ♕c4 ♕b7 (26... ♔b7 27. ♖b6+–) 27. ♖a7!+–] **26. ♔h1** [26. ♕g4? ♖g8 27. ♘b6 ♔d8–+] **f3** [26... ♕f5? 27. ♘b6 ab6 28. ♖b6!+–] **27. ♘b6 ab6 28. ♕f2! ♖d6! 29. ed6** [29. ♕b6? ♕c7!–+] **♔d7 30. ♖b6! ♔d6 31. ♖c6!□ ♔c6 32. ♖a6 ♔d7 33. ♕c5 ♖g1 34. ♕g1** [34. ♔g1?? ♕g7 35. ♔f2 ♕g2 36. ♔e3 ♕e2 37. ♔f4 ♕e4 38. ♔g3 ♘f5–+] **f2 35. ♖a7 ♔e8 36. ♖a8 ♔e7 37. ♖a7 1/2 : 1/2** [V. Raičević]

282. **C 19**

NUNN 2610 – P. NIKOLIĆ 2625
Beograd 1991

1. e4 e6 2. d4 d5 3. ♘c3 ♗b4 4. e5 c5 5. a3 ♗c3 6. bc3 ♘e7 7. ♘f3 b6 8. ♗b5 ♗d7 9. ♗d3 ♗a4 10. dc5!? N [10. ♘g5? h6 11. ♕h5 g6 12. ♕h3 c4; 10. h4 – 42/367] **bc5 11. 0–0 c4 12. ♗e2 ♘g6?!** [12... ♘bc6 13. ♗f4 (13. ♗e3 ♘g6? 14. ♗c5 ♘ge5 15. ♘e5 ♘e5 16. ♕d4→; 13... ♕a5!) ♘g6 14. ♗g3 0–0 15. ♕d2 f5 16. ef6 ♕f6∞] **13. ♘g5!** [13. ♘d4 ♘e5 14. f4 ♘ec6 15. f5 e5∓] **♘e5** [13... 0–0 14. f4 ♘c6 (14... h6 15. ♘f3 f6 16. ♘d4 ♗d7 17. f5±) 15. ♗h5!? △ ♗g6, ♕f3-h3↑] **14. f4 ♘d3!** [14... ♘ed7 15. f5 0–0 16. fe6 ♕b6 17. ♔h1 fe6 18. ♗g4+–; 14... ♘ec6 15. f5 e5 16. ♗h5 0–0 17. f6 g6 18. ♘h7 ♔h7 19. ♕d2+–] **15. ♗d3!** [15. ♗e3 h6 16. ♘f7 ♔f7 17. ♕d2 ♗c2 18. ♕c2 ♘d7 19. ♗d3 cd3 20. ♕d3 ♖f8±] **cd3 16. f5 e5** [16... 0–0 17. ♕h5 h6 18. f6 gf6 19. ♕h6 fg5 20. ♗g5 ♕b6 21. ♗e3 ♕d8 22. ♖f6+–; 16... ef5 17. ♕h5! ♕e7 (17... g6 18. ♖e1 ♔f8 19. ♕h4+–) 18. ♗d2 g6 19. ♕h4 ♗d7 20. c4!+–] **17. ♕h5 ♕e7** [17... g6 18. fg6 ♕b6 19. ♔h1 ♕g6 20. ♕h4 ♗d7 21. ♘f7 0–0 22. ♖f6 ♕g7 23. ♗h6+–; 17... ♕b6 18. ♔h1 ♕f6 19. ♘e6 g6 20. ♕g4 fe6 21. ♕a4 ♘d7 22. ♗g5! ♕g5 23. fe6 ♕e7 24. ♕c6 △ ♖f7+–] **18. ♘e6?!** [18. cd3! ♘c6 (18... ♘d7 19. ♘e6 g6 20. fg6 fg6 21. ♕g4+–) 19. f6 gf6 20. ♘h7±] **♔d7! 19. ♗g5** [19. ♘g7 f6 20. ♘e6 ♗c2∞] **f6 20. ♗e3 ♘a6?!** [20... ♗c2! 21. ♗c5 (21. c4 d4! 22. ♕f3 ♘c6 23. c5 ♖hc8∓) ♕e8 22. ♕f3 (22. ♕g4 ♔c8 23. ♕g7 ♘d7∞) ♔c6! (22... ♔c8? 23. c4±) 23. c4 ♕d7 24. ♗f8 (△ 25. cd5 ♕d5 26. ♘d8) ♖f8!□ 25. ♘f8 ♕d6∞] **21. cd3! g6 22. ♕g4 ♗c6**

23. ♘d4!! ed4 [23... h5 24. ♕h3 g5 25. ♘e6±] **24. ♗d4!±** [24. fg6 ♕e6 25. ♕e6 ♔e6 26. ♗d4 hg6□ 27. ♖f6 ♔d7 28. ♖f7 ♔e8 (28... ♔e6? 29. ♖af1+–) 29. ♖af1 ♖g8∞] **h5** [24... gf5 25. ♕f5 (25. ♖f5? ♖ag8) ♕e6 26. ♕e6 ♔e6 27. ♖f6 ♔d7 28. ♖f7 ♔e8□ 29. ♖af1 ♖g8 30. ♖h7±] **25. ♕h3 g5** [25... gf5 26. ♖f5!±] **26. ♖fe1 ♕f8** [26... ♕g7 27. ♖e6 ♖hf8 28. ♕g3+–] **27. ♖e6 ♖h6□** [△ ♘c7] **28. ♕e3** [△ ♖e1] **♖e8** [28... ♘c7 29. ♗c5] **29. ♖e1 ♘c7 30. ♗c5 ♕f7** [30... ♕g8 31. ♖e8 ♘e8 (31... ♕e8 32. ♕g3+–) 32. ♕e7 ♔c8 33. ♗a7 (△ ♕c5) ♖h7 (33... ♘c7 34. ♕c5 ♗d7 35. ♖b1+–) 34. ♕c5 ♔d7 35. ♖e6 ♗b7 36. ♗b6+–] **31. ♗e7!+– ♖h7** [31... ♕e6 32. fe6 ♔e7 33.

♕c5+−] **32. ♕c5 ♗b7** [32... ♗a8 33. ♗d6! ♘e6 34. fe6 ♖e6 35. ♕c7 ♔e8 36. ♕c8#; 32... ♖e7 33. ♕d6 ♔e8 34. ♖e7+−] **33. ♕a7 ♔c8** [33... ♘e6 34. fe6 ♕e6 35. ♕b7#; 33... ♗c6 34. ♖d6 ♔c8 35. ♖b1+−] **34. ♖b1 ♖e7 35. ♖b7!** [△ ♕b8] **1 : 0** [Nunn]

283. C 19

BALAŠOV 2590 − NAUMKIN 2490
SSSR (ch) 1991

1. e4 e6 2. d4 d5 3. ♘c3 ♗b4 4. e5 c5 5. a3 ♗c3 6. bc3 ♘e7 7. ♘f3 ♕a5 8. ♗d2 ♘bc6 9. ♗e2 ♗d7 10. 0−0 c4!? 11. ♘g5 h6 12. ♘h3 ♘g6! 13. ♗h5! [13. f4 0-0-0 14. g4 (14. f5? ef5 15. g4 fg4 16. ♗g4 ♖hf8 17. ♗d7 ♖d7 △ ♘d8∓; 15... ♘ge7∓) ♘ge7∞] **0-0-0 N** [13... ♘ce7 − 18/234] **14. f4** [14. ♕g4 ♘ce7 15. ♘f4 ♘f4 16. ♕f4 ♖df8=] **♖df8 15. ♕e1!** [△ 16. f5 ef5 17. ♗g6 fg6 18. ♘f4↑, 18. e6↑, 16. a4 △ ♗c1-a3] **♘ge7 16. a4 f6 17. ef6?!** [17. ♗c1 fe5 18. fe5! (18. de5∞) ♖f1 19. ♔f1 ♖f8 20. ♘f2!± △ ♗a3, ♔g1⌐] **gf6 18. ♗c1** [18. f5!? e5! (18... ♘f5? 19. ♘f4!± ♘g7 20. ♗g4 △ 20... f5 21. ♘g6!) 19. de5 fe5!∞ (×♘h3) 20. f6 ♗f5] **♘f5 19. ♗a3 ♖d8 20. ♘f2** [20. ♗f7?! ♗g7? 21. f5!↑; 20... ♔b8!] **♘g7! 21. ♗f7?!** [21. ♗f3 h5∓] **f5!□** [×♗f7; 21... h5? 22. f5!±] **22. ♘d1**

22... ♖df8!? [22... h5 23. ♕g3 ♘e8 24. ♗e8 ♖de8∓ ⇔g, ×a4, c3] **23. ♗f8 ♖f8 24. ♗g6 ♕d8!□** [24... ♘e7? 25. ♕e5!; 24... ♖f6?! 25. ♕g3 ♕d8 (25... ♘e7? 26. ♕h4!) 26. h4 △ h5] **25. ♕e2 ♕h4 26.**

♘f2 [△ 26. g3! ♕g4 27. ♕g4 fg4 28. ♘e3! ♘e7 (28... h5 29. f5!) 29. ♘g4! ♘g6 30. ♘h6 ♘e7∓⊥] **♖f6 27. ♗h7** [27. g3? ♖g6] **♖f8** [△ ♕f6] **28. ♗g6 ♖f6** [28... ♘e7? 29. g3 ♕f6 30. ♗h5] **29. ♗h7 ♘e7!? 30. ♕e5** [30. g3 ♕h5 31. ♕h5 ♘h5 32. g4 ♘f4!−+] **♘e8 31. g3 ♕h5 32. g4! ♕h4□** [32... ♕f7?! 33. g5 △ g6] **33. gf5 ef5!?** [33... ♘c6!? 34. ♕e3 ef5∓] **34. ♕e7 ♖g6! 35. ♗g6 ♕e7 36. ♗e8 ♗e8∓** [△ ♗h5-f3] **37. ♖fe1 ♕g7 38. ♔f1** [38. ♔h1!? ♗h5 39. ♖e3 ♕c7 40. ♘h3! ♕b6!∓] **♗h5 39. ♖e3 ♕c7! 40. ♘h3** [40. ♖e5 ♗f3 41. ♖ae1 ♕g7 42. ♖e8 ♔d7 43. ♖1e7 ♕e7−+⊥ ×a4, c2; 40. ♘h3∓] **♗g4! 41. ♖h6** [41. ♘g4 fg4 △ ♕f4−+] **♕f4 42. ♖h8 ♔c7 43. ♖h7** [43. ♖e1 ♗f3] **♔d6 44. ♖e1 ♗f3 45. ♖he7** [45. ♖ee7 ♕c1 46. ♖e1 ♕g5; 45. ♖h3!∓] **♗e4−+ 46. ♖b7 ♕g5 47. ♖a7** [47. ♘e4 de4] **♕g2 48. ♔e2 f4! 0 : 1** [Naumkin]

284. C 19

NUNN 2615 − P. NIKOLIĆ 2635
Wijk aan Zee 1992

1. e4 e6 2. d4 d5 3. ♘c3 ♗b4 4. e5 c5 5. a3 ♗c3 6. bc3 ♘e7 7. ♘f3 b6 8. a4 ♕c7 9. ♗b5 ♗d7 10. ♗d3 ♘bc6 11. 0−0 h6 12. ♖e1 0−0 13. ♗a3 ♘a5 14. dc5 bc5 15. ♘d2 ♗a4 16. ♕g4 ♗d7 17. ♘f3 ♘c4!? N [17... ♘b7 − 51/291] **18. ♗c1** [18. ♗c4 dc4 19. ♕c4 ♖fc8=] **f5□ 19. ef6** [19. ♕g3 ♔h8 20. ♗c4 dc4 21. ♕h4 ♘g6 22. ♕c4=] **♖f6 20. ♗c4 dc4 21. ♕c4!** [21. ♘e5 ♗c6! 22. ♘c6 (22. ♕c4 ♗d5 △ c4∞) ♕c6 23. ♕c4 ♕d5±] **♘g6** [21... ♘d5 22. ♘e5± ×a7, c5, e6] **22. ♗e3 ♖c8** [22... ♖f3 23. gf3 ♘e5 24. ♗f4! ♘f3 25. ♔f1 ♕c6 (25... ♕b7 26. ♖eb1±) 26. ♖ed1±] **23. ♘d2!** [△ ♘e4 ×c5] **♖f5 24. ♘e4?!** [24. ♖a6 (△ ♖e6!) ♘e5 25. ♕a2 ♘g4 26. ♘f1±] **♘e5 25. ♕e2?!** [25. ♕a6! (△ 26. ♘d6, 26. ♕a7, 26. ♗c5) ♘g4 (25... ♗c6 26. ♘d6!+−) 26. ♘d6?! ♖cf8? 27. ♘f5 ♕h2 28. ♔f1 ♖f5 29. ♖ad1 ♘e3 30. ♖e3 ♕h1 31. ♔e2 ♖f2 32. ♔f2 ♕d1 33. ♕d3+−; 26... ♖b8!∞; 26. ♕d6!± ♗c6!∞ **26. ♘g3** [26. ♘c5? ♗g2! 27. ♔g2 ♕c6−+] **♖f6□** [26... ♖f7 27.

♗d2±] **27. ♕a6?!** [27. ♗f4 ♖f4 28. ♕e5
♕e5 29. ♖e5 ♖a4!=; 27. ♗d2 ♘f7 28. c4
△ ♗c3∞] **♗b7!∓ 28. ♕a4** [28. ♕a7? ♕c6
29. f3 ♘f3−+] **a6 29. ♖ab1 ♖cf8?⊕** [29...
♖a8! (△ ♗c6) 30. f3 ♗f3! (30... ♖f3? 31.
gf3 ♘f3 32. ♔f2 ♖f8 33. ♔e2 ♘h2 34.
♘e4! ♗c6 35. ♕a6!±; 30... ♗c6? 31.
♕a3! △ 31... ♗f3 32. ♕c5±) 31. ♗f4 (31.
gf3 ♘f3 32. ♔g2 ♘e1∓) ♕d7!∓] **30.
♖b7!± ♕b7 31. ♗c5 ♘g6?** [31... ♖f4!□
a) 32. ♕a1? ♘g4! 33. ♗f8 ♖f2∓; *b)* 32.
♕a2 ♖d8! 33. ♖e5 ♖d1 34. ♘f1 ♕b5 35.
c4!□ (35. ♕e6 ♔h7 36. c4 ♕b1∓) *b1)*
35... ♖c4 36. ♗d4! ♕a4 (36... ♖c5 37.
♕e6 ♔h7 38. ♕f5 ♔h8 39. ♖e8! ♕e8
40. ♕c5±; 36... ♕c6 37. c3±) 37. ♕a4
♖a4 38. ♗c3 ♖c4 39. ♖e3 ♖c1±; *b2)*
35... ♕c4! 36. ♕c4 ♖c4 37. g3 ♖d5! 38.
♖d5 ed5∓; *c)* 32. ♕b3!! ♕b3 33. cb3
♘d3□ 34. ♗f8 ♘e1 35. ♗g7 ♘d3 36.
♗d4 e5 37. ♗e3 ♖f7 38. b4!±] **32. ♗f8
♖f8?** [32... ♘f8±] **33. ♕b3+− ♕a7 34.
♕e6 ♔h8 35. ♘e4 ♘f4 36. ♕d6 ♖f7
37. c4 ♕b7** [37... a5 38. c5 a4 39. g3] **38.
c5! ♘e2 39. ♔f1 ♕e4 40. ♖e2 ♕a4**
[40... ♕c4 41. ♕d8 ♔h7 42. ♕d3] **41. c6
1 : 0** **[Nunn]**

285. **C 19**

VAN DER WIEL 2540 −
ROMERO HOLMES 2490
Wijk aan Zee 1992

**1. e4 e6 2. d4 d5 3. ♘c3 ♗b4 4. e5 c5
5. a3 ♗c3 6. bc3 ♕c7 7. ♘f3 ♘e7 8. a4
b6 9. ♗b5 ♗d7 10. ♗d3 ♘bc6 11. 0−0
h6 12. ♖e1 0−0 13. ♗f4 ♘g6! 14. ♗g3?!**
[14. ♗d2 △ h4; 14. ♗e3!?] **cd4 15. ♘d4
♘a5 16. ♕g4!? N** [16. ♖e3 ♘c4 17. ♗c4
♕c4 − 46/391; 17... dc4!? ×d5] **♕c3 17.
♘e2** [17. h4? h5] **♕c8?** [17... ♘e5? 18.
♕h5+−; 17... ♕d2? 18. ♘f4±→; 17...
♕b2?! 18. ♖eb1 ♘e5 19. ♕h4! ♘d3 20.
♖b2 ♘b2 21. ♗e5 ♘bc4 22. ♗g7! ♔g7
23. ♘f4±→; 17... ♕c7! (△ 18. ♘f4
♘e5∓) 18. ♗g6 fg6 19. ♕g6 (△ ♘f4→)
♗c8! (19... ♕c8! 20. ♘f4 ♕e8∓《) 20.
♘f4 ♕f7∓《] **18. ♘f4→ ♘c6?!** [18...
♘f4?! 19. ♗f4 f5 (19... ♔h8 20. ♗h6 gh6
21. ♕h4) 20. ef6 ♖f6 21. ♗e5±; △ 18...

♗e8 19. ♗g6 (19. ♘h5!? △ ♗h4, ♘g7!,
♗f6, h4) fg6 20. ♕e6 ♕e6 21. ♘e6 ♖f7
22. ♘d4±↑ ♗e] **19. ♘g6 fg6 20. ♕g6 ♘e7
21. ♕h7 ♔f7 22. ♗e2!+−→ ♖g8□** [22...
♘f5 23. ♗h5 ♔e7 24. ♗h4! ♕h4 25.
♕g7] **23. ♗h5 ♔f8 24. ♖a3 ♘f5** [24...
♗e8 25. ♖f3 ♘f5 26. ♖f5! ef5 27. e6 ♗h5
28. ♗d6] **25. ♖f3 ♗a4** [25... ♔e7 26. ♖f5
ef5 27. ♗h4] **26. ♖f5** [26. ♕g6+−] **ef5
27. ♕g6** [27... ♕d7□ 28. e6 ♖e8 29.
♗d6!] **1 : 0** **[van der Wiel]**

286. **C 19**

SCHMITTDIEL 2490 −
BRENNINKMEIJER 2525
Groningen 1991

**1. e4 e6 2. d4 d5 3. ♘c3 ♗b4 4. e5 ♘e7
5. a3 ♗c3 6. bc3 c5 7. a4 ♕a5 8. ♕d2
♘bc6 9. ♘f3 ♗d7 10. ♗a3 cd4 11. cd4
♕d2 12. ♔d2 ♘f5 13. c3 ♘a5 14. ♖a2□
♘c4!? N** [14... ♖c8 15. ♗b5 a6 16. ♗d7
♔d7 17. ♖b1±; 14... f6 − 49/358] **15.
♗c4 dc4 16. a5 ♗c6= 17. ♔e2 h5!?** [17...
♘e7!? (△ ♘d5) 18. ♗e7 ♔e7 19. ♖b1
♖ac8 20. ♖b4 ♖c7=] **18. ♖ha1!** [18. ♖b1
♔d7 19. ♖ab2 b5! 20. ab6 ab6] ♔d7
[18... b5? 19. ab6 ab6 20. ♗b4+−] **19.
♖b2 f6?!** [19... ♖hb8! (△ b5) *a)* 20. ♗c5
b5!? 21. ab6 ab6 22. ♖a8 ♖a8 23. ♗b6
(23. ♖b6 ♖a2) ♖a3 24. ♔d2 ♗f3 25. gf3
♖a1∞; *b)* 20. ♘d2 ♗d5 21. ♗c5 (21. ♖b4
b5 22. ab6 ab6 23. ♘c4 ♗c4 24. ♖c4
♖a6∞) b5 22. ab6 ab6 23. ♖a8 ♖a8 24.
♖b6 (24. ♗b6 ♖a3 25. ♖c2 ♖a1∞)
♖a2∞] **20. ♘d2 ♗d5 21. ♗c5!** [21. f3!?
(△ ♘e4±) fe5! (21... b6? 22. ef6 gf6 23.
♘e4!) 22. de5 ♖ac8 (22... ♔c6 23. ♖b4)
23. ♘e4 ♖c7∞] **fe5 22. de5 ♔c6?** [22...
b6! 23. ab6 ab6 24. ♖a8 ♖a8 25. ♗b6
(25. ♖b6 ♖a2) ♖b8 (25... ♖a3!?) 26. ♖b4
♔c6 27. ♗a5 ♖b4 28. ♗b4 ♗g2 29. ♘c4
♔d5=] **23. ♗e3± ♘e3?** [23... ♖hc8!? 24.
f3! (24. ♖ab1 ♔d7 △ ♘e3, ♖c5⇆) ♔d7
25. ♘e4±] **24. fe3! [△ e4] ♗g2□ 25. ♖g1
♗h3 26. ♖g7± ♗g4 27. ♔f2 b5 28. ab6
ab6 29. ♘c4 ♖hf8 30. ♔g3?** [○ 30. ♔g2
b5 31. ♘d6 ♖g8 32. ♖g8 ♖g8 33. h3!±]
b5 31. ♘d2 [31. ♘d6 ♖f3 32. ♔h4 ♖h3
33. ♔g5 ♖e3=] **♖a3 32. ♘b3 ♔d5 33.**

♖b7 ♔c6 34. ♖e7 ♔d5 35. ♖b7 ♔c6 36. ♖g7 ♔d5 37. ♘d2?! [37. ♖b7=] **♖c3 38. ♖b5 ♔c6 39. ♖bb7?!** [39. ♖gb7=] **♖e3 40. ♔h4 ♗e2!** [△ ♖e5] **41. ♖bc7 ♔d5 42. ♖gd7 ♔e5 43. ♘c4 ♗c4 44. ♖c4 ♖f2∓ 45. ♔h5 ♖h2 46. ♔g4 ♖g2 47. ♔h4 ♖e1** [47... ♖e4 48. ♖e4? ♔e4 49. ♔h3 ♖g8 50. ♖d1 e5 51. ♖e1 ♔f3−+; 48. ♔h3!□] **48. ♔h3 ♖g6 49. ♔h2 ♖e2 50. ♔h1** [50. ♔h3!] **♖e4 51. ♖e4??** [51. ♖c5□ ♔f6 52. ♖h5=] **♔e4−+ 52. ♖d1 e5 53. ♖e1 ♔f4** [54. ♖f1 ♔e3 55. ♖e1 ♔f2] **0 : 1** **[Brenninkmeijer]**

287.** **C 19**

NUNN 2610 − KINDERMANN 2500
Wien 1991

1. e4 e6 2. d4 d5 3. ♘c3 ♗b4 4. e5 c5 5. a3 ♗c3 6. bc3 ♘e7 7. ♘f3 ♗d7 8. a4 ♕a5 9. ♗d2 ♘bc6 10. ♗b5 [RR 10. ♗e2 f6 11. ♖b1 ♕c7 12. ♗f4 ♘g6 13. ♗g3 fe5 14. 0−0 0−0 15. ♗b5 cd4 16. cd4 ♘f4 N (16... ♖f3?! − 27/256) 17. ♗c6 ♗c6 18. ♘e5 ♗a4 19. ♖b4 b5! 20. ♕d2 ♘h5 21. c3! ♖fc8 22. ♖c1∞ V. Kostić 2390 − Ulybin 2565, München 1991/92] **f6** [RR 10... ♕c7 11. 0−0 0−0 12. ♗c1 N (12. ♖e1 − 42/376) b6 13. ♗a3 ♘a5 14. dc5 ♗b5 15. cb6 ab6 16. ab5 ♖fc8 17. ♗b4 ♘c4 18. ♖a8 ♖a8 19. ♖e1 ♘g6 20. ♗d6 ♘d6 21. ed6 ♕d6 22. c4 ♕c5 23. cd5 ♖d8 24. ♕e2 ♖d5 25. c4 ♖d8 26. ♕e4 h6 27. h3 ♕d6= Nunn 2610 − Jusupov 2625, Beograd 1991] **11. ♕e2 N** [11. 0−0 − 52/294] **♕c7!?** [11... fe5 12. ♘e5 ♘e5 13. ♕e5 ♗b5 14. c4±] **12. 0−0 a6 13. ♗c6 ♘c6 14. ♗c1** [14. ♗f4?! cd4 15. cd4 ♘a5 16. ♗g3 f5∓] **cd4** [14... ♘a5 15. ♗a3 cd4 16. ef6 gf6 17. ♘d4±; 14... 0−0 15. ef6 ♖f6 16. ♗g5 ♖f7 17. ♗h4⩲; 14... fe5 15. ♘e5 0−0 (15... ♘e5 16. ♗f4±) 16. ♘d7 ♕d7 17. ♗a3±] **15. ef6** [15. cd4 ♘a5 16. ♗a3 ♘c4∞] **gf6 16. ♘d4 ♕e5!** [16... 0-0-0 17. ♘e6 ♖he8 18. ♘c7 ♖e2 19. ♘d5±; 16... ♘d4 17. ♕h5 ♔d8 18. cd4 ♕c2 19. ♗f4→] **17. ♕d2 ♘d4** [17... ♖g8 18. f4 (18. ♖e1? ♘d4) ♕e4 19. f5 e5 20. ♗a3! (20. ♘e6 ♗e6 21. fe6 ♔e7!∓) 0-0-0 (20... ♘d4 21. cd4 ♕d4 22. ♕d4 ed4 23. ♖ae1±) 21. ♘e6⩲] **18. cd4 ♕f5 19. ♕b4 ♖g8** [△ ♖g2=] **20. ♖a3 ♗c6 21. ♖g3 0-0-0?** [21... ♔f7! 22. ♗a3 ♖ae8 23. ♕d6 ♖g6 △ ♔g8=; 23. c3=] **22. ♕e7!** [△ 23. ♗f4 ♕f4 24. ♖g8 ♖g8 25. ♕e6+−] **e5** [22... ♖ge8 23. ♕c5 △ ♖f3±; 22... ♖de8 23. ♖g8 ♖g8 24. ♗f4±] **23. a5 ♗b5** [23... ed4 24. ♗f4] **24. ♖e1 ♖g3?! 25. hg3± ♖e8 26. ♕c5 ♗c6 27. ♗a3** [△ ♕a7] **♕d7 28. ♗b2 ed4?** [28... ♕c7 29. ♖e3 △ ♕b4-e1±] **29. ♖e8 ♕e8 30. ♗d4+−** [♕ 8/h] **f5 31. c3** [31. ♕d6 ♕e1 △ ♕a5] **♔d7 32. ♗e3 ♕e4 33. f3 ♕e5** [33... ♕b1 34. ♔h2 ♕b5 35. ♕f8] **34. ♗f4 ♕e1 35. ♔h2 ♕e7 36. ♕d4 ♔e8 37. ♕h8 ♔d7 38. ♕g8** [△ ♗g5] **h5 39. ♗g5 ♕e8 40. ♕h7 ♔e6 41. ♕h6 ♔d7 42. ♕f6 ♔c8 43. ♗f4 ♗d7 44. ♕d6 ♔d8 45. ♕b6 ♔e7 46. ♕b7 ♕c8 47. ♕d5 ♕c6 48. ♗g5 ♔f8 49. ♕e5 1 : 0** **[Nunn]**

288. **C 28**

N. SHORT 2660 − AN. KARPOV 2730
Tilburg (Interpolis) 1991

1. e4 e5 2. ♘c3 ♘f6 3. ♗c4 ♘c6 4. d3 ♘a5 5. ♘ge2 ♘c4 6. dc4 ♗c5 7. 0−0 d6 8. ♕d3 c6 [8... ♗e6; 8... ♗d7!?] **9. b3!? N** [9. a3; 9. ♘a4 ♗b6 10. ♘b6 ab6 11. ♖d1 h6±] **♗e6 10. ♘a4⩲ ♘d7** [10... ♗b6? 11. ♗a3 ♗c7 12. ♖ad1±] **11. ♘c5** [11. ♖d1?! ♕e7 12. ♗e3 f6] **♘c5 12. ♕e3 b6!** [12... ♕e7 13. ♗a3 b6 14. ♗c5 dc5 15. f4±] **13. f4 f6 14. ♗a3 ♘b7! 15. ♘c3** [15. f5!?⩲] **♕c7 16. ♖ad1 0-0-0 17. ♗b2** [17. f5!?] **♖d7 18. a4?! ef4!⇆ 19. ♕f4 ♗f7 20. ♗a3 ♖e8 21. a5 ba5□ 22. ♖d4 ♖e5 23. ♖fd1 ♗g6∓ 24. h3** [24. ♕f2 (△ ♗c1-f4) ♘c5 25. ♗c5 ♖c5∞; 24... f5!?] **♖d8! 25. ♕f2** [25. ♕d2 ♖e6 △ ♕e7∓] **♕e7 26. ♗c1 ♖e6** [26... c5! 27. ♖d5 (27. ♖4d3 ♗e4∓; 27. ♘d5 ♕e8 28. ♖4d2 ♗e4 29. ♗b2 ♖e6 30. ♘f4 ♖e7) ♗e4 (27... ♖e6) 28. ♖e5 ♕e5 29. ♗b2 ♕f5!∓] **27. ♗f4 ♘c5** [27... c5? 28. ♖4d2 ♗e4 29. ♘b5±; 27... ♗e4?! 28. ♘e4 ♖e4 29. ♖e4 ♕e4 30. ♖e1 ♕f5 31. ♖e7!? (31. g4 △ ♕a7) ♖d7 32. g4 ♕c5 33. ♗e3] **28. ♕g3 ♘e4 29. ♘e4 ♖e4** [29... ♗e4!? 30. ♗d6 ♕f7∓] **30. ♖d6 ♖d6 31. ♗d6 ♕d7?** [31...

♕d8!?] **32.** ♖d2 ♔b7 **33.** ♕c3 ♕f5□ **34.** ♗g3!± ♖e7 **35.** ♕d4 ♕c8 **36.** ♕d6 [36. ♕c5 ♖d7 37. ♖e2 ♕d8 38. ♗f2 ♖d1 39. ♔h2 ♕d6=] ♖f7 **37.** ♔h2 ♗e4! [△ f5] **38.** ♕c5 ♖d7 [38... ♕f5 39. ♕d4 △ ♕d8-a5] **39.** ♖e2 f5 **40.** ♕a5 ♕d8= **41.** ♕b4 ♕b6 **42.** ♕f8 ♕d8 **43.** ♕c5 g5 [43... ♖d2?? 44. ♕b4] **44.** ♕b4 ♕b6 **45.** ♕f8 ♕d8 **46.** ♕b4 ♕b6 **47.** ♕f8 ♕d8
1/2 : 1/2 [An. Karpov]

289.* C 41

HECTOR 2500 − BARBERO 2485
København 1991

1. e4 e5 **2.** ♘f3 d6 [RR 2... ♘c6 3. d4 ed4 4. ♘d4 d6 5. ♘c3 ♘f6 6. ♗e2 ♗e7 7. 0-0 0-0 8. ♗e3 ♖e8 9. f4 ♗f8 10. ♗f3 ♗d7 11. ♔h1!? N (11. ♘b3 − 50/329) ♘d4 12. ♗d4 ♗c6 13. ♕d3 ♘d7 14. ♖ae1 ♗e7 15. b4 a6 16. a4 b6 17. ♕c4 ♗b7 18. e5 ♗f3 19. ♖f3 ♘f8 20. ♖d1 ♕d7 21. f5± Miroslav Marković 2365 − Abramović 2495, Jugoslavija (ch) 1991] **3.** ♗c4 ♗e7 **4.** d4 ed4 **5.** ♘d4 ♘f6 **6.** ♘c3 0-0 **7.** f3!? N [△ ♗f4, ♕d2, 0-0-0; 7. 0-0 ♘e4= − 6/303; 7. ♗b3] c6!? [△ d5] **8.** ♗b3 d5 [○ 8... ♘a6 △ ♘c5, a5⇆] **9.** ed5 ♗c5 **10.** ♗g5?! [○ 10. 0-0 ♘d5 11. ♘d5 cd5 12. ♔h1] h6!? **11.** ♗h4 [11. ♗f6 ♕f6∞] ♖e8 **12.** ♘de2 ♘bd7!□∞ [×♔e1] **13.** dc6?! [13. ♕d3? ♘e5; 13. ♕d2? ♗e3; 13. ♘e4! ♕a5! 14. ♕d2 ♕d2 15. ♘d2 ♘d5 16. ♗d5! cd5 17. ♗f2 ♗d6 18. ♘b3!=] bc6 [→∥a7-g1, a6-f1, ⇔e] **14.** ♕d3 ♕a5 [△ ♗a6] **15.** ♗f6 [15. 0-0-0? ♗a6 16. ♗c4 ♘e5-+; 15. ♕g6?! ♘e5] ♘f6 **16.** 0-0-0 ♗a6 **17.** ♕g6 [17. ♗c4 ♗e3 18. ♗a6 ♖d3 19. ♗d3 ♖b8∓] ♔h8 **18.** ♗f7 [18. ♕f7? ♗e2-+] ♖e2 **19.** ♘e2 ♗e2 **20.** ♖de1 ♗e3 **21.** ♔b1 ♕d2!∓ **22.** ♗b3 ♗f2 **23.** ♖c1 a5 **24.** ♕f7 [24. a4 ♖b8] a4 **25.** ♕b7 ♕d8 **26.** ♗e6 ♖b8 **27.** ♕c6 ♕d4 **28.** ♗b3 [28. c3 ♕d2 29. b3 (29. ♖c2 ♗d3-+) a3-+] ab3-+ **29.** cb3 [29. ab3 ♕a7] ♘d5 **30.** ♔a1 ♗e3 **31.** ♖ce1 ♘b4 **32.** ♕c3 ♕a7 [32... ♕c3? 33. bc3 ♘c2 34. ♔b2 ♘e1 35. ♖e1] **33.** a4 [33. a3 ♗d4!] ♗d3 **34.** h4 ♗d4 **35.** ♕d2 ♘c2 **36.** ♔a2 ♕a4! [37. ba4 ♖b2#]
0 : 1 [Barbero]

290. C 42

KUPOROSOV 2500 − A. MIHAL'ČIŠIN 2520
Brno II 1991

1. e4 e5 **2.** ♘f3 ♘f6 **3.** ♘e5 d6 **4.** ♘f3 ♘e4 **5.** ♕e2 ♕e7 **6.** d3 ♘f6 **7.** ♗g5 ♘bd7 **8.** ♘c3 ♕e2 [8... h6? 9. ♗e3! ♘g4 10. 0-0-0±] **9.** ♗e2 h6 **10.** ♗f4 [10. ♘b5 ♘d5 11. c4 a6!∓; 10. ♗h4=; 10. ♗d2=] ♘b6!? N [10... g6] **11.** 0-0-0 [11. ♘b5 ♘fd5! △ a6∓] ♗d7 **12.** ♖he1 0-0-0 **13.** ♘d2?! [13. ♔b1 g5 14. ♗c1 ♗g7∞; 13. h4!?] g5 **14.** ♗g3 [14. ♗e3 ♗g7 15. h3 ♘fd5∓] ♗g7 **15.** ♘c4 ♖de8!∓ **16.** ♘b6 [16. d4 ♘bd5 17. ♘d5 ♘d5∓] ab6 **17.** ♗f3 [17. h4 g4 △ ♘h5∓] h5 **18.** h4 [18. h3 h4 19. ♗h2 g4 20. hg4 ♗g4∓] g4 **19.** ♗d5?! [○ 19. ♗e2 ♗c6 20. ♗f1 ♗h6 21. ♔b1 ♘d7 △ f5∓] ♗h6 **20.** ♔b1 ♖e1 **21.** ♖e1 ♗d2∓ **22.** ♘e4□ ♗e1 [22... ♘d5 23. ♘d2 f5∓] **23.** ♘f6 ♗e6 [23... c6?! 24. ♘e4! (24. ♗f7 ♖f8 25. ♘d7 ♔d7 26. ♗h5 ♗f2 27. ♗g4 ♔c7 28. ♗f2 ♖f2∓) ♗b4 25. ♗f7∞] **24.** ♔c1 ♗a5! [△ b5, ♗b6] **25.** a4!? ♗d5 **26.** ♘d5 c6 **27.** ♘e3 [27. ♘e7 ♔d7 28. ♘f5 d5 29. c3 b5 30. ab5 ♗c7∓] d5 **28.** ♘f5 [28. c3 b5 29. ab5 ♗c7∓] ♗b4 **29.** c3 ♗f8 **30.** ♗e5 ♖h7 [30... ♖g8 31. ♘g3 ♗e7∓] **31.** ♔d2 ♗d7 **32.** ♘e3 ♔e6 **33.** ♔f4 ♗h6 [33... ♗c5!? 34. d4 f6 35. ♗b8 ♗f8-+] **34.** ♘h6 ♖h6 **35.** b4 c5 [35... b5!?] **36.** d4 [36. b5 f6 37. ♗c7 c4 38. d4 ♖h8 39. ♗b6 ♖e8 △ ♗f7∓] cb4 **37.** cb4 ♖g6 **38.** b5?! [38. ♗c7 ♔d7∓] ♖g8 **39.** ♗c7 ♖a8 **40.** ♗b6 ♖a4 **41.** ♗c5 [41. ♔g5 ♖b4 42. ♗c5 ♖b2 43. ♔h5 ♖f2 44. g3 ♔f5-+] ♖a2 **42.** ♔g3 ♖b2 **43.** b6 ♔f5 **44.** f3 gf3 **45.** gf3 ♖d2 0 : 1
[A. Mihal'čišin]

291. !N C 42

TIMMAN 2630 − ANAND 2650
Tilburg (Interpolis) 1991

1. e4 e5 **2.** ♘f3 ♘f6 **3.** ♘e5 d6 **4.** ♘f3 ♘e4 **5.** d4 d5 **6.** ♗d3 ♗d6 **7.** 0-0 0-0 **8.** c4 c6 **9.** cd5 cd5 **10.** ♘c3 ♘c3 **11.** bc3 ♗g4 **12.** ♖b1 ♘d7 **13.** h3 ♗h5 **14.** ♖b5

♘b6 15. c4 ♗f3 16. ♕f3 dc4 17. ♗c2 [RR 17. ♗e4 ♕d7 18. a4 ♖ab8!∓ △ 19. ♖g5? f6! 20. ♕h5 g6 21. ♗g6 fg5!−+ Kaliničenko] **♕d7 18. a4 ♗c7 19. ♖c5 ♗d6 20. ♖b5 ♗c7 21. ♖c5 ♗d6**

22. a5! N ± [22. ♖g5 − 49/(364)] **♘c8** [22... ♗c5 23. dc5 ♘c8 24. a6±] **23. ♗f5 ♕d8 24. a6 ♘e7 25. ab7 ♖b8 26. ♗g5!** [26. ♗e4? ♗c5 27. dc5 f5!∓] **f6 27. ♗e6 ♔h8 28. ♗f4 ♗f4 29. ♕f4 ♖b7 30. d5 ♘g6 31. ♕c4 ♕b8□ 32. ♖c1 ♖b1 33. ♖c7 ♖c1 34. ♕c1 ♖d8□ 35. ♗f5** [35. d6? ♕b6 36. ♖c6 ♕d4 37. d7 ♘f4∓; 35. g3!?±] **♕b6 36. ♕c6 ♕a5 37. ♔h2 ♘f8 38. ♖c8** [⌓ 38. ♗e4±] **♖c8 39. ♗c8 ♕b6!□ 40. ♗g4?** [40. f4! g6 41. f5±] **♔g8 41. f4 ♔f7 42. f5 g6 43. ♗e2?!** [43. fg6=] **gf5 44. ♗h5 ♔g7 45. ♗e8?!** [45. ♕e8∞] **♕c6 46. dc6 ♘e6 47. ♔g3?** [47. ♗d7 ♔f7 48. c7 ♘c7 49. ♗f5∓] **♔f8 48. ♗h5 ♔e7 49. ♗d1 ♔d6 50. ♗a4 a5 51. ♔f3 ♔c7** [⌓ 51... ♘c5−+] **52. ♔e3 ♔d6 53. g3 h6?** [⌓ 53... ♘c5] **54. h4 ♘c5 55. ♗c2 a4 56. ♗f5 ♘b3 57. ♗b1 ♔c6 58. ♔f4 ♘d4 59. ♔g4!∓ a3 60. ♔h5 ♘e2 61. ♗a2 ♘c1 62. ♗f7 ♔c5 63. ♔h6 ♔b4 64. h5 ♘b3 65. ♔g7 a2 66. h6 a1♕ 67. h7 f5 68. ♔g8 f4?!** [68... ♕e5∓] **69. h8♕ ♕h8 70. ♔h8 fg3 71. ♗d5 1/2 : 1/2**
[Timman]

292.** **C 43**

SVEŠNIKOV 2540 − ZAJCEV 2405

SSSR (ch) 1991

1. e4 e5 2. ♘f3 ♘f6 3. d4 ♘e4 4. ♗d3 [RR 4. de5 d5 5. ♘bd2 ♘c5 6. ♘b3 ♗g4!? N (6... ♘b3 7. ab3±) 7. h3 ♗h5 8. ♗e2 ♘c6 9. ♘fd4 ♗e2 10. ♕e2 ♘b3 11. ♘b3 (11. ♘c6? ♘c1 12. ♕b5 bc6 13. ♕c6 ♔e7 △ ♖b8-b6−+) ♕d7 12. ♗f4 0-0-0 13. 0-0-0 ♕e6 14. ♖d2 ♗e7 15. ♖hd1 h5?! 16. c3! g6 17. ♘d4 ♘d4 (17... ♕d7 18. ♘c6 ♕c6 19. ♕f3 ♕a4 20. ♔b1 c6 21. ♗e3±) 18. cd4 ♔b8 19. ♖c2 ♖c8 (Harlov 2515 − Akopjan 2590, SSSR (ch) 1991) 20. ♗e3±; 15... g6!= △ 16. ♕g4 h5 Harlov] **d5 5. ♘e5 ♘d7** [RR 5... ♗d6 6. 0−0 0−0 7. c4 ♗e5 8. de5 ♘c6 9. cd5 ♕d5 10. ♕c2 ♘b4 11. ♗e4 ♘c2 12. ♗d5 ♗f5 13. g4 ♗g4 14. ♗e4 ♘a1 15. ♗f4 f6 16. ♘c3 fe5 17. ♗e3!? N (17. ♗g3 − 46/406) ♗f3 18. ♖a1 ♗e4 19. ♘e4 b6 20. b4 a5 21. b5 ♖ad8 22. ♖c1 ♖f7 23. a4 h6 24. ♔g2 ♖d3 25. ♖c4 ♔f8 26. ♘d2 ♔e8 27. ♘f3 ♖e7 28. ♖e4 ♖b3 29. ♘e5± Kasparov 2770 − Timman 2630, Paris 1991] **6. ♘d7 ♗d7 7. 0−0 ♗d6 8. c4 c6 9. cd5 cd5 10. ♕h5 ♕f6!? N** [10... 0−0 − 51/297] **11. ♘c3** [11. ♕d5 ♗c6 12. ♗b5 0-0-0! 13. ♗c6 ♗h2∓; 11. ♗e3!?] **♕d4 12. ♕d5 ♕d5 13. ♘d5 ♘c5** [RR ⌓ 13... f5± Svešnikov] **14. ♖e1 ♘e6** [14... ♗e6 15. ♗b5±] **15. ♗g5!? 0−0?!** [15... f6? 16. ♗f4 ♗f4 17. ♘f4 ♔f7 18. ♗c4 ♖he8 19. ♖ad1±; 15... h6!?] **16. ♗e7 ♗e7 17. ♘e7 ♔h8 18. ♖ad1 ♖ad8□** [18... ♖ae8 19. ♘f5 ♘c5 20. ♖e8 ♖e8 21. ♘d6±] **19. ♗e4 ♘c5** [19... b6±] **20. ♗f3?** [20. ♗h7! ♔h7 (20... g6 21. ♗g6±) 21. ♖d5 g6 22. ♖c5 ♗e6 (22... ♖fe8 23. ♖ce5 ♗e6 24. ♘d5±) 23. ♖c7 ♗a2 24. ♖b7 a5±] **♗e6!= 21. b3 g6 22. ♘d5 a5 23. g3 ♔g7 24. h4 h5 25. ♖e5** [25. ♘b6!?] **♖d6 26. ♘b6 ♖b6** [26... ♖d1? 27. ♗d1±] **27. ♖c5 ♖a8 28. ♖d4 ♖b4! 29. ♖a5 ♖a5 30. ♖b4 ♖a2 31. ♖b7 ♖a3!= 1/2 : 1/2 [Zajcev]**

293.* **!N** **C 43**

AM. RODRÍGUEZ 2500 − LIMA 2440

Guarapuava 1991

1. e4 e5 2. ♘f3 ♘f6 3. d4 ♘e4 4. ♗d3 d5 5. ♘e5 ♘d7 6. ♘d7 ♗d7 7. 0−0 ♕h4 8. c4 0-0-0 9. c5 g5 10. f3 ♘f6 11. ♗e3 ♖e8 12. ♕d2 ♖g8! N [RR 12... ♖e3 13. ♕e3 ♘h5 14. g3! N (14. ♖d1? − 49/368) ♘g3 15. ♕e5!! (15. hg3? ♕g3 16. ♔h1

♕h3=) ♖g8 (15... ♘f1 16. ♕h8 ♕h2 17. ♔f1 ♗h3 18. ♔e1 ♕g1 19. ♔d2 ♕f2 20. ♔c3 ♕e1 21. ♘d2+− Ježek) 16. hg3 ♕h3 17. ♖d1 ♗g7 18. ♗f1 1 : 0 R. Tomašević − Kondali, corr. 1991] **13. ♗f2 ♕h6 14. ♕a5 ♔b8 15. ♗g3 ♖c8 16. ♘c3 ♘h5 17. ♗e5 ♗g7** [17... f6?? 18. ♗f5!+−] **18. ♘d5** [18. ♖fe1 ♘f4 19. ♗f1 g4 20. g3 gf3! 21. ♗f4 ♕f4!! 22. gf4 ♗d4 23. ♔h1 ♖g1#] **♗e5 19. de5 g4 20. f4** [20. ♗e4!?] **c6! 21. ♘b6** [21. ♘e7 ♘f4 22. ♘g8 ♖g8∓ △ 23. ♕c3 g3 24. h3 ♘h3!! 25. gh3 ♕e3 26. ♔g2□ ♗h3! 27. ♔h3 g2 28. ♔h2 g1♕ 29. ♖g1 ♕h6#] **♖cd8 22. ♘d7** [22. g3 ♘g3! 23. hg3 ♕h3 24. ♗e4 (24. ♕e1 ab6−+) ♕g3 25. ♗g2 (25. ♔h1 ♕h3 26. ♔g1 g3−+) ♕e3 26. ♔h1 ♖g6−+; 22. ♕b4!? Am. Rodríguez] **♖d7 23. ♗f5**

23... g3!! 24. h3 [24. ♗d7 gh2 25. ♔f2 (25. ♔h2 ♘f4 26. ♗h3 ♖g2 27. ♔h1 ♕h3#) ♕f4 26. ♔e1 ♕f1−+] **♖d4** [×f4] **25. ♕c3?** [25. ♖ad1□ ♘f4∓] **♘f4! 26. ♖ae1 ♖d2!** [27. ♗e4 ♕h3!! 28. gh3 ♘h3 29. ♔h1 ♖h2#] **0 : 1** **[Lima]**

294.** !N **C 44**

KRANZL 2310 − P. BLATNÝ 2480
Wien (open) 1991

1. e4 e5 2. ♘f3 ♘c6 3. c3 d5 [RR 3... ♘f6 4. d4 ♘e4 5. d5 ♘e7 6. ♘e5 ♘g6 *a)* 7. ♘g6 hg6 8. ♕e2 ♕e7 9. ♗f4 d6 10. ♘a3 ♖h5! N (10... ♖h4 − 48/421) 11. 0-0-0 ♖f5 12. ♕e3 ♘f6 13. ♗b5 ♔d8 14. ♕f3 ♕e4 15. ♕e4 ♘e4∓ Hector 2500 − Khalifman 2630, London 1991; *b)* 7. ♕d4 ♕e7 (7... ♘d6!? 8. ♘g6 hg6∞ Hába) 8. ♕e4 ♕e5 9. ♕e5 ♘e5 10. ♗f4 ♗d6! N (10... d6 − 1/151) 11. ♘d2 0−0 12. 0-0-0 b6 (12... ♘d3?! 13. ♗d3 ♗f4 14. ♖he1±) 13. ♖e1 ♖e8! 14. ♗e5 ♖e5□ 15. ♖e5 ♗e5 16. g3 (16. ♗d3 ♗b7 17. ♖e1 ♗f6 △ ♔f8, ♖e8∓⊞ Donev) ♔f8 17. ♗h3 ♗b7 18. ♗d7 ♗d5 19. ♖e1 ♗f6 20. ♔c2 ♖d8 21. ♗b5 ♗e6= Dückstein 2375 − Donev 2410, Wien (open) 1991] **4. ♕a4 ♗d7 5. ed5 ♘d4 6. ♕d1 ♘f3 7. ♕f3 ♘f6 8. ♗c4** [8. d4?! ed4 9. ♗g5 ♗e7 10. ♗d3 ♘d5 11. ♕d5 ♗g5 12. 0−0□ 0−0∓⊞] **e4 9. ♕e2 ♗d6 10. d3 0−0 11. de4!? N** [11. ♗g5? b5 12. ♗b3 ed3 13. ♕d3 ♖e8 14. ♔f1 ♕e7 15. ♘d2□ ♗g4! 16. f3 ♗f5! 17. ♕b5 h6 18. ♗f6 ♕e3−+; 11. 0−0 b5 12. ♗b3 ♗g4 13. ♕e3 ♖e8 14. d4 ♗c8! △ ♗b7∓] **♘e4 12. ♗e3** [12. 0−0 f5 13. ♘d2 (13. f3 ♕h4! 14. g3□ ♘g3! 15. hg3 ♕g3 16. ♔h1 ♕h4 17. ♔g1 ♖ae8−+) ♘d2 (13... ♖e8!? 14. ♕h5!? g6! 15. ♕h6 ♗f8!? 16. ♕h3 ♘d6⩱ △ f4→») 14. ♗d2 f4!? 15. f3□ ♖f5! △ ♖h5, ♕h4→, △ ♗c5, ♕h4-h2!] **f5 13. ♘d2** [13. 0−0? f4 14. ♗d4 ♕h4! (△ f3) *a)* 15. f3 ♘g3! 16. ♕f2 (16. hg3 fg3 17. ♖d1 ♖ae8−+) ♖f5 (△ ♕h2!) 17. h3 ♖g5 18. ♖e1 ♗h3! 19. gh3 ♕h3 20. ♕g2 ♘e4−+; *b)* 15. ♕e4 ♖ae8 16. ♕f3 (16. ♕d3 f3 17. h3 ♗h3−+) ♗g4 17. g3□ ♕h5 18. ♕d3 (18. ♕g2 f3! 19. ♕h1 ♗h3−+) ♗e2−+] **♘d2 14. ♕d2** [14. ♔d2 f4 15. ♗d4 ♕g5 △ ♖ae8→] **f4 15. ♗d4 ♕e7 16. ♔d1** [16. ♔f1 f3] **♕g5! 17. f3 ♖ae8 18. g4 ♖e3! 19. h4 ♕e7 20. ♗e3 fe3 21. ♕g2 b5 22. ♗d3 ♕e5⩱ 23. ♗e4 b4 24. ♖c1 ♖f4! 25. ♖c2 ♗a4 26. ♖e1** [26. b3 ♗b5 27. c4 ♗d7 △ ♗g4, ♗c5-d4] **bc3 27. b3 ♕d4 28. ♔c1 ♗b5 29. ♔b1**

29... ♖e4! 30. fe4 ♕d2!!–+ 31. ♖e2 [31. ♖d2 ed2! 32. ♖d1 ♗d3 33. ♔a1 c2 △ ♗e5#; 31. ♕d2 ed2 32. ♖d1 ♗d3–+ △ ♔f7-f6-e5-d4-e3-e2] ♕d1 32. ♖c1 ♗d3 33. ♖c2 e2   0 : 1   [P. Blatný]

295. ** !N   C 45

SMAGIN 2535 – MUREY 2450

Wien (open) 1991

1. e4 e5 2. ♘f3 ♘c6 3. d4 ed4 4. ♘d4 ♘f6 [RR 4... ♕f6 5. ♘c6 dc6 6. ♗c4!? N (6. ♘c3 – 52/311) ♗d6 7. ♘c3 (7. 0–0? ♕e5) ♘e7 8. f4 ♗e6! (△ 9. e5? ♗e5! 10. fe5 ♕h4) 9. ♗e6 ♕e6 10. 0–0 f5 11. ♕d4 fe4 12. ♕e4 ♕f7 13. ♕f3 0–0 14. ♘e4 ♘f5 15. ♗d2 ♖ae8 16. ♘d6 (16. ♗c3? ♖e4! 17. ♕e4 ♗c5 18. ♔h1 ♘g3! 19. hg3 ♕h5#) cd6 17. ♕d3! ♖e6= Smagin 2535 – Hector 2500, København 1991; 4... ♕h4 5. ♘b5 ♗c5 6. ♕e2 ♘f6! N (6... ♕d8 7. ♗e3±; 6... ♗b6 7. ♗e3±; 6... ♘d4 7. ♘d4 ♗d4 8. c3 ♗b6 9. g3±) 7. ♗e3 (7. ♘c7? ♔d8 8. ♘a8 ♘e4 9. g3 ♕f6 10. ♗e3 ♖e8 11. ♗g2 ♘f2!∓) a) 7... ♗b4?! 8. ♘d2! ♗a5 (Milu 2400 – Dumitrache 2400, România (ch) 1991) 9. c3 a6 (9... ♘e4?! 10. ♗c5!±) 10. g3 ♕g4 11. f3 ♕g6 12. ♘d4±; b) 7... ♗e3 8. ♕e3 (8. ♘c7? ♔d8 9. ♘a8 ♘d4–+) ♗b4! 9. ♗d3 ♘a6 10. ♘d2 (10. ♘1c3 0–0=) 0–0 11. ♘f3 ♕h5 12. 0-0-0 b6!? (12... d6 13. h3±) 13. h3 ♗b7 △ 14. g4 ♕c5 15. ♕c5 ♘c5∞ Stoica] **5. ♘c6 bc6 6. e5 ♕e7 7. ♕e2 ♘d5 8. c4 ♕b4 9. ♘d2 ♘f4 10. ♕e3!** N [10. ♕e4 – 20/274] **♘e6 11. ♗d3 ♕b6** [11... ♗e7!?; 11... d5!?] **12. ♕g3** [12. ♘e4? ♗b4] **d5?!** [12... ♗e7!?; 12... d6!⇆] **13. 0–0 a5 14. ♔h1!** [△ f4±] **h5 15. h4 g6** [△ ♘g7-f5] **16. ♘f3!↑** ↑ ♘c5 [16... ♘g7? 17. ♗g6] **17. ♗e3!** [17. ♗g6 ♖g8∞] **♕b4** [17... ♕b2? 18. ♗d4 △ e6+–] **18. a3 ♕b3 19. ♗g6! ♖g8 20. ♗f7 ♔f7 21. e6! ♗e6** [21... ♘e6 22. ♘e5] **22. ♗c7 ♔g6** [22... ♔e8? 23. ♕c6+–; 22... ♗e7 23. ♗c5+–; 22... ♘d7 23. ♘e5 ♔e8 24. ♘d7 ♗d7 25. ♖fe1+–] **23. ♘e5 ♔f5** [23... ♔f6 24. ♗d4+–] **24. ♘c6 ♖g4□** [24... ♕c4 25. ♕e5 ♔g6 26. ♕g5 ♔h7 (26... ♔f7 27. ♘e5+–) 27. ♕h5 ♔g7 28.

♗d4+–] **25. ♗c5 ♖h4 26. ♔g1 ♔g6 27. ♘e5** [27. ♘d4+–] **♕f6 28. ♘f3?!** [△ 28. ♗f8+–] **♕f3! 29. ♗f8!** [29. gf3!? ♗c5 30. ♖fe1□ ♖g8 31. ♔f1 ♗h3 32. ♔e2 ♖e8 33. ♔d2 ♖d4 34. ♔c3 ♖c4 35. ♔b3±] **♖g4** [29... ♖f8 30. gf3 ♖g8 31. ♕g3+–] **30. ♕e7 ♔f5 31. ♕h7!+–** ♔e5 [31... ♔f6 32. ♗e7; 31... ♖g6 32. ♕g6] **32. ♖fe1 ♔d4 33. ♖ad1** [33... ♔c4 34. ♖c1 ♔b5 35. ♕b7 ♔a4 36. ♕c6 ♔b3 37. ♖c3] **1 : 0**   [Smagin]

296. * !N   C 45

CHANDLER 2605 – ADAMS 2615

Hastings 1991/92

1. e4 e5 2. ♘f3 ♘c6 3. d4 ed4 4. ♘d4 ♘f6 5. ♘c6 bc6 6. e5 ♕e7 7. ♕e2 ♘d5 8. c4 ♘b6 9. ♘d2 ♗b7 [RR 9... ♕e6 10. b3 a5 11. ♗b2 a4!? N (11... ♗b4 – 50/337) a) 12. g3 ♗b4 13. ♗g2 0–0 14. 0–0 d5 (Pe. H. Nielsen 2445 – Dautov 2595, Bad Lauterberg 1991) 15. f4 ♕g6! 16. ♘f3 ♕h5⇆ △ ♗a6; b) 12. ♕e3! ♗b4 13. ♗d3 ab3 (13... d6 14. 0-0-0! ab3 15. ab3 0–0 16. ♕e4↑) 14. ab3 ♖a1 15. ♗a1 d6 16. 0–0 de5 17. ♗e5 ♘d7 18. ♗f4 ♕e3 19. ♗e3± Dautov] **10. b3 0-0-0** [10... a5! 11. a4 (11. g3 a4 12. ♗b2 ab3 13. ab3 ♖a1 14. ♗a1 ♕a3 15. ♕d1 c5∓) ♕e6∞] **11. ♗b2 c5! N** [×d4; 11... ♕e6] **12. 0-0-0 d6 13. ed6 ♕d6 14. ♕g4** [14. ♖e1?! ♗e7!→; 14. h4!? △ ♖h3-d3] **♔b8 15. ♗e2 h5!□ 16. ♕f5** [16. ♕h3 ♕h6∞] **♕h6!□ 17. ♗f3** [17. f4 ♗d6 18. g3 ♗h1 19. ♖h1 ♕g6∞; 17. ♕f7 ♗d6 18. ♕g7 (18. ♗g7? ♕h7) ♕g7 19. ♗g7 ♖hg8=] **♗c8!** [17... ♗f3? 18. gf3! (18. ♕f3 ♗e7 19. ♔c2 ♕g6 20. ♘e4 ♖he8∞) ♗e7 19. ♔c2±] **18. ♕e4?!** [18. ♕f7? ♖d7 19. ♕e8 ♗e7 20. ♕f7? ♗f6–+; 18. ♕c2 f5∞] **f5! 19. ♕e3⊕ g5! 20. ♕e5** [20. ♗h8 ♕h8⇄→, ⊡] **♗d6 21. ♕f6 g4 22. ♗e2?** [22. ♕h6 ♖h6 23. ♗d5 ♘d5 24. cd5 ♗b7∓] **♕f4!–+ 23. f3 ♖he8 24. ♗d3 ♕e3 25. ♗c2 ♗f4 26. ♕c3 ♕f2 27. g3 ♗e5 28. ♕e5 ♖e5 29. ♗e5 gf3 30. ♖hf1 ♕e2 31. ♗f4** [△ 31. ♖fe1 ♕g2 32. ♘f3 ♖d1 33. ♗d1 ♕a2–+] **f2⊕**   **0 : 1**
[Adams]

297. !N **C 45**

KASPAROV 2770 – AN. KARPOV 2730

Tilburg (Interpolis) 1991

1. e4 e5 2. ♘f3 ♘c6 3. d4 ed4 4. ♘d4 ♘f6 5. ♘c6 bc6 6. e5 ♕e7 7. ♕e2 ♘d5 8. c4 ♗a6 9. b3 g6 10. f4! N [△ ♕f2 ×♘d5; 10. ♗b2 – 52/309] **f6** [10... d6; 10... ♗g7] **11. ♗a3! ♕f7!** [11... ♘b4?! 12. ♗b2! fe5 (12... c5 13. ♘c3 fe5 14. a3±) 13. a3 ♘d5 14. ♕e5 ♘f6□ 15. ♗e2 ♗g7 16. ♘d2±; 11... c5 12. g3! fe5 13. ♗g2 *a)* 13... e4?! 14. ♗b2 ♗g7 (14... ♘f6 15. ♘c3±) 15. ♗g7 ♕g7 16. ♕e4 *a1)* 16... ♔d8 17. ♕d5 c6 (17... ♖e8 18. ♔f2+–) 18. ♕g5 ♔c8 19. ♕e5+–; *a2)* 16... ♔f8 17. 0–0 ♕a1 18. ♕d5 ♖c8 (18... c6 19. ♕c5 ♔f7 20. ♘d2+–) 19. ♕c5 d6 20. ♕a7±; *b)* 13... c6 14. fe5 ♗g7 15. ♗b2 0–0 16. ♘d2 △ ♘f3⩲] **12. ♕d2** [12. ef6?! ♔d8 13. ♕d2 ♕f6! 14. ♗b2 ♕e6 15. ♗e2 ♗b4 16. ♘c3 ♖e8! 17. 0-0-0!□ ♗c3 18. ♗c3 ♕e2 (18... ♘c3? 19. ♕c3± ♕e2? 20. ♖he1 △ ♕f6+–) 19. cd5=] **♘b6 13. c5 ♗f1 14. cb6 ab6?** [14... ♗a3? 15. b7 ♖b8 16. ♘a3 ♗a6 17. 0-0-0! ♗b7 (17... ♖b7? 18. e6!) 18. ♖he1 0–0 19. ♕d7±; 14... ♗a6 15. bc7 fe5! (15... ♗a3 16. ♘a3 0–0 17. 0-0-0±) 16. ♕a5 ♕f4! 17. ♕a6 ♕h4!!□ 18. ♔d1 (18. g3 ♕e4 19. ♔f2? ♗a3∓) ♕d4 19. ♘d2 (19. ♔c2 ♕e4 20. ♕d3 ♕g2 21. ♘d2 ♗a3∞ △ 22. ♕a6? ♗b4∓) ♗a3 20. c8♕ ♖c8 21. ♕c8 ♔e7 22. ♕h8 ♕a1 23. ♔e2 ♕h1 24. ♕e5 ♔f7 25. ♕f4=]

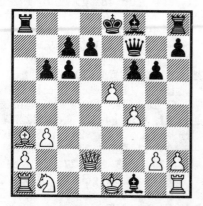

15. e6!! [15. ♗f8? ♗g2 16. ♕g2 ♖f8 17. 0–0 fe5 18. fe5 ♕f1 19. ♕f1 ♖f1 20. ♔f1 ♖a5 21. ♘c3 (21. e6 ♖f5! 22. ♔g1 ♖g5!=) ♖e5 22. ♖e1 ♖e1 23. ♔e1 ♔e7∞] **de6** [15... ♕e6 16. ♔f1 ♗a3 17. ♘a3 ♖a3 18. ♖e1+–] **16. ♗f8 ♖d8 17. ♕b2!□** [17. ♕f2? ♕f8! 18. ♖f1 ♕b4 19. ♘d2 ♕c3 20. ♖d1 ♖d3 21. ♔e2 0–0∓] **♗g2?!** [17... ♗a6 18. ♗b4! c5 19. ♗c3 0–0 20. ♘d2 △ 0-0-0±; 17... ♗d3! 18. ♗a3 (18. ♗b4?! c5 19. ♗c3 0–0 20. ♘d2 b5⩱) g5! (18... c5 19. ♘c3±) 19. ♘d2! (19. fg5? ♕h5∞) gf4 20. 0-0-0 c5 21. ♕c3±] **18. ♕g2 ♔f8 19. ♕c6 ♖d6 20. ♕c3!** [20. ♕e4? ♔g7 21. 0–0 ♖hd8 22. ♘c3 ♖d4⩱] **♔g7 21. ♘d2 ♖hd8 22. 0-0-0 ♕e8** [⌓ 22... ♕d7 23. ♕c2 ♖d5 24. ♘c4 ♕c6 25. a4+–] **23. ♕c7 ♖8d7 24. ♕c2 ♕b8 25. ♘c4! ♖d5** [25... ♖d1 26. ♖d1 ♕f4 27. ♔b1 ♖d1 28. ♕d1 ♕h2 29. ♕d7 ♔h6 30. a4!+–] **26. ♕f2+– ♕c7 27. ♕b6 ♕f4 28. ♕e3 ♕g4 29. ♖dg1 ♕h4 30. ♖g3 e5 31. ♖h3 ♕g4 32. ♖g1 ♖d1 33. ♖d1 ♕d1 34. ♔b2 h5 35. ♖g3 ♕h1 36. ♕f2 h4 37. ♕g2 ♕g2 38. ♖g2 g5 39. a4 ♔g6 40. a5 e4 41. b4 h3 42. ♖g3 ♖h7 43. a6 f5 44. ♖a3 1 : 0**
[Kasparov]

298.* **C 45**

SAX 2600 – VAN DER WIEL 2540

Wijk aan Zee 1992

1. e4 e5 2. ♘f3 ♘c6 3. d4 ed4 4. ♘d4 ♘f6 5. ♘c6 bc6 6. e5 ♕e7 7. ♕e2 ♘d5 8. c4 ♗a6 9. b3 ♕h4 [△ ♗b4, ♕d4] **10. a3□ N** [10. ♗b2] **♗c5!⇆ 11. ♗b2** [11. g3 ♗f2! *a)* 12. ♔f2?! ♕d4 13. ♔f3! ♕a1 14. ♕c2 (14. ♕e4 ♖b8!?) ♕e5 15. cd5 ♕d5 16. ♕e4 ♕e4 17. ♔e4 ♗f1 18. ♖f1 0–0∓; *b)* 12. ♕f2 ♕e4 13. ♔d2 ♕h1 14. ♗g2 ♕h2 15. cd5 cd5 16. ♘c3 c6 (16... d4!? △ 17. ♘d5 ♗b7∞) 17. ♗b2 ♕h6 18. ♕f4∞] **♘f4** [11... ♘e3!? 12. g3!□ ♕e4 13. fe3 ♕h1 14. ♘c3 (△ 15. 0-0-0, 15. ♔d2) ♖b8 15. b4 ♕g1!? (15... ♗e3?! 16. ♕e3 ♗c4 17. 0-0-0 ♗f1 18. ♕f2±; 15... ♗c4!? 16. ♕c4 ♗e3 17. ♕e2 ♕g1∞) 16. bc5 ♗c4 17. ♕c4 ♖b2 18. 0-0-0 ♖h2∞] **12. ♕f3?!** [12. ♕d2? ♘h3!–+; 12. ♕c2 ♕g4!? (12... ♕h6?! 13. ♕d2!; 12... ♘e6) 13. f3! (13. g3 ♘h3) ♕g6 14. ♕d2

♕h6 15. ♗c1 (15. g3?! ♗e3! 16. ♕a5 ♘e6 17. ♕a6 ♗c1!⩱) g5 16. ♘c3∞; 16. b4∞] **♘e6 13. g3** [RR ⌓ 13. ♗d3 ♗d4 (13... ♘d4 14. ♕d1 ♘b3∞; 13... ♖b8!?) 14. ♖a2∞ L. Valdés] **♕h6!** [RR 13... ♘g5 14. ♕g2 ♕e4 15. ♕e4 ♘e4 16. f4! ♘f2 17. b4 ♗e3 18. ♔e2 ♗b6 19. ♔e1! ♗e3=; 13... ♕e7! 14. ♘d2 0-0-0! (14... 0–0 15. ♗d3±) 15. b4□ (15. ♗g2 ♘d4 16. ♕e4 d5! 17. ed6 ♕d6 18. 0–0 ♖he8 △ ♘e2–+; 15. ♗d3 ♘d4 16. ♕e4 d5! 17. ed6 ♕d6 18. 0–0 ♘e6–+) ♗d4 16. ♗d4? ♘d4 17. ♕e4 ♘c2!–+ A. Gómez 2305 – L. Valdés 2325, Cuba 1991; 16. 0-0-0∓ L. Valdés] **14. ♘d2 ♖b8 15. ♕d3?** [15. b4! ♗d4?! 16. ♗d4 ♘d4 17. ♕d3 c5 18. ♗g2±; 15... ♗e7∞; 15... 0–0! △ ♗d4] **0–0 16. ♗g2** [16. b4 ♖fd8↑] **♖fd8 17. b4 d6!↑** [17... d5!?] **18. ♕c2⊕** [18. ♗c6? de5 19. ♕e2 (19. ♕c2 ♗f2!–+) ♘d4–+] **♘d4?** [18... ♗d4 19. ed6 (19. ♗c6 de5∓) ♖d6 20. ♘e4 ♗b2 21. ♕b2 ♖d4 22. 0–0 (22. ♘c5 ♕f6!) ♗c4∓] **19. ♗d4!** [19. ♕c3 ♕h5! 20. ♘f3 (20. ♔f1? ♕e2 21. ♔g1 ♘b5!–+) de5∓ △ 21. bc5 ♖b3; 19. ♕d1 de5] **♗d4 20. ♖d1 de5 21. ♘b3⩱↑≪ ♖d6** [21... c5 22. bc5∞; 22. b5!? ×c6] **22. 0–0 ♖bd8 23. ♖fe1 ♕f6** [23... ♗c4 24. ♘d4! (24. ♕c4 ♗f2 25. ♔f2 ♖d1 26. ♖d1 ♖d1 27. ♕c6 ♕c6 28. ♗c6 ♖d3∓⊥) ♖d4 25. ♖d4 ♖d4 26. ♖e5↑] **24. ♖d2! g6 25. c5 ♖e6** [25... ♖6d7 26. ♘a5] **26. ♖ed1 ♔g7 27. a4?!** [27. ♗h3=] **h5?!** [27... ♖b8! 28. ♘d4 ed4 29. ♕b2 (29. ♖d4? ♖e2) d3∓] **28. h4 ♗c8?! 29. ♘d4?** [29. ♗h3 ♖e7 30. ♗c8 ♖c8 31. ♘d4 ed4 32. ♖d4=] **♖d4 30. ♖d4 ed4 31. ♕c4 ♖e5?** [31... ♖e8∓ △ 32. ♕d4 ♖e1] **32. ♕d4?** [32. f4! ♖e3 33. ♔h2=; 33. ♔f2!?] **♖e1 33. ♔h2□ ♖d1 34. ♕d1 ♕b2??** [34... ♕f2∓ 35. ♕a1! ♔h7 (35... f6?! 36. ♕d1⇆; 35... ♕f6 36. ♕e1) 36. ♕e5 ♗e6 37. ♔h1] **35. ♕e1± ♗d7 1/2 : 1/2 [van der Wiel]**

299.***** !N **C 45**

EHLVEST 2615 – MURSHED 2505

Calcutta 1992

1. e4 e5 2. ♘f3 ♘c6 3. d4 ed4 4. ♘d4 ♗c5 5. ♗e3 [RR 5. ♘c6 ♕f6 6. ♕d2 dc6 7. ♗d3 ♗e6 8. ♘c3 0-0-0 *a)* 9. ♕e2 N ♗d4! (9... ♘e7 10. e5!±) 10. ♗d2 ♘e7 11. f4 ♖he8 12. e5 ♕h4 13. g3 ♕h3 14. 0-0-0 f6 15. ef6 gf6 16. ♖de1 ♗f7 17. ♕f1 ♕h5 18. f5 ♗e5!∞ 1/2 : 1/2 Smagin 2550 – R. Mainka 2455, Praha 1992; *b)* 9. ♕f4! N ♕f4 10. ♗f4 ♘e7 11. ♗g3! ♘g6 12. f4 ♖he8 13. ♘e2! ♗g4!□ 14. h3 ♗h5! (14... ♗e2? 15. ♔e2±) 15. f5 (15. ♖f1 ♗b4!) ♗e2 16. ♔e2 ♘e5 17. ♗e5?! ♖e5 18. ♖ad1 b5!= Smagin 2550 – van der Sterren 2535, Praha 1992; 17. ♖ad1⩲; 11... ♗b4!? Smagin] **♕f6 6. c3 ♘ge7 7. ♗c4 d6 N** [RR 7... b6! N 8. 0–0 ♗b7 *a)* 9. b4 ♘d4 10. cd4 ♗b4 11. a3 ♗a5 12. d5 (△ 12... ♕a1 13. ♗d4) 0–0 13. f4? b5! (13... ♕a1!? 14. ♗d4 ♕d4 15. ♕d4 b5!∓) 14. e5 (14. ♗b5 ♕a1; 14. ♗d4 ♗b6) ♕h6 15. ♗b3 ♘f5∓ Širov 2610 – S. Agdestein 2590, Hastings 1991/92; *b)* 9. f4 0-0-0! 10. e5 (10. ♘a3 ♘d4 11. cd4 ♗a3 12. ba3 ♗e4∓) ♕h6 11. ♕d2 (11. ♗f7 ♘e5!; 11. ♕e2!? ♗d4 12. cd4 ♘f5 △ 13. d5? ♘e5!) f6! 12. ♘a3 ♘d4 13. cd4 ♗a3 *b1)* 14. ba3?! ♘f5 15. ♖ac1 fe5?! 16. de5 ♔b8 17. ♗d3 ♕e6 (Chandler 2605 – Speelman 2630, Hastings 1991/92) 18. ♗f5 ♕f5 19. ♖c7! ♔c7 20. ♕d6 ♔c8 21. ♖c1 ♗c6 22. ♗b6! ab6 23. ♖c6 dc6 24. ♕c6 ♔b8 25. ♕b6=; ⌓ 15... ♔b8∓; *b2)* 14. f5!∞ △ 14... ♕h5 15. ba3 (15. ♗e2) ♘f5? 16. ♗e2! ♕g6 17. ♗d3; *c)* 9. ♘b3!? ♘e5! 10. ♘c5 bc5∞ Chandler; 7... ♘d4!? N 8. cd4 ♗b4 9. ♘c3 ♗c3 10. bc3 0–0 11. 0–0 ♕c6 12. ♗d3 d5 13. ♕c2 ♕g6 14. ed5 ♗f5 15. ♗f5 ♘f5 16. ♖fe1 ♖ad8 17. ♗f4 ♘d4 18. ♕g6 fg6 19. ♗c7 ♖d7 20. ♖ad1 ♖c7 21. ♖d4 ♖c3= Schmittdiel 2490 – Romanišin 2600, Groningen 1991] **8. 0–0 ♘d4 9. cd4 ♗b6 10. ♘c3 0–0 11. ♕d2 h6 12. f4±○ ♗e6 13. d5** [13. ♗e2 ♗d7 14. ♔h1 ♖ae8 15. g4 c5∞] **♗e3 14. ♕e3 ♗d7 15. ♖ae1 a6 16. ♖f3!? ♖ae8** [△ 17... ♘f5 18. ♕f2 ♘h4 19. ♖e3 △ ♗f1, g3, ♗g2] **17. ♕f2 ♔h8 18. ♗d3 ♕g6 19. ♖fe3 f5! 20. e5 de5 21. fe5 ♕b6 22. ♖3e2 ♕f2 23. ♔f2± ♖d8 24. ♖d2 ♗e8 25. ♗e2 g5□ 26. ♗d1! ♔g7 27. ♗b3 ♘g6 28. a4!?** [△ a5 ×b7] **f4 29. ♗c2 ♘e7 30. d6 ♗g6?⊕** [30... cd6 31. ed6 ♘c6 32. ♘e4 b6 33. ♗d3 ♘b8!±] **31. ♗g6 ♔g6**

[31… ♘g6 32. ♘d5 (32. d7+−) cd6 33. ♘c7+−] **32. d7!+− ♔g7 33. e6 ♖f5 34. ♖de2 g4 35. ♖e5 ♔f6 36. ♖5e4⊕ h5 37. ♘e2 f3 38. ♘d4 ♖a5 39. gf3 ♖a4 40. fg4 c5 1 : 0** **[Ehlvest]**

300.** !N C 45**

SCHMITTDIEL 2490 − I. SOKOLOV 2570
Groningen 1991

1. e4 e5 2. ♘f3 ♘c6 3. d4 ed4 4. ♘d4 ♗c5 5. ♗e3 ♕f6 6. c3 ♘ge7 7. ♗c4 ♘e5 8. ♗e2 ♕g6 9. 0−0 d6 [RR 9… d5 10. ♗h5 ♕e4 11. ♘d2 ♕d3 (11… ♕h4 12. ♗f7! ♘f7 13. ♘4f3 ♕f6 14. ♗c5 0−0 15. ♕b3 ♘d6 16. ♖ae1±) 12. ♘4f3 ♗d6 (12… ♗e3? 13. ♘e5 ♕d2 14. ♗f7 ♔d8 15. ♕f3 ♗f4 16. ♖ad1 ♕d1 17. ♖d1 ♗e5 18. ♗d5 ♘d5 19. ♕d5 ♗d6 20. c4+−) 13. ♘e5 ♗e5 14. ♗c5 (14. ♖e1 ♗d6! 15. ♗g5 ♕f5 16. ♗e7 ♗e7 17. ♕e2 ♕f6 △ g6, ♗e6∞) *a)* 14… ♕f5 N (14… g6 − 52/315) 15. ♖e1 ♗f6 (15… g6? 16. ♗e7± Svešnikov 2540 − Varavin 2455, Anapa 1991) 16. ♕e2 0−0 17. ♗e7 ♗e7 (17… ♖e8? 18. g4! ♕d7 19. ♗f6 ♖e2 20. ♖e2 gf6 21. ♖ae1 ♕c6 22. ♖e8 ♔g7 23. ♖1e7 ♗g4 24. ♗f7!+−) 18. ♕e7 ♕h5 19. ♕c7±; *b)* 14… ♗f6!? 15. ♖e1 g6 16. ♗e2 ♕f5 17. ♕a4 c6 (17… ♕d7 18. ♕f4±) 18. ♕a3 ♗e6 (18… ♕d7 19. ♗g4 ♕c7 20. ♗c8 ♖c8 21. ♖e7!+−) 19. ♘b3⩱ Svešnikov] **10. f3! N** [RR 10. f4 ♕e4 11. ♗f2 ♗d4! N (11… ♘d7?! − 52/314) 12. cd4 ♘5g6! 13. ♘c3 ♕f4 14. ♘b5 0−0 15. ♘c7 ♖b8 16. ♘b5 ♘f5 (16… ♗d7!? 17. ♘a7 ♕g5 18. a4 ♘f5=) 17. ♘a7 ♗d7 18. g3 ♕g5 19. ♕c1 ♕d8 20. ♕d2 ♖e8 21. ♘b5 d5 22. ♖fe1 ♗e6 23. ♖ac1 ♘d6 24. ♘d6 ♕d6= B. Gel'fand 2665 − Beljavskij 2655, Paris 1991] **0−0 11. ♘d2 d5!? 12. ♔h1 de4 13. fe4!⩲** [13. ♘e4 ♘d5=] **♕d6?!** [13… ♗g4 *a)* 14. ♘f5?? ♘f5 15. ♗c5 (15. ef5 ♕h5−+) ♘g3 16. hg3 ♕h5−+; *b)* 14. ♗f4! ♗e2 15. ♕e2 ♗d6 16. ♘b5±] **14. ♘c4! ♘c4 15. ♗c4↑** [×f7] **♘g6 16. ♕b3 ♕d7** [16… ♕e7 17. ♘f5! ♗f5 18. ef5→; 16… ♘e5 17. ♗f4] **17. ♘e6 fe6 18. ♗c5 ♖f1 19. ♖f1 a6?** [19… ♕c6? 20. ♕b5±; 19… b6±] **20. ♕d1!± ♕e8 21. h4! b6 22. ♗a3 ♗d7** [22… ♗b7 23. ♕g4] **23. h5 ♘e7 24. ♕g4 ♔h8⊕ 25. h6 ♘g6?** [25… gh6□ 26. ♗e6 ♗e6 27. ♕e6 ♘g6±] **26. ♖f8!+− ♕f8 27. ♗f8 ♖f8 28. hg7 ♔g7 29. ♗a6 ♖f4 30. ♕g5 ♗c6 31. ♗d3 ♖f7 32. e5! b5** [32… ♖f2 33. ♗g6! hg6 34. ♕e7 ♔h6 35. ♕h4] **33. ♔g1 ♗d5 34. ♗b5 ♗a2 35. ♗e8 ♖f5 36. ♕d8 ♘e5 37. ♕c7 ♔h6 38. ♗a4 ♗d5 39. ♗c2 ♖h5 40. ♕h7 ♔g5 41. ♕g7 1 : 0** **[I. Sokolov]**

301. C 45

KASPAROV 2770 − KAMSKY 2595
Tilburg (Interpolis) 1991

1. e4 e5 2. ♘f3 ♘c6 3. d4 ed4 4. ♘d4 ♗c5 5. ♗e3 ♕f6 6. c3 ♘ge7 7. ♗c4 0−0 8. 0−0 ♗b6 9. ♔h1? N [9. ♗b3 − 51/(302); 9. ♘a3 − 52/(313)] **♖d8** [△ d5; 9… ♘a5? 10. ♗d3 △ 10… d5? 11. ed5 ♘d5 12. ♕h5+−; 9… ♘d4?! 10. cd4 d5 11. ♗d5! (11. ed5 ♘f5 △ ♗d4=) ♘d5 (11… ♖d8?! 12. ♘c3 c6 13. e5 ♕g6 14. ♗e4 ♘f5 15. ♕a4 △ ♖ad1±) 12. ed5 ♖d8 13. ♘c3±] **10. ♕h5!?** [△ ♗g5, ×d5; 10. f4?! d5 11. ed5 (11. e5? ♕h6! △ ♘e5∓) ♘d5∓] **h6** [10… d5 11. ♗g5 ♕e5 (11… ♕g6? 12. ♕g6 hg6 13. ♗d5±) 12. ed5 ♘d4 13. cd4 ♗d4 14. d6 ♘d5 15. dc7 ♖e8 16. ♘c3! ♗c3 17. bc3 h6 18. ♖ad1 ♗e6 19. f4 ♕c7?! 20. ♗d5 ♗d5 21. ♖d5 hg5 22. fg5 g6 23. ♕f3±] **11. ♘d2 d5! 12. ed5** [12. ♗d5?! ♘d5 13. ed5 ♘d4 14. cd4 ♗d4! 15. ♘e4 ♕e5∓] **♘d4 13. cd4** [13. d6?! (△ ♘e4) ♖d6 14. ♘e4 ♕f5∓] **♗f5** [13… ♗d4?? 14. d6! ♗e3 (14… ♘f5 15. ♘e4 △ ♕f7+−) 15. de7 ♕e7 16. fe3 ♖d2 17. ♖f7+−] **14. ♕f3 ♕g6** [14… ♗d4 15. ♗d4 ♕d4 16. ♖ae1! ♗g4 17. ♕e4 ♕d2 18. ♕e7±] **15. ♗f4** [15. h3?!] **♕g4** [15… ♗g4!? 16. ♕b3 ♘f5 17. ♘f3 ♗f3 18. ♕f3 ♘d4=] **16. ♕g4 ♗g4 17. f3! ♗f5 18. g4 ♗h7 19. d6∓ cd6 20. ♖ae1 ♔f8** [20… ♘c6?! 21. d5 ♘b4 22. ♖e7 ♘d3 23. ♗d3 ♗d3 24. ♖c1±] **21. d5 ♗a5** [△ b5] **22. ♖d1 ♖ac8 23. b3 a6** [23… b5 24. ♗b5 ♘d5 25. ♗d6!! ♖d6 26. ♘c4 ♖dd8 (26…

♖c4? 27. ♗c4 ♘e3 28. ♖d6 ♘f1 29. ♗f1+−) 27. ♘a5 ♘c3 28. ♖d8 ♖d8 29. ♗c4 ♘a2 30. ♘c6 ♖d7 31. ♖a1±] **24. a4 ♗b4** [△ b5∓] **25. ♘e4□** [△ ♘f2-d3] **♗e4□ 26. fe4 ♘g6⊕ 27. ♗g3⊕ ♖e8** [27... ♗c3!?; 27... ♘e5!?] **28. ♖f2 ♖cd8** [△ ♖e4] **29. ♗d3 ♗c3?!** [△ ♗e5∓; 29... ♘e5!? 30. ♗e5 ♖e5∓] **30. ♖c2 ♗e5 31. ♗f2 ♗f4 32. ♖c7 ♖e7 33. ♖c2 ♘e5 34. ♗e2 ♘d7** [34... ♖ee8!? 35. ♖c7 ♖c8 36. ♖b7 ♖c2 37. ♖e1 ♘g6 38. ♔g1 ♖e4 39. ♗a6 ♖e1?! 40. ♗e1 ♗e3 41. ♔f1 ♘f4 42. ♗b5 ♗c5 △ ♖h2, ♘d5∞] **35. ♗f3 ♘f6 36. ♖d4 ♖de8 37. ♔g2 g5** [37... ♘e4?! 38. ♗e4 ♖e4 39. ♖e4 ♖e4 40. ♖c8 ♖e8 41. ♖c7 ♖e7 42. ♖c8=] **38. ♖b4 ♔g7** [38... ♘e4!?] **39. ♗d4= ♔g6 40. ♗f6 ♔f6 1/2 : 1/2** **[Kamsky]**

302.* **!N** **C 45**

CHANDLER 2605 − N. SHORT 2660
England (ch-m/2) 1991

1. e4 e5 2. ♘f3 ♘c6 3. d4 ed4 4. ♘d4 ♗c5 5. ♗e3 ♕f6 6. c3 ♘ge7 7. ♗c4 0−0 8. 0−0 ♗b6 9. ♘a3 ♘d4! N [RR 9... d6 10. ♘db5 a6 11. ♘d6! ♗e3! N (11... ♖d8? 12. e5!+− − 52/(313)) 12. ♘c8 ♖ac8 13. fe3 ♕g5 14. ♕e2 (14. ♕f3 ♘e5 15. ♕f4 ♕h5 16. ♖ae1 ♘7g6 17. ♕f5 ♕h4=/∞ Huzman) ♘e5 15. ♗b3 b5! (×♘a3) 16. ♖ad1 ♕g6! 17. ♖f4 ♖cd8=/∞ Leko 2385 − Huzman 2505, Wijk aan Zee (open) 1992] **10. cd4 d5!? 11. ed5 ♖d8 12. ♕h5! h6 13. ♖fe1 ♗f5 14. ♕f3 ♖d7!∞** [14... ♕g6? 15. ♗h6! ♗g4 16. ♕e4±] **15. ♘b5!? ♖ad8 16. ♗f4?!** [16. ♘c3 ♗d4 17. ♗d4 ♕d4 △ 18. ♗b5 c6! 19. dc6 bc6 20. ♗c6 ♗g4 21. ♕e4 ♘c6 22. ♕c6 ♕b4!=/∞] **♗g6! 17. ♘c3 ♗d4 18. ♖ad1 ♗h5! 19. g4□** [19. ♕h5 ♗f2 (19... ♕f4∓) 20. ♔f2 ♕f4 △ ♕c4∓] **♗c3 20. bc3 g5 21. gh5 ♕f4 22. ♕f4 gf4 23. ♖b1! ♘d5** [23... b6? 24. ♗b5] **24. ♖b7 f3 25. h3 a5?!** [25... ♘b6 26. ♗b5 c6=] **26. ♔h2 c6⊕ 27. ♖e8!± ♖e8 28. ♖d7 ♖e4 29. ♗d5 cd5 30. ♖d5 ♖e2 31. ♖a5 ♖f2 32. ♔g3 ♖c2 33. ♔f3 ♖c3= 34. ♔g4 ♔g7 35. a4 ♖a3 36. ♖a8 ♖a1 37. a5 ♖a3?!** [37... ♖a4=] **38. a6 ♖a4 39. ♔f5 ♖a5 40. ♔e4 ♖h5 41. ♔d4 ♖h3 42. ♔c5 ♖a3 43. ♔b6 ♖b3 44. ♔a7 ♔g6 45. ♖b8 ♖a3 46. ♖b4 h5 47. ♔b6 f5 48. a7 ♔g5 49. ♖b5 ♖a7 50. ♔a7 h4 51. ♔b6 h3 52. ♔c5 f4 53. ♖b1 ♔g4 54. ♔d4 ♔g3 55. ♖b3 ♔g4 56. ♖b1 1/2 : 1/2**
[Chandler]

303. **C 45**

V. SALOV 2665 − AN. KARPOV 2730
Reggio Emilia 1991/92

1. e4 e5 2. ♘f3 ♘c6 3. d4 ed4 4. ♘d4 ♗c5 5. ♗e3 ♕f6 6. c3 ♘ge7 7. g3 d5 8. ♗g2 ♘d4 9. cd4 ♗b4!? [9... ♗b6 10. ed5 ♘f5 11. 0−0 0−0 12. ♘c3±] **10. ♘c3 ♗c3 11. bc3 de4 12. ♗e4 c6 N** [12... ♗h3] **13. 0−0 0−0 14. a4** [14. ♕b1 h6 (14... ♗f5 15. ♗f5 ♘f5 16. ♕b7 ♘e3 17. fe3 ♕e6=/∞) 15. a4 b6 △ ♗f5∓] **♗f5 15. ♗g2 ♖ad8 16. ♕b3 ♖d7 17. c4 ♖fd8** [17... ♗e6 18. ♖ad1 ♖fd8 19. ♖d2±; 17... ♗g4 18. d5 ♗f3 19. ♗a7 ♗g2 20. ♔g2 cd5=] **18. h3** [18. ♖fd1 ♗g4 19. ♖d2 ♗f3∓] **h5 19. ♖fe1 ♕g6 20. a5 ♗e6** [20... h4!? 21. g4 ♗e6 △ f5∓] **21. ♖ad1 b5!?** [21... h4 22. g4 f5 23. f3 ♕f7 24. ♗f1] **22. ab6□ ab6 23. ♕b4** [23. ♕b6 ♗c4∓; 23. ♕a4 h4!? 24. g4 f5] **b5** [23... h4 24. ♗f4] **24. cb5 ♘d5** [24... ♗d5 25. b6?! ♗g2 26. ♔g2 ♘d5∓; 25. bc6=] **25. ♕c5 cb5 26. ♕b5! ♘c3 27. ♕d3 ♘d1 28. ♕g6 fg6 29. ♖d1 ♗d5 30. ♗d5 ♖d5 31. h4= ♔f7 1/2 : 1/2** **[An. Karpov]**

304.** **C 47**

ESTÉVEZ 2350 − I. PÉREZ
Cuba 1991

1. e4 e5 2. ♘f3 ♘c6 3. ♘c3 ♘f6 4. d4 ed4 5. ♘d4 ♗b4 [5... ♘e4?! 6. ♘e4 ♕e7 7. f3 d5 8. ♗b5 ♗d7 9. ♗c6 bc6 10. 0−0 de4 11. fe4! g6!? (11... 0-0-0 12. ♕f3±) 12. ♕f3 ♗g7 13. c3 (13. ♗e3!? △ ♘b3 ×c5) 0−0 14. ♗f4 c5 15. ♘b3 ♗c6 16. ♕g3!±] **6. ♘c6 bc6 7. ♗d3 d5** [7... d6?! 8. ♗g5 h6 9. ♗h4 0−0 10. 0−0 ♖e8 11. f4 ♗b7 12. ♕f3!±] **8. ed5 cd5** [8... ♕e7 9. ♕e2 ♕e2 10. ♔e2 ♘d5?! N (10... cd5±) 11. ♘d5 cd5 12. ♗b5! ♗d7 13.

♗d7 ♔d7 14. ♖d1 ♖he8 15. ♗e3 ♖e5 16. c4 c6 17. cd5 ♖d5 18. ♖ac1 ♖d1 19. ♖d1 ♔e6 20. ♖d3!± Estévez 2420 − Nogueiras 2540, Santa Clara 1991] **9. 0−0 0−0 10. ♗g5** [RR 10. ♘b5 ♗g4 11. f3 ♗c5!? N (11... ♗e6 − 52/(317)) 12. ♔h1 ♗d7 13. c3 h6 *a*) 14. ♕e1?! c6 15. ♘d4 ♖e8 16. ♕g3 (16. ♕h4?! ♗f8 17. ♗d2 c5 18. ♘f5 c4! 19. ♗c2 ♖e2 20. ♖ad1 ♗f5 21. ♗f5 ♖b8 22. ♗c1 ♗c5∓ Mathe 2380 − Huzman 2505, Wijk aan Zee (open) 1992) ♘h5 17. ♕f2 ♗d6∓; *b*) 14. b4!? ♗b6 (△ a5) 15. ♗f4 ♖e8= Huzman] **c6 11. ♘e2 ♗g4** [11... h6 12. ♗h4 c5? 13. c3 ♗a5 14. ♖e1 ♖b8 15. ♖b1 ♗b7?! 16. ♘g3!± △ 16... g5 17. ♘f5 gh4 18. ♕d2+−→≫; 12... ♗c5] **12. c3 ♗e7** [12... ♗d6 13. h3 ♗e2 14. ♕e2 ♖e8 15. ♕f3 h6 16. ♗h4±⌷] **13. ♕a4!? N** [13. h3 ♗h5 14. ♕a4! (△ ♘d4-f5) c5 15. ♘f4 ♗g6 16. ♖ad1±] ♗d7 [13... ♕d7?! 14. ♘d4 c5 15. ♗b5 ♕d6 16. ♘c6 ♗e6 17. ♘e7 ♕e7 18. ♖ad1 ♖ab8 19. ♖fe1 ♕b7 20. ♗a6 ♕b2 21. ♗f6 gf6 22. ♕h4 ♕c3 23. ♖e3 ♕b2 24. ♗d3 f5⌷ 25. ♖h3! ♖fd8 26. ♕h7 ♔f8 27. ♗f5± Estévez 2350 − C. Medina 2295, México 1991; 13... ♗e2!?±] **14. ♘d4!?** [14. ♕c2!? h6 15. ♗h4 ♖e8 16. ♘d4 ♘h5 17. ♗g3 ♗f6 18. ♘f5 ♘g3 19. fg3! ♖b8 20. ♔h1 c5 21. b3 a5 22. ♕f2!± △ ♘h6, ×c5 Estévez 2420 − Antúnes 2460, Santa Clara 1991] **c5 15. ♘c6 ♗c6 16. ♕c6 ♖b8 17. b3± ♖b6 18. ♕a4 h6** [18... ♕c7!?] **19. ♗h4 ♘e4?!** [△ 19... ♕c7] **20. ♗e4± ♗h4** [20... de4 21. ♖ad1!±] **21. ♗d5 ♕d5** [21... ♗f2 22. ♖f2 ♕d5 23. ♕a7+−] **22. ♕h4 f5 23. ♖ad1 ♕f7 24. ♖fe1 ♖e6 25. ♖e6 ♕e6 26. ♕f4 ♖e8 27. g3 ♕a6 28. ♕d2! f4 29. c4 ♖f8 30. ♕d5+− ♖f7 31. ♖e1 ♕f6 32. ♖e8 ♔h7 33. ♕e4 ♕g6?⊕** [33... g6 34. gf4+−] **34. ♖h8** **1 : 0** **[Nogueiras, Estévez]**

305. **C 48**

N. SHORT 2660 − ADAMS 2615

England (ch-m/2) 1991

1. e4 e5 2. ♘f3 ♘c6 3. ♘c3 ♘f6 4. ♗b5 ♗c5 5. 0−0 0−0 6. ♘e5 ♘e5 [RR 6... ♖e8 7. ♘f3 ♘e4 8. d4 ♘c3 9. bc3 ♗e7 10. ♖e1!? N (10. d5 ♘a5!? △ c6) ♗f6 11. ♗g5!? ♖e1 12. ♕e1 ♗g5 13. ♘g5 h6 14. ♘f3 d6 15. ♕e4 d5! 16. ♕e3 ♗f5 (Wagman 2225 − B. Finegold 2455, Steinweg 1991) 17. ♗c6± B. Finegold] **7. d4 ♗d6 8. f4 ♘c6 9. e5 a6** [RR 9... ♗e7 10. d5 ♘b4 11. ef6 ♗f6 12. a3 ♗c3 13. bc3 ♘d5 14. ♕d5 c6 15. ♕d3 cb5 16. f5 f6 N (16... ♖e8) 17. a4!? ba4 18. ♖a4 d5 19. ♖h4?! ♖e8 *a*) 20. ♕h3? ♕b6 21. ♔h1? ♕f2!−+; ⌐ 21. ♖d4; *b*) 20. ♕d1! ♖e5!⌷ 21. ♕h5 ♕b6 22. ♖d4⌷ (22. ♔h1? ♗f5!−+ Nunn 2610 − Hodgson 2570, England (ch-m/1) 1991) ♗d7∓; *c*) 20. ♗e3! ♕e7 21. ♗d4 ♗d7 22. ♕h3∞→; 19. ♖d4!± Hodgson] **10. ♗e2 ♗b4 11. d5 ♗c5 12. ♔h1 ♘d5 13. ♘d5!? N** [13. ♕d5] **d6 14. ♗d3!? de5** [14... ♗e6 15. ♘c3! de5 16. f5 ♗d7 17. ♘e4→≫ △ f6, ♕h5] **15. fe5 ♘e5** [15... ♗e6? 16. ♘f6! gf6 17. ♗h7!+−] **16. ♗h7 ♔h7 17. ♕h5 ♔g8 18. ♕e5 ♗d6?** [18... f6? 19. ♕h5; 18... ♕d6! *a*) 19. ♕h5 ♗g4! (19... c6 20. ♘f6 gf6 21. ♗h6→≫ Keene) 20. ♕g4 ♕d5 21. ♗h6 ♕d4 22. ♖f4 ♕b2 23. ♖af1 ♖ae8 △ ♖e6∞; *b*) 19. ♕d6 ♗d6 20. ♗f4 ♗e6 21. ♗d6 cd6 22. ♘f4±] **19. ♕h5 f6⌷ 20. ♗f4± ♗e6 21. ♖ad1 ♗f7 22. ♕f3 ♗f4 23. ♘f4 ♗c8** [23... ♕e7 24. ♕b7 ♖ab8 25. ♕c6! ♗b2 26. ♖fe1 ♖d8 (26... ♕a3 27. ♘d5+−) 27. ♘d3! ♖d3 (27... ♖b6 28. ♕b6 ♕e1 29. ♘e1!+−) 28. cd3 ♖d8 29. ♕c3 ♕a2 30. ♖d2±] **24. ♘d5 ♗d5 25. ♕d5 ♖f7 26. ♖d3 c6 27. ♕h5** [27. ♕b3? ♕c7 28. ♖fd1 ♖e8∞] **♖e7 28. ♖h3 ♕f8 29. ♕h7 ♔f7 30. ♖g3 ♔e8?!** [30... ♖e6 31. h4 ♕h8 32. ♕g6 ♔f8 33. ♖f5! ♕h6 (33... ♕h4 34. ♖h3 ♕e1 35. ♔h2+−) 34. ♕h6 gh6 35. ♖g6±; 30... ♖ae8! 31. h4 (31. ♖f6?! ♔f6 32. ♕g6 ♔e5 33. ♖g5 ♔f4∞) ♕e1 32. ♖e1 ♖e1 33. ♔h2±] **31. ♖d1!+− g5** [31... ♖d8 32. ♕h5] **32. ♕h5** [32. ♖e3!] **♕f7 33. ♕h8 ♕f8 34. ♕h5 ♕f7 35. ♕h8 ♕f8 36. ♖h3 ♖g7 37. ♖e3** [37... ♖e7 38. ♕h5 ♕f7 39. ♖e7 ♔e7 40. ♖d7; 37... ♔f7 38. ♖d7 ♔g6 39. ♖g7 △ ♕a8] **1 : 0** **[N. Short]**

306.* !N **C 48**

NIKOLENKO 2450 – MAKARYČEV 2535
SSSR (ch) 1991

1. e4 e5 2. ♘f3 ♘f6 3. ♘c3 ♘c6 4. ♗b5 ♘d4 5. ♗a4 ♗c5 6. ♘e5 0–0 7. ♘d3 ♗b6 8. e5 ♘e8 9. ♘d5 d6 10. ♘e3 ♕e7 N [10… ♕g5 11. f4?! (11. ed6 – 51/305) ♕h4 12. g3 ♕h3 13. c3! (13. ♘f2 ♕e6!→) ♘f5 14. ♘f2 ♘e3 15. de3 ♕h6! (15… ♕g2? 16. ♗c2 △ ♗e4) 16. ed6 ♘d6 17. 0–0 ♗f5∞̅; 10… c6 11. c3 ♘e6 (11… ♘f5 – 51/304) 12. 0–0 ♗c7 13. f4 de5 14. ♘e5 ♘f4=; RR 10… de5! N 11. ♘e5 ♕g5! *a)* 12. ♘f3 ♘f3 13. ♕f3 ♗e3 14. ♗e8 (14. fe3? ♕h4–+; 14. de3? ♕a5–+) ♗f2∓; *b)* 12. ♘d7 ♗d7 13. ♗d7 f5∓; *c)* 12. ♘5c4 f5 13. c3 f4! 14. cd4 fe3 15. ♘e3 ♗d4 (Bogaerts 2260 – Geenen 2315, Belgique 1991) 16. 0–0!? ♗h3 17. ♕b3 ♔h8 18. ♕d5 ♗e3 19. ♕g5 ♗g5 20. gh3∓; *d)* 12. ♘d3 (△ 12… f5 13. f4) ♗f5!∞̅ Geenen] **11. ed6 ♘d6 12. 0–0 c6 13. c3 ♘4f5 14. ♘e1 ♘e4 15. ♗c2 ♖e8 16. d4** [16. ♘f3!? ♘e3 17. fe3 ♗g4 18. ♕e1 ♖ad8 19. ♘d4 ♗c7∞] **♗c7** [16… ♘f2? 17. ♘f5 ♗f5 18. ♔f2 ♕h4 19. g3! ♕h2 20. ♘g2 ♗h3 21. ♖g1 ♖ad8 22. ♗f4!+– △ g4] **17. ♘d3!?** [17. ♘f3 ♘e3 (17… ♘f2?? 18. ♘f5+–) 18. ♗e3 (18. fe3 ♗g4∞̅) ♗g4 19. h3 ♗h5 20. ♖e1 ♕d6? 21. g4 ♗g6 22. ♘e5 f6 23. ♗b3 ♔h8 24. ♘g6 hg6 25. ♕f3!±; 20… ♕f6!⇆; 17. ♘f5 ♗f5 18. ♘f3 ♖ad8 19. ♖e1 ♕f6!⇆] **♕h4 18. ♘e5□ ♗e5 19. de5 ♖e5 20. f3?!** [20. ♘f5 ♗f5=; 20. ♘c4!? ♖e8 21. ♕f3 ♘f6!□ 22. ♘e3! ♘e3 23. ♗e3 ♗g4 24. ♕g3±] **♘e3 21. ♗e3 ♘c3 22. ♕e1 ♕e7!□** [22… ♕e1? 23. ♖fe1 ♘d5 24. ♗a7! ♖e1 25. ♖e1 ♗e6 26. ♗c5± △ 26… ♖a2? 27. ♗a3 ♘f4 28. ♗b1 ♖a1 29. ♗h7+–] **23. ♕c3 ♖e3 24. ♖fe1 ♖e1 25. ♖e1 ♗e6 26. ♗b3∞̅ ♖d8 27. ♕e3 a6** [△ 28. ♗e6? ♕e6 29. ♕e6 fe6 30. ♖e6 ♖d2 31. b4! ♖a2 32. ♖e8! ♔f7 33. ♖b8 b5 34. ♖b6 ♖c2! 35. ♖a6 h5! 36. ♖a7 ♔f6 37. ♖c7 g5!–+] **28. f4! ♕f6** [28… g6? 29. f5∞; 28… ♕d6!? 29. ♖d1 ♗d5 30. ♗d5 cd5 31. ♖d4∞̅ ×d4, d5] **29. ♕b6 ♗b3 30. ab3 h5** [30… h6!?] **31. ♕b7 ♕d4 32. ♔h1 ♕e4 33. ♖g1 h4 34. h3 f5** [34… ♖d3? 35. ♕c8] **35. ♕a6 ♖d3?!** [△ ♖h3; 35… ♖d2!?∓] **36. ♔h2?⊕** [36. ♕c4=] **♕f4 37. ♔h1 ♕e4 38. ♔h2?** [38. ♕c4∓] **♕e5?** [38… ♖b3–+] **39. ♔h1 ♕d5 40. ♔h2 ♕d6 41. ♔h1 ♕d5 42. ♔h2 ♔h7** [42… ♖b3 43. ♕c8 ♔h7 (43… ♔f7 44. ♖e1 ♖b2 45. ♕e8 ♔f6 46. ♕e7 ♔g6 47. ♕e8 ♔g5 48. ♕e7 ♔h5 49. ♕g7) 44. ♕e8! f4 45. ♖d1!=] **43. ♕c4 ♕e5 44. ♔h1 ♕e4!?∓ 45. ♔h2!□ ♖d4 46. ♕c3 ♕e5 47. ♔h1 ♕d5 48. ♔h2 ♖d2 49. ♕b4!** [×h4] **♖d4 50. ♕c3 c5 51. ♖f1!□ ♖d2 52. ♕f3!** [52… ♕f3 53. ♖f3 ♔g6 54. ♖c3 ♖b2 55. ♖c5 ♖b3 56. ♔g1! (⇔a1-h1) ♔g5 57. ♖c4=] **1/2 : 1/2**
[Makaryčev]

307. **C 48**

NUNN 2610 – CHRISTIANSEN 2600
BRD 1991

1. e4 e5 2. ♘f3 ♘f6 3. ♘c3 ♘c6 4. ♗b5 ♘d4 5. ♗a4 ♗c5 6. ♘e5 0–0 7. ♘d3 ♗b6 8. e5 ♘e8 9. ♘d5 d6 10. ♘e3 ♕h4!? N 11. 0–0 ♗e6 12. c3 ♘e2! [12… ♘f5 13. ♗b3±] **13. ♔h1** [13. ♕e2 ♕a4∞̅] **♗e3** [13… ♖d8 14. ♗e8 ♘c1 15. ♗f7 ♖f7 16. ♖c1±] **14. de3** [14. ♕e2 ♗f2 15. ♕f2 (15. ♗e8? ♗g3) ♕a4 16. ♘f4 ♗d7∞] **♘c1 15. ♖c1 ♖d8** [15… ♗c4 16. ♗b3 ♗d3 17. ♕d3 de5 18. ♕d5±; 15… de5 16. ♘e5 ♖d8 17. ♘f3 ♖d1 18. ♘h4 ♖f1 19. ♖f1 ♗a2 20. ♖a1 ♗c4 21. ♗e8 ♖e8 22. ♖a7 ♖d8 23. h3±] **16. ♗b3⩲ de5** [16… ♗c4 17. ♗c4 ♕c4 18. ♘f4! ♕a2 19. e6 fe6 20. ♖a1 ♕c4 21. ♖a4+–] **17. ♗e6 fe6 18. ♕c2 ♖f5! 19. ♖cd1** [19. ♕b3? ♖h5! 20. ♕e6 ♔f8–+; 19. f4! ef4 20. ef4 △ ♕e2±] **♘d6□** [19… ♘f6? 20. ♘e5! ♖d1 21. ♕d1 ♖e5 22. ♕d8 ♔f7 23. ♕c7+–] **20. ♕b3** [20. f4 ef4 21. ef4 ♘e4!∓] **♖e8 21. ♘c5 ♖f2** [21… e4 22. ♘b7! (22. ♘e6? ♖b5) ♖b5 23. ♕a4±] **22. ♘e6 ♔h8 23. ♖f2 ♕f2 24. ♘c7 ♖f8 25. h3□ ♘f5?!** [25… ♘e4! 26. ♘e6 ♕g3 27. ♘f8 ♘f2 28. ♔g1 ♘h3 29. ♔h1 ♘f2 30. ♔g1 ♘g4 31. ♕f7 ♕e3 32. ♔h1 ♘f2 (32… ♕h6=) 33. ♔h2 ♘d1 34. ♕e8=]

26. ♘e6 ♘e3 27. ♕b7□ ♖g8? [27... ♕f6! 28. ♖d6 (28. ♘f8 ♘d1=) ♕g6 29. ♘f8 ♕b1 30. ♔h2 ♘f1 31. ♔g1 ♘g3 32. ♔h2 (32. ♔f2?? ♕f1−+) ♘f1=] 28. ♖g1± [28. ♘g5 h6 29. ♘f7 ♔h7 30. ♕e4 g6±] ♕f6 29. ♕f3?! [29. ♘c5±] ♕e6 30. ♕e3 ♕a2 31. b4 ♖e8 32. ♖d1 [△ ♖d7] ♕f7 33. ♖a1 ♖e7 [33... a6 34. ♕e4! h6 35. ♔h2±] 34. ♕e4!± h6 35. c4 [△ c5, b5] ♕f4?! 36. ♕f4! ef4 37. c5 ♔g8 [37... ♖e4 38. b5 ♖c4 (38... ♖b4 39. ♖a5 △ c6; 38... ♖e5 39. ♖c1 ♖e7 40. c6 ♖c7 41. ♖a1 △ ♖a7) 39. c6 ♖c5 40. ♖a7+−; 37... ♖b7 38. ♖a4 (△ c6) ♖c7 39. ♔g1 ♔g8 40. ♔f2 ♔f7 41. ♔f3±; 37... ♖c7 38. ♔g1±] 38. b5 ♔f7 [38... ♖c7 39. c6 △ ♖a7+−; 38... ♖e5 39. ♖c1 △ c6+−; 38... ♖b7 39. ♖a5 △ c6+−] 39. b6 ab6 40. cb6 [♖ 7/h] ♔f6□ [40... ♔e8 41. ♖a8+−] 41. ♖b1 ♖b7 42. ♔g1+− g5 43. ♔f2 ♔e7 [43... ♔g6 44. ♔f3 ♔h5 (△ 45. ♔e4 ♔h4⇆) 45. h4! gh4 (45... ♔g6 46. hg5 hg5 47. ♔g4 ♔f6 48. ♖b5) 46. ♔f4 ♔g6 47. ♔g4 ♔f6 48. ♔h4 ♔g6 49. ♔g4 ♔f6 50. ♔h5 ♔g7 51. ♖b2 ♔h7 52. ♖b3 ♔g7 53. ♖g3 △ ♖g6] 44. ♔f3 ♔d8 45. ♔g4 ♔c8 46. ♖c1! ♔b8 [46... ♔d7 47. ♖c7] 47. ♖c6 ♖d7 48. ♖h6 ♖d2 49. ♔g5 ♖g2 50. ♔f4 ♖f2 51. ♔g3 ♖b2 52. ♖f6 ♖b3 53. ♔g4 ♖b4 54. ♔g5 ♖b5 55. ♖f5 ♖b6 56. h4 ♔c7 57. h5 1 : 0 [Nunn]

308.* !N C 49

CHANDLER 2605 −
S. AGDESTEIN 2590
Hastings 1991/92

1. e4 e5 2. ♘f3 ♘c6 3. ♘c3 ♘f6 4. ♗b5 ♗b4 5. 0−0 0−0 6. d3 [RR 6. ♗c6 bc6 7. ♘e5 ♕e8 8. ♘d3 ♗c3 9. dc3 ♕e4 10. ♖e1 ♕h4 11. ♕f3 ♗a6 12. ♘e5! N (12. ♘c5) ♖ae8 13. ♗f4 ♗c8 (13... ♕h5? 14. ♘d7!+−; 13... ♖e6?! 14. h3 ♖fe8 15. ♖e3 ♘d5 16. ♗g5! ♕g5 17. ♕f7 ♔h8 18. ♕e6! ♖e6 19. ♘f7 ♔g8 20. ♘g5+−) 14. ♘d3 ♘d5 15. ♗g3 (Mih. Cejtlin 2480 − Hába 2485, Ostrava 1991) ♕a4 (15... ♕d8 16. c4±) 16. b3 ♖e1 17. ♖e1 ♕a2 18. c4 ♘f6 (18... ♘b6 19. ♗c7 ♕c2 20. ♗d6 ♖d8 21. ♕e3 h6 22. ♕e7+−) 19. ♗h4

♖e8 (19... ♕c2 20. ♗f6 gf6 21. ♕g4 ♔h8 22. ♕d4 ♔g7 23. h3± △ ♖e3-g3) 20. ♗f6 ♖e1 21. ♘e1 gf6 22. ♕f6± Mih. Cejtlin] **d6 7. ♗g5 ♗c3 8. bc3 ♘e7?! [△ 8... h6 9. ♗h4 ♗d7] 9. ♘h4 ♘e8 10. ♗c4 [△ 10. f4!] ♗e6 11. ♗e6 N [11. ♘f5!? ♗f5 12. ef5] fe6 12. ♕g4 ♕d7 13. f4± ef4 14. ♖f4 ♖f4 15. ♕f4 ♘f6! [15... h6? 16. ♖f1 hg5 17. ♕f7 ♔h7 18. ♘g6+−] 16. ♗f6 ♖f8 17. ♕e3 ♖f6 18. ♕a7 b6 [18... ♕b5!? (△ 19. ♘f3 ♕b2 20. ♖f1 ♘g6!?; 20... ♕c3!?) 19. ♕b8 ♖f8 20. ♕c7 ♕b2 (20... ♕g5 21. ♘d6! ♕h4 22. ♕e6 ♔h8 23. ♖f1!?) 21. ♖f1! ♖f1 22. ♔f1 ♕c1 23. ♔f2 ♕c2 24. ♔g3 ♕d3 25. ♘f3 ♕f7 26. a4±] 19. ♖f1 ♖f1 20. ♔f1 [♕ 8/c] g5!? 21. ♘f3 g4 22. ♘d4 ♘g6? [△ 22... e5 23. ♘e2 ♘g6 24. g3 ♘f8! △ ♘e6-g5 ×f3] 23. ♕b8 ♘f8 24. ♔e1± ♕f7 25. ♕d8 ♕f4 26. ♘e2 [26. ♘e6! ♕c1 27. ♔e2 ♕c2 28. ♔e3 ♔f7 (28... ♕c1 29. ♔d4 ♕g1 30. ♔d5+−) 29. ♕f8! (29. ♘f8 ♕c1 30. ♔d4 ♕g1 31. ♔c4 ♕c5) ♔e6 30. ♕f5 ♔e7 31. ♕h7+− N. Short] ♕h2 27. ♕g5 ♔f7 28. ♕g4 ♕h1?! [△ 28... ♘g6 29. ♕h3 ♕h3 30. gh3 ♔f6] 29. ♔d2 ♕a1 30. ♕h5 ♔g7 31. ♕g5 ♘g6 32. ♘c1! ♕b1 33. ♕d8 ♕b5 34. ♕c7 ♔h6 35. ♕d8 ♕c5 36. ♘e2 ♕f2 37. ♕d6 ♕g2 38. ♕e6+− ♔g7 39. ♕b6 h5 40. ♕g1 ♕f3 41. ♕a7 ♔g8 42. ♕e3 ♕f6 43. ♕h6 h4 44. a4 ♕e6 45. a5**
1 : 0 [Chandler]

309. C 49

KAMSKY 2595 − TIMMAN 2630
Tilburg (Interpolis) 1991

1. e4 e5 2. ♘f3 ♘c6 3. ♘c3 ♘f6 4. ♗b5 ♗b4 5. 0−0 0−0 6. d3 d6 7. ♗g5 ♗c3 8. bc3 ♕e7 9. ♖e1 ♘d8 10. d4 ♘e6 11. ♗h4 N [11. ♗c1 − 52/319] ♘f4 12. ♘d2!? [△ ♗f1, ♘c4-e3 ×f5, d5] ♔h8!? [△ ♖g8, g5, h5→≫] 13. ♗f1 h6 [13... ♖g8 14. ♗g5 (△ ♗f4, e5±) ♘e6 15. ♗e3∞] 14. f3 g5 15. ♗g3 ♖g8 16. ♘c4 ♗g7 [△ ♗d7, ♖ag8, h5-h4, g4→] 17. ♘e3 h5 18. c4!? [△ c5 ×d6, e5; 18. ♘f5!? ♗f5 19. ef5∞] ♗d7 19. c3 [19. c5?! dc5 20. de5 ♕e5 21. ♘c4 a) 21... ♕d4?! 22. ♗f2 ♕d1 23. ♖ad1 ♗e6 (23... b6? 24. e5+−) 24.

♗c5±; *b)* 21... ♕e6 22. a4 (22. h4?! ♘h3! 23. ♔h2 gh4∞; 22. ♕d2 b5∞) h4∞] ♖ag8 **20. ♘f5□ ♗f5 21. ef5 h4 22. ♗f2 g4! 23. ♗h4□ gf3?!** [23... ♘e4!? 24. fe4□ (24. ♗e7? ♘h3 25. gh3 gh3−+) ♕h4 25. g3 ♘h3 26. ♔h1 (△ ♗h3; 26. ♔g2!?) ♘f2 27. ♔g2 ♘d1 28. gh4 ♘c3 29. de5 de5 30. a4 ♖d8 31. ♖a3 (31. ♖e3 ♖d2 32. ♔g3 ♖c2∞; 32... ♘a2!?) ♖d2 32. ♔g3 ♘a2□ (32... ♘d1? 33. ♖b3+− △ ♗e2) 33. ♖b3 c5□ 34. ♖b7 f6⊚] **24. ♕f3 ♖g4 25. ♗g3 ♘6h5 26. ♗f4 ♘f4 27. g3□ ♕h4 28. ♖e3□ ♘h5 29. ♕f2⊕ ed4⊕ 30. cd4 ♖d4 31. ♖ae1!± ♕f6 32. ♖e4 ♖e4 33. ♖e4 ♕g5 34. ♕d4!? ♘h7** [34... ♕f6 35. ♕f6 ♘f6 36. ♖e7+−; 34... ♖g7 35. ♖e8 ♔h7 36. f6! ♘f6 37. ♗d3 ♔h6 38. ♖h8 ♘h7 39. ♕e4 f5□ 40. ♕f5 ♕f5 41. ♗f5+− △ g4, h4, g5] **35. ♖h4** [×♘h5] **♖e8 36. ♕d1+− ♔h6 37. ♗e2 ♖e2 38. ♕e2 a6 39. a4 b6 40. ♖h3 ♕c1 41. ♔g2 1 : 0** [Kamsky]

310.** C 54**

ERMENKOV 2505 − SAGALČIK 2450
Primorsko 1991

1. e4 e5 2. ♗c4 ♘c6 3. ♘f3 ♘f6 4. d3 ♗c5 5. c3 0−0 6. 0−0 d6 7. b4 [RR 7. h3 a6 8. ♗b3 ♗a7 9. ♘bd2 ♘d7!? N (9... ♘e7 − 46/409; 9... h6 − 52/321) 10. ♖e1 ♘c5 (10... ♔h8!? △ ♘c5, f5) 11. ♗c2 ♘e6 12. ♘f1 ♗d7 13. ♘e3 ♔h8 14. h4 ♕f6 15. ♘d5 (15. b4!? △ ♗b3) ♕g6 16. ♘g5 ♘g5 17. hg5 ♖ac8 18. d4!? ed4 19. cd4 (19. e5?! ♗f5 20. ♘f4 ♕g5 21. ♘e6 ♗c2 22. ♕c2 ♕h4 23. ♘f8 d3 24. ♕d2 ♗e5⊚) ♗d4 20. a4! f5! 21. gf6 ♗g4 22. ♕d2 gf6 23. ♖a3 (23. e5!? ♗f5 24. ♘f4 ♗g4 25. ♗f5 ♕f5 26. ed6 cd6 27. ♖a3⊚) ♕f7 24. b4 ♗a7 25. ♖g3 ♗e6 (Bosboom 2460 − Adams 2615, Oostende 1991) 26. b5 ♘e5 27. b6⊚; 27. ba6!? Adams] **♗b6 8. ♘bd2** [RR 8. a4 a5 9. b5 ♘e7 10. ♘bd2 ♘g6 11. ♗a3!? N (11. ♗b3 − 45/(365); 11. ♗a2 − 45/368) *a)* 11... h6 12. ♗a2!? ♖e8 13. ♘c4 ♗c5 14. ♗c5 dc5 15. ♕d2! ♗g4 16. ♕e3± Judasin 2580 − Velička 2410, Tallinn 1992; *b)* 11... ♘d7 12. ♗a2! ♕f6 (12... ♘f4 13. ♘c4 ♕f6 14. g3!±↑) 13. ♘c4 ♗c5?! 14. ♗c1! (△ ♗g5)

h6 15. d4 ♗b6 16. ♗e3 ♖e8 (16... ♕e7 17. ♖e1 ed4 18. ♗d4±; 16... ♘f4 17. g3±) 17. ♕c2! ♘f4 18. ♕d2!± Judasin 2580 − Antúnes 2465, Sevilla 1992; 13... ♘c5!?±⇆ Judasin; *c)* 11... ♘h5!? 12. d4 ♘hf4 13. ♖e1 ♗g4 14. h3? ♗h3! 15. gh3 ♘h3 16. ♔h2 ♘f2 17. ♕e2 ♘g4 18. ♔g3 ♘f4 19. ♕f1 ♕f6!∓→》 Ivančuk 2735 − Khalifman 2630, Reykjavík 1991] **♘e7 9. ♗b3 c6 10. h3 N** [10. a4 − 49/(372); 10. ♖e1; 10. d4!?] **♘g6 11. ♖e1 d5!∓ 12. ♕c2 ♖e8 13. ♘f1 a5 14. a4?!** [△ 14. a3] **♘h5 15. ♗g5 ♕d6 16. ba5 ♗a5 17. ♖ad1** [△ d4] **h6 18. ♗c1 ♘gf4** [18... d4!? 19. ♗d2 c5!∓] **19. ♗f4 ♘f4 20. d4⇆** [/a2-g8] **ed4□ 21. ed5 ♖h3!?** [21... ♖e1 22. ♖e1 d3 23. ♖e8∞] **22. ♖d4□** [22. ♘d4 ♗g2; 22. ♖e8 ♖e8 23. ♖d4 ♘e2; 22. gh3 d3! △ ♕g6, ♗b6→》] **♘g2 23. ♖e8 ♖e8 24. dc6 ♕f6!?** [24... ♕c6 25. ♗d5 ♕c3? 26. ♕c3 ♗c3 27. ♖c4! △ ♔h2] **25. ♖e4! ♖f8□** [25... ♖e4? 26. ♕e4+− △ ♕e8, ♗f7] **26. ♘e5!** [△ ♘f7] **♘h4! 27. ♘f7!?** [27. cb7 ♗c7! (27... ♘f3 28. ♗f3 ♕f3 29. ♘e3) 28. ♘f7 ♘f3 29. ♔h1 ♘d4!!] **♕f3 28. ♔h1 ♗f1?** [28... ♘d4!! 29. ♘e5 (29. ♘h6 ♔h8−+; 29. ♘g5 ♘b3 30. ♕b3 ♔h8 31. ♘h3 ♕f3 32. ♔g1 ♕e4 33. cb7 ♗c7) ♘b3 30. ♕b3 ♔h8? 31. ♖f4; 30... ♔h7!∓ Vl. Dimitrov]

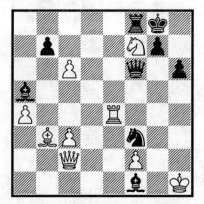

29. ♖f4!!+− [29. ♘g5? ♔h8 30. ♖f4 ♗g2! 31. ♔g2 ♕g5−+] **♗g2** [29... ♕f4 30. ♘g5 ♖f7 31. ♗f7 ♔f8 32. ♘e6] **30. ♔g2 ♘e1** [30... ♕f4 31. ♘g5 ♖f7 32. ♕h7 ♔f8 33. ♘e6] **31. ♔f1 ♘c2 32. ♘e5! ♔h8** [32... ♖f7 33. ♖f6 gf6 34. cb7; 32... ♔h7 33. ♗c2 g6 34. ♖f6 ♖f6 35. cb7 ♖b6 (35... ♗c7 36. ♘d7) 36. ♗g6 ♔g7 37.

♗e4 △ ♘d7] **33. ♘g6** [33... ♕g6 34. ♖f8 ♔h7 35. ♗g8 ♔h8 36. ♗f7 ♔h7 37. ♗g6 ♔g6 38. cb7] **1 : 0** **[Ermenkov]**

311.* **C 54**

GIPSLIS 2475 – DOBROVOLSKÝ 2395
Bardejovské Kúpele 1991

1. e4 e5 2. ♘f3 ♘c6 3. ♗c4 ♗c5 4. c3 ♘f6 5. d3 d6 6. 0–0 ♗b6 7. ♘bd2 0–0 8. ♖e1 ♘e7 9. ♘f1 ♘g6 10. h3 c6 [10... h6 N 11. ♗b3 ♗e6 12. ♘g3 d5 13. ed5 ♘d5 14. d4 ed4 15. ♘d4 ♗d4 16. ♕d4 ♘df4 17. ♕e4 ♕f6 18. ♗f4 ♘f4 19. ♕b7± Titov 2505 – Dobrovolský 2395, Bardejovské Kúpele 1991] **11. ♗b3 ♗e6 12. ♘g3 h6 13. d4 ♘h7!? N** [13... ♖e8 14. ♗c2 ♕c7 15. ♗e3 ♖ad8 16. ♕e2 ♘f4 17. ♕d2 ♘g6 18. ♖ad1±] **14. ♗e3?!** [⌓ 14. ♗c2 △ ♘f5] **♕f6 15. ♕e2 ♖ad8 16. ♖ad1 ♗c8 17. ♗c2** [17. ♘h5 ♕e7 18. ♘d2 (△ f4) ♕h4 19. ♖f1 ♘g5 20. f4∞] **♘g5 18. ♘g5** [18. ♘f5!?] **hg5 19. de5 de5 20. ♗b6 ab6 21. ♕e3 b5 22. ♘f1** [22. ♖d8!?] **g4! 23. hg4 ♗g4 24. ♖d8 ♖d8 25. g3?** [⌓ 25. f3 ♗e6]

25... ♘f4!!–+ 26. ♘h2 [26. gf4 ef4 27. ♕c5 ♕g6] **♕g5! 27. ♔h1** [27. f3 ♖d2!! 28. fg4 (28. ♕d2? ♘h3) ♕h6 29. ♘f3 ♖g2 30. ♔f1 ♕h1 31. ♘g1 ♘h3] **♖d6!! 28. f3 ♗h3 29. ♖g1 ♘d3!!** [△ 30. ♕g5 ♘f2#] **30. ♕a7 ♕d2 31. ♗d3 ♖h6!!** [△ ♕h2, ♗f1#] **32. g4□ ♗g4!** [32... ♗f1? 33. ♕b8 ♔h7 34. ♕e5 ♗d3 35. ♕f5=] **33. ♖g2 ♗f3 34. ♗f1 ♕f4** [△ ♕h2#] **35. ♕g1 ♗e4⊙ 36. ♗e2 ♖g6 37. ♗f1 ♕d2 38. b4 ♕a2** **0 : 1** **[Gipslis]**

312. !N **C 54**

KRAMNIK 2490 – KRASENKOV 2550
SSSR (ch) 1991

1. e4 e5 2. ♘f3 ♘c6 3. ♗c4 ♗c5 4. c3 ♘f6 5. d3 d6 6. ♗b3 ♗b6 7. ♘bd2 ♘e7 8. ♘c4 ♗e6 9. h3 0–0 10. 0–0 ♘g6 11. ♖e1 c6! N [11... h6 – 47/(394)] **12. ♘b6** [12. ♘g5 ♗c4 13. ♗c4 d5=] **♕b6?!** [12... ♗b3 13. ♕b3 ♕b6=] **13. ♗c2±⧉ h6 14. d4 ♖ad8 15. a4** [15. b3!? △ ♗e3, c4±] **a5 16. b4! ab4 17. cb4** [17. a5?! ♕b5 18. cb4 ♕b4 19. ♖a4 (19. ♗d2 ♕c4) ♕b5] **♖fe8** [17... ♕b4 18. ♖b1 △ ♖b7±] **18. ♗e3** [18. ♖b1 d5!∞] **♕b4 19. ♖b1 ♕a5 20. ♖b7 ♗c8 21. ♖b1** [21. ♖b8!? ♕c7 22. ♖b1] **d5 22. ♘e5** [22. ed5? e4!; 22. de5 de4 23. ♗d2 ♕d5∞] **♘e5 23. de5 de4 24. ♗b6!** [24. ef6!? ♖d1 25. ♖ed1∞̄] **♖d1 25. ♗a5 ♖b1 26. ♗b1?!** [26. ♖b1 ♖e5 27. ♖b8 ♖e8 28. ♗c3±] **♖e5 27. ♗c3 ♖c5 28. ♗f6 gf6** [♖ 9/k] **29. ♗e4 ♗a6 30. ♗f3! ♔f8?** [30... ♖c4?! 31. ♖e8 ♔g7 32. ♖a8 ♖a4? 33. ♗c6 ♖a2 34. ♗b5+–; 30... ♔g7! 31. ♖e7 ♖c1 32. ♔h2 c5 33. ♗d5 ♗c4 34. ♖f7 ♔g6 35. ♗c4 ♖c4 36. ♖a7 h5!=⊥] **31. ♖b1! ♗d3! 32. ♖d1?!** [32. ♖b6 ♖c1 33. ♔h2 c5 34. ♖f6 c4∞̄; 32. ♖b3! ♖c1 (32... ♗c2 33. ♖a3) 33. ♔h2 ♗f1 (33... ♗g6 34. ♖a3) 34. ♖b6 c5 35. ♖f6 ♔g7 36. ♖f4±] **♗g6! 33. ♖a1** [33. ♖d6 ♖c1 34. ♔h2 c5; 33. ♔h2 ♖c2] **♗d3 34. ♖d1 ♗g6 35. ♖a1 ♗d3 36. ♔h2 ♖c2 37. ♖d1** [37. a5 ♗a6; 37. ♔g3 c5 38. ♔f4!±] **♗e2** [37... ♗g6!? 38. ♔g3 c5 39. ♖a1 ♗d3 40. ♔f4±] **38. ♗e2 ♖e2** **[♖ 7/i] 39. ♖a1**

39... ♖f2 [39... c5!? 40. ♔g3! (40. a5 c4 41. a6 ♖e8=) ♖e8!! (40... c4? 41. ♔f3 ♖e8 42. ♖c1! ♖c8 43. ♔e3 c3 44. ♔d3 ♖a8 45. ♖a1+−; 40... ♔g7? 41. a5 c4 42. a6 ♖e8 43. a7 ♖a8 44. ♔f3+−) 41. ♔f3 ♔g7!! 42. a5 (42. ♖c1 ♖a8 43. ♖c4 f5! 44. ♔f4 ♔f6!□=) c4 43. ♖a3 (43. a6 c3 44. ♖a2 ♖e7!=) ♖e6!! 44. ♔f4 (44. a6 c3 45. a7 c2 46. a8♕ c1♕=; 44. g4 ♔h7! △ ♔g7=) ♔g6! 45. h4 h5!=; 41. ♔f4!?]
40. a5 ♖b2 41. a6 ♖b8 42. ♔g3 ♔e7 43. ♔g4 c5? [43... ♔e6! a) 44. ♖e1 ♔d5! 45. ♔f5 (45. ♖e7 ♖a8 46. a7 c5 47. ♔f5 c4=) ♖a8 46. ♖a1 c5 47. ♔f6 ♖a7 48. ♔g7 c4=; b) 44. ♔h5 f5! b1) 45. a7 ♖a8 46. ♔h6 ♔f6 47. ♔h7 ♔g5! (47... c5 48. h4 c4 49. ♖a6 ♔e5 50. ♔g7 c3 51. ♖a2 c2 52. ♖c2 ♖a7 53. h5+−) 48. ♔g7 c5 49. ♔f7 c4 50. ♔e6 c3 51. ♖a5 ♔f4! 52. ♖f5 ♔e3 53. ♖c5 ♔d3! 54. h4 ♖a7 55. g4 ♖a4!=; b2) 45. ♔h6 ♔f6 46. ♔h7 ♔g5 47. ♔g7 (47. ♖a5 ♔f4 48. ♔g7 ♖a8! △ c5=) c5 48. ♔f7 c4 49. ♖a5 (49. ♔e6 c3 50. ♖a5 ♖b6!=) ♔f4!? 50. ♖a4 ♔g3 51. ♖c4 ♖a8! 52. ♖a4 ♔g2=; b3) RR 45. ♖c1! ♖c8 46. ♖c5!+− △ 46... ♔f6 47. a7 Kramnik] **44. ♔f5 ♖a8 45. a7** [45. g4!? ♖a7 46. ♔e4] **♔d6□ 46. ♔f6 ♔c6 47. ♔f7 ♔b6 48. ♔g6 ♖a7 49. ♖b1 ♔c6 50. ♔h6?** [♖ 5/h; 50. g4! h5 (50... ♖a3 51. ♖h1 c4 52. ♔h6 c3 53. ♖c1+−) 51. g5! h4 52. ♔h6+−] **♖a3!□ 51. ♖g1** [51. ♔h5 c4 52. ♔g4 c3 53. h4 ♖a2 54. g3 (54. ♔f3 c2 55. ♖c1 ♔d5) c2 55. ♖c1 ♔d6! 56. ♔f5 ♔e7 57. ♔g6 ♖a4!=] **♔d5** [51... c4!? 52. ♔g5 c3 53. ♖c1 ♔d5 54. h4 ♔d4 55. h5 ♔d3 56. g4 ♔d2 57. ♖f1 c2 58. ♖f2 (58. h6 ♖f3! 59. ♖g1 ♖g3! 60. ♖h1 ♖h3! 61. ♖a1 ♖a3=) ♔d3 59. ♖c2 ♔c2 60. h6 ♔d3 61. h7 ♖a8 62. ♔f6 ♔e4 63. g5 ♖a6! 64. ♔f7 (64. ♔g7 ♖a8 65. g6 ♔f5 66. ♔h6 ♔f6 67. g7 ♖a1=) ♖a7 65. ♔g6 ♖a8=] **52. ♔g5 ♔e4 53. ♖e1?!** [53. ♔g4 c4=; 53. h4! ♖g3! 54. ♔f6 ♔f4 55. h5 ♖a3 56. ♖f1! (56. h6 ♖a6 57. ♔g7 ♔g5=; 56. g4 ♖a6 △ ♔g5=) ♔g3! a) 57. ♖c1 ♔g4! 58. ♖c5 ♖a6=; b) 57. ♖f5 c4! 58. ♖c5 (58. ♖g5 ♔h4=) ♔g4 59. h6 ♖a6=;c) 57. h6 ♔g2 58. ♖f5 ♖h3! 59. ♔g6 (59. ♖g5 ♔f2 60. ♔g7 c4=; 59. ♔g7 ♖g3 60. ♔f7 ♖h3 61. ♖f6 c4=) c4! 60.

h7 c3 61. ♖c5 ♖g3 62. ♔f5 ♖h3 63. ♖c7 ♔f2=] ♖e3! [54. ♖e3=; 54. ♖g1 c4=; 54. ♖c1 ♖g3 55. ♔f6 ♖g2 56. ♖c5 ♖h2=]
1/2 : 1/2 [Krasenkov]

313.* **C 55**

JUDASIN 2595 − FERNÁNDEZ GARCÍA 2470
Pamplona 1991/92

1. e4 e5 2. ♘f3 ♘c6 3. ♗c4 ♘f6 4. d3 h6 [4... ♗e7 5. 0−0 0−0 6. c3 d5 7. ed5 ♘d5 8. ♖e1 ♗g4 9. h3 ♗h5 10. ♘bd2 ♔h8 (10... ♘f4 − 49/(375); 10... ♘b6 − 49/375) 11. a4!? N (11. g4) f6 12. a5 ♖b8! 13. ♘f1 ♗f7 14. ♗b5?! ♘a5! 15. ♖a5 c6 16. ♖a7 cb5 17. ♖a1! b4 (17... ♖c8 18. ♘g3=; 17... ♘c7 18. d4=) 18. c4 ♘c7 19. d4! ed4 20. ♘d4 ♗c5! (20... ♗c4 21. ♗f4∞↑; 21. ♕g4!?↑) 21. ♗e3 ♗c4 22. ♖c1 ♗d4! 23. ♕d4 (23. ♖c4 ♗e3=) ♗f1 = 1/2 : 1/2 Judasin 2595 − Granda Zuniga 2595, Pamplona 1991/92; 14. ♘g3±; 14. ♗d2 △ b4±; 14. ♕e2±; 14. ♕a4!?] **5. 0−0 d6 6. c3 g6 7. ♗b3 ♗g7 8. ♖e1 0−0 9. ♘bd2 ♘a5!? N** [9... ♖e8 − 35/410] **10. ♗c2 c5 11. d4!** [11. ♘f1 ♘c6 △ ♗e6, ♖e8, d5↑⊞] **cd4 12. cd4 ed4** [12... ♕c7 13. d5±] **13. ♘d4 ♗g4! 14. ♘2f3 ♖c8!** [×♗c2] **15. h3 ♗f3 16. ♘f3** [16. ♕f3?? ♘d7−+] ♖e8 17. ♖b1! [△ b4!?] ♘c6! [△ ♘b4] **18. ♗d2! d5!** [18... ♘e5?! 19. ♘e5!? de5 20. ♗c3±⊞] **19. ed5 ♖e1 20. ♕e1 ♕d5 21. ♗b3!±** [×f7, ⊞] **♕e4!** [△ 21... ♕d3! △ ♖e8±] **22. ♕f1! ♖d8 23. ♖e1 ♕d3 24. ♖e2! ♘e4 25. ♗e3!** [25. ♕e1 ♘d2 26. ♖d2 ♕b5! 27. ♖d8 ♘d8 28. ♕e7 ♕b6 29. ♕e8 ♗f8 30. ♘e5 ♕f6! 31. ♘g6!? (31. ♘d7 ♕e7±) ♕g6 32. ♕d8 ♕b1±] ♖e8? [25... ♘d6!±] **26. ♗f4!± ♕d7 27. ♕c1! ♔h7?** [27... g5±] **28. ♕c4! ♘d6□ 29. ♖d2!** [29. ♗d6? ♖e2 30. ♕e2 ♕d6 31. ♗f7 ♘e5±] ♘c4□ **30. ♖d7 ♖e4□ 31. g3!+− b5□ 32. ♖f7 ♖e7□ 33. ♖e7 ♘e7 34. ♗c4 bc4 35. ♘d2! c3** [35... ♗b2!? 36. ♘c4 ♗a1] **36. bc3 ♗c3 37. ♘e4 ♗b2 38. ♔f1 ♘d5 39. ♗d2 g5?!** [△ 39... ♔g7 △ h5+−] **40. ♔e2 ♔g6 41. ♔d3 ♗f5 42. ♘d6!** [→×a7] ♔e6 **43. ♘b5 a6 44. ♘d4! ♔f6** [44... ♔e5 45.

♘c6 △ ♘b8+−] **45. ♘c6! ♗e5□ 46. ♘e5 ♔e5 47. f3 ♔e6** [47... ♘e7 48. f4!] **48. ♔e4 ♘f6 49. ♔d4 ♘h5 50. g4 ♘f6 51. a4!** [△ a5, f4; 51. ♔c5? ♘d7; 51. f4±] **♘d7** [51... ♘d5 52. a5 △ f4] **52. f4 gf4 53. ♗f4 h5 54. gh5 ♔f5 55. ♗c1** [△ a5 ×a6] **1 : 0** **[Judasin]**

314. **C 55**

MAKARYČEV 2535 – JA. MEJSTER 2430
SSSR (ch) 1991

1. e4 e5 2. ♘f3 ♘c6 3. ♗c4 ♘f6 4. d3 h6 5. 0–0 d6 [5... g6? 6. d4!] **6. ♖e1!? N ♘a5** [6... g6] **7. ♗d5!** [7. ♗b5 c6 8. ♗a4 b5=] **♗e7** [7... c6 8. ♗f7! ♔f7 9. b4⩲ △ ♗d2] **8. ♗d2! c5** [8... c6? 9. ♗f7 ♔f7 10. b4±; 8... ♘d5? 9. ed5 b6 10. ♗a5 ba5 11. d4 f6 (11... ed4 12. ♘d4± ×c6) 12. ♘h4±] **9. a3!?** [9. ♗a5!? ♕a5 10. ♘c3 ♘d5! (10... 0–0 11. ♘d2! ♗e6 12. ♘c4 ♕c7 13. ♘e3→⊞) 11. ♘d5 ♗e6 12. ♘e7 ♔e7±] **♘c6 10. ♗c6□** [10. b4? ♘d4!∓ △ 11. bc5 ♗g4↑] **bc6 11. b4 cb4 12. ab4⩲ 0–0 13. c4!?** [13. ♗c3 ♗e6 14. ♘bd2 ♘d7 15. d4⟳⊞] **a6!?** [×b4] **14. ♗c3 ♖b8 15. ♘bd2 ♘d7 16. d4 ed4!** [16... ♕c7±] **17. ♘d4 ♘e5 18. ♘2f3 ♕c7□ 19. ♘f5** [19. ♘e5? de5 ×b4] **♗f5?!** [19... ♗f6! 20. ♘e5 ♗e5 21. ♗e5 de5 △ 22. ♕g4 ♗f5 23. ef5 ♖b4! (23... f6? 24. c5!±) 24. f6 g6 25. ♕h4? ♕d6∓; 25. ♖ad1!?∞↑; 25. ♖a6=] **20. ef5 ♗f6□** [20... ♘c4? 21. f6! ♗f6 22. ♗f6 gf6 23. ♕c1±↑] **21. ♘e5 ♗e5□ 22. ♗e5 de5 23. f6!?** [23. ♖a4 ♖fd8 24. ♕a1 ♖d4⇆⊞ 25. ♕c3 c5=] **♖b4□ 24. fg7 ♖d8?!** [⌓ 24... ♔g7] **25. ♕h5 ♔g7□ 26. ♖a3!± ♕d6□ 27. ♖g3 ♔f8 28. ♕g4 ♕f6 29. h3 a5! 30. ♖f3 ♕g7 31. ♕e4 ♖d6 32. ♕f5 ♖b8□** [32... ♖c4? 33. ♕c8 ♔e7 34. ♖g3 ♕f6 35. ♖g8+−] **33. ♖g3 ♕f6 34. ♕h7 ♖e8!□ 35. ♖g8 ♔e7 36. ♖g4!? ♖e6?!** [⌓ 36... ♔f8] **37. ♖b1! ♖d8 38. c5! ♖d2?** [38... e4!?±] **39. ♖b7 ♖d7 40. ♖d7! ♔d7 41. ♕d3 ♔c7** [41... ♔e7 42. ♖g8+−] **42. ♖g8!+−** [42. ♕a6?±] **♕e7** [42... e4 43. ♕b1!] **43. ♕b3!** [△ 43... ♕c5 44. ♕b8 ♔d7 45. ♕d8#] **1 : 0**
[Makaryčev]

315. !N **C 55**

MAKARYČEV 2535 – NENAŠEV 2475
SSSR (ch) 1991

1. e4 e5 2. ♘f3 ♘c6 3. ♗c4 ♘f6 4. d3 h6 5. 0–0 d6 6. ♖e1 g6 7. d4! N [7. c3 – 35/410] **♗g4** [7... ♕e7!? 8. de5 (8. ♘c3 ♗g7 9. ♘d5 ♕d8!∞) ♘e5□ 9. ♘e5 de5 10. b3⩲] **8. ♗b5!?** [8. c3!? ♗g7 9. ♕b3 0–0 10. ♕b7 (10. de5 de5 11. ♕b7∞) ♘a5 11. ♕a6 ♘c4 12. ♕c4 ♗f3 13. gf3 ♘h5≅] **♘d7□** [8... ed4? 9. e5! de5 10. ♘e5!+−] **9. ♗c6!** [9. c3 ♗g7 10. ♗e3 0–0 11. ♘bd2 f5∞] **bc6 10. ♘bd2! ♗g7** [10... ed4? 11. h3 (11. e5 de5 12. ♘e5 ♗d1 13. ♘c6±) ♗f3 12. ♘f3 c5? 13. e5! ♗e7 (13... de5 14. ♘e5 ♘e5 15. ♖e5 ♗e7 16. ♕f3± ×h6) 14. ed6 cd6 15. c3! △ 15... dc3 16. ♕d6±] **11. h3 ♗f3** [11... ♗e6? 12. ♘b3± △ 12... 0–0? 13. d5 cd5 14. ed5 ♗f5 15. g4] **12. ♘f3 ed4!?** [12... ♕e7 13. c3⩲] **13. ♘d4 ♘e5!□** [RR 13... c5 14. ♘c6 ♕f6 15. f4 0–0 16. e5 ♕e6 17. f5! gf5 18. ed6 ♕d6 19. ♘e7 ♔h7 20. ♘f5± Nenašev] **14. f4 c5! 15. ♘f5** [⌓ 15. ♘f3⩲] **gf5 16. ef5 ♕h4!□∞ 17. ♗d2!** [17. fe5 ♗e5∓] **♖g8!?** [17... ♕g3? 18. fe5 ♗e5 19. ♗c3 ♖g8 20. ♕d5+−; 17... 0–0? 18. fe5 ♗e5 19. ♕f3 ♗b2 20. ♖e4! ♕f6 (20... ♕e4 21. ♕e4 ♗a1 22. c3!+−↑») 21. ♖ae1± △ ♕h5, ♖h4; 17... 0-0-0!? 18. fe5 ♗e5 19. ♗c3 ♗c3 20. bc3 ♖he8! 21. ♖e8 ♖e8 22. ♕d5 ♖e1 23. ♖e1 ♕e1 24. ♔h2 ♕f2=] **18. ♕f3 0-0-0! 19. fe5 ♗e5 20. ♖e5** [20. ♗c3? ♖g3 21. ♕a8 ♔d7 22. ♕d5 ♖dg8 23. ♕f7 ♔c6 24. ♖e2 ♖h3−+; 20. ♖e4!? ♕g3 21. ♕g3 ♖g3 22. ♗e1 (22. ♗h6 ♖dg8 23. ♖e2 ♗b2 24. ♖b1 ♖h3!∓) ♖g7∓] **de5 21. ♕a8 ♔d7 22. ♕d5 ♔c8 23. ♕a8 ♔d7 24. ♕d5** [24... ♔e8!? 25. ♕e5 ♔f8! (25... ♕e7? 26. ♖e1±) 26. ♗h6 ♕h6 27. f6 ♖g2!□ 28. ♔g2 ♖d2 29. ♔f1 ♕h3 30. ♔e1 *a)* 30... ♖g2 31. ♕e7 ♔g8 32. ♕e8 ♔h7 33. ♕f7 ♔h6 (33... ♔h8 34. ♕e8 ♖g8 35. f7) 34. ♕f8 ♔g5 35. ♕g7 ♔f4 36. ♕c7 ♔e4 37. ♕e7 ♔f4 38. ♕c7=; *b)* 30... ♖d7 31. ♕e4! ♕g3 32. ♔f1 ♕d6? 33. ♕h4!±; 32... ♕h3=]
1/2 : 1/2 **[Makaryčev]**

316. **C 56**

K. BACHLER – COLIAS 2265
USA 1991

1. e4 e5 2. ♘f3 ♘c6 3. ♗c4 ♘f6 4. d4 ed4 5. 0–0 ♘e4 6. ♖e1 d5 7. ♗d5 ♕d5 8. ♘c3 ♕a5 9. ♘e4 ♗e6 10. ♗d2 ♕a4 [10... ♕h5 11. ♗g5 h6 12. ♗f6 ♕g6?! 13. ♘h4 ♕h7 14. f4±; 12... ♗e7!?] **11. ♗g5 ♗b4 N** [11... h6 – 36/396]

12. ♘d4! ♗e1 13. ♘e6 fe6 [13... ♕e4 14. ♘c7 ♔f8 15. ♘a8 ♗a5 (15... ♗f2 16. ♔f2 ♕f5 17. ♔g1 ♕g5 18. ♕d7 ♕e7 19. ♖d1±; 19. ♕c8±) 16. ♕d6? ♔g8 17. ♗d2 (17. ♘c7=) ♗d2 18. ♕d2 ♕e8 19. ♖e1 ♕a8 20. ♕d7 ♔f8 21. ♕d6=; 16. ♕d7!±] **14. ♕h5 g6 15. ♕g4** [△ 16. ♘f6, 16. ♘d6, 16. ♕e6] **♗f2 16. ♔h1 ♘d4 17. ♕f4!□** [△ 18. ♕c7, 18. ♘f6, 18. ♕f6] **♕a5 18. ♕f6 ♔d7 19. ♕f2 ♘f5?!** [19... ♖af8!? 20. ♕d4 ♔c8 21. ♗f6 △ h3, a3, b4, c4-c5, ♖d1±] **20. ♖d1 ♔c8 21. g4!?** [21. c4!?; 21. a3 △ c4, b4; 21. ♕f3 △ a3, b4] **♕b6** [21... ♘d6 22. ♕d4 ♖e8 (22... ♖g8 23. ♘d6 cd6 24. ♕d6 ♕b6 25. ♕e7 ♕c6 26. ♔g1 ♕b6 27. ♔f1 ♕b5 28. ♖d3 b6 29. a4!+–) 23. c4 b6 24. ♘d6 cd6 25. ♕d6 ♔b7 (25... ♕g5 26. ♕d7 ♔b8 27. ♕e8 ♔b7 28. ♖d7+–) 26. ♕d7 ♔a6 27. ♗e7 (△ 28. b4 ♕a2 29. b5 ♔a5 30. ♕d2!+–) ♖e7 28. ♕e7 ♕a2 (28... ♖c8 29. b4 ♕a4 30. b5 ♔a5 31. ♕a7 ♔b4 32. ♖b1+–; 28... ♕e5 29. ♕a3 ♕a5□ 30. ♕d6+–) 29. b4 *a)* 29... ♕c4 30. b5 ♔b5 (30... ♕b5 31. ♖a1 ♕a5 32. ♖a5 ♔a5 33. ♕b7!+–) 31. ♕d7 ♔c5 32. ♕c7+–; *b)* 29... ♕a4 30. ♕d6 △ 31. b5 ♔a5 32. ♕d2+–; *c)* 29... ♕b2 30. b5 ♔a5 31. ♕b7 ♖e8 (31... ♕h8 32. ♖b1+–) 32. ♕a7 ♔b4 33. ♕b6+–] **22. ♕d2! ♘d6 23. ♕c3 ♔d7** [23... ♖f8 24. ♘d6 ♔b8 25. ♕g7 ♕c6 26. ♔g1 ♕c5 27. ♖d4+–; 23... ♖d8 24. ♗d8 ♘e4 25. ♗h4!!+– Colias] **24. ♘c5 ♔c6 25. ♘a4** **1 : 0**
[K. Bachler]

317.** **!N** **C 60**

DONČEV 2520 – I. RADULOV 2405
B"lgarija 1991

1. e4 e5 2. ♘f3 ♘c6 3. ♗b5 g6 4. 0–0 ♗g7 5. c3 ♘ge7 6. d4 ed4 7. cd4 d5 8. ed5 ♘d5 9. ♖e1 [9. ♕e2 N ♗e6 10. ♗g5 ♕d6 11. ♘c3 ♘c3 12. bc3 0–0 13. ♕d2 ♘a5⩲ E. Pedersen 2410 – I. Radulov 2405, Burgas 1991] **♗e6 10. ♗g5** [RR 10. ♗c6 bc6 11. ♗g5 ♕b8 12. ♕d2 h6 13. ♗h4 0–0 14. ♘c3!? N (14. ♘e5 – 49/377) ♘c3 15. bc3 (15. ♕c3?! c5 16. ♗g3 ♗d5 17. ♗e5∞) ♕b5 (15... ♗d5 16. ♘e5⩲ Kuporosov) 16. ♗g3⩲ Kuporosov 2485 – T. O'Donnell 2375, Budapest 1991] **♕d6 11. ♘bd2 0–0 12. ♘e4 ♕b4 13. ♗c6 bc6 14. ♕c1 ♖fe8 15. ♗d2!?** [15. ♗h6⩱; 15. a3=] **♕b6 16. ♘c5** [16. ♕c5 ♕b2] **♗f5 17. ♘e5 ♖ad8 18. a3 ♘f6! N** [18... h5 – 46/412] **19. ♕c4 ♖f8** [19... ♗e6? 20. ♘e6 ♖e6 21. ♘f7!+–; 19... ♖d5] **20. b4** [20. ♗c3!? ♘g4 21. ♘g4 ♗g4 22. b4 ♕b5∞] **♘e4!= 21. ♗c3** [21. ♘e4 ♖d4 22. ♕c6 (22. ♕b3 ♗e4 23. ♗c3 ♗e5–+) ♗e5 23. ♕b6 cb6 24. ♗c3=] **♗e5!= 22. de5 ♘c5 23. bc5 ♕b5 24. ♕h4 ♗e6 25. ♖ac1 ♖d3 26. a4 ♕b3 27. ♗a5 ♖c8 28. h3 ♕d5 29. ♖e4 h6 30. ♖b4 ♔h7 31. ♕f6 ♗h3 32. gh3 ♖h3 33. ♖e4** [33... ♕e4 34. ♕f7 ♔h8 35. ♕f6 ♔h7 36. ♕f7=] **1/2 : 1/2**
[I. Radulov, Kostakiev]

318. **!N** **C 60**

DÜCKSTEIN 2375 – SMYSLOV 2530
Bad Wörishofen 1991

1. e4 e5 2. ♘f3 ♘c6 3. ♗b5 g6 4. d4 ed4 5. ♘d4 ♗g7 6. ♗e3 ♘f6 7. ♘c3 0–0 8.

♘e7 [△ d5] **9. ♘de2 d5! N** [9... c6]
10. ed5 ♘fd5 11. ♗g5 [11. ♗c5 c6 12.
♘d5 ♘d5 13. ♗f8 ♗f8 14. ♘c3 ♕e7 15.
♗e2 ♗e3 16. ♕d2 ♗h6→] **c6 12. ♘d5
cd5 13. c3 ♕d6 14. ♕d2 ♘c6 15. ♖d1
♗e6 16. ♘d4 ♘d4 17. cd4 ♖fc8↑ 18. ♗e3**
[18. 0-0 ♗f5 19. ♖c1 ♕b6] **♕b6 19. ♗a4
♖c4!∓ 20. b3** [20. ♗b3 ♖b4 21. 0-0 a5
△ a4] **♖c7 21. 0-0 ♖ac8 22. b4 ♖c4 23.
♖b1** [23. a3 ♖c3 24. ♖a1 ♖e3] **♗d4 24.
♗d4 ♕d4 25. ♖f2 ♗f5 26. ♖d1 ♕d2 27.
♖fd2 ♖b4 28. ♗b3 ♗e6 29. ♗d5 ♗d5
30. ♖d5 ♖c2 31. ♖1d2?** [△ 31. ♖5d2 ♖d2
32. ♖d2 ♖a4 33. ♔f2 b5 34. ♔e3 a5 35.
♔d3 ♖a3 36. ♔d4 ♔g7-+] **♖b1** [32.
♔f2 ♖bb2] **0 : 1** [Smyslov]

319. !N C 60

LUTHER 2495 − DAUTOV 2595
Bad Lauterberg 1991

**1. e4 e5 2. ♘f3 ♘c6 3. ♗b5 g6 4. d4 ed4
5. ♗g5 ♗e7 6. ♗e7 ♕e7** [△ 6... ♘ge7]
7. ♗c6 dc6 [7... ♕b4 8. c3 ♕b2 (8... dc3
9. bc3) 9. ♕d4 ♕a1 10. 0-0 f6 (10... dc6
11. ♕h8 ♔f8 12. ♘g5 ♗e6 13. ♘e6 fe6
14. ♕h7+-) 11. e5! dc6 12. ef6+-] **8.
♕d4 ♘f6 9. ♘c3 ♗g4** [9... 0-0 − 44/
(389)] **10. 0-0-0! N** [10. ♕e5? ♗f3 11.
♕e7 ♔e7 12. gf3 ♘h5∓] **♗f3** [10... 0-0?
11. e5+-] **11. gf3 0-0 12. ♕e3** [12. f4!
♘g4!? 13. f3 ♖fd8 14. ♕g1 ♖d1 15. ♘d1
♘f6 16. f5 b6 17. ♘c3 ♖d8 18. fg6 hg6
19. ♕g5±] **♘h5** [12... b5? 13. ♕g5 b4
14. ♘a4±] **13. f4 b6** [13... f5 14. ef5 ♕e3
15. fe3 ♖f5 16. ♖d7±; 13... ♕h4 14. f5
gf5 15. ♖d7→» △ ♖g1, ♕d4] **14. f5 ♖ad8**
[14... gf5? 15. ♖hg1 ♘g7 16. ♕h6 f6 17.
♖d3→»] **15. ♖d8!** [15. fg6 ♖d1 16. ♖d1
fg6↔] **♖d8 16. fg6 hg6** [16... fg6 17. f4
♕h4 18. ♘e2 ♖f8 19. f5 gf5 20. ef5 ♖f5
21. ♘d4→] **17. f4±** [△ ♘e2-g3] **♔h7**
[17... ♕h4 18. ♘e2 ♖e8 19. ♕f3!± △
♖d1] **18. ♖f1 ♖e8 19. ♕f3 ♔g7 20. a3
♕h4 21. e5?⊕** [21. ♖f2 ♘f6 22. e5
♘g4↔; 21. f5 ♕g5 22. ♔b1 ♘f6 23. fg6
fg6 24. ♕f2 ♕e5±; 21. ♘e2 ♕e7 (21...
♘f6 22. ♘g3 ♘g4 23. ♖g1±) 22. e5 f6?
23. ♖g1±] **♕h2 22. ♕c6 ♕h3!∓ 23. ♖d1**

[23. ♕f3 ♕f3 24. ♖f3 g5 25. fg5 ♖e5 26.
♖d3 ♖g5 (26... ♘f4? 27. ♖d7 ♘e6 28.
♘d5=) 27. ♖d7 ♖c5 28. ♘e4 ♖c6 29.
♘g5 ♔f6 30. ♘f7 ♔e6-+] **♖e6?!** [23.
♕e3 24. ♔b1 ♖e6 25. ♕c7 ♕f4 26. ♖d7
g5∓] **24. ♕c7?!** [24. ♕e4=] **♘f4 25. ♔b1
♕f5!** [25... a6? 26. ♘e4 ♕f3 27. ♕f7!=]
26. ♖d7? [26. ♕a7 ♕e5 27. ♖d7 ♕f5∓]
**a6-+ 27. ♘a4 g5⊕ 28. ♘b6 ♖b6 29. ♕b6
♕d7 30. ♕f6 ♔g8** [△ 30... ♔h7] **31.
♕g5 ♘g6 32. b4 ♕e6** [32... ♕d1 33. ♔b2
♕d4 34. ♔b3 ♕e5 35. ♕e5 ♘e5 36. c4
f5 37. b5 a5!-+] **33. ♕g2 ♔f8 34. a4
♘e5 35. ♕a8 ♔g7 36. b5 ab5 37. ab5
♘c4 38. ♕g2 ♔f6 39. ♕f3 ♔e5 40. ♕e2
♔d4 41. ♕f2 ♔c3** 0 : 1
[Dautov]

320.* C 61

NOVIK 2405 − JA. MEJSTER 2430
SSSR (ch) 1991

**1. e4 e5 2. ♘f3 ♘c6 3. ♗b5 ♘d4 4. ♘d4
ed4 5. 0-0 ♗c5 6. d3 c6 7. ♗a4** [RR 7.
♗c4 d6 8. ♕h5 ♕e7 9. ♘d2 ♘f6 10. ♕h4
♗e6!? N (10... 0-0) 11. ♗e6 fe6 12. a4
a6 13. e5!? de5 14. ♘c4 e4 15. de4 0-0
16. a5 e5= Dvojris 2525 − Ja. Mejster
2430, SSSR (ch) 1991 **d6 N** [7... ♘e7 −
50/346] **8. f4 f5!? 9. ♘d2 ♘f6 10. ♗b3**
[10. e5 de5 11. fe5 ♘g4 12. ♘f3 ♗e6 13.
h3 ♘e3 14. ♗e3 de3 15. ♕e2 (15. d4?!
e2!) f4 16. d4 ♗e7 △ ♕d7∞] **♘g4 11.
ef5** [11. ♘f3 fe4 12. de4 ♘e3 13. ♗e3
de3 14. ♔h1 ♗g4 △ ♗f3, ♕e7, 0-0-0=;
11. ♖e1 ♕h4 12. ♘f3 ♕f2 13. ♔h1 fe4
14. de4 (14. ♖e4 ♔d8∞) d3! (△ ♕g1)
15. h3 h5∞] **♗f5 12. ♖e1 ♔d7 13. ♘f3
♕f6= 14. h3 h5!** [14... ♘e3!? 15. ♗e3
de3 16. d4 ♗b6 17. ♖e3 ♖ae8 18. ♖e8
♖e8 19. c3 ♗e4∞] **15. ♘g5?!** [15. hg4!
hg4 16. ♘g5 ♕h6 17. ♗e6 (17. ♘e4?)
♕h1 18. ♔f2 ♕h4 19. ♘g3 ♖ae8 △
♖e3-+) ♗e6 18. ♘e6 ♕h1 19. ♔f2 ♕h4
20. ♔f1 (20. ♔g1? g3-+) ♕g3 21. ♔g1
♖h2 22. ♕e2 ♖ah8 23. ♘c5 dc5 24. ♕e6
♔d8 25. ♕e7 ♔c8 26. ♕e6 ♔c7 27.
♕f7!=] **♘e3 16. ♕f3 ♖ae8 17. ♘e4 ♗e4
18. de4 g5** [18... ♕e7!? 19. ♗e3 de3 20.

f5 ♕e4 21. ♗e6 ♖e6 22. fe6 ♕e6∓] **19. ♗e3 de3 20. f5** [20. fg5 ♕g5 △ ♖hf8–+] **g4 21. ♗e6 ♔c7 22. ♕g3 ♕b2 23. ♔h1 ♕c2 24. e5 d5 25. ♖ec1** [25. ♗d5 ♕f2–+] **♕b2 26. ♖ab1 ♕d4 27. ♗f7 ♕e5! 28. ♕e5 ♖e5 29. ♖c5 ♖f5 30. ♗g6 ♖f2 31. ♖e1 g3 32. ♖c3 d4 33. ♖c4 ♖d2 34. a4 h4 35. ♗e4 ♖e8 36. ♗f3 e2**
0 : 1 **[Ja. Mejster]**

321.* **C 67**

J. POLGÁR 2550 – DAUTOV 2595
Brno 1991

1. e4 e5 2. ♘f3 ♘c6 3. ♗b5 ♘f6 4. 0–0 ♘e4 5. d4 ♘d6 6. ♗c6 dc6 7. de5 ♘f5 8. ♕d8 ♔d8 9. b3 a5 N [9… h6 – 50/350; RR 9… ♔e8 10. ♗b2 a5!? N (10… ♗e7 – 8/221) 11. ♘c3 ♗e6 12. ♖fd1 ♗e7 13. h3 h5 14. a4 f6 15. ♘e2 ♗d5 16. ♘e1 ♔f7 17. ♘f4 ♖ad8 18. c4 ♗e6 19. ♘f3 ♗c8 20. ♖e1 g5 21. e6 ♔e8 22. ♘g6 ♖g8 23. ♘e7 ♔e7 24. g4 (24. ♖e2 g4 25. hg4 ♖g4⇆⇔g; 24… ♖d3!?) hg4 25. hg4 ♘g7 26. ♘d4 c5 27. ♘f5 ♘f5 28. gf5 ♖h8 29. ♔g2 b6∞ Xie Jun 2465 – Čiburdanidze 2495, Manila (m/1) 1991] **10. ♘c3 ♔e8 11. h3 ♗b4 12. ♗b2 ♗c3 13. ♗c3 c5= 14. ♖ad1 h6 15. ♘d2!?** [15. g4?! ♘e7 16. ♘h2 h5 17. f4 hg4 18. hg4 ♖h3∓; 15. e6 f6! (15… ♗e6 16. g4 ♘d4 17. ♗d4 cd4 18. ♘d4 ♔e7=) 16. ♖fe1 ♖a6] **h5!** [15… ♗e6?! 16. ♘e4 b6 17. g4 ♘e7 18. f4 h5 19. f5 ♗d5 20. ♖fe1 hg4 21. ♘f6! gf6 22. ef6↑] **16. ♘e4 b6 17. ♘g5 ♔e7 18. ♖d2** [18. ♖d3!? (J. Polgár) a4! (18… ♗a6 19. ♖f3 ♘h6 20. ♖e1 ♖hd8 21. e6 f6 22. ♘h7!± △ 23. ♘f6, 23. ♖g3) 19. ♖fd1 (19. b4? cb4 20. ♗b4 c5 21. ♗c3 ♗a6 22. ♖f3 ♗f1 23. ♖f5 ♗c4∓) ab3 20. ab3 h4 △ ♖a2⇆] **h4!** [△ ♖h5; 18… a4?! 19. b4! cb4 20. ♗b4 c5 21. ♗c3 △ ♗b1±; 18… ♗e6?! 19. ♖fd1 ♖hd8 20. ♖d8 ♖d8 21. ♖d8 ♔d8 22. ♘e6 fe6±⊥] **19. ♖fd1 ♖h5 20. ♘e4** [20. f4?! ♗e6 21. ♘e6 ♔e6∓; 20. ♘f3 ♗e6?! 21. ♖d3! g5 22. ♗d2 ♖g8 23. ♘h2 △ ♘g4-f6±; 20… ♔e6! △ ♗b7=] **♗b7! 21. ♖d7?** [21. ♖e1 ♖d8 22. ♖d8 ♔d8 23. f3 ♔e7 △ ♖h8-d8∓ ×c2] **♔e6 22. ♘c5 bc5 23. ♖c7 ♖b8!** [23… ♗e4 24. f3 ♗c2 25. ♖d2 ♗b1 26. ♖c5∓] **24. f3 ♖g5 25. ♖d3 ♘d4 26. ♗d4 cd4 27. ♖d4?** [⌓ 27. ♔f2 ♖e5 28. ♖d4] **♗f3–+ 28. ♖d6 ♔e5 29. ♖d2 f5! 30. ♖c5 ♔e6 31. ♖a5 ♖a8 32. ♖c5? ♖a2 33. b4 ♗e4 34. b5 ♖a1 35. ♔h2 ♖g3** [△ ♖h3!]
0 : 1 **[Dautov]**

322. **C 67**

MATULOVIĆ 2465 –
KARAKLAJIĆ 2370
Jugoslavija (ch) 1991

1. e4 e5 2. ♘f3 ♘c6 3. ♗b5 ♘f6 4. 0–0 ♘e4 5. d4 ♘d6 6. ♗c6 dc6 7. de5 ♘f5 8. ♕d8 ♔d8 9. ♖d1 ♔e8 10. ♘c3 ♘e7 N 11. ♘d4! [11. h3 ♗f5=] **♘f5** [11… h6? 12. ♘db5!! cb5 13. ♘b5 ♘d5□ 14. ♖d5 c6 15. ♘c7 ♔e7 16. ♘a8 cd5 17. ♘c7+–] **12. ♘de2 ♗e7** [12… ♘e7 13. f4 ♗f5 14. ♘d4±] **13. b3 ♗d7** [13… f6 14. ef6 ♗f6 15. ♗f4±] **14. ♗b2 ♖d8** [14… f6 15. ♘e4±] **15. ♘e4 h5 16. c4 a5 17. ♖d3 ♗c8 18. ♖ad1 ♖d3 19. ♖d3± b6 20. h3 h4 21. ♗c1 a4 22. ♗g5 ab3 23. ab3 ♖h5 24. f4 ♗e6 25. ♔f2 b5 26. cb5 cb5 27. ♗e7 ♔e7** [27… ♘e7? 28. ♘d4±] **28. b4?!** [⌓ 28. ♘c5±] **♗c4! 29. ♖c3 c6?** [29… ♗e2 30. ♔e2 ♘d4 31. ♔e3 ♘e6 32. ♘c5!±; 29… ♖h6! (△ 30. ♘d2 ♗e2 31. ♔e2 ♖c6!) 30. ♘c5=] **30. ♖a3! ♗e2 31. ♖a7 ♔e6 32. ♔e2+–** [♖ 9/h] **f6 33. ♘c5 ♔d5 34. ♔d3! fe5 35. ♖d7 ♘d6 36. ♘e4 ♖h6**

37. f5!⊙ c5 38. bc5 ♔c6 39. ♖d6 ♖d6 40. cd6 ♔d7 41. ♔c3 **1 : 0**
[Matulović]

323. C 67

ANAND 2650 – V. SALOV 2665

Reggio Emilia 1991/92

1. e4 e5 2. ♘f3 ♘c6 3. ♗b5 ♘f6 4. 0–0 ♘e4 5. d4 ♘d6 6. ♗c6 dc6 7. de5 ♘f5 8. ♕d8 ♔d8 9. ♖d1 ♔e8 10. ♘c3 ♗e6 11. ♘e2 N [11. h3 – 52/329] ♗d5 12. ♘e1 h5 [12... ♖d8 13. ♘f4] 13. ♘f4 ♖d8 14. b3 ♗e7 15. ♗b2 [15. c4 ♗e6 16. ♖d8 ♔d8 17. ♘e6 fe6 18. ♘f3 c5 (△ ♘d4) 19. ♗f4 ♔e8 20. ♖d1 ♖g8⇆] g5 16. ♘e2 [16. ♘h5 ♖h5 17. g4 ♖h4 18. gf5 ♖f4 19. f6 ♗c5 20. ♘d3 ♖g4 21. ♔f1 ♗g2 22. ♔e2 ♖e4 23. ♔d2 ♗f2∓] ♖g8 [16... c5=] 17. c4 ♗e6 18. ♘c2 a5 [18... c5 19. ♘c3 ♘d4 20. ♘d4 cd4 21. ♘b5 c5 22. ♘a7⩲] 19. ♘c3 ♖d7 20. ♘e4 c5 21. ♔f1 ♔d8 22. ♔e2 ♔c8 23. ♖d7 ♔d7 24. ♖d1 ♔c6 [24... ♔c8!] 25. a4 b6 26. ♘e1 ♔b7 27. g3 ♘h6 28. ♘c3 ♗g4?! [28... ♘f5] 29. f3 ♗e6 30. ♘d5 ♗d8 31. ♘e3! [△ ♘1c2] ♗e7 32. ♗c3 c6? [32... ♔c8] 33. ♘1c2 ♗d8 34. ♖h1! [△ h3, g4 ×♘h6] g4 35. f4 ♘f5 36. ♖d1? ♗c7 [36... ♔c7! △ 37. ♘f5 ♗f5 38. ♘e3 ♗e4⇆] 37. ♘f5 ♗f5 38. ♘e3 ♗c8? [38... ♗e4 39. ♖d7 ♖f8 40. e6 fe6 41. ♗e5 ♖c8 42. ♖e7±] 39. ♔d3!+– h4 40. ♔e4 hg3 41. hg3 ♖h8 42. f5 ♖h2 43. ♘g4 ♖e2 44. ♔f4! [44. ♔f3 ♗f5 (44... ♖c2 45. ♗a1 ♗f5 46. ♘e3 ♗g6 47. ♘c2 ♗c2 48. ♖d7+– △ e6, ♗e5) 45. ♘e3 ♖e3 46. ♔e3±] b5 45. ♖d2 ♖e1 46. ♘e3 f6 [46... b4 47. ♗b2 ♖e3 48. ♔e3 ♗f5 49. ♔f4+–] 47. g4 ♖b1 48. ♔e4! [△ 48... ♖b3 49. ef6+–] fe5 49. ♗b2 ♖e1 50. ♖d3 ♔b6 51. ♗c3 ♖e2 52. ♗e5 ♗e5 53. ♔e5 bc4 54. bc4 ♔c7 55. ♔f6 ♖a2 56. g5 ♖a4 57. g6 ♖a1 58. ♖d1 **1 : 0** [Anand]

324. !N C 67

JUDASIN 2595 – M. KNEŽEVIĆ 2390

Podol'sk 1991

1. e4 e5 2. ♘f3 ♘c6 3. ♗b5 ♘f6 4. 0–0 ♘e4 5. d4 ♗e7 6. ♕e2 ♘d6 7. ♗c6 bc6 8. de5 ♘b7 9. ♘d4 0–0 10. ♘f5! N [10. ♖d1 ♗c5! △ 11. ♘c6? ♕h4!∓; 10. ♘c3 f6∞ △ ⇆⊞, ⇔f, ⊡; 10. ♘d2 – 46/422] d5 [10... ♗g5? 11. ♕g4; 10... ♗c5 11. ♗h6!→⟫; 10... d6!?⩲] 11. ♘e7! [11. ed6=] ♕e7 12. ♖e1⩲ ♖e8 13. b3! [△ 14. ♗a3, 14. ♗b2↑, ×a7, c7, c6] ♕h4!? [13... f6 14. ♗b2±↑] 14. ♘d2!? [14. ♗b2?! ♖e6!?⇆] ♘d6?! [14... ♕d4!? 15. ♖b1 *a)* 15... ♕c3 16. ♘f3 ♗f5 (16... ♗g4 17. ♗b2±⊥) 17. ♗b2 ♕c2 18. ♕c2 ♗c2 19. ♖bc1± △ ♖c6→ ×c7, a7; *b)* 15... ♗g4 16. ♗b2!?±⊥] 15. ♗b2 f6 16. ♕e3! [△ ×a7; 16. ♘f3 ♕h5 17. ♕f1 fe5 18. ♘e5 c5 △ 19. ♘d3 ♗a6⇆] fe5□ 17. ♗e5 [17. ♘f3 ♕f4±⊥] ♘f7 18. ♗g3! [18. ♘f3 ♕h5 19. ♕c3 ♗g4! 20. ♗c7 (20. ♗g7? ♗f3 21. gf3 ♘g5–+) ♗f3 21. ♕f3 ♕f3 22. gf3 ♘g5 23. ♔g2 ♘e6 24. ♗e5 ♔f7±⊥] ♖e3□ 19. ♗h4 [19. ♖e3?? ♕d8 20. ♗c7 ♕d7–+] ♖e6! [19... ♖e1±⊥] 20. ♘f3! [×♔g8] c5 21. ♗g3! ♘d6?! [21... c6 22. ♖e6 ♗e6 23. ♖e1 ♗f5 (23... ♖e8 24. ♗b8! △ ♗a7±) 24. c3± △ ♖e7, ♗f4-e3] 22. ♘e5! [△ 23. ♘d3, 23. ♘c6] ♘e4⊕ 23. ♘d3! [△ 24. ♘f4, 24. f3] ♖c6?! [23... ♗a6? 24. f3+–; 23... c6 24. f3 ♘g3 25. hg3 ♖e1 26. ♖e1 ♗f5 27. ♘c5 ♗c2 28. ♖e7±; 23... c4!?±] 24. ♘f4! ♘f6 [24... ♘g3 25. hg3 (25. ♘d5? ♘f5) ♖d6 26. ♖e8 ♔f7 27. ♖ae1+–] 25. ♗h4! ♗b7 [25... d4 26. ♗f6 ♖f6 27. ♘d5+–⊥] 26. ♖e7 ♖f8 [26... ♖e8 27. ♗f6+–; 26... ♔f8 27. ♖ae1+–→] 27. ♘e6+– ♖f7 [27... ♖e8 28. ♖g7 ♔h8 29. ♗f6 ♖ee6 (29... ♖ce6 30. ♖g6 ♖f6□ 31. ♖f6) 30. ♖c7 ♖f6 31. ♖b7 ♖fe6 32. ♔f1] 28. ♖f7 ♖e6 [28... ♔f7 29. ♘d8] 29. ♖c7 ♗c6 30. f3 a6 31. ♖e1 **1 : 0** [Judasin]

325. C 67

KOSTEN 2535 – PEIN 2440

Uzes 1991

1. e4 e5 2. ♘f3 ♘c6 3. ♗b5 ♘f6 4. 0–0 ♘e4 5. d4 ♗e7 6. ♕e2 ♘d6 7. ♗c6 bc6 8. de5 ♘b7 9. b3 0–0 10. ♗a3 d6!? N [10... ♖e8! – 44/(397)] 11. ♘c3 a5 12. ♖ad1 ♗g4 13. h3 [13. ♕e4!? ♗f3□ (13... ♕d7? 14. ed6 ♘d6 15. ♗d6 cd6 16. ♘e5+–) 14. ♕f3±] ♗h5? [13... ♗f3□ 14. ♕f3 d5±] 14. g4! ♗g6 15. ♘d4 ♕d7

[15... c5? 16. ♘c6 ♕d7 17. ♘d5 ♗h4 18. ♕b5!+− △ ♘ce7] **16. ♕f3±** [16. f4?! f5∞ △ 17. ♕c4? d5] ♘d8 [16... de5?! 17. ♘c6 ♗d6 18. ♘e5±] **17. ♘f5 ♗f5 18. gf5 ♖e8** [18... f6? 19. e6→ ✕g7; 18... d5?! 19. ♗b2→≫] **19. f6 gf6** [19... ♗f8 20. ed6 cd6 21. fg7 ♗g7 22. ♖d6±] **20. ef6 ♗f8 21. ♔h1** [21. ♖d4 (△ ♖h4, ♕h5) ♔h8 22. ♖h4 ♖e5!] **♔h8 22. ♖g1 ♘e6**

23. ♗c1! [△ ♕g4; 23. ♘e4!? a) 23... d5 24. ♕g4 ♗a3 25. ♕g7!+−; b) 23... ♘f4 24. ♘g5 (24. ♕f4?? ♖e4!) ♘g6 25. ♕h5 h6 26. ♘f7 ♕f7 27. ♖g6+−; c) 23... ♗h6 24. ♕h5 ♘f4 (24... ♗f4 25. ♖g7!) 25. ♕h6 ♕h3 26. ♕h3 ♘h3 27. ♖g3 ♖e4 28. ♖h3 ♖e2±] **d5 24. ♖d4!!** [24. ♕g4 ♗d6 25. ♗h6 (△ 26. ♗g7 ♔g8 27. ♗f8!) ♖g8□ 26. ♗g7 ♖g7 27. fg7 ♔g8∞] **♗a3!** [24... ♘d4 25. ♕g2 ♗h6 26. ♗h6 ♘f5 27. ♗g7 ♔g8 28. ♗f8!+−; 24... ♗d6 25. ♕f5 (△ ♕h7!) ♘f8 26. ♖dg4!+−; 24... ♗c5 25. ♖h4 ♘f8 26. ♕h5 △ ♕h6+−] **25. ♖h4 ♗c1 26. ♕h5!** [26. ♕f5 ♘f8 27. ♖h7 ♘h7 28. ♕d7+−] **♘f8 27. ♖g7!** [27... ♖e1 28. ♔g2 h6 29. ♕h6 ♗h6 30. ♖h6 ♘h7 31. ♖hh7#] **1 : 0**
[Kosten]

326. !N **C 69**

ROZENTALIS 2575 − VAN DER WIEL 2530
Mondorf 1991

1. e4 e5 2. ♘f3 ♘c6 3. ♗b5 a6 4. ♗c6 dc6 5. 0−0 f6 6. d4 ed4 7. ♘d4 c5 8. ♘e2 ♕d1 9. ♖d1 ♗d7 10. ♘bc3 0-0-0

11. ♗e3! N [11. ♗f4 − 28/(265)] ♗d6 [11... b6 12. ♖d2 ♘e7 13. ♖ad1] **12. ♗f4 ♗f4?** [12... ♗e6 13. ♗d6 ♖d6!±] **13. ♘f4 ♘e7 14. ♖d2 ♗g4 15. ♖d8 ♖d8 16. f3 ♗d7 17. ♖d1 ♘c6 18. ♔f2 ♖f8 19. g4±↑≫ b6 20. ♘cd5 a5 21. h4 ♖f7 22. ♘e3 ♘e5 23. h5 a4 24. a3 ♘c6 25. ♘fd5 ♘d4 26. ♘f5! ♗f5** [26... ♘c2? 27. ♘b6+−] **27. gf5 h6** [27... ♘c2 28. h6! gh6 29. ♖h1 ✕h6, f6] **28. c3 ♘b5** [△ 28... ♘c6 29. f4±] **29. c4!** [✕a4] ♘d4 [29... ♘d6 30. ♘b6] **30. ♘c3 ♘c6 31. ♖a4 ♘a5 32. ♖c1 ♖d7 33. b4 cb4 34. ab4 ♘c6 35. b5 ♘e5 36. ♔e2 ♘d3 37. ♖c2!** [37. ♖g1 ♘e5 38. ♘b2 ♖d2!=] **♘f4 38. ♔e3 ♘h5 39. ♘c3 ♘g3 40. ♘d5+−** [⊞, ○] **h5□ 41. ♔f4 h4 42. ♔g4 ♖d8 43. ♔h4 ♘f1 44. ♖f2 ♖h8 45. ♔g4 ♖h1 46. f4** [46. ♔f4?? ♖h4⌗] **♖g1 47. ♔f3 ♔d7 48. ♖a2 ♖h1 49. ♖a7 ♘d2 50. ♔g2 ♖e1 51. ♖c7 ♔d8 52. ♖g7 ♖e2 53. ♔g3 1 : 0**
[Rozentalis]

327. **C 70**

ALEXA. IVANOV 2565 − I. IVANOV 2450
Reno 1991

1. e4 e5 2. ♘f3 ♘c6 3. ♗b5 a6 4. ♗a4 d6 5. 0−0 b5 6. ♗b3 ♘a5 7. d4 f6 8. ♘c3!? N [8. ♗g8 − 48/447] ♘e7 [8... ♗g4 9. h3!? ♘b3 10. ab3 ♗f3 11. ♕f3 ed4 12. ♘e2∞] **9. de5 fe5 10. ♘h4!?** [10. ♗g5 ♘b3 11. ab3 ♕d7!?∞] **♘b3 11. ab3 c6** [11... b4!? 12. ♘d5 ♘d5 13. ♕d5 ♖b8 (13... c6? 14. ♘c6 ♗d7 15. ♕d5±) 14. ♘f5 ♖b5∞] **12. f4 ♘g6 13. ♘g6** [13. ♘f5 ♘f4 (13... ef4? 14. ♕h5±) 14. ♗f4 ef4 15. ♕d4! (15. ♖f4?! g6 16. ♕d4 ♖g8) ♕f6 16. ♕f6 gf6 17. ♖f4±] **hg6 14. fe5 ♕h4 15. ♗f4 de5 16. ♗e5 ♗c5 17. ♔h1 ♖a7** [17... ♖h5?! 18. ♗g3 △ 18... ♕g3? 19. ♕h5±] **18. ♕e1 ♕e1 19. ♖ae1 ♖e7∞ 20. ♗g3 ♗d4 21. ♗d6 ♖f7 22. ♘d1?!** [22. b4!?±] **a5 23. ♖f7 ♔f7 24. c3 ♗b6 25. ♖f1 ♔e6 26. e5 ♖h4** [26... ♖h5!? △ 27. g4 ♖h3 28. ♘f2 ♖e3 29. ♔g2 ♖e2 30. ♔g3 ♖b2 31. ♘d3 ♖b3 32. ♘f4 ♔d7 33. ♘g6 ♖c3 34. ♔h4?! ♗d8! 35. g5 c5∓; 34. ♔g2!∞] **27. g3 ♖e4 28. ♘f2 ♖e2 29.**

♘h3?⊕ [29. ♘d3 g5 30. ♖f8 ♗d7 31. fb8 ♖d2 (31... ♗e3 32. ♗c5 ♖d2=) 32. ♖b6 ♖d3 33. ♖a6 ♖d1 34. ♔g2 ♖d2 35. ♔f3 ♖b2 36. ♖a5 ♖b3 37. ♖a3=] ♖b2?? [29... ♗e3! 30. ♗c5 (30. ♖f8 ♗d7∓; 30. ♘f4 ♗f4 31. gf4 ♖b2 32. ♗c7 c5 33. ♖a1 a4! 34. ba4 b4∓) ♔d5! (30... ♗c5? 31. ♘f4+−) 31. ♘g1 (31. ♗e3? ♗h3∓) ♗g1 32. ♗g1 ♗h3 33. ♖d1 ♔e5 34. ♗b6 ♖b2 35. ♗a5 ♖b3∓] 30. ♘g5! ♔d7 31. ♖f7 ♔d8 32. ♖f8 ♔d7 33. ♖f7 ♔d8 34. e6!+− ♗e6 [34... ♖f2 35. ♖f8! ♖f8 36. e7+−] 35. ♘e6 ♔c8 36. ♗c5 ♗c5 37. ♘c5 ♖c2 38. ♖f3 ♔c7 39. ♗g1 ♔b6 40. ♘d7 ♔c7 41. ♘c5 ♔b6 42. b4 ♖b2 [42... a4 43. ♖f7 △ ♖b7#] 43. ♖f4 ab4 [43... ♖c2 44. ♖f7+−] 44. cb4 g5 45. ♖d4 ♖b4 46. ♖b4 ♔c5 47. ♖b1! [47. ♖g4 b4 48. ♖g5 ♔b6!] b4 48. ♔f2 ♔c4 49. ♖c1 ♔b5 50. ♔e3 c5 51. ♔d3 g4 52. ♖c4 [52... b3 53. ♖g4 c4 54. ♔c3+−] **1 : 0**
[Alexa. Ivanov]

✓ **328.** **C 75**

TH. ERNST 2535 – GAUSEL 2445
Gausdal 1992

1. e4 e5 2. ♘f3 ♘c6 3. ♗b5 a6 4. ♗a4 d6 5. c3 ♗d7 6. d4 ♘ge7 7. ♗b3 h6 8. ♘bd2 ♘g6 9. ♘c4 ♗e7 10. ♘e3 ♗g5 11. ♘g5 hg5 12. g3 ♔f8!? N [12... ed4 — 50/(357)] **13. d5 ♘ce7 14. ♗d2 ♘g8** [14... f5 15. ef5 ♘f5 16. ♕f3 ♕f6 17. ♘g4 ♕e7 18. ♕e4!±⌓ ×g5] **15. ♕e2 a5 16. 0-0-0 a4 17. ♗c2±○ ♘h6 18. f3 f6 19. ♔b1 ♘f7 20. ♗c1 c5 21. dc6!? bc6 22. ♘c4 ♗e6 23. ♗e3 ♘e7**

24. ♘d6! [24. ♘b6 ♖b8 25. ♘a4 ♕a5∞] **♘d6 25. ♗c5 ♘ec8** [25... ♘d5 26. ed5 cd5 27. ♗e4+−] **26. ♖d2 a3 27. b3 ♕c7!** [27... ♖a7? 28. ♖d6!+−] **28. ♖hd1 ♗e7 29. f4! ♖a5!** [29... ♖d8 30. fe5 fe5 31. ♕h5 ♖a5 32. ♕g5 ♔f8 33. ♕e5+−] **30. ♗d6 ♘d6 31. ♖d6 ♕d6!** [31... gf4? 32. ♖e6 ♔e6 33. ♕g4+−; 31... ef4!? 32. ♖e6 ♔e6 33. b4 ♖aa8 34. ♕c4 ♔e7 35. ♕c5 *a)* 35... ♔e8 36. e5 ♖h6! (36... ♔f7 37. e6 ♔g8 38. ♗g6 ♖h6 39. ♗f7 ♔h8 40. e7+−) 37. ♕c4 ♔f8 38. ♗b3 ♖h8 39. gf4 gf4 40. ef6 gf6 41. ♖d6 ♔g7 (41... ♕g7 42. ♕c5+−) 42. ♖c6 ♕e5 43. ♕f7 ♔h6 44. ♖f6 ♔g5 45. ♕g7 ♔h4 46. ♖h6+−; *b)* 35... ♔f7 36. ♗b3 ♔e8 (36... ♔g6? 37. ♕f5 ♔h6 38. ♖d7+−) 37. ♖d6 fg3 (37... ♖d8 38. ♖e6+−) 38. ♖c6 gh2 39. ♖e6 ♔d8 (39... ♔f7 40. ♕c7 ♔g6 41. ♖f6! gf6 42. ♕f7 ♔h6 43. ♕f6 ♔h7 44. ♕e7 ♔h6 45. ♕d6 ♔g7 46. ♕c7 ♔g6 47. ♗f7 ♔f6 48. e5 ♔f5 49. ♗d5 ♖ad8 50. ♕f7 ♔e5 51. ♕e6 ♔f4 52. ♕e4 ♔g3 53. ♕f3 ♔h4 54. ♕g2+−) 40. ♖d6 ♕d6! (40... ♔c8 41. ♗e6 ♔b8 42. ♖b6+−; 40... ♔e8 41. ♕c7 h1♕ 42. ♖d1 ♕e4 43. ♗c2 ♕e7 44. ♕c6 ♔f7 45. ♕d5 ♕e6 46. ♗g6 ♔e7 47. ♕b7+−) 41. ♖d6 ♔e8 42. ♖c6 ♔e7 43. ♕b7 ♔d6 44. e5 ♔e5 45. ♕h1 ♖ad8 46. ♔c2 g4 47. ♗c4±] **32. ♖d6 ♔d6 33. fg5 fg5** [33... ♔e7 34. gf6 gf6 35. ♕f2±] **34. b4 ♖aa8 35. ♕d2 ♔c7 36. ♕g5 ♔d6?!** [36... ♖h2! 37. ♕e5 ♔d7 38. ♕g7 ♔e8 39. ♕g6 ♔d7=] **37. ♕d2** [37. c4! ♗c4 38. ♕g6 ♗e6 39. ♗b3 ♖ae8 40. h4±] **♔c7 38. ♕g5?!⊕ ♔d6 39. ♕d2 ♔c7 40. ♗d3 ♖ad8 41. ♕e3 ♔b7?!** [41... ♖h2! 42. ♕a7 ♔d6 43. c4 ♖d7 44. ♕a3 ♔e7 45. b5 ♔f6! 46. bc6 ♖d4 47. c7 ♖h8 48. ♗e2 ♖c8 49. ♕f3 ♔e7 50. ♕a3=] **42. h4 ♖d7 43. ♕g5 ♖hd8 44. ♗e2 ♖d2?** [44... ♖f8?! 45. ♕e3 ♖fd8 46. ♕c5 ♗b3! 47. ab3 ♖d2 48. ♕c4! ♖b2 49. ♔a1 ♖dd2 50. ♕a6 ♔c7 51. ♕a3+−; 44... ♗g8!! (Kotronias) 45. c4 ♗h7 46. ♔c1 (46. ♔c2 ♗e4 47. ♔b3 ♖d2 48. ♕g7 ♖8d7 49. ♕g4 ♗b1∞) ♖d4 47. b5 c5 48. ♕g7 ♖8d7 49. ♕f6! (49. ♕e5 ♔b6!∓) ♗e4 50. ♕a6 ♔b8 51. ♕b6=] **45. ♕e7 ♔b8** [45... ♖8d7 46. ♕e6 ♖b2 47. ♔c1 ♖dd2 48. ♗d1 ♖a2 49. ♗b3 ♖ab2 50. b5+−] **46. c4+− ♖b2 47. ♔c1 ♖dd2 48. ♗d1 ♗g4**

[48... ♖a2 49. ♗b3 ♖ab2 50. ♛e6 a2 51. ♛e5 ♔b7 52. ♛b2] **49. ♛e5 ♔a8 50. ♗a4 ♗d7 51. ♛c7 ♖a2 52. ♗b3 ♗h3** [52... ♖ab2 53. ♛a5 ♔b8 54. ♛a3] **53. ♛c6 ♔b8 54. ♗a2 ♖a2 55. ♔b1 ♖b2 56. ♔a1 ♖b3 57. ♛e8 ♔c8 58. ♛e5 ♔a8 59. ♔a2 ♖f3 60. ♛g7** 1 : 0
[Th. Ernst]

329. ** !N   C 76

TAL 2575 − MUHAMETOV 2395
Moskva 1991

1. e4 e5 2. ♘f3 ♘c6 3. ♗b5 g6 4. 0−0 ♗g7 5. c3 a6 6. ♗a4 d6 7. d4 ♗d7 8. de5 ♘e5 9. ♘e5 de5 10. f4 ♗a4 11. ♛a4 b5 12. ♛b3 [RR 12. ♛c2 ef4 13. ♗f4 ♘f6!? N (13... ♘e7 − 45/(381)) 14. ♘d2 (14. ♗g5 ♛e7!) 0−0 15. ♘f3 ♛e7 16. ♖ae1 ♖fe8 17. ♔h1 c5 18. e5 ♘d5 19. ♗g3 ♗h6 20. ♗h4 ♛e6 21. ♛f2 ♖ac8 22. ♘g5 ♗g5 23. ♗g5 h5∞ E. Geller 2525 − Smyslov 2530, Bad Wörishofen 1991] **ef4** [12... ♛e7!? 13. fe5 ♗e5 14. a4 ♖b8 15. ab5 ab5 16. ♘d2 △ ♘f3±] **13. ♗f4 ♘f6 14. ♘d2** [14. ♗g5 ♛e7=] **0−0 15. ♖ae1 ♘g4!** [15... ♘d7] **16. ♘f3 ♛e7** [△ ♘e5] **17. e5!** N [17. ♛d5?! c6!: 18. ♗d6 (18. ♛c6? ♛a7!∓) ♛a7 19. ♛c5 ♛c5 20. ♗c5 ♖fe8∓ Jandemirov 2415 − Muhametov 2410, SSSR 1990] **♛c5 18. ♔h1 ♖ae8** [18... ♘f2? 19. ♖f2 ♛f2 20. ♗e3+−] **19. e6 fe6 20. ♖e6 ♔h8 21. ♗g3** [×f2] **♖e6 22. ♛e6 ♘e5! 23. ♛a6** [23. ♗e5 ♛e5 24. ♛a6 ♛e2=] **♘d3** [23... ♛c4!? 24. ♔g1 ♘d3 25. ♛a3!? b4 26. ♛b3 ♛c5 27. ♔h1 bc3=] **24. a4!± ♘b2 25. ab5 ♛c3 26. ♛b7** [26. ♛c6 ♛c6 27. bc6 ♘d3=] **♛c4 27. ♖a1!** [27. ♖g1 ♘d3 28. h3 ♘f4=] **♘a4?!** [27... ♘d3! 28. ♖a8 h5!=] **28. ♖e1 ♘c3 29. b6!↑ cb6 30. ♗d6 ♛c8□ 31. ♛b6 ♖e8 32. ♘e5 ♘d5 33. ♛a7 ♛f5!** [33... ♘f6? 34. ♛a2±; 33... ♛e6? 34. ♛f7 △ ♘g6±] **34. h3?!⊕** [34. g4!? ♛c8 35. ♛f7 (△ ♘g6) ♘f6 36. g5 ♛c3 37. ♖f1 ♖e5 38. ♗e5 ♛c6! (38... ♛e5 39. ♖f6!+−) 39. ♔g1 ♛c5! 40. ♔g2 ♛e5 41. gf6 ♛e2=] **♘f6 35. ♛a2 h5 36. ♛f7 ♔h7 37. ♔g1 ♘e4! 38. ♖e4 ♖e5 39. ♛f5 ♖f5**
1/2 : 1/2   [Muhametov]

330. **   C 78

P. POPOVIĆ 2550 −
V. VUJOŠEVIĆ 2385
Jugoslavija (ch) 1991

1. e4 e5 2. ♘f3 ♘c6 3. ♗b5 a6 4. ♗a4 ♘f6 5. 0−0 b5 6. ♗b3 ♗b7 7. c3 [RR 7. ♖e1 ♗c5 8. c3 d6 9. d4 ♗b6 10. ♗g5 h6 11. ♗h4 g5 12. ♗g3 0−0 13. ♛d3 ♘h5 14. ♘bd2 ♛f6 15. ♗d5 ♘g3!? N (15... ♖ae8 − 49/390) 16. hg3 a) 16... g4?! 17. ♘h4 ed4?! 18. e5 de5 (18... ♘e5 19. ♖e5!±) 19. ♘e4→; b) 16... ♖ae8 b1) 17. de5 ♘e5 18. ♛e2 (18. ♘e5 ♗f2 19. ♔h1 ♖e5 △ 20. ♗b7? g4!−+) ♘f3 19. ♛f3 ♛f3 20. ♘f3 ♗d5 21. ed5=; b2) 17. ♘b3 ed4 (Kovalëv 2550 − A. Kuz'min 2520, Oostende 1991) 18. ♘bd4 ♗d4 19. ♘d4 ♘e5∞ A. Kuz'min] **♗e7** [RR 7... ♘e4 a) 8. ♖e1 d5!? N (8... ♘c5 − 7/255) 9. d3 ♘c5 10. ♘e5 ♘e5 11. ♖e5 ♗e7 12. ♛e2 ♘e6 13. f4 0−0 14. f5 ♗c5 15. ♔h1 (15. d4? ♘d4∓) ♘g5 16. f6 gf6 17. ♖f5 ♖e8 18. ♛f1 ♖e5! 19. ♗g5 (19. d4 ♖f5 20. ♛f5 ♛e7!∓) ♖f5 20. ♛f5 fg5 21. d4 ♛e7! (21... ♗d6 22. ♗c2±) 22. ♘d2 ♗d6 23. ♘f3 ♖e8! 24. ♖f1 f6 25. ♗d5 ♗d5 26. ♛d5 ♛e6 27. ♛e6 ♖e6 28. ♖e1 ♔f7 (Barcenilla 2435 − Ye Rongguang 2545, Bacolod 1991) 29. g3 ♖e1 30. ♘e1 ♔e6∞ Ye Rongguang; b) 8. d4 ♘a5 9. ♘e5 ♘b3 10. ♛b3 ♛f6 11. f3 ♘c5 12. ♛g4 ♘b3 13. ♘f6 ♗e7 (13... gf6 − 52/335) 14. ♗g5 ♘a1 15. ♖e1 ♔d6 16. ♗f4 ♔c6 17. d5 ♔c5 18. b4 ♔c4 19. ♘a3! ♔c3 20. ♘e4 ♔b4 (20... ♔d3 21. ♖d1 ♔e2 22. ♖d2 ♔e1 23. ♗g3#) 21. ♖b1! ♗a3 (21... ♔a5 22. ♗c7 ♔a4 23. ♘c3 ♔a3 24. ♗f4+−) 22. ♘c3 △ ♗c1# Christiansen] **8. d4 d6 9. ♘bd2 0−0 10. ♗c2?!** [10. ♖e1 − C 88; 10. a3!?] **♖e8 11. ♖e1 ♗f8 12. d5** [12. ♘f1 ed4 13. cd4 ♘b4; △ 12. a4] **♘b8 13. b3 c6 14. c4 ♘bd7 15. a4 ♛c7 16. ♗a3** N [16. h3 − 28/296, C 95] **bc4 17. bc4 a5! 18. ♗d3 ♗a6 19. ♛e2! ♖ec8 20. ♖ec1** [20. ♘b3 cd5 21. cd5 ♗d3 22. ♛d3 ♛c4!] **♖ab8** [△ ♛a7, ♘c5∓] **21. ♛e3! ♛b6?** [21... ♘g4 22. ♛g5 ♘gf6 23. ♘h4; ⌒ 21... h6]

12*   179

22. c5! dc5 [22... ♘c5 23. ♗c5 dc5 24. ♖ab1 ♕a7 25. ♖b8 ♖b8 26. ♘e5±; 22... ♕a7 23. cd6! ♕e3 24. fe3 ♗d3 25. dc6±] **23. ♖ab1 ♕a7 24. ♖b8 ♘b8 25. d6! ♗d6 26. ♘c4 ♕c7 27. ♗b2 ♖e8 28. ♗c3± ♗c4 29. ♗c4 h6 30. ♕e1 ♕a7 31. ♗a5 ♘a6?!** [△ 31... ♘bd7] **32. ♖d1 ♗b8 33. ♗c3?⊕** [33. ♗d8!+−] **♘b4 34. ♗b3 ♕b6 35. ♗c4 ♕a7** [35... ♘c2 36. ♕e2 ♘d4 37. ♕a2!] **36. ♗b3 ♕b6 37. ♕e2 ♕a6 38. ♕e3?** [38. ♕a6!] **c4 39. ♗b4 cb3 40. ♕b3 ♘e4?⊕** [40... ♕b7!± △ c5] **41. ♖d7+− ♔h8 42. ♕f7 ♖g8 43. ♗f8**   **1 : 0**
[P. Popović]

---

331.   **C 78**

YE JIANGCHUAN 2515 − YE RONGGUANG 2545

Beijing 1991

1. e4 e5 2. ♘f3 ♘c6 3. ♗b5 a6 4. ♗a4 ♘f6 5. 0−0 b5 6. ♗b3 ♗b7 7. d4 ♘d4 8. ♗f7 ♔f7 9. ♘e5 ♔g8 10. ♕d4 c5 11. ♕d1 ♕e8 12. ♘f3 ♕e4 13. ♗g5 ♕f5 14. ♗f6 ♕f6 15. ♘c3 ♖d8 16. a4!? N [16. ♖e1 − 50/360] **d5!** [16... b4?! 17. ♘d5 ♕f7 18. c4! bc3 19. ♘c3 d5 20. ♘e5 ♕f5 21. ♖e1 △ ♕b3±] **17. ab5 d4 18. ♘b1** [18. ba6? ♗f3 19. gf3 dc3 20. a7 cb2!−+] **ab5 19. ♘bd2 h6 20. ♖e1 c4 21. ♖e5?** [21. ♘e4 *a)* 21... ♕f4 22. g3! ♕f5 (22... ♕g4 23. ♘d4±) 23. ♘h4 ♕d5 24. ♕g4±; *b)* 21... ♕g6 22. ♘h4 ♕b6 23. ♕g4±; *c)* 21... ♕b6!∞] **c3! 22. ♘e4 ♗e4 23. ♖e4 cb2 24. ♖b1 d3!∓ 25. ♖e5!□** [25. cd3 ♕c3! 26. d4 ♖c8−+] **♗a3 26. cd3 b4 27. ♖c5 ♕d6 28. ♖c2!** [28. d4 ♕c5!−+] **♔h7**

---

29. d4 ♖hf8 30. h4 ♕f4 31. ♖c5 ♕e4! 32. ♖e5⊕ ♕c6 33. ♕d3 ♕g6⊕ 34. ♕g6 ♔g6 35. ♖c5 ♔h7 36. ♔f1 ♖fe8 37. h5 ♖e4 38. ♖c2 ♖d5 39. ♖cb2 ♖h5? [39... ♗b2 40. ♖b2 ♖b5 △ ♔g8-f8−+] **40. g4?** [40. ♖d2=] **♖g4?** [40... ♗b2 41. gh5 ♗c3∓] **41. ♖b3 ♖h1 42. ♔e2 ♖h5 43. ♖e3 ♖d5 44. ♖d3 ♖e4 45. ♔f1 ♔g6 46. ♖bb3 ♔f5 47. ♘e1! ♖dd4 48. ♖d4 ♖d4 49. ♘c2 ♖d1 50. ♔e2**   **1/2 : 1/2**
[Ye Rongguang]

---

332. ** **!N**   **C 82**

BRYSON 2340 − G. FLEAR 2515

Dundee 1991

1. e4 e5 2. ♘f3 ♘c6 3. ♗b5 a6 4. ♗a4 ♘f6 5. 0−0 ♘e4 6. d4 b5 7. ♗b3 d5 8. de5 ♗e6 9. ♘bd2 [RR 9. c3 ♗c5 10. ♘bd2 0−0 11. ♗c2 ♘f2 12. ♖f2 f6 13. ef6 ♗f2 14. ♔f2 ♕f6 15. ♘f1 ♘e5 16. ♗e3 ♖ae8 17. ♗c5 ♘f3 18. gf3 ♖f7 19. ♔g2 ♕g5! N (19... h5 − 52/337) *a)* 20. ♔h1?! d4! 21. ♕d4 (21. ♗d4? ♗d5 22. ♘d2 ♖f3! 23. ♘f3 ♖e1!−+) ♖f3 22. ♗e4 ♖f4 23. ♖e1 (23. ♘g3 ♖e4 24. ♘e4 ♗d5 25. ♖e1 ♕f5−+) ♖e4! 24. ♖e4 ♗d5−+ Y. Grünfeld 2505 − V. Mikhalevsky 2300, Israel (ch) 1991; *b)* △ 20. ♘g3 h5 21. ♔h1 (21. ♕c1?! ♕h4) h4 22. ♕d3 ♕h6 23. ♗e3 ♕h8 24. ♘f1 ♗f5∓ Soffer] **♘c5 10. c3 ♗e7** [10... d4?! 11. ♘g5!] **11. ♘d4!? N** [RR 11. ♗c2 ♗g4 12. ♖e1 0−0 13. ♘b3 ♘e6 14. ♕d3 g6 15. ♗h6 N (15. ♘fd4 − 45/(385)) ♖e8 16. ♖ad1 ♗f5 17. ♕d2 ♗c2 18. ♕c2 ♕d7 19. ♖d3 ♖ad8 20. h3 ♗f8 21. ♕d2 ♘e7 22. ♗f8 ♖f8 23. ♘fd4 ♕c8 24. ♕e3± E. Geller 2525 − Unzicker 2455, Bad Wörishofen 1991] **♘e5** [11... ♘d4 12. cd4 ♘b3 13. ♕b3 0−0 14. f4 f5=] **12. f4** [12. ♗c2 0−0 − 17/316, C 83] **♘c4** [12... ♗g4? 13. ♕e1 ♘ed3 (13... ♘cd3? 14. ♕g3! ♗h4 15. ♕e3+−) 14. ♕g3±↑ △ 14... h5 15. h3 ♗h4 16. ♕e3+−] **13. ♕e2** [△ 13. f5!?] **♗d7** [13... 0−0? 14. ♘c6 ♕d6 15. ♘e7 ♕e7 16. f5; 13... g6!∓] **14. ♖e1 ♘d2?** [△ 14... ♘b3 15. ab3 (15. ♘2b3 ♔f8!?∞; 15. ♘4b3 ♔f8) ♘d2] **15. ♗d2?** [15. ♗d5! ♖c8 16. ♗d2 c6 17. ♗f3± ×♔e8] **♘b3 16. ♘b3**

c6 [16... f6? 17. ♕h5 g6 18. ♕d5; 16... ♔f8!? 17. ♗e3 △ ♗c5⩱] **17. a4! ba4! 18. ♘c5?!** [18. ♖a4 f6 (18... ♕b6? 19. ♘d4) 19. ♖a6 ♖a6 20. ♕a6 ♔f7=] **f6 19. ♖a4 ♔f7 20. ♘d7 ♕d7 21. ♖a6 ♗c5 22. ♔f1** [22. ♔h1!?] **♖ae8∓ 23. ♕d3 ♖e1 24. ♗e1 ♖e8 25. ♗f2** [25. ♕h7?? ♕g4−+] **♗f2 26. ♔f2 ♖e4 27. ♕d2?!** [27. g3! *a)* 27... ♕h3 28. ♖a7 ♔g6 29. ♔g1 ♔h6 30. ♕d2; *b)* 27... ♕f5 28. ♔g2 △ 28... ♖f4 29. ♕f5 ♖f5 30. ♖c6; *c)* 27... h5 28. ♕f3 ♔g6 29. f5! ♕f5 (29... ♔g5? 30. h4 ♔h6 31. ♖a8 ♖e8 32. ♕e3 ♖e3 33. ♖h8#) 30. ♕f5 ♔f5 31. ♖c6∞; *d)* 27... g6!∓ △ ♔g7, h5, ♕e6] **h5! 28. ♔g1** [28. h4 ♕g4 29. g3 ♕h3−+] **♔g6 29. ♖a1 ♕g4 30. g3 h4 31. ♕d3 hg3** [31... ♕e2!?] **32. hg3** [32. ♕g3 ♖f4] **♕e2 33. ♖d1 ♔f5!** [33... ♕b2 34. c4!=] **34. b4 ♔g4 35. ♕e2 ♖e2 36. ♖d3 [♖ 7/g] ♔h3!−+ 37. ♔f1 ♖g2 38. b5 cb5 39. ♖d5 ♖g3 40. ♖b5 ♔g4** [40... ♖c3 41. ♖b7 ♖g3 42. ♔f2=] **41. f5 ♖f3 42. ♔g2** [⌓ 42. ♔e2] **♖f5 43. ♖b1 ♖c5 44. ♖c1 g5 45. ♔f2 ♔f4 46. ♔e2 ♔e4 47. ♔d2 f5 48. ♖e1 ♔f3 49. ♔d3 f4 50. ♔d4 ♖c8 51. ♖g1 g4 52. ♖f1 ♔g3 53. ♖g1 ♔h3 0 : 1** **[G. Flear]**

333.* !N C 84

HJARTARSON 2550 − SPASSKY 2550
Lyon − Bayern 1991

1. e4 e5 2. ♘f3 ♘c6 3. ♗b5 a6 4. ♗a4 ♘f6 5. d4 [RR 5. 0−0 b5 6. ♗b3 ♗b7 7. d3 ♗e7 8. c4 b4 9. ♗a4 d6 10. d4 0−0 11. d5 ♘b8 12. ♘bd2 N (12. ♗c2 − 23/286) ♘bd7 13. ♖e1 ♘b6 14. ♗c2 c6!? 15. a3!? (15. b3) a5 16. b3 cd5 17. ed5 ♘bd7 18. ♘f1 ♕b6 19. ♘g3 g6 20. ♘g5 (20. ♘d2!?) ba3 21. ♖a3 ♖fc8 22. ♗e3 ♕c7 23. ♗d3 ♘c5 24. ♗f1 ♖cb8 25. h3!± Suėtin 2405 − Širov 2610, Hastings 1991/92] **ed4 6. 0−0 ♗e7 7. e5 ♘e4 8. ♘d4 0−0 9. ♘f5 d5 10. ♗c6 bc6 11. ♘e7 ♕e7 12. ♖e1 ♖e8 13. f3 ♘d6 14. ♗f4 ♘f5 15. ♕d2 ♖b8 16. b3 h6 17. ♘c3 ♗e6 18. ♕f2! N** [18. ♘a4 − 50/372] **♕b4!?** [18... c5 *a)* 19. g4 ♘d4! (19... ♘h4? 20. ♗g3 ♘g6 21. f4!? d4 22. ♘e4 ♗g4 23. f5→; 21. h3±) 20. ♘a4 (20. ♗e3? ♘f3! 21. ♕f3 d4∓) ♗d7! 21. ♘b2 ♘e6=; *b)* 19. ♖ad1! d4 20. ♘a4 g5 21. ♗c1 ♗d7 22. ♘b2±] **19. ♗d2 ♕d4 20. ♘a4?!** [20. ♖ac1! c5 21. ♘a4 c4 22. g4 ♕f2 (22... ♘h4? 23. ♗e3+−) 23. ♔f2 △ ♗e3±] **♕f2 21. ♔f2 ♘d4! 22. ♖ac1 ♗f5 23. g4 ♗h7 24. c3 ♘c2! 25. ♖e2** [25. ♖ed1!? ♖e5 26. f4 ♖e7 27. f5 ♘a3 28. ♘c5 a5 29. ♖e1 ♖be8∞] **d4!** [25... ♗d3? 26. ♘c5! ♗e2 27. ♖c2 *a)* 27... ♖e5 28. ♗f4! (28. ♘d7?? ♗d3−+) ♗d1 29. ♖d2±; *b)* 27... ♗b5 28. a4±; *c)* 27... ♗d1 28. ♖c1 ♖b5 29. ♘d3! ♗b3 30. ab3 ♖b3 31. ♖a1±; *d)* 27... ♖b5 28. ♗e3 ♖e5 29. ♗d4 ♗d1 30. ♖d2±] **26. cd4** [26. ♗f4!? d3 27. ♖d2 g5 28. ♗g3 ♖b5! 29. c4 ♖a5=] **♘d4= 27. ♖ee1** [27. ♖e3? ♘c2! 28. ♖c3 ♘b4] **♘c2! 28. ♖ed1** [28. ♖e2? ♗d3 29. ♘c5 ♗e2 30. ♖c2 ♗d1 31. ♖c1 ♖e5−+] **♖e5 29. f4 ♖ee8 30. ♘c5** [30. f5!? ♘b4 31. ♘c5 ♘a2 32. ♖c4 ♖ed8∞] **♘b4 31. ♗b4 ♖b4 32. ♖c4 ♖c4 33. bc4 h5 34. h3 hg4 35. hg4 f5! 36. ♖d7** [36. g5?! ♗g6 △ ♗f7∓] **fg4 37. ♖c7 ♗f5** [37... ♖b8? 38. ♘e6] **38. ♖c6 ♖d8 39. ♖a6 ♖d2 40. ♔g3 ♖c2 41. ♖a3! ♖c4 42. ♘d3 1/2 : 1/2** **[Hjartarson]**

334.* C 85

ANAND 2650 − N. SHORT 2660
Tilburg (Interpolis) 1991

1. e4 e5 2. ♘f3 ♘c6 3. ♗b5 a6 4. ♗a4 ♘f6 5. 0−0 ♗e7 6. ♗c6 dc6 7. ♕e1 [RR 7. ♘c3 ♗g4 8. h3 ♗h5 9. ♕e2 ♘d7 10. g4 ♗g6 11. d4 ed4 12. ♘d4 h5 13. ♗f4 N (13. ♘f5 − 28/281) hg4 14. hg4 ♗d6 15. e5 ♗c5 16. e6 ♗d4 17. ed7 ♔f8 18. ♔g2 ♕d7 19. f3 c5 20. ♖ad1 ♖e8 21. ♕d2 ♕c6∞ Adams 2615 − N. Short 2660, England (ch-m/3) 1991] **c5 8. ♘e5 ♕d4 9. ♘f3 ♕e4 10. ♕e4 ♘e4 11. ♖e1 ♘f6 12. b3 b6 N** [12... ♗g4] **13. ♗b2 ♗e6** [13... ♗g4!?] **14. ♘g5 ♗d7 15. c4 ♔f8** [15... h6 16. ♘f3 ♗g4!?] **16. d4 ♖e8 17. ♘f3 h5?** [17... ♗d6; 17... cd4] **18. ♘bd2± ♖h6 19. ♘f1?!** [19. h3! (×♖h6) cd4 20. ♗d4 ♗d6 21. ♗e3! ♖g6? 22. ♘h4; 21... ♖h8±] **cd4 20. ♗d4 ♗d6 21. ♖e8 ♘e8 22. ♘e3 h4** [22... ♖e6 23. ♘g5 ♖e7 24. ♘d5 ♖e2 25. ♔f1 ♖d2 26. ♘f3 ♖c2 27.

♘e3] **23. h3 ♖h5 24. ♖d1 f6 25. ♗c3 ♔f7 26. ♔f1 ♗c6 27. ♘d4 ♗e4 28. f3 ♗b7 29. ♘df5 ♔e6 30. ♘d4 ♔f7 31. ♗e1 g6= 32. ♗f2 ♗c5 33. ♘e2 ♗e3 34. ♗e3 ♖e5 35. ♗f2 g5 36. ♖d8 ♖e7 37. c5 bc5 38. ♗c5 ♖e5 39. ♗d4 ♖d5 40. ♖b8 ♘d6 41. ♔f2 a5 42. ♗e3 ♖d3?!** [⌓ 42... ♗c6=] **43. ♗c5 ♗d5 44. ♗d6 cd6 45. ♔e1** [45. ♖b5 a4 46. ba4 ♗c4∞] **a4 46. ♘c1 ab3! 47. ab3** [47... ♖c3 48. ♔d2 ♖c7∞ ×g2]
1/2 : 1/2 **[N. Short]**

335.* **C 86**

ANAND 2650 – KAMSKY 2595
Tilburg (Interpolis) 1991

1. e4 e5 2. ♘f3 ♘c6 3. ♗b5 a6 4. ♗a4 ♘f6 5. 0–0 ♗e7 6. ♕e2 b5 7. ♗b3 ♗b7 N [7... d6 — 50/374; RR 7... 0–0 8. c3 d6 9. a4 ♘a5 10. ♗c2 ♗e6 11. ab5 ab5 12. d4 ♗c4 13. ♗d3 ♗d3 14. ♕d3 ♘c4 15. ♖a8 ♕a8 16. b3 ♕a2!? N (16... d5 — 51/(342)) 17. ♘h4!? ♕b3 18. ♘f5 ♗d8 19. ♗h6 ♘e8 20. ♘d2 ♘d2 21. ♗d2 ed4 22. ♘d4 ♕c4 23. ♕c4 bc4 24. ♘c6 ♘f6 25. f3 ♘d7 26. ♖a1⩱ Barlov 2475 – D. Blagojević 2500, Jugoslavija (ch) 1991] **8. c3 0–0 9. d4 d6 10. ♖d1 ♘d7?** [⌓ 10... ed4 11. cd4 ♘a5 12. ♗c2 ♖e8 △ ♗f8] **11. a4 ♗f6 12. d5 ♘a5 13. ♗c2 ♘b6 14. b4 ♘ac4 15. a5 ♘d7 16. ♗b3 ♗e7 17. ♗c4 bc4 18. ♕c4 f5** [18... c6!? 19. dc6 ♖c8±] **19. ef5 ♖f5 20. ♕d3 ♕f8 21. c4 g5?** [⌓ 21... ♕f7] **22. ♗e3** [×f2] **♕f7 23. ♘fd2 ♖f8 24. ♘e4 h5 25. ♘bc3 ♗c8 26. c5+– dc5 27. bc5 h4 28. d6 cd6 29. cd6 ♗d8 30. ♕d5 g4 31. ♕c6 g3 32. fg3 h3 33. g4** [33. gh3!?] **♖f3 34. gf3 ♕f3 35. ♕c4 ♔h8 36. ♕e2 ♗b7 37. ♕f3 ♖f3 38. ♖e1 1 : 0** **[Anand]**

336. !N **C 88**

HARLOV 2515 – ŠIROV 2610
SSSR (ch) 1991

1. e4 e5 2. ♘f3 ♘c6 3. ♗b5 a6 4. ♗a4 ♘f6 5. 0–0 b5 6. ♗b3 ♗b7 7. d3 ♗e7 8. ♘bd2 0–0 9. ♖e1 ♖e8 10. ♘f1

10... ♘a5! N [10... h6 — 35/434; 10... ♗f8 *a)* 11. c3 ♘a5 12. ♗c2 d5 13. ed5 (13. ♕e2 — 47/422) ♕d5 14. b4 ♘c6 15. ♗b3 ♕d7 16. ♘g5 ♘d8=; *b)* 11. ♗g5!? h6 12. ♗h4↑ △ 12... g5 13. ♘g5! hg5 14. ♗g5 ♗g7 15. ♘g3→»] **11. ♘e5 ♘b3 12. ab3 d5 13. ed5 ♕d5 14. ♘f3** [14. ♕f3 ♗d6 15. ♕d5 *a)* 15... ♗d5 16. d4□ (16. f4 ♘g4! 17. d4 f6∓) ♗e4 17. c3 c5!⩱; *b)* RR 15... ♘d5 16. ♘f3 ♘b4 17. ♖e8 (17. ♘e3? ♖e3) ♖e8 18. ♘e3 ♗f3! (18... ♗f4 19. ♘e1±) 19. gf3 ♗f4 20. d4 ♖e6 21. c3 ♘d3!∓ Harlov] **♗d6⩱ 15. ♗g5** [15. ♘g3 ♘g4! 16. c4 ♕c6⩱ △ ♘e5; 15. ♘e3 ♕h5 16. h3 ♖ad8⩱] **♖e1** [15... ♘g4!? 16. ♖e8 ♖e8 17. ♗h4 ♘e5 18. ♗g3! (18. ♘1d2? f5!∓ ×♗h4) ♘f3 19. ♕f3 ♕f3 20. gf3 ♗f3 21. ♘d2! (21. ♖a6? ♖e1–+) ♗b7 22. ♘e4=] **16. ♕e1 ♘g4 17. ♗e7!** [17. ♘e3? ♗h2∓; 17. ♗h4 ♘e5∓] **♘e5** [17... ♖e8 18. ♗d6 ♖e1 19. ♖e1 h6 20. ♗b4∞] **18. ♘1d2 ♘f3 19. ♘f3 ♖e8 20. ♗d6 ♖e1 21. ♖e1 h6 22. ♗b4 ♕f5** [22... ♕h5 *a)* 23. ♖e3?! ♗f3 24. gf3 (24. ♖f3 ♕e5 25. ♗c3 ♕e2–+) ♕g5! 25. ♔h1 ♕h4 26. ♗e1 ♕h3 27. ♔g1 h5!∓; *b)* 23. ♖e8 ♔h7 24. ♘e1 c5 25. ♗a5= △ 25... ♕d1 26. ♖e7! ♗d5 27. ♖e5; 22... ♕d8 23. ♖e3=] **23. ♖e8 ♔h7 24. ♘e1 ♕f4 25. ♗a5= c5 26. ♖e3 ♕g4 27. h3 ♕d1 28. ♗b6! ♕c1 29. ♗c5 ♕b2 30. b4 ♗d5 31. ♔f1 ♕c3 32. ♗e7 ♕d2** [32... ♕c7!? 33. ♔e2 ♗e6 (33... f5? 34. ♗c5! △ ♖e7, ♗d4) 34. ♗h4! ♕c3 35. ♗e7=] **33. ♗d6 ♕d1 34. ♗e5 ♕d2⊕ 35. c3 ♗e6 36. ♗d4 ♗f5?! 37. ♔g1 ♕d1 38. ♔h2 ♗e6**
1/2 : 1/2 **[Širov]**

337.*   **C 88**

JANSA 2485 – I. SOKOLOV 2570

Starý Smokovec 1991

1. e4 e5 2. ♘f3 ♘c6 3. ♗b5 a6 4. ♗a4 ♘f6 5. 0–0 ♗e7 6. ♖e1 b5 7. ♗b3 0–0 8. a4 b4 9. d4 [RR 9. c3 d5 10. ed5 e4!? N (10... ♘d5 – 35/(437)) 11. dc6 ef3 12. d4 fg2 13. ♗g5 ♘d5 (13... ♗g4!? △ ♖e8) a) 14. ♗e7?! ♘e7 15. ♕f3 ♗e6! 16. ♘d2 ♖b8 17. ♗e6 (17. ♖ab1 ♖b6!) fe6 18. ♕g4 bc3 (R. Martín del Campo 2400 – Pein 2440, México D. F. 1991) 19. ♕e6 ♔h8 20. ♕e7 cd2∓; b) 14. ♗d5 ♗g5 15. ♗g2± Pein] **d6 10. de5 ♘e5 11. ♘e5 de5 12. ♗g5 ♗b7** N [12... ♘g4 – 49/(401); 12... ♗c5! 13. ♕f3 (13. ♗d5 c6! 14. ♗c6 ♗f2 15. ♔f1 ♕b6! 16. ♗a8 ♗e1 17. ♕e1 a5→) h6 14. ♗f6 ♕f6 15. ♕f6 gf6=] **13. ♘d2 ♘d7 14. ♗e7 ♕e7 15. ♕e2 a5 16. ♗c4!± ♖fd8** [16... ♘c5 17. ♘b3! ♖fd8 (17... ♘e4?! 18. ♗d3±] 18. ♘c5 ♕c5 19. ♖ad1± **17. ♘b3 ♘b6 18. ♗b5 c5 19. ♕e3** [19. c4!? bc3 20. bc3± **♖dc8 20. c3?!** [20. c4 ♗c6! 21. ♖ec1 ♗d7=] **♗c6! 21. c4?** [21. cb4 ♗b5 22. ab5 ♘c4 23. ♕e2 cb4 24. ♖ec1 ♕e6 25. b6! ♘b6 26. ♖c8 ♖c8 27. ♘a5=] **♗b5 22. cb5 ♕c7∓ 23. ♖ec1 c4 24. ♖c2 ♕d6 25. ♘d2** [25. ♖d2 ♕h6! 26. ♕h6 gh6 27. ♖d6 ♘a4–+] **♖c7 26. h3 ♖ac8 27. ♘f3⊕ f6 28. b3?! c3–+ 29. ♖b1 ♕e6 30. ♘e1 ♖d8 31. ♘d3 ♖d4 32. f4 ♕d6 33. fe5 fe5 34. ♘f2 ♘d7 35. ♔h2 ♘c5 36. ♕f3 ♖f7 37. ♕g4 ♖f4! 38. ♕c8 ♖f8 39. ♕g4 ♖d2**   **0 : 1**

[I. Sokolov]

338.   **C 88**

KUPREJČIK 2490 – E. GELLER 2525

Berlin 1991

1. e4 e5 2. ♘f3 ♘c6 3. ♗b5 a6 4. ♗a4 ♘f6 5. 0–0 ♗e7 6. ♖e1 b5 7. ♗b3 0–0 8. a4 ♗b7 9. d3 d6 10. c3 ♘a5 11. ♗a2 c5 12. ♘a3 ♕d7 13. ab5 ab5 14. ♗d2 h6 N [14... c4 – 51/344] **15. b4 cb4 16. cb4 ♘c6 17. ♘b5 ♘b4 18. ♗b4 ♕b5 19. ♗c4!± ♕b4** [19... ♕d7 20. ♕b3± ×f7] **20. ♖b1 ♕c5** [20... ♕a4 21. ♕a4 ♖a4

22. ♖b7± ×f7] **21. ♖b7 ♗d8 22. ♕b3 ♖a3!?** [22... ♖a7? 23. ♗f7±] **23. ♗f7 ♔h8** [23... ♔h7 24. ♕e6 △ ♘h4+–] **24. ♘h4!?** [24. ♕e6!?±] **♖b3 25. ♘g6 ♔h7 26. ♘f8 ♔h8 27. ♗b3?!** [27. ♖b3 ♗b6 28. ♖f1± △ 28... ♘g4? 29. ♘d7+–] **♗b6 28. ♖f1 ♕b4! 29. d4** [29. ♖b1 ♗f2 30. ♔f2 (30. ♔f1 ♕d4 31. ♗c4 ♘g4=) ♕d2 (30... ♕b7? 31. ♘g6 ♔h7 32. ♗g8+–) 31. ♔g1 ♘g4=] **♕b3 30. ♖b8 ♘e4 31. ♘d7 ♔h7 32. ♖b6 ♕f7! 33. f3 ♘d2 34. ♖f2** [34. ♖d1 ♘f3] **♘c4⊕** [34... ♘f3!?] **35. ♖b4** [35. ♖c6!? ed4 36. ♘f8 ♔g8 37. ♖c8 d3 38. ♘e6 ♔h7 39. ♖c4 ♕e6 40. ♖e4 ♕b3 41. ♖e1±] **ed4 36. ♘f8 ♔g8 37. ♘g6** [37. ♖b8? ♕a7] **d3 38. ♖b8 ♔h7 39. ♘f8 ♔g8**   **1/2 : 1/2**

[Kuprejčik]

339.* * **!N**   **C 89**

KOTRONIAS 2550 – NUNN 2610

Kavala 1991

1. e4 e5 2. ♘f3 ♘c6 3. ♗b5 a6 4. ♗a4 ♘f6 5. 0–0 ♗e7 6. ♖e1 b5 7. ♗b3 0–0 8. c3 d5 9. ed5 ♘d5 10. ♘e5 ♘e5 11. ♖e5 c6 [RR 11... ♗b7 12. d4 ♗f6 13. ♗d5!? N (13. ♖e1 – 49/402) ♗d5 14. ♖e1 ♖e8 15. ♗e3 ♕d6 16. ♘d2 ♖e7 (16... ♖e6!?) 17. ♘f1 ♖ae8 18. ♕d2 (18. ♗d2 ♖e1 19. ♗e1 c5 20. dc5 ♕c5 21. ♘e3 ♗c6↔ Gavrikov) ♕c6 19. f3 ♗h4 20. ♗f2!? (20. ♘g3!? △ b3, ♗f4) ♗f2 21. ♔f2 ♖e1 22. ♖e1 ♗a2 23. ♖e8 ♕e8= Sisniega 2540 – Milos 2515, São Paulo 1991] **12. d4 ♗d6 13. ♖e2 ♗g4** [RR 13... ♕h4 14. g3 ♕h3 15. ♘d2 ♗f5 16. a4 ♗d3! N (16... ♖ae8 – 52/(346)) 17. ♖e1 ♖ae8 18. ♘f3 ♖e1 19. ♕e1 h6 20. ab5 ab5 21. ♘e5 ♖e8 22. ♕d1 ♗e5 23. de5 ♕f5 24. ♗d5 cd5 25. g4 ♕g6 26. ♗f4 ♕e4 27. h3 h5 28. ♗g3 ♗e2 29. ♕d4 1/2 : 1/2 Anand 2650 – Khalifman 2630, Reggio Emilia 1991/92] **14. f3 ♗h5 15. ♗d5 cd5 16. ♘d2 f5 17. ♕b3 ♖e8!?** N [17... ♗f7 18. f4!? (18. ♘f1 – 51/346) ♗f4 19. ♘f3 ♗d6 20. ♘e5±] **18. ♖e8 ♕e8 19. ♘f1** [19. ♕d5? ♗f7 20. ♕d6 ♕e3 21. ♔f1 ♖e8 22. g3 ♗c4 23. ♔g2 (23. ♘c4 ♕f3–+) ♕e2 24. ♔h3 g5! △ ♕f1–+]

183

♗f7 20. ♗d2 [20. a4 b4?! 21. cb4 ♕e1 22. ♕c3!±; 20... ♖b8∞] f4 21. a4 [21. ♖e1 ♕c6∞] ♖b8 22. ab5 ♖b5 [22... ab5 23. ♖a6 ♕d7 24. ♕a2±] 23. ♕c2 ♗g6!? [23... ♕c8⯒] 24. ♕c1 ♗d3□ 25. ♗f4 [25. ♖a6 ♖b2 (△ ♖b1) 26. ♕b2 ♗a6 △ ♕e2⯒] ♗f4 26. ♕f4 ♖b2⯒ 27. ♕g5 [27. ♘e3 ♖e2; 27. ♕e3 ♕g6 (27... ♖g2? 28. ♔g2 ♗f1 29. ♔f2) 28. ♘g3 ♗c4 △ ♖b1∞] ♗c4 28. ♘g3 h6 29. ♕c1 ♕b8 30. ♕e1 a5 31. ♘f5 [31. ♕e6 ♔h8 32. ♖a5 ♖b1 33. ♔f2 ♖b2 (33... ♕b2? 34. ♘e2+−) 34. ♔g1 (34. ♔e3? ♕d8! 35. ♖c5 ♕g5 36. f4 ♕g3 37. hg3 ♖e2−+) ♖b1=] ♗d3 [31... a4? 32. ♕e7] 32. ♘e7 ♔h7 33. ♕e3 ♖b1= 34. ♖b1 ♕b1 35. ♔f2 a4 36. ♕e6 [36. ♘d5? a3∓] ♕b2 [△ 37. ♔g3? ♕b8 △ a3∓] 37. ♔g1 [37... ♕b1=] 1/2 : 1/2 [Nunn]

340. ** !N   C 89

RUBINČIK − VITOMSKIS
corr. 1989/91

1. e4 e5 2. ♘f3 ♘c6 3. ♗b5 a6 4. ♗a4 ♘f6 5. 0−0 ♗e7 6. ♖e1 b5 7. ♗b3 0−0 8. c3 d5 9. ed5 ♘d5 10. ♘e5 ♘e5 11. ♖e5 c6 12. d4 ♗d6 13. ♖e1 ♕h4 14. g3 ♕h3 15. ♗e3 [RR 15. ♖e4 a) 15... ♘f6?! 16. ♖h4 ♕f5 17. ♗c2! N (17. ♗f4 ♗f4 18. ♖f4=) ♕d5 18. c4! ♕e6 (18... bc4 19. ♘c3 ♕a5 20. ♕f3±→) 19. ♘d2 ♖e8 (19... g5 20. ♖h6 ♔g7 21. ♘e4!+−) 20. ♘e4 ♘e4 (20... g6? 21. d5! cd5 22. cd5 ♘d5 23. ♕d5+− Shamkovich 2390 − Baldwin, USA 1991) 21. ♗e4± Shamkovich; b) 15... g5 16. ♕f3 ♗f5 17. ♗d5 (17. ♗c2 − 46/(445)) cd5 18. ♖e3 ♖ad8! N (18... ♗e4) 19. ♘d2 ♖fe8 20. a4 b4 21. c4 dc4 22. ♘c4 ♗d3 23. ♖e8 ♖e8 24. ♘e3 ♗f4 25. ♕g2 ♕h5 26. gf4 ♕d1−) Timman 2630 − N. Short 2660, Tilburg (Interpolis) 1991] ♗g4 16. ♕d3 ♖ae8 17. ♘d2 ♖e6 18. a4 ♕h5 19. ab5 ab5 20. ♘f1 ♗f5 21. ♕d2 [21. ♕e2 ♗g4□=] ♗e4! N [21... ♖fe8 − 48/(465)] 22. ♗c2 [22. ♗d1!? ♕f5 23. ♕e2 ♘f6 24. ♘d2 (24. f3 ♗d5) ♗d5∞] f5 [22... ♗c2!? 23. ♕c2 f5!] 23. ♗d1 [23. ♗e4 ♖e4 24. ♕e2 ♕h3 25. ♕f3 f4!!→⟫] ♕h3 24. f3 f4 25.

fe4 fg3! [25... fe3?! 26. ♕g2 ♕g2 27. ♔g2 ♖e4 28. ♗f3 ♖e6 29. ♖a6!±] 26. ♕g2! [26. ed5? ♖f1 27. ♖f1 gh2 28. ♔f2 ♖f6−+; 26. e5?! ♖f1 27. ♖f1 gh2 28. ♕h2 ♖g6 29. ♔h1 ♕f1 30. ♗g1 ♗f8 △ ♖h6] gh2 27. ♔h1 [27. ♘h2 ♗h2 28. ♕h2 ♖g6 29. ♔h1 ♖f1 30. ♖f1 ♕f1 31. ♗g1 ♖g1=] ♕g2 [27... ♕h4? 28. ♗g4 ♖g6 29. ♕h3+−] 28. ♔g2 ♖e4! [28... ♖f1? 29. ♖a8! ♗f8 30. ♖f1 ♘e3 31. ♔h1 ♘f1 32. ♗b3 ♔f7 33. ♗e6 ♔e6 34. ♖f8 ♘g3 35. ♔h2 ♘e4 36. ♖e8 ♔f5 37. ♖e5 ♔f4 38. ♖e7±] 29. ♗b3 [29. ♔h1 ♘e3 30. ♗b3 ♔h8 31. ♘e3 g6!∞ △ 32. ♘g2 ♖e1 33. ♖e1 ♖f2] h1♕ 30. ♔h1 ♖h4 31. ♔g2 ♖g4 32. ♔h1 [32. ♔h3 a) 32... h5? (△ ♖f3#) 33. ♗d1 ♖f1 34. ♗g4! (34. ♖f1 ♖g3 35. ♔h4 ♘e3 36. ♖f3 ♘g2 37. ♔h5 ♘f4 38. ♖f4 ♗f4=) hg4 35. ♔h4 ♖f3 36. ♗g5+−; b) 32... ♖g6! 33. ♗d1 ♗f4 34. ♗f4 ♘f4 35. ♔h2 ♖g2 36. ♔h1 ♖b2⯒] ♖h4 33. ♔g2   1/2 : 1/2
[Vitoliņš, Vitomskis]

341. *   C 89

AN. KARPOV 2730 − N. SHORT 2660
Tilburg (Interpolis) 1991

1. e4 e5 2. ♘f3 ♘c6 3. ♗b5 a6 4. ♗a4 ♘f6 5. 0−0 ♗e7 6. ♖e1 b5 7. ♗b3 0−0 8. c3 d5 9. ed5 ♘d5 10. ♘e5 ♘e5 11. ♖e5 c6 12. d4 ♗d6 13. ♖e1 ♕h4 14. g3 ♕h3 15. ♗e3 ♗g4 16. ♕d3 ♖ae8 17. ♘d2 ♖e6 18. a4 ♕h5 19. ab5 ab5 20. ♘f1 [20. ♗d1!?] ♗f5 [20... ♗f3 21. ♗d1 ♖fe8 22. ♗d2!? ♖e1 (22... ♗d1 23. ♖ad1) 23. ♗f3 ♕f3 24. ♕f3 ♖a1 25. b3±] 21. ♕d1 N [21. ♕d2!? − 48/(465)] ♗g4 22. ♕d2 ♕h3 23. ♗d1 ♗d1 [23... ♖fe8 24. f3 ♗f5 25. ♗f2±] 24. ♖ad1 [24. ♕d1 f5 (24... ♖fe8 25. ♗d2±) 25. f4 g5⇆] f5 25. f4 g5 [25... ♖fe8 26. ♗f2 ♕g4 27. ♖e6 ♖e6 28. ♖e1 ♗f4=] 26. ♕g2 [26. fg5 a) 26... ♖e4 27. ♗f2 ♖g4; b) 26... ♖fe8 27. ♗f2 f4↑; c) RR 26... f4! 27. ♗f4 ♗f4 28. gf4 ♘f4 29. ♘g3 ♕g4 30. ♖e6 ♘h3 31. ♔g2 ♘f4 32. ♔g1 ♘h3 33. ♔g2 1/2 : 1/2 Ljubojević 2600 − P. Nikolić 2625, Beograd 1991] ♕g2 27. ♔g2 ♖fe8 [27... gf4 28. ♗f4 ♖e1 (28... ♘f4 29. gf4

♖g6 30. ♔f3 ♖g4 31. ♖e6±) 29. ♖e1 ♗f4 30. gf4 ♘f4 31. ♔f3±] **28. ♗d2 ♖e1 29. ♖e1 ♖e1 30. ♗e1 gf4 31. ♔f3 fg3 32. hg3 ♔f7 33. b3 ♔e6 34. c4 bc4 35. bc4 ♘f6 36. ♗d2 h5 37. ♗f4 ♗b4 38. ♘d2 ♗d2 39. ♗d2 ♘e4 40. ♗b4 ♔f6 41. ♔f4 ♔e6 1/2 : 1/2 [An. Karpov]**

342.* !N C 91

JUDASIN 2595 – BALAŠOV 2590

SSSR (ch) 1991

1. e4 e5 2. ♘f3 ♘c6 3. ♗b5 a6 4. ♗a4 ♘f6 5. 0–0 ♗e7 6. ♖e1 b5 7. ♗b3 d6 8. c3 0–0 9. d4 ♗g4 10. ♗e3 ed4 11. cd4 ♘a5 [RR 11... d5 12. e5 ♘e4 13. ♘c3 ♘c3 14. bc3 ♕d7 15. ♗c2! N (15. h3 – 25/345) ♘d8!? (15... ♗f5 16. ♗g5!⩲) 16. ♕d3 g6 17. ♗h6 ♗f5 (17... ♖e8?! 18. ♕e3 ♗f3 19. ♕f3 ♘e6 20. ♖ad1 c6?! 21. ♕g4± Fishbein 2460 – I. Ibragimov 2485, Maringá 1991) 18. ♕d2 ♖e8 19. h3⩲ Fishbein] **12. ♗c2 ♘c4 13. ♗c1 c5 14. b3 ♘b6 15. ♘bd2** [15. d5? ♘fd5 △ ♗f6] **♖c8!?** [15... ♖e8 16. h3 ♗h5 17. d5 ♘fd7 18. g4 ♗g6 19. ♘f1 ♗f6 20. ♖b1 ♗c3 21. ♖e3 b4 22. ♔g2 h6?! 23. ♘g3 ♗h7 24. ♘g1!? ♗e5 25. ♘1e2 g5 (– 49/(406)) 26. h4? ♗f4!∞; 26. ♘f5±; ⌓ 22... c4; 22... ♖c8 – 15... ♖c8] **16. h3 ♗h5 17. d5! N** [17. ♗b2 – 21/253] **♘fd7 18. g4! ♗g6 19. ♘f1 ♗f6 20. ♖b1 ♗c3 21. ♖e3** [21. ♖e2 ♖e8 △ c4] **b4 22. ♔g2** [△ ♘3h2, f4→] **♖e8 23. ♘g3 c4!?** [23... h6 24. ♘g1 △ f4±] **24. ♘d4!?** [24. ♘f5 ♗f5 (24... ♘c5 △ 25. ♘3d4 cb3 26. ♗b3 ♕d7 △ a5-a4⇆) 25. gf5 ♕f6!∞] **cb3** [24... ♘d5? 25. ed5 ♖e3 (25... cb3 26. ♘b3+–; 25... ♗d4 26. ♖e8 ♕e8 27. ♗g6+–) 26. fe3! cb3 27. ab3 ♗d4 28. ♗g6+–] **25. ♗b3** [25. ab3?? ♗d4–+] **♘c5 26. ♗c2** [26. ♘c6 ♖c6! 27. dc6 *a)* 27... ♘e4 28. ♗c2 ♘g3 (28... d5∞) 29. c7 ♕a8 30. ♔g3 ♗c2?! 31. ♖e8 ♕e8 32. ♕c2±; 30... ♖c8∞; *b)* 27... d5! 28. c7!? ♕d7!? △ d4⩱↑⊞] **♘c4 27. ♖e2 ♘a3!?** [27... ♕f6? 28. ♘c6→ ×b4, △ f4-f5; 27... ♕d7 28. f3±; 28. f4!?↑] **28. ♗a3** [28. ♘c6!? (Balašov) ♖c6 29. ♗a3 ♖b6 △ a5∞] **ba3 29. ♘c6 ♕g5!?** [29... ♕f6 30. ♖b6!?±] **30. ♕c1!?** [30. ♖b6 h5⇆] **♕c1□ 31. ♖c1 ♗b2 32. ♖d1⊕** [32. ♖ce1!? △ ♖e3] **f6 33. ♖e3 ♖c7 34. h4!?** [34. ♘f5±] **♖d7** [34... ♖ec8 35. h5 ♗e8 36. ♘f5 ♗c6 37. dc6±] **35. f4 ♗f7 36. ♘f5** [36. g5!? (△ ↑⟫) ♖c7 △ ♖c6, ♗a2; 36... ♔f8±] **♗g6 37. h5?⊕** [37. ♘g3 △ g5±] **♗f5 38. gf5 h6± 39. ♔f3** [39. ♗d3 △ ♗c4±] **♖b7 40. ♖de1?!** [40. ♗d3±] **♔f8 41. ♖1e2 ♖b5!=** [△ a5-a4, ♘b3!⇆ ×a2, e4] **42. ♗d1** [42. ♗d3!? ♘d3 (42... ♖b6 43. ♗c4 ♖c8±) 43. ♖d3 ♖c5? 44. ♖b3 ♖c1 45. ♖b7 ♖a1 46. ♖g2→⟫; 43... ♖c8 △ ♖c7-b7⇆] **a5!⇆ 43. ♖c2 ♘b3!□** [43... a4 44. ♗e2± △ ♖c5!, d6, e5] **44. ♗e2□ ♖c5** [44... ♖b6?! 45. ♗c4 ♖c6 46. ♗b3±] **45. ♖c5□ ♘c5 46. ♗b5** [46. ♘a5 ♗d4 47. ♖a3 ♗b2 48. ♖e3 ♗d4 49. ♖a3=] **a4 47. ♗c4 ♖c8 48. ♘a7** [48... ♖b8 49. ♘b5 ♔e7=] **1/2 : 1/2 [Judasin]**

343. !N C 91**

W. WATSON 2525 –
P. LITTLEWOOD 2460

London 1991

1. e4 e5 2. ♘f3 ♘c6 3. ♗b5 a6 4. ♗a4 ♘f6 5. 0–0 ♗e7 6. ♖e1 b5 7. ♗b3 d6 8. c3 0–0 9. d4 ♗g4 10. d5 ♘a5 11. ♗c2 c6 12. h3 ♗c8 13. dc6 ♕c7 14. ♘bd2 ♕c6 15. a4!? ♗e6 N [15... ♗b7 16. ♗d3 ♘c4?! 17. ♕b3! N (17. ♕e2 – 45/(399)) ♖fc8?! 18. ♘c4! bc4 19. ♗c4 ♕c4 20. ♕b7 ♗d8 21. ♘d2 ♕d3 22. ♖e3 ♕c2 23. ♕b3 ♕b3 24. ♘b3± W. Watson 2505 – Alexa. Ivanov 2525, Gausdal 1991; 17... ♘d2□; 16... g6!?; 16... ♖fc8] **16. ♘g5 ♗d7 17. ♘f1 h6** [17... ♘c4!?] **18. ♘f3 ♖fc8** [18... ♗e6 19. ♘g3 ♖fc8 20. ♘h4 ♗f8 21. ♘hf5 ♔h8! 22. ♘h5 ♘g8∞ W. Watson 2525 – Hebden 2485, Capelle la Grande 1991] **19. ♘e3! ♗e6 20. ♘h4 ♗f8 21. ♘hf5** [△ ♕f3→] **g6?** [21... ♘e4?! 22. ab5 ab5 23. ♕g4± d5 (23... ♘f6 24. ♘h6 ♔h8 25. ♕h4; 23... ♘g5 24. h4 ♘h7 25. ♗e4! d5 26. ♘d5 ♗d5 27. ♘h6 ♔h8 28. ♘f7 ♔g8 29. ♘e5 ♕b7 30. ♗d5 ♕d5 31. ♖a5) 24. ♘d5!? ♗d5 25. ♗h6 g6 (25... ♘f6 26. ♘e7! ♔h8 27. ♕h4; 25... ♕g6 26. ♗g7! ♕g4 27. hg4) 26. ♗e4 ♗e4 27.

♖e4 ♕e6 28. ♗f8 ♔f8 29. ♘e3 f5 30. ♕f3; 21... ♕d7!?] **22. ♘g4!±→ ♘g4 23. hg4 ♔h7** [23... gf5 24. gf5 △ ♖e3] **24. ♖e3 d5!? 25. ♘h6! d4** [25... ♗h6 26. ed5] **26. ♖h3 ♔g7 27. ♘f5 ♔g8 28. ♗g5 f6 29. ab5 ab5 30. ♗f6! ♗f5□ 31. ♖a5!+− ♖a5** [31... ♕f6 32. ♖a8 ♖a8 33. ef5+−; 31... ♗e4 32. ♗b3 ♗d5 33. ♖a8 ♕a8 (33... ♖a8 34. ♕f3! ♖a1 35. ♔h2 e4 36. ♕e4 ♕d6 37. ♗e5) 34. ♗e5] **32. ♗b3 ♗e6 33. ♖h8** [33. ♕f3? ♗g7!] **♔f7 34. ♕f3 ♖a1 35. ♔h2 ♔e8** [35... ♗b3 36. ♗d8! ♔e6 37. ♕f6 ♔d7 38. ♖h7 ♔e8 39. ♖e7+−] **36. ♗g5 ♔d7 37. ♖h7 ♔d6** [37... ♔e8 38. ♕f6] **38. ♗e6 ♖e8 39. ♗d5 ♕c8 40. ♕f6 ♔c5 41. b4#**

1 : 0 **[W. Watson]**

344. **C 92**

KINDERMANN 2505
– RAZUVAEV 2575
Praha 1992

1. e4 e5 2. ♘f3 ♘c6 3. ♗b5 a6 4. ♗a4 ♘f6 5. 0–0 ♗e7 6. ♖e1 b5 7. ♗b3 0–0 8. c3 d6 9. h3 ♘d7 10. d3 ♘b6 11. ♘bd2 N [11. ♗e3 – 48/470] **a5! 12. d4** [12. ♘f1 a4 13. ♗c2 b4!? △ a3; 13... f5!?] **a4 13. ♗c2 ♗f6 14. ♘f1 ♗d7** [14... g6!? △ ♗g7] **15. ♘e3 g6 16. ♘d5 ♗g7 17. ♘b6 cb6 18. ♗e3 ♕c7 19. ♗d3?!** [19. de5 de5 20. ♗b6?! ♕b6 21. ♕d7 ♖fd8 22. ♕g4 b4→《; 19. a3!? ♘a5 20. ♘d2 (△ 20... ♘c4 21. ♘c4 bc4 22. f4 △ ♖f1, ♕f3⩲) f5 21. f4 △ 21... ef4 22. ♗f4 fe4 23. ♗h2; 20... ♘c6!?] **♘a5 20. ♕e2?!** [20. ♘d2?! a3 △ 21. b4? ♕c3; ⌓ 20. a3] **♘c4 21. ♗c4 bc4 22. a3 b5 23. ♖ad1 ♗c6 24. ♘d2** [24. de5 de5 25. ♗c5 ♖fd8∓⊡] **f5! 25. ef5 gf5 26. f4 ed4** [26... e4!? △ ♗f6, ♔h8, d5, ♖g8∓ ⇔g] **27. ♗d4 ♗d4 28. cd4∓ ♖f6 29. ♕f2 ♕b7** [△ ♗g2] **30. ♖e3 ♖g6 31. ♘f3 h6?** [31... ♗e4 32. ♘g5 d5 33. ♘e4 de4 (△ ♕d5∓) 34. d5 ♖d8 35. ♕d2 ♕g7 (35... ♖gd6 36. ♖g3 △ ♕d4) 36. ♖e2 ♖gd6 37. ♕a5∞; 33... fe4!?] **32. d5!→ ♗d5 33. ♘h4⩱ ♖g7** [33... ♖f6? 34. ♖g3 ♔f7 (34... ♔h7 35. ♕d4+−) 35. ♕e2 △ ♕h5+−] **34. ♖g3 ♗e4 35. ♖d6 ♔h7⊕** [35... ♕a7 36. ♖g7 ♔g7 37. ♖b6±] **36. ♖g7 ♕g7 37. ♕b6 ♕a7?!** [37... ♖g8! 38. ♖g6 ♕f8 *a)* 39. ♖f6 ♕g7 40. ♕e6 ♖e8! (40... ♗g2? 41. ♕f5 ♔h8 42. ♘g6+−; 40... ♖f8 41. ♖g6 ♕d4 42. ♔h2+−) 41. ♖h6 ♕h6 42. ♕d7 ♕g7 43. ♕e8 ♕b2=; *b)* 39. ♖g8! ♕g8 40. ♕b5 △ 40... ♕g3 41. ♕d7 ♔g8 42. ♕d8 ♔f7 43. ♕c7 ♔g8 44. ♕b8 ♔f7 45. ♕a7 ♔g8 46. ♕f2±] **38. ♖h6 ♔g7 39. ♖g6 ♔f7?⊕** [39... ♔h7 40. ♕a7 ♖a7 41. ♖b6±] **40. ♖f6 ♔g7 41. ♘f5+− ♗f5 42. ♕a7 ♖a7 43. ♖f5 b4 44. ♖b5□ ba3 45. ba3 ♖f7 46. g3 ♖c7 47. ♖b2 ♖d7 48. ♔f2 c3 49. ♖e2!** [49. ♖c2?! ♖d3⇆] **♔f6** [49... ♖d3 50. ♖e7 ♔f6 51. ♖c7] **50. ♔e3** [△ ♖c2]

1 : 0 **[Kindermann]**

345.* **C 92**

GI. HERNÁNDEZ 2525
– W. ARENCIBIA 2530
La Habana 1991

1. e4 e5 2. ♘f3 ♘c6 3. ♗b5 a6 4. ♗a4 ♘f6 5. 0–0 ♗e7 6. ♖e1 b5 7. ♗b3 d6 8. c3 0–0 9. h3 ♘d7 10. d4 ♗f6 [RR 10... ♘b6 11. ♘bd2 ed4 12. cd4 ♘b4 13. ♘f1 c5 14. a3 ♘c6 15. ♘1h2 N (15. ♗e3 – 30/293, 294) cd4 16. ♘d4 ♘d4 17. ♕d4 ♗f6 18. ♕d1 ♖e8 19. ♘g4 ♗g4 20. hg4 ♘c4 21. ♖b1 ♖c8= N. Short 2660 – Hodgson 2570, England (ch-m/2) 1991] **11. d5 ♘e7 N** [⌓ 11... ♘a5 12. ♗c2 c5 – 28/298; 12...♘c4!] **12. ♘bd2** [12. a4 ♘c5!? 13. ab5 ♘b3 14. ♕b3 ♖b8 15. c4 ab5 16. cb5 ♘g6 17. ♘c3 ♗e7 △ f5⇆; 12... ♗b7] **a5** [12... ♗b7!?] **13. ♘f1** [13. a4 ba4 14. ♗a4 ♘b6 15. ♗c2 ♗d7 △ ♕b8, ♖d8, c6] **♘b6 14. ♗c2?!** [⌓ 14. ♗e3] **c6?!** [⌓ 14... ♗d7 △ c6] **15. dc6 ♘c6 16. ♘e3?!** [×♗c1; 16. ♗e3! ♗e6 (16... ♘c4 17. ♕e2! △ ♗d3, ♖ad1) 17. ♘1d2± △ 17... d5? 18. ♗b6! ♕b6 19. ed5 ♗d5 20. ♘e4 ♗e4 21. ♗e4 ♖ae8 (21... ♖fe8 22. ♕d7 ♖ac8 23. ♕f5 h6 24. ♕h7 ♔f8 25. ♗c6 ♕c6 26. ♘d4! △ ♘f5+−) 22. a4! b4 23. ♕d3 h6 24. ♕b5+−] **♗e6 17. ♘d5** [17. ♗b3 ♕d7 18. ♕d3 ♘e7 19. ♖d1 ♖fd8] **♗d5 18. ed5 ♘a7!** [18... ♘e7 19. ♕d3 g6 20. ♕b5±] **19. a4 ba4 20. ♗a4 g6= 21. ♗c2 ♘b5 22. ♗d3 ♘c7 23. c4 ♘d7 24.**

♗d2 ♘e8 25. ♗c3 ♘c5 26. ♗c2 ♕b8!□ [×b2] **27. ♖a3 ♗d8 28. ♕a1** [△ b4] **♖a6!□ 29. ♘d2 ♗b6∓** [△ ♕a7 ×f2] **30. b4?** [⌓ 30. ♘e4] **ab4 31. ♗b4 ♖a3 32. ♕a3 ♘f6 33. ♗a4** [33. ♘b3 ♘fd7] **♕a7 34. ♗c6 ♕a3 35. ♗a3 ♘d3 36. ♖f1 ♖d8 37. g3 ♔f8 38. ♔g2 ♗c5!∓ 39. ♗c5 ♘c5 40. ♖b1 ♔e7 41. ♔f3 ♖c8 42. ♔e3 h5! 43. ♖b5** [43. h4 ♘g4 △ f5∓] **h4 44. g4 ♘h7!∓ 45. ♘f3 ♔f6 46. ♘h4?** [×⇔h] **♘g5 47. ♘f3 ♖h8−+ 48. ♘d2 ♖h3 49. ♔e2 e4 50. ♖b8 ♔e5 51. ♖e8 ♔d4 52. ♖d8 ♘d3** [△ ♘f4] **53. ♘f1** [53. ♖d6 ♘f4 54. ♔d1 ♔d3] **♖f3** **0 : 1**
[W. Arencibia]

346.*** **C 92**

AM. RODRÍGUEZ 2500 – W. ARENCIBIA 2560
Cuba (ch) 1991

1. e4 e5 2. ♘f3 ♘c6 3. ♗b5 a6 4. ♗a4 ♘f6 5. 0–0 ♗e7 6. ♖e1 b5 7. ♗b3 0–0 8. c3 d6 9. h3 ♘d7 10. d4 ♗f6 11. a4 ♗b7 12. ♗e3 [RR 12. ♘a3 ed4 13. cd4 ♖e8 *a)* 14. ab5 N (14. ♗f4 – 52/350) ab5 15. ♕d3?! ♘d4! 16. ♘d4 ♘c5 17. ♕b5 ♗d4 18. ♗c2 ♗a6 19. ♕c6 ♗b7 20. ♕b5 ♖b8∓ G. M. Todorović 2435 – Smagin 2535, Wien (open) 1991; *b)* 14. ♕d2!? N ♖e7 15. ♗c2 ♘b6 (15... ♕e8!?; 15... g6!?) 16. a5! ♘d7 17. b4 *b1)* 17... ♘d4?! 18. ♘d4 c5 19. ♘b3 ♖c8! (19... ♗a1 20. ♘a1 ♘e5 21. ♘b3±) 20. ♖a2□ cb4 21. ♘b1 (21. ♕b4? ♗c3) ♘e5 22. f4!± Kindermann 2505 – Smagin 2550, Praha 1992; *b2)* 17... ♕f8! 18. ♗b2 ♖ae8 19. ♖e2 g6 20. ♖ae1 ♕g7∞ Smagin; 12. ab5 ab5 13. ♖a8 ♕a8 14. d5 ♘e7 15. ♘a3 c6!? N (15... ♗a6 – 46/462) 16. dc6 ♗c6 17. ♕d6 ♘c8 18. ♕d1 ♘c5 19. ♗d5 ♘e4 20. ♗c6 ♕c6 21. ♕d3 ♘cd6 22. ♘b5 ♕c5 23. ♕e2 ♘g3 24. ♕e3 ♕b5 25. fg3 e4⩱ Xie Jun 2465 – Čiburdanidze 2495, Manila (m/13) 1991] **♘a5 13. ♗c2 ♘c4 14. ♗c1 c5 N** [14... ed4 – 50/(384); 14... d5 – 52/349] **15. d5 ♘cb6!? 16. b3** [16. a5 ♘c4 17. b4=] **♗e7?!** [16... g6 △ ♗g7; 16... c4!?] **17. a5 ♘c8 18. c4± b4 19. ♘bd2** [19. ♗e3!? △ ♘bd2] **♗g5!?** [19... ♖e8 20. ♘f1 △ g4, ♘g3±] **20. ♘g5 ♕g5 21. ♘f1 ♕d8 22. ♘g3 ♘e7 23. ♗e3 ♗c8 24. ♕d2 f6 25. ♘f5! ♘f5 26. ef5 ♖e8 27. ♗e4± ♘f8 28. ♕d3 ♖a7 29. g4 ♔h8 30. ♔h2** [30. h4!± △ ♔h2, ♖g1] **g5! 31. h4** [31. fg6 hg6 32. ♗g6 ♘g6 33. ♕g6 ♖g7 △ ♗g4, f5→] **h6 32. ♔g3 ♖h7!** [32... ♘h7 33. ♖h1 △ ♖h3, ♖ah1, hg5, ♖h6±] **33. ♖h1 ♕d7 34. f3 ♕g7 35. ♖h3 ♖e7 36. ♖ah1 ♕g8 37. ♕d2 ♘d7 38. ♖1h2 ♖eg7 39. hg5?!** [39. ♕d1!? △ ♕h1, hg5, ♖h6] **hg5 40. ♗g5 fg5 41. ♖h7 ♖h7 42. ♖h7 ♕h7** [42... ♔h7?? 43. f6 ♔h8 44. ♕h2+–] **43. ♕g5 ♕h1!! 44. ♕d8 ♔g7 45. f6 ♘f6 46. ♕e7 ♔g8 47. ♕f6** [♕ 8/i] **♕e1 48. ♔g2 ♕e2 49. ♔h3**

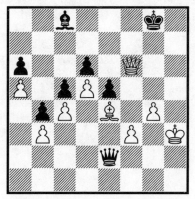

49... ♗g4! 50. ♔g4 [50. ♔g3 ♕e1 51. ♔g4 ♕g3!] **♕g2 51. ♔f5 ♕h3 52. ♔g6 ♕h5!** **1/2 : 1/2** **[Am. Rodríguez]**

347. **C 92**

SAVON 2460 – SOLOŽENKIN 2430
Moskva 1991

1. e4 e5 2. ♘f3 ♘c6 3. ♗b5 a6 4. ♗a4 ♘f6 5. 0–0 ♗e7 6. ♖e1 b5 7. ♗b3 d6 8. c3 0–0 9. h3 ♖e8 10. d4 ♗b7 11. a4 h6 12. ab5 N ab5 13. ♖a8 ♗a8 [13... ♕a8 14. ♘a3±] **14. ♘a3 ed4 15. ♘b5** [15. cd4 ♗f8 16. e5 de5 17. de5 ♕d1 18. ♗d1 ♗a3 19. ba3 ♘d7=] **♗f8** [15... dc3 16. ♘c3 ♗f8 17. ♗a4±] **16. cd4** [16. ♗c2 dc3 17. ♘c3 ♘b4=] **♖e4 17. ♖e4 ♘e4 18. ♕c2 ♘f6** [18... d5 19. ♗f4 (19. ♗a4 ♗d6=) ♘d6 20. ♗a4 ♘b5 21. ♗b5 ♗d6=] **19. ♗d2** [19. ♗h6 gh6 20. ♕g6 ♔h8 21. ♕f7 ♕e7∓; 19. ♗a4 ♘d5] **♕b8**

20. ♕c4 [20. ♘c7 ♕c7 21. d5 ♕b7=] d5 21. ♕a4 ♘d8! 22. ♘e5?! [22. ♘c3=] ♘e6∓ [△ 23... c6 24. ♘c3 ♘d4] 23. ♗e3! c5 24. ♗c2! cd4 [24... ♗b7 25. ♘c3=; 24... ♘d4 25. ♗d4 cd4 26. ♘f3=] 25. ♘d4 ♕e5 26. ♘e6 fe6 27. ♕a8 d4 [27... ♕b2 28. ♗g6 ♕b4 29. ♕a7 ♕e7 30. ♕e7 ♗e7 31. ♗d4=] 28. ♗d2 ♕e2 29. ♕a5!□ [29. ♗b3 ♕d2 30. ♗e6 ♔h7 31. ♗f5 (31. ♕f8 ♕e1−+) g6−+; 29. ♗b4 ♕c2 30. ♗f8 ♔f7−+] d3 30. ♗b3 ♘e4 31. ♗e3!⊕ [31. ♗e6 ♔h8 32. ♗f5 ♗c5 33. ♗e3 d2−+] ♘g3? [31... d2 32. ♕d8 ♘d6! 33. ♗e6 ♔h7 34. ♗d2 (34. ♕f8 d1♕ 35. ♔h2 ♕ed3−+) ♕d2 35. ♗f5 g6 36. ♕f8 (36. ♗g6 ♔g7!−+) ♕e1 37. ♔h2 ♕e5∓] 32. ♗e6 ♔h8 33. ♕a1? [33. ♕d8? ♕e1 34. ♔h2 ♘f1 35. ♔g1 ♘e3−+; 33. ♗g4! ♕f1 34. ♔h2 ♘e2 35. ♗e2 de2 36. ♕d8=] d2−+ 34. ♗d2 [34. ♗b3 ♕e1−+] ♕d2 35. fg3 ♕e3 36. ♔h2 ♕e6 37. ♕a8 ♕d6 38. ♕f3 ♕b8 39. b3 ♗d6 40. h4 ♕d8 41. ♔h3 ♕d7 42. g4 ♕e6 43. g3 h5 44. ♕a8 ♔h7 45. ♕f3 hg4 46. ♕g4 ♕g4 47. ♔g4 ♔g6 **0 : 1**
[Soloženkin, Ševelev]

348. C 92

KHALIFMAN 2630 – AN. KARPOV 2730
Reggio Emilia 1991/92

1. e4 e5 2. ♘f3 ♘c6 3. ♗b5 a6 4. ♗a4 ♘f6 5. 0–0 ♗e7 6. ♖e1 b5 7. ♗b3 d6 8. c3 0–0 9. h3 ♗b7 10. d4 ♖e8 11. ♘g5 ♖f8 12. ♘f3 ♖e8 13. ♘bd2 ♗f8 14. a4 h6 15. ♗c2 ed4 16. cd4 ♘b4 17. ♗b1 c5 18. d5 ♘d7 19. ♖a3 f5 20. ♘h2!? N [20. ef5 – 50/389, 390, 391; 20. ♖ae3 – 52/352] ♘f6 [20... ♔h8!?; 20... c4!?] 21. ♖f3 ♖e5! 22. ♖f5 [22. b3!? fe4 23. ♘e4 ♘e4 24. ♖e4 ♗d5 25. ♖e5 ♗f3 26. ♕f3 de5 27. ♘g4=∞] ♖f5 23. ef5 ♗d5! [23... ♘bd5 24. ♘e4 ♕d7 25. ♘g4±] 24. ♘e4?! [24. ♘g4!? ♘g4 25. hg4∞] ♗e4 25. ♗e4 d5 [25... ♘e4?! 26. ♖e4 d5 27. ♖e6±] 26. ♗f3 [26. ♗b1 d4!∓] c4 [×d3] 27. ♖e6 ♘d3 28. ♗e3 d4! [28... ♘b2 29. ♕d4=∞; 28... ♖c8 29. ♗d4↑] 29. ♗h6 [29. ♗a8 de3 30. ♖a6 ef2 31. ♔h1 ♕d4∓] ♘b2 30. ♕c2 [30. ♕e2 c3! 31. ♗g5 d3? 32. ♕e5 d2 33. ♗f6 gf6 34. ♖f6∞; 31... ♖c8!∓] ♘a4 31. ♗g5 [31. ♗a8 ♕a8! 32. ♗g5 d3∓] d3 32. ♕d2 ♘c5! [32... c3 33. ♕a2 ♔h8 34. ♖f6! gf6 35. ♕f7!∞] 33. ♗f6 [33. ♖c6? ♘ce4!−+; 33. ♗a8 ♘e6 34. fe6 ♕a8 35. ♗f6 gf6 36. ♘g4 ♕d8∓] gf6 34. ♖c6 ♖c8 [34... ♘b3! 35. ♕f4 ♘d4 36. ♖c7 ♗g7!∓] 35. ♖c8 [35. ♗d5 ♕d5! 36. ♖c8 ♕f5−+] ♕c8 36. ♗d5 ♔h7 37. ♕f4 d2 [37... ♗h6 38. ♕g3 ♕e8 (38... ♗g5?! 39. h4 d2 40. ♗f3=∞; 38... ♕f8 39. ♕g6 ♔h8 40. ♘g4 d2 41. ♗f3=∞) 39. ♘g4 ♘d7 (39... ♗g5? 40. h4! d2 41. ♗f3±; 39... d2 40. ♘f6 ♔h8 41. ♗f3!∞) 40. ♘h6! (40. ♗e6 d2 41. ♕d6 ♗f4!−+; 40. ♕h4 ♕f8 41. ♗g8 ♔g8 42. ♘h6 ♔h7!∓) ♔h6 41. ♗e6∞] 38. ♕g4?⊕ [38. ♕d2! ♕f5 39. ♘g4=∞ △ 39... ♘d7 40. ♕d4 ♗c5? 41. ♗e4!] d1♕ 39. ♕d1 ♕f5 40. ♘g4 ♗h6?⊕ [40... ♕d3! 41. ♕e1 (41. ♘f6 ♔g6 42. ♕d3 ♘d3−+) ♔g7−+]

41. ♕e1!+− [41. ♕d4 ♗f8 42. ♘f6 ♔g6∞] ♗f8 [41... ♗g7 42. ♕e7 ♕c8 43. ♘f6 ♔h8 44. ♘e8+−] 42. ♕e8 ♕b1 43. ♔h2 ♗d6 44. g3 ♕g6 45. ♕d8 **1 : 0**
[Khalifman]

349. C 93

ČIBURDANIDZE 2495 – XIE JUN 2465
Manila (m/4) 1991

1. e4 e5 2. ♘f3 ♘c6 3. ♗b5 a6 4. ♗a4 ♘f6 5. 0–0 ♗e7 6. ♖e1 b5 7. ♗b3 0–0 8. d3 d6 9. c3 ♘a5 10. ♗c2 c5 11. ♘bd2 ♖e8 12. ♘f1 ♘c6 [12... ♗f8 – 43/443]

13. h3 h6?! [△ ♗f8] 14. ♘e3! ♗f8 15. ♘h2 d5□ 16. ♘hg4? [16. ed5 ♘d5 17. ♘d5 ♕d5 18. ♘g4 ♗b7!□ 19. ♖e3! f5 20. ♘h6 gh6 21. ♖g3 ♗g7□ (21... ♔h8 22. ♕h5) 22. ♗h6 ♖e7 23. ♕h5 f4 24. ♗f4 ♕f7 25. ♕f7 ♖f7 26. ♗e3±] ♘g4 17. hg4 [△ 17. ♘g4 d4∓] d4 18. ♘f5 c4? [18... g6! 19. ♘h6 (19. ♘g3 ♕h4−+) ♗h6 20. ♗h6 g5 21. ♕f3 ♖e6 22. ♕h3 ♕f6−+] 19. dc4 bc4 20. ♗a4 ♗d7 21. ♗d2 ♖b8?! 22. b3 cb3 23. ab3± ♘e7? [23... dc3±] 24. cd4 ♘f5 25. gf5 ed4 26. ♗a5!+− ♕e7□ 27. ♕d4 ♗a4 28. ba4 ♕c5 29. ♕d2 ♕c4 30. e5 ♗c5 31. ♖ac1 ♕d4 32. e6? [32. ♕c2!+−] ♖b2 33. ♕d4 ♗d4 34. ef7 ♔f7 35. ♖c7 ♔f8 36. ♖e8 ♔e8 [♖ 9/k] 37. ♗e1 ♗b6 38. ♖c4 ♖b1 39. ♖e4 ♔f7 40. ♔h2 h5 41. g3 ♔f6 42. a5 ♗c7 43. ♗c3 ♔f5 44. ♖c4 ♗d8 45. ♖c5 ♔g6 46. ♖c6 ♔h7 47. ♖a6 ♖c1 48. ♗d4 ♖d1 49. ♗c3 ♖c1 50. ♖a8 ♗c7? [50... ♖c3 51. ♖d8 ♖a3±] 51. ♗d4+− ♖c4 52. ♗e3 h4 53. a6 hg3 54. ♔g2! ♗f4 55. a7 gf2 56. ♗f2 1 : 0 [Čiburdanidze, G. Kuz'min]

350.* C 96

KUCZYŃSKI 2480 − ROMANIŠIN 2600
Polanica Zdrój 1991

1. e4 e5 2. ♘f3 ♘c6 3. ♗b5 a6 4. ♗a4 ♘f6 5. 0−0 ♗e7 6. ♖e1 b5 7. ♗b3 d6 8. c3 0−0 9. h3 ♘a5 10. ♗c2 c5 11. d4 ♗b7 12. ♘bd2 cd4 13. cd4 ed4 14. ♘d4 ♖e8 15. ♘f1 [RR 15. b4 ♘c6 16. ♘c6 ♗c6 17. ♗b2 ♗f8 N (17... ♖c8 − 47/(444); 17... ♘d7!? 18. ♘f3 ♗f6 19. ♘d4 ♗b7) 18. ♕f3! ♖c8 19. ♗b3 ♕e7 (19... ♗d7!? 20. ♖ad1 ♗e6) 20. ♖ad1 ♗b7 (20... ♘d7!? 21. ♕g3 ♘e5 22. f4 ♕a7! 23. ♔h1 ♘c4 24. ♘c4 bc4 25. ♗c4 ♗e4=) 21. ♕f5 d5 22. e5 ♘d7 23. ♘e4 a) 23... g6? 24. ♕d7! de4 25. e6! fe6 (25... f6 26. ♗f6! ♕f6 27. e7+−) 26. ♕d4 ♔f7 27. ♕h8 ♕h4 28. g3 1 : 0 Xie Jun 2465 − Čiburdanidze 2495, Manila (m/3) 1991; b) 23... ♕e6□ 24. ♕e6 ♖e6 (24... fe6? 25. ♘d6) 25. a3 (△ 25... ♘e5? 26. ♘g5 ♖g6 27. ♖e5 f6 28. ♖ed5+−) ♘b6∞ J. Peters] ♗f8 16. ♘g3 d5?! [△ 16... g6] 17. ♗g5

♕b6 N [17... de4 − 49/426] 18. ♗f6 ♕f6 19. ♘h5 ♕d6 [19... ♕g5 20. h4! (20. f4? ♕h6! △ 21. e5? ♗c5−+) ♕h4 21. ♘f5 ♕g5 22. ♖e3! ♖e6 23. ♖g3 ♕d8 24. ♘fg7 ♖g6 25. ♘f5 de4 26. ♕e1!±] 20. ♘f5 ♕e5 21. f4 ♕b2 22. e5 ♖e6

23. ♘fg7! [23. ♕d3? ♖g6 24. ♘fg7 (△ 24... ♕g7? 25. ♖eb1) d4!⇆ ♖g6 [23... ♗g7 24. ♕d3 ♖g6 25. ♖eb1 ♗e5 26. ♖b2 ♗b2 27. ♖e1±] 24. ♘f5?! [24. ♗g6! a) 24... hg6 25. ♘f5! gh5 (25... gf5 26. ♘f6 ♔g7 27. ♕h5+−) 26. ♕h5 ♗c8 27. ♕g5 ♔h7 28. ♖e3! ♕a1 29. ♔h2 ♗f5 30. ♕f5 ♔g8 31. ♖g3 ♗g7 32. ♕f6+−; b) 24... fg6 25. ♘e6 gh5 26. ♕h5→≫] d4 25. ♘h4 ♖h6!∞ 26. ♕g4 ♔h8 27. ♗d3! [△ 27... ♘c4? 28. ♗c4 bc4 29. ♖ab1 ♕c3 30. ♖b7! ♕e1 31. ♔h2+−] ♕a3 28. ♖ad1 ♘c4 [△ ♘e3⇆] 29. ♘f6 ♗g7 30. ♕d7 ♖h4 [30... ♖b8 31. ♕c7!] 31. ♕b7 ♖f8 32. ♕e4?!⊕ [32. ♘h7! ♖h7 33. ♗h7 ♔h7 34. ♕e4 ♔g8 35. ♕d4±] ♘b2? [32... ♗f6! 33. ef6 (33. ♗c4 bc4 34. ef6 ♖g8!⇆) ♘e3 34. ♖d2 ♕c3 35. ♖de2 ♖g8!∞] 33. ♖d2± ♗f6 34. ef6 ♘d3 35. ♖d3 ♖f4? [35... ♕d6 36. ♕e7±] 36. ♕e8? [36. ♖a3+−] ♕d6 37. ♖e7 ♖f1? [37... ♕b8 38. ♕c6 ♕d8 (38... ♖c8 39. ♖b7!±) 39. ♕c5±] 38. ♔f1 ♕f6 39. ♖f3 ♕h6 40. ♕d7 1 : 0 [Kuczyński]

351. C 99

ADAMS 2615 − S. AGDESTEIN 2590
Hastings 1991/92

1. e4 e5 2. ♘f3 ♘c6 3. ♗b5 a6 4. ♗a4 ♘f6 5. 0−0 ♗e7 6. ♖e1 b5 7. ♗b3 d6 8.

189

c3 0—0 9. h3 ♘a5 10. ♗c2 c5 11. d4 ♕c7 12. ♘bd2 cd4 13. cd4 ♘c6 14. d5 ♘b4 15. ♗b1 a5 16. ♘f1 ♘a6!? N [16... ♗d7 — 48/488] 17. ♘3h2 [17. g4 h5! 18. gh5 ♗h3 19. ♘3h2 ♔h7!? △ ♖h8 ×h5; 17. ♘e3 ♘c5 18. ♘f5 ♗f5 19. ef5 ♕b7 ×d5; 17. ♘g3 ♘c5 18. ♘h2 g6=] ♘c5 18. g4?! [18. ♕f3 ♕d8!? △ ♘fd7, ♗g5; 18. ♘g3!?] h6 19. ♘g3 ♘h7∓ [×f4, g5, h4] 20. ♘f3 ♘g5 [20... ♕d8?! 21. ♔g2 ♘g5 22. ♘g1 ♘h7 23. ♘f3=] 21. ♔g2 ♘f3 22. ♕f3 ♗g5 [22... ♕d8!? 23. ♘f1!? ♗g5 24. ♘e3∓] 23. ♗g5 [23. ♘f5 ♗c1 24. ♖c1 ♕d8 25. ♕e3 ♗f5∓ ×♗b1] hg5 24. ♖h1 ♕d8 25. ♗c2?! [25. ♕e3!? ♖a7! (25... g6?! 26. h4 gh4 27. ♕h6 ♕f6 28. ♖h4 ♕g7 29. ♕e3→≫) 26. ♗c2 g6!? △ 27. h4? gh4 28. ♕h6 g5! 29. f4 (29. ♘h5 f6—+ ×♕h6, g4) f6!] g6∓ 26. ♘f1 ♔g7 27. ♘d2 ♕f6 28. ♕f6 [△ 28. a4] ♔f6 29. a4 ba4!? [29... ♗d7?! 30. ab5 ♗b5 31. ♖a3⇄; 29... b4 30. ♘b3 ♗a6!? 31. ♘a5?! ♗d3 32. ♗d3 ♖a5 33. ♗b5 ♘e4∓] 30. ♗a4 ♖b8! 31. b3 ♖b4 32. f3 [32. ♘c4 ♗a6 33. ♘a5 (33. ♘d6 ♔e7) ♖e4∓; 32. ♗c6 ♖d4! 33. ♖a2 ♗a6∓] ♗a6 33. ♖hc1 ♖fb8 34. ♔g3 ♖d4 35. ♖c2 ♖d3 36. ♖a3 [36. ♗c6 ♘b3 37. ♖b1 (37. ♖a3 ♖d2 38. ♖b3 ♖c2 39. ♖b8 ♗f1—+) ♘d2 (37... ♖d4!?) 38. ♖b8 ♖f3 39. ♔h2 ♘e4—+] ♖b4 37. ♗c6 ♖bd4 38. ♖aa2 ♖e3 [△ ♖dd3, ♘e4, △ ♖d2, ♘e4; 38... ♔e7!? △ ♗c8, f5] 39. ♖a5 ♖d2 [39... ♗d3] 40. ♖ac5 [40. ♖d2 ♘e4 41. ♔g2 ♘d2 42. ♖a6 ♖e2! 43. ♔g1 ♘f3 44. ♔f1 ♖h2 45. ♗b5 e4—+] ♖dd3—+ 41. ♖a5 ♖f3 42. ♔h2 ♖h3 43. ♔g2 ♖dg3 44. ♔f2 ♖b3 0 : 1

[S. Agdestein]

D

352. **D 02**

IVANČUK 2735 – POLUGAEVSKIJ 2630

Reggio Emilia 1991/92

1. ♘f3 c5 2. g3 ♘c6 3. ♗g2 g6 4. c3 ♗g7 5. d4 cd4 6. cd4 d5 7. ♘c3 e6 8. 0–0 ♘ge7 9. b3 N [9. ♗f4 – 37/3] **0–0 10. e3 b6= 11. ♗a3 ♗a6 12. ♖e1 ♖c8 13. ♖c1 ♖e8! 14. b4?!** [14. ♕d2=] **♗b7** [△ ♘f5-d6∓] **15. g4 ♖c7** [15... ♖b8!? △ ♘c8] **16. ♖e2 ♘c8 17. ♖ec2 ♘d6! 18. b5 ♘a5 19. ♗d6 ♕d6 20. ♘e4 de4 21. ♖c7 ef3 22. ♗f3 ♖e7!∓ 23. ♖7c2** [23. ♖e7!? ♕e7 24. ♔g2∓] **h6 24. ♗b7 ♖b7 25. ♕f3 ♖d7 26. h4** [26. ♖c8!? ♔h7 27. ♖e8] **e5! 27. de5 ♕e5 28. h5! ♔h7** [28... gh5 29. ♖c8 ♔h7 30. ♕f5!∞] **29. hg6 fg6 30. a4 ♘b3 31. ♖d1 ♕f6!** [31... ♖d1 32. ♕d1 ♘c5 33. ♖c4!] **32. ♕e2 ♖e7 33. ♔g2!** [33. ♖c6? ♘d4!–+] **♘c5 34. a5 ♘e6** [34... ♘e4!? 35. ♖c6 ♕g5 36. f4 ♕h4 37. ♕f3 ♘f6! *a)* 38. ab6 ♘g4 39. ♖h1 ♘e3 40. ♔g1 (40. ♕e3 ♕g4–+) ♕e1 41. ♔h2 ♘g4!–+; *b)* 38. e4 ba5∓] **35. ♕f3□ ♕f3 36. ♔f3 ba5 37. ♖d6 ♘c7! 38. b6 ab6 39. ♖b6 ♘d5 40. ♖b5 ♖f7?** [40... ♘b4! 41. ♖c4 ♖a7 42. ♔e2 ♘a2 43. ♖b3 a4 44. ♖a3 ♘c3 45. ♔d3 (45. ♔f1 g5∓) ♖d7 46. ♔c2 ♘d1!∓] **41. ♔g2 ♘b4 42. ♖c4 ♘d3** [42... ♖a7 43. ♖cc5 ♘d3 44. ♖a5 ♖f7 45. ♖d5 ♘f2 46. ♖a4!] **43. f4 ♘b2 44. ♖c2 a4** [44... ♘d1 45. ♔f3] **45. ♖bb2 ♗b2 46. ♖b2 a3 47. ♖a2 ♖a7 48. e4! ♔g7 49. e5 ♔f7 50. f5= gf5 51. gf5 ♖a5 52. ♔g3 ♖e5 53. ♖a3 ♖f5**

1/2 : 1/2 **[Polugaevskij]**

353.*** **D 03**

KAMSKY 2595 – NUNN 2610

Beograd 1991

1. d4 ♘f6 2. ♘f3 [RR 2. c3 g6 3. ♗g5 ♗g7 4. ♘d2 d5 5. e3 0–0 6. ♗d3 c5 7. ♘gf3 b6 8. 0–0 ♗b7 9. ♕b1 ♘bd7 10. b4 cd4 11. cd4 ♖c8 12. a4 h6 13. ♗h4 g5 14. ♗g3 ♘h5 15. a5 ♘g3 16. hg3 ♖c7 17. ab6 ab6 18. ♗b5 ♕b8 19. ♕b2 ♖fc8 20. ♖fc1 ♘f8 21. ♘b3 e6 22. ♗e2 ♘g6= van der Wiel 2540 – Je. Piket 2615, Wijk aan Zee 1992; 17. ♖a2± van der Wiel] **g6 3. ♗g5 ♗g7 4. ♘bd2 0–0** [RR 4... d5 5. e3 0–0 6. ♗e2 ♘bd7 7. 0–0 ♖e8 8. c4 N (8. c3) e5 9. ♖c1 ed4 10. ♘d4 h6 11. ♗h4 dc4 12. ♘c4 ♘f8 13. ♘b5 ♘e6 14. ♕d8 ♖d8 15. ♖fd1 ♗d7 16. ♘a5 ♗b5 17. ♗b5 ♖d1 18. ♖d1 ♖d8 19. ♖d8 ♘d8= Nogueiras 2535 – A. Zapata 2510, Guarapuava 1991] **5. c3 d5 6. e3 ♘bd7 7. b4 ♖e8 8. ♗e2 e5 9. 0–0 h6** [RR 9... c6 10. ♗h4 N (10. a4 – 49/(436); 10. ♖c1!?) a5 11. a3 e4 12. ♘e1 h6 13. ♘c2 ♘f8 14. c4 g5 15. ♗g3 ♘g6 16. ba5 ♖a5 17. ♘b4 ♖a8 18. cd5 ♘d5 19. ♘d5 cd5 20. ♕c2 ♖e6 21. ♖fc1 ♖c6 22. ♕b3 f5 23. ♗h5 ♘f8 24. h3 ♘e6 25. ♕d1 f4 26. ♗h2 ♕d6 27. a4 ♖c1 1/2 : 1/2 V. Salov 2665 – B. Gel'fand 2665, Reggio Emilia 1991/92] **10. ♗h4 e4 N** [10... c6 – 51/(376)] **11. ♘e1 g5 12. ♗g3 ♘f8 13. ♖c1** [△ c4; 13. c4 ♘g6 14. b5 dc4 15. ♘c4 ♘d5 16. ♖c1 ♘gf4!? 17. ♗g4 f5 18. ♗h5 ♘h5 19. ♕h5 f4 20. ef4 gf4 21. ♗h4 ♕d7∓] **♘g6** [△ g4, h5-h4] **14. c4 c6** [14... dc4?! 15. ♘c4 ♘d5 16. ♕d2 f5 17. ♗h5 ♖e6 18. ♗g6

♖g6 19. ♗e5∞] **15. b5?!** [15. ♕b3!? h5 16. cd5 h4 17. dc6 hg3 18. fg3 bc6 19. ♖c6 ♗e6 20. ♗c4 ♗c4 21. ♘c4 △ ♘d6⇄] **cb5!** [15... g4?! 16. bc6 bc6 17. cd5 cd5 18. ♘c2 h5 19. ♘b4 h4 20. ♗c7 ♕d7 21. ♗a5 g3 22. fg3 hg3 23. h3 ♖e6 24. ♖c7 ♕e8 25. ♘b3 ♗h6 26. ♕c1↑] **16. cb5 ♖e7 17. ♘c2 g4 18. ♘b4 h5 19. ♕c2 ♗e6?!** [19... ♘e8!? △ 20. ♕c5 ♗e6∞] **20. ♗c7!□ ♕d7 21. b6 ♘e8** [21... a5? 22. ♘a6!± (△ ♘c5) ba6 23. b7+−] **22. ♕c5** [△ ♗b5±] **♘c7 23. bc7 ♖c8** [23... b6 24. ♕b5 ♕b5 25. ♗b5 ♖c8 26. ♘a6 ♗d7 27. a4?! ♘f8 28. ♗c6! ♗c6 29. ♖c6 ♘e6 30. ♖fc1 ♖d7 31. ♘b1 ♗f8 32. ♘c3 △ ♘b5±] **24. ♕a7 ♖c7 25. ♕b6± ♘h4!?** [△ ♘f3] **26. ♘b3 ♘f5 27. ♘c5 ♕d6 28. ♘a4!** [×d5] **♕d7 29. ♕a5 ♕d6! 30. ♕b6** [30. ♘b6?! ♖c1 31. ♖c1 ♖c7 32. ♖b1 (32. ♖c7? ♕c7 33. ♕a8 ♔h7 34. ♘6d5 ♕c1 35. ♗f1 h4 36. ♕b7 g3∞↑) ♘e7] **♕d7 31. ♖c7 ♕c7 32. ♕c7 ♖c7 33. ♘b6 ♖c3?!** [33... ♘e7! 34. ♗d1 f5 35. ♗b3 ♔f7 36. ♘6d5 ♘d5 37. ♘d5 ♗d5 38. ♗d5±] **34. ♘6d5 ♗d5 35. ♘d5 ♖c2 36. ♖e1 ♘d6?! 37. a4 ♖a2 38. ♗d1!? ♗f8⊕ 39. ♘f4 h4 40. ♗g4 ♖a4 41. ♖b1± ♔e7?!** [41... ♖a5!?] **42. g3?** [42. ♘d5 ♔d8 43. g3 △ 43... ♖a5 44. ♘c3 ♖a3 45. ♘b5+−] **hg3 43. hg3 ♖a5! 44. ♗e2** [△ g4, ♘h5-g3 ×b7, e4] **♔d7 45. g4 ♗h6 46. ♘h5 ♖g5?! 47. ♔f1 b5?! 48. ♖c1** [△ ♖c5] **♖g6 49. ♘g3** [△ ♘f5] **♗f8 50. ♖c5+− b4 51. ♖c1 ♗e7 52. ♖b1** [×b4, e4] **♗h4 53. ♘h5**
1 : 0 [Kamsky]

354. **D 04**

SMYSLOV 2530 − SUĖTIN 2405
Bad Wörishofen 1991

1. d4 d5 2. ♘f3 ♘f6 3. e3 c5 4. b3 ♘c6 5. ♗b2 ♗g4 6. ♗e2 e6 7. 0−0 ♗d6 8. ♘bd2 0−0 9. h3 ♗h5 10. dc5 ♗c5 11. c4 ♕e7 12. ♘e5 ♗e2 13. ♕e2 ♘e5 14. ♗e5 ♖fd8 15. ♖ad1 ♖ac8 [15... dc4 16. ♕c4 △ ♗f6] **16. ♗f6 ♕f6 17. cd5 ♖d5 18. ♘e4 ♕d8** [18... ♕e5 19. ♕c2±] **19. ♖d5 ed5** [19... ♕d5 20. ♕c2 f5 21. ♘g5 h6 22. ♖d1↑] **20. ♖d1! ♕e8 21. ♘c5 ♖c5** [♕ 9/f] **22. b4± ♖b5** [22... ♕b5 23. ♕d2 ♖c8 24. a3 ♖d8 25. ♕d4 ♕a4 26. ♖d3 △ e4] **23. ♕g4! ♕e6** [23... a5 24. ♖c1; 23... h6 24. a4 ♖b6 25. ♖d5 ♕a4 26. ♖d8 ♔h7 27. ♕f5 ♖g6 28. ♕f7+−] **24. ♕f4 h6 25. a4 ♖b6 26. ♕d4± a6 27. ♕c5 ♔h7 28. b5 ab5 29. ab5 ♖d6 30. e4! b6 31. ♕d4 ♕d7 32. ♕d3! d4 33. e5 ♖g6 34. f4 ♕d5 35. g4→ ♔g8 36. f5 ♖g5 37. ♕d4+−** **♕f3** [37... ♕b5? 38. h4] **38. ♕d8** [38. ♖d3? ♕f5] **♔h7 39. ♕d3 ♕f4 40. e6 ♕e5** [40... fe6 41. fe6 ♔g8 42. e7 ♕e5 43. ♖c1 ♕e7 44. ♖c8 ♔f7 45. ♕c4 ♔g6 46. ♕c2 ♔f6 47. ♖c6+−] **41. ef7 ♕f6 42. ♕d7**
1 : 0 [Smyslov]

355.* !N **D 10**

KRASENKOV 2550 − ŠABALOV 2535
SSSR (ch) 1991

1. d4 d5 2. c4 c6 3. ♘c3 e5 4. cd5 cd5 5. e4 de4 6. ♗b5 ♗d7 7. de5 ♘c6?! [RR 7... ♗b4 8. e6?! N (8. ♗d2 − 52/(369)) fe6 9. ♕h5 g6 (9... ♔f8!? △ 10. ♕e2 ♕a5 11. ♗d7 ♘c3) 10. ♕e5 ♕f6 11. ♗f4 a6 12. ♗c4 ♘c6 13. ♕f6 ♘f6 14. ♘e2 ♘a5 15. ♗b3 ♘b3 16. ab3 ♗b5 17. ♘d4 ♗d3 18. ♘e6 ♔e7 19. ♘d4 ♖hd8 20. ♘e2 ♖ac8 21. ♖c1 ♖c6∓ Beljavskij 2655 − Lautier 2560, Beograd 1991] **8. ♗f4! N** [8. ♕d5] **♘ge7 9. ♘ge2 ♘g6 10. ♕d5?!** [10. 0−0 ♘f4 (10... ♘ce5 11. ♕d5±; 10... ♗b4 11. ♘e4±) 11. ♘f4 ♕g5 12. e6! fe6 13. ♗c6 bc6 (13... ♗c6 14. ♘e6±) 14. g3±] **♗b4!** [10... ♕e7 11. 0-0-0 0-0-0 12. ♕e4±⊙] **11. ♕e4 ♕h4! 12. 0−0** [12. 0-0-0 ♗c3 13. ♖d7 (13. bc3 ♕e7∞) ♔d7 14. ♕d5 (14. ♖d1 ♔e7) ♔e8! 15. ♗c6 ♔f8∞] **♗c3 13. bc3 0−0 14. ♖ad1?!** [14. ♗c6 ♗c6 15. ♕e3 ♖fe8 16. ♗g3 ♕h5 17. f4 f6±] **♘ge5! 15. g3 ♕h5 16. ♗e5** [16. ♗c6? ♗c6] **♖ae8! 17. ♖d7** [17. ♘f4 ♕e5] **♖e5 18. ♘f4 ♕g4! 19. ♕d3 ♖b5= 20. h3 ♕g5 21. ♖e1??** [21. h4=] **♘e5!−+ 22. ♕d1 ♘d7 23. ♕d7 ♕f5 24. ♕d1 h6 25. ♔g2 ♖b2 26. ♕d4⊕ ♖a2 27. ♖e5 ♕f6 28. ♕e3 ♕b6⊕ 29. ♕f3 ♕d6 30. ♖e3 ♕c6 31. ♘d5 ♔h8 32. ♖e5 ♖d2 33. ♕e4 ♕g6 34. ♖f5 ♖d8 35. ♘e7 ♕e6 36. ♖e5 ♕b6 37. ♕f4 ♕f6 38. ♘f5 ♖2d5⊕**
0 : 1 [Krasenkov]

356. **D 11**

NAUMKIN 2490 – RUBAN 2575
SSSR (ch) 1991

1. d4 d5 2. c4 dc4 3. ♘f3 c6?! 4. e3 b5 5. a4 e6 [5... ♗b7 6. ab5 cb5 7. b3 e6±] **6. ab5 cb5 7. b3 ♗b4!? 8. ♗d2 ♗d2 9. ♘bd2 a5** [9... ♘f6 10. bc4 bc4 11. ♗c4±⊞] **10. bc4 b4± 11. ♗d3** [11. ♘e5!? △ f4↑⊞; 11. c5!? ♘f6 12. ♗b5 ♗d7 13. ♗d7 (13. ♕a4!?) ♘bd7 14. ♘c4 0–0 15. 0–0± △ ♖a4, ♕a1 ×a5] **♘f6 12. g4!↑⟫ ♗b7** [12... ♘g4? 13. ♖g1 △ ♖g7→] **13. g5 ♘fd7** [13... ♘h5?! 14. ♘e4 △ ♘g3±; 14. ♖g1 △ ♘e5, ♗e2] **14. ♘e4 N** [14. h4!? – 39/(455)] **♕c7 15. c5 0–0□** [15... ♗e4?! 16. ♗e4±] **16. ♖g1!?** [△ ♘f6; 16. h4 △ h5, ♕c2 ×h7] **g6= 17. ♘fd2?!** [17. ♘d6 ♗c6 (17... ♗a6 18. ♗e4∞) 18. h4 a4 (18... e5!?⇆⊞) 19. h5∞] **e5** [×d4] **18. ♕g4!** [△ ♕h4, ♖g3-h3→⟫] **ed4** [18... ♘c6? 19. ♕d7!] **19. ed4 a4! 20. ♖g3 b3** [20... f5 21. gf6 ♘f6 22. ♘f6! (22. ♕e6 ♔g7∓) ♖f6 23. 0-0-0!∞] **21. ♕h4 ♖e8** [21... b2?! 22. ♖a3! △ ♗b1] **22. ♔f1 ♗a6!□∓** [22... ♘c6?! 23. ♖h3 h5 24. gh6 △ 25. ♘f6, 25. ♘d6±] **23. ♗a6 ♖a6!** [×f6] **24. ♖h3 h5** [24... ♘f8?! 25. ♘f6 ♖f6 26. gf6 ♕c6=∞ ×f6] **25. gh6 b2 26. ♖e1!□ ♕b7??** [26... a3?? 27. ♘f6! ♘f6 28. h7+–; 26... ♖f8!? 27. d5 ♘c5? 28. ♘f6 ♔h8 29. ♕d4→; 27... a3!∓; 26... ♔h8! △ 27. ♘d6 ♖e1 28. ♔e1 ♖d6! 29. cd6 ♕c1 30. ♔e2 ♕c2∓] **27. ♖he3??⊕** [27. ♘f6!+– ♘f6 (27... ♖f6 28. h7) 28. h7! ♔h8 29. ♕f6+–] **♖f8∓ 28. h7?!** [28. ♕g3 △ h4-h5∓] **♔h8 29. ♕g3** [29. ♘d6 ♖d6∓ △ ♕a6; 29... ♕d5∓] **f5!–+ 30. ♘d6 f4! 31. ♕g6** [31. ♕f3 ♕f3 △ a3–+; 31. ♘b7 fg3 △ a3–+] **♖d6 32. cd6 fe3 33. ♖e3 ♕b5 34. ♔g1 ♕f5 35. ♕f5 ♖f5 36. ♖a3 ♘b6 37. ♖a2 ♖b5 38. ♘b1 ♖b4 39. ♔f1 ♘c6 40. ♔e2 ♘d4 41. ♔d3 ♘b5 0 : 1** **[Naumkin]**

357. **D 12**

M. GUREVIČ 2630 – ANAND 2650
Reggio Emilia 1991/92

1. d4 ♘f6 2. c4 c6 3. ♘f3 d5 4. e3 ♗f5 5. cd5 cd5 6. ♕b3 ♕c7 7. ♘c3 [RR 7. ♗d2 e6 8. ♗b5 ♘c6 9. ♗b4 ♗d6!? N (9... ♗b4 – 52/(372)) 10. ♕a3 ♔e7!= 11. ♗d6 (11. ♗c6 bc6 12. ♘e5?! c5! 13. ♗c5 ♗c5 14. ♕c5 ♕c5 15. dc5 ♖hc8 16. b4 a5) ♕d6 12. ♗c6 bc6 13. ♘e5 c5! 14. ♘c3 ♖hc8 15. ♖c1 cd4 16. ♕d6 ♔d6 17. ed4 ♔e7 18. ♔d2 h5 19. f3 ♘e8 20. ♘e2 (Brenninkmeijer 2525 – Dreev 2610, Groningen 1991) ♘d6 21. b3 a5!?∞ Dreev] **e6 8. ♗d2 ♘c6 9. ♗b5!? N** [9. ♘h4 – 51/381] **♗d6!?** [9... ♗e7 10. 0–0 0–0 11. ♖fc1 ♖fc8 12. ♘e5 ♘g4 13. ♘g4 ♗g4 14. ♘a4 ♖ab8 15. ♖c3 ♕d8 (Jusupov 2625 – P. Nikolić 2625, Beograd 1991) 16. ♖ac1!?±] **10. ♖c1 ♖b8!** [10... 0–0? 11. ♗c6 ♕c6 (11... bc6 12. ♘b5 ♕d7 13. ♘d6 ♕d6 14. ♗b4+–) 12. ♘b5 ♕d7 13. ♘d6 ♕d6 14. ♗b4+–] **11. ♘h4** [11. 0–0 ♗g4! 12. ♗e2 ♗f3 13. ♗f3 (13. ♘b5 ♗h2 14. ♔h1 ♗e2! 15. ♘c7 ♗c7 16. ♖fe1 ♗c4∓) ♗h2 14. ♔h1 ♗d6 15. ♘b5 ♕e7∓] **♗e4 12. f3** [12. ♘e4?! de4!? (12... ♘e4 13. ♘f3 0–0 14. ♗d3=) 13. g3 g5 14. ♘g2 h6 15. h4 ♖g8∓] **♗g6 13. ♘g6 hg6 14. f4 a6 15. ♗d3 ♘d7!** [△ f5, ♘f6-e4] **16. ♕d1!?** [16. 0–0 g5!? 17. ♘e2 gf4 18. ef4 f5⇆] **♕d8!?** [16... g5?! 17. fg5! (17. ♕g4 gf4 18. ♕g7 ♔e7∓) ♗g3 18. ♔f1 ♗h2 19. ♕g4 △ ♔e2, ♖cf1↑⟫] **17. ♕g4!?** [17. 0–0?! ♕h4 18. h3 f5 △ g5→] **♖h6!** [17... ♕h4 18. ♕h4 ♖h4 19. h3±⧉] **18. h3 f5 19. ♕f3 ♘f6 20. 0–0 ♔f7 21. ♕e2 ♕d7 22. a3!? ♖hh8 23. ♖fd1** [△ ♖c2, ♖dc1, ♗e1; 23. ♖c2 ♘e4 24. ♖fc1 ♘d2=] **♘e7 24. ♗e1 ♖bc8 25. ♘a2 ♖c1 26. ♖c1 ♖c8 27. ♖c8 ♕c8 28. g4!** [△ g5 ×g7, g6] **♘e4 29. ♔g2 ♕c6 30. ♕d1 ♘g8** [30... g5?! 31. fg5 fg4 (31... ♘g5 32. gf5 ♘f5 33. ♕h5 ♔f6 34. ♗f5 ef5 35. ♘c3±) 32. ♕g4 ♘f5 33. ♔f3 ♕b6 34. ♗e4 de4 35. ♕e4 ♕b2 36. d5±] **31. ♘c1 ♘gf6 32. ♗e2!?** [△ ♘d3-e5] **♘d7!** [△ ♘b6-c4⇆] **33. ♗a5!?** [33. ♘d3 ♘b6 34. ♘e5 ♗e5 35. de5 ♘c4 36. ♕d4 ♕a4⇆; 33. a4 ♘b6 34. b3 ♘c3 35. ♗c3 ♕c3 36. ♗d3=] **♘b6 34. ♗b6 ♕b6 35. ♘d3 ♕a5 36. g5 ♔e7= 37. ♕c2 ♕d2?!** [37... ♔d8!? 38. ♗f3 ♕b5=] **38. ♕d2 ♘d2 39. ♔f2 b5 40. ♗d1 ♘c4 41. ♔e2 ♘b6 42. ♗b3 a5 43. ♔d2**

43... ♘c4?! [43... ♔d8 44. ♔c3 ♔c7 △ ♘c8-e7=] **44. ♗c4! bc4** [44... dc4 45. ♘e1! (△ ♘f3-h4) b4!? *a)* 46. a4? b3 47. ♘f3 ♗b4 48. ♔c1 ♔d6 49. ♘e5 ♔d5 50. ♘g6 ♔e4 51. h4 ♔e3 52. h5 c3! 53. bc3 (53. h6 c2–+) ♗c3 54. h6 gh6 55. gh6 ♗d4 56. h7 ♗f6∞; *b)* 46. ♘f3! *b1)* 46... ba3 47. ba3 ♗a3 48. ♘e5! (48. ♔c3? ♗c1⇆) ♗b4 49. ♔c2 c3 50. ♘g6 ♔f7 51. ♘e5 ♔g8 52. h4 a4 53. h5 a3 54. ♔b3 c2 55. ♔c2 ♗d2 56. ♘c4 a2 57. ♔b2+–; *b2)* 46... c3 47. bc3 *b21)* 47... ba3!? 48. ♔c2 a2 49. ♔b2 ♗a3 50. ♔a2 ♗c1 51. ♘e5 ♗e3 52. ♘g6 ♔f7 53. ♘e5 ♔g8 54. ♘d3 ♗d2 55. ♔b2 a4 56. c4 ♗e3 57. d5 (57. ♔a3 ♗d4 58. ♔a4±) ed5 58. cd5 ♔f7 59. ♔a3 ♔e7 60. ♔a4 ♔d6 61. h4 g6 (61... ♔d5 62. h5 ♔e4 63. g6 ♗d4 64. h6 gh6 65. ♘e5+–) 62. h5 gh5 63. g6 ♔e7 64. d6 ♔f6 65. ♔b5+–; *b22)* 47... bc3 48. ♔c3 ♗a3 49. ♘e5± △ 49... ♗c1? 50. ♘c4 a4 51. ♔c2+–] **45. ♘e1±** [△ ♘f3, ♔c2, b3] **♔e8 46. ♔c3 ♔d7 47. ♘f3** [△ ♘h4] **♔e8 48. ♔c2!** [48. b3 ♗a3 49. bc4 ♗c1 50. ♘e5 ♗e3 51. ♘g6 dc4∞] **♔f7?** [48... a4? 49. ♘d2 ♗c7 (49... ♔d7 50. ♘b1 ♔c6 51. ♘c3+–) 50. ♘b1 ♗a5 51. ♘c3+–; 48... ♗c7? 49. b3 cb3 50. ♔b3 ♗d6 51. ♔a4 ♔e7 52. ♘e1 ♔d7 cb3 50. ♔b3 ♔e8 51. ♔a4 △ ♘e1-c2+–; 49... c3 50. ♔c3 ♗a3 51. ♘e5 ♗c1 52. ♔d3+–; 50. a4! △ ♘e5+–) 50. bc4 dc4 51. ♘e5±] **49. ♘e5!+– ♗e5 50. fe5 ♔e7 51. b3 ♔d7 52. bc4 dc4 53. ♔c3 ♔c6 54. ♔c4 a4 55. h4** [55. ♔b4? ♔d5 56. ♔a4 ♔e4 57. ♔b4 ♔e3 58. d5 f4 59. de6 f3 60. e7 f2 61. e8♕ f1♕±; 55. d5 ed5 56. ♔d4+–] **1 : 0** **[M. Gurevič]**

358.* **D 14**

LAUTIER 2560 – LJUBOJEVIĆ 2600
Beograd 1991

1. d4 d5 2. c4 c6 3. ♘f3 ♘f6 4. cd5 cd5 5. ♘c3 ♘c6 6. ♗f4 ♗f5 7. e3 e6 8. ♕b3 ♗b4 9. ♗b5 ♕a5 [9... 0–0 10. 0–0 ♗c3 11. ♕c3 ♖c8 12. ♖ac1 N (12. ♖fc1 – 36/448) ♗g4?! 13. ♕a3 ♗f3 14. gf3 ♘h5 15. ♗d6 ♖e8 16. ♔h1± Lautier 2560 – Bareev 2680, Paris 1991; 12... ♕b6] **10. 0–0 0–0 11. ♗c6 N** [11. ♖fc1] **bc6 12. ♗c7!** [12. ♘a4 ♗d3! (12... c5?? 13. a3+–) 13. ♕d3 ♕a4 14. ♖fc1 ♖fc8= △ c5] **♕c7 13. ♕b4± ♖fb8** [13... a5 14. ♕a3 ♕b6 15. ♘a4 ♕b4 16. ♖fc1±] **14. ♕a3 ♘d7** [△ c5] **15. ♘a4 ♗g4** [15... ♕a5 16. ♖fc1 ♖b4? 17. ♘c5! ♕a3 18. ba3+–; 15... ♘b6 16. b3 ♘a4 17. ♕a4±] **16. ♘d2 ♕a5 17. ♘b3 ♕b4 18. f3!** [18. ♖fc1?! ♗e2! △ ♗c4∓] **♗f5 19. ♖fc1 ♕b5** [19... ♗d3 20. ♕b4 ♖b4 21. ♘bc5! ♘c5 22. ♘c5±; 19... ♕a3 20. ba3 ♘b6 21. ♘b2! a5 (21... ♖c8 22. ♘a5±) 22. a4 ♖c8 23. ♖c3 △ ♖ac1±] **20. ♘bc5 ♘f8** [20... ♘c5 21. ♖c5 ♕e2 22. ♕c3 △ ♖e1±] **21. ♕c3 f6 22. ♖e1 ♗g6 23. ♖ac1?** [23. e4 △ e5±] **♖e8! 24. e4 de4 25. fe4 e5= 26. ♖ed1** [26. d5? cd5 27. ed5 ♖ad8 28. ♖ed1 ♖d6! 29. ♕a3 ♖ed8 30. ♘c3 ♕b6 31. ♔h1 ♗f7 32. ♘5e4 ♖6d7 33. d6 f5∓] **ed4** [26... ♗e4 27. ♘e4 ♕a4 28. b3! ♕a6□ (28... ed4 29. ♖d4 ♕a2? 30. ♕c4 △ ♘d6±) 29. ♕c6 ♕c6 30. ♖c6 ed4 31. ♖d4±] **27. ♖d4 ♖e7 28. ♕c4! ♗f7 29. ♕b5 cb5 30. ♘c3 ♖c8!** [30... a6 31. ♘d5+–; 30... ♘e6 31. ♘e6 ♗e6 32. a3±] **31. ♘b5 ♘e6 32. ♖dc4 ♘f4!?** [32... ♖c5 33. ♖c5 ♘c5 34. ♖c5 ♗a2 (34... ♖e4?? 35. ♘d6+–) 35. ♘d6 (35. ♖c8 ♔f7 36. ♖a8 ♗b1=) g6=] **33. ♖4c2 ♗a2?** [33... ♖c5 34. ♖c5 ♘e2 35. ♔f2 ♘c1 36. ♖c1 ♗a2 37. ♖a1 ♖b7!=] **34. b4 ♗f7 35. ♖a1 ♖a8** [35... ♘d3 36. ♘a7±] **36. ♖d2 ♗e8 37. ♘d6 ♖d8 38. ♖ad1 ♖b8⊕ 39. ♘f5 ♖e5 40. ♖d8! ♖b4 41. ♖1d7+–** [41. ♘d6? ♔f8 42. ♘d7 ♔e7∓] **♔f8 42. ♘d6** [42. ♖g7? ♖f5=] **h5** [42... ♖e7 43. ♖a8! △ ♖dd8] **43. ♖a7 g5 44. ♘d7 ♔e7 45. ♖e8 ♔d6 46. ♘e5 ♖b1 47. ♔f2 ♖b2 48. ♔f1 ♖b1 49. ♔f2 ♖b2 50. ♔e3 ♘g2 51. ♔d3 fe5 52. ♖a6 ♔d7**

53. ♖e5 ♘e1 54. ♔e3 ♘c2 55. ♔d2 ♘b4 56. ♔c3 ♖b1 57. ♖h6 ♘c6 58. ♖g5 ♔c7 59. ♖gh5 ♖e1 60. ♔d2 ♖e4 61. ♖c5 ♖d4 62. ♔e3 ♖d6 63. ♖d6 ♔d6 64. ♖f5 1 : 0 **[Lautier]**

359. **D 15**

AKOPJAN 2590 – I. IVANOV 2450

Los Angeles 1991

1. d4 ♘f6 2. c4 c6 3. ♘f3 d5 4. ♘c3 dc4 5. e3 b5 6. a4 b4 7. ♘b1 e6 8. ♗c4 ♗b7 9. 0–0 [9. a5!?] **♘bd7 N** [9... c5] **10. a5 ♖c8 11. ♘bd2 c5 12. b3 g6!?** [12... cd4 13. ♘d4 ♗e7 14. ♗e6!; 12... ♗e7 13. ♗b2±] **13. dc5 ♖c5 14. a6** [14. ♗b2 ♖a5!? 15. ♖a5 ♕a5 16. ♕a1 ♕a1 17. ♖a1 ♗c5 △ 18. ♗b5 0–0∞] **♗a8 15. ♗b2 ♗d6** [15... ♗g7 16. ♗d4] **16. ♖e1 0–0 17. ♗f1 ♖h5?!** [17... ♕e7!?] **18. h3 ♘c5 19. ♘c4 ♗e7 20. ♘fe5! ♕c7!** [20... ♕d1 21. ♖ad1 ♘b3 22. g4 ♖h4 23. ♗g2!± ×♖h4] **21. ♗d4!? ♘fe4 22. ♕c2 f6 23. ♘g4 e5 24. ♗b2 ♘g5** [△ ♖h3] **25. ♘d2 ♖d8**

26. f4!± ♘ge4 [26... ef4 27. ef4 ♕f4 28. ♕c4 ♕c4 29. ♗c4 ♔f8 30. ♖e7! ♖d2 31. ♖e2! ♖e2 32. ♗e2±⊞ ×♖h5] **27. ♘e4 ♗e4 28. ♗c4 ♔f8 29. ♕f2** [29. ♕e2?! ♗d3!] **♗d3!□ 30. ♖ec1!** [30. fe5 ♗c4 31. ef6 ♗d6 32. bc4 ♘d3 33. ♕e2 ♘e1 34. ♖e1 ♗g3 △ 35. ♖f1 ♖f5∞] **ef4?** [30... ♗c4 31. ♖c4 ♕b6! 32. fe5 ♘d3 33. ♕e2 ♘b2 34. ♕b2 (34. ef6? ♘c4 35. fe7 ♔e7∓) f5 35. ♕f2 ♔g8 36. ♘f6 ♗f6 37. ef6 ♕f6 38. ♖ac1± ×♖h5] **31. ♘f6 ♖f5□** [31... ♗f6 32. ♗f6+–] **32. ♘h7 ♔e8 33. ♗d3** [33. ♗e6? ♘e6! 34. ♖c7 ♘c7=∞↑] **♖d3 34. e4!+– ♘e4** [34... ♖h5 35. ♘f6 ♗f6 36. ♗f6+–; 34... ♖f7 35. ♘g5 ♗g5 36. ♖c5 ♗h4 37. ♕c2 ♕b6 38. ♔h1+–] **35. ♖c7 ♘f2 36. ♖a7** [36. ♖e1? ♖e3 △ 37. ♔f2?? ♗h4–+; 36. ♔f2 ♖d2 37. ♔f1 ♖b2 38. ♖e1 ♖f7 39. ♘g5+–; 37... ♗h4!?] **♘h3** [36... ♗c5 37. ♖a8 ♔f7□ 38. a7 ♘e4 39. ♔h2 ♖h5 (△ 40... ♖hh3 41. gh3 ♖d2 42. ♔h1 ♘g3#) 40. ♖f8! ♔e7 41. ♖e8!+–] **37. ♔f1 ♗c5 38. ♖c7 ♘g5** [38... ♖d2 39. a7 ♖f2 40. ♔e1+–] **39. ♘g5 ♖g5 40. a7 ♗a7 41. ♖aa7 ♖d1 42. ♔e2 ♖d8 1 : 0**

[Akopjan, Dement'ev]

360. **D 15**

ILLESCAS CÓRDOBA 2545
– A. CHERNIN 2605

Pamplona 1991/92

1. ♘f3 d5 2. c4 c6 3. d4 ♘f6 4. ♘c3 dc4 5. e4 b5 6. e5 ♘d5 7. a4 e6 8. ab5 ♘c3 9. bc3 cb5 10. ♘g5 ♗b7 11. ♕h5 ♕d7 12. ♗e2 h6 13. ♗f3 ♘c6 14. 0–0 ♘d8 15. ♘e4 a5 16. ♕g4!? N [16. ♗g5 – 30/561] **♖h7 17. ♗d1!** [△ ♗c2] **h5 18. ♕e2 ♗d5 19. ♗c2 ♖h8 20. ♗g5± ♘b7?!** [20... b4? 21. cb4 ♗b4 22. ♗d2!±; 20... ♘c6!?] **21. f4 ♖a6?!** [21... a4] **22. h4!±** [22. ♘g3? h4] **a4 23. ♘g3 ♘a5 24. f5! ♘b3 25. ♖ad1** [25. ♖a2? b4∞] **b4?!** [25... a3 26. fe6 *a)* 26... ♖e6 27. ♗f5+–; *b)* 26... ♗e6 27. d5 ♗g4 (27... ♗d5 28. ♗e4 ♕a7 29. ♔h2+–) 28. ♕e4 ♘c5 (28... ♗d1 29. e6+–) 29. ♕f4! ♗d1 30. e6+–; *c)* 26... ♕e6 27. ♘h5 *c1)* 27... ♖h5 28. ♕h5 g6 (28... a2 29. ♗f5 ♕c6 30. e6) 29. ♕e2 a2 30. ♖f6+–; *c2)* 27... a2 28. ♘f4 ♕c6 29. ♘d5 ♕d5 (29... a1♕ 30. ♖a1 ♖a1 31. ♖a1 ♘a1 32. ♗e4) 30. ♗e4 ♕e6 31. ♕f3+–] **26. fe6 ♖e6** [26... ♗e6 27. d5 ♗g4 28. ♕c4+–] **27. cb4+– a3** [27... ♗b4 28. ♘h5] **28. ♗f5 f6 29. ♗e3 ♕f7 30. ♕c2 ♔d8 31. ♘e2! ♖b6 32. ♘f4 ♗b4 33. ♗e4** [33. ♗e6!? ♗e6 34. d5] **♗e4 34. ♕e4 ♕a7 35. d5 ♗c5 36. ♘e6 ♖e6 37. de6 ♔c8 38. ♕c4 a2 39. ♗c5 ♕c5 40. ♕c5 ♘c5 1 : 0**

[Illescas Córdoba, Zlotnik]

361. **D 16**

I. SOKOLOV 2570 – LAUTIER 2560
Beograd 1991

1. d4 d5 2. c4 c6 3. ♘f3 ♘f6 4. ♘c3 dc4 5. a4 ♗g4 6. ♘e5 ♗h5 7. f3 ♘fd7 8. ♘c4 e5 9. e4 N [9. ♘e4 – 52/(374)] **♕h4 10. g3!?** [10. ♔e2] **♕f6 11. de5! ♕f3 12. ♘d6 ♔d8!** [12... ♗d6? 13. ♕d6 ♕h1 14. ♗g5 f6 15. ef6 gf6 16. ♕e6 ♔d8 17. ♗f6 ♘f6 18. ♕f6 ♔c7 19. ♕e5!+–; 12... ♔e7? 13. ♗f4!±→] **13. ♕f3 ♗f3 14. ♘f7 ♔e8 15. ♘h8 ♗h1 16. e6** [16. ♗f4? g5] **♘c5 17. ♗e3 ♗f3** [17... ♘e4 18. ♗d3↑; 17... ♘e6 18. ♗c4↑] **18. ♘f7 ♗g4** [18... ♘e6 19. ♘e5±] **19. ♗f4?!** [19. ♘g5!? h6 20. h3 ♗h5 (20... hg5? 21. hg4 ♘e6 22. ♗c4 ♗c5 23. ♗e6 ♗e3 24. ♗c8!; 20... ♗e6 21. ♘e6 ♘e6 22. ♗c4±⊡) 21. g4 ♗g6 22. ♘f3±; 19. e5!? △ ♘d6] **♘ba6?** [19... ♘e6! 20. ♘d6 ♔d7 21. ♘b7 ♘f4 22. gf4 a5 23. e5 ♖a7 24. ♘d6 ♗d6 25. ed6 ♔d6∓] **20. ♘d6± ♗d6 21. ♗d6 ♖d8 22. e5 ♘b4 23. ♘b5! ♘cd3□** [23... ♘c2? 24. ♔d2+–; 23... cb5? 24. ♗b5 ♘c6 25. ♗c5+–] **24. ♔d2 cb5 25. ♗d3** [25. e7!? ♖d6 26. ed6 ♘c5 27. ♗b5 ♗d7⇆] **♘d3 26. ♔d3 ♗e6 27. ab5± ♖a8 28. ♔d4 ♔d7 29. b6 a6 30. ♖f1 ♖c8 31. ♗c7 ♔c6 32. ♖d1 ♔d7 33. ♔c5 ♔e7 34. ♖d4 ♗f5** [34... ♖a8!? △ a5⇆] **35. g4 ♗e6⊕ 36. h4 ♖g8** [36... g6!?] **37. ♗d6 ♔e8 38. g5 ♖h8?!** [38... g6] **39. ♖f4 ♔d7?** [39... g6] **40. ♗f8! ♖g8 41. ♖d4 ♔e8 42. ♔d6+– ♗h3 43. ♗e7 ♔f7 44. e6 ♔g6 45. ♔d7 h5 46. ♗d6 1 : 0** **[I. Sokolov]**

362.* **D 18**

KASPAROV 2770 – BAREEV 2680
Tilburg (Interpolis) 1991

1. c4 ♘f6 2. ♘f3 c6 3. ♘c3 d5 4. d4 dc4 5. a4 ♗f5 6. e3 e6 7. ♗c4 ♗b4 8. 0–0 ♘bd7 9. ♕e2 ♗g6 10. e4 ♗c3 11. bc3 ♘e4 12. ♗a3 ♕c7 13. ♘d2?! ♘df6? N [13... ♘d6? – 52/378; 13... ♘d2 14. ♕d2 c5! (14... 0-0-0? – 49/447) 15. dc5 0-0-0! 16. ♕e3 ♘e5 17. ♗b5 (17. ♗e2? ♗d3 18. c6 ♘c4!∓; RR 18. ♗d3 ♖d3 19. ♕e4 ♖hd8 20. ♕h7 g6 21. ♗c1! ♕c5 22. ♗e3 ♕c7∞ Magerramov 2560 – Ionov 2510, Čeljabinsk 1991; 20... g5!?∞; 19... ♖dd8= Ionov) a6 18. f4! ♘g4 (18... ♘c6 19. ♗e2∞) 19. ♕e2 ♘f6 20. ♗b4!∞] **14. ♘e4 ♘e4 15. ♖fe1! 0-0-0** [15... ♘c3? 16. ♕f3! ♘d5 (16... ♘a4 17. ♗e6! fe6 18. ♖e6 ♔d8 19. ♖d6 ♔c8 20. ♕h3 ♔b8 21. ♖g6 ♖d8 22. ♕h7+–; 21. ♖d7+–) 17. ♗d5 cd5 18. ♖ac1±] **16. ♕b2 ♖he8 17. f3 ♘d6 18. ♗f1 ♔b8 19. a5 ♘c8 20. ♗c5 f6 21. ♖a4?** [21. ♕b4! e5 22. de5 fe5 (22... ♖e5 23. ♗f2±) 23. ♗f2±] **e5 22. ♖ea1 ♖d7 23. ♖b4 ♔a8 24. ♗b6 ♕b8 25. de5** [25. a6?! *a)* 25... ab6? 26. ♖b6 ♘a7 (26... ♘b6 27. ♕b6 ba6 28. ♕c6 ♕b7 29. ♖a6 ♔b8 30. ♖b6±) 27. d5! ♖c8 (27... cd5 28. ♗b5) 28. d6±; *b)* 25... ♘b6! 26. ♖b6 ed4∓] **♖e5?!** [25... fe5∞] **26. ♗f2 ♕d6 27. ♖d4** [27. ♗g3 ♕c5 28. ♔h1 ♖ed5 29. ♖c4 ♕e3? 30. ♖c6±; 29... ♕b5∞] **♖d5 28. ♖d5 ♕d5 29. ♕b4** [29. a6!?] **♕d6 30. ♕a4 ♖d8?!** [30... a6!±] **31. ♖e1** [31. a6 b5! 32. ♕a5 ♘b6!] **♘e7?** [31... a6±] **32. a6 b6?** [32... b5 33. ♕a5 ♘d5 34. c4 bc4 35. ♗c4+–] **33. ♖e7** [33... ♕e7 34. ♕c6 ♔b8 35. ♗g3] **1 : 0**
[Kasparov]

363.* **D 20**

ĖJNGORN 2585 – HARLOV 2515
SSSR (ch) 1991

1. d4 d5 2. c4 dc4 3. ♘c3 [RR 3. ♘f3 c5 4. e4 cd4 5. ♕d4 ♕d4 6. ♘d4 ♘f6 (6... ♗d7 – 52/(381)) 7. ♘b5 (7. ♘c3 – D 24) ♔d8 8. ♗c4 a6 9. ♘d4 e6 10. f3 ♗d7 11. ♗f4 ♘c6 12. ♘c6 ♗c6 13. ♘d2 ♖c8 14. ♔e2 ♗b4 15. ♖ac1 ♔e7 16. a3 ♗a5 17. ♘b3 ♗b6 18. ♗d2 ♘d7 19. ♗b4 ♔f6 20. ♗c3 ♔g6 21. h4 h5 22. ♗d3 ♔h7 23. ♘d4 ♘c5 24. ♘c6 1/2 : 1/2 Hübner 2615 – Seirawan 2600, Wijk aan Zee 1992] **a6!? 4. e4 b5 5. a4 b4 6. ♘a2 e5!? N** [6... ♗b7 – 45/446] **7. ♗c4 ed4 8. ♕b3** [8. ♘f3 c5 9. ♘g5 ♖a7!∞] **♕e7 9. ♘f3 c5!∞** [9... ♕e4? 10. ♔d1±] **10. ♗g5 ♘f6! 11. 0–0** [11. e5 h6 12. ♗f6 gf6 13. 0–0 ♘d7! (13... fe5 14. ♘e5±) 14. ef6 ♕f6 15. ♖ae1 ♗e7∓] **h6 12. ♗d5** [12. ♗f4 g5

13. ♗g3 ♗e6∞] **hg5!?** [12... ♗e6!?; 12... ♖a7 13. ♗f4 ♘bd7∞] **13. ♗a8 g4 14. ♘d2** [14. ♘g5 ♖h5 15. f4 gf3 16. ♘f3 ♗e6 17. ♕d1 ♕a7∓] **♗e6 15. ♕g3 ♕d8 16. e5** [16. ♖fc1 ♗d6 17. e5 ♘h5 18. ♕d3 ♗e5∓; 16. f4 gf3 17. ♘f3 d3∓] **♘h5 17. ♕d3 ♕h4** [17... ♘f4 18. ♕e4 ♕g5 19. ♖fd1 △ ♘f1∞] **18. ♘c1** [18. ♕e4 ♘f6 19. ♕f4 g5 20. ♕g3 ♕g3 21. hg3 ♘fd7 22. f4 gf3 23. ♘f3 ♗e7−+] **♘f4 19. ♕g3 ♕g5** [19... ♕g3!? 20. hg3 ♘g6 21. f4 gf3 22. ♘f3 ♖h5 23. ♖e1 ♔d8! △ ♘d7∓] **20. ♖e1 ♘h3** [20... c4 21. ♘f3!] **21. gh3 ♕d2 22. ♘e2 ♕b2??** [22... ♖h3 23. ♕g2 ♕g5! 24. ♕b7 ♕d8 25. ♘f4 ♖h6 26. ♘e6 ♖e6 27. ♕e4 ♕h4∓] **23. ♘f4± ♕c3** [23... ♖h3 24. ♕g2! ♗c8 25. ♗b7!] **24. ♕g2 b3 25. ♖ab1** [25. ♕b7 ♕b4 (25... ♘d7 26. ♘e6 fe6 27. ♕c8 ♔e7 28. ♗c6+−) 26. ♕b4 cb4 27. ♖ab1±] **c4** [25... ♕b4 26. ♘d5 gh3 27. ♕f3+−] **26. ♖ec1 ♕b4 27. ♗d5+− gh3⊕ 28. ♕f3?!⊕** [28. ♕e4] **♘d7 29. ♘e6 fe6 30. ♗e6 ♘e5 31. ♕e4 ♗d6 32. ♖c4 ♘c4 33. ♗c4??** [33. ♕c6! ♔e7 34. ♕d7 ♔f6 35. ♕f7 ♔g5 36. ♕g7 ♔f4 37. ♕f6 ♔e4 38. ♕f5#] **♔d8∓ 34. ♗b3** [34. ♕d4 ♖e8∓] **♖e8?** [34... d3!∓] **35. ♗e6??** [35. ♕h4 ♔c7 36. ♕h3=] **♖e6!**
0 : 1 **[Harlov]**

364. **D 20**

M. GUREVIČ 2630 − IVANČUK 2735
Reggio Emilia 1991/92

1. d4 d5 2. c4 dc4 3. e4 ♘c6 4. ♘f3 ♗g4 5. d5 ♘e5 6. ♗f4 ♘g6 7. ♗e3 ♘f6!? N [7... e5] **8. ♘c3 e6 9. ♕a4!?** [9. ♗c4 ed5 10. ed5 ♗d6 11. ♗b5 ♗d7=] **♕d7 10. ♕d7 ♔d7** [10... ♘d7!? 11. ♘d4 ed5 12. h3 c5 13. ♘db5 d4 14. hg4 (14. ♗g5 f6 15. ♘c7 ♔d8∞) de3 15. ♘c7 ♔d8 16. ♘a8 ef2 17. ♔f2±; 14... 0-0-0∞] **11. ♗c4 ed5 12. ed5** [12. 0-0-0!? ♔c8!? (12... ♗f3 13. gf3 ♘e5 14. ♘d5! ♘c4 15. ♘b6 ♔c6 16. ♘c4±) 13. ed5 ♗d6∞] **♗f3 13. gf3 a6!?** [13... ♗d6 14. ♗b5 ♔c8 15. 0-0-0 a6 16. ♗a4⩲] **14. ♘e4!? ♖e8** [14... ♘e4 15. fe4 ♖e8 16. f3 f5 17. ♗d3 ♘e5 18. ♔e2⩲] **15. ♘f6 gf6 16. 0-0-0 ♗d6 17. h4!⩲ h5** [17... ♘e5 18. ♗e2 ♖hg8 19. h5±] **18. ♗d3 ♖hg8 19. ♔c2 ♔d8** [19... ♘f4 20. ♗e4 ♖g2 21. ♔b3±] **20. ♔b3 ♘e7 21. ♗e4!? ♘c8** [21... f5 22. ♗c2 f4 23. ♗d4! ♘d5 24. ♗e4 c6 25. ♗d5 cd5 26. ♗f6±] **22. ♖hg1 ♘b6 23. ♖g8 ♖g8 24. f4**

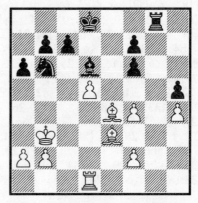

24... ♗f4! 25. ♗f4 [25. ♗b6 ♖e8! (25... cb6 26. d6 ♖g4 27. ♗f5 ♖h4 28. d7±) 26. ♗f5 (26. f3 cb6 27. d6 ♖e6 28. d7 ♖d6=) cb6 27. d6 ♖e5 28. ♗h3 f5=] **♖g4 26. ♗c7! ♔c7** [♖ 9/i] **27. d6 ♔d8 28. ♗b7 a5! 29. ♗d5** [29. ♗c6? ♖b4] **♖h4 30. ♗f7 ♔d7 31. ♖d3 ♖b4 32. ♔c2 ♖f4!** [32... h4 33. ♖f3 ♔d6 34. ♖f6 ♔e7 35. ♖f5 h3 36. ♗h5! h2 37. ♗f3±] **33. ♗h5 ♖f2 34. ♔b3 ♘c8!= 35. ♗e8** [35. ♖d5 ♘d6 36. ♖a5 ♖b2=] **♔e8 36. d7 ♔d8 37. dc8♕ ♔c8 38. ♖d5 a4 39. ♔a3 ♖f4 40. ♖b5 f5** **1/2 : 1/2**
[M. Gurevič]

365.* **D 20**

AN. KARPOV 2730 − IVANČUK 2735
Reggio Emilia 1991/92

1. d4 d5 2. c4 dc4 3. e4 ♘f6 4. e5 ♘d5 5. ♗c4 ♘b6 6. ♗d3 ♘c6 7. ♗e3 [RR 7. ♘e2 ♗g4 8. ♗e3 ♗e2 9. ♗e2 ♕d7 10. 0−0 N (10. ♘c3?! − 45/447) 0-0-0 11. a4 a6 12. a5 ♘d5 13. ♘c3 e6 14. ♗f3 ♔b8 15. ♕b3 ♗e7 16. ♖fc1± I. Sokolov 2570 − Seirawan 2615, Beograd 1991] **♗e6 8. ♘c3 ♕d7 9. ♘f3 0-0-0!? N** [9... ♘b4 10. ♗e2±; 9... ♗g4 − 44/(459)] **10. h3!?** [10. 0−0 ♗g4⇆] **♘b4 11. ♗e2** [11. ♗e4?! ♗c4! △ e6, ♘4d5] **f5! 12. 0−0 h6 13. a3** [13. ♘e1 g5 14. a3 ♘c6 15. ♘d3 ♘d4 16. ♘c5 ♘e2 17. ♕e2 ♕c6∞] **♘4d5 14. ♘e1**

♘c3 [14... g5?! 15. ♘d3± △ ♘c5] **15. bc3 ♗c4 16. ♘d3** [16. a4 ♕c6 17. a5 ♗e2 18. ♕e2 ♘c4] **e6 17. a4 g5 18. ♕c2** [18. ♘c5?! ♗c5 19. dc5 ♕d1 20. ♖fd1 ♗e2 21. ♖d8 ♖d8 22. cb6 ab6 23. a5 f4−+] **♕c6** [18... ♘d5?! 19. ♘c5 ♗c5 20. ♗c4±] **19. ♖fc1! ♗d5** [19... f4 20. ♗d2 ♘d5?! 21. ♗f3 △ ♘b2±] **20. ♗f1 ♘c4 21. ♗d2** [21. ♘b4 ♘e3 (21... ♗b4 22. cb4 ♘e3 23. ♕c6 ♗c6 24. fe3 f4 25. b5) 22. fe3 ♗b4 23. cb4 ♕c2 24. ♖c2 f4∓ ♖g8 [21... a5!?] **22. ♘b4 ♗b4 23. cb4 ♘d2 24. ♕d2 ♕d7 25. ♖a3!±** ♔b8 [25... g4?! 26. hg4 ♖g4 27. ♖ac3 ♖dg8 28. f3!±] **26. ♖ac3 ♖c8 27. b5 g4 28. h4** [28. hg4!? ♖g4 29. a5 b6 30. ab6 ab6 31. f3±] **♕e7 29. g3** [29. ♗c4?! ♗c4 (29... ♕h4? 30. ♗d5 ed5 31. g3±) 30. ♖c4 g3!∓] **♕b4 30. ♕d1?** [30. ♗g2 ♗g2 31. ♔g2 ♕a4 32. ♕h6 ♕d4 (32... ♖ge8 33. ♕g7±) 33. ♕e6 ♖ce8 (33... ♖ge8 34. ♖c7+−) 34. ♕f5 ♕e5 35. ♖c5±; 31... h5!?; 30. ♕e3! ♖gd8 (30... ♕a4 31. ♖a3 ♕b4 32. ♖ca1→) 31. ♗c4 h5 (31... ♕a4 32. ♕h6 ♗f3 33. ♗e6 ♖d4 34. ♗c8 ♖d1 35. ♔h2+−) 32. ♕g5 (32. ♗d5 ♖d5 33. ♖c4±) ♕a4 33. ♗d5 ♖d5 34. ♖c7+−] **c6!=** [30... ♗f3 31. ♕d3 (31. ♕c2!?) ♗e4 32. ♕e3±] **31. ♗g2** [31. bc6 ♖c6 32. ♖c6 ♗c6 33. ♖c4 ♕a5∓] **♗g2 32. ♔g2 cb5 33. ♖c8 ♖c8 34. ♖c8 ♔c8 35. ♕c1!** [35. ab5? ♕b5 36. ♕c1? ♕c6−+] **♔d7** [35... ♕c4 36. ♕h6 ba4 37. ♕f8 ♔d7 38. h5±] **36. ab5** [36. ♕h6?! ba4 37. h5 a3 38. ♕g7 ♕e7!∓] **♕d4 37. ♕h6 ♕d5 38. ♔h2 ♕d4 39. ♕g7 ♔e8 40. ♕h8 ♔e7 41. ♕g7 ♔e8 42. ♕g6 ♔e7 43. ♕f6 ♔d7 44. ♕f7 ♔d8 45. ♕f6 ♔d7 1/2 : 1/2** [An. Karpov]

366. D 20

GRÓSZPÉTER 2480 −
ZSU. POLGÁR 2535
Magyarország (ch) 1991

1. d4 d5 2. c4 dc4 3. e4 e5 4. ♘f3 ♗b4 5. ♗d2 ♗d2 6. ♕d2 ed4 7. ♘d4 ♕e7 8. f3 ♘f6 9. ♗c4 0−0 10. ♘c3 ♘bd7 N [10... c5 − 50/(413)] **11. 0−0** [11. ♘f5 ♕c5 12. ♕g5? g6∓] **♖d8** [11... ♕c5 12. ♗e2 ♖d8 13. ♕e3 ♘e5 14. ♖ad1±] **12. ♕e3?!** [12. ♖ad1 ♘e5; 12. ♗e2! ♘e5 13.

♕e3±] **♘b6! 13. ♗b3** [13. ♗e2 ♘fd5] **c5! 14. ♘de2 c4 15. ♗c2 ♘fd5** [15... ♘bd5 16. ♕f2 ♘b4 17. ♘g3 b5!∓; 16. ♕g5] **16. ♕f2** [16. ♘d5 ♘d5∓] **♘b4 17. ♘g3 ♗e6 18. ♖ad1 ♘d3 19. ♗d3 cd3∓ 20. e5** [20. b3 ♖ac8∓; 20. f4 ♗g4] **♘c4 21. h3** [21. f4 ♗g4 22. ♖b1 d2 23. h3 d1♕ 24. ♘d1 ♖d2 25. ♕e1 ♗d1 26. ♖d1 ♖d1 27. ♕d1 ♘e3∓ ♖ac8!] [21... ♘e5 22. f4 ♘c4 23. f5 △ f6⇆] **22. f4** [22. ♖fe1? d2−+] **f5! 23. b3** [23. ef6 ♕f6 24. f5 ♗f7∓] **♘a3 24. ♘a4 ♕b4?!** [24... b5! 25. ♘b2 ♖c2 26. ♖d2 ♕b4 27. ♖fd1 ♕c3 28. ♖c2 (28. ♘d3 ♖d2 29. ♕d2 ♕d2 30. ♖d2 ♘b1! 31. ♖d1 ♘c3 32. ♖d2 ♘e4−+) ♘c2 29. ♖b1 d2∓] **25. ♕a7 ♘c2?** [25... b5! 26. ♕b6 ♕d4 27. ♕d4 ♖d4 28. ♘b2 d2∓] **26. ♔h2⊕ b5⊕ 27. ♕b6 ♕e7** [27... ♔f7 28. ♕b7] **28. ♕b5? [28. ♘b2!] ♘e3 29. ♖d3 ♘f1 30. ♘f1 ♖d3 31. ♕d3 ♕b4 32. ♕d2□** [32. ♕e3 ♖c2∓] **♕d2 33. ♘d2** [♖ 9/d] **♖c2 34. ♘f3 ♖a2 35. ♘c5 ♗d5 36. ♔g3 ♖b2 37. h4 h6** [37... ♗b3 38. ♘b3 ♖b3=] **38. h5! ♔f7 39. ♘h4 ♖c2 40. b4 ♖b2?! 41. ♘f5 ♖g2 42. ♔h3 ♖f2 43. ♘d6** [43. ♔g4 ♖g2] **♔e7 44. ♔g4 ♖g2 45. ♔f5 ♗f3** [45... g6? 46. hg6 h5 47. ♘de4 h4 48. ♘g5+−] **46. b5 ♗h5 47. ♔e4 ♖e2** [47... ♖b2 48. b6!] **48. ♔d3 ♖b2 49. b6 ♗e8 50. ♔c3 ♖b1 51. ♔c2 ♖b4 52. ♘d3** [52. ♘a6 ♖b6 53. ♘c8 ♔e6 54. ♘b6 ♔f5] **♗a4 53. ♔c1 ♖b3 54. ♘c5 ♖c3 55. ♔b2 ♖c2! 56. ♔a3?** [56. ♔b1! ♖c5 57. b7 ♖c3 58. ♘f5! ♔d7 59. b8♕ ♖b3 60. ♕b3 ♗b3 61. ♘g7±] **♗c6 57. ♘b3** [57. b7 ♗b7 58. ♘cb7 h5] **♖f2 58. ♘d4 ♔d7 59. ♔b4 ♖f1** [59... ♖f4 60. ♔c5] **60. ♔c5 ♖c1 61. ♘c4** [61. ♔b4] **♗b7 62. ♘b3!** [62. f5? ♗a6 a) 63. ♘b5 h5 64. f6 (64. e6 ♔e7) gf6 65. ef6 h4 66. f7 ♔e7−+; b) 63. e6 ♔e8! 64. ♘b5 ♔e7! 65. ♔d4 ♗b5 66. b7 ♖c4 67. ♔e3 (67. ♔e5 ♗c6−+) ♖e4! 68. ♔f2 (68. ♔d2 ♖d4 △ ♖d8−+; 68. ♔f3 ♗c6−+) ♖f4 69. ♔g3 ♖f5 70. b8♕ ♔e6∓; 62. ♔b4 ♗d5 63. ♘e3 ♗e4] **♖e1** [62... ♖d1!?] **63. ♘ba5** [△ 63. f5 h5 64. e6 ♔e7 65. ♘ba5 ♗a8 66. ♘c6 ♔f6! 67. ♘4e5 h4 68. e7 ♖e5! 69. ♘e5 ♔e7 70. ♘g6 ♔f6 71. ♘h4 ♔g5 72. ♘g6 ♔f5=] **♗a8 64. f5 h5 65. e6 ♔e8! 66. b7 ♗b7 67. ♘b7** [♖ 8/a] **h4 68. ♘d2 h3 69. ♘f3 ♖e3** [69... ♖f1 70. ♘d6 ♔e7 71. ♘h2=]

70. ♘h2 ♔e7 **71.** ♔d4! ♖e2 **72.** ♘f3 ♖d2 [72... h2 **73.** ♘h2 ♖h2 **74.** ♔e4=] **73.** ♔e4 ♖c2 **74.** ♔f4 ♖c3?! **75.** ♔g4 ♖c7 **76.** ♘a5 ♔f6 **77.** ♘b3 g6 **78.** fg6 ♔g6 **79.** ♘bd4 ♖e7 **80.** ♘e5 ♔h7 **81.** ♔h3 1/2 : 1/2 **[Zsu. Polgár]**

367. **D 21**

V. SALOV 2655 − SEIRAWAN 2600
Wijk aan Zee 1992

1. d4 d5 **2.** ♘f3 c5 **3.** c4 dc4 **4.** d5 e6 **5.** ♘c3 ed5 **6.** ♕d5 ♕d5 **7.** ♘d5 ♗d6 **8.** ♘d2 ♘e7 **9.** ♘c4 ♘d5 **10.** ♘d6 ♔e7 **11.** ♘c8 ♖c8 **12.** g3 ♘b4 **13.** ♗h3 ♖d8 **14.** 0−0 ♘8c6 **15.** ♗g5 f6 **16.** ♗e3 b6 **17.** ♖fc1 ♘d4?! N [17... a5 − 52/(385)] **18.** ♗d4 ♖d4 **19.** a3! ♖a6 [19... ♘d5 20. e3 ♖d2 21. e4 ♘c7 22. b4 ♔d6 23. ♖d1 ♖d4 24. ♖d4 cd4 25. ♖d1 ♘b5 26. a4+−] **20.** b4! ♖d6□ **21.** ♗f5 [21. ♗g2! ♖b8 (21... ♖ad8 22. ♗b7+−) 22. ♗e4! cb4 (22... g6 23. ♗d3! b5 24. bc5 ♖c6 25. ♖ab1+−) 23. ab4 ♘b4 24. ♖a7 ♖d7 25. ♖cc7 ♖c7 26. ♖c7 ♔f8 27. ♗h7+−] cb4 **22.** ab4 [22. ♖c4? b3!] ♘b4 **23.** ♖c7 ♔f8 **24.** ♗e4 ♖e8! **25.** ♖aa7 [25. ♗h7!? a5 26. ♗g6! ♖a8!±] ♖e4 **26.** ♖f7 ♔g8 **27.** ♖g7 ♔h8 **28.** ♖h7 ♔g8 **29.** ♖hg7 ♔h8 **30.** ♖h7 ♔g8 **31.** ♖ag7 ♔f8 **32.** ♖b7 ♔g8 **33.** ♖hg7 ♔h8 **34.** ♖gc7 ♖g4? [34... ♖d8? 35. ♖h7 ♔g8 36. ♖bg7 ♔f8 37. h4 ♘d5 38. h5 ♖e7 39. ♖e7 ♘e7 40. ♖h8 ♘g8 41. h6+−; 34... ♘c6?! 35. ♖b6±; 34... ♖e8! 35. h4 ♘d5 36. ♖h7 ♔g8 37. h5 f5! 38. ♖bg7 ♔f8 39. ♖g5±] **35.** ♖c8 ♖g8 **36.** ♖c4 **1 : 0** **[V. Salov]**

368. **D 23**

BAREEV 2680 − ANAND 2650
Tilburg (Interpolis) 1991

1. d4 d5 **2.** c4 c6 **3.** ♘f3 ♘f6 **4.** ♕c2 dc4 **5.** ♕c4 ♗f5 **6.** g3 e6 **7.** ♗g2 ♘bd7 **8.** e3 ♗e7 **9.** ♘c3 0−0 **10.** ♘h4?! N ♘b6 **11.** ♕f1 [11. ♕e2 ♗g4 12. ♘f3 ♘bd5 13. h3 ♗f3=] ♗g4 **12.** h3 ♗h5 **13.** g4 ♘fd5 **14.** gh5?! [14. ♘f3 ♗g6 15. ♘e5 ♘b4 16. ♘g6 hg6 17. ♕e2 c5=] ♗h4 **15.** ♗d2 f5 **16.** ♕e2 ♗e7 **17.** 0−0 ♗d6 **18.** f4 ♔h8

19. ♔h1 ♖g8?! [19... ♘f6 20. ♗f3 ♘bd5 21. ♖g1 ♖f7 22. ♖g2∞] **20.** e4 ♘c7 [20... fe4 21. ♘e4 h6 22. f5↑] **21.** ♖ad1 ♖f8 **22.** h6 g6 **23.** d5! ed5 **24.** ed5 c5 [24... cd5!?] **25.** ♘b5 ♘b5 [25... ♖e8 26. ♘d6!] **26.** ♕b5 ♕d7 **27.** ♕d7 [27. ♕d3!? ♖fe8 28. ♖fe1 ♗f8 (28... ♖e1 29. ♖e1 ♖e8?? 30. ♕c3+−) 29. ♗c3 ♔g8 30. d6∞] ♘d7 **28.** ♖fe1 ♖ad8! [28... ♖fd8 29. ♗c3 ♔g8 30. ♗e5±] **29.** ♖e6 ♘b6 **30.** h4 ♔g8 **31.** ♖de1 ♘a8! **32.** h5 ♘c7 **33.** ♗c3?! [33. hg6 ♘e6 34. de6 hg6] ♘e6 **34.** ♖e6 ♖fe8 **35.** ♖g6? hg6 **36.** hg6 ♖e7 **37.** ♗f1

37... ♖h7!−+ [37... ♗f4? 38. d6+−] **38.** gh7 ♔h7 **39.** ♗f6 ♖c8 **40.** ♗g5 c4 **41.** a4 ♔g6 **42.** ♔g2 ♗f8 **43.** ♔f2 ♗h6 **44.** ♗h6 ♔h6 **45.** ♔e3 ♖e8 **46.** ♔d4 ♖e4 **47.** ♔c5 ♔g6 **48.** d6 ♔f6 **49.** ♗c4 [49. ♗g2 ♖e2−+] ♖f4 **50.** ♗d5 b6 **51.** ♔c6 ♖d4 **0 : 1** **[Anand]**

369. **!N** **D 23**

CVETKOVIĆ 2465 −
BLAGOJEVIĆ 2500
Skopje (open) 1991

1. c4 c6 **2.** ♘f3 d5 **3.** d4 ♘f6 **4.** ♕b3 dc4 **5.** ♕c4 ♗f5 **6.** g3 e6 **7.** ♗g2 ♘bd7 **8.** 0−0 ♗e7 **9.** ♘c3 0−0 **10.** e3 ♘e4 **11.** ♕e2 ♕a5 **12.** ♗d2 ♕b6 **13.** ♘e5! N [13. ♘e4] ♘e5 [13... ♘c3 14. ♗c3 ♘e5 15. de5 △ e4, ♔h1, f4±→≫; 13... ♘d2 14. ♘d7 (14. ♕d2? ♘e5 15. de5 ♖fd8∓) ♕d8 (14... ♕b2 15. ♘f8 ♕c3 16. ♖fd1±; 14... ♕c7 15. ♘f8 ♘f1 16. ♘e6±) 15. ♕d2 (15. ♘f8 ♘f1 16. ♘e6 ♘g3=) ♕d7 16. e4↑⊞] **14.** ♘e4 ♘d7 **15.** ♗c3 [15. ♘c3!? △ e4] ♗b4

16. ♘d2± ♗c3 17. bc3 e5 18. e4 ♗e6 19.
♖ab1 ♕c7 20. ♘c4 f6 21. ♘e3 b5? 22.
d5 ♗f7 [22... cd5 23. ed5 ♗f7 24. d6+−]
23. dc6 ♕c6 24. ♕b5 ♕b5 25. ♖b5±
♗a2? 26. ♗h3! [26. c4 ♖fb8] ♘b8 [26...
♘b6 27. c4+−] 27. c4   1 : 0
[Cvetković]

370.   D 23

V. SALOV 2655 −
BRENNINKMEIJER 2500
Wijk aan Zee 1992

1. ♘f3 d5 2. c4 c6 3. d4 ♘f6 4. ♕c2 dc4
5. ♕c4 ♗f5 6. ♘c3 e6 7. g3 ♗e7 8. ♗g2
♘bd7 9. 0−0 0−0 10. e3 ♘e4 11. ♕e2
♗b4 N 12. ♗d2 ♘d2 13. ♘d2 e5! 14. a3
♗a5?! [14... ed4! 15. ab4 dc3 16. bc3 ♘e5
17. ♘e4±] 15. ♘b3 ♗e6 16. d5!± cd5
17. ♘d5 ♗b6 18. ♖ac1!? [18. ♖fd1 ♘f6
19. ♕b5 ♘d5 20. ♗d5 a6 21. ♕c4 ♗d5
22. ♖d5 ♕e7±] ♘f6 19. ♘b6 ♕b6 20.
♘c5 ♗g4 21. ♕c2? [21. ♕d2! ♖ac8 22.
b4±] ♖ac8 22. b4 ♕b5! 23. h3 ♗h5 24.
♕b3 b6 25. a4 ♕e8 26. ♘e4 ♘e4 27.
♗e4 ♕d7 28. ♔g2 ♖fd8 [28... ♗g6!? 29.
♗d5 ♗f5!? 30. g4 ♗c2 31. ♖c2 ♖c2 32.
♗f7 ♕f7 33. ♕c2 ♕f3 34. ♔h2±] 29. b5
♗g6 30. ♗c6 ♕e7 31. ♖fd1± ♗f5 32. e4
♗e6 [32... ♖d1 33. ♖d1 ♖c6 34. bc6 ♗e4
35. ♔h2 ♗c6 36. ♕c4±] 33. ♕c3 f6 34.
a5 ♔f7?! 35. ab6 ab6 36. ♕e3 ♖d1 37.
♖d1 ♕c5 [37... ♕c7 38. ♖a1±] 38. ♕c5
bc5 39. ♖a1 ♖c7? [39... ♔e7 40. ♖a7
♔d6 41. ♖g7 c4 42. ♔f3±] 40. ♖a8 c4
41. ♗e8! ♔e7 42. b6 [42... ♖b7 43. ♖a7
♗c8 44. ♗c6+−]   1 : 0
[V. Salov]

371.   D 24

KAPETANOVIĆ 2440 − DRAŠKO 2495
Jugoslavija 1991

1. ♘f3 d5 2. d4 ♘f6 3. c4 dc4 4. ♘c3
♗f5 5. e3 e6 6. ♗c4 a6 N [6... c6 −
33/(507)] 7. ♘e5! ♘bd7 [7... ♗e7? 8.
♕f3! ♘bd7 9. ♘f7!±] 8. ♘d7 ♕d7 9. f3!
b5 10. ♗b3 c5 11. e4 ♗g6?! [11... cd4
12. ef5 dc3 13. fe6! ♕d1 14. ♔d1 0-0-0
15. ♔c2 cb2 16. ♗b2±⌐] 12. ♗e3± cd4

13. ♕d4 ♕d4 14. ♗d4 ♘d7 15. a4 b4 16.
♘d1!? ♖c8 17. ♘f2! e5 18. ♗e3 ♗c5 19.
♔e2 ♔e7 20. ♖hc1 f5? [20... f6±] 21.
♗c4! ♗e3 22. ♔e3 ♘c5 23. ♘d3 f4 [23...
fe4 24. ♘c5 ♖c5 25. ♗a6+− ♔a] 24. ♔e2
♘d3 25. ♗d3 a5 26. ♗a6 ♖c1 27. ♖c1+−
[♖ 9/k] ♖a8 [27... ♗e8 28. ♖c5; 27...
♔d6 28. ♖d1 ♔e6 29. ♖d5 △ ♗c4] 28.
♗b5 ♖a7 [28... ♗e8 29. ♗e8] 29. ♖c5
♔d6 30. ♖d5 ♔e6 31. ♗c4 ♔f6 32. ♖d6
♔g5 33. ♖e6 ♖c7 34. ♖e5 ♔f6 35. ♖e6
♔g5 36. b3 ♖c5 [36... ♗f7 37. ♖e5 ♔f6
38. ♖f5] 37. ♖a6 ♗e8 38. ♔d3 h5 39.
♔d4   1 : 0   [Kapetanović]

372.   D 24

VAN WELY 2475 −
CIFUENTES PARADA 2535
Nederland 1991

1. d4 d5 2. ♘f3 ♘f6 3. c4 dc4 4. ♘c3 c5
5. d5 e6 6. e4 ed5 7. e5 ♘fd7 8. ♗g5
♗e7 9. ♗e7 ♕e7 10. ♘d5 ♕d8 11. ♗c4
♘b6?! 12. ♘b6 ♕b6 13. 0−0 0−0 14.
♘g5! h6□ [14... ♗f5? 15. ♕f3 ♗g6 16.
e6+−] 15. ♘f7!? ♖f7 16. ♕d5 ♕c7 17.
♖ad1 ♘c6 18. ♕c5 ♔h8 [18... ♕e5? 19.
♕e5! (19. ♖d8? ♔h7 20. ♗d3 g6−+)
♘e5 20. ♖d8 ♔h7 21. ♗f7 ♘f7 22. ♖f8
♔g6 23. ♖c1 ♘d6 24. ♖d8+−] 19. ♗f7
♕f7 20. f4 N [20. b4] ♗f5 21. b3 a5!∞
22. ♖d2 a4 23. b4 a3 24. b5 ♘d8 25. h3
♘e6 26. ♕c4 h5 27. b6 [27. g4 hg4 28.
hg4 ♕g6!] h4∓ 28. ♖f3 ♕e8 29. ♖d6 ♖a4
30. ♕d5 ♕c8 31. ♔h2 ♔h7⊕ 32. ♕d2
♕e8 33. ♕e1 ♕e7 34. ♕c1? [34. ♕d2∓]
♘f4! ∓ 35. ♕c5 [35. ♖f4 ♕e5−+] ♕g5
36. ♕f2 ♖e4 37. ♖d2 ♗e6 38. ♖e3 ♘h3!
39. ♖h3 ♕e5! [39... ♗h3?! 40. ♔h3! ♕e5
41. ♖d3∓] 40. g3□ ♗h3 41. ♔h3 hg3 42.
♕f3 g2!−+ 43. ♔g2 ♕g5 44. ♔h1 ♖e1
0 : 1   [Cifuentes Parada]

373.   D 24

ŠNEJDER 2540 − I. IBRAGIMOV 2485
SSSR 1991

1. d4 d5 2. ♘f3 ♘f6 3. c4 dc4 4. ♘c3 a6
5. e4 b5 6. e5 ♘d5 7. a4 ♘c3 8. bc3 ♕d5
9. g3 ♗b7 10. ♗g2 ♕d7 11. ♗a3 g6 12.

0–0 N [12. h4 – 51/400] **♗g7 13. ♖e1 0–0 14. e6 fe6 15. ♘e5 ♕c8 16. ♗h3** [RR 16. ♗b7 ♕b7 17. ♕g4 ♕d5 18. ♗e7 ♖e8 19. ♗c5∞ I. Ibragimov] **♗d5 17. ♗e7?** [17. ♘g4 △ ♘e3 ×e6; RR 17. ♕d2!? ♕e8! (17... ♘d7? 18. ♗e6! ♗e6 19. ♘c6±) 18. ♘g4 △ ♘e3∞ I. Ibragimov] **♖e8 18. ♗g5** [RR 18. ♗c5 ♗e5!? 19. de5 ♘d7 20. ♗a3 c5 △ ♕c6∓; 18. ♗a3 ♘d7 19. ♘d7 ♕d7∓ ⇗h1-a8 I. Ibragimov] **c5∓ 19. dc5** [RR 19. ab5 ab5 20. ♖a8 ♗a8 21. dc5 ♕c5∓; 19. ♘g4 cd4 20. cd4 (20. ♘f6 ♗f6 21. ♗f6 d3∓) ♘d7 21. ♘e3 (21. ♘h6 ♗h6 22. ♗h6 b4) ♗b7∓ I. Ibragimov] **♕c5 20. ♗e3 ♕c7 21. ♗f4** [RR 21. ♗d4 ♘c6 22. ♘c6 ♕c6 23. ♗g7 ♔g7 24. ♕d4 ♔g8 25. ab5 (25. ♕f6 ba4!) ab5 26. ♖a8 ♖a8 27. ♕f6 ♖e8∓ I. Ibragimov] **♕b7 22. ♘g4 ♗c3?!** [22... ♘d7∓; RR 23. ♘e3?! ♘c5; 23. ♘h6 ♗h6 24. ♗h6 ♘c5 25. ab5 ab5 26. ♖a8 ♖a8 (26... ♕a8 27. ♕d4 ♕a7 28. ♗e3 ♖c8 29. ♕e5=∞) 27. ♕d4 ♘d3 △ ♕a7∓; 22... b4!? 23. cb4 ♘c6 24. ♘e3 (24. ♘h6 ♔h8∓) ♘b4 25. ♖b1 a5 26. ♘d5 ed5∓ I. Ibragimov] **23. ♘h6 ♔h8?** [23... ♔g7 24. ♖e3 ♗f6 25. ♘g4 ♘d7 26. ♘f6 ♘f6 27. ♗e5 ♕e7 28. ♕d4∞] **24. ab5 ab5** [RR 24... e5! 25. ♖c1 (25. ♗g5 ♖f8∞) ♗e1 (25... ♗d4 26. ♕d4! ed4 27. ♖e8 ♔g7 28. ♖ce1+–) 26. ♕e1 ♕e7! 27. ♕d2! ef4 28. ♕d5 ♖a7 29. b6 ♖b7 30. ♖c4=∞ I. Ibragimov] **25. ♖a8 ♕a8**

26. ♗e6!+– ♕a1 [RR 26... ♗h1 27. ♗d5!; 26... ♘d7 27. ♗d5 ♖e1 28. ♕e1 ♗e1 29. ♗a8; 26... ♗e6 27. ♖e6 ♖c8 (27... ♘a6 28. ♕e1!; 27... ♘c6 28. ♕d7) 28. ♕d6! ♘c6 29. ♕d5! ♔g7 (29... ♕a1 30. ♔g2 ♘b4 31. ♕d7) 30. ♕d7 ♔h8 31. ♘f7 ♔g8 32. ♘g5 ♗g7 33. ♖g6! hg6 34. ♕f7 ♔h8 35. ♕g6 ♔g8 36. ♗d6 I. Ibragimov] **27. ♕a1 ♗a1 28. ♖a1 ♖e6 29. ♗b8 b4 30. ♗a7 ♔g7 31. ♘g4 c3 32. ♘e3 ♗e4 33. ♗c5 b3 34. ♗d4 ♔g8 35. ♗c3 ♖d6 36. ♖d1 ♖c6 37. ♗b2 1 : 0 [Šnejder]**

374. !N D 26

RUBAN 2570 – I. IBRAGIMOV 2485
Smolensk 1991

1. d4 d5 2. c4 dc4 3. ♘f3 ♘f6 4. e3 e6 5. ♗c4 c5 6. ♕e2 a6 7. dc5 ♗c5 8. 0–0 ♕c7 9. a3 b5 10. ♗d3 ♗b7 11. b4 ♗d6 12. ♗b2 ♘bd7 13. ♘bd2 0–0 14. ♖ac1 ♕b8 15. h3 ♘e5 16. ♘e5! N [16. ♗b1 – 40/479] **♗e5 17. ♘b3±** [×a5, c5] **♖d8 18. ♖fd1?!** [18. ♘c5!? ♗b2 19. ♕b2 ♕a7 (19... ♘d7?! 20. ♕c2! ♘f6□ 21. ♖fd1 ♕a7 22. a4±) 20. ♗e2 ♖ac8 21. ♖fd1±] **♗d5! 19. ♘a5** [19. ♘c5 ♗b2 20. ♕b2 ♘d7 21. ♘d7 ♖d7 22. ♗e4 ♕d8=] **h6 20. ♗b1** [20. ♗e5 ♕e5 21. f4 (21. e4? ♘e4 22. f3 ♕d4 23. ♔h2 ♘c3–+) ♕b8 22. e4 ♕b6 23. ♔h2 ♗b7∞] **♗b2 21. ♕b2 ♕b6 22. ♕c3** [22. ♕e5 ♖ac8=] **♗e4!= 23. ♗e4 ♘e4 24. ♕e5 ♘f6□ 25. ♔h2!?** [25. ♖d8 ♖d8 26. ♖c6? ♖d1 27. ♔h2 ♕d8→] **♖d1 26. ♖d1 ♖d8 27. ♖c1** [27. ♖d8 ♕d8∓ ×♘a5] **♖d2 28. ♖c6?** [28. ♖c8 ♔h7 29. ♖b8 ♕d6 30. ♕d6 ♖d6=] **♕d8 29. ♘b7?** [29. ♕f4 ♕d3∓; 29. f3 ♕d3∓→] **♘g4! 0 : 1 [I. Ibragimov]**

375. !N D 26

EHLVEST 2605 – ZSU. POLGÁR 2535
Pamplona 1991/92

1. d4 d5 2. ♘f3 ♘f6 3. c4 dc4 4. e3 e6 5. ♗c4 c5 6. ♕e2 a6 7. dc5 ♗c5 8. 0–0 ♕c7 9. ♘bd2 ♘c6 10. ♗d3!? b5 11. ♘b3! N [11. a3 – 44/468] **♗d6 12. ♗d2 ♗b7 13. ♖fc1! ♕e7** [13... ♕b6 14. h3 △ e4, ♗e3 ×c5] **14. a4 b4 15. ♖c4!± ♘d7 16. ♗e4 ♘de5 17. ♗c6! ♘c6 18. ♖ac1± ♘d8 19. e4 a5□ 20. e5 ♗b8 21. ♘a5! ♗f3 22. ♕f3 ♖a5 23. ♗b4 ♕a7 24. ♗a5 ♕a5**

25. ♖c8 ♗e5 [25... ♕e5 26. ♕g3!+−] **26. ♖8c5 ♕d2 27. ♖d1 ♕b2 28. ♖b5+− ♕c3 29. ♕c3 ♗c3 30. ♖d8! ♔d8 31. ♖b8 ♔c7 32. ♖h8 h6 33. ♔f1 1 : 0**
[Ehlvest]

376. D 26

EHLVEST 2605 –
ILLESCAS CÓRDOBA 2545
Pamplona 1991/92

1. ♘f3 d5 2. c4 c6 3. d4 ♘f6 4. e3 e6 5. ♗d3 dc4 6. ♗c4 c5 7. ♕e2 a6 8. dc5 ♗c5 9. 0–0 0–0 10. e4 b5 11. ♗d3 e5 12. a4 N [12. ♘e5] **♗b7 13. ab5 ab5 14. ♖a8 ♗a8 15. ♗g5 h6 16. ♗h4** [16. ♗f6 ♕f6 17. ♗b5 ♘c6∞̅] **♕d6!? 17. ♖d1! b4?!** [17... ♘c6!∞] **18. ♘bd2 ♘c6 19. ♘b3! ♘d4?!** [19... ♗b6 20. ♗c4 ♕e7 21. ♗d5±] **20. ♘fd4 ♗d4 21. ♗b1 ♖e8 22. ♘d4 ed4 23. f3** [⊞, ×d4] **♗b7 24. ♕d2 ♖d8 25. ♗f2 ♕c5 26. ♕c2⊕ ♕e5 27. ♗g3 ♕b5 28. ♕d3** [28. e5? ♖c8!∞] **♕d3 29. ♗d3+− ♘h5 30. ♗e5 g5 31. ♗c4 ♘f4 32. ♖d4 ♖c8 33. ♗f4 gf4 34. e5 ♖c5 35. ♖f4 ♖e5 36. ♗f7 ♔g7 37. ♔f2 1 : 0** **[Ehlvest]**

377. D 26

I. FARAGÓ 2515 –
ZSU. POLGÁR 2535
Magyarország (ch) 1991

1. d4 d5 2. c4 dc4 3. ♘f3 a6 4. e3 ♘f6 5. ♗c4 e6 6. ♕e2 c5 7. dc5 ♗c5 8. 0–0 ♕c7 9. e4 ♘g4 10. ♗g5 N [10. ♘bd2] **♘c6 11. ♘bd2** [11. h3?? ♘d4−+] **♗d6** [11... ♘d4 12. ♕d3±] **12. h3 h6!?** [12... ♘ge5 13. ♘e5 ♗e5=] **13. ♗h4** [13. hg4 hg5 14. g3 f6∓] **♘ge5 14. ♘e5** [⌓ 14. ♗b3] **♗e5 15. ♘f3 g5!?** [15... ♘d4 16. ♘d4 ♗d4=] **16. ♗g3** [16. ♘e5? ♘e5 17. ♗g3 ♕c4−+] **♗g3 17. fg3 ♕g3 18. ♖ad1 g4** [18... 0–0?! 19. e5∞̅] **19. hg4 ♗d7 20. b4!? b5!?** [20... ♖g8] **21. ♗d5! ♖g8** [21... ed5? 22. ed5 ♘e7 23. d6+−] **22. ♗c6** [22. ♖c1 ♖c8] **♗c6 23. ♘d4 ♗d7 24. ♘f5! ef5 25. ef5 ♔f8** [25... ♔d8 26. ♕e4! ♖a7 27. ♕d4 ♖c7 (27... ♕g4 28. ♕b6 ♖c7 29. ♕b8 ♖c8 30. ♕b6=) 28. ♕f6 ♔c8 29. ♕a6 ♔b8 30. ♖f3! ♕g4 31. ♕b6 ♔c8 32. ♕a6=] **26. ♖d7 ♖e8 27. ♕d2 ♖g4! 28. ♕d5** [28. ♕h6 ♔g8 29. ♕h2 ♕h2 30. ♔h2 ♖e2∓] **♕e3 29. ♖f2 ♕c1 30. ♖f1 ♕e3 31. ♖f2 ♕c1 32. ♖f1 1/2 : 1/2**
[Zsu. Polgár]

378. D 27**

BELOV 2435 – SAVON 2460
Podol'sk 1991

1. ♘f3 d5 2. d4 ♘f6 3. c4 dc4 4. e3 e6 5. ♗c4 c5 6. 0–0 a6 7. a4 [RR 7. ♖e1!? N b5 8. ♗f1 cd4 9. ed4 ♗b7 10. a4 ba4 11. ♘e5 ♘c6! 12. ♖a4 (12. ♕a4 ♕d4) ♘e5 13. de5 ♕d1 14. ♖d1 ♘d7! 15. ♗f4 ♘b6 16. ♖a1 ♘d5 17. ♗d2 ♗e7 (17... ♗c5=) 18. ♘c3 ♘b4□ 19. ♘b5!? ♘d5□ (19... ab5? 20. ♖a8 ♗a8 21. ♗b4±) 20. ♘c3 (20. ♘a3!? Suetin) ♘b4 21. ♘b5 ♘d5 22. ♖dc1 ♔d7 23. ♘c3 ♖hb8! 24. g3 ♗c6= Speelman 2630 – Suetin 2405, Hastings 1991/92] **♕c7 8. ♕e2 ♘c6 9. ♘c3 ♗d6 10. ♗d2 0–0** [10... ♘g4 11. h3 cd4 12. hg4 dc3 13. ♗c3±; 10... cd4 11. ed4 ♘g4 12. ♘d5 ♗h2 13. ♔h1 ♕d6 14. ♘b6 ♖b8 15. d5±] **11. d5 ed5** [11... ♘a5 12. ♗a2 e5 13. ♘g5 ♗f5 14. ♖fc1⩲] **12. ♘d5 ♘d5 13. ♗d5 ♘e5** [13... ♗g4 N 14. h3 ♗h5 15. ♗c3 ♖ae8 16. ♖fd1 ♖e7 (Belov 2435 – Mesropov, Podol'sk 1991) 17. ♖ac1⩲] **14. h3 N** [14. ♘e5 – 52/389] **♗f5 15. ♘e5 ♗e5 16. ♗c3 ♖ad8 17. ♖fd1⩲ ♗c3 18. bc3 ♖d6 19. e4 ♗e6 20. ♖ab1 ♗d5 21. ed5 ♕d7 22. c4 g6 23. a5± ♖b8 24. ♕e5! ♖e8 25. ♕f4 ♔g7 26. ♖e1!** [26. ♖b7 ♕b7 27. ♕d6 ♕b3∞] **♖e1 27. ♖e1 b5 28. ab6 ♖b6 29. ♕e5 ♔g8 30. ♕e8?** [30. ♖d1 ♖d6 31. ♖b1+−] **♕e8 31. ♖e8 ♔g7 32. ♖c8 a5! 33. ♖a8 ♖b4 34. d6 ♖b1 35. ♔h2 ♖d1 36. ♖a5 ♖d6 37. ♖c5± [♖ 6/f] ♖d3! 38. g3 ♖c3 39. h4 h5 40. ♖c6 ♔f8 41. ♖c7 ♔g7 42. ♔g2 ♔f6** [⌓ 42... ♔f8] **43. ♔f1 ♖c2 44. ♔e1 ♔g7 45. ♖c8 ♔f6 46. ♖c6 ♔e7 47. ♖c7 ♔f8! 48. c5 ♔e8 49. c6 ♔d8!= 50. ♖f7 ♖c6 51. ♔d2 ♔e8 52. ♖a7 ♔f8 53. ♔d3 ♖e6 54. ♔d4 ♖e2 55. f4 ♖e8 56. f5 gf5 57. ♖a5 ♖e4 58. ♔d3 ♖g4 59. ♖f5 ♔g7 60. ♖h5 1/2 : 1/2** **[Belov]**

379.* **D 27**

MAGERRAMOV 2560
– I. IBRAGIMOV 2485
SSSR (ch) 1991

1. d4 d5 2. c4 dc4 3. ♘f3 ♘f6 4. e3 e6 5. ♗c4 c5 6. 0–0 a6 7. a4 ♘c6 8. ♕e2 cd4 9. ♖d1 ♗e7 10. ed4 0–0 11. ♘c3 ♘d5 12. ♗b3!? N [RR 12. ♕e4 ♘cb4 13. ♘e5 b6 14. ♘c6 ♘c6 15. ♘d5 ♖a7 N (15... ♗b7 – 27/499) 16. ♘e7 ♘e7 17. ♗g5 ♕d7 18. ♗e7 ♕e7 19. d5 ed5 20. ♗d5 ♕f6 21. b4 ♖e7 22. ♕c4 g6 23. ♖ac1 ♔g7= Zsu. Polgár 2535 – Magem Badals 2490, Pamplona 1991/92] **♘cb4** [12... b6?! 13. ♘d5 ed5 14. ♘e5!?⩲; 12... ♖e8!?] **13. ♘e5 ♗d7 14. ♕g4 ♘f6□** [14... ♔h8?? 15. ♘d5+–; 14... ♗c6 15. ♗h6 ♗f6 16. ♘e4±] **15. ♕g3 ♗c6 16. ♗h6 ♘e8 17. ♖ac1** [17. ♘c6!? bc6 18. ♘e4⩲] **♖c8** [17... ♔h8!?] **18. ♕g4** [18. ♘c6⩲] **♔h8 19. d5!? ♗d5□** [19... f5?! 20. ♕h3! ed5 21. ♗f4 ♔g8 22. ♘d5 ♘d5 23. ♖d5±; 19... ed5 20. ♘d5 f5 (20... ♘d5 21. ♗d5±) 21. ♘e7! fg4 (21... ♕e7 22. ♕d4±) 22. ♖d8 ♖d8 23. ♗g5 ♘f6□ 24. ♘f7 ♖f7 25. ♗f7±] **20. ♘d5 ♖c1 21. ♗c1 ed5** [21... ♘d5?? 22. ♘f7 ♖f7 23. ♕e6+–] **22. ♕f5=∞ ♘f6!** [22... ♔g8? 23. ♘d7 ♘d6 24. ♕g4±; 22... ♘d6 23. ♕f4=∞] **23. ♗g5 ♕d6** [23... ♔g8 24. ♖e1!=∞] **24. ♖e1! ♔g8 25. g3 a5?!** [25... ♘c6!? 26. ♗f6 (26. ♘f3 ♖d8∞) ♕f6□ (26... ♗f6? 27. ♘d7! ♖d8 28. ♗c2!+–) 27. ♕f6 ♗f6 28. ♘c6 (28. ♘d7 ♖d8 29. ♗d5 ♗b2∓) bc6 29. ♖c1=]

26. ♘d7! ♖a8□ [26... ♖d8 27. ♖e7! ♕e7 (27... ♖d7 28. ♗f6 ♖e7 29. ♕c8+–) 28. ♘f6 gf6 29. ♗f6+–; 26... ♕d7 27. ♕d7 ♘d7 28. ♗e7 ♖c8 (28... ♖e8 29. ♗b4+–) 29. ♗b4 ab4 30. ♗d5±] **27. ♖e7! ♕e7 28. ♗f6** [28. ♘f6? gf6 29. ♗f6 ♕e1 30. ♔g2 ♕e4–+] **gf6 29. ♘f6 ♔g7□** [29... ♔f8 30. ♕g5 ♕e1 31. ♔g2±→] **30. ♕g5** [30. ♗c2 ♘c2 31. ♕g5 ♔h8 32. ♕h6 ♕e1 33. ♔g2 ♘e3! 34. fe3 ♕e2 35. ♔h3 ♕f1 36. ♔g4 ♕e2 37. ♔f4 ♕f2 38. ♔e5 ♕b2 39. ♔f4 ♕f2=] **♔h8 31. ♕f5** [31. ♕h6? ♕e1 32. ♔g2 ♕b1!∓] **♔g7 32. ♕g5 ♔h8 33. ♕f5 1/2 : 1/2 [I. Ibragimov]**

380. **D 27**

NAUMKIN 2490 – SADLER 2480
London 1991

1. d4 d5 2. c4 dc4 3. ♘f3 a6 4. e3 ♘f6 5. ♗c4 e6 6. a4 c5 7. 0–0 ♘c6 8. ♕e2 cd4 9. ♖d1 ♗e7 10. ed4 0–0 11. ♘c3 ♘d5 12. ♗d3 ♘cb4 13. ♗b1 b6 14. ♘e5 ♗b7 15. ♘e4 N [15. ♖a3 – 12/512] **♖c8 16. ♖a3?!** [△ ♖h3→»; 16. ♕h5!?] **f5 17. ♘g3?!** [17. ♘c3 △ ♗d2=]

17... ♖c1!! 18. ♖c1 ♘f4 19. ♕c4 [19. ♕d2?! ♘g2 △ ♗g5∓] **♗g2 20. f3** [20. ♘f5 ♗d5 (20... ♖f5 21. ♗f5 ♗d5→») 21. ♘e7 ♕e7 △ ♕g5∓; 20. ♖d1!?∓ ×d4] **b5!∓ 21. ab5 ab5 22. ♕c3□ ♘bd5 23. ♕a5! ♘e3!?** [23... ♗a3 24. ♕d8 ♖d8 25. ba3 g6! 26. ♗a2 ♗h3 27. ♗d5 ♘d5 28. ♖c5∓] **24. ♔f2!□** [24. ♕d8 ♘h3#; 24. h4 ♕d4–+] **♕d4** [24... ♗a3 25. ♕d8 ♖d8 26. ba3 ♘fd5 △ f4, ♗h3∓; 24... ♘h3

25. ♔e2! (25. ♔e3? ♗g5) ♕d4 26. ♖e3 ♘f4 27. ♔f2 – 24... ♕d4] **25. ♖e3 ♕b2?!** [25... ♘d5!∓] **26. ♖c2 ♕b1 27. ♕d2!** [△ ♖c1 ×♕b1] **♗g5?** [27... ♘h3 28. ♔g2 ♘f4 29. ♔f2=; 27... ♗b4 28. ♖c1 ♗d2 29. ♖b1 ♗e3 30. ♔e3 ♘d5 31. ♔f2 ♗h3 32. ♖b5=] **28. ♖c1 ♘d5 29. ♖b1 ♗e3 30. ♕e3 ♘e3 31. ♔e3 f4 32. ♔f2± ♗f3!?** [32... fg3 33. ♔g2 gh2 34. ♖b5±] **33. ♘f3 fg3 34. hg3** [34. ♔g3!?] **♖b8 35. ♖b4?!⊕** [35. ♘d4] **h5 36. ♘d4 ♔f7 37. ♘b5?!** [37. ♖b5] **♔g6 38. ♔g2 e5 39. ♖b3 h4! 40. g4** [40. gh4 ♔h5 △ g5=] **♔g5 41. ♔h3 e4** [41... ♔f4?! 42. ♘d4 ♖b3 43. ♘b3 g5 44. ♘c5! ×g5] **42. ♘d4 ♖b3= 43. ♘b3 e3 44. ♘c1** [44. ♘d4 ♔f4!] **♔f4□ 45. ♔h4 ♔f3 46. ♔g5 e2 47. ♘d3 g6! 48. ♔h4** [48. ♘e1 ♔f2 49. ♘c2 ♔g3=] **♔e3 49. ♘e1 ♔f2□ 50. ♘c2 ♔g2 51. ♔g5** [51. g5 ♔f3!] **♔g3 52. ♘e1 ♔f2 53. ♘c2 ♔g3 1/2 : 1/2**
[Naumkin]

381.* D 30

POLUGAEVSKIJ 2630 – O. RODRÍGUEZ 2460

Logroño 1991

1. d4 d5 2. c4 e6 3. ♘f3 c5 [RR 3... c6 4. ♕c2 ♘f6 5. g3 b6!? N (5... dc4 – 51/403) 6. ♗g2 ♗b7 7. 0–0 ♘bd7 8. ♘bd2 c5! (8... ♗e7 9. e4 de4 10. ♘e4 c5 11. ♘f6 ♘f6 12. ♖d1 ♕c8±) 9. cd5 ♘d5 (9... ed5 10. dc5 ♗c5 11. ♘b3±; 10. e4!? △ 10... de4 11. ♘g5⩱↑⊞) 10. e4! (10. ♘b3 ♗e7 11. ♗d2 ♖c8 12. dc5 ♘c5=) ♘b4□ (10... ♘5f6 11. d5 ed5 12. e5!↻↑⊞) 11. ♕b3 ♗a6!? (11... cd4 12. ♘d4 ♗c5 13. ♘c4± Magerramov 2560 – M. Sorokin 2510, Čeljabinsk 1991) *a)* 12. ♘c4 cd4 13. ♗g5 f6 14. ♘d4 ♘c5□ 15. ♕b4 ♕d4 16. ♖ac1□ fg5 17. ♖fd1 ♕f2□ 18. ♔f2 ♘d3 19. ♖d3 ♗b4 20. ♘d6∓; *b)* 12. ♖d1 ♗d3!? 13. ♖e1 (13. ♕c3 cd4 14. ♘d4 ♖c8 15. ♕b3 a5↑) cd4 14. ♘d4 a5↑; *c)* 12. ♖e1 cd4 13. ♘d4 ♘d3 14. ♖e3 ♘7c5 15. ♕c3 ♖c8 16. e5 ♕d7∞ M. Sorokin] **4. cd5 ed5 5. g3 c4 6. ♗g2 ♗b4 7. ♗d2 a5!? N** [7... ♗d2] **8. 0–0 ♘e7 9. ♘c3! ♘bc6 10. a3 ♗c3 11. bc3! b5** [11... 0–0 12. a4 ♗f5 13. ♗c1! △ ♗a3, ♘d2±] **12. e4!± 0–0** [12... de4?! 13. ♘g5 f5 14. ♕h5 g6 15. ♕h6 ♘g8 16. ♕h4 △ f3↑] **13. ed5 ♘d5 14. ♕b1! ♖b8 15. ♘g5 g6** [15... f5 16. ♖e1±] **16. ♕e4 ♘ce7 17. ♖fe1** [17. ♕h4 h5 △ ♘f5∞] **h6?!** [17... ♖b6! 18. ♕h4 h5 19. ♘h3 f6!∞; 19. ♘f3!?±] **18. ♘f3 g5** [18... ♗f5!? 19. ♕h4 h5 20. h3±] **19. ♘e5 ♖b6 20. h4!± ♗f5 21. ♕f3 ♕c8?** [21... f6□ 22. ♘g4 ♔g7 23. ♘e3±] **22. hg5 hg5 23. ♕h5! ♗h7** [23... f6 24. ♗d5! (24. ♘g6? ♗g6 25. ♗d5 ♔g7!) ♘d5 25. ♘g6 ♔g7 (25... ♗g6 26. ♕g6 ♔h8 27. ♔g2+–) 26. ♘f8 ♔f8□ (26... ♕f8 27. ♕f3+–) 27. ♔g2!+–] **24. ♕g5 ♔h8 25. ♕h4** [25. ♕h5!+–] **b4 26. ab4 ab4 27. cb4 c3 28. ♗c1 ♕e6** [28... c2 29. ♖a3! △ g4+–] **29. ♖a5! f6** [29... ♖b4 30. ♗d5 ♘d5 31. ♖d5 ♕d5 32. ♕f6 ♔g8 33. ♗h6+–] **30. ♗d5 ♘d5 31. ♘g6 1 : 0 [Polugaevskij]**

382.* D 31

DREEV 2610 – MAKSIMENKO 2430

Berlin 1991

1. d4 d5 2. c4 e6 3. ♘c3 ♗b4 [RR 3... ♗e7 4. cd5 ed5 5. ♗f4 c6 6. e3 ♗f5 7. ♘ge2 ♘d7 8. f3 ♗g6!? N (8... g5 – 49/463) 9. ♕d2 (9. g4 h5! Donev) ♘gf6 (△ ♘h5) 10. g4 ♘b6 11. b3 a5 12. a4 h5 13. g5 ♘fd7 14. h4 ♗b4 15. ♗h3 0–0∞ △ c5↑⊞ Hertneck 2555 – Donev 2415, Salzburg 1992] **4. a3 ♗c3 5. bc3 ♘e7 6. e3 0–0 7. ♘f3 N** [7. ♗d3 – 37/440] **c5 8. ♗d2!? b6!** [8... ♘bc6 9. cd5 ed5 10. dc5 ♕a5 11. c4±] **9. ♗d3 ♘bc6 10. 0–0** [10. ♗h7? ♔h7 11. ♘g5 ♔g6 12. ♕g4 e5 13. ♘e6 ♔f6–+] **♗a6 11. ♕c2** [11. ♗h7 ♔h7 12. ♘g5 ♔g6 13. ♕g4 f5 14. ♕g3 ♔f6 15. ♘h7 ♔f7 16. ♘g5=] **h6?!** [11... ♘g6 12. cd5 ♗d3 13. ♕d3 ed5=] **12. cd5 ♗d3 13. ♕d3 ed5** [13... ♕d5 14. e4 ♕h5 15. ♗e3±] **14. dc5 bc5 15. c4 d4 16. ♖fd1! ♕c7!□ 17. ed4 cd4 18. ♖ab1** [18. ♘d4? ♖fd8 19. ♗e3 (19. ♘b5? ♖d3 20. ♘c7 ♖ad8–+) ♘d4 20. ♗d4 ♘c6–+] **♖fd8 19. ♕e4 ♖ac8 20. ♗f4 ♕d7** [20... ♕a5 21. ♖d3±] **21. h3** [21. ♖b5!?] **♘g6 22. ♗e3 f5□ 23. ♕c2 d3 24. ♕c3 f4 25.**

♗d2 ♘d4?! [25... ♕f7!=] **26. ♕d3 ♘f3 27. ♕f3 ♕e6!□** [27... ♖c4 28. ♗a5+−; 27... ♕f7 28. ♖b7+−; 27... ♘e5 28. ♕f4 ♘c4 29. ♗c3!? ♕d1 30. ♖d1 ♖d1 31. ♔h2±; 27... ♕f5!?∞] **28. c5!?±** [28. ♗f4? ♖f8 29. ♖d4 ♖c4 30. ♖c4 ♕c4 31. g3 ♘f4 32. gf4 ♕f4=] **♖c5 29. ♗f4 ♖f8 30. ♖b8!?** [30. ♕e3? ♘f4 31. ♕c5 ♕g6∓; 30. ♖b4!? ♖cf5 (30... ♖c4 31. ♕e3!±; 30... a5 31. ♖e4 ♕f5 32. ♕e3! ♘f4 33. ♖f4 ♕f4 34. ♕c5±) 31. ♖dd4 ♕a2□ 32. g3 ♘f4 33. ♖f4 ♖f4 34. gf4±] **♖cf5 31. ♖f8 ♖f8 32. ♖d4 ♕a2!□ 33. a4?!** [33. g3 ♘f4 34. ♖f4 ♖f4 35. gf4±] **♕a1 34. ♖d1 ♕a4** [34... ♕a2!?=] **35. ♕d5 ♔h7 36. ♗e3 ♘f4 37. ♕d7 ♕e4 38. ♗f4 ♖f4! 39. ♕a7 ♕a4! 40. ♕a4 ♖a4** **1/2 : 1/2**
[Maksimenko]

383.* **D 31**

RIVAS PASTOR 2450
− DORFMAN 2600
Logroño 1991

1. c4 e6 2. ♘c3 d5 3. d4 c6 4. cd5 [RR 4. ♗f4 dc4 5. e3 b5 6. a4 ♕b6!? N (6... b4 − 45/463) 7. ♕f3 (7. ab5 cb5 8. b3 ♗b4 9. ♘e2 cb3 10. ♕b3 ♘c6∓) ba4!? (7... ♗b7∞) 8. ♘ge2 ♗b4! (8... ♕b2 9. ♖b1±; 8... ♘f6 9. ♘a4 △ ♘ec3±) 9. ♕g3 ♘e7□ 10. ♕g7 (10. e4? ♘d7 11. ♖a4 c5!∓ Murey 2450 − Svešnikov 2540, Moskva (open) 1991) ♖g8 11. ♕h7 e5 12. ♗e5 ♗f5 13. ♕h4 a3 14. ♖a3! ♗a3 15. ba3±; 11... c5!?∞ Svešnikov] **ed5 5. ♕c2 ♗d6 6. ♘f3 ♘e7 7. ♗g5 N** [7. e3] **♗f5** [7... ♘d7 8. e3 ♘f8 9. ♗d3 ♘fg6] **8. ♕d2** [⌓ 8. ♕f5 ♘f5 9. ♗d8 ♔d8 10. a3] **♘d7 9. e3 ♘f8 10. ♗h4 ♘fg6 11. ♗g3 ♗g4! 12. ♗d3** [12. ♗d6 ♕d6 13. ♗e2 ♗f3! 14. ♗f3 ♘h4∓; 12. ♗e2 ♘f5 13. ♗d6 ♕d6 14. 0−0=; 13... ♘d6] **♘f5 13. ♗f5** [13. ♗d6 ♗f3! (13... ♘d6 14. ♘g1=) *a)* 14. ♗f5 ♗g2 15. ♖g1 ♘h4 (15... ♕d6 16. ♗g6 ♕h2 17. ♖g2 ♕h1 18. ♔e2 ♕g2∓) 16. 0-0-0 ♕d6−+; *b)* 14. ♗a3 ♘fh4∓; *c)* 14. gf3∓] **♗f5 14. ♘a4** [⌓ 14. ♗d6 ♕d6 15. 0−0∓] **♗e4 15. ♗d6** [15. ♘c5 ♗c5 16. dc5 ♗f3 17. gf3 ♕f6∓] **♕d6 16. ♘c5 ♗f3 17. gf3 b6** [17... ♘h4] **18. ♘d3 c5** [18... 0−0∓] **19. dc5 bc5 20. ♕a5** [20. ♖c1 c4 21. ♕b4 (21. ♘b4 ♘e5↑) ♔e7! 22. ♕b7 ♔e6∓] **0−0! 21. ♕c5 ♕f6 22. f4** [22. ♔e2 ♘h4! (22... ♖ac8 23. ♕d4 ♖c2 24. ♔d1 ♕d4 25. ed4 ♖c4 26. ♖c1 ♖d4∓) *a)* 23. ♕d5 ♖ad8 24. ♕e4 (24. ♕b7 ♖b8∓) ♖fe8 25. ♕g4 ♖d4 26. f4 ♖d3 27. ♔d3 ♕a6 28. ♔d2 ♖d8 29. ♔e1 ♕b7!−+; *b)* 23. f4 ♕f5∓] **♕f5! 23. ♕d4** [23. ♕c2 d4↑] **♖fe8 24. ♘e5** [24. f3 ♘h4−+; 24. 0-0-0 ♖e4−+; 24. ♔e2 ♘h4∓]

24... ♖e5!−+ 25. fe5 ♘e5 26. ♕d1 [26. ♔d1 ♕f3 27. ♔d2 ♕f2; 26. ♔f1 ♕h3 27. ♔e2 ♕f3] **♖c8! 27. f4 ♕e4?!** [27... ♖c2−+] **28. 0−0 ♕e3 29. ♔g2** [29. ♖f2 ♘d3] **♕e4 30. ♔g3** [⌓ 30. ♔g1 ♖c6∓] **♖c6 31. f5 ♖h6 32. ♖f2 ♕h4 33. ♔g2 ♕h2 34. ♔f1 ♕h1 35. ♔e2 ♕e4 36. ♔d2 ♘c4 37. ♔c3** [37... ♖h3−+] **0 : 1**
[Dorfman]

384.* **D 31**

IONOV 2510 − M. SOROKIN 2510
Čeljabinsk 1991

1. c4 e6 2. d4 d5 3. ♘c3 c6 4. e4 de4 5. ♘e4 ♗b4 6. ♗d2 ♕d4 7. ♗b4 ♕e4 8. ♗e2 ♘d7!? N 9. ♘f3 [9. ♕d6 *a)* 9... c5 10. ♗c5 ♕g2 11. ♗f3 (11. 0-0-0 ♕c6) ♕g5 12. ♗e3 ♕a5! 13. b4 ♕e5≅⊞; *b)* 9... ♕g2 10. 0-0-0 ♕f2!? − 34/(472); 10... ♕g5∞] **b6!** [9... c5?! 10. ♗c3 ♘gf6 11. ♕d2 b6!? (11... ♕g6? 12. ♘e5 ♘e5 13. ♗e5 0−0 14. 0-0-0±⟳ ♘e4 15. ♕e3 f6 16. ♗d3 fe5 17. ♗e4 ♕h6 18. ♕h6 gh6

19. ♖he1+− S. Ivanov 2440 − Baškov 2470, Čeljabinsk II 1991; 11... ♕c6? 12. ♘e5 ♕c7 13. ♕g5±) 12. ♘g5 ♕g6 13. ♗d3 ♕h5∞] 10. ♘d2!? [10. ♕d2 ♘gf6 11. 0-0-0 c5∞] ♕f4□ 11. ♗f3 [11. g3 ♕c7 12. ♘e4 c5 13. ♘d6 (13. ♗c3 ♘gf6 14. ♘d6 ♗e7 15. ♗f3 ♕d6 16. ♗a8 ♕d1 17. ♖d1 ♗a6∓) ♔e7 14. ♘b5 ♕b8 15. ♗c3 ♘gf6 16. ♗f3 a6! (16... ♗b7? 17. ♗b7 ♕b7 18. ♕d6 ♘d8 19. ♗f6 gf6 20. 0-0-0±→) 17. ♗a8 ♕a8 18. ♕d6 ♔d8 19. ♕c7 ♔e7 20. ♕d6=] ♘e5□ 12. ♗e4 ♗b7 13. g3 [13. ♗c3 f6□ (13... ♘g4?! 14. ♕e2 ♘8f6 15. g3±) 14. g3 ♕g4 15. ♗e5 ♕d1 16. ♖d1 fe5 △ ♘f6=] ♕g4 14. f3 [14. ♗c3 f6 15. ♗e5=] ♕h5 15. f4 ♕d1 16. ♖d1 ♘d7 17. ♗f3∞ f5?! [17... ♘gf6 △ 18. g4 0-0-0 (18... ♘g4?? 19. ♘e4+−) 19. g5 c5 20. gf6 cb4 21. fg7 ♖hg8 22. ♖g1 ♘f6 23. ♗b7 ♔b7 24. ♘f3 ♖d1 25. ♔d1 ♘h5∓] 18. 0-0 ♘gf6 19. ♖fe1 ♔f7 20. ♘b3 ♖he8? [20... ♖ad8!? △ 21. ♘d4 ♘e4 22. ♗e4 fe4 23. f5 c5 24. fe6 ♔g6∞, △ 21. ♖d6 c5 22. ♗b7 cb4 23. ♖de6 ♖he8=] 21. ♖d6± e5 22. ♖ed1 ♘f8 23. fe5 ♖e5 24. ♗c6 ♖b8 25. ♗c3?⊕ [25. ♘d4! △ 26. ♗b7 ♖b7 27. ♘c6+−] ♖e6± 26. ♗b7 ♖b7 27. ♖d8 1/2 : 1/2 [M. Sorokin]

385. !N D 31

I. SOKOLOV 2570 − AKOPJAN 2590
Groningen 1991

1. d4 e6 2. c4 d5 3. ♘c3 c6 4. e4 de4 5. ♘e4 ♗b4 6. ♗d2 ♕d4 7. ♗b4 ♕e4 8. ♗e2 ♘a6 9. ♗c3 ♘f6 10. ♘f3 ♗d7 11. 0-0! N ±↻ [11. ♘e5] 0-0-0 12. ♗d3 ♕g4 13. ♕c2 ♕f4 [13... c5? 14. ♘e5 ♕h5 15. ♗e2 ♘b4 16. ♕d2 ♕f5 17. g4 ♕e4 18. f3 ♕c2 19. ♗b4+−] 14. b4 c5 15. b5 [15. ♗e5 ♕g4 16. b5 ♘b4 17. ♕a4 ♘d3 18. ♕a7 ♘e5 19. ♘e5 ♕f4 20. ♕c5 ♔b8 21. ♕d6 ♔a8 22. ♕a3 ♔b8=; 15. a3 ♗c6] ♘b4 16. ♗b4 cb4 17. ♖fe1 ♕c7 [17... ♔b8] 18. a3 b3□ 19. ♕b3 ♔b8 20. ♖ac1 ♗c8 21. c5 ♖d5 22. b6 ab6 23. cb6 ♕d6 24. ♘e5!+− ♗d7 [24... ♖e5 25. ♖e5 ♕e5 26. ♕a4 △ ♕a7#; 24... ♖d8 25. ♕a4 ♕b6 26. ♘c6 bc6 27. ♖b1] 25. ♘f7 ♖d3

26. ♕c4! ♕b6 [26... ♖c8 27. ♘d6 ♖c4 28. ♘c4] 27. ♕d3 ♖f8 28. ♕g3 ♔a7 29. ♕g7 1 : 0 [I. Sokolov]

386. D 31

PÄHTZ 2455 − G. FLEAR 2470
Mondorf 1991

1. d4 d5 2. c4 e6 3. ♘c3 c6 4. ♘f3 dc4 5. e3 b5 6. a4 ♗b4 7. ♗d2 a5 8. ♘e5 ♘f6 [8... ♗b7 9. ab5 ♗c3 10. bc3 cb5 11. ♖b1!±] 9. ♕f3 ♗c3 10. bc3 [10. ♗c3!? △ 10... ♕d5 11. ab5 cb5 12. ♖a5 ♖a5 13. ♗a5 ♕f3 14. gf3 ♗b7 15. ♖g1!↑] ♕d5 11. ♕g3 0-0 12. f3 ♘e8 13. e4 ♕d8 14. ♗e2 f6 15. ♘g4 ♘d7 16. ♖b1 N [16. 0-0 ♘b6 17. f4 ♘a4 18. ♕h4 ♗d7∓] ♗a6 17. ♘e3 ♔h8?! [17... ♘b6∓] 18. ♕h3 ♕e7 19. 0-0 ♘d6?! [19... ♘b6!] 20. ♗d1 ♘b6? [20... e5 21. ab5 △ 21... cb5 22. ♘d5↑; 20... ♘f7! 21. ♗c2∞; 20... ♘b6 △ 21. ♗c2 e5] 21. e5!± fe5 22. ♗c2 ♘f5 23. ♘f5 ef5 24. ♖be1!↑ [24. ♗f5 ♖f5 25. ♕f5 ed4∞] g6 25. ♖e5 ♕d7? [25... ♕f7± △ 26. ♗h6 ♖fe8 27. g4 f4] 26. ♗h6 ♖fe8 27. g4!+− ♘d5 [27... fg4 28. fg4 ♖e5 29. de5 ♘d5 30. ♗g6 hg6 31. e6 ♕e6 32. ♗e3 ♔g8 33. ♗d4] 28. gf5 ♘c3 29. ♕h4 [△ ♕f6, fg6] g5 [29... ♘e2 30. ♔h1 ♘d4 31. ♖e8 ♖e8 32. ♕f6 ♔g8 33. fg6] 30. ♗g5 ♖g8 31. ♔h1 ♘d5 32. ♖d5! cd5 33. ♗f6 ♖g7 34. ♖g1 ♖g8 35. ♖g3 [35... ♕e8 36. ♕h7! ♔h7 37. ♖h3] 1 : 0 [G. Flear]

387.*** !N D 31

V. NEVEROV 2540 − KRAMNIK 2490
SSSR (ch) 1991

1. d4 d5 2. c4 c6 3. ♘f3 e6 4. ♘c3 dc4 5. a4 ♗b4 6. e3 b5 7. ♗d2 a5 8. ab5 ♗c3 9. ♗c3 cb5 10. b3 ♗b7 11. bc4 b4 12. ♗b2 ♘f6 13. ♗d3 ♘bd7 14. ♕c2 [RR 14. 0-0 ♕c7 15. ♘d2 N (15. ♖e1 − 3/581) 0-0? 16. f4!⊞ a4 17. ♖c1 (17. ♖a4? ♕c6; 17. ♖b1!?) ♖fd8 18. ♕e2 ♘f8 19. e4 b3 20. ♘b1 ♕b6 (Vilela 2440 − Ruban 2570, Santa Clara 1991) 21. e5±; 15... e5! Vilela] 0-0 15. 0-0 ♕c7 16. e4 e5 17.

♖**fe1** [RR 17. c5 ed4 18. ♗d4 ♘g4! N (18... ♗a6? 19. e5 ♗d3 20. ♕d3 ♘h5 21. e6±) 19. ♗b5 ♘de5 20. ♘e5 ♘e5 21. ♕b2 f6 22. ♗e5 fe5 23. c6 ♗c8 24. ♖fc1 ♕b6 25. ♕e5? a4!∓ Züger 2425 – Klinger 2470, Bern 1991; 25. ♗a4∞] ♖**fe8 18. c5 ed4 19.** ♗**d4 h6! N** ∓ [19... ♗a6 20. ♗a6 ♖a6 21. ♕c4±; 19... ♘g4] **20. h3** [20. e5!? ♘d5 21. e6! ♖e6 22. ♖e6 fe6 23. ♖e1 ♘f4 24. ♗e4 ♖c8 25. ♘e5!? ♗e4! (25... ♗d5? 26. ♗h7 ♔f8 27. c6! ♘e5 28. ♗e5 ♕c6 29. ♕c6 ♖c6 30. ♗f4+– Kramnik 2480 – M. Sorokin 2500, SSSR 1991) 26. ♕e4 ♘d5∓] ♗**c6 21. e5** ♘**d5 22. e6!** [22. ♕b2? ♘f8∓] ♖**e6 23.** ♖**e6 fe6 24.** ♗**h7** [24. ♖e1 ♘f4 25. ♗e4 ♖f8∓] ♔**h8 25.** ♗**g7!** [25. ♕g6? e5; 25. ♘h4 ♘f8] ♔**g7 26.** ♕**g6** ♔**h8 27.** ♕**h6** ♘**f8** [27... ♕f4 28. ♘g5 ♕f8 29. ♕h4 ♕f4 30. g4? ♘f8! 31. ♕h6 ♖a7! 32. ♗f5 ♔g8 33. ♗e6 ♘e6 34. ♕e6 ♔g7∓; 30. ♕h6=] **28.** ♗**f5** [28. ♗g6 ♔g8 29. ♘g5 ♗e8!] ♘**h7 29.** ♗**h7** ♕**h7 30.** ♕**e6** ♘**e7**□ [30... ♕g7 31. ♕c6!! ♕a1 (31... ♖g8 32. ♘e1!+–) 32. ♔h2±→ △ 32... ♖d8? 33. ♕h6 ♔g8 34. ♕g5] **31.** ♘**e5** ♕**g7 32. g4** ♗**d5** [⌓ 32... ♗e8 33. ♖d1 a4∓] **33.** ♕**e7** ♕**e7 34.** ♘**g6** ♔**h7 35.** ♘**e7** ♗**e4! 36.** ♖**e1?**⊕ [36. f3!□ ♗c2! 37. ♘d5 b3 38. ♘c3 b2 39. ♖a2 b1♕ 40. ♘b1 ♗b1∓] **a4!–+ 37. c6** [37. ♖e4 a3 38. ♖e1 a2 39. ♖a1 b3] **a3 38. c7 b3 39. c8**♕ ♖**c8 40.** ♘**c8 b2 0 : 1** **[Kramnik]**

388. D 34**

MIRKOVIĆ 2400 – GLUZMAN 2425
Beograd 1991

1. d4 d5 2. c4 e6 3. ♘**c3 c5 4. cd5 ed5 5.** ♘**f3** ♘**c6 6. g3** ♘**f6 7.** ♗**g2** ♗**e7 8. 0–0 0–0 9.** ♗**f4** [RR 9. ♗g5 *a)* 9... cd4 10. ♘d4 h6 11. ♗e3 ♖e8 12. ♖c1 ♗g4 13. h3 ♗e6 14. ♔h2 ♕a5 N (14... ♕d7 — 40/(495)) 15. ♘c6 (15. ♕a4 ♕a4 16. ♘a4 ♗d7 17. ♘c3 ♘d4 18. ♗d4 ♗c6 19. e3 ♘e4 20. ♖c2 ♖ed8 21. ♖fc1 ♔f8= van Wely 2560 – Je. Piket 2615, Wijk aan Zee 1992) bc6 16. ♕a4⩲ Je. Piket; *b)* 9... c4 10. ♘e5 ♗e6 11. ♘c6 bc6 12. b3 ♕a5 13. ♘a4 ♖ad8!? N (13... ♖fd8 — 44/486) 14. e3 c5 15. ♗f6 gf6 16. ♘c5 ♗c5 17. dc5 ♕c5 18. ♕h5 ♕d6 19. ♖fd1 ♕e5 20. ♕h4 a5 21. ♗f1 ♖b8 22. ♕d4 ♖fc8 23. ♖ac1 ♕d4 24. ♖d4 ♔g7= Dohojan 2545 – Nenašev 2475, SSSR (ch) 1991] ♖**e8 N** [9... ♗g4 — 44/483] **10.** ♖**c1 c4 11.** ♘**e5** [11. ♘b5? ♘h5!] **h6 12. e4 de4 13.** ♘**e4** ♘**d5** [13... ♕d4? 14. ♘c6+–; 13... ♘e4 14. ♘c6 bc6 15. ♗e4±; 13... ♘d4 14. ♘c4±]

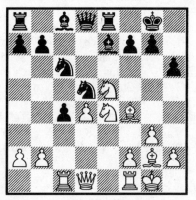

14. ♘**f7!** [×↗a2-g8, ⟳] ♔**f7 15.** ♘**d6** ♗**d6 16.** ♕**h5!** [16. ♗d5 ♔g6!] ♔**f8** [16... g6 17. ♕d5 ♗e6 (17... ♖e6 18. ♗h6±→) 18. ♕d6 ♕d6 19. ♗d6 ♘d4 20. ♖cd1±; 16... ♔g8 17. ♕d5 ♗e6 (17... ♖e6 18. ♗h3!) 18. ♕d6 ♕d6 19. ♗d6 ♘d4 20. ♖cd1±] **17.** ♗**d5** ♗**e6!** [17... ♕f6 18. ♗d6+–; 17... ♖e6 *a)* 18. ♗h6 gh6? 19. ♗e6 ♗e6 20. ♕h6 ♔e7 (20... ♔f7 21. ♕h5 △ d5+–) 21. ♕g7 ♔e8 22. ♖fe1+–; 18... ♕e8!; *b)* 18. ♖ce1! ♗f4 (18... ♘d4 19. ♖e4!+–) 19. ♗e6 ♗e6 20. ♖e6 ♗g5 (20... ♗d6? 21. ♕f5 ♔g8 22. ♕d5+–; 20... ♘d4 21. ♖e4! ♗g5 22. ♖d1 ♗f6 23. ♕c5 ♔g8 24. ♕c4 ♔h8 25. ♖ed4 ♗d4 26. ♖d4±) 21. ♖e4!±] **18.** ♗**e6** ♖**e6 19. d5** ♖**e5!** [19... ♖f6 20. dc6 ♗f4 21. cb7 ♖b8 22. gf4 ♖b7 23. ♕c5±; 19... ♖e7 20. dc6 ♗f4 21. gf4 bc6 22. ♖c4±] **20.** ♕**d1** [20. ♕f3 ♘d4!] ♘**e7?** [20... g5! 21. dc6 gf4 22. cb7 ♖b8 23. ♖c4 ♖b7 24. ♖f4=∞] **21.** ♗**e5** ♗**e5 22.** ♖**e1!±** ♕**d6** [22... ♗d6 23. ♖c4±; 22... ♗b2 23. d6! ♘c6 24. d7±] **23.** ♖**c4** ♗**f6** [23... ♘d5 24. ♕f3 ♘f6 (24... ♗f6 25. ♖d1 ♖d8 26. ♖c2+–) 25. ♕b7±] **24.** ♕**b3!** ♖**b8** [24... ♘d5 25. ♖d1+–; 24... ♕d5 25. ♖d1! (25.

♖e7? ♔e7 26. ♖c7 ♔e6−+) ♕h5 26. ♖d7±] **25. ♖d1 ♘g6** [25... ♔g8 26. ♖e4 △ ♖e6±] **26. ♕c2 ♘e7□ 27. ♖e4** [×e6] **♖c8** [27... ♘d5 28. ♕b3 ♖d8 29. ♖e2+−; 27... ♔g8 28. ♖e6 ♕d7 29. ♕e4±] **28. ♕b3 b6 29. ♖e6 ♕d7** [29... ♕c5 30. d6] **30. ♕f3?⊕** [30. d6! ♘c6 31. ♕d5± △ 31... ♗b2 32. ♕f5 ♔g8 (32... ♗f6 33. ♖f6!; 32... ♕f7 33. d7!) 33. ♖e8! ♕e8 34. d7+−] **♖c5! 31. ♖f6!? gf6 32. ♕f6 ♔g8 33. ♖e1** [33. ♕h6!?] **♘f5** [33... ♘d5 34. ♕g6 ♔f8 35. ♕h6 ♔g8 36. ♖e5 (36. ♖e6 ♘e7 37. ♖f6 ♕c8) ♘e7 37. ♖c5 bc5 38. ♕g5 ♔f7 39. ♕c5+−] **34. ♕g6** [34. d6 ♕f7!] **♘g7?** [34... ♔f8! 35. ♕f6 (35. d6 ♕f7) ♔g8 36. ♕g6=] **35. d6!+− ♖d5** [35... ♖c6 36. ♖e8! ♕e8 37. ♕e8 ♘e8 38. d7; 35... ♕f7 36. ♖e8!] **36. ♖e7** [36... ♖d1 37. ♔g2 ♕c6 38. ♔h3 ♕c8 39. d7 ♕f8 40. ♖e8] **1 : 0** **[Mirković]**

389.* **D 36**

B. GEL'FAND 2665
– BELJAVSKIJ 2655
Beograd 1991

1. c4 e6 2. ♘c3 d5 3. d4 ♘f6 4. cd5 ed5 5. ♗g5 c6 6. ♕c2 ♗e7 7. e3 ♘bd7 8. ♗d3 0−0 9. ♘ge2 ♖e8 10. 0−0 ♘f8 11. f3 b5?! N [11... ♘h5 – 52/402; RR 11... ♘g6 12. ♖ad1!? N (12. e4 – 47/(497)) *a)* 12... h6 13. ♗h6! gh6 14. ♗g6 fg6 15. ♕g6 ♔h8 16. ♘f4! ♗f8 17. e4! ♕e7 18. ♖fe1 ♗g7 (18... ♕g7? 19. e5+−) 19. ed5! ♕e1! 20. ♖e1 ♖e1 21. ♔f2 ♖a1 (21... ♖e7? 22. d6 ♖d7 23. ♘e6 ♘g8 24. ♘e4 b6 25. ♕e8+−⊙ △ g4-g5; 21... ♖c1 22. ♘ce2±; 21... ♖h1 22. d6 ♗d7 23. ♕f7 ♖d8 24. h4± △ 25. g4, 25. ♘ce2) 22. d6 ♗d7 23. ♕f7 ♖g8 (23... ♖d8 24. h4!? b5 25. g4 b4 26. ♘e4! ♘e4 27. fe4 ♗d4 28. ♔g2+−) 24. ♘ce2 △ ♘g6-e5±; *b)* 12... ♘h5 13. ♗e7 ♕e7 14. e4 de4 15. fe4 ♗e6?! 16. e5!± Ju. Markov 2410 – P. Horváth 2355, Harkány 1991; 15... ♗g4!? Ju. Markov, Ščipkov] **12. ♗h4** [△ ♗f2, e4; 12. e4?! b4 13. ♘a4 de4 14. fe4 ♘e4!?⇆; 12. a3!?] **a6 13. ♗f2 ♗b7 14. ♔h1** [14. e4 de4 15. fe4 ♘g4; 15. ♘e4!⩲] **♖c8 15. ♗f5** [15. e4 c5!] **♖c7** [15... ♘e6?! 16. ♘f4 ♗d6 17. ♘d3⩲] **16. e4 de4 17. fe4 c5!=** [17... b4 18. ♘a4 c5 19. d5 ♗d6⩲] **18. ♗g3 ♖c6?** [18... cd4! 19. ♗c7 ♕c7 20. ♘d4 g6 21. ♗h3 ♘e4 22. ♘d5!? ♕c2 23. ♘e7 ♖e7 24. ♘c2 ♘g5!=] **19. ♖ad1! ♘h5 20. dc5!+− ♘g3 21. ♘g3 ♕b8** [21... ♕a5 22. ♗d7 ♘d7 23. ♖d7 ♗c8 24. b4!] **22. b4 ♖h6 23. ♗h3 ♗f6 24. ♘d5 ♗e5 25. ♕f2** [25. ♘f5 ♖he6 26. c6!] **♗g3 26. ♕f7 ♔h8 27. hg3 ♘e6 28. ♖f5 ♖g8 29. ♔h2 ♖f8 30. ♕e7 ♖g8 31. ♕d6 ♕d6 32. cd6 ♗d5 33. ♖dd5 g5 34. g4 ♖c8 35. ♖f7 ♖g6 36. ♖a7 ♘f4 37. ♖d2 ♖e6 38. ♖a6 ♖e4 39. g3 ♘h3 40. ♔h3 ♔g7 41. a3 ♖e5 42. ♖c6** **1 : 0**
[B. Gel'fand, Kapengut]

390. **D 36**

LOBRON 2575 – SMAGIN 2550
BRD 1992

1. d4 ♘f6 2. c4 e6 3. ♘f3 d5 4. ♘c3 c6 5. ♗g5 ♘bd7 6. cd5 ed5 7. e3 ♗e7 8. ♗d3 0−0 9. ♕c2 ♖e8 10. h3 ♘f8 11. 0−0 g6 12. ♖ab1 N [12. ♗f6 – 52/405] **♘e6 13. ♗h6** [13. ♗f6 ♗f6 14. b4 a6=] **♘g7** [13... c5?! 14. ♗b5!⩲] **14. b4 a6! 15. a4 ♗f5 16. ♗g7 ♗d3 17. ♕d3 ♔g7 18. ♖fc1 ♗d6= 19. b5 ab5 20. ab5 ♖a3 21. ♕c2 ♕a5!? 22. bc6 bc6 23. ♖b7** [23. ♘e2?! ♖a2 24. ♕c6 ♖e6!∓] **♕a8!** [23... ♖b8? 24. ♖b8 ♗b8 25. ♘b1!±] **24. ♖cb1 ♖b8 25. ♖b8 ♗b8 26. ♕b2 ♗d6 27. ♘e5 ♕a6!? 28. g4?! ♘g8! 29. g5** [29. ♔g2 ♘e7 △ ♕a5∓] **♕c8?** [29... ♘e7 30. ♕c2 (30. ♘g4 ♕d3) ♕a5∓; 29... h6! 30. h4 hg5 31. hg5 ♕c8! 32. ♘e4?! de4 33. ♘c4 ♕g4 34. ♔f1 ♕h3 35. ♔e2 ♕h5∓] **30. ♘e4!!□** [30. ♘g4 ♕f5 △ ♖c3−+] **de4** [⌓ 30... ♗e7] **31. ♘c4 ♕h3?!** [31... ♗e7 32. d5 f6 33. ♘a3 (33. d6 ♖a7) cd5∞̄] **32. d5 f6** [32... ♔f8!?] **33. ♘d6 ♕g4 34. ♔f1 ♖a7?⊕** [34... ♕h3 35. ♔e1 ♖e3! 36. fe3 (36. ♔d2 ♖d3 37. ♔c2 ♖d5! 38. ♕b7 ♔h8 39. ♘f7 ♔g7=) ♕e3 37. ♕e2 ♕g3 △ ♕d6∞] **35. dc6!+− ♕e6 36. ♖d1 ♖a2 37. ♕b7 ♘e7 38. ♕d7 ♕e5 39. ♘c4 1 : 0** **[Smagin]**

391. **D 37**

I. IBRAGIMOV 2485 – VAGANJAN 2585

Berlin 1991

1. d4 ♘f6 2. c4 e6 3. ♘c3 d5 4. ♘f3 ♗e7 5. ♗f4 0–0 6. e3 ♘bd7 7. h3 c6 8. ♗d3 dc4 9. ♗c4 ♘d5 10. ♗g3 N [10. ♘d5 ed5 11. ♗d3 ♖e8 12. 0–0 ♘f8 13. ♖b1 △ b4⩲; 10. ♗h2] **♕a5 11. ♕c2!? b5** [11... c5 12. ♗d5 ed5 13. 0–0⩲; 11... ♘7b6 12. ♗d3 g6 (12... ♘b4 13. ♗h7 ♔h8 14. ♕b1±) 13. ♕b3 c5 14. ♕b5! ♕b5 15. ♘b5⩲] **12. ♗d3 ♘7f6** [12... ♘b4 13. ♗h7 ♔h8 14. ♕b1 g6 (14... f5 15. ♗g6 ♖f6 16. ♗e8±) 15. ♗g6 fg6 16. ♕g6±→] **13. ♕b3 ♗a6** [13... ♘c3 14. bc3 ♘d5 15. ♖c1 ♘c3? 16. ♖c3 ♗b4 17. ♔d2±] **14. 0–0 b4 15. ♘e2!** [15. ♘d5 cd5=; 15. ♘b1 c5 16. ♘bd2 ♖fc8 17. ♖fc1?! cd4 18. ♘d4 ♖c1 19. ♖c1 ♗d3 20. ♕d3 ♕a2∓; 17. a3!?=] **♗b5** [15... c5 16. ♘e5 ♖fc8 17. ♖fc1 ♗f8 (17... cd4 18. ♘c6±) 18. ♗h4!?⩲] **16. ♘e5 ♖fc8 17. ♖fc1 c5 18. a4!⩲ ♗e8□ 19. ♕d1 ♘b6!? 20. b3 ♘bd5 21. ♘c4 ♕d8 22. e4!?** [22. ♖a2 cd4 23. ed4 △ ♖ac2⩲] **♘c3?!** [22... ♘c7 23. e5 ♘d7□ 24. ♗e4 ♘d5 25. ♗d5 ed5 26. ♘e3 ♘f8 27. dc5±; 22... ♘b6! 23. e5 ♘fd5 *a)* 24. ♘d6?! ♗d6 25. ed6 cd4 26. a5 ♘d7 27. ♘d4 ♖c1! (27... ♘c3? 28. ♕h5 ♘f8 29. ♗a6+–) 28. ♕c1∞; *b)* 24. a5?! ♘d7 (24... ♘c4 25. bc4 ♘c7 26. ♗e4 ♖ab8 27. d5±) 25. ♗e4 cd4!∞; *c)* 24. ♗e4!?⩲ △ a5] **23. ♘c3 bc3 24. dc5 ♗c5 25. ♗e5±** [×c3] **♗c6 26. ♕c2 ♗d4 27. ♗d4 ♕d4 28. ♖e1!?** [28. e5 ♕d5 (28... ♘e4 29. ♗e4 ♗e4 30. ♕c3 ♕c3 31. ♖c3±) 29. f3 ♕d4 30. ♔h2! (30. ♔h1 ♘h5 31. ♕c3 ♘g3 32. ♔h2 ♕f4 33. ♔g1 ♗d5!∞̅) ♘h5 31. ♗h7 ♔h8 32. ♗e4±] **e5! 29. ♖ac1** [29. ♖e3!? ♖d8 30. ♕e2 ♖ac8 31. ♗c2 △ ♖d1±] **♖d8 30. ♖e3 ♖ac8 31. ♕c3** [31. ♕e2 ♖d7! 32. ♗c2? ♗a4 33. ♖d1 ♕c5] **♗e4 32. ♗e4 ♘e4 33. ♕d4 ♖d4 34. ♖ce1 f5 35. f3** [35. ♘e5 ♖c2∞̅; 35. g4!? g6 36. gf5 gf5 37. ♘e5 ♖c2 38. ♖f3±] **♘d2 36. ♘e5 f4** [36... ♖c2!?] **37. ♖d3 ♖d3 38. ♘d3 ♘b3 39. ♖e7! g5?** [39... ♘c5□ 40. ♘f4 ♖f8! 41. g3 (41. ♘e6 ♘e6 42. ♖e6±) ♘a4 42. ♖a7±] **40. ♖a7+– ♘c1 41. ♘f2** [41. ♘b4 ♘e2 42. ♔f2! ♘g3 43. ♔e1] **♘e2 42. ♔h2 ♘g3 43. ♘e4??⊕** [43. h4! ♖c2 (43... ♖c1 44. ♖b7! ♖f1 45. ♖b2 ♖a1 46. hg5+–) 44. ♘g4 h5 (44... ♖c1 45. ♘f6 ♔f8 46. ♘h7 ♔e8 47. ♘f6 ♔d8 48. ♔h3+–) 45. ♘h6! ♔h8 (45... ♔f8 46. hg5 ♖c1 47. ♖f7 ♔e8 48. ♖f4+–) 46. ♘f7 ♔g8 47. ♘g5 ♖c1 48. ♖a8 ♔g7 49. ♘e6 △ ♘f4+–] **♘e4= 44. fe4 ♖c2 45. ♔g1 ♖e2 46. ♖e7 ♖a2 47. ♖e5 h6 48. a5 ♔f7 49. ♔f1 ♖a4 50. ♔f2 ♔f6 51. ♖f5 ♔g6 52. ♖e5 ♔f6 53. ♖b5 1/2 : 1/2** **[I. Ibragimov]**

392.* **D 37**

M. GUREVIČ 2630 – BELJAVSKIJ 2655

Beograd 1991

1. c4 e6 2. ♘c3 d5 3. d4 ♘f6 4. ♘f3 ♗e7 5. ♗f4 0–0 6. e3 c5 7. dc5 ♗c5 8. cd5 ♘d5 9. ♘d5 ed5 10. a3 ♘c6 11. ♗d3 ♗b6 12. 0–0 ♕f6 13. b4 ♗f5 14. b5 ♘d4 15. ♗f5 N [RR 15. ♘d4 N ♗d4 16. ♖c1 ♗b6 17. ♗f5 ♕f5 18. ♗c7 ♕e4 (Seirawan 2615 – Beljavskij 2655, Beograd 1991) 19. ♕f3⩲ Seirawan; 15. ♘e5 – 52/407] **♘f3 16. ♕f3 ♕f5 17. a4!** [17. ♖fd1 d4! 18. ed4 ♕b5 19. ♕b7 ♖ad8=] **♖fd8?!** [17... ♖ac8! 18. ♖fd1 ♖fd8 19. a5 ♗c5 20. ♖ac1⩲] **18. a5 ♗c5 19. ♗c7! ♕f3 20. gf3 ♖d7 21. b6⩲** [△ a6] **a6** [21... ab6 22. ab6 ♖c8 (22... ♖a1 23. ♖a1 d4 24. ♖a8 ♗f8 25. ♔f1!±) 23. ♖fc1 △ ♖a7] **22. ♖fd1 f5!** [△ ♔f7-e6] **23. ♖ac1 ♗e7** [23... ♗b4? 24. ♖d4 ♗a5? 25. ♖c5 ♗e1 26. ♔f1+–] **24. ♖d3 ♔f7 25. e4?!** [25. ♖cd1 ♔e6 26. e4 d4 27. ♖d4 ♖d4 28. ♖d4 ♖f8 29. ♔g2±] **d4 26. ♖c4 ♗f6! 27. ♖c5** [27. e5 ♗e7 28. ♖dd4 ♖d4 29. ♖d4 ♔e6=] **g6! 28. ♗f4** [△ ef5; 28. ef5 gf5 29. ♖f5 ♖g8 30. ♔f1 ♖g5 31. ♖g5 ♗g5 32. ♗e5 ♗f6=] **♖e8 29. ef5 ♖ed8!** [△ ♖d5⇆] **30. ♗c7 ♖e8** [30... ♖d5 31. ♗d8 ♖c5 32. ♗f6 ♔f6 33. fg6 hg6 34. ♖d4 ♖a5 35. ♖d7 ♖b5 36. ♖b7 a5 37. ♔g2] **31. f4!?** [△ ♔g2-f3, ♗e5±] **♗e7!= 32. fg6 hg6 33. ♖c4 ♗f6** [△ ♖d5⇆] **34. ♗e5 ♗e5 35. fe5 ♖e5 36. ♖dd4 ♖d4 37. ♖d4 ♖a5**

38. ♖d7 ♔f6 39. ♖b7 ♖b5 40. ♔g2 a5 41. ♖b8 a4 42. b7 ♔g7 43. ♖a8 1/2 : 1/2   [M. Gurevič]

393.*   **D 37**

TIMMAN 2630 − IVANČUK 2735
Hilversum (m/1) 1991

1. d4 d5 2. c4 e6 3. ♘c3 ♗e7 4. ♘f3 ♘f6 5. ♗f4 0−0 6. e3 c5 7. dc5 ♗c5 8. ♕c2 ♘c6 9. a3 ♕a5 10. 0-0-0 [RR 10. ♘d2 ♗b4 11. cd5 ed5 12. ♗d3 d4 13. 0−0 ♗c3 14. ♘c4 ♕h5 15. bc3 de3 16. ♘e3 ♗d7 17. ♖ab1 N (17. ♖fd1 − 51/416) ♘e5? 18. ♗e2 ♘eg4 (18... ♘fg4 19. ♗e5 ♘e3 20. ♗h5 ♘c2 21. ♖b7+−) 19. ♘g4 ♗g4 (19... ♘g4 20. h3 ♕g6 21. ♕g6 fg6 22. ♗d6 ♖f6 23. ♗e7 ♖f7 24. ♗c4+−) 20. ♖b5 ♗e2 (20... ♘d5?! 21. ♖d5 ♕d5 22. ♗g4+− Dreev 2580 − Lanka 2490, Calcutta 1992) 21. ♖h5 ♗h5 22. ♗e5±; 17... ♘a5∞ Dreev] ♗d7 11. g4 ♖fc8 12. h3 N [12. ♔b1 − 51/414, 415] ♗e8 13. ♘d2 ♗f8 14. ♗e2 ♘e7 15. h4?! [15. g5 ♘d7 16. h4 a6 △ b5; 16... b5!?] b5!? 16. g5 [16. cb5 ♘g6!→] ♘e4 [16... ♘d7!? 17. ♘b3 (17. cb5 ♖c3!? 18. bc3 ♘g6!) ♕d8 18. cb5 ♘b6⊙] 17. ♘ce4? [17. ♘de4 de4 18. ♗d6 bc4 19. ♗b4 ♕b6! (19... ♕f5?! 20. ♕e4!) 20. ♘e4 ♘d5 21. ♗f8 ♔f8 22. ♘c3 ♘c3 23. ♕c3 ♕b3∓; 20... a5!?] de4 18. ♗d6 ♘d5 [18... bc4!? 19. ♘c4 ♕a6 △ ♗b5∓] 19. ♗f8 ♔f8 20. ♘e4 [20. ♘b3 ♕a4 21. c5 b4 22. ♖d4 ♗b5! 23. ♗b5 ♕b5∓; 20. ♔b1 b4!→] bc4−+ 21. ♖d5 [21. ♘c3 ♘c3 22. ♕c3 ♖c3 23. bc3 ♖ab8 △ ♖b3] ♕d5 22. f3 ♖ab8 23. ♖d1 c3! 24. b4 [24. ♘c3 ♕e5] ♕f5 25. ♖d4 a5 26. ♘d6 ♕c2 27. ♔c2 ab4! 28. ab4 [28. ♘c8? ba3] ♗a4 29. ♔c1 e5 30. ♖e4 ♖d8 31. b5 ♖d6 32. ♖a4 ♖d2 33. ♗c4 ♖c8 34. ♗a2 ♖b8⊕ 35. ♗c4 ♖b2 36. ♖a7 ♖c8 37. ♖f7 ♔e8 38. ♗e6 ♖a8   **0 : 1** [Ivančuk]

394. !N   **D 37**

KASPAROV 2770 − KHALIFMAN 2630
Reggio Emilia 1991/92

1. ♘f3 d5 2. c4 e6 3. d4 ♘f6 4. ♘c3 ♗e7 5. ♗f4 0−0 6. e3 c5 7. dc5 ♗c5 8. ♕c2 ♘c6 9. a3 ♕a5 10. 0-0-0 ♗e7 11. g4 dc4 12. ♗c4 e5 13. g5 ef4 14. gf6 ♗f6 15. ♘d5 ♘e7 16. ♘f6 gf6 17. ♖hg1 ♔h8 18. ♕e4 ♘g6 [18... ♕c5?! 19. ♕f4 ♗f5 20. b4 ♕c6 21. ♔b2!±] 19. ♕d4!? [19. ♖d5 − 46/(543)] ♕b6 20. ♕b6 ab6 21. ♖d6 fe3 22. fe3 ♖a5! N [22... ♘e5?! 23. ♘e5 fe5 24. ♖b6±; 22... ♗f5 23. ♖f6! ♗ac8 24. ♖f5 ♖c4 25. ♔d2±] 23. ♔d2 [23. ♗d5 b5! 24. ♔d2 (24. ♖f6 b4∓; 24. ♘d4 b4 25. ♘b3 ♖d5!∓) ♖a6!=; 23. ♖b6 ♖c5 24. b3 ♗e6 25. ♘d2 ♘e5=] ♖f5 [23... ♖c5 24. ♗d5± △ 24... ♘e7?! 25. ♗f7!±] 24. ♖f1 [24. ♗e2 ♘e5 25. ♘e5 ♖e5=; 24. ♗d5 ♘e5! (24... ♘e7 25. ♗e4 ♖b5 26. b4 f5 27. ♘d4 ♖e5 28. ♗f3±) 25. ♘e5 (25. ♖g3 b5=) fe5 (25... ♖e5 26. ♗f7!±) 26. ♖b6 ♖f2 27. ♔c3 ♖h2 28. ♗b7 f5!∞] ♖c5! 25. ♗d3 [25. ♗d5 ♘e7=] ♖c6!= 26. ♖c6 bc6 27. b4 ♖d8 28. ♖c1 ♘e5 29. ♘d4 ♘d3 30. ♔d3 ♗d7 31. ♔e4 ♖e8 32. ♔f4 ♖c8 33. ♘f5 1/2 : 1/2   [Khalifman]

395.   **D 37**

KAMSKY 2595 − N. SHORT 2660
Tilburg (Interpolis) 1991

1. d4 ♘f6 2. ♘f3 d5 3. c4 e6 4. ♘c3 ♗e7 5. ♗f4 0−0 6. e3 c5 7. dc5 ♗c5 8. ♕c2 ♘c6 9. a3 ♕a5 10. ♖d1 ♗e7 11. ♘d2 e5 12. ♘b3 ♕b6 13. ♗g5 ♗g4 14. f3 dc4 15. ♗c4 ♗e6 16. ♗e6 N [16. ♘a4 − 50/435] fe6 17. ♘d2 ♘d5= 18. ♘c4 ♕c7 19. ♘b5 ♕d7 20. ♗e7 ♕e7 21. 0−0 ♖ad8 [21... ♕c5 22. ♘bd6!? b5 (22... ♘e3? 23. ♕f2) 23. b4 ♘cb4 24. ab4 ♘b4 25. ♕e4 bc4 26. ♘c4∞] 22. ♕b3 ♕c5 23. ♘c3! [23. ♖fe1? a6 24. ♘c3 b5] ♘e3 24. ♘e3 ♕e3 25. ♔h1 ♘d4 26. ♕b4! [26. ♕b7 ♖b8∓] ♘f5 27. ♕b7? [27. ♖d8 ♖d8 28. ♕b7 ♘g3=] ♖b8 28. ♕d7 ♘g3! 29. hg3 ♖f6∓ 30. ♕e7 ♖h6 31. ♕h4 ♖b2 32. ♘e4 ♖h4 33. gh4 ♕a3 [33... a5!? 34. ♖d7 h6 △ 35. h5 ♕f4, △ 35. ♖fd1 ♕e2] 34. ♖d7 ♕a2 35. ♘g5 ♖b8 36. ♖fd1 ♖f8 37. ♘e4 [37. ♖e7!? ♕a4 38. ♖dd7 ♕h4 39. ♘h3 ♕f6 40. ♖a7 (Ftáčnik) e4! 41. fe4 ♔h8∓ ×e4, ♔h1] h6 38. ♖c1 ♕e2! 39. ♖cc7

[39. ♖a7 ♖f4] ♕e1 40. ♔h2 ♕h4 41. ♔g1 ♕e1 42. ♔h2 ♖f4!–+ 43. ♖g7 ♔f8 44. ♖g3□ [44. g3 ♕f2 45. ♔h3 ♕f3] ♖h4 45. ♖h3 a5! 46. ♖a7 [46. ♖d7 ♖h3 47. ♔h3 ♕h1 48. ♔g3 ♕c1 49. ♔h3 a4 50. ♘f6 ♕f4!] h5 47. ♘g3 ♕b4 48. ♘e4 ♖h3 49. ♔h3 a4 50. ♔h4 a3 51. ♔g5 ♔e8 52. ♔h5 ♔d8 [52... ♕b2 53. ♘d6 ♔d8 54. ♘c4] 53. g4 ♕b2 [△ 53... ♕b3 Kasparov] 54. g5 a2 55. ♖a8 [55. g6 ♕h2 56. ♔g5 ♕g1] ♔c7 56. ♔g6 a1♕ 57. ♖a1 ♕a1 58. ♔f7 ♔d8 59. g6 ♕a7 60. ♔g8 ♕e7 61. g7 ♕e8 62. ♔h7 ♕h5 63. ♔g8 ♔e7 0 : 1 **[N. Short]**

396.* D 38

SEIRAWAN 2615 – LAUTIER 2560
Beograd 1991

1. d4 d5 2. c4 e6 3. ♘f3 ♘f6 4. ♘c3 ♗b4 5. cd5 ed5 6. ♕a4 ♘c6 7. ♗g5 h6 8. ♗f6 ♕f6 9. e3 0–0 10. ♗e2 ♗e6 11. 0–0 a6 12. ♘e1 [RR 12. a3 N ♗d6 13. b4 ♘e7 14. ♕b3 c6 15. a4 ♗g4 16. ♖ab1 ♘f5 a) 17. ♘e1?! ♕h4! 18. g3 ♕h3 19. ♗g4 ♕g4 20. ♕d1 ♕g6 21. ♘g2 b5! 22. a5 ♖fe8 23. ♕f3 ♗f8∓ E. Vladimirov 2580 – Serper 2490, Gausdal 1991; b) 17. ♖fc1!? ♗f3 18. ♗f3 ♘h4 (18... ♕h4 19. g3) 19. ♕d1 E. Vladimirov] ♗d6 N [12... ♖fd8] 13. ♘d3 ♖ad8! 14. ♕d1!? [14. ♕b3 ♘e7 15. ♘a4 (15. ♕b7?? ♖b8 16. ♕a6 ♖a8–+) ♗c8∓ △ ♘f5-h4↑»] ♘e7 15. g3 [△ ♗f3-g2, h3] g6!∓ [△ h5-h4] 16. ♗f3 h5 17. ♘f4 [17. ♗g2 h4 18. g4 h3! 19. ♕f3 (19. ♗h1 ♕g5 20. f4 ♕g4 21. ♕g4 ♗g4 22. ♘d5 ♘d5 23. ♗d5 ♗e2–+) ♕g5 20. ♗h3 f5 21. ♘f4 ♗c8∓] ♗f4 18. gf4 ♘f5 19. ♔h1? [19. b4∓] c5!∓ 20. dc5 [20. ♘e2 ♘h4 (20... cd4 21. ♘d4 ♘d4 22. ♕d4 ♕d4 23. ed4 h4 24. ♖ac1 ♖c8∓) 21. ♗g2 ♘g2 22. ♔g2 ♕h4 23. ♘g1□ ♗f5∓] d4 21. ♘e4 ♕e7 22. ♕e2 ♘h4! [22... de3 23. fe3 ♗d5 24. ♘g3=; 22... ♗d5 23. ♘d6!=] 23. ♘d6 d3 24. ♕d1 b6 25. b4 bc5 26. bc5 ♕c7! 27. e4□ [27. ♖c1? d2 28. ♖c2 ♘f3 29. ♕f3 ♖d6–+] ♗h3 [27... ♕c5! 28. ♘b7 ♕c7 29. ♘d8 ♖d8 30. f5 ♕f4 31. ♗g2 gf5∓] 28. ♕d3 [28. ♖g1? ♕c5 29. ♘b7 ♕f2–+] ♗f1 29. ♖f1 ♕c5

30. e5 ♘f3 31. ♕f3 ♖b8 32. ♖g1 ♕c2 [△ ♖b1] 33. f5? [33. ♖g5! ♖b1 34. ♔g2 ♕c1 (34... ♕d1?! 35. ♕d1 ♖d1 36. f5 ♔g7 37. f6 ♔h6 38. ♖g3∞) 35. ♔h3∓] ♖b1 34. a3?⊕ [34. fg6 ♖g1 35. ♔g1 ♕g6 36. ♔f1 ♖b8 37. ♘f5∓] ♖g1 35. ♔g1 ♕c1 36. ♔g2 ♕g5 37. ♔f1 ♖b8–+ 38. ♕d3 ♕c1 39. ♔g2 ♖b1 40. fg6 ♕g1 41. ♔f3 ♕g4 42. ♔e3 ♖e1 43. ♔d2 ♖d1 44. ♔c2 ♖d3 45. gf7 ♔f8 46. ♔d3 ♕f4 0 : 1 **[Lautier]**

397. D 38

RIBLI 2595 – TISCHBIEREK 2480
BRD 1991

1. ♘f3 d5 2. d4 ♘f6 3. c4 e6 4. ♘c3 ♗b4 5. ♗g5 ♘bd7 6. cd5 ed5 7. ♖c1 c6 8. a3!? N [8. ♘d2 – 43/506] ♗c3 9. bc3 [9. ♖c3!?] ♕a5 10. ♕b3 ♘e4 11. ♗h4?! [11. ♗f4! 0–0 12. e3 c5 13. dc5 ♘dc5 14. ♕b4!±] 0–0 12. e3 c5 13. dc5 ♘dc5 14. ♕b4 ♕c7= 15. ♗e2 ♗g4 16. 0–0 a5 17. ♕b5 [17. ♕b2? ♘a4 18. ♕b3 ♘ac3 19. ♗d3 ♗f3 20. gf3 ♘d2 21. ♖c3 ♘f3 22. ♔g2 ♘h4 23. ♔h3 ♕e7∓ ♖a6! 18. c4! ♖h6? [18... ♖b6 19. ♕a5 ♘b3 20. ♕d5 ♘c1 21. ♖c1∞]

19. cd5! ♗f3 20. ♗f3 ♖h4 21. g3 ♘d2 22. ♗g2! ♘f1 23. gh4 ♕h2 [23... b6 24. ♔f1 △ ♕c6+–] 24. ♔f1 b6 25. ♕b6 ♘d3 [25... ♘d7 26. ♕c7+–] 26. ♖d1 ♖b8 27. ♕a7 g6 28. ♕d4?! [28. d6! ♕d6 29. ♗d5!+–] ♘e5 29. d6 ♖d8 30. ♖c1 h5 31. ♖c7 g5? 32. hg5 ♘g4 33. g6 1 : 0 **[Ribli]**

398.*   **D 38**

B. GEL'FAND 2665 − LAUTIER 2560

Beograd 1991

1. d4 d5 2. c4 e6 3. ♘f3 ♘f6 4. ♘c3 ♗b4 5. ♗g5 ♘bd7 6. cd5 ed5 7. e3 c5 8. ♗d3 [RR 8. ♗b5 ♕a5 9. ♗d7 ♘d7 10. 0−0 ♗c3 11. bc3 c4 12. ♕c2 0−0 13. a4 ♘b8 N (13... ♖e8 − 52/408) 14. ♖fb1 ♕a6 15. ♖b5 ♕e6 16. ♗f4 f6 17. e4 ♕e4 18. ♕e4 de4 19. ♘d2 b6 20. a5 ♗d7 21. ab6 ♗b5 22. b7 ♘d7 23. ba8♕ ♖a8 24. ♘e4 ♘b6 25. ♘d6 a6 26. ♖a5 ♘d5 27. ♘b5 ♘f4 28. g3 ♖b8 29. ♘a3 ♘e2 30. ♔g2 ♘c3 31. ♘c4 ♖d8= Lputjan 2570 − Serper 2490, SSSR (ch) 1991] **c4 9. ♗c2 ♕a5 10. 0−0 ♗c3 11. bc3 ♘e4 12. ♗h4 ♕c3** N [12... ♘df6] **13. ♖c1 ♕a3 14. ♗e4 de4 15. ♘d2 0−0 16. ♘e4!** [16. ♘c4?! ♕a6±] **b5!□** [16... f5 17. ♘c3±] **17. ♗g3 ♕e7 18. ♘d6** [18. f3?! f5 (18... ♖d8 19. ♗c7 ♖e8 20. ♘d6 ♕e3 21. ♔h1 ♖f8∞) 19. ♗d6 ♕e8 (19... ♕e6 20. ♗f8 fe4 21. d5!?) 20. ♗f8 fe4 21. ♗d6 ♕e6 22. ♗c7 ♗b7 23. f4∞; 18. ♘c3!? a6 19. a4 ♗b7! 20. ab5 ab5 21. ♘b5 ♕e4 22. ♕f3 ♕f3 23. gf3 ♗f3 24. ♖fe1±] **♗a6!□ 19. ♖e1?!** [19. e4!? c3 20. ♖c3 b4 21. ♖c7 ♗f1 22. ♔f1∞] **f5 20. ♕f3?!** [20. a4?! f4; 20. e4!? *a)* 20... fe4 21. ♖e4 ♕g5!? (21... ♕f6? 22. ♕g4+−; 21... ♕d8 22. ♕e2 △ ♖e7→) 22. ♗h4!? △ 22... ♕d5 23. ♗e7 ♖f7 (23... ♖fb8 24. ♕g4→) 24. ♕g4 ♘f6 25. ♕e6+−; *b)* 20... f4 21. ♘f5±] **♕e6 21. ♕c6 ♘b6 22. ♗e5** [22. e4 fe4 23. ♖e4 ♕d5 24. ♕c5∞] **♖ad8!** [22... ♖ac8? 23. ♘c8] **23. e4 f4?** [23... fe4 24. ♖e4 ♖d7!] (24... ♕d5 25. ♖g4!) 25. ♕c5∞] **24. ♘f5!± ♕c6 25. ♘e7 ♔h8 26. ♘c6 ♖d7?** [26... ♖de8 27. ♘a7 (27. d5 ♗b7 28. ♗d6 ♖f6 29. e5 ♖g6) b4 28. ♘c6 b3 29. ab3 cb3 30. ♘a5+−] **27. ♘b8**   **1 : 0**
[B. Gel'fand, Kapengut]

399.   **D 38**

M. GUREVIČ 2635 − PISKOV 2500

BRD 1992

1. ♘f3 d5 2. c4 e6 3. d4 ♘f6 4. ♘c3 ♗b4 5. cd5 ed5 6. ♗g5 ♘bd7 7. e3 c5 8. ♗d3

---

c4 9. ♗c2 h6!? N 10. ♗h4 ♕a5 11. 0−0 ♗c3 12. bc3 ♕c3 13. ♖c1 ♕a3 14. ♘e5!? 0−0 15. ♘d7 ♘d7 16. e4!?↑ de4!? [16... ♘b6 17. e5 ♗d7 18. f4 ♗a4 19. ♖f3→] **17. ♗e4 ♘b6** [17... ♕a6 (△ ♘f6) 18. ♕f3 ♖e8 19. ♖fe1±] **18. ♖e1!** [△ ♗e7] **♕a2!? 19. ♖c3?!** [19. ♕f3 △ ♗f6→] **f5! 20. ♗f3 ♗d7** [20... g5? 21. ♗g5 hg5 22. ♕c1± △ 23. ♖a3, 23. ♕g5] **21. ♕c1 ♖fe8 22. ♗e7 ♕a5∞ 23. ♖e5**

23... ♕e5! 24. de5 ♖e7 25. ♗b7 ♖b8 26. ♗a6 ♖e5 27. h3 [27. ♗c4? ♘c4 28. ♖c4 ♖be8−+] **♗b5?!** [27... ♗e6!? 28. ♕f4 ♖e1 29. ♔h2 ♖d8⇆] **28. ♕f4!? ♖be8 29. ♗b5 ♖b5 30. ♕c7!?** [△ 31. ♖g3, 31. ♕a7; 30. ♖c4 ♖b1 31. ♖c1 ♖c1 32. ♕c1 ♖f8 △ ♗f7, g6=] **♖b3 31. ♖c1** [31. ♖b3 cb3 32. ♕a7 ♘c4∞] **a5 32. ♕c6 ♖c8 33. ♕e6 ♔h8 34. ♖d1!?** [△ ♖d6] **♖d3** [34... a4? 35. ♖d6 ♖b8□ (35... c3 36. ♖b6+−) 36. ♕e5! △ ♖h6] **35. ♖b1** [35. ♖d3? cd3 36. ♕b6? d2−+] **♘d7 36. ♕f5 a4 37. ♖b7 c3?!⊕** [37... ♖d1 38. ♔h2 c3 39. ♖d7 c2 40. ♖d1 cd1♕ 41. ♕c8 ♗h7 42. ♕f5=] **38. ♕d3 c2 39. ♖b1 ♘e5?!** [39... ♖c3?? 40. ♖b8+−; 39... cb1♕ 40. ♕b1 a3 41. ♕b7 ♘b6! 42. ♕b6 ♖c1 43. ♔h2 a2 44. ♕d8 ♔h7 45. ♕d3 ♔h8 46. ♕d8=] **40. ♕f5± cb1♕ 41. ♕b1 a3 42. ♕b7 ♖c1?!** [42... ♖e8 43. ♕b5 ♖e7 44. ♕c5 ♖e8 45. ♕a3 ♘d7 46. ♕d6 ♘f6±] **43. ♔h2 ♘c4 44. h4!±** [44. ♕b3? ♘d2! 45. ♕a3 ♘f1 46. ♔g1 ♘g3 47. ♔h2 (47. ♕c1? ♘e2−+) ♘f1=] **♖c3?** [44... ♔h7 45. h5 ♔h8 46. f4 △ f5-f6] **45. ♕a8 ♔h7 46. ♕e4 ♔h8 47. ♕e1!+− ♖b3 48. ♕e8 ♔h7 49. ♕e4 ♔h8 50. ♕c4 ♖b2 51. ♕d4 ♖b8 52. ♕e5**

♖a8 53. ♕e4 ♖a5 54. ♕b4 ♖a8 55. ♕b7 ♖a5 56. ♕b8 ♔h7 57. ♕c7 ♖a6 58. ♕c4 ♖a7 59. ♕d4 ♖f7 [59... ♖a5 60. ♕d3 ♔h8 61. ♕d8] **60. ♔g3 ♖f6 61. ♕a4**
1 : 0 **[M. Gurevič]**

400.* !N **D 38**

BELLÓN LÓPEZ 2510 – CAMPOS MORENO 2475

España 1991

1. d4 e6 2. ♘f3 d5 3. c4 ♘f6 4. ♘c3 ♗b4 5. ♗g5 ♘bd7 6. e3 c5 7. cd5 ed5 8. ♗d3 ♕a5 9. ♕c2 0–0 [RR 9... c4 10. ♗f5 ♗c3 11. bc3 ♘c5 12. 0–0! N (12. ♗c8 ♘d3 13. ♔e2 ♖c8 14. ♗f6 gf6 15. ♘e1 0–0!∞; 12. ♗f6 ♗f5 13. ♕f5 ♕c3 14. ♔e2 ♕b2 15. ♘d2 c3∞; 14... ♘d3!?) ♘ce4 13. ♗c8 ♖c8 14. ♗f6 gf6 (14... ♘f6 15. ♘d2!⩲ Joksić) 15. ♖ac1⩲ Joksić 2330 – Allegro 2370, Sion 1991/92] **10. 0–0 c4 11. ♗f5 ♖e8 12. ♘d2 g6 13. ♗d7 ♘d7 14. ♖ae1 ♘b6 N** [14... ♗c3 – 52/410] **15. f3 ♗d7 16. ♗h4 ♘a4 17. ♘db1 ♖e6 18. e4 ♗c3 19. bc3 ♖ae8 20. e5 f5?!** [20... ♕b6!? △ 21. ♖e2 ♖e5, 21. ♔h1 ♕b2, 21. ♖f2 f6] **21. ♕c1** [21. ef6?! ♖e1 22. ♖e1 ♖e1 23. ♗e1 ♗f5?! 24. ♕c1 ♕b5 25. ♕e3 ♗b1?? 26. ♕e7+–; 23... ♕b6!=] **♕c7 22. ♗f6 ♖b6 23. h4** [23. ♕h6 ♗e6 △ ♕f7-f8=] **f4!** [23... ♘b2 24. h5! ♘d3 25. ♕h6 ♗e6 (25... ♗a4 26. hg6 ♘e1 27. ♖e1 △ 27... ♖f6? 28. gh7 ♕h7 29. ♕f6±) 26. hg6 ♘e1 27. ♖e1⩱] **24. ♕f4 ♗f5! 25. ♕g5 ♕f7** [25... ♗d3!? 26. h5 (26. e6? ♖be6 27. ♕d5 ♕f7) ♕f7 27. f4 ♗f1 28. ♖f1 △ f5∞] **26. ♔h2** [26. g4!? ♗d3 27. f4 ♗f1 28. ♖f1⩱] **♗d3** [26... ♖b1 27. ♖b1 ♗b1 28. ♖b1 ♘c3 29. ♖f1 ♘b5 30. f4! ♘d4 31. f5±] **27. ♖h1 ♖ee6 28. g4** [28. ♔g3 h5!; 28. h5 ♔f8] **♖b2 29. ♔g3 ♖eb6 30. h5□** [30. ♘d2 ♘c3–+] **♗b1!** [30... ♖b1? 31. e6!! ♖e6 32. hg6! ♗g6 (32... ♕g6 33. ♕d5!) 33. ♖e6 ♕e6 34. ♖b1+–] **31. ♗d8! ♖e6?** [31... ♗e4? 32. ♖hf1+–; 31... ♘c3?! 32. ♗b6 ♘e4? (32... ♖b6? 33. ♕e3!+–; 32... ab6 33. ♕e3 ♖c2 34. e6+–) 33. ♖e4! (33. fe4? ♕f2 34. ♔h3 ♕g2 35. ♔h4 ♕f2=) de4 (33... ♗e4 34. ♕d8 ♕f8 35. ♕f8 ♔f8 36. ♗c5 △ fe4+–) 34. ♕d8 ♕f8 35. hg6! ♕d8 36. gh7 ♔h8 37. ♗d8+–; 31... ♗d3! 32. ♗b6 ♖b6 33. ♕d8 ♕f8 34. ♕d5+–; 32... ♘b6∞] **32. ♖b1 ♖b1 33. ♖b1 ♘c3 34. ♖e1 ♘b5** [34... ♔f8? 35. ♕d2 ♕d7 (35... ♔e8 36. ♕c3 ♔d8 37. ♕a5) 36. ♗f6 ♘b5 37. ♕h6] **35. f4 h6?!** [35... ♘d4!? 36. f5?! ♘f5 37. gf5 ♕f5 38. ♕f5 gf5; 36. ♗f6! △ f5±] **36. ♕h6 gh5 37. ♗f6! ♕h7 38. ♕h7 ♔h7 39. f5 ♖e8 40. ♖h1 c3** [40... ♘d4 41. ♖h5 ♔g8 42. e6 ♘e6 43. ♖h8 ♔f7 44. ♖e8 ♔e8 45. fe6+–] **41. ♖h5 ♔g8 42. e6** **1 : 0**
[Bellón López]

401. **D 39**

ZÜGER 2425 – COSTA 2405

Bern 1991

1. d4 ♘f6 2. c4 e6 3. ♘f3 d5 4. ♘c3 dc4 5. e4 ♗b4 6. ♗g5 c5 7. ♗c4 cd4 8. ♘d4 ♗c3 9. bc3 ♕a5 10. ♗b5 ♘bd7 11. ♗f6 ♕c3 12. ♔f1 gf6 13. ♘f5 N [13. h4 – 52/411, 412] **♕e5** [13... ef5! 14. ♖c1 ♕e5 15. ♖c8 ♖c8 16. ♕d7 ♔f8 17. ♕c8 ♔g7 18. ♕f5 ♕a1 19. ♔e2 ♕h1 20. e5 (20. ♕g4 ♔f8=) ♕g2 (20... fe5? 21. ♕e5 ♔g8 22. ♗c4+–) 21. ♕f6 (21. ef6? ♔h6) ♔g8=; 13... ♔f8!?] **14. ♘d6 ♔f8** [14... ♔e7 15. ♘c8 ♖hc8 16. ♕d7 ♔f8 17. ♖d1 ♖d8 18. ♕d8 ♖d8 19. ♖d8 ♔g7 (19... ♔e7 20. ♖d7 ♔f8 21. ♗e2±) 20. ♗e2 ♕e4 (20... ♕a1 21. ♖d1 ♕a2 22. g3±; 22. h4±) 21. h4 ♕b1 22. ♖d1 ♕a2 23. ♖h3±] **15. g3!** [15. ♖c1 *a)* 15... ♘b6? 16. ♖c7→; *b)* 15... a6 16. ♗a4 b5? 17. ♘c8 ♘c5 18. ♘b6+–; 16... ♘c5∓; *c)* 15... ♘c5! △ ♔e7∓] **♔e7** [15... ♘c5 16. f4 *a)* 16... ♕c3 17. ♖c1 *a1)* 17... ♕b4 18. ♕h5+–; *a2)* 17... ♕b2 18. ♖c2 ♕b4 (18... ♕a3 19. ♕h5+–) 19. a3 ♕a3 20. ♕h5+–; *a3)* 17... ♕a3 18. ♖c2!±→; *b)* 16... ♕b2 17. ♖b1 ♕a2! (17... ♕a3 18. ♕h5+–) 18. ♗c4! (18. ♘c4 ♗d7!!□ 19. ♖b2 ♗b5 20. ♖a2 ♗c4 21. ♔g2 ♗a2 22. ♕d6 ♔g7 23. ♕c5 ♖ac8∓) ♕a5 19. ♕d4!±→] **16. ♘c8 ♖hc8 17. ♕d7 ♔f8 18. ♖d1 ♕e4 19. ♖g1 ♖d8 20. ♕d8 ♖d8 21. ♖d8 ♔e7** [21... ♔g7 22. ♗e2±] **22. ♖d7 ♔f8 23. ♗e2 ♕c6** [23... ♕b1? 24. ♔g2

♕a2 25. ♗f3 △ ♖c1, ♖cc7+→] 24. ♖d3 f5 25. f4 [25. ♗f3 ♕c4] ♕c2 26. a3 b5 27. ♔f2 ♕c5 28. ♖e3 f6 29. ♖b1 a6 30. ♖b3 [30. ♗d3!? (△ ♖e1) ♕a3 (30... e5 31. fe5 fe5 32. ♗f5+−) 31. ♖be1! (31. ♗f5 ♕c5 32. ♗d3 b4 33. ♖e1 a5⇆) ♕c5 32. ♔g2 △ ♔h3±→] e5 31. ♖c3 ♕d4 32. ♖c6? [32. fe5±] ef4 33. gf4 ♕f4 34. ♖f3 ♕h2 1/2 : 1/2 [Cvetković]

402. D 39

A. KUZ'MIN 2520 − AKOPJAN 2590
SSSR (ch) 1991

1. d4 ♘f6 2. c4 e6 3. ♘f3 d5 4. ♘c3 dc4 5. e4 ♗b4 6. ♗g5 c5 7. ♗c4 cd4 8. ♘d4 ♗c3 9. bc3 ♕a5 10. ♘b5 a6 11. ♘d6 ♔e7 12. ♕d2 ♘c6 13. ♖d1!? ♖d8 14. 0−0 N [14. f4] ♕c5! [14... h6!?; 14... ♕c7!?] 15. e5□ ♕e5 16. ♗f4 ♕c5 17. ♕b2 b5! 18. ♗e3 ♕e5 19. ♕a3

19... ♘g4!! 20. ♗g5!□ [20. ♘c8 ♔f6 21. ♗g5 (21. g3 ♖d1 22. ♖d1 ♘e3−+) ♔g6!! 22. g3□ ♖d1 23. ♖d1 bc4−+; 20. ♘e4 b4! 21. ♗c5 ♕c5!−+] ♕g5 [20... f6? 21. ♘c8 ♔f7 22. ♘d6! (22. ♗f4 ♕f4 23. ♗e6 ♔e6 24. ♕b3 ♕c4−+) ♔g6 (22... ♖d6 23. ♕d6+−; 22... ♔g8 23. ♗f4+−) 23. ♗d3 ♔h5□ 24. g3 fg5 25. ♘f7+−; 20... ♔f8!? a) 21. ♘c8 ♔g8 22. ♖d8 ♘d8 23. ♘e7 (23. ♕d6 ♖c8!∓) ♔h8∓; b) 21. f4! ♕e3 22. ♔h1 b4! 23. ♕a4□ ♖d6 24. ♖d6 ♘f2 25. ♖f2 ♕f2 26. h3 (26. ♕d1 ♗b7 27. ♖d7 h6∞) ♗b7 27. ♖c6 ♔g8□ 28. ♗a6! h6! (28... ♖a6 29. ♖c8!+−; 28... ♗a6 29. ♕a6!+−) 29. ♕b5! ♗a6 30. ♖a6

♖a6 31. ♕a6 bc3 32. ♕c8 ♔h7 33. ♕c3 hg5 34. fg5 ♕a2=] 21. ♘c8 [21. ♘e4? b4−+] ♔f6 [21... ♘e8 22. ♘d6 (22. ♖d8 ♕d8 23. ♘d6 ♔f8) ♔f8 23. ♘b7! b4 (23... ♕e7 24. ♕e7 ♔e7 25. ♘d8 ♘d8 26. ♗e2 △ a4±) 24. ♖d8 ♘d8 (24... ♖d8 25. ♕a6!) 25. ♕b4±] 22. ♖d8 ♘d8 [22... bc4 23. ♕d6! △ 23... ♘d8 24. ♕d8 ♔g6 25. ♘e7+−; 22... ♕e5 23. ♕d6!±] 23. ♘b6! [23. ♘d6? ♕e5−+; 23. ♕e7 ♔g6 24. ♗d3 ♔h6∓; 23. f4!? ♕h5□ 24. ♕e7 ♔g6 25. ♗d3 (25. f5 ♔h6) ♔h6 26. h3 a) 26... ♘e3 27. ♕d8! ♘f1 28. g4! ♕c5 29. ♔f1 g6 (29... f6 30. ♘d6!+−) 30. ♕h8 f6□ 31. ♕f6 ♖c8 32. ♗e2 △ g5+−; b) 26... ♖c8 27. hg4 ♕c5 (27... ♕g4? 28. ♖f3) 28. ♕c5 ♖c5 29. g5 ♔h5∞; c) 26... ♘f6!? 27. ♘d6⊡] bc4? [23... ♖a7 24. ♕d6 bc4 25. ♘d8 ♔g6 26. ♘d4 h5=] 24. ♘a8 ♕e5 25. g3 ♕e4 26. ♕d6!± ♘b7 [26... ♕a8? 27. ♕f4+−] 27. ♕d4 [27. ♕f4!?] ♕d4 28. cd4 e5 29. h3! ♘h6 [29... ed4 30. hg4 d3 31. ♘b6 ♘d6 32. ♖d1 △ ♘c4+−] 30. ♖c1 [30. ♖b1!+−] ed4 31. ♖c4 ♕e5 32. ♘b6 [32. ♔f1] ♗e4 33. ♗f1 ♘d6 34. ♖c6 ♘b5 35. a4⊕ ♘c3 36. a5 ♘f5 37. ♔e1 ♔d3 38. ♖c5 ♘d6 39. ♘d5! ♘d5⊕ [39... ♘de4 40. ♘b4#] 40. ♖d5 [♖ 1/j] ♘c4 41. h4 h6 42. g4 [42. h5+−] g6 43. h5 [43. g5!+−] gh5 44. gh5? [44. ♖h5! ♔c2 45. ♖c5! ♔c3 46. ♖f5! d3 47. ♖f7 ♔c2 48. ♖d7+−] f6!= 45. ♖f5 ♔c2 46. ♖c5 [46. ♖f4 ♘e5! 47. ♖f6 d3 48. ♖d6 ♘f3=] ♔c3 47. ♖c6 d3 48. ♔d1 [48. ♖f6?? ♔c2] d2 49. ♔e2 f5 50. f4 ♔b3 51. ♔d1 ♔c3 52. ♔e2 ♔b3 [53. ♖c5 ♔c3 54. ♖d5 (54. ♖f5?? d1♕ 55. ♔d1 ♘e3) ♔b3!□ (54... ♔c2? 55. ♖d3!⊙ ♔b2 56. ♔d1+−) 55. ♖d3 ♔c2!=⊙] 1/2 : 1/2 [Akopjan]

403. D 40

MURUGAN 2395 −
NEELAKANDAN 2220
Palani 1991

1. d4 d5 2. ♘f3 c5 3. e3 ♘c6 4. c4 e6 5. ♘c3 ♘f6 6. a3 a6 7. dc5 ♗c5 8. b4 ♗d6 9. ♗b2 0−0 10. cd5 ed5 11. ♗e2 ♗g4 12. 0−0 ♗c7!? N [12... ♖c8 — 40/516]

214

13. b5?! ♕d6 14. g3 ♘e7 [14... ♘a5=] **15. a4 ♖fe8 16. ♗a3 ♕d7 17. ♖b1 ♘f5** [17... ♖ac8!?] **18. b6! ♗d8** [18... ♗b6 19. ♘d5!] **19. ♕b3 ♖c8 20. ♖bd1 ♕c6** [20... ♘e3!? 21. fe3 ♖e3 22. ♖d3 ♕e6 23. ♘d4 ♕e5 24. ♖fd1 ♖c4 25. ♗d6!±; 22... ♖c3∞] **21. ♘d5 ♕d5** [21... ♕c2 22. ♕b4 ♕e2 23. ♘f6 ♗f6 24. ♕g4∞] **22. ♖d5±** **♘e3?!** [22... ♗b6 23. ♖c1 ♕h6 24. ♖c8 ♖c8 25. a5 ♗a7 26. ♕b7 ♘e3 27. ♕c8+−; 22... ♕c2 23. ♕c2 ♖c2 24. ♗d1!] **23. ♖d8! ♘f1⊕ 24. ♘e5!!+−** [24. ♖c8 ♖c8 25. ♔f1 ♕c3!∓; 24. ♖e8 ♖e8 25. ♔f1 ♕e4!∞] **♕e6 25. ♕e6 ♗e6 26. ♖e8 ♖e8 27. ♗f1 ♗b3 28. ♗d6 f6 29. ♗c4 ♗c4 30. ♘c4 ♖e4 31. ♘a5 ♖a4 32. ♘b7 a5 33. ♘a5 ♖a5 34. b7** **1 : 0**
[Murugan]

404.* **D 41**

ZSU. POLGÁR 2535 − LAUTIER 2560
Polanica Zdrój 1991

1. ♘f3 ♘f6 2. c4 e6 3. g3 c5 4. ♘c3 d5 5. cd5 ♘d5 6. ♗g2 ♘c6 7. 0−0 ♗e7 8. d4 0−0 9. ♘d5 ed5 10. dc5 ♗c5 11. ♗g5 ♕b6 12. ♖c1 d4 13. ♘d2 [13. ♕c2 N ♗d6 14. ♘d2 ♗e6 15. ♘c4 ♗c4 16. ♕c4 h6 17. ♗d2 ♕b2 18. ♗c6 ♖ac8! (18... ♕d2 19. ♗b7 ♖ab8 20. ♗d5±) 19. ♖b1! ♕d2 20. ♖b7 ♖c7 21. ♖c7 ♗c7 22. ♗e4 ♗b6= U. Andersson 2625 − Lautier 2560, Biel 1991] **♖e8** [13... h6?! 14. ♘e4! hg5 15. ♖c5 f5 16. ♖c6 bc6 17. ♘g5±] **14. ♘b3 ♗f8 15. ♖e1 N** [15. ♗c6? bc6 16. ♘d4 c5∓] **h6 16. ♗f4 ♗g4 17. h3?!** [17. ♗c6 bc6 18. ♕d4 ♖e2 19. ♖e2 ♗e2 20. ♕b6 ab6 21. ♖c6 (21. ♘d4?! ♗g4 22. ♖c6 ♗c5! 23. ♗e3 ♖a2∓) ♖a2 22. ♖b6 ♖b2 23. ♖b8=] **♗e6∓** [△ ♖ad8∓] **18. ♗c6□ bc6 19. ♕d4 ♗h3 20. ♗e3** [20. ♕b6 ab6 21. ♖c6 ♖a2 22. ♖b6 ♖b2∓] **♗e6 21. ♕c3?!** [21. ♕b6 ab6 22. ♖c6 ♖a2 23. ♖b6 ♖b2 24. ♘c1∓] **♕a6 22. a3 ♗d5∓ 23. ♘d4?** [23. f3□ △ ♘d4, ♗f2, e4] **♕c8! 24. ♘f3** [24. f3 ♕h3 25. ♗f2 ♗d6 26. e4 ♗g3−+] **♕h3 25. ♖ed1 ♗d6!−+ 26. ♖d5□** [26. ♖d4 ♗e5; 26. b4 ♗f3 27. ef3 ♖e5!] **cd5 27. ♖d1 ♖ac8 28. ♕d3 ♗c5 29. ♗c5 ♖c5 30. b4 ♖cc8**

31. b5 ♕g4 32. ♘d4 ♖c4 33. ♔g2 ♖a4! 34. f3 ♕d7 35. ♘c6 a6 36. ♕d5 ♕d5 37. ♖d5 ab5?⊕ [37... ♖e2 38. ♔f1 ♖b2−+] **38. e4 ♖a3 39. ♖b5** [♖ 9/n] **♖a2 40. ♔h3 ♖f2 41. ♔g4?!** [41. ♖b3∓] **♖e6 42. ♘d4 ♖d6 43. ♘f5?** [43. ♖b4] **h5! 44. ♔f4** [44. ♔h3? ♖d1−+; 44. ♔g5 ♖d3 45. ♖b8 (45. ♘h4 g6−+) ♔h7 46. ♖b7 ♖df3 47. ♖f7 ♖g3 48. ♘g3 ♖f7 49. ♘h5 ♖e7−+] **♖d3 45. ♘h4 g6−+** [×♘h4] **46. ♖b7 ♖a2 47. g4?! ♖a5 48. g5 ♖d2 49. ♖b1 ♔g7 50. ♖g1 ♖aa2 51. ♔g3 ♖a5 52. ♔f4 ♖da2! 53. ♖g3** [53. ♘g2 ♖a1] **♖5a3 54. ♖h3 ♔f8 55. ♔g3 ♖e2 56. ♔f4 ♖a1 57. ♔g3 ♖g1 58. ♔f4 ♔e7 59. ♖g3 ♖h1 60. ♘g2 ♖h2!** **0 : 1** **[Lautier]**

---

405. **D 43**

KORTCHNOI 2610 − ANAND 2650
Tilburg (Interpolis) 1991

1. ♘f3 ♘f6 2. c4 c6 3. ♘c3 d5 4. d4 e6 5. ♕b3 ♗e7 6. ♗g5 dc4 7. ♕c4 b5 8. ♕b3 N [8. ♕d3 − 34/502] **♘bd7 9. e4 b4 10. ♘a4 ♘e4 11. ♗e7 ♕e7 12. ♗d3 ♘ef6** [12... ♘g5 13. ♘e5±; 12... f5!?] **13. 0−0 0−0 14. ♖ac1** [14. ♖fe1 c5 15. d5 (15. dc5 ♗b7∞) ♘b6 16. ♘b6 ab6 17. ♗c4 ♔h8=; 14... a5] **a5** [14... ♗b7 15. ♘c5 ♘c5 16. ♕b4] **15. ♖fe1 ♗b7 16. ♘e5 ♖ac8 17. ♕c2** [17. ♘c4 c5! 18. ♘a5 ♗d5 19. ♗c4 cd4 20. ♗d5 ♖c1 21. ♖c1 ♘d5∓] **h6** [17... c5= 18. ♘d7 ♕d7 19. dc5 ♕c6 20. ♗f1 ♖cd8; 17... g6!?] **18. ♗c4** [18. ♕c4 a) 18... c5 19. ♘g6 fg6 20. ♖e6 ♗d5 (20... ♕f7 21. ♗g6+−) 21. ♖e7±; b) 18... ♕d6 19. ♗b1 ♕d5 20. ♘d7 ♘d7 21. ♕d3 g6=; 19... ♖fd8] **♕d6 19. ♗b3 ♖fe8 20. ♖cd1** [20. ♘c5 ♘c5 21. dc5 ♕e7; 20. ♘c4 ♕c7 21. ♘c5 ♗a8∞] **♖cd8 21. h3 ♘d5 22. ♘c4 ♕c7 23. ♘c5 ♗c8 24. ♘e5 ♘c5 25. ♕c5 ♘e7∓ 26. ♖d3 ♖d6 27. ♖f3 ♖f8 28. g4 ♕d8 29. ♖e4 f6 30. ♘d3 ♘d5∓ 31. ♘f4 f5?!** [31... ♖f7∓] **32. ♘g6 ♖f6 33. gf5 ef5 34. ♗d5 ♔h7** [34... ♖d5 35. ♘e7] **35. ♘e7 ♖d5** [35... fe4 36. ♗e4 g6 37. ♘c6∞] **36. ♘d5 ♖g6 37. ♖g3 ♖g3 38. fg3 fe4 39. ♘e3?** [39. ♘f4 ♕g5∓; 39. ♘e7 (Kortchnoi) ♗e6 40. ♘c6 ♕f6 41. ♕e5 ♕e5 42. de5 ♗a2 43. ♔f2 ♗d5**

215

44. ♘a5] ♗e6–+ [♕ 8/e] **40. ♕e5 ♗a2 41. ♕e4 ♔h8 42. ♘f5 ♗d5 43. ♕e1 ♕f6 44. g4 ♕e6! 45. ♔f2 ♗e4! 46. ♘h4** [46. ♘g3 ♕f6] **♕f6 47. ♔e3 ♕g5 48. ♔e2 ♕b5 49. ♔e3 ♕g5 50. ♔e2 a4?!** [50... ♕b5 51. ♔e3 ♕d3 52. ♔f4 ♕d4! (52... g5 53. ♔e5∓) 53. ♕e4 g5 54. ♔f5 ♕e4 55. ♔e4 gh4 56. b3 ♔g7 57. ♔d4 ♔f6 58. ♔c5 ♔e5–+] **51. ♔d1 ♗d5?** [51... ♕f4! 52. ♕b4 ♕f1 53. ♕e1 (53. ♔d2 ♕f2) ♗c2 54. ♔d2 ♕d3 55. ♔c1 ♗b3–+; 51... ♗b1!?∓] **52. ♘f5∓ ♗b3 53. ♔e2 a3 54. ba3 ba3 55. ♔d3 ♔h7** [55... a2 56. ♔c3 ♗g8∓] **56. ♔c3 ♗d5 57. ♕e3!** [57. ♕e7 a2 58. ♔b2 a1♕ 59. ♔a1 ♕c1#] **a2 58. ♔b2 ♕d8 59. ♔a1 ♕b6 60. ♕d3 ♔h8 61. ♘e7 ♗f7 62. ♘g6 ♔g8 63. ♘e7 ♔f8 64. ♘g6 ♗g6 65. ♕g6 ♕d4 66. ♔a2∓** [♕ 4/d] **♕c3 67. ♕e4 ♔f7 68. ♔b1 ♔f6 69. h4 ♕b3 70. ♔c1 ♕d5 71. ♕f4 ♔e6 72. ♔c2 ♕c5 73. ♔b1 ♕e5 74. ♕f3 ♔d6 75. h5 ♔c7 76. ♔c2 ♕c5 77. ♔b1 ♕c4 78. ♔b2 ♔b6 79. ♕e3 ♔a6 80. ♕e8 ♕d4 81. ♔b3 ♔b5 82. ♕b8 ♔c5 83. ♕f8 ♔d5 84. ♕f3 ♔d6 85. ♔a3 ♕a1 86. ♔b3 ♕f6 87. ♕d3 ♔e7 88. ♕g3 ♕d6 89. ♕h4 ♕f6 90. ♕g3 ♔e6 91. ♔c4 ♕f1 92. ♔c3 ♕c1 93. ♔b3 ♕b1 94. ♔a3 ♕a1 95. ♔b3 ♕e5 96. ♕h4 ♔d5 97. ♕f2 ♕f6 98. ♕e3 ♕e6! 99. ♕f4 ♔c5 100. ♔a3 ♕d6! 101. ♕e3 ♔c4 102. ♔a2 ♕d5 103. ♕b6□ c5** [103... ♔c3 104. ♔a3 ♕b5 105. ♕e3 ♕d3 106. ♕c5 (106. ♕e5 ♔c2 107. ♔b4 ♕b5 108. ♕b5 cb5 109. ♔b5 ♔d3 110. ♔c5 ♔e4 111. ♔d6 ♔f4–+) ♔d2 107. ♔a4 ♕b5 108. ♕b5 cb5 109. ♔b5 ♔e3–+] **104. ♔a3 ♕d3 105. ♔a2 ♕d2 106. ♔a1 ♕b4 107. ♕e6 ♔c3 108. ♕e3 ♔c2 109. ♕f2** [109. ♕e2 ♕d2 110. ♕e4 ♔c3! (110... ♔b3 111. ♕b7 ♕b4 112. ♕d5 c4 113. ♕d1) 111. ♕e5 (111. ♕f3 ♕d3) ♕d4–+] **♕d2 110. ♕f5 ♔b3 111. ♕f7 c4 0 : 1** [Anand]

406.* **D 43**

ŠIPOV 2450 – S. IVANOV 2440

Čeljabinsk II 1991

1. d4 ♘f6 2. c4 e6 3. ♘c3 d5 4. ♘f3 dc4 5. ♕a4 c6 6. ♕c4 b5 7. ♕b3 ♘bd7 8. ♗g5 [8. g3 ♗b7 9. ♗g2 a6 N (9... ♗e7 – 37/(477)) 10. 0–0 c5 11. ♖d1 ♕b6 12. ♗g5 ♗e7 13. ♗f6 ♗f6 14. d5 c4 15. ♕c2 ♘c5∞⇆ Titov 2505 – S. Ivanov 2440, Azov 1991] **c5!? N** [8... a6 9. a4!? (9. e4 – 51/(421)) b4 10. ♘e4 (△ ♖c1 ×c6) c5 11. ♗f6 gf6 12. d5 c4!? 13. ♕c4 ♘b6 14. ♕c6 ♗d7 15. ♘d6 ♗d6 16. ♕d6 ♘d5 17. e4⩲] **9. d5** [9. ♕b5 ♖b8 △ ♖b2; 9. ♘b5 ♖b8 △ a6; 9. dc5 ♗c5 10. ♘e4 ♗e7=; 9. ♗f6 ♕f6 10. dc5 (10. ♘b5 ♖b8 11. ♕a4 cd4) ♘c5 11. ♕b5 ♗d7 12. ♕c4 ♖b8∞̅; 9. e4 cd4 10. ♘d4 (10. ♘b5 ♘c5 11. ♕c4∞) a6=] **c4** [9... ed5 10. ♘d5 a6 11. ♕e3↑] **10. ♕b5 ♖b8 11. ♕c4** [11. ♕c6 ♗b7 12. ♕c4 ed5∞] **ed5 12. ♘d5 ♕a5 13. ♘c3 ♘c5∞̅ 14. ♗f6** [14. ♘e5 ♗e6 △ 15. ♘c6? ♕c7 16. ♕f4 ♗d6∓; 14. ♗d2!? *a)* 14... ♖b4 15. ♘d5 ♖c4 16. ♘f6 gf6 17. ♗a5±; *b)* 14... ♘b3 15. ♗f4! (15. ♖d1 ♗e6 16. ♕a4 ♕a4 17. ♘a4 ♘d2 18. ♖d2 ♗a2∞̅) ♗e6 16. ♕c6 ♗d7 17. ♕c7 ♕c7 18. ♗c7 ♖b7 19. ab3±; *c)* 14... ♖b2 15. ♘d5 (15. ♘d1 ♖d2 16. ♘d2 ♘fe4∞̅) ♕d8 16. ♗c3±; *d)* 14... ♗e6 *d1)* 15. ♕f4 ♖b2 16. ♘d1 ♖d2 17. ♘d2 (17. ♕d2? ♘d3! 18. ed3 ♗b4∓) ♘fe4∞̅; *d2)* 15. ♘d5 ♗d5 16. ♕d5 ♘d5 17. ♗a5 ♖b2∞] **gf6 15. 0-0-0 ♗e6** [15... ♖b4 16. ♕d5 ♗b7∞] **16. ♕f4** [16. ♘d5!?] **♕b6 17. ♖d2** [17. ♕d2 ♗a2] **♗e7** [17... ♗a2?! 18. ♘a2 ♘b3 19. ♔d1 ♘d2 20. ♕a4! ♔d8 21. ♘d2±] **18. e3 0–0 19. ♗c4 ♖fc8→« 20. ♔b1?** [⌓ 20. ♔d1!? ♘e4 21. ♗e6 ♘c3 22. bc3 ♕e6∞] **♘d3!** [20... ♘e4 21. ♕e4 ♖c4 22. ♕d3∞] **21. ♗d3 ♖c3 22. ♕d4 ♕a5∓ 23. a4** [23. b3 ♗b3 24. ab3 ♖bb3 25. ♖b2 ♖b2 26. ♔b2 ♕a3 27. ♔b1 ♖d3–+] **♖cb3** [△ 24... ♗a3, 24... ♖3b4] **24. ♖c1 ♖3b4 25. ♖c4** [25. ♗c4 ♖a4; 25... ♕a4] **♕a4?** [⌓ 25... ♗c4 26. ♗c4 ♖a4∓→] **26. ♕h4! ♔f8** [26... h6?? 27. ♕g3 ♔f8 28. ♕b8!+–; 26... ♖b2 27. ♖b2 ♕d1 28. ♔a2 ♖b2 29. ♔b2 ♕d3 30. ♕g3 ♔f8 31. ♕b8=] **27. ♕h7 ♔e8 28. ♕g8?** [⌓ 28. ♖b4 ♖b4 29. ♘d4∞] **♗f8 29. ♕g3 ♕a3–+ 30. ♖b4 ♖b4 31. ♔c1** [31. ♘d4 ♕a2 32. ♔c1 ♕a1 33. ♗b1 ♗a2–+] **♕a1 32. ♗b1 ♗f5 33. ♔d1 ♕b1 34. ♔e2 ♖b2 35. ♖b2 ♗d3 36. ♔d2 ♗b4 37. ♖b4 ♕c2 0 : 1** [S. Ivanov]

407. **D 43**

AN. KARPOV 2730 – TIMMAN 2630
Tilburg (Interpolis) 1991

1. d4 ♘f6 2. c4 e6 3. ♘f3 d5 4. ♘c3 dc4 5. ♕a4 c6 6. ♕c4 b5 7. ♕b3 ♘bd7 8. ♗g5 ♕a5 N 9. e3 ♗a6 [9... ♘e4 10. ♗h4 (10. ♗d3 ♘g5 11. ♘g5 b4 12. ♘ce4±) ♘b6 11. ♗d3±] **10. ♗f6 gf6** [10... ♘f6 11. ♘e5!±] **11. ♗d3** [11. ♗e2 b4 12. ♘e4±] **b4 12. ♘e4 ♖d8!** [12... ♗d3 13. ♕d3 b3 14. ♘fd2 ba2 15. 0–0±] **13. ♖c1!** [13. ♗a6 ♕a6 14. ♖c1 ♗e7] **♗d3 14. ♕d3 b3** [14... ♕a2 15. 0–0 ♕a5 16. ♖a1 ♕b5 17. ♕b5 cb5 18. ♖fc1±; 15. b3!?] **15. ♘fd2 ba2 16. 0–0 f5 17. ♘c3** [17. ♘g3!?] **♗g7 18. ♖a1** [18. ♘c4!?] **0–0 19. ♖a2** [19. ♘c4 ♕c7 20. ♖a2 f4⇆] **♕c7 20. ♘b3** [20. ♖fa1 c5! 21. ♖a7 ♕b8!] **c5 21. ♕c4 ♖c8 22. ♘b5 ♕b6 23. ♘a7 ♖c7 24. ♘b5 ♖b7** [24... ♖cc8 25. dc5 (25. ♖c1 cd4 26. ♕c8 ♖c8 27. ♖c8 ♘f8 28. ♘3d4 e5) ♘c5 26. ♘3d4±] **25. ♖a5 cd4 26. ed4 ♖bb8 27. ♕a4** [27. ♖c1 ♖fc8 28. ♕c8 ♖c8 29. ♖c8 ♗f8⇆] **♖fd8 28. ♖c1** [28. h3!? ♘f6 29. ♘d2 (29. ♘c5 ♘e4 30. b4 ♗d4 31. ♘d4 ♖d4 32. ♘d7 ♕b4!∓) ♘e4 30. ♘c4] **♘f6 29. ♘c5 ♘e4 30. ♕a3 ♕c6?!** [30... ♗d4 31. ♘e4 fe4 32. ♘d4 ♕d4 33. ♖f1=; 30... ♘d6 31. ♘a7 ♗d4 32. b4∞] **31. ♘a7! ♕c7□ 32. b4 ♕f4 33. ♘e4 fe4 34. ♘c6± ♗d4 35. ♕g3 ♕g3 36. hg3 e3 37. ♔f1 ef2 38. ♘d8 ♖d8** [♖ 9/o] **39. ♖d1! ♔g7 40. ♖e5! ♔f6 41. ♖e2 ♔e7** [41... ♖d5 42. ♖ed2! (42. ♖f2? ♗f2 43. ♖d5 ed5 44. ♔f2 ♔e5 45. ♔e3 h5!=) ♔e5 43. b5+–] **42. b5 f5** [42... e5 43. g4] **43. ♖c2 ♖d5** [43... e5 44. ♖c6 △ ♖h6] **44. ♖b1 ♗b6** [44... ♖d6 45. ♖c7!] **45. ♖c6 ♖d6 46. ♖d6 ♔d6 47. ♔e2 ♔d5 48. ♖h1 ♔c4 49. ♖h7** [49. ♖h6 ♔b5 50. ♖e6 ♗d4 51. ♖h6 ♔c5 52. ♖h5 ♔d5 53. ♖f5 ♔e6 54. ♖h5 ♔f6 55. ♖h7 ♔g5 56. ♖h4 ♗b6 57. ♖b4 ♗a7 58. ♖b5 ♔g4 59. ♖b7+–] **♔b5 50. ♖e7 ♗d4 51. ♖e6 ♔c5 52. g4** [52. ♖e8 ♔d5 53. ♖d8 ♔e5 54. ♖d4 ♔d4 55. ♔f2+–] **fg4 53. ♖g6 ♔d5 54. ♖g4 ♗a7 55. ♖g7 ♗b6 56. ♖e7**
1 : 0 **[An. Karpov]**

408. **D 43**

SAVČENKO 2485 – SVEŠNIKOV 2540
Moskva 1991

1. d4 d5 2. c4 e6 3. ♘f3 ♘f6 4. ♘c3 c6 5. ♗g5 h6 6. ♗h4 dc4 7. e4 g5 8. ♗g3 b5 9. ♗e2 ♘bd7 10. d5!? N [10. 0–0 – 26/592] **b4** [10... ed5 11. ed5 b4 (11... ♘d5 12. ♘d5 cd5 13. ♕d5 ♗b4 14. ♔f1 ♗a6 15. ♖d1⩱) 12. dc6 bc3 13. cd7∞] **11. de6 bc3 12. ed7 ♗d7** [12... ♕d7!?] **13. bc3 ♘e4! 14. ♗e5** [14. ♕d4 ♘g3 15. hg3 ♖g8∞] **f6□ 15. ♕c2 ♗f5 16. ♘d4□ ♗g6!** [16... ♗h7? 17. ♗h5+–; 16... ♕d5? 17. ♗h5+–] **17. ♗f3 ♕d5!** [17... fe5 18. ♗e4 ♗e4 19. ♕e4 ♕d5 20. ♕g6±] **18. ♗f6 ♖g8** [18... ♖h7!?∞] **19. 0–0 ♔f7□ 20. ♖fe1 ♖e8! 21. ♗d8□ g4!∓ 22. ♗g4** [22. ♗e4 ♖e4 23. ♖e4 ♗e4 24. ♕d2 ♗d6 25. ♗h4 c5 26. ♕h6 ♖g6 27. ♕h7 ♖g7–+] **♕d8 23. ♕a4! ♕d5 24. ♕a7 ♔f6** [24... ♖e7!? 25. ♗e6? ♕e6–+; 25. ♕a6 ♘c5∓; 25. ♕b6!∞] **25. ♖e3! ♗c5 26. ♖f3** [26. ♕c7 ♖e7∓] **♔g5 27. ♕c7 ♕d6?!⊕** [27... ♗d6! 28. ♕d7 h5 (28... ♘f6? 29. h4 ♔h4 30. ♖f6±) 29. ♗e6 ♖e6∓] **28. ♕d6□ ♗d6 29. ♗d7 ♗h5** [29... ♘d2!? 30. ♗e8 ♖e8 31. ♖e3 ♖e3 32. fe3 ♗a3∓⊥] **30. ♖f5! ♔g6 31. ♖e1 c5?** [31... ♖e7 32. ♗c6 ♘c3 33. ♖e7 ♗e7∓] **32. ♘c6?** [32. ♘b5 ♖e7 (32... ♘c3? 33. ♗e8 ♖e8 34. ♖e8 ♔f5 35. ♘d6+–) 33. ♘d6 ♖d7 (33... ♘d6 34. ♖e7 ♘f5 35. ♖e5∞) 34. ♖h5 ♖d6 35. ♖h4∓] **♘f6! 33. ♗e8 ♔f5 34. ♗h5 ♘h5 35. ♘a5 ♗e5 36. ♘c4 ♗c3 37. ♘d6 ♔g6 38. ♖e6 ♘f6 39. ♘e4 ♔f5 40. ♘f6 ♗f6! 41. ♖c6 ♗d4–+ 42. ♖h6 ♖a8** **0 : 1**
[Svešnikov]

409. !N **D 43**

JE. PIKET 2590 – DREEV 2610
Groningen 1991

1. ♘f3 d5 2. d4 ♘f6 3. c4 c6 4. ♘c3 e6 5. ♗g5 h6 6. ♗h4 dc4 7. e4 g5 8. ♗g3 b5 9. ♗e2 ♗b7 10. e5 ♘h5! N [10... ♘d5 – 34/505] **11. 0–0 ♘d7 12. a4 a6 13. ♔h1** [13. ab5 ab5 14. d5 ed5 15. e6↑; 14...

♘c5!; 13. d5!?] ♘g7! **14.** ♘e4 ♘f5 **15.** ♘fd2!? **♛b6!** [15... ♘d4 16. ♘c4] **16.** ♗h5 ♛d4 **17.** ♛g4 ♘c5 [17... ♗e7 18. ♘f3 ♛b2□ 19. ♖fb1=; 19. ♖ad1↑; RR ○ 17... c5 18. ♖ae1 (18. ab5 ab5 19. ♖a8 ♗a8 20. ♖a1 ♛d5 21. ♛d1 ♘d4∓) ♖h7! 19. f4 0-0-0∓ Dreev] **18.** ♖ae1□ [18. ♖ad1 ♖d8; 18. ♘f6 ♔e7 19. ♘de4 (19. f4 ♛d2 20. ♖ad1 ♛g2) ♘e4 20. ♘e4 c5] ♘d3 [18... ♗e7!?; RR 18... ♘e4 19. ♘e4 c5 20. f3⊠ Dreev] **19.** ♗e2 ♗e7 **20.** f4⊕ **gf4** [RR 20... 0-0-0!? △ 21. ♗f7 ♛b8∞ Dreev] **21.** ♗f4 ♘f4?⊕ [21... ♖f8! 22. ♗f7!? (22. ♘d6 ♗d6 23. ed6 0-0-0; 22. ♘f3 ♛b6 23. ♗h6! ♘h6 24. ♛e6+−; 22... ♛d5!□∓) ♗f7 (22... ♔f7 23. ♗h6↑; 23. ♛h5!?) 23. ♛g8 ♖f8 (23... ♗f8 24. ♘d6 ♘d6 25. ed6 ♘f4 26. ♖e6) 24. ♛e6 ♛d7 25. ♛g6 △ e6⊠↑] **22.** ♖f4 **♛e5 23.** ♘g3!± **♛g7 24.** ♗f7! **♛f7** [24... ♔f7 25. ♖f5 ♗f6 (25... ef5 26. ♖e7) 26. ♛h5 ♔e7 (26... ♛g6 27. ♖f6 ♔f6 28. ♖e6) 27. ♘de4!↑ ♖ad8 28. ♖f1; RR 25... ♔g8∞ Dreev] **25.** ♘f5 **0-0-0?** [25... ef5□ 26. ♖f5 ♛g8 27. ♛h5 ♔d8 28. ♖e7!? (28. ♖f7 ♛g5 29. ♖ee7 ♛h5 30. ♖d7=; 28. ♘e4↑ ♔e7 29. ♘e4 △ 30. ♛h4, 30. ♖e5] **26.** ♘d6   **1 : 0**   **[Je. Piket]**

410.   **D 43**

S. AGDESTEIN 2590
– SPEELMAN 2630
Hastings 1991/92

1. d4 d5 **2.** ♘f3 ♘f6 **3.** c4 e6 **4.** ♘c3 c6 **5.** ♗g5 h6 **6.** ♗f6 ♛f6 **7.** g3 ♘d7 **8.** ♗g2 ♛d8 **9.** 0-0 ♗e7 **10.** e4 N [10. ♛d3] **de4** [10... dc4 11. ♛c2 0-0 (11... b5? 12. d5!) 12. ♖fd1] **11.** ♘e4 **0-0 12.** ♖c1 [12. ♖e1!?] **b6 13.** d5 **cd5 14.** cd5 **ed5** [14... ♗a6 15. de6 ♗f1 16. ♛f1 (16. ef7!? ♖f7 17. ♗f1) fe6 (16... ♘c5 17. ef7 ♖f7 18. ♘e5±) 17. ♘d4 ♘c5!? 18. ♘c6! (18. ♘c5 ♗c5 19. ♘e6 ♖f2 20. ♘d8 ♖f1 21. ♔f1 ♖d8) ♛e8 19. ♘e7 ♛e7 20. ♘c5 bc5 21. ♗a8 ♖a8 22. ♛c4!] **15.** ♛d5 **♗a6 16.** ♖fd1 **♘c5 17.** ♛f5? [17. ♛h5! ♛e8 (17... ♘d3 18. ♗f1!) 18. ♘e5 a) 18... ♖c8 19. ♘c5 ♗c5 (19... ♖c5 20. ♖c5 ♗c5 21. ♗d5! ♗c8 22. b4! ♗b4 23. ♘f7 ♖f7 24.

♗f7 ♛f7 25. ♖d8+−) 20. ♗d5! ×f7; b) 18... ♘e4 19. ♗e4 b1) 19... ♖c8 20. ♗c6; b2) 19... ♖d8 20. ♖d8 (20. ♗d5!?) ♗d8! (20... ♛d8?? 21. ♛f5! g6 22. ♛g6) 21. ♗d5 ♗f6 22. ♘g6 ♗e2 23. ♛h3 ♛d8 24. ♘f4; b3) 19... ♗g5 20. ♗a8! (20. f4 ♖d8!∞) ♛a8 (20... ♗c1? 21. ♗c6 g6 22. ♗e8 gh5 23. ♗f7+−) 21. ♖c7]

17... ♘d3!! **18.** ♖c6!? [18. ♖c3? g6 19. ♛g4 h5 20. ♛h3 ♘f4!−+; 18. ♘e5 ♘c1! 19. ♖d8 ♖ad8∓; 18. ♗f1! g6 19. ♛h3 a) 19... h5? 20. ♘e1 (20. ♗d3 ♗d3 21. ♖c3 ♗e4 22. ♖d8 ♖ad8 23. ♖e3!) ♛d4 a1) 21. ♗d3 ♗d3 22. ♖d3 (22. ♘c3 ♗f5!) ♛e4 23. ♖e3 ♛b7; a2) 21. ♖d3! ♗d3 (21... ♛e4? 22. ♖e3+−) 22. ♗d3 ♛b2 23. ♖c2±; b) 19... ♛d5! 20. ♗d3! ♗d3 21. ♖c3 ♛e4 b1) 22. ♖dd3!? b11) 22... ♗f6!? 23. ♛h6 ♖fd8! 24. ♖e3 ♛b1 25. ♔g2 ♖d1∞; b12) 22... ♖fd8 23. ♖e3 ♛b1 24. ♔g2 ♗c5 25. ♛h6! (25. ♖e2 h5) ♗e3 26. ♖e3 ♛b2 27. ♖e5! (27. ♘g5 ♛g7) ♖d7 28. h4; b13) 22... h5! △ 23. ♖e3? ♛b1 24. ♔g2 ♛b2; b2) 22. ♖cd3 ♖ad8! 23. ♖d8 ♖d8 24. ♖d8 ♗d8 25. ♛c8 ♛f3 (25... ♛d5!?) 26. ♛d8 ♔g7=] ♖c8 [18... g6?? 19. ♖g6!] **19.** ♘e5 [19. ♖c8 ♛c8 20. ♛c8 ♖c8 21. ♗f1 ♖d8 a) 22. a3? ♗b7! 23. ♖d3 ♗e4 24. ♖e3 f5! (24... ♗f3 25. ♖f3 ♖d2 26. b4=) 25. ♘e5 ♗c5 26. ♗c4 ♘h7 27. ♖e1 ♖d2; b) 22. ♘e5 ♘e5 23. ♖d8 ♗d8 24. ♗a6=] ♘e5 [19... ♛d4? 20. ♖d3! ♖c6 21. ♘c6! (21. ♖d4 ♖c1 22. ♗f1 ♗f1) ♛d3 22. ♘e7+−] **20.** ♖d8 **♖cd8** [20... ♖fd8? 21. ♖c8 ♗c8 22. ♛e5 ♖d1 23. ♗f1 ♗h3 24. ♘d2 ♗g5 (24... ♗b4 25. ♛h5) 25. ♛e2 ♖c1 (25... ♖d2 26. ♛e8) 26. ♛h5+−] **21.** ♖c1 **♘c6!**

[21... ♘d3 22. ♖c7!] **22. ♘c3** [22. ♔h1] **♘d4 23. ♕e4?!** [23. ♕b1] **♗g5 24. f4 ♖fe8 25. ♕b1 ♗f6 26. ♖e1 ♖e1 27. ♕e1 ♘c2 28. ♕c1??** [28. ♕e4 ♗d4 29. ♔h1 ♗c3 30. ♕c2] **♗d4 29. ♔h1 ♖e8−+ 30. ♘e4 ♗d3 31. h3!□** [31. h4 ♖e4 (31... f5!?) 32. ♗e4 ♗e4 33. ♔h2 h5−+] **f5** [31... ♖e4 32. ♗e4 ♗e4 33. ♔h2 ♗e3!? 34. ♕d1 ♘d4 35. h4] **32. ♕d1!□ fe4 33. ♕h5 ♖d8?** [33... ♔f8!−+] **34. ♕g6 ♗f6 35. ♗e4 ♗e4 36. ♕e4** [♕ 6/f2] **♘d4 37. h4 ♔f8 38. ♔g2⊕ h5⊕ 39. ♔h3 ♖d7 40. ♕g6! ♖d5 41. ♕e4!□ ♖a5 42. b4** [42. ♕b7!?] **♖a3 43. b5!□ ♖a5** [43... ♔f7? 44. ♕h7!] **44. a4! ♖a4 45. ♕g6 ♖a3** [45... ♘b5!? 46. ♕h5] **46. ♕h5 ♖e3 47. ♕d5 ♘e2 48. ♔g2 ♘g3 49. ♕a8** [49. ♔f2 ♖c3 50. h5!?; 50. ♕a8!?] **♔f7?** [49... ♖e8!] **50. ♕a7 ♔g6 51. ♕b6 ♘f5 52. ♕c5! ♘h4 53. ♔f1 ♖c3 54. ♕b4! ♘f5 55. b6 ♖c2 56. ♕b1** [56. ♕e4! ♖b2 57. b7 ♗e7 (57... ♔f7? 58. ♕f5 ♖b7 59. ♕d5; 57... ♔h6? 58. ♕f5 ♖b7 59. ♕h3 ♔g6 60. ♕g2+−) 58. ♕e6 ♗f6 59. ♕e8 ♔h7 60. b8♕ ♖b8 61. ♕b8 g6±] **♘e3 57. ♔g1 ♗d4 58. b7?!** [58. ♔h1! ♔h6 (58... ♔h5 59. b7 ♗a7 60. ♕g1!) 59. b7 ♗a7 60. b8♕♗b8 61. ♕b8 ♖c1 62. ♔h2 ♘g4 63. ♔g3 ♘f6±] **♘f5 59. ♔f1 ♘e3 60. ♔g1 ♘f5** [60... ♔h6?! 61. ♔h1! (61. b8♕ ♘f5 62. ♔f1 ♘g3 63. ♔e1 ♗c3 64. ♔d1 ♖d2 65. ♔e1!=) ♗a7± − 58. ♔h1] **1/2 : 1/2**
[Speelman]

411.* **D 43**

JUSUPOV 2625 − M. GUREVIČ 2630
Beograd 1991

1. d4 d5 2. ♘f3 ♘f6 3. c4 c6 4. ♘c3 e6 5. ♗g5 h6 6. ♗f6 ♕f6 7. e3 ♘d7 8. a3 dc4 N [8... g6 N 9. cd5 ed5 10. ♗d3 ♗g7 11. 0−0 0−0 12. b4 ♕d6 13. ♕b3 ♘b6 1/2 : 1/2 Cs. Horváth 2460 − Todorčević 2480, Nikšić 1991; 8... ♕d8 − 49/(488)] **9. ♗c4 ♗d6** [9... ♗e7!? 10. ♘e4 ♕f5 11. ♗d3 ♕a5 12. b4 ♕b6 △ a5⇆] **10. ♘e4 ♕e7 11. ♘d6 ♕d6 12. 0−0 ♕e7!?** [12... 0−0?! 13. e4 △ e5±] **13. ♕c2** [13. e4 e5 14. d5 ♘b6 15. ♗b3 ♗g4=] **0−0 14. ♗a2 ♖d8!?** [△ ♘f8, ♗d7-e8, f6, ♗g6] **15. ♖ad1 a5!?** [15... ♘f8?! 16. ♕c5 ♕c5 17. dc5 ♗d7 18. ♘e5 ♗e8 19. ♘c4±] **16. ♗b1 ♘f8 17. ♘e5** [17. ♕c5 ♕c5 18. dc5 ♖d1 19. ♖d1 ♘d7∞] **a4 18. f4?!** [18. ♕c5?! ♕c5 19. dc5 ♖d5 20. ♘c4 ♘d7⇆; 18. ♖d2!? △ ♖fd1, ♕c5] **♗d7 19. ♗a2 ♗e8 20. f5 f6= 21. fe6??** [21. ♘f3 ♗f7 22. fe6 ♗e6 23. ♗e6 ♕e6 24. e4 ♘h7∞] **fe5 22. ♕c5** [22. ♖f8 ♔f8 23. ♕h7 (23. ♖f1 ♔g8 24. ♗b1 g6−+) ♕g5! 24. ♖f1 ♔e7−+] **♘g6 23. h4 ♔h8 24. ♕e7** [24. h5 ♕c5 25. dc5 ♖d1 26. ♖d1 ♘e7−+] **♘e7 25. de5 ♖d1 26. ♖d1 ♔g8!?** [△ ♖a5-e5] **27. ♗c4 ♔f8 28. ♖f1 ♔g8 29. ♖d1 c5** [29... ♖a5 30. ♖d7 ♔f8 31. ♖b7 ♖e5 32. ♖a7 ♖e3 33. ♖a4⇆] **30. ♖d6 ♗c6?!⊕** [30... ♔f8! (△ ♘c6, ♔e7, ♖d8) 31. ♖b6 ♗c6−+] **31. h5 g6 32. hg6 ♔g7 33. e4!?** [△ ♗d5] **♗e4 34. ♖d7 ♖e8 35. ♖c7 ♔g6 36. ♗b5 ♗c6 37. ♗d3 ♔g5 38. g3 ♘f5 39. ♖f7 ♘g3 40. e7 ♗e4 41. ♗b5 ♗c6 42. ♗d3 ♗d5−+ 43. ♖g7 ♔f4 44. ♗g6 ♘f5 45. ♖h7 ♖e7 46. ♗f5 ♖h7 47. ♗h7 ♔e5 48. ♗g6 ♔d4 49. ♔f2 ♗e4 50. ♗e8 ♗c6 51. ♗g6 c4** **0 : 1**
[M. Gurevič]

412. **D 43**

DAUTOV 2595 − MUHAMETOV 2395
Krumbach 1991

1. d4 d5 2. c4 c6 3. ♘c3 ♘f6 4. ♘f3 e6 5. ♗g5 h6 6. ♗f6 ♕f6 7. e3 ♘d7 8. ♗d3 g6 9. e4 dc4 N [9... de4 − 24/546] **10. ♗c4 ♗g7** [⌓ 10... e5!=] **11. e5 ♕e7 12. 0−0 0−0 13. ♖e1** [13. ♕e2!?] **b5! 14. ♗b3 ♗b7 15. ♖c1 ♖ad8 16. ♕e2** [△ ♘e4; 16. ♘e4? ♘e5] **c5!= 17. ♘e4!?** [17. d5? c4 18. d6 ♕e8 19. ♘b5 ♗f3∓; 17. ♘b5 ♗f3 18. ♕f3 cd4=] **cd4 18. ♖c7 ♗e4 19. ♕e4 ♕b4 20. ♖ec1 a5 21. ♗e6! fe6 22. ♕g6 ♕e7?** [22... ♕b2! 23. ♕e6 ♔h8 24. ♖e1 ♖f3!? 25. gf3 ♕d2∞] **23. ♘d4 ♕h4!** [23... ♘e5 24. ♕e6 ♕e6 25. ♘e6 ♗f6 26. ♘f8 △ ♖c8±] **24. ♕e6** [24. ♘f3 ♕e7=] **♔h8 25. ♘f3 ♖f3 26. gf3 ♘e5 27. ♖c8 ♖c8** [27... ♘f3 28. ♔g2 ♘d4 29. ♖d8 ♕d8 30. ♕c8 ♕c8 31. ♖c8 ♔h7=] **28. ♖c8 ♔h7 29. ♕g8 ♔g6 30. ♕e8** [30. ♖c7 ♕f6 31. f4 ♘f7 32. f5 ♕f5 33. ♖c6 ♔h5 34. ♕g7 ♕b1 35. ♔g2 ♕e4 36. ♔f1 ♕b1 37. ♔e2 ♕e4 38. ♔d2 ♕f4 39. ♔d1

♕f3=] **♔h7 31. ♕g8 ♔g6 32. ♕e8 ♔h7 33. ♕g8 1/2 : 1/2** [Muhametov]

413.** **!N** **D 44**

KISELËV 2510 – JAKOVIČ 2560

SSSR (ch) 1991

1. d4 d5 2. c4 e6 3. ♘f3 ♘f6 4. ♗g5 dc4 5. ♘c3 c6 6. a4 ♗b4 [6... ♕a5 7. ♗d2 ♗b4 8. e4 c5 9. ♗c4 cd4 10. ♘d4 ♕c5 11. ♗b5 ♗d7 N (11... ♘bd7) 12. ♘b3 ♕e5 13. f4 ♕c7 14. ♖c1 ♘c6 15. ♕f3 a6 16. ♗d3± Kiselëv 2475 – Cichocki 2285, Warszawa 1991] **7. e4 ♗c3 8. bc3 ♕a5 9. e5 ♘e4 10. ♗d2 ♕d5** [10... ♘d2 N 11. ♕d2 b5 12. ♗e2?! ♘d7 13. 0–0 ♕c7 14. ♘g5 h6 15. ♘e4 0–0 16. ♘d6 (Kiselëv 2510 – Ristović 2315, Moskva 1991) ♖b8 17. f4 f5⩱; 12. ♘g5⩱↑] **11. a5! N** [△ ♖a4; 11. ♗e2 — 44/506] **♘d7 12. ♗e2 b5** [12... 0–0!?; 12... c5!?] **13. ab6 ♘b6 14. 0–0 h6** [14... 0–0 15. ♘g5 ♘g5 16. ♗g5⩱↑ ×a7, c4, c6] **15. ♕c2 ♗b7** [15... ♘d2 16. ♘d2 △ ♗f3, ♘e4⩱↑] **16. ♗e3 0–0** [△ c5] **17. ♖a2?!** [17. ♖fd1! △ ♖a2, ♖da1± ×a7, ♘e4] **c5 18. ♖a5!** [18. dc5 ♘c5 19. ♖a5 ♕e4!] **♕d8! 19. ♖fa1** [19. dc5 ♘d5 ×♖a5] **cd4 20. ♗d4±** [×a7, c4, ♘e4] **♘g5 21. ♘d2! ♘d5 22. ♘c4 ♘f4 23. ♘e3 ♖c8!** [△ ♕d4; 23... ♘g2 24. ♘g2 ♘h3 25. ♔f1 ♕g5 26. f3+–; 23... ♗g2 24. ♘g2 ♘gh3 25. ♔f1 ♕g5 26. ♗f3+–] **24. ♕d1** [24. ♗f1? ♘f3! 25. gf3 ♕g5 26. ♘g2 (26. ♘g4 h5–+) ♘g2 27. ♗g2 ♗f3–+; 24. ♖a7? ♕d4 25. cd4 ♖c2 26. ♘c2 ♘e2 27. ♔f1 ♗e4∓] **♘e2?⊕** [24... ♘e4! *a)* 25. ♖1a3 ♘c3! 26. ♗c3 (26. ♖c3? ♕a5) ♘e2! 27. ♕e2 ♖c3 28. ♖a7 ♖c1∓; *b)* 25. ♖a7 ♖c3! 26. ♗c3 (26. ♖b7? ♕d4!) ♘c3 27. ♕d8 ♘ce2 28. ♔f1 ♗g2! 29. ♘g2 ♖d8⩱; *c)* 25. ♗f3 ♘c3 26. ♗c3 ♕d1 27. ♘d1 (27. ♗d1 ♖c3=) ♗f3 28. gf3 ♘e2 29. ♔g2 ♘c3=; *d)* 25. ♖5a3 ♕g5⇆⟫] **25. ♕e2 a6 26. f3!±** [△ ♘c4-d6] **♕c7 27. ♖5a4 ♘h7 28. ♖c4 ♕d7 29. ♖b4 f6 30. ♘c4 fe5?!** [30... ♖c7 31. ♘d6 fe5 32. ♗e5 ♘f6 33. ♘b7 (33. ♖ab1 ♗a8 34. c4±) ♖b7 34. ♖b7 ♕b7 35. ♕a6±] **31. ♘b6+– ♕d8 32. ♘c8 ed4 33. ♕e6 ♔h8 34. ♖b7 1 : 0** [Kiselëv]

414.* **D 44**

I. SOKOLOV 2570 – KAMSKY 2595

Beograd 1991

1. d4 d5 2. c4 c6 3. ♘f3 ♘f6 4. ♘c3 e6 5. ♗g5 dc4 6. e4 b5 7. e5 h6 8. ♗h4 g5 9. ♘g5 hg5 10. ♗g5 ♘bd7 11. g3 ♕a5 12. ef6 ♗a6 13. ♕f3 N [RR 13. ♗e3 N *a)* 13... 0-0-0 14. ♕f3 ♗b7 15. ♗g2 *a1)* 15... ♗a3?! 16. ♗c1 ♗b4 17. 0–0 ♘b6 18. ♘e4! ♖d4 19. a3 ♗f8 20. ♗e3 ♖d7 21. ♖fd1 (Henkin 2495 – Kajdanov 2555, Ca'n Picafort 1991; 21. ♘c5? ♗c5 22. ♗c5 ♘a4 23. ♗b4 ♕d8∓) ♘d5 22. h4±; *a2)* 15... ♗b4 16. 0–0 ♗c3 17. bc3 ♘b6 (17... ♕c3? 18. a4±) 18. ♗d2⩲; *b)* 13... ♘f6 14. ♕f3 (14. ♗g2 ♘d5 15. 0–0∞) ♘d5 15. ♗g2 b4 (15... ♗b7 16. 0–0 ♘c3 17. ♗d2±) 16. ♘d5 (16. ♘e4 c3∞) cd5∞ Kajdanov; 13. a3 — 52/418] **♖c8 14. ♗e2 b4** [14... c5 15. d5 ♗b7 16. 0–0 ♘b6 (16... b4? 17. ♕e3 bc3 18. de6+–) 17. ♕e3 ♘d5 18. ♘d5 ♗d5 19. ♖ad1 ♗b7 20. ♗g4±→] **15. ♘e4 c5 16. dc5** [16. d5! ed5 17. 0–0 ♗b7 18. ♖fe1 △ ♗c4↑] **♘c5 17. ♘c5 ♗c5 18. 0–0 ♗d4** [18... ♗f2? 19. ♕f2 ♕g5 20. ♕a7] **19. ♕f4** [19. ♖ad1 ♗b2 20. h4 ♕f5 21. ♕e3 ♕c5] **♕e5** [19... ♗e5?! 20. ♕e3 △ ♕a7] **20. ♕e5 ♗e5⩱ 21. ♖ab1 ♗b7 22. ♖fe1 ♗d4 23. ♗e3 ♗f6 24. ♗a7 ♔e7 25. ♖ed1 ♗d5** [25... ♖h2? 26. ♗c5!] **26. ♗d4 c3 27. bc3 bc3 28. ♖bc1 ♗a2 29. ♗f6 ♔f6 30. ♖d3 c2 31. h4 ♖c5 32. ♔f1 ♖b8 33. ♔e1 ♗d5 34. ♔d2 ♗e4 35. ♖d7** [35. ♖d4!? △ 35... ♔e5 36. ♖d7±] **♖f5= 36. ♖d4 ♔e5 37. ♖e4 ♔e4 38. ♗d3 ♔f3 39. ♗f5 ef5 40. ♖c2 ♔f2 41. ♖c5 ♖d8 42. ♔c3 ♔g3 43. ♖f5 ♖d7 44. ♖h5 ♔g4 45. ♖h7 1/2 : 1/2** [I. Sokolov]

415.** **D 44**

P. NIKOLIĆ 2635 – BRENNINKMEIJER 2500

Wijk aan Zee 1992

1. d4 d5 2. c4 c6 3. ♘f3 ♘f6 4. ♘c3 e6 5. ♗g5 dc4 6. e4 b5 7. e5 h6 8. ♗h4 g5 9. ♘g5 hg5 10. ♗g5 ♘bd7 11. ef6 ♗b7 12. g3 ♕b6 13. ♗g2 0-0-0 [RR 13... c5

14. dc5 N (14. d5 — 45/(502)) ♗c5 15. 0—0 ♗g2 16. ♔g2 ♕c6 17. f3 0-0-0 18. ♕e2 ♗d4 19. ♘e4 ♘c5 20. ♘c5 ♕c5 21. h4± I. Sokolov 2570 — Ž. Đukić 2430, Jugoslavija 1991] **14. 0—0 c5 15. d5 b4 16. ♘a4 ♕b5 17. de6 ♗g2 18. ♔g2 ♘e5 19. ♕e2 ♕c6 20. f3 ♕e6 21. h4 ♕d5** [RR 21... ♘d3 N 22. ♕e6 fe6 23. ♖ac1!! ♘c1 24. ♖c1 ♖d4 (24... ♔c7 25. ♖c4 ♔c6 26. b3 ♖d4 27. ♖c2 ♖h7 28. g4 1 : 0 Kibalničenko — Hudoroškov, corr. 1990/91; 24... ♗h6 25. ♖c4 ♗g5 26. ♖c5 ♔b8 27. ♖g5±) 25. ♗e3 ♖d3 26. ♗c5 ♖d2 27. ♔h3 ♗c5 28. ♖c4± Kibalničenko] **22. a3 ♘d3** [22... ♗h6 23. ♕e3! (23. ab4 cb4 24. ♗h6 ♖h6 25. ♕e3 ♕d2 26. ♕d2 ♖d2) ♗g5 24. ♕g5 ♕d2 25. ♖f2 ♕g5 26. hg5 ♘d3 27. ♖c2 ♖de8 28. ab4 ♘e1 29. ♖e1 ♖e1 30. f4±] **23. ♕e3 N** [23. ab4 — 49/(490)] **♗d6?** [23... ♕d4 24. ♕d4 cd4 25. ab4 ♗b4 26. ♖fd1 ♖he8 27. ♔f1 △ b3±] **24. ab4 ♖he8 25. ♘c3! ♖e3 26. ♘d5 ♖e2 27. ♔h3 ♘f2** [27... cb4 28. ♖a7 ♖b2 29. ♘e7 ♔b8 (29... ♗e7 30. fe7 ♖e8 31. ♖a8 ♔d7 32. ♖d8) 30. ♘c6 ♔c8 31. ♘d8] **28. ♖f2 ♖f2 29. ♖a7 ♔b8** [29... ♖f3 30. ♘e7 ♔b8 31. ♘c6 ♔c8 32. bc5! ♖g3 33. ♔h2+—] **30. ♖f7 ♖f3 31. ♗f4 ♗f4** [31... cb4 32. ♖f8!] **32. ♘f4 cb4 33. ♖e7 c3 34. bc3 ♖c3** [34... bc3 35. f7 c2 36. ♖e8 c1♕ 37. ♖d8 ♔c7 38. f8♕+—] **35. f7 1 : 0** [P. Nikolić]

416. **D 45**

GRANDA ZUNIGA 2550 —
ILLESCAS CÓRDOBA 2545
Pamplona 1991/92

1. d4 d5 2. c4 c6 3. ♘c3 e6 4. ♘f3 ♘f6 5. e3 ♘bd7 6. ♕c2 ♗d6 7. ♗e2 0—0 8. 0—0 e5 9. cd5 cd5 10. ♘b5 [10. de5] **♗b8 11. de5 ♘e5 12. ♖d1 N** [12. ♗d2 — 51/428] **a6 13. ♘c3** [13. ♘bd4 ♕d6=] **♕c7!? 14. g3 ♘eg4** [△ 15... ♘f2! 16. ♔f2 ♘g4 17. ♔e1 ♘h2!→≫] **15. ♗d2 ♗e6** [15... ♘f2? 16. ♔f2 ♘g4 17. ♔g2 ♘h2 18. ♗e1! ♘g4 19. ♕d3] **16. ♖ac1 ♕e7 17. ♘d4** [17. ♗e1!?] **h5! 18. ♘a4!?** [18. f3?! ♘h2!?] **♗d6 19. ♘f5** [19. ♘b6!? ♖ad8 20. ♘f5 ♗f5 21. ♕f5 g6 22. ♕f3] **♗f5 20. ♕f5 g6 21. ♕f3 ♕e6!** [21... ♖ad8? 22.

♗a5!] **22. ♗e1** [22. ♘b6? ♗g3 23. ♘a8 ♗h2∓] **♖ac8 23. ♖c8?** [23. ♘c3] **♖c8 24. ♘c3 ♗b4!∓** [△ ♗c3, ♘e4] **25. ♗d3** [25. h3 ♘e5 26. ♕g2 ♗c3 27. ♗c3 ♘e4∓] **♕e5 26. ♕e2 ♕h3 27. f3** [27. ♗b1? ♘fg4 28. f3 ♘h2—+] **♗c5 28. ♗c2 ♖e8 29. ♔h1** [29. ♘d5 ♘d5 30. ♖d5 ♘f3 31. ♕f3 ♖e3—+] **♘c4?** [29... ♘f3! a) 30. ♘d5 ♘d5 31. ♖d5 (31. ♕f3 ♖e3) ♖e3 32. ♖d8 ♗f8—+; b) 30. ♕f3 ♘g4 31. ♕g2 (31. ♕e2 ♖e3 32. ♕g2 ♖e1 33. ♖e1 ♘f2 34. ♔g1 ♘d3 35. ♔h1 ♕g2 36. ♔g2 ♘e1) ♕g2 32. ♔g2 ♘e3 33. ♔f3 ♘d1—+] **30. ♘d5 ♘d5 31. ♖d5 ♖e3 32. ♖d8 ♗f8** [32... ♔h7 33. ♗c3!] **33. ♕f2 h4! 34. ♗b4 hg3 35. ♖f8 ♔g7 36. ♕g2!** [36. ♕g3? ♕f1 37. ♕g1 ♕f3 38. ♕g2 ♕g2] **♕g2 37. ♔g2 ♖e2 38. ♔g3 ♖c2 39. ♖b8 ♘b2 40. ♖b7=⊕** **0 : 1**
[Illescas Córdoba, Zlotnik]

417. ** **D 45**

L. PORTISCH 2570 —
ZSU. POLGÁR 2535
Magyarország (ch) 1991

1. d4 d5 2. c4 e6 3. ♘c3.c6 4. e3 ♘f6 5. ♘f3 ♘bd7 6. ♕c2 ♗d6 7. b3 0—0 8. ♗e2 dc4 [RR 8... ♖e8 9. 0—0 ♕e7 N 10. ♗b2 dc4 11. ♗c4 h6 12. ♖ad1 e5 13. ♘h4 ♘f8 14. ♘f5 ♗f5 15. ♕f5 b5 16. de5 ♗e5 17. ♗d3 ♖ad8= Hübner 2615 — van der Wiel 2540, Wijk aan Zee 1992] **9. bc4 e5 10. 0—0 ♖e8 11. ♖b1 N** [11. ♗b2 — 46/(564)] **♕e7 12. ♖d1 e4** [12... ed4 13. ed4 c5 14. ♗e3 cd4 15. ♘d4 ♘c5 16. ♘cb5 ♗b8 17. ♖e1 ♘g4 18. ♗g4 ♗g4 19. ♘f5?! ♕e4! 20. ♕e4 ♘e4 21. ♘fd4 ♗d7= L. Portisch 2570 — Godena 2415, Reggio Emilia II 1991/92] **13. ♘d2 c5?! 14. ♘f1!± b6 15. a4 ♗b7 16. ♘g3 g6 17. ♘b5 ♗b8 18. ♗a3 h5 19. ♘f1 ♕e6 20. a5! ♗a6 21. d5 ♕e5** [21... ♕f5 22. d6 △ ♘g3] **22. ♗b2 ♕g5 23. ab6?** [23. d6! ♗b5 24. cb5 ♖e6 25. f4! ♕h6□ 26. ♗c4 ♖d6 27. ♖e1 △ ♗e5+—; 27. ♘g3+—] **ab6 24. d6 ♗b5□ 25. cb5 ♖e6 26. ♗c4** [26. f4?! ef3 27. ♗f3 ♖a7!] **♖d6 27. ♖a1??** [27. ♘g3!± a) 27... ♕g4 28. ♖f1! (△ f3) h4? 29. h3; b) 27... ♕h4 28. f4!; c) 27... ♖d1 28. ♖d1

♗g3 (28... ♕h4 29. f4!; 28... ♕g4 29. h3 ♕h4 30. ♘e4; 28... ♗e5 29. ♘e4 ♕f5□ 30. ♘f6 ♕f6 31. ♖d7 ♗b2 32. g3) 29. hg3 ♘e5 30. ♖d6] **♖a1 28. ♖a1 ♘e5 29. ♕b3??** [29. ♖a8?? ♘f3 30. ♔h1 ♘e1; 29. ♘g3⊼⊼] **♘f3 30. ♔h1 ♘g4!−+ 31. g3 ♕f5 32. ♗e2** [RR 32. ♖a8 ♘f2 33. ♔g2 ♘h4! 34. gh4 ♕f3 35. ♔g1 ♘h3♯; 32. ♕c2 ♘gh2! 33. ♕c3 ♖d4 34. ♔g2 ♘h4! 35. gh4 ♕f3 36. ♔g1 ♕h3−+ Zsu. Polgár] **♖d2! 33. ♖a8** [33. ♘d2 ♘f2 34. ♔g2 ♕h3−+] **♘f2 34. ♔g2 ♘e1 35. ♔g1 ♘h3 36. ♔h1 ♕f1 37. ♗f1 ♘f2 38. ♔g1 ♘f3 0 : 1** [L. Portisch]

418. D 45

AN. KARPOV 2730 −
M. GUREVIČ 2630
Reggio Emilia 1991/92

1. d4 d5 2. c4 c6 3. ♘f3 ♘f6 4. ♘c3 e6 5. e3 ♘bd7 6. ♕c2 ♗d6 7. b3 0−0 8. ♗e2 dc4 9. bc4 e5 10. 0−0 ♖e8 11. ♖d1 ♕e7 12. ♖b1 e4 13. ♘d2 ♘f8 N 14. ♘f1 [14. c5!? ♗c7 15. ♘c4] **♗g6** [14... h5!? △ 15... h4 16. h3 ♘8h7 △ ♘g5 ×h3] **15. a4 ♘h4 16. ♘g3** [16. a5 ♘g2!? 17. ♔g2 ♕e6 18. ♘g3 ♕h3 19. ♔g1 ♘g4 20. ♗g4 ♗g4 21. f4 ef3⊼⊼] **♘f5 17. ♖b3** [17. ♖d2 ♘g3 18. hg3 ♗b4! △ a5, h5] **♘g3** [17... h5 18. ♘f1] **18. hg3 h5** [18... ♗g4 19. c5 ♗b8 20. ♗a3±] **19. c5! ♗c7 20. d5!±** ♗e5 [20... ♘d5? 21. ♘d5 cd5 22. ♗h5±; 20... cd5 21. ♘d5 ♘d5 22. ♖d5 ♗e6 23. ♕e4⊼; `21. ♘b5!?∞] **21. ♘e4** [21. d6 ♕e6 22. ♖b4 ♗c3 23. ♕c3 ♘d5 24. ♕d4 ♘b4 25. ♗b2! ♕h6 26. ♕b4⊼; 22... a5∞; 21. dc6 ♗e6 (21... bc6 22. ♘e4 ♘e4 23. ♕e4 ♕c5 24. ♗a3±) 22. cb7 ♗b3 (22... ♖ab8 23. c6 ♕c5 24. ♖b5! ♕c3 25. ♕c3 ♗c3 26. c7+−) 23. ♕b3 ♖ab8 24. c6 ♕c5 25. ♗c4±] **♘d5** [21... ♘e4 22. ♕e4 ♕c5 23. ♗a3±] **22. ♘d6!±** ♗d6 **23. cd6 ♕d6 24. ♗h5** [24. e4 ♕g6! 25. ♗d3 ♘e7] **♕h6** [24... ♕e5 25. ♗f3 ♘b6 26. ♗b2 ♗f5 27. ♕d2±] **25. ♗f3 ♘f6 26. ♖d6** [26. e4!? ♕h7 (26... ♕g6 27. ♖d6) 27. ♖d4 ♗e6 28. ♖e3] **♕g5□ 27. ♗b2** [27. e4 ♕a5 △ ♕e1] **a5** [27... ♘d5 28. ♗d5 cd5 29. ♕d2] **28. ♕d2 ♘d5** [28... ♘e4 29. ♗e4

♖e4 30. ♖d8 ♔h7 31. ♖bd3 ♖a4 32. ♖f8+−] **29. ♗d5 cd5 30. ♖d5 ♕g6 31. ♖bb5!+− f6□ 32. ♗c3 ♗e6 33. ♖d4 ♖ac8 34. e4** [34. ♖b7 ♖b8 35. ♖b8 ♖b8 36. ♖d8 ♖d8 37. ♕d8 ♔h7 38. ♗a5 ♕b1 39. ♔h2 ♕c2±; 38. ♕a5!?] **♕f7 35. ♗a5 ♖c6 36. f3 ♔h7 37. g4 ♖ec8 38. ♖h5 ♔g6 39. e5 ♖c5 40. ♖d6 ♕e7** [40... ♖e5 41. ♕d3 f5 42. ♖f5 ♖f5 43. gf5 ♕f5 44. ♖e6] **41. ♗d8 ♖d8 42. ♖d8 ♕c7 43. ♕d6 ♕a5 44. ef6** [44. ♕e6 ♖c1 45. ♔h2 ♕d8 46. ♕f5 ♔f7 47. g5] **♕e1 45. ♔h2 ♖d5 46. ♕e7 1 : 0** [An. Karpov]

419.* !N D 46

KRASENKOV 2550 − SERPER 2490
SSSR (ch) 1991

1. d4 ♘f6 2. c4 e6 3. ♘f3 d5 4. ♘c3 c6 5. e3 ♘bd7 6. ♕c2 [RR 6. ♗d3 ♗d6 7. 0−0 0−0 8. e4 de4 9. ♘e4 ♘e4 10. ♗e4 h6 11. ♗c2 e5 12. ♕d3 f5 13. c5 ♗c7 14. de5 ♘e5 15. ♕b3 ♔h8 16. ♗f4 ♗e6! N (16... ♘f3 − 51/433) 17. ♕c3□ (17. ♕e6? ♘f3 18. gf3 ♗f4−+; 17. ♘e5? ♗b3 18. ♘g6 ♔h7!−+ R. Alonso) ♘f3 18. ♕f3 ♗d5 19. ♗c7 ♕c7 20. ♕c3 ♖ae8 21. ♖fe1 ♕f7= R. Alonso 2410 − P. Guerra 2335, Cuba (ch) 1991] **♗b4 7. ♗d3 0−0 8. 0−0 ♕e7 9. ♗d2 dc4 10. ♗c4 ♗d6 N** [10... e5 − 35/660] **11. h3?!** [⌓ 11. ♗b3±] **a6 12. ♗b3 c5! 13. ♘e4 ♘e4 14. ♕e4 e5 15. ♖fe1** [15. ♗c3 ed4 16. ♕e7 ♗e7 17. ed4 cd4 △ ♘c5=] **♘f6?!** [15... ed4 16. ♕e7 ♗e7 17. ed4 ♗f6 18. ♗c3±; 18. ♖ac1±; 15... ♔h8! △ f5=] **16. ♕h4 e4 17. dc5 ♗c5 18. ♘d4± ♗d7** [18... ♗d4?! 19. ed4±] **19. ♗c3 ♖ac8 20. ♖ed1 ♗b4! 21. ♘e2 ♗c3 22. ♘c3 ♖fd8 23. ♖d4 ♗e6?** [23... ♗f5! 24. ♕f4 ♗g6±] **24. ♖e4 ♖d2 25. ♖b1 ♖cd8 26. ♗e6 fe6 27. ♖f4** [⌓ 27. ♖b4! (△ ♕c4, ♘e4) b5 28. a4+−] **♕c7 28. ♕g3 ♖c2?⊕** [28... ♖8d7±] **29. ♖d4! ♖d7** [⌓ 29... ♖c8 30. ♕c7 ♖c7] **30. ♖d7 ♕d7 31. ♖d1+− ♕e7** [31... ♕c8 32. ♕d6 ♖b2 33. ♕e7+−] **32. ♕b8 ♔f7 33. ♕e5 h6?!** [⌓ 33... ♖b2 34. ♘e4 (34. ♘d5? ♖b5) ♖a2 35. ♘g5+−→] **34. ♕d4** [△ ♕b6] **♕c7** [34... ♖b2 35. ♘d5 ♕a3 36. ♘f6 gf6 37. ♕d8+−→] **35. ♕b4!**

[×♖c2] ♘d5 36. ♕b3 ♖b2?! 37. ♘d5 ♖b3 [37... ♕e5 38. ♕c3] 38. ♘c7 ♖c3 39. ♖d7 1 : 0 [Krasenkov]

420.* D 46

EPIŠIN 2615 − ŠABALOV 2535
SSSR (ch) 1991

1. d4 d5 2. c4 c6 3. ♘f3 ♘f6 4. ♘c3 e6 5. e3 ♘bd7 6. ♕c2 ♗d6 7. ♗e2 0−0 8. 0−0 dc4 9. ♗c4 b5 10. ♗d3 ♗b7 11. a3 N [11. e4 − 45/(505)] ♖c8! [△ c5; 11... a5? 12. e4 e5 13. de5 ♘e5 14. ♘e5 ♗e5 15. h3! c5 (15... ♖e8 16. f4 ♗c3 17. bc3 c5 18. e5 c4 19. ♗f5 g6 20. ef6 gf5 21. ♕f5±; 16. ♗e3±) 16. ♗b5 (16. ♘b5 c4∞) ♗c3 17. bc3 ♗e4 18. ♕e2 ♕d5 19. f3 ♗f5 20. c4! ♕d4 21. ♗e3 ♕e5 22. ♕f2 ♖fc8 23. ♖ad1± Epišin 2615 − Dohojan 2545, SSSR (ch) 1991] 12. ♖d1 [12. b4 a5 13. ♖b1 ab4 14. ab4 ♕e7 15. e4 e5 (15... ♗b4 16. e5±) 16. h3! ed4 17. ♘d4 ♗b4 18. ♗e3 g6 19. ♖fe1∞] c5! [12... ♕e7 13. e4 e5 14. h3±] 13. ♘b5 [13. ♘e5!? cd4 14. ed4 a6 15. ♗g5±; 13... a6!=] ♗f3 14. gf3 ♗b8 15. ♕e2□ ♘d5 16. f4 cd4? [16... a6 17. ♘c3 cd4 18. ♘d5 ed5 19. ed4 (19. ♗a6?! ♖c6↑) a5=] 17. ♘d4 e5? [17... g6±] 18. ♘f3!± ♕f6 [18... ef4 19. ♗h7 ♔h7 20. ♖d5±; ◌ 18... ♕c7] 19. ♘g5 g6□ 20. ♗a6! ef4!? [20... ♘7b6 21. ♗c8 ♖c8 22. ♕f3±] 21. ♖d5 ♖ce8 [21... ♘b6 22. ♖b5±] 22. ♗d2!!+− fe3 23. fe3 ♖e5 [23... ♘e5 24. e4 h6 25. ♖f1 ♕b6 26. ♗e3+−] 24. e4 [24. ♖e5] ♖d5 25. ed5 ♕b2 26. ♖f1 ♕a3 27. ♗b5 ♘e5 28. ♕e3! ♕a2 29. ♘e4 ♘g4 30. ♕e2⊕ ♕d5⊕ 31. ♕g4 ♕b5 32. ♘f6 ♔g7?? [32... ♔h8 33. ♗c3 ♗e5 34. ♕h4 h5 35. ♘h5 ♕c5 36. ♖f2 g5 37. ♗e5 ♕e5 38. ♕g3+−] 33. ♗h6 1 : 0 [Epišin]

421.* D 46

ADORJÁN 2530 − ZSU. POLGÁR 2535
Magyarország (ch) 1991

1. c4 e6 2. ♘c3 d5 3. d4 c6 4. e3 ♘f6 5. ♘f3 ♘bd7 6. ♕c2 ♗d6 7. ♗e2 0−0 8. 0−0 dc4 9. ♗c4 a6 10. ♖d1 [RR 10. e4 e5 11. ♖d1 ♕c7 12. h3 ed4 N (12... b5 − 51/432) 13. ♘d4 ♖e8 14. a3 ♗e5 15. ♗e3 ♘f8 16. ♖d2 b5 17. ♗a2 c5 18. ♘de2 c4 19. ♘d5 ♘d5 20. ed5 ♘g6∓ Kamsky 2595 − Anand 2650, Tilburg (Interpolis) 1991] c5 N 11. dc5 ♗c5 12. ♗d3!? h6!? [12... b5 13. ♘e4 ♕b6 14. ♘fg5! (14. ♘c5 ♘c5 15. ♗e2 ♗b7=) h6 15. ♘h7 ♘h7 (15... ♔h7 16. ♘c5 ♔g8 17. b4 ♘c5 18. bc5±) 16. ♘c5 ♘c5 17. ♗h7 ♔h8 18. ♗d2 ♗b7 19. ♗c3±] 13. b3 ♗e7?! [13... b5 14. ♘e4 ♗e7 15. ♗b2 (15. ♘d4?! ♗b7 16. ♘c6 ♗c6 17. ♕c6 ♘e5∓) ♗b7 16. ♘e5 (16. ♘f6 ♗f6 17. ♗f6 ♕f6=) ♖c8 17. ♕e2 ♘e5 18. ♗e5 ♘e4 19. ♗e4 ♗e4! 20. ♖d8 ♖fd8=] 14. ♗b2 b6 [14... b5 15. ♘e4 ♘e4 16. ♕e4 ♖a7 (16... ♖b8 17. ♘e5 ♗f6 18. ♘c6 ♗b7 19. ♘d8 ♗e4 20. ♘e6±) 17. ♘b5 ab5 18. ♕d4 ♗f6 19. ♕a7 ♗b2 20. ♖ab1 ♗c3 21. b4!±] 15. ♗e4! ♘e4 16. ♕e4 [16. ♘e4! ♗b7 (16... ♖a7 17. ♕c3!±) 17. ♘e5 ♖c8 (17... ♗d5 18. ♘d7 ♕d7 19. ♘c3±) 18. ♕e2 ♗e4 (18... ♘e5 19. ♖d8 ♖fd8 20. ♗e5 ♗e4 21. ♕a6±) 19. ♘d7 ♖e8 20. ♕a6±] ♖a7 17. ♘e5 ♕e8 [17... ♗f6! 18. ♘a4 ♗e5 (18... ♗b7 19. ♕f4 ♗e5 20. ♗e5 ♗c6 21. ♖ac1±) 19. ♗e5 ♕g5 20. ♗g3 ♗b7 (20... b5 21. ♘b2 △ ♘d3±) 21. ♕b4 (21. ♕d4 ♕d5!=) ♕b5 22. ♕d6 ♕c6 23. ♕c6 ♗c6 24. ♖ac1 ♖c8 25. ♖d6 ♖ac7 26. ♖d7 ♖d7 27. ♘b6 ♖dd8 28. ♘c8 ♖c8±] 18. ♘c6 ♘f6 [18... ♗b7 19. ♘d5! ♗c6 20. ♘e7 ♕e7 21. ♕c6±] 19. ♘e7 ♕e7 20. ♕d4! ♕b7 [20... b5? 21. ♗a3!+−] 21. ♘a4 b5 22. ♘c5 ♕a8 23. ♖ac1 [23. ♘e4! e5□ 24. ♘f6 gf6 25. ♕h4 ♔g7 26. e4! △ ♖d3-g3, ♗c1+−] ♔h8 24. h3 [24. ♘e4?? e5!−+] ♖e8 25. ♕e5 a5 26. a3 ♖ae7 27. ♖d6 ♖g8 28. ♕f4 ♘h7 [28... ♔h7 29. ♗f6 gf6 30. ♘e4+−] 29. ♕h6+− e5 30. ♕h5 f6 31. ♕g6 ♕b8 32. ♕d3 [32. ♖cd1 ♕c7 33. b4+−] ♗f5 33. ♕d5? [33. e4+−] ♘g5 34. ♘a6?? [34. e4 ♘f7 (34... ♘e4? 35. ♘e4 ♗e4 36. ♕e4 ♕d6 37. ♕h4♯) 35. ♖a6 ♖d8 36. ♕c6+−] ♕e8 35. ♘c7 ♕g6 36. ♖d8 ♖d8?⊕ [36... ♖f7! 37. ♖g8 ♔g8−+] 37. ♕d8 ♔h7 38. ♕e7 ♘f3 [38... ♘h3! 39. ♔h2 (39. ♔f1 ♗d3 40. ♔e1 ♕g2 41. ♔d2 ♗g6 42. ♖e1 ♘f2∓) ♘f2 40. ♘e8

223

♛h6 41. ♔g1 ♘h3! 42. ♔h2 ♘f2=] **39. ♔h1 ♘h4?** [39... ♗h3! 40. gh3 ♕e4 41. ♖g1 ♘h4 42. ♔h2 ♘f3=] **40. ♖g1 ♗e4 41. f3 ♕g3 42. ♘e8** [42. fe4?? ♘f3!−+] **♘f3 43. ♘f6!** 1 : 0
[Adorján, Gy. Fehér]

422. !N D 46

EPIŠIN 2620 − BRENNINKMEIJER 2500
Wijk aan Zee 1992

1. d4 ♘f6 2. c4 c6 3. ♘c3 d5 4. ♘f3 e6 5. e3 ♘bd7 6. ♕c2 ♗d6 7. ♗e2 0−0 8. 0−0 dc4 9. ♗c4 a6 10. ♖d1 ♕c7 11. ♘e4! N [11. e4 − 51/432] **♘e4 12. ♕e4 e5** [12... c5 13. ♗d3 ♘f6 14. ♕h4±] **13. ♕h4** [13. de5?! ♘e5 14. ♘g5 g6=] **♘f6** [13... ed4 14. ed4 ♘f6 15. ♗d3 △ ♗g5→] **14. e4!** [14. de5 ♗e5 15. ♘e5 ♕e5 16. ♕d4 ♕d4 17. ♖d4 c5 △ ♗e6=] **ed4** [14... ♗g4? 15. ♗g5 ♗f3 16. ♗f6±]

15. e5!! ♗e5 16. ♖e1 [△ 16. ♗d3! ♖e8 (16... ♗g4? 17. ♗g5 △ ♗f6+−) 17. ♖e1! ♗g4 18. ♗g5 ♗f3 19. ♗f6 gf6 20. ♕h7 ♔f8 21. gf3 f5 22. ♔h1 ♗f6 23. ♖g1!→] **♗d6 17. ♗d3 ♕a5!□ 18. ♗g5 ♗f5 19. ♗f6 ♗d3 20. ♗g7 ♔g7 21. ♕d4 ♔g8 22. ♕d6** [22. ♕d3? ♖fd8 23. ♕e4 ♗f8=] **♖ad8 23. ♕g3⊕** [△ 23. ♕e7 ♕b5 24. b3 ♖d5 25. h4±] **♗g6 24. h4 ♖fe8 25. ♔h2!** [△ ♖ad1] **♔g7 26. ♖ad1 ♖e1 27. ♖e1 ♖d5 28. a3 ♕d8± 29. ♖e5 ♖e5 30. ♘e5** [♕ 8/f] **h5?!** [30... f6 31. ♘c4 ♔f8±] **31. b4 ♕d4 32. ♘f3 ♕d7 33. ♕f4 f6 34. ♘d4 b6 35. ♕e3!** [△ ♘e2-f4] **♔f7 36.**

♘e2 ♕d6 [△ 36... ♕g4] **37. ♘f4 c5 38. bc5 bc5 39. ♕g3 ♗f5 40. ♘h5 ♕g3 41. ♔g3!+− c4 42. ♔f3 c3 43. ♔e3 ♔e7 44. ♘g3 ♗h7 45. ♘e2 c2 46. ♔d2** 1 : 0 [Epišin]

423.* D 47

VYŽMANAVIN 2590 − M. SOROKIN 2510
SSSR (ch) 1991

1. d4 d5 2. c4 e6 3. ♘c3 c6 4. e3 ♘f6 5. ♘f3 ♘bd7 6. ♗d3 dc4 7. ♗c4 b5 8. ♗e2 ♗b7 9. 0−0 [RR 9. e4 b4 10. e5 bc3 11. ef6 cb2 12. fg7 ba1♕ (12... ♗g7 13. ♗b2 ♕a5 14. ♘d2 ♗h6!? 15. d5 ♖g8 16. de6 0-0-0!? 17. 0−0! ♗d2 18. ed7 ♖d7 19. ♗f3±) 13. gh8♕ ♕a5 14. ♘d2 c5 N (14... ♕f5 − 52/431, 432) 15. 0−0 ♕d4 16. ♘b3!? ♕h8!□ (16... ♕d1 17. ♖d1 ♕a4 18. ♕h7±) 17. ♘a5 ♗d5□ (Čatalbašev 2390 − Svešnikov 2540, Anapa 1991) 18. ♗f3 ♕d4 19. ♕d4 cd4 20. ♗d5 ed5 21. ♖e1 ♔d8 22. ♘c6=; 16. ♕h7!∞ Svešnikov] **a6 10. e4 c5 11. e5 ♘d5 12. a4 b4 13. ♘e4 cd4 14. ♗g5 ♕a5 15. ♕d4 h6 16. ♗h4 ♕b6 17. ♕d2 ♘c5 18. ♘c5 ♗c5 19. a5 ♕a7 20. ♖fc1 0−0 21. ♗d3 ♖fc8 22. ♖c4 ♗c6 23. ♖g4 ♔f8?!** N [23... ♘e3 − 48/(562)] **24. ♖e1!? ♕c7?!** [24... ♗e7 25. ♘d4 ♗h4 26. ♖h4±; 24... ♘e7!? 25. ♗f6 gf6 26. ef6 (26. ♕h6 ♔e8 27. ef6 ♗f2 28. ♔h1 ♗f3∓) ♗f2 27. ♕f2 ♕f2 28. ♔f2 ♘d5 29. ♘e5 ♘f6 30. ♖b4±]

25. ♗h7! g5 [25... ♗e7 26. ♕h6+−; 25... ♘e7 26. ♗e7 ♔e7 27. ♖g7+−] **26. ♘g5**

hg5 27. ♕g5 ♔e8 28. ♕g8 ♔d7 29. ♕f7 ♘e7 [29... ♗e7 30. ♖g6 ♖e8□ 31. ♕e6 ♔d8 32. ♕c6 ♕c6 33. ♖c6 ♔d7∞; 32. ♖d1+−] 30. ♗e7 ♗e7 31. ♖d4 ♗d5 32. ♖d5 [32... ed5 33. ♕d5 ♗d6 (33... ♔e8 34. ♗g6) 34. ♗f5] 1 : 0
[Vyžmanavin, B. Arhangel'skij]

424.*   D 47

B. GEL'FAND 2665 −
BRENNINKMEIJER 2500
Wijk aan Zee 1992

1. ♘f3 d5 2. c4 c6 3. e3 ♘f6 4. ♘c3 e6 5. d4 ♘bd7 6. ♗d3 dc4 7. ♗c4 b5 8. ♗d3 ♗b7 9. a3 b4 10. ♘e4 N [Sakaev; 10. ab4 − 46/(569)] ba3 [RR 10... c5!? 11. ♘f6 gf6 12. 0−0 ♕b6 13. ab4 cd4 14. ed4 ♗b4 15. ♕e2 a5 16. ♗e3 ♗d5 17. ♘d2 ♕b7 18. f3 f5! 19. ♘c4 0−0! 20. ♗h6 ♖fc8 21. ♖ac1 ♗c4! 22. ♗c4 ♗f8 23. ♗f8 ♘f8= Dreev 2610 − Illescas Córdoba 2545, Logroño 1991] 11. ba3 ♗e7 [11... ♗a6!?] 12. ♘f6 ♘f6 [12... ♗f6?! 13. 0−0 0−0 14. ♖b1±] 13. 0−0 0−0 14. ♖b1 ♕c7 [14... ♕c8 15. ♕b3 ♖b8 16. ♕a4± △ 16... c5 17. ♕a7 ♗f3 18. ♖b8 ♕b8 19. ♕e7+−; 14... ♖b8!? 15. e4 ♗a8; 15. ♕a4!±] 15. e4 c5 16. ♗f4! ♕c8 [16... ♕f4 17. ♖b7±] 17. ♕e2 c4 18. ♗c2 g6?! [18... ♗a3!? 19. e5 (19. ♖b7 ♕b7 20. e5 ♘d5 21. ♗h7 ♔h7 22. ♘g5 ♔h6 23. ♕g4 ♘f4 24. ♕f4 ♔g6 25. ♕g4→; 21... ♔h8!−+) ♗f3 20. ♕f3 ♘d5 21. ♗h6 c3! (21... f5 22. ♗g7 ♔g7 23. ♕a3±) 22. ♕g4 g6 23. ♗f8 ♔f8∞] 19. ♘e5 [19. ♗g5!?] ♗a3 20. ♗g5?! [20. ♗h6! ♖d8 21. ♕f3 ♗e7 22. g4!+−] ♘d7 [20... ♗e7 21. ♕f3 ♔g7 22. ♕f4 ♘g8!∞; 22. ♘g4!+−] 21. ♘c4 [21. ♕f3 ♘e5 22. de5 ♗c5∞] ♗a6 22. ♗d3 ♗c4 23. ♗c4± ♘b6 24. ♗a6 [24. ♗a2!?±] ♕d7 25. ♖fd1 f6 [25... ♗e7 26. ♗b5 ♕b7 27. ♗c6 ♕c6 28. ♗e7±] 26. ♗h6 ♖f7 27. d5 ed5 28. ed5 ♗d6 29. ♗b5 ♕e7 30. ♕f3 f5 31. ♗f4 [31. g3 f4!⇆] ♖d8 32. ♖e1 ♕f8 33. ♗e3 ♗c5 34. ♗g5 ♗e7 35. ♗f4 ♗d6 36. ♗c1! ♘d7 37. ♗b2 ♕h6 38. g3 ♕d2 39. ♗c3 ♕g5 40. ♖e6⊕ [40. ♗d7!? ♖fd7 41. ♖e6+−] ♘c5 41.

♗a1 ♘e4 [41... ♘e6 42. de6 ♖g7 (42... ♖c7 43. ♕d5+−) 43. ♕c3 ♗f8 (43... ♕e7 44. ♗d7!+−) 44. ♗c4 ♔h8 45. ♕f3! △ ♖b7+−] 42. ♖d1 [42. ♖e4?! fe4 43. ♕c3 ♗e5! 44. ♕e5 ♕e5 45. ♗e5 ♖d5 △ 46. ♗f4? ♖b7−+; 42. ♕e2!? ♗f8 43. ♗c4 ♘d6 44. h4 ♕h6 (44... ♕h5 45. ♕e5 ♗g7 46. ♖d6+−) 45. ♗f6 ♖c8 46. ♗g5 ♕h5 47. ♕h5 gh5±] ♕h5 43. ♕h5 gh5 44. ♔g2! ♗f8 [44... h4 45. gh4+−] 45. ♗c4 ♘d6 46. ♗e2 h4 47. ♗f6 ♖c8 48. ♗h4 ♖c2 [△ 48... a5] 49. ♗d3 ♖c5 50. ♗b1 ♖d7? [△ 50... a5] 51. ♗g5 ♘f7 52. ♗e3 ♖cd5 53. ♖d5 ♖d5 54. ♖a6! ♖b5 55. ♗a2 ♖b7 56. ♗a7 ♗g7 57. ♗e3 1 : 0   [B. Gel'fand, Huzman]

425.   D 47

DOHOJAN 2545 − M. GUREVIČ 2635
BRD 1992

1. d4 ♘f6 2. c4 e6 3. ♘f3 d5 4. ♘c3 c6 5. e3 ♘bd7 6. ♗d3 dc4 7. ♗c4 b5 8. ♗d3 ♗b7 9. a3 b4 10. ♘e4 a5!? N 11. ♘f6 ♘f6 12. e4 ♗e7 13. ♕e2!? ba3!? 14. ba3 0−0 15. e5!? [15. ♖b1 ♕c8 △ ♗a6] ♘d5 16. ♕e4 [16. h4! △ 17. ♗h7 ♔h7 18. ♘g5→] g6 17. ♗h6 ♖e8 18. h4 c5! [△ ♘b4] 19. ♗b5 [19. ♕g4 ♘c3! 20. h5 (20. ♗e3 ♗f3 21. gf3 cd4 22. ♗d4 ♗c5!∓) ♗f3 21. ♕f3 ♕d4∓; 19. h5 ♘b4 20. ♕b7 ♘d3 21. ♔e2 ♖b8⇆] ♗a6! 20. ♗a6 [20. ♗e8 ♕e8↑] ♖a6 21. h5?! [21. dc5 ♖c6 22. 0−0 ♖c5 23. a4 ♕c7 24. ♖fc1∞] c4!∓ 22. ♕g4 ♕d7! [△ ♖b8, ♖ab6] 23. ♗g5 ♖b8 24. ♗e7 [24. ♕h4 ♗f8 25. ♗f6 ♖ab6∓] ♕e7 25. hg6 fg6 26. ♘g5 h5 27. ♕g3 ♖b3 28. f3 [28. ♘f3 ♔h7 29. 0−0 ♕h6! 30. ♖fc1 ♖c6 31. ♖c2 g5∓] ♖a3 29. 0−0 ♖a1 30. ♖a1 c3 31. ♘e4 ♔g7 32. ♘c5?!⊕ [32. ♘f6!? ♘f6 33. ef6 ♔f6 34. ♕e5 ♔f7 35. d5∓] ♖b6 33. f4 c2 34. ♖c1 ♖b1 35. ♕e1 ♖c1 36. ♕c1 ♘b4−+ 37. f5 ef5 38. e6 ♕d6 39. ♕e3 f4 40. ♕d2 ♔f8! [△ ♔e7] 41. ♔h2 ♔e7 42. ♕c3 f3 43. g3 [43. ♔h3 ♕f4] h4 44. ♘e4 hg3 45. ♘g3 ♕c6 0 : 1
[M. Gurevič]

426.*** D 47

B. ALTERMAN 2495
– L. SPASSOV 2415
München 1991/92

1. d4 d5 2. c4 c6 3. ♘f3 ♘f6 4. ♘c3 e6 5. e3 ♘bd7 6. ♗d3 dc4 7. ♗c4 b5 8. ♗d3 ♗b7 9. e4 b4 10. ♘a4 c5 11. e5 ♘d5 12. 0–0 [RR 12. dc5 ♖c8!? N (12... ♗c5 – 46/(569)) 13. 0–0 ♘c5 14. ♗b5 (14. ♘c5 ♗c5 15. ♘g5 ♗e7 16. ♕g4?? ♖c1–+; 16. h4∞) ♘d7 15. ♗g5 ♗e7 16. ♗e7 ♕e7 17. ♕d4 0–0!□ 18. ♕a7 ♗c6 19. ♗c6 ♖c6 20. ♕d4 ♖fc8 (⇔c, ×e5, ♘a4) 21. b3 ♘c3 22. ♖fe1 (22. ♘c3 bc3⇆) h6 23. ♘b2 (23. h3 ♘a4 24. ba4 ♖a8=) ♘b6 24. h3 ♖d8 25. ♕g4 (1/2 : 1/2 Je. Piket 2590 – Kajdanov 2555, Ca'n Picafort 1991) ♖c7∞̄ Kajdanov] **cd4 13. ♖e1** [RR 13. ♘d4 ♘e5 14. ♗b5 ♘d7 15. ♖e1 ♖c8 16. ♕h5 g6 17. ♕e5 ♕f6 18. ♘f3 ♗g7 19. ♗d7 ♔d7 20. ♕e2 ♕e7 N (20... ♕d8 – 50/(449)) 21. ♕b5 ♔c7 22. a3 ♔b8 23. ab4 a6 24. ♕a5 ♕b4 25. ♕b4 ♘b4 26. ♗f4 ♔a7 27. ♗e3= Akopjan 2590 – Dohojan 2545, SSSR (ch) 1991] **g6 14. ♗d2 N** [14. ♗b5 – 49/500; 14. ♗g5 – 49/501] **♗e7!?** [14... a6 15. ♗e4± ×b4; 14... ♗g7 15. ♗b5 ♖c8! (15... 0–0? 16. ♗g5!±; 15... a6 16. ♘c5! ab5 17. ♘b7 ♕b6 18. ♘d6→) 16. ♗g5 ♕a5 17. ♘d4!? ♖c7! (B. Alterman 2495 – J. Pintér 2580, Beer-Sheva 1991) 18. a3! 0–0 19. ♗d2±] **15. ♗h6 ♗f8 16. ♗d2 ♗e7 17. ♘d4 0–0 18. ♗h6!** [18. ♕g4 ♘7b6! 19. ♘b6 ♕b6=] **♖e8 19. ♕g4 ♗f8** [19... ♖c8?? 20. ♘e6! fe6 21. ♗g6+–; 19... ♘7b6 20. ♗b5!±] **20. ♗f8 ♖f8 21. h4↑⟫ ♕e7** [21... ♕a5 22. h5! ♕a4 23. hg6 hg6 (23... fg6 24. ♗b5+–) 24. ♗g6! fg6 25. ♕g6 ♔h8 26. ♘e6+–; 21... ♘7b6 22. ♘c5!±; 21... ♘5b6 22. ♘b6! (22. h5? ♘a4 23. hg6 fg6! 24. ♘e6 ♕b6 25. ♘f8 ♖f8∓) ♕b6 23. h5!±] **22. h5 ♖fe8 23. ♖ad1** [23. ♘b5 ♗c6! △ ♗b5; 23. ♗b5 a6 24. ♗d7 ♕d7 25. ♘c5 ♕e7 26. ♖ac1 ♖ac8=] **a6?!** [⌓ 23... ♖ac8!±] **24. ♗b1 ♕f8!?** [△ ♕h6] **25. hg6 hg6 26. ♕g5!** [26. ♖d3?! ♕h6! 27. ♖f3 (27. ♖h3 ♕f4!⇆) ♔g7! △ ♖e7, ♖h8⇆] **♖ac8** [26... ♕e7 27. ♕g3 ♔g7 28. f4 ♘c5 29. f5! ♘a4 30. ♘e6! fe6 31. f6!! ♘f6 32. ♕g6 ♔f8 33. ef6+–] **27. f4!⊙ ♕g7?!** [⌓ 27... ♖c7! 28. ♗g6 fg6 29. ♕g6 ♔h8 30. ♕h5 ♔g8 31. ♖d3 ♘7f6!!□ 32. ef6 ♘f6 33. ♖g3 ♖g7 34. ♕h2!? (34. ♕h3? ♘h5! 35. ♖g7 ♕g7 36. ♘e6 ♘f4!–+) ♘h5 35. ♖g7 ♕g7 36. ♘e6 ♖e6 37. ♖e6 ♕d4 38. ♔f1∞̄; 28. ♖c1!± △ f5] **28. ♗e4! ♖c7?** [28... ♗a8□] **29. ♖c1! ♖c1** [29... ♖ec8?? 30. ♖c7 ♖c7 31. ♗d5 ♗d5 32. ♕d8+–] **30. ♖c1 ♘f8 31. ♗d5!± ♗d5 32. ♘b6 ♘h7 33. ♕g4 ♖d8** [33... ♗a2 34. b3 ♖b8 35. ♘c6!! ♖b6 36. ♘e7 ♔f8 37. ♖c8 ♔e7 38. ♕d1!+–] **34. ♘d5 ♖d5 35. ♖c8 ♘f8 36. ♘c6 f5 37. ♕g5 ♖d7 38. ♕f6!! ♕f7** [38... ♕f6 39. ef6 ♖f7 40. ♘e7 ♔h8 41. ♖c7!!+–⊙] **39. ♕f7 ♔f7 40. ♘b4 ♖d1 41. ♔h2 ♖d4 42. ♖c7 ♔g8 43. ♘a6+– ♖f4** [43... ♖a4 44. ♘c5 ♖a2 45. b4] **44. b4 g5 45. b5 ♖h4 46. ♔g1 ♖a4 47. b6!** [×♘f8] **♖a6 48. b7 ♖b6 49. a4 ♖b1 50. ♔h2 g4 51. a5 f4 52. a6 ♖b2 53. a7 1 : 0**
[B. Alterman, A. Vajsman]

427.** D 47

ČEHOV 2525 – BAGIROV 2485
SSSR (ch) 1991

1. d4 d5 2. c4 c6 3. ♘c3 ♘f6 4. e3 e6 5. ♘f3 ♘bd7 6. ♗d3 dc4 7. ♗c4 b5 8. ♗d3 ♗b7 9. 0–0 b4 10. ♘e4 ♗e7 11. ♘f6 ♘f6 [11... gf6!?] **12. ♕e2!? N** [Serper] **0–0 13. e4 c5 14. dc5 ♘d7!** [14... ♖c8?! 15. ♖d1! (15. ♗f4?! ♖c5 16. ♖ac1 ♖c1 17. ♖c1 ♕a8!= Serper 2490 – Širov 2610, SSSR (ch) 1991) ♖c5 (15... ♗c5 16. e5→) 16. ♗e3 ♖a5 17. ♘d2±] **15. c6! ♗c6 16. ♗e3 ♗b7** [16... ♘c5 17. ♗c5 ♗c5 18. ♖ac1+–] **17. ♖ac1 ♕b8 18. g3?!** [18. ♘d4!? ♖c8□ (18... ♘c5 19. ♗b5±) 19. ♖c8 ♕c8 20. ♖c1 ♕d8 21. ♗b5 ♗e4 22. ♗c6 ♗c6 23. ♘c6 ♕e8 24. ♕b5 ♗f8 25. ♗a7! (25. ♕b7?! ♘b6!= Čehov 2525 – I. Novikov 2550, SSSR (ch) 1991) ♖c8 26. ♕b7 ♔h8 27. ♖d1±; 18. ♗b5! ♘f6 (18... ♘e5 19. ♘d4) 19. ♘d4±] **♖c8** [18... a5!? I. Novikov] **19. ♗f4 e5 20. ♖c8 ♗c8 21. ♗g5 ♗f8?!** [21... ♗g5 22. ♘g5 h6 23. ♘f3 (23. ♘f7 ♔f7 24. ♗c4 ♔e7 25. ♕g4

♕d6 26. ♕g7 ♔d8∓) ♘b6!=] **22. ♖d1!± ♘b6** [22... ♘c5 23. ♗c4 ♗b7 24. ♗d5±] **23. ♗b5 ♗b7 24. ♗d8 h6** [24... ♘d5 25. ed5 ♕d8 26. ♘e5 △ ♗c6±; 24... a6 25. ♗e8 △ ♘g5] **25. ♗b6 ab6 26. ♕c4 ♕c8** [26... ♗d6 27. ♗c6 ♗c6 (27... ♕c7 28. ♖d6) 28. ♕c6 ♗e7 29. ♘e5+−] **27. ♘e5 ♕c4 28. ♗c4 ♗e4 29. ♗f7 ♔h8** [29... ♔h7!? 30. h4! (30. f3?! ♖a5!∞) g5 31. h5 ♗g7 32. ♖d7 ♔h8 (32... ♗e5 33. ♗d5+−) 33. f4] **30. ♗g6** [30. f3!?] **♗g6** [30... ♗b7 31. ♖d7] **31. ♘g6 ♔g8 32. ♘f8 ♔f8 33. ♖d4 ♖a2 34. ♖b4 ♖a6 35. h4** [35. b3?! ♔e7 36. ♖a4 ♖a4 37. ba4 ♔d6=] **♔e7 36. ♖g4 ♔f6** [36... ♔f7 37. ♖c4 ♖a2 38. ♖b4 ♖a6 39. ♔g2±] **37. ♖c4 ♔e5 38. ♖c6 ♔d5 39. ♖g6 ♔c4 40. ♖g7 b5 41. h5 b4 42. ♖g6 ♖a5 43. ♖h6 ♔b3 44. g4 ♔b2 45. ♖b6 b3 46. h6 1 : 0** **[Čehov]**

428. **D 47**

BELJAVSKIJ 2655 – ANAND 2650

Reggio Emilia 1991/92

1. d4 d5 2. c4 c6 3. ♘c3 ♘f6 4. e3 e6 5. ♘f3 ♘bd7 6. ♗d3 dc4 7. ♗c4 b5 8. ♗d3 ♗b7 9. 0–0 b4 10. ♘e4 ♗e7 11. ♘f6 ♘f6 12. e4 0–0 13. e5 ♘d7 14. ♗e4 ♖b8 N [14... f5 – 42/555] **15. ♕c2 h6 16. ♗e3 c5** [16... ♕a5 17. ♘d2] **17. ♗b7 ♖b7 18. dc5?!** [⌓ 18. ♕e4! ♕b8 19. ♖fd1⩲] **♘c5= 19. ♖fd1 ♕b8 20. ♕c4** [20. ♗c5 ♖c8 21. ♗a7 (21. ♖d6 ♗d6 22. ed6 ♖b5−+) ♖c2 22. ♗b8 ♖b8 23. ♖ab1 ♖a8 24. ♘d4 ♖c5 25. ♖a1 g5∞̅] **♘d7!** [×e5] **21. ♕e4 ♖c8 22. ♖d2** [22. ♖d4 ♗c5=] **♖bc7 23. ♖ad1 ♖c4 24. ♖d4 ♘b6 25. ♕g4 ♔f8 26. ♕e4 ♔g8!** [26... ♖d4 27. ♘d4! △ 28. ♕h7, 28. ♘c6] **27. ♕g4 ♖d4 28. ♖d4** [28. ♗d4!=] **♔f8 29. ♕h5** [29. ♕e4 ♕c7! 30. h3 ♕c2∓ ×«] **♕c7 30. h4 ♗c5!∓ 31. ♖d2 ♗e3 32. fe3 ♘d5! 33. ♔f2** [33. e4 ♕c5 34. ♘d4 ♘f6−+] **♕c5 34. ♘d4 ♘f6!−+ 35. ♕f3 ♕e5 36. ♖d1 ♔g8 37. ♕f4 ♕d5 38. ♖a1 e5 39. ♕f5 ♖c4! 40. b3** [40. ♘f3 ♘g4 41. ♔g3 g6 42. e4 ♖e4 43. ♕c8 ♔g7] **ed4** [41. ♕d5 ♖c2; 40... ♖d4−+] **0 : 1** **[Anand]**

429.* **D 48**

PRUDNIKOVA 2240 – ŠUMJAKINA 2345

SSSR (ch) 1991

1. d4 d5 2. c4 c6 3. ♘c3 ♘f6 4. e3 e6 5. ♘f3 ♘bd7 6. ♗d3 dc4 7. ♗c4 b5 8. ♗d3 ♗b7 9. 0–0 a6 10. e4 c5 11. d5 [RR 11. e5 N ♘d5 12. ♘g5!? ♗e7 13. ♕h5 g6 14. ♕h6 ♘e5!? 15. ♘d5 ♗g5 16. ♕g5 ♕g5 17. ♗g5 ♘d3 18. ♘c7 ♔d7 19. ♘a8 ♖a8 20. dc5 ♘b2∞ Sakaev 2495 – Dreev 2610, SSSR (ch) 1991] **c4 12. ♗c2 ♕c7 13. de6 fe6 14. ♕e2 ♗d6 15. ♘g5 ♘c5 16. f4 h6 17. ♘h3 ♘d3 N** [17... e5 18. a4 ♘e6!? (18... ♘d3 – 29/480) 19. ♘d5 ♗d5 20. ed5 ♘d4 21. ♗g6 ♔d8 22. ♕f2! ♗c5 23. ♔h1 ♘b3 24. ♕h4 ♘a1 25. ♘g5∞̅↑] **18. e5!?** [18. ♔h1 e5 19. ♗d3 cd3 20. ♕d3 0–0∞̅] **♗c5 19. ♔h1?!** [⌓ 19. ♗e3 ♘d5 20. ♘d5 ♗d5 21. ♗d3 cd3 22. ♕d3 0–0∞̅] **♘d5 20. a4 0–0** [20... b4!? 21. ♘e4 0-0-0] **21. ab5 ab5 22. ♖a8 ♗a8 23. ♘b5 ♕c6 24. ♘d6! ♘5b4** [24... ♘c1?? 25. ♖c1 ♘f4 26. ♘f4 ♖f4 27. ♗e4 ♖e4 28. ♘e4 ♕e4 29. ♕e4 ♗e4 30. ♖c4+−; 24... ♘e3 25. ♗e3 ♗e3 26. ♖f3 △ ♗d3; 24... ♗e3 25. ♕g4□ ♗c1 (25... ♕d7 26. ♘c4 ♘c1 27. ♕g6↑) 26. ♕e6 ♔h8 27. ♘g5 ♘e3 (27... hg5 28. ♕h3 ♔g8 29. ♕e6=) 28. ♖f3↑] **25. ♗b1 ♘e5 26. ♗e4□** [26. fe5 ♕g2! 27. ♕g2 ♖f1 28. ♘g1 ♖g1#] **♕d6 27. fe5 ♕d8 28. ♖f8 ♕f8 29. ♗a8 ♕a8 30. ♕c4 ♕d5! 31. ♕d5 ed5= 32. ♘f4 g5 33. ♘e2 ♘d3 34. g3 ♔f7 35. h4 ♘c1 36. ♘c1 gh4 37. gh4 ♔e6 38. ♘d3 ♗d4 39. ♔g2 ♗e5 40. ♘e5 ♔e5 41. ♔f3 1/2 : 1/2** **[Prudnikova]**

430. **D 48**

BAREEV 2680 – ŠIROV 2610

Hastings 1991/92

1. d4 d5 2. c4 c6 3. ♘c3 ♘f6 4. ♘f3 e6 5. e3 ♘bd7 6. ♗d3 dc4 7. ♗c4 b5 8. ♗d3 ♗b7 9. 0–0 a6 10. e4 c5 11. d5 ♕c7 12. de6 fe6 13. ♕e2 c4 14. ♗c2 ♗d6 15. ♘g5 ♘c5 16. f4 h6 17. ♘f3 ♘d3 18.

♗d3 [18. e5 ♗c5 19. ♔h1 (19. ♗e3? ♘g4) ♘d5∞] cd3 19. ♕d3 0-0 N ⊼ [19... ♖d8 — 48/(563)] 20. ♔h1?! [20. e5 ♗c5 21. ♔h1 (21. ♗e3? ♗e3 22. ♕e3 ♘g4∓) ♘d5 (21... ♖ad8?! 22. ♕g6!) 22. ♘d5 ♗d5 23. b3 ♖ad8 24. ♕e2∞] ♖ad8! [20... ♗f4 21. ♗f4 ♕f4 22. ♘d4 ♗g4 (22... ♕e5 23. ♘f3∓) 23. ♕f3!∓] 21. ♘d4 [21. e5 ♗e5 22. ♕e2 ♗c3 23. bc3 ♗d5∓; 21. ♕e2 ♗f4∓] ♗c5 22. ♗e3 [22. ♘e6 ♖d3 23. ♘c7 ♘e4 24. ♘e4 ♗e4 25. ♘e6 ♖c8-+] ♘g4! [22... ♗d4 23. ♗d4 b4 24. ♘e2 ♗e4∓; 22... b4 23. ♕c4! bc3 24. ♘e6∞; 22... e5 23. fe5 ♕e5 24. ♖f5∞] 23. ♘ce2 [23. ♗g1? ♗d4 24. ♗d4 ♖f4-+; 23. ♘d5?! ♗d5 (23... ed5? 24. ♘e6∞) 24. ed5 ♖d5-+] ♘e3 24. ♕e3 ♖d4! [24... ♕b6 25. ♖fd1! ♖d7 26. ♖d3 ♖fd8 27. ♖ad1] 25. ♘d4 ♕b6 26. ♖ad1 ♖d8 27. f5!? ♖d4! 28. ♖d4 ♗d4 29. ♕b3 ♗e4 30. ♕e6 [30. fe6 ♕c6! 31. e7 ♔h7 32. ♕g3 ♗f6! 33. ♖e1 ♗e7 34. ♕g4 ♗g6-+] ♕e6 31. fe6 [♖ 8/c] ♗f6! 32. ♖e1 [32. e7 ♗g6 (32... ♗e7?? 33. ♖e1) 33. ♖c1 ♗e8!-+] ♗g6 33. ♖c1 ♗f8! 34. b4 [34. ♖c6 a5! 35. ♖a6 a4-+] ♗e4!-+ [△ ♗d5 ×c6] 35. ♖c8 ♔e7 36. ♖c7 ♔e6 37. ♖a7 ♗c2 38. ♖a6 ♔d5 39. ♖a7 ♗e5! 40. ♖a8 ♗c3!? 41. ♖c8 ♔d4 42. ♖c7 ♔d3 43. h4 [△ 43. g4 ♗a4!? 44. ♔g2 ♔c2 45. h4 ♔b2 46. g5 hg5 47. hg5 ♗d4! 48. ♖d7! ♔c3! 49. ♔f3 ♔c4! 50. ♔f4 ♗b2 51. a3 ♔b3! 52. ♖d3 ♔a2-+] ♗a4 44. g4 ♗f6!? 45. h5 [45. g5 hg5 46. hg5 ♗g5 (46... ♗e5!?-+) 47. ♖g7 ♗d2 48. ♖g3 ♔c2 49. ♖g2 ♔c3! 50. ♖g4 ♗c1 51. ♔g2 ♗a3-+] ♔e4! [46. ♔g2 ♔f4 47. ♔h3 ♗d1]

0 : 1   [Širov]

431.   D 52

MAGERRAMOV 2560 —
R. ŠČERBAKOV 2525
Čeljabinsk 1991

1. d4 d5 2. c4 c6 3. ♘f3 ♘f6 4. ♘c3 e6 5. ♗g5 ♘bd7 6. e3 ♕a5 7. cd5 ♘d5 8. ♕d2 ♘7b6 9. ♗d3 ♘c3 10. bc3 ♘a4 11. 0-0 ♕c3 12. ♕e2 ♕b2 13. ♗c2 ♕b5 14. ♕d1 ♘c3 15. ♕d2 ♗b4 N [15... ♘e2 — 44/526] 16. ♗d3 ♕a4 [16... ♕a5? 17. a3

♗a3 18. ♘e5!? (18. ♖fc1 ♗c1 19. ♖c1±) f6□ 19. ♘c4 ♕g5 20. ♕c3 ♗e7 21. ♘b6 ♖b8 22. ♖a7 0-0 23. ♗c4±↑] 17. a3 ♗a5 18. ♕b2 f6 19. ♗h4 ♘d5 [19... e5? 20. de5 fe5 21. ♖fc1! e4 22. ♖c3 ed3□ 23. ♖c4!! ♕c4 24. ♕g7+-] 20. ♖fc1∞↑ [×♕a4] ♗c7 21. ♖c4 ♕a5 22. ♕c2 ♗d6 23. e4! [23. ♗h7!? ♘e7∞] ♘b6□ [23... ♘f4? 24. ♗g3!±] 24. ♖c3 ♕h5 25. a4 ♗b4 [25... ♗h2?! 26. ♔h2 g5 27. a5 ♘d7 28. d5±→] 26. ♖b3 a5 27. ♗g3 0-0 [27... ♕f7 28. ♖b4!? ab4 29. ♗d6∞↑ ×♔e8] 28. ♗c7 ♘d7 29. ♗c4 ♖e8 30. e5! ♘f8 [30... f5 31. ♗d6! ♗d6 32. ed6± ×e6; 31. h3!? △ ♔h2, ♖g1, g4↑] 31. ef6 gf6 32. ♘d2!→ ♕f7 33. ♖g3 ♘g6? [33... ♔h8□ 34. ♘e4!? ♕c7 35. ♘f6 ♕f7□ 36. ♘e8 ♘g6 (36... ♕e8 37. ♕f5! ♘g6 38. ♕f6 ♔g8 39. h4±→) 37. ♗d3 ♕e8 38. ♗g6 hg6 39. ♖g6→ △ ♕e4±] 34. ♗d3! ♔g7 [34... ♗d2 35. ♕d2 ♕c7 36. ♗g6 hg6 37. ♕h6! g5□ 38. ♕f6 ♖e7 39. ♖g5 ♖g7 40. ♖a3+-; 34... f5 35. ♗e5±] 35. ♘f3 ♖g8 36. ♗g6! hg6

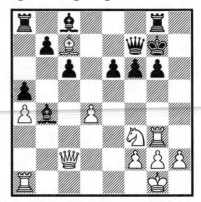

37. ♘e5!+- fe5□ 38. ♗e5 ♔f8□ 39. ♖f3 ♕f3 40. gf3 ♗d7 41. ♕e4 ♗e8 42. ♖b1 ♔e7 43. ♖b4! ab4 44. d5! ♖a4 45. ♕h4 g5 46. d6   1 : 0   [Magerramov]

432.   D 52

P. CRAMLING 2485 — SMAGIN 2535
København 1991

1. d4 ♘f6 2. c4 e6 3. ♘f3 d5 4. ♘c3 c6 5. ♗g5 ♘bd7 6.. e3 ♕a5 7. ♘d2 ♗b4 8. ♕c2 0-0 9. ♗e2 e5 10. 0-0 ed4 11. ♘b3

♕c7 12. ♘d4 dc4 13. ♗c4 ♗d6 N [13... ♕e5 – 41/(500)] **14. ♔h1** [14. f4!?] **♗e5!? 15. ♖ad1 ♘b6 16. ♗e2 ♘g4!? 17. h3** [17. ♘f3 ♗h2 18. g3 ♗g3 19. fg3 ♕g3∞] **♗d4 18. hg4 ♗e5 19. f4?! ♗c3 20. ♕c3 f6 21. ♗h4 ♗e6 22. a3 ♗d5** [22... ♘d5] **23. ♗f3! ♗f3 24. gf3 ♖ad8 25. ♗f2 f5! 26. ♕b3 ♔h8 27. ♖d8?!** [27. g5!=] **♕d8 28. ♖d1 ♕e8 29. ♕b4?** [29. g5□=] **fg4 30. fg4 ♘d5∓ 31. ♕d4** [31. ♕b7 ♘e3–+] **♖f7 32. ♔g1** [32. ♕a7 h5!∓] **a6 33. f5 ♖e7 34. ♕c4 h6 35. ♖d4 ♘e3 36. ♗e3 ♖e3 37. ♔f2 b5!? 38. ♕c2 c5 39. ♖d5 ♖h3! 40. ♔g2 ♖h4–+ 41. ♖c5 ♖g4 42. ♔f2 ♖f4 43. ♔g2** [43. ♔g3 ♕e3] **♕h5 44. ♖c8 ♔h7 45. f6 ♖f5 46. ♖c3 ♕g6 47. ♖g3 ♖g5** [48. ♕g6 ♔g6] **0 : 1** **[Smagin]**

433. **D 53**

JUSUPOV 2625 – BELJAVSKIJ 2655
Beograd 1991

1. d4 d5 2. c4 e6 3. ♘f3 ♘f6 4. ♘c3 ♗e7 5. ♗g5 h6 6. ♗h4 0–0 7. ♖c1 dc4 8. e3 c5 9. ♗c4 cd4 10. ed4 ♕b6 N [10... ♗d7 – 51/439] **11. 0–0 ♘c6** [11... ♕b2? 12. ♘b5 △ 13. ♖b1, 13. ♘c7+–] **12. ♕d2 ♖d8 13. ♖fd1 ♗d7 14. ♕e2** [14. d5 *a)* 14... ed5? 15. ♗f6 ♗f6 16. ♘d5 ♕b2 17. ♖c2 ♕a3 18. ♘f6 gf6 19. ♕h6 ♗e6 20. ♖e1+–; *b)* 14... ♘a5 15. ♗d3! ♗e8 16. ♗f6 ♗f6 17. ♘e4 ♗e7 (17... ♗b2 18. ♖b1 ed5 19. ♖b2 de4 20. ♖b6 ab6 21. ♕e3±) 18. d6 ♗f8 19. ♖c5 ♘c6 20. ♖b5 ♕a6 21. ♕c3 △ ♘c5±; *c)* 14... ♘d5 15. ♗d5 ♗h4 16. ♘h4 ed5 17. ♘d5 ♕a5 18. b4?! ♕a4 19. ♘f6? gf6 20. ♕h6 ♗g4 21. ♖e1 ♖d5! 22. ♖c6 (22. ♘g6 ♖h5; 22. ♕f6 ♕b4∓) ♖h5 23. ♕f4 ♕c6 24. ♕g4 ♖g5∓; 18. ♕a5=] **♘h5!?** [14... ♗e8 15. d5 ed5 16. ♗d5 (16. ♗f6 ♗f6 17. ♘d5 ♕b2 18. ♖c2 ♕a3 19. ♘f6 gf6 20. ♘h4 ♖d1 21. ♕d1 ♕a5∓) ♔f8⩲] **15. d5 ♘f4 16. ♕e1** [16. ♕e4 ♗h4 (×f2) 17. ♘h4 ♘d5 18. ♘d5 ed5 19. ♗d5 ♕b2∓] **ed5□ 17. ♗e7 ♘e7 18. ♕e7 ♘g6! 19. ♘d5 ♘e7 20. ♘b6 ab6 21. ♘e5 ♗e8 22. ♗b3** [△ ♘c4± ×b6, d6] **♘c6!= 23. ♘c6** [23. ♘c4 ♘d4 24. ♘b6 ♘e2 25. ♔h1 (25. ♔f1 ♘c1 26. ♖c1 ♗b5–+) ♘c1 26. ♘a8 ♖d1 27. ♗d1 ♘a2=] **bc6 24. f4** **1/2 : 1/2**
[Beljavskij]

434. **D 54**

KORTCHNOI 2610 – N. SHORT 2660
Tilburg (Interpolis) 1991

1. c4 e6 2. ♘c3 d5 3. d4 ♘f6 4. ♗g5 ♗e7 5. e3 0–0 6. ♖c1 h6 7. ♗h4 ♘bd7 8. cd5± ed5 9. ♗d3 c6 10. ♗g3 [10. ♘f3 ♘e4=; 10. ♘ge2 ♘h5=] **♘b6 11. ♘f3 ♗g4!?** [11... ♗d6 12. ♘e5±; 11... ♘h5 12. ♘e5⩲] **12. h3** [12. ♕c2!?] **♗h5 13. ♗h2 ♗f3** [13... ♗d6 14. g4 ♗h2 15. ♖h2 ♗g6 16. ♗g6 fg6 17. ♘e5⩲] **14. ♕f3 ♗d6 15. g4!?** [15. 0–0 ♗h2 16. ♔h2 ♕d6=] **♗h2 16. ♖h2 g6!?** [16... ♕d6 17. ♖g2 △ g5↑] **17. h4 ♕d6 18. ♖g2 ♔g7 19. ♔d1?** [19. ♔e2! ♘h7 (19... ♖ae8 20. g5 hg5 21. ♖g5±) 20. g5 h5⩲] **♖ae8 20. ♔c2?!** [20. g5 hg5 21. hg5 (21. ♖g5?! ♖h8 22. ♔c2 ♖h4 23. ♖cg1 ♘e4∓) ♘h5 22. ♔c2⩲] **♘e4! 21. h5** [21. g5!?] **♕e7!∓** [21... g5?! 22. ♘e4 de4 23. ♗e4 ♕e6 24. ♗d3 ♕a2 25. ♕f5 ♖h8 26. ♖gg1 ♘d5 27. ♖a1 ♘b4 28. ♔c3 ♘d5=; 26. ♕c5⩲] **22. ♕f4** [22. ♖e1 c5!∓] **g5 23. ♕f5 ♘c8 24. ♗e4** [24. f3? ♘cd6 25. ♕e5 ♕e5 26. de5 ♘c3 27. ed6 ♘a2–+; 24. f4 ♘cd6 25. ♕e5 f6 26. ♕e7 ♖e7∓ ×e3] **de4 25. ♕a5** [25. ♖d1 ♘d6 26. ♕e5 f6 (26... ♕e5 27. de5 ♘c4 28. ♘e4=) 27. ♕e7 ♖e7 28. d5 c5 △ f5∓] **f5! 26. gf5 ♕d7 27. ♔b1 ♖f5 28. ♕a4 ♕f7 29. ♖g4 ♘b6** [⌓ 29... ♖f2 30. d5! (30. ♖e4? ♕f5 31. d5 ♘d6–+) *a)* 30... cd5 31. ♕d4?! ♕f6 32. ♕d5 ♘d6∓; 31. ♘d5!∞̅ △ 31... ♖d2? 32. ♖c7 ♘e7 33. ♕e8!±; *b)* 30... ♕f5 31. dc6!=; *c)* 30... ♘d6!?] **30. ♕a7 ♘c4 31. d5! cd5 32. ♕d4 ♔g8 33. ♘e4!=** [33. ♘d5?! b5!∓] **de4** [33... b5?! 34. ♖c4 bc4 35. ♘d6± △ 35... ♕h7? 36. ♘e8 ♖f4 37. e4+–] **34. ♕c4 ♕c4 35. ♖c4 ♖f2 36. ♖ge4 ♖e4 37. ♖e4 ♖h2 38. a4 ♖h5 39. a5 ♖h4** [39... ♔f8 40. ♖b4] **40. ♖e8 ♔f7 41. ♖b8 ♖a4 42. ♖b7 ♔g6 43. ♖b6 ♔h7** [43... ♔h5 44. ♖b5 ♔h4 45. b3 ♖e4 46. a6±] **44. ♖b7 ♔g6 45. ♖b6 ♔h7 46. ♖b7** **1/2 : 1/2** **[Kortchnoi]**

435. D 56

LEVITT 2465 – AV. BYHOVSKIJ 2500
Maratea 1991

1. d4 d5 2. c4 e6 3. ♘c3 ♗e7 4. ♘f3 ♘f6 5. ♗g5 0–0 6. e3 h6 7. ♗h4 ♘e4 8. ♗e7 ♕e7 9. ♖c1 ♘f6 10. a3 N [10. ♕b3 – 44/535] **c6 11. ♗e2** [11. b4!?] **♘bd7 12. 0–0 dc4 13. ♗c4 e5 14. ♖e1 ed4 15. ed4 ♕d6 16. ♗a2 ♘b6 17. ♘e5 ♗f5 18. ♕f3 ♗h7 19. ♖cd1 ♖ad8 20. h4! ♕c7** [20... ♘bd5 21. g4 ♘c3 22. bc3 ♕a3 23. ♗f7] **21. g4 ♘fd5! 22. ♘e4 f6!∞ 23. ♘d3 f5 24. ♘ec5 fg4 25. ♕g4** [×e6] **♗f5 26. ♕g3 ♔h8?** [26... ♕g3 27. fg3± ×b7, e6; 26... ♔h7 27. ♘e6 ×g6; 26... ♕c8 27. ♖e7 ♖f7∞] **27. ♕c7 ♘c7 28. ♘e5 ♘bd5 29. ♖d2!±** [△ ♘b7; 29. ♘b7? ♖b8 30. ♘d6 ♖b2=] **b6 30. ♘b7! ♖a8** [30... ♖de8 31. ♘d6 ♖e6 32. ♘f5 ♖f5 33. ♗d5! cd5 34. ♖c2 ♘b5 35. ♘f7 ♔h7 (35... ♖f7 36. ♖e6 ♘d4 37. ♖c8+–) 36. ♖e6 ♘d4 37. ♘d6!+–] **31. ♘d6 ♖f6** [31... ♗h7 32. ♘c6 ♖f6 33. ♘e5+–] **32. ♘f5 ♖f5 33. ♘c6 ♖f6 34. ♘e5 g6 35. ♖c1!+– ♖e8 36. ♖dc2 ♖e7 37. ♖c6 ♔g7 38. ♖f6 ♔f6 39. ♖c6 ♖e6 40. ♘g4 ♔e7 41. ♖e6 ♔e6 42. ♘h6 ♔d6 43. ♘f7 ♔e7 44. ♘e5 ♘f4 45. ♔h2 ♔f6 46. ♗c4 b5 47. ♗f1 ♘ce6 48. ♘c6 a6 49. ♔g3 ♘d5 50. ♔g4 ♘b6 51. ♗g2 ♘c4 52. b4 ♘a3 53. d5 ♘f8 54. ♘b8 ♘c4 55. ♘a6 ♘d7 56. ♘c5 ♘ce5 57. ♔g3 ♘b6 58. d6 ♘bc4 59. d7 ♔e7 60. ♔f4 ♘f7 61. ♗d5 ♘d8 62. ♗c4 bc4 63. ♔e4 1 : 0** **[Levitt]**

436.** D 58

AKOPJAN 2590 – GI. GARCÍA 2470
Los Angeles 1991

1. d4 d5 2. ♘f3 ♘f6 3. c4 e6 4. ♘c3 ♗e7 5. ♗g5 h6 6. ♗h4 0–0 7. e3 b6 8. ♖c1 ♗b7 9. ♗d3 [RR 9. ♗e2 dc4 10. ♗c4 ♘bd7 11. 0–0 c5 12. ♗g3 a6 13. a4 N (13. d5 – 51/(443)) cd4 14. ♘d4 ♘c5 15. f3 ♘d5 16. ♗d5 ed5 17. ♘f5 ♖e8 18. ♘e7 ♕e7 *a)* 19. ♖e1 ♖ad8 20. ♖c2 ♘b3 21. ♗f2 1/2 : 1/2 Gavrikov 2585 – L. Portisch 2570, Reggio Emilia 1991/92; *b)* 19. b4 ♘e6 20. ♘d5 ♗d5 21. ♕d5 ♕b4 22. ♕c6 b5 23. ab5 ab5 24. ♖b1 ♕d2 25. ♗f2 (25. ♕b6 ♖eb8! 26. ♕b8 ♖b8 27. ♗b8 ♕e3; 25. ♕c1!?) b4 26. ♖fd1 (26. ♕c4 ♖ab8? 27. ♖fd1 ♕c3 28. ♕c3 bc3 29. ♖bc1±; 26... ♖a2∞ Arlandi) ♕e2 27. ♖e1 ♕d2 28. ♖ed1 1/2 : 1/2 L. Portisch 2570 – Arlandi 2420, Reggio Emilia 1991/92] **♘bd7 10. cd5 ed5 11. 0–0 ♘e4 12. ♗g3 ♘g3 N** [12... c5 – 39/544] **13. hg3 c5 14. ♗b1 ♘f6 15. ♕b3!±** [△ dc5] **c4** [15... ♖b8 16. ♖fd1±] **16. ♕c2 ♗b4 17. ♘e5 ♗c3** [17... ♗c8? 18. ♘c6 ♕d6 19. ♘b4 ♕b4 20. ♘d5+–] **18. bc3 ♖e8 19. g4±↑» ♕e7 20. f3 b5 21. ♔f2 b4 22. cb4 ♕b4 23. ♖h1 ♖ad8** [23... ♖ab8 24. g5! hg5 25. ♘d7! ♘d7 26. ♖h8! ♔h8 27. ♕h7#] **24. ♖h3?** [24. ♖ce1!±] **♔f8□ 25. ♖e1 ♖d6 26. ♖hh1! ♖b6** [△ ♕b2] **27. g5! hg5 28. ♕f5 ♕c3** [△ ♖b2; 28... ♕d2 29. ♖e2; 28... ♗c8 29. ♖h8] **29. ♘d7!+– ♘d7 30. ♕d7 ♖b2** [30... ♖h6 31. ♖h6 gh6 32. ♕b7; 30... ♕b2 31. ♖e2 (31. ♔g3 ♖h6) ♕e2 32. ♔e2 ♖b2 33. ♗c2! ♖c2 34. ♔d1] **31. ♔g3 g6 32. ♖h8** [32... ♔g7 33. ♖h7] **1 : 0**

[Akopjan, Dement'ev]

437. D 58

AN. KARPOV 2730
– BELJAVSKIJ 2655
Reggio Emilia 1991/92

1. d4 ♘f6 2. c4 e6 3. ♘f3 d5 4. ♘c3 ♗e7 5. ♗g5 0–0 6. e3 h6 7. ♗h4 b6 8. ♗e2 ♗b7 9. ♗f6 ♗f6 10. cd5 ed5 11. 0–0 ♕e7 12. ♕b3 ♖d8 13. ♖ad1 c6 14. ♖fe1 ♗c8?! N [14... ♘a6 15. e4! de4 16. ♘e4 ♘c7 17. ♗c4±; 14... ♘d7 15. ♗d3 ♘f8 16. e4± – 51/(444)] **15. ♕c2!** [15. e4 de4 16. ♗c4 (16. ♗d3? ♗e6!) ♗f5∞; 16... b5!?] **c5?!** [15... ♗e6 16. ♘e5 ♗e5 17. de5 f6 18. ef6 ♕f6 19. e4 d4 20. e5±; 16. e4!?] **16. e4! de4 17. ♘e4** [17. ♕e4?! ♕e4 18. ♘e4 ♗d4!? 19. ♘d4 cd4 20. ♗f3 ♘c6!=; 17. dc5!?] **♘c6 18. dc5 ♗f5 19. ♘f6 ♕f6**

20. ♕c1!± ♘b4 [20... ♖dc8? 21. ♗a6!; 20... ♖d1? 21. ♖d1 bc5 22. ♕c5 ♕b2 23. ♕c6 ♖c8 24. ♕b5+−] **21. cb6 ab6□** [21... ♘a2 22. ♖d8 ♕d8 (22... ♖d8 23. ♕c4+−) 23. ♕f4 ♗e6 24. b7+−] **22. ♖d8!** [22. a3?! ♖dc8! 23. ♕f4 ♘c2 24. ♖f1 ♖a5!±] **♖d8 23. a3!** ♖c8 [23... ♘a2? 24. ♕a1!+−; 23... ♘d3 24. ♗d3 ♖d3 25. ♘e5 ♖d5 26. ♕e3±] **24. ♕f4! ♘d3** [24... ♘c2 25. ♖d1 g5 26. ♕d6! ♕d6 27. ♖d6 ♘a1 28. h4!±; 24... ♘d5 25. ♕d4±] **25. ♗d3 ♗d3 26. ♕f6 gf6 27. h3 ♖c2 28. ♖e3! ♗c4** [28... ♗g6 29. ♖b3!] **29. ♖c3** [29. b3!? ♗d5 30. ♘d4 ♖d2 31. ♘f5+−] **♖c3 30. bc3 ♔f8 31. ♘d2!** [31. ♘d4 ♗d3 32. f3 ♔e7 33. ♔f2 ♔d6] **♗a6** [31... ♗d5 32. f3 ♔e7 33. ♔f2 ♔d6 34. ♔e3 ♔c5 35. g4+−] **32. f3 ♔e7 33. ♔f2 ♔d6 34. ♔e3 ♔d5 35. h4 ♔e5 36. c4!+− ♗c8 37. g3 ♗e6 38. ♔d3 ♗f5 39. ♘e4 ♗d7 40. ♘f2 ♗f5 41. ♔c3 ♗d7** [42. ♘g4; 42. ♘d3 ♔d6 43. ♔d4 ♗c6 44. f4]   **1 : 0**

[An. Karpov]

---

438.   **D 58**

TIMMAN 2630 − IVANČUK 2735

Hilversum (m/3) 1991

1. d4 d5 2. c4 e6 3. ♘c3 ♗e7 4. ♘f3 ♘f6 5. ♗g5 h6 6. ♗h4 0−0 7. e3 b6 8. ♗e2 ♗b7 9. ♗f6 ♗f6 10. cd5 ed5 11. 0−0 ♕e7 12. ♕b3 ♖d8 13. ♖ad1 c5 14. dc5 ♗c3 15. ♕c3 bc5 16. ♖d2 ♘d7 17. ♖c1 a5 18. ♕a3 ♕e4!? N [18... ♕f6 − 47/(536)] **19. ♗b5** [19. ♘e1 ♕b4; 19. ♗d3!? ♕b4 20. ♗f5!±; 19... ♕e6!?]

19... d4! 20. ed4 [20. ♗e2 ♘e5! 21. ♖c5? d3 22. ♖e5 (22. ♗d1 ♘c4−+) de2 23. ♖e4 ♖d2 24. ♘e1 ♖d1 25. f3 (25. ♕c3 ♖c8 26. ♕a5 ♗e4 27. f3 ♗b1!−+) ♖e1 26. ♔f2 ♖g1! 27. ♔e2 ♖g2 28. ♔f1 ♖h2∓; 20. ♗d3 ♕e6 21. ed4 ♗f3 22. gf3 ♕f6! 23. ♖cd1 cd4 24. ♗e4 ♘e5!→; 20. ♗f1!? de3 21. ♕e3 ♕e3 22. fe3 ♔f8!= △ 23. ♗b5 ♗f3! 24. gf3 ♘e5] **♘e5! 21. ♘e1** [21. ♗f1 ♘f3 22. ♕f3 ♕f3 23. gf3 ♖d4 (23... cd4 24. ♖c4=) 24. ♖d4 cd4 25. ♔g2 △ ♗d3=] **cd4 22. ♕g3!** [22. ♖e2?! ♕f4→] **♕f5** [22... ♕d5 23. ♗f1 △ ♖cd1; 22... ♖ac8 23. ♖cd1=] **23. ♗f1** [23. ♖cd1 ♖d5!?=] **♗a6!? 24. ♘d3 ♗d3** [24... ♘d3 25. ♗d3 ♖ac8 26. ♖c8 ♖c8 27. ♗a6 ♖c1 28. ♗f1 ♖f1 29. ♔f1 ♕b1 30. ♔e2 ♕e4=; 26... ♕c8!?; 26. ♖cd1!=] **25. ♗d3 ♖ac8 26. ♖cd1 ♘d3 27. ♕d3 ♕d3 28. ♖d3 ♖c2 29. ♖3d2 ♖dc8 30. f3 d3 31. ♔f2 ♖b8! 32. b3 a4 33. ba4** [33... ♖bb2=]   **1/2 : 1/2**   **[Ivančuk]**

---

439.   **D 58**

NENAŠEV 2475 − VAGANJAN 2585

SSSR (ch) 1991

1. d4 e6 2. c4 ♘f6 3. ♘c3 d5 4. ♗g5 ♗e7 5. e3 h6 6. ♗h4 0−0 7. ♘f3 b6 8. ♗d3 ♗b7 9. 0−0 ♘bd7 10. ♕e2 ♘e4 11. ♗g3 [11. ♗e7 ♕e7 12. cd5 ♘c3 13. bc3 ed5 14. c4 dc4 15. ♗c4 c5=] **♘df6 N** [11... c5 12. cd5 ed5 (12... ♘c3 13. bc3 ed5 14. ♘e5) 13. ♖ac1±; 13. ♖ad1 − 49/(513); 11... ♘g3] **12. cd5 ed5 13. ♖ac1 c5 14. ♖fd1 ♘c3 15. ♖c3 c4** [15... ♕d7!? 16. dc5 bc5 17. ♘e5 ♕e6 18. ♖b3

231

♖ab8∞; 17. e4±] **16. ♗b1 b5 17. ♖cc1± ♘e4** [17... b4 18. ♘h4!? g6 19. ♘f3] **18. ♘e5 ♕e8!?** [18... ♗d6 19. f3 ♘g3 20. hg3 △ ♕c2, f4, g4→] **19. f3** [19. ♗e4 de4 20. d5 ♗d6] **♘d6 20. ♗f4! ♗g5 21. ♔h1!?** [21. ♗g5 hg5 22. f4 gf4 23. ♕h5 f5! (23... g6 24. ♕h6±) 24. ♘g6 fe3∞; 21. ♕c2 f5 22. g4 △ ♔h1, ♖g1↑] **♕e6 22. ♕c2 g6 23. h4!? ♗h4 24. ♗h6 ♗g3!** [24... ♘f5 25. ♗f4 ♘g3 (25... ♗g3 26. ♕d2 ♗f4 27. ef4 ♔g7 28. g4 ♖h8 29. ♔g2 ♘h4 30. ♔g3 △ 30... f6? 31. ♘g6 ♘g6 32. ♗g6+−) 26. ♔h2 ♘h5 27. g3 ♗e7 28. ♗h6 △ g4±] **25. ♗f4 ♗f4 26. ef4 ♔g7?** [26... ♕f6 27. ♔g1 ♗c8! (27... ♕f4 28. ♘g6) 28. ♕d2 ♗f5 29. g4 ♗b1 30. ♖b1±] **27. g4 b4** [27... ♖h8 28. ♔g2 ♖h7 29. ♕d2 ♖ah8 30. ♖h1 ♖h1 31. ♖h1 ♖h1 32. ♔h1± ×♗b7] **28. ♔g2 ♖h8 29. ♕d2 a5** [29... c3 30. bc3 ♘c4 31. f5!] **30. ♖e1 ♕f6 31. g5 ♕e6** [31... ♕d8 32. ♘g6!? fg6 33. ♖e6 ♘f7 (33... ♘f5 34. ♗f5 gf5 35. ♕e3) 34. ♕c2→] **32. ♘g4⊕ ♘e4** [32... ♕d7 33. ♖e5±] **33. ♗e4 de4 34. ♔g3 ♖h5?** [34... ♖ad8 35. fe4 ♗e4 36. ♘f2+−; 34... ♖ae8 35. ♖e3! △ 35... ♕c6 36. ♖ce1 ef3 37. d5+−] **35. d5 ♕d5** [35... ♕b6 36. ♘f6+−; 35... ♗d5 36. ♕d4 ♔f8 37. fe4 ♗b7 38. ♖c4+−] **36. ♕d5 ♗d5 37. ♘f6 ef3** [37... ♗e6 38. ♘h5 gh5 39. fe4+−] **38. ♘d5 ♖ah8 39. ♔f3 ♖h2 40. ♖c4 ♖b2 41. ♘f6 ♖d8 42. ♖ce4 ♖a2 43. ♖e8 ♖ad2 44. ♖h1 ♖2d3 45. ♔g4**
1 : 0 **[Nenašev]**

440.*** **D 78**

P. NIKOLIĆ 2625 – I. SOKOLOV 2570
Beograd 1991

1. d4 ♘f6 2. c4 g6 3. ♘f3 ♗g7 4. g3 0–0 [RR 4... c6 5. ♗g2 d5 6. ♘a3 0–0 7. 0–0 ♕b6 N (7... ♗f5 – 50/(473)) 8. b3 ♗f5 9. ♗b2 a5 10. ♕d2 ♘bd7 11. ♖fc1 ♖fd8 12. e3 ♘e4 13. ♕e2 a4 14. c5 ♕a5 15. ♘e1 ab3 16. ab3 ♕d2 17. ♖c2 ♕e2 18. ♖e2 h5= P. Nikolić 2620 – P. Popović 2510, Jugoslavija 1991] **5. ♗g2 c6 6. 0–0 d5 7. b3** [RR 7. ♗f4 N ♘e4 8. ♘c3 ♗f5 9. ♕b3 ♕b6 10. cd5 ♕b3 11. ab3 ♘c3 12. bc3 cd5 13. ♘e5 ♖d8 14. ♖a5 ♗e6 15. ♖b5 g5 16. ♗g5 f6 17. ♘f3 ♗d7 18. ♖b7 fg5 19. ♘g5 ♗c8 20. ♖b5 e6 21. c4 ♗d7 22. ♖b7 h6 23. ♘f3 ♗c8 24. ♖b5 ♘c6 25. cd5 ed5 26. ♖a1 a6 27. e3 ab5 28. ♖a8 ♗b7= Čiburdanidze 2495 – Xie Jun 2465, Manila (m/14) 1991] **♘e4 8. ♗b2 ♗f5** [RR 8... a5 9. ♘c3 ♗f5 10. ♖c1 ♘c3 N (10... ♘d7 – 51/451) 11. ♗c3 ♗e4 12. a4 ♘d7 13. ♖e1 e6 14. e3 ♕b6 15. ♖e2 ♖fe8 16. ♖a2 ♘f6 17. ♘d2 ♗g2 18. ♔g2 ♘e4 19. ♘e4 de4 20. ♖b1 ♕c7 21. ♕c2 f5 22. b4 e5 23. de5 ab4 24. ♖b4 ♗e5 25. ♖ab2 ♖a7= Pigusov 2540 – Gulko 2565, Wien (open) 1991] **9. ♘e5 N** [9. ♘bd2 – 50/473] **♘d7 10. ♘d3 dc4! 11. bc4 ♘b6 12. g4** [12. ♕b3? ♗d4 13. g4 ♗g4 14. ♗e4 ♗e2 15. ♖e1 ♗d3 16. ♗d3 ♗b2−+; 12. ♘a3 ♗d4 13. g4 ♘f2! 14. ♖f2 ♗f2 15. ♘f2 ♕d1 16. ♖d1 ♗e6∞] **♘c4□ 13. gf5 ♘b2 14. ♘b2 ♕d4 15. ♕d4 ♗d4 16. ♗e4 ♗b2 17. ♘d2 ♗a1 18. ♖a1 ♖ad8?** [18... ♖fd8! 19. ♘b3 ♖ac8 20. ♖c1 (20. ♘a5 ♖c7) ♖d6 (△ b6, c5) 21. ♘a5 ♖c7 22. fg6 hg6 23. e3 (23. ♖c2?! ♖d4 24. ♗f3 ♖a4 25. ♘b3 c5∓) ♖d2 24. a3∓] **19. ♘b3 gf5 20. ♗f5 b6 21. f3± ♔h8 22. ♔f2** [22. a4±] **c5 23. ♗d3 ♖d6! 24. h4 e6= 25. a4 ♖c8 26. ♖c1 f5 27. ♔e3**
1/2 : 1/2 **[I. Sokolov]**

441.* **D 78**

POLUGAEVSKIJ 2630 – B. GEL'FAND 2665
Reggio Emilia 1991/92

1. d4 ♘f6 2. ♘f3 g6 3. g3 ♗g7 4. ♗g2 0–0 5. 0–0 d5 6. ♘bd2 a5 7. c4 c6 8. ♘e5 [RR 8. b3 ♗e6 N (8... ♘e4) 9. ♗b2 a4 10. ba4 ♕a5 11. cd5 cd5 12. ♘e5 ♘bd7 13. ♘d7 ♗d7 14. ♘b3 ♕a4 15. ♘c5 ♕d1 16. ♖fd1 1/2 : 1/2 Polugaevskij 2630 – Kasparov 2770, Reggio Emilia 1991/92] **♘g4** [8... ♘bd7 – 2/590] **9. ♘ef3 ♗f5** [9... ♘f6!?] **10. b3** [10. ♖e1 ♘f6=] **♘f6** [10... e5!? 11. de5 (11. h3?! ♘f2!? 12. ♔f2 e4 13. ♘h4 e3!; 11. cd5 e4!?; 11. ♗a3 e4!?=∞) ♘e5 12. ♘d4 ♗g4!?∞] **11. ♗b2** [11. a4 ♘a6=] **a4 N** [11... ♘e4 12. ♘h4±; 11... ♘a6] **12. ♘h4 ♗e6** [12... ♗g4?! 13. h3 ♗e6 14. f4→] **13. ♕c2** [13.

e4 de4 14. ♘e4 ♘e4 15. ♗e4 c5!⇆] **a3!** [13... ♕c8 14. ♖fe1 g5 15. ♘hf3 ♗f5 16. ♕c1 h6 17. ♘e5±; 14. ba4!±; 13... ♘a6 14. ba4±] **14. ♗c3 c5! 15. ♖ad1** [15. cd5 ♘d5 16. ♗d5 cd4! (16... ♕d5 17. e4 ♕h5 18. d5 ♗c3 19. ♕c3 ♗h3 20. ♘g2±) 17. ♗e6 (17. ♗b7 ♖a7∓) dc3∓; 15. dc5 d4 16. ♗b4 ♘c6 17. ♗c6 bc6 18. ♘df3 ♗h3 19. ♖fd1 ♕b8 20. ♗e1 e5∞̄; 15. e3!? cd4 (15... ♘c6 16. dc5 d4 17. ed4 ♘d4 18. ♕d3 ♘d7 19. ♘e4) 16. ed4 ♘c6 17. c5 b6 (17... ♘e8 18. ♕d3!?) 18. b4 bc5 19. bc5∞] **cd4 16. ♗d4 ♘c6 17. ♗f6** [17. ♗a1 ♕a5 18. cd5 ♘d5 19. ♘c4 ♕c5∓] **♗f6 18. ♘e4?** [18. cd5 ♗d5 (18... ♘d4!? △ 19. ♕c5 ♖c8) 19. ♗d5 (19. ♘e4 ♗e4 20. ♗e4 ♘d4 21. ♕d3 ♕b6∓) ♕d5 20. ♘e4 ♕e5 21. ♘f3 ♕b2 22. ♘f6 ♕f6 (22... ef6 23. ♕b2 ab2 24. ♖d2!=) 23. ♖d2 △ ♕e4=; 20... ♘b4!?]

18... de4! 19. ♖d8 ♖fd8∓ 20. ♕e4 [20. ♗e4 ♘b4 21. ♕b1 ♖d2 22. ♕e1 ♗c3∓] **♖d2** [20... ♘b4!? 21. ♕b7 ♘a2 22. ♕b6∓] **21. f4** [21. ♕b1 ♖e2!?] **♖a2 22. f5 gf5 23. ♘f5 ♖a1** [23... ♗f5!? 24. ♕f5 ♖a1–+] **24. ♘e7 ♘e7 25. ♖a1 ♗a1 26. ♕b7 ♗d4 27. e3 ♗e3 28. ♔f1 ♖a7 29. ♕b8 ♘c8** **0 : 1**
[B. Gel'fand, Kapengut]

442.* **D 82**

I. NOVIKOV 2550 – B. ALTERMAN 2495

Berlin 1991

1. d4 ♘f6 2. c4 g6 3. ♘c3 d5 4. ♗f4 ♗g7 5. e3 [RR 5. ♖c1 ♘h5 6. ♗d2 c5 7. e3 cd4 8. ed4 dc4 9. d5 0–0 10. ♗c4 ♘d7 11. ♘f3 a6 12. ♗e3!? N (12. a4 – 47/547) ♘hf6! (12... b5? 13. ♗e2! ♗b7 14. ♘d4 ♘hf6 15. ♘c6 ♗c6 16. dc6 ♘e5 17. ♕d8 ♖ad8 18. c7 ♖c8 19. ♗b6±) 13. a4 b5! 14. ab5 ♘b6 *a)* 15. b3?! ab5 16. ♗b6 (16. ♗b5? ♘fd5 17. ♘d5 ♘d5 18. ♗c6 ♘e3! 19. ♕d8 ♖d8 20. ♗a8 ♘g2 21. ♔f1 ♘f4–+) ♕b6; *b)* 15. ♗b6 ♕b6 16. ♕e2 ab5 17. ♗b5 (17. ♘b5 ♗a6!) ♗b7 18. ♗c4 (1/2 : 1/2 Venturino – Niżyński 2285, corr. 1991/92) ♕c5! 19. ♖d1 ♖fd8 20. 0–0 ♘d5 21. ♘d5 ♗d5 22. ♗d5 ♖d5 23. b4 ♕b5 24. ♕e7 ♖d1 25. ♖d1 ♗f8= Niżyński] **c5 6. dc5 ♕a5 7. ♕a4 ♕a4 8. ♘a4 0–0 9. ♖c1 ♘a6!? N** [9... ♗d7 – 45/(544)] **10. cd5 ♘d5 11. ♗a6 ba6 12. ♘e2** [12. ♘f3?! ♗d7 13. c6 ♖fc8∓] **♘b4 13. 0–0 ♘a2 14. ♖a1!** [14. ♖cd1?! ♗b7∓] **♘b4 15. ♖fd1 ♗e6 16. ♘d4** [16. ♘ac3 ♗c4 17. ♖a4 a5!? 18. ♖a5 ♘c6 19. ♖a3 ♗e2 20. ♘e2 ♗b2 21. ♖a6 ♖ac8= △ 22. ♘d4?! ♖fd8∓] **♗d4! 17. ed4 ♗b3 18. ♖d2 ♘c2 19. ♖c2□ ♗c2 20. ♘c3 ♖fd8 21. d5 ♗b3 22. ♗c7!** [22. d6? ed6 23. cd6 ♗c4∓] **♖d7 23. d6 ed6 24. cd6 ♖e8?!** [24... ♖c7! 25. dc7 ♖c8 26. ♖a6 ♖c7 27. ♖d6! ♗c4 28. f4 ♖b7 29. ♖d2 ♔f8 30. ♔f2 ♔e7∓] **25. f3!** [△ ♘e4] **♖c7□ 26. dc7 ♖c8 27. ♖a6** **1/2 : 1/2**
[B. Alterman, A. Vajsman]

443. **D 85**

ASEEV 2525 – A. MIHAL'ČIŠIN 2520

Brno II 1991

1. d4 ♘f6 2. c4 g6 3. ♘c3 d5 4. cd5 ♘d5 5. e4 ♘c3 6. bc3 ♗g7 7. ♗b5 ♗d7 8. ♗e2 [8. ♗d7 ♘d7] **c5 9. ♘f3 cd4 10. cd4 ♗c6 11. ♕d3 f5 12. ef5** [12. e5 ♗d5 △ ♘c6∓] **♕a5 13. ♗d2 ♕f5 14. ♕f5 gf5 15. ♖c1** [15. ♘e5 ♗e5 16. de5 ♗g2 17. ♖g1 ♗d5∓; 15. ♗f4!?] **♗d5** [15... ♘d7!? 16. ♘g5 ♘f6 17. ♘e6 ♔f7∞] **16. ♗c4!? N** [16. ♖c5 – 47/(556)] **♗f3!** [16... ♗c4 17. ♖c4 ♔d7 18. ♔e2 e6 19. ♖b1!±] **17. gf3 ♘c6 18. d5** [18. ♗b5? ♗d4 19. ♖c6 bc6 20. ♗c6 ♔f7∓] **♘d4 19. ♗e3!□ ♖c8!** [19... ♘f3 20. ♔e2 ♘e5 21. ♗b5 ♔f7 22.

♖c7↑; 19... ♔d7!?] **20. 0–0** [20. f4!?] **♔d7!** [20... ♘f3 21. ♔g2 ♘e5 22. ♗b5 ♔f7 23. ♗a7 ♖a8 24. ♗d4 ♖a2 25. ♖c7 △ d6∞̄] **21. f4** [21. ♖fd1 ♘f3 22. ♔g2 ♘e5 23. ♗b5 ♔d6 24. ♗a7∞] **b5!?** [21... ♔d6!?] **22. ♗d3** [22. ♗d4 bc4 23. ♗g7 (23. ♗a7? c3∓) ♖hg8∓] **♔d6 23. ♖fd1** [23. ♗d4 ♗d4 24. ♖c8 ♖c8 25. ♗f5 ♖f8 26. ♗h7 ♖f4=] **a6!? 24. ♖b1** [24. ♗f1?! ♘c2! △ ♗b2] **♖c3** [24... ♖c5? 25. ♗f1 ♖d5 26. ♗g2 ♘e2 27. ♔f1±] **25. a4 ♖b8** [25... ba4!? 26. ♖b6 ♔d5 27. ♖a6 a3∞] **26. ab5 ab5 27. ♖b4 ♘c2 28. ♗c2 ♖c2 29. ♖db1!= ♔d5 30. ♖b5 ♖b5 31. ♖b5 ♔e6 32. ♔g2 ♖c4 33. ♔f3 ♗f6 34. h3 1/2 : 1/2** **[A. Mihal'čišin]**

444. !N** **D 85**

RAJSKIJ 2430 – ODEEV 2365

România 1991

1. d4 ♘f6 2. c4 g6 3. ♘c3 d5 4. cd5 ♘d5 5. e4 ♘c3 6. bc3 ♗g7 7. ♗b5 c6 8. ♗a4 0–0 9. ♘e2 e5 [9... c5 – 48/(609)] **10. 0–0 ♕h4?! 11. f3! N** [11. f4 ed4 12. cd4 ♗g4 13. ♗e3 ♕h5 14. ♖f2 c5 15. e5 cd4 16. ♗d4 ♖d8 17. h3 ♗e2 18. ♖e2 ♖d4 19. ♕d4 ♕e2 20. ♕d8 ♗f8 21. ♗b3 ♕e3 22. ♔h1 ♕f4 23. ♕c8 a5 24. ♕b7 ♖a6 25. ♕b8 ♖c6 26. ♕b7 1/2 : 1/2 Savčenko 2485 – Odeev 2365, SSSR 1991; 11. ♘g3 ed4 12. cd4 c5 13. e5 ♖d8 14. f4 ♖d4 15. ♕c2 ♗e6 16. ♗e3 ♖c4 17. ♕d1 ♗e5 18. fe5 ♖a4 19. ♘h5 ♘c6∞ Glek 2530 – Isaev 2380, SSSR 1991] **♖d8 12. ♗e3 h6?!** [12... ed4 13. cd4 c5 14. ♕c1! ♕e7 15. ♕a3±; 12... ♗e6 13. ♗b3±] **13. ♕c1 ♔h7 14. ♗b3** [14. de5 ♗e5 15. g3 ♕h3 16. ♘f4±; 16. ♗f4±] **ed4** [14... f5 15. ef5 ♗f5 16. de5 ♗e5 17. g3 ♕e7 18. ♘d4±; 14... ♕e7 15. de5 ♗e5 16. ♗h6 ♗h2 (16... ♕h4 17. ♗f4) 17. ♔h2 ♕h4 18. ♔g1 ♕h6 19. ♕h6 ♔h6 20. ♗f7±] **15. cd4 ♕e7** [15... f5 16. e5±] **16. ♖b1! b6** [16... ♗e6 17. ♗e6±] **17. ♖d1 ♗b7 18. e5± ♘a6** [18... c5 19. f4 cd4 20. ♘d4±] **19. f4 f5 20. g4! fg4 21. f5! gf5** [21... c5 22. f6 ♗f6 23. ef6 ♕e4 24. d5 ♖e8 25. ♘f4! ♕e3 26. ♕e3 ♖e3 27. ♖e1+–] **22. ♘g3 ♖f8 23. ♖f1 c5 24. ♘f5 ♕c7** [24... ♖f5 25. ♕c2! ♖f8 26. ♖f5 ♘b4 27. ♖f7 ♘c2 28. ♗c2+–] **25. ♗c2 cd4 26. ♘e7!** [26. ♘g7 ♔h8! △ ♕c6; 26. ♗h6 d3] **♔h8 27. ♘g6 ♔g8 28. ♗b3 ♔h7 29. ♘f8 ♖f8 30. ♕c7 ♘c7 31. ♖f8 ♗f8 32. ♗d4+– ♘b5? 33. ♗c2 1 : 0**
[B. Gel'fand, Rajskij]

445. **D 85**

BELLÓN LÓPEZ 2510 – EHLVEST 2605

Logroño 1991

1. d4 ♘f6 2. c4 g6 3. ♘c3 d5 4. cd5 ♘d5 5. e4 ♘c3 6. bc3 ♗g7 7. ♕a4 ♘c6!? N [7... ♘d7 – 50/(480)] **8. ♘f3 0–0 9. ♕a3 b6 10. ♗g5?!** [10. ♗e2] **♕d6! 11. ♕d6 cd6!∓ 12. ♗b5 ♗b7 13. 0–0** [13. ♗c6 ♗c6 14. ♗e7 ♖fe8 15. ♗d6 ♖e4 16. ♔d2 ♗h6 17. ♔d3 ♖e6→] **e6** [⇔c, ×c3] **14. ♘d2 ♘a5 15. ♗e7 ♖fc8 16. ♗d6 ♖c3 17. ♗b4** [⌓ 17. e5] **♖c7 18. e5 ♗f8 19. ♗a5 ba5∓⊞ 20. ♖fc1 ♖ac8 21. ♘b3 a6 22. ♗f1** [22. ♗a4 ♖c4 23. ♖c4 ♖c4 24. ♘a5 ♖d4 25. ♘b7 ♖a4∓] **a4 23. ♖c7 ♖c7 24. ♘c5** [24. ♘a5 ♗d5–+; 24. ♖c1 ab3 25. ♖c7 ba2 26. ♖c1 ♗a3 27. ♖a1 ♗d5–+] **♗c5 25. dc5 ♖c5 26. ♖b1 ♗d5! 27. a3 ♗b3–+ 28. ♗a6 ♖e5 29. ♔f1 ♖c5 30. ♗d3 ♖c3 31. ♗b5 ♖c2 32. ♖a1 ♔f8 33. ♗e2⊕ ♔e7 34. ♔e1 h5 35. h4 ♖b2 36. f4 ♔d6 37. g3 ♔d5 38. ♔f1 ♔d4⊕ 0 : 1** **[Ehlvest, E. Vladimirov]**

446.* **D 85**

ŠNEJDER 2540 – EPIŠIN 2615

SSSR (ch) 1991

1. d4 ♘f6 2. c4 g6 3. ♘c3 d5 4. cd5 ♘d5 5. e4 ♘c3 6. bc3 ♗g7 7. ♘f3 0–0 8. ♖b1 [RR 8. ♗e2 b6 9. 0–0 c5 10. ♗f4 N (10. ♗g5 – 30/681) ♗b7 11. ♕d3 ♗a6 12. ♕e3 ♗e2 13. ♕e2 ♕c8 14. ♕e3 ♖e8 15. ♖fd1 ♘c6 16. ♗h6 ♗h8 17. ♖ac1 ♘a5 18. ♕f4 ♘c4 19. ♕h4 e5 20. ♗g5 ♕c6 21. ♗e7 ♕b7 22. ♗f6 ♗f6 23. ♕f6 ♕e4 24. dc5 ♕f4= M. Gurevič 2630 – Ljubo-

jević 2600, Beograd 1991] **b6 N** [8... c5 — 52/464, 465, 466] **9. ♗e2 ♗b7 10. ♕d3 ♕d7!** [△ ♕c6] **11. 0–0 ♕c6 12. e5** [12. ♘d2 ♖d8 13. ♕e3 ♗a6=] **♖d8 13. ♕e3** [13. ♗g5 ♗e5 14. ♗e7 ♖e8=] **♕e4 14. ♗a3 c5 15. ♖fe1** [15. dc5 ♕e3 16. fe3 ♗h6 17. ♔f2 ♘d7=] **♕e3 16. fe3 ♗d5!** [16... e6 17. ♘g5 ♗h6 18. ♗f3 ♗f3 19. ♘f3=] **17. ♖b2** [17. c4 ♗e4 18. ♖bd1 ♘c6 19. ♗b2 cd4 20. ed4 ♖ac8∓] **e6 18. ♘d2 ♗f8!∓ 19. c4** [19. ♗f3 ♗f3 20. ♘f3 cd4 21. ♗f8 dc3∓] **♗c6! 20. ♘b3 a5 21. dc5 ♘d7 22. ♘d4 ♗e4 23. ♗f3 ♗f3 24. ♘f3 ♖ac8∓ 25. ♖d1 ♘c5 26. ♖d8 ♖d8 27. ♖d2⊕** [27. ♖b6? ♖d1 28. ♔f2 ♘e4 △ ♘c3–+; 27. ♗c5!? ♗c5 28. ♔f2 ♖d3 29. ♖b3 ♗e3 30. ♔e2 ♖b3 31. ab3 ♗c5∓] **♖d2 28. ♘d2 ♘d3 29. ♗d6□ f5 30. ♘f3 h6 31. ♔f1?** [31. ♘d4 ♗d6 32. ed6 ♘c5 33. ♘c6 ♔f7 34. ♘e5 ♔f6 35. d7 ♔e7 36. ♘g6 ♔d7∓] **♔f7 32. ♘d4 ♗d6 33. ed6 e5–+ 34. ♘b5 ♔e6 35. a3 ♘b2 36. c5 bc5 0 : 1** [Epišin]

447. **D 85**

PE. H. NIELSEN 2445
– AKOPJAN 2590
Mamaia 1991

1. d4 ♘f6 2. c4 g6 3. ♘c3 d5 4. cd5 ♘d5 5. e4 ♘c3 6. bc3 ♗g7 7. ♗e3 0–0 8. ♕d2 c5 9. ♖c1 cd4 10. cd4 b6!? N [10... ♘d7 — 33/(571)] **11. ♘f3 ♗b7 12. ♗d3 e6** [12... ♘c6?! 13. d5] **13. ♗h6** [13. 0–0 ♘c6∞] **♘c6 14. ♗g7 ♔g7 15. 0–0 ♕f6** [15... ♘d4? 16. ♕b2±; 15... ♕d6!?] **16. ♗b5 ♖fc8** [16... ♖ac8 17. ♗c6! △ ♘e5±] **17. ♖fd1 ♘a5 18. ♕e3 ♖c1 19. ♖c1 ♖c8 20. ♖c8 ♗c8 21. ♘e5 ♕e7= 22. ♘g4?!** [22. ♕c3 ♗b7 23. d5 ed5 (23... f6 24. ♘c6) 24. ♘c6 ♕f6 25. e5 (25. ♕f6 ♔f6 26. ed5 ♘c6 27. dc6 ♗c8∓) ♕e6 26. ♘a5 (26. ♘d8 ♕c8; 26. ♘d4 ♕e5 27. ♘f5 ♔f6) ba5 27. ♗d7 ♕b6∓ △ 28. e6 d4; 23. f3=] **h5□ 23. ♕h6 ♔g8 24. ♘e5 a6** [24... ♗b7!?] **25. ♗d3 ♗b7 26. g4?** [26. ♕c1=] **♘c6! 27. ♘c6 ♗c6 28. ♕c1** [28. gh5 ♕h4∓]

28... ♕h4! 29. f3 [29. ♕c6 ♕g4 30. ♔f1 ♕d1 31. ♔g2 ♕d3–+] **♕f6!** [29... hg4 30. ♕c6 ♕e1 31. ♗f1 ♕e3 32. ♔h1 ♕f3 33. ♔g1=] **30. ♕e3** [30. ♕c6 ♕d4 31. ♔g2 ♕d3 32. gh5 ♕d2 33. ♔h3 ♕f4 34. ♔g2 ♕g5 △ ♕h5∓] **hg4 31. fg4 a5∓ 32. g5 ♕d8** [32... ♕e7!?] **33. ♗e2 b5 34. h4 b4 35. ♗c4** [35. h5 gh5 36. ♗h5 a4] **♕d6 36. ♔g2 ♗b7 37. ♗e2 a4 38. ♗f3 ♗c6⊙ 39. ♕d3** [39. d5 ed5 40. ed5 ♗b5] **♕f4 40. d5 ed5 41. ed5 ♗d7–+ 42. ♕e4 ♕e4 43. ♗e4 ♔f8 44. h5** [44. ♔f3 ♗f5] **gh5 45. ♔g3 ♔e7 46. ♔h4 ♗g4 47. ♗c2 a3 0 : 1** **[Akopjan, Dement'ev]**

448. **D 85**

I. IBRAGIMOV 2485
– BEREBORA 2325
Harkány 1991

1. d4 ♘f6 2. c4 g6 3. ♘c3 d5 4. cd5 ♘d5 5. e4 ♘c3 6. bc3 ♗g7 7. ♗e3 c5 8. ♕d2 0–0 9. ♘f3 ♗g4 10. ♘g5 cd4 11. cd4 ♘c6 12. h3 ♗d7 13. ♖d1!? N [13. ♘f3 — 52/459] **♖c8 14. ♗e2 ♘a5** [14... e5?! 15. de5 ♘e5 16. 0–0 (16. f4?? ♘f3) ♗a4 17. ♕d8 ♖fd8 18. ♖d8 ♖d8 19. f4 ♘c6 (19... ♘d3 20. ♗a7±) 20. ♗c4 ♖d7 21. e5±] **15. ♘f3** [15. 0–0!? ♘c4 16. ♗c4 ♖c4 17. ♖c1 ♗b5 18. ♖c4 ♗c4 19. ♖c1 b5 20. ♘f3 △ ♗h6⩲] **♗e6! 16. 0–0 ♘c4** [16... ♗c4 17. d5 a6 18. ♗d4! ♗d4 19. ♘d4 ♗e2 20. ♕e2⩲] **17. ♗c4 ♗c4 18. ♖fe1 e6 19. ♗h6!⩲ ♕d6?!** [19... b5 20. ♗g7 ♔g7 21. ♘e5 h5⩲] **20. ♗g7 ♔g7 21. ♘e5 h5□ 22. ♖e3** [22. ♕b2!? b5 23. d5 f6□ 24. ♘c4 (24. ♘c6 e5 25. ♘a7 ♖a8∞) bc4 25. ♕b7

♖c7 26. de6±; 22... ♗a6±; 22. g4!?] **f6 23. ♘f3** [23. ♖g3!? fe5 24. ♕g5 ♖f6 (24... ♔f7 25. ♕g6 ♔e7 26. ♕h5→) 25. ♖d2! ♕e7□ 26. de5 ♖f7 27. ♕g6 ♔h8 28. ♖g5∞̄↑] **♕e7 24. a4 b6** [24... a6 25. a5] **25. ♕b2 ♖fd8 26. ♘h4!?** [26. ♖c1 ♗a6 27. ♖ec3±] **♔h7 27. f4?! e5! 28. ♖g3** [28. fe5 fe5 29. ♘f3 ed4 30. ♖d4 ♕c5∞] **ed4?** [28... ♖d4 29. ♖d4 ♕c5 30. ♖g6 ♕d4 31. ♕d4 ed4 32. ♖f6 ♖d8 33. ♘f3±; 28... ef4! 29. ♖g6 ♕e4 30. d5 (30. ♖f6? ♗d5 31. ♕f2 ♖c2 32. ♖f4 ♖f2 33. ♖e4 ♖g2∓; 30. ♕f2 ♕e3 31. ♖f6 ♕f2 32. ♔f2 ♗b3 33. ♖d2∞) ♖g8 (30... ♖d5 31. ♕f6!+−) 31. ♖f6 ♗d5 32. ♖d5 ♕e1 33. ♔h2 ♕g3=] **29. ♖g6 ♕e4 30. ♖f6 ♕e7** [30... d3 31. ♘f5+−; 30... ♕e2 31. ♕b1 d3 32. ♖e1+−; 30... ♖c5!?] **31. ♖h6! ♔g8 32. ♖h8! 1 : 0** [I. Ibragimov]

449.** **D 85**

AN. KARPOV 2730 – KAMSKY 2595

Tilburg (Interpolis) 1991

1. d4 ♘f6 2. c4 g6 3. ♘c3 d5 4. cd5 ♘d5 5. e4 ♘c3 6. bc3 ♗g7 7. ♗e3 c5 8. ♕d2 ♕a5 9. ♖b1 a6 [RR 9... cd4 10. cd4 ♘c6 11. ♕a5 ♘a5 12. ♘f3 0–0 13. ♗e2!? N (13. ♗d3 b6 – 52/(462); 13... ♖d8 14. ♔e2 ♗g4 15. d5 e6⇆) b6 14. 0–0 ♗b7 15. d5 f5 16. ♖fd1! fe4 17. ♘g5 h6 18. ♘e6 ♖f5 19. ♖bc1! *a)* 19... ♗d5 20. ♘c7 ♖d8 21. g4 ♖e5 22. ♗f4+−; *b)* 19... ♖d5 20. ♖d5 ♗d5 21. ♘c7 ♖d8 22. ♖d1 e6 23. ♘e6 ♖d7 24. ♘g7 ♔g7 25. ♗g4 ♖d8 (25... ♖d6 26. ♗f4+−) 26. ♗e6+− Tunik; *c)* 19... ♖b8 20. d6! ed6 21. ♘g7 ♔g7 22. ♖c7 ♖f7 23. ♗h6 ♔g8 24. ♖f7 ♔f7 25. ♖d6± Tunik 2470 – Juferov 2435, SSSR 1991] **10. ♖c1 cd4 11. cd4 ♕d2 12. ♔d2 0–0 13. ♘f3 e6 N** [13... ♖d8; 13... ♘c6] **14. ♗c4** [RR 14. ♗d3 ♘c6 – 41/(527); 14. ♗e2 f5 (14... ♘c6 15. ♖hd1 ♗d7 16. ♔e1±) 15. ef5 gf5 16. g3 ♘c6 17. ♖hd1 ♗d7 18. ♔e1 *a)* 18... ♖ac8 19. ♘e5! ♘e5 (19... ♗e5? 20. de5 ♘e5 21. f4+−) 20. de5 ♖c1 21. ♗c1 ♗c6 22. ♗a3±; *b)* 18... ♖fc8 (I. Ibragimov 2485 – Krasenkov 2550, SSSR (ch) 1991) 19. ♖b1! b5 20. ♘g5 ♘e7 21. ♗h5! ♘d5 (21... ♖c6 22. ♗f3 ♘d5 23. ♘h3 ♖ac8 24. ♗d5 ed5 25. ♘f4±) 22. ♗f7 ♔h8 23. ♘e6 ♘c3 24. ♘c5∞ I. Ibragimov] **♘c6 15. ♖hd1 ♗d7 16. ♔e1** [16. ♔e2 ♘a5 17. ♗d3 ♗a4 18. ♖d2 ♖fc8=] **♘a5 17. ♗e2** [17. ♗d3?! ♗a4 18. ♖d2 ♖ac8=] **♖fc8** [17... ♗a4 18. ♖d3±] **18. ♗d2** [18. e5!?±] **♘c6 19. ♗c3 ♘a7!= 20. ♗d2 ♘b5** [20... ♘c6=] **21. e5 ♗c6 22. a4± ♘a7 23. ♖a1 ♗d5 24. ♔f1** [△ ♘e1] **♘c6 25. a5 ♖c7 26. ♗e3 ♗f8 27. ♘e1 ♗b4 28. ♖dc1± ♗e1** [28... ♖ac8 29. ♘d3±] **29. ♖e1 ♘b4 30. ♖ac1** [30. ♖ec1? ♘c2 31. ♖ab1 ♗a2] **♘c2 31. ♗g5 ♖ac8 32. ♖ed1 ♘b4 33. ♖c7** [33. ♖b1?! ♘a2] **♖c7 34. ♖b1 ♘c2** [34... ♘a2 35. ♖b6 ♘c3 36. ♗d3 ♗c6 37. ♗d2] **35. ♗d8 ♖c8 36. ♗b6** [△ ♗c5] **♗e4 37. ♖d1 ♖c3 38. ♗c5 ♔g7 39. ♔g1 ♖b3 40. f3 ♗c6 41. ♔f2 ♘b4** [41... ♖b2? 42. ♖d2; 41... ♘e3 42. ♖d3±] **42. ♖d2 ♗d5 43. h4 ♘c6 44. ♗b6 h5** [44... ♖a3 45. ♖c2 ♘a5 46. ♖c8] **45. ♖c2 ♖a3 46. g4 ♖a1** [46... hg4 47. fg4 ♖h3 48. h5±] **47. ♖c3 ♖h1 48. ♔g3** [48. gh5 gh5 (48... ♖h2?! 49. ♔e3 gh5 50. ♖c1! ♖h4 51. ♖g1∞̄) 49. ♔e3 ♖h4 50. ♖c1→] **g5!⇆ 49. hg5 h4 50. ♔g2** [50. ♔f2 ♖h2 51. ♔e3 h3 52. ♖c1 ♔g6 53. f4 ♖e2 54. ♔e2 h2−+] **♖e1 51. ♖c2** [51. ♔f2 h3!−+] **♔g6 52. ♔f2 ♖a1 53. f4 ♖a3 54. ♖d2?** [54. ♔g1 ♖g3 55. ♔h2 ♗e4 56. ♖d2] **♖g3! 55. ♗c5** [55. ♖d3? ♖g2 56. ♔e3 ♖e2 57. ♔e2 ♗c4−+] **♔g7 56. ♖d3** [56. f5 ♖g2 57. ♔e3 h3−+] **♖g2 57. ♔f1 ♖e2 58. ♔e2 ♗c4 59. d5 ed5 60. ♔d2 ♗d3 61. ♔d3 d4!−+ 62. ♔e2 h3 63. ♔f3 d3 64. ♗e3 ♘d4 65. ♔g3 h2 66. ♔h2 ♘f3 67. ♔g3 d2 68. ♗d2 ♘d2 69. f5 ♘c4 70. ♔f4 ♘a5 71. ♔e4 ♘c6 72. ♔d5 a5 0 : 1** [An. Karpov]

450. !N **D 85**

L. PORTISCH 2570 – ADORJÁN 2530

Magyarország (ch) 1991

1. d4 ♘f6 2. c4 g6 3. ♘c3 d5 4. cd5 ♘d5 5. e4 ♘c3 6. bc3 ♗g7 7. ♗e3 c5 8. ♕d2 ♕a5 9. ♖b1

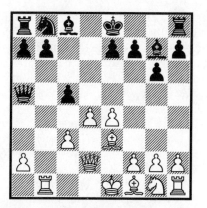

9... b6! N 10. ♖b5 [10. ♘f3 0–0 11. ♗e2 (11. ♗c4 ♗b7∓; 11. ♗d3 ♘c6∓) ♗b7 12. e5 ♘c6 13. 0–0 cd4∓; 10. ♗b5 ♗d7 11. ♗d7 (11. ♗d3?! 0–0 12. ♘e2 ♘c6∓) ♘d7 12. ♘e2 (12. ♘f3? ♘f6∓) 0–0 13. 0–0 (13. d5?! ♘e5 14. ♕c2 ♘c4 15. ♗c1 b5∓) cd4 14. cd4 ♕d2 15. ♗d2 ♖ac8 16. ♖fc1 e6=] **♕a4 11. ♖b3** [11. dc5?! 0–0! (11... ♕e4? 12. ♗e2!±) 12. ♖b4 ♕a5 13. cb6 ab6∓] **0–0 12. ♗b5 ♕a5 13. ♘e2?!** [13. ♘f3 ♗d7! *a)* 14. a4 a6∓; *b)* 14. ♗e2 ♖c8 15. 0–0 (15. d5? c4 16. ♖b4 ♘a6–+) cd4 16. cd4 ♕d2 17. ♘d2 (17. ♗d2 ♖c2∓) ♖c2 18. d5 ♖a2 19. ♗c4 ♖a4∓; *c)* 14. ♗d7 ♘d7 15. 0–0 (15. d5? c4 16. ♖b4 ♘f6 17. ♕c2 ♘e4 18. ♖c4 ♘c3 19. ♗d2 ♖ac8–+) cd4 16. cd4 ♕d2 17. ♗d2 ♖fc8 18. ♖fb1 (18. ♖c3 ♖c3 19. ♗c3 ♖c8∓ △ 20. ♖c1? ♗h6 21. ♖c2 ♘f6–+) ♖c2 19. ♖3b2 ♖ac8 20. ♔f1 e6=] **a6!** [13... ♗d7 14. ♗d7 (14. a4 a6∓) ♘d7 15. 0–0 (15. d5? ♘e5 16. ♕c2 c4 △ ♘d3∓) cd4 16. cd4 ♖fc8 17. ♖c3 ♖c3 18. ♘c3 ♖c8 19. ♖c1=] **14. ♗d3** [14. ♗c4 b5 15. ♗d5 ♖a7 16. dc5 e6 17. c6 ♖c7 18. ♗f4 ed5 19. ♗c7 ♕c7 20. ed5 ♖d8 21. ♕f4 ♗e5 (21... ♕f4 22. ♘f4 ♗e5∓) 22. ♕f3 ♕d6∓] **♘c6 15. d5** [15. 0–0 *a)* 15... cd4 16. cd4 ♕d2 (16... ♘d4 17. ♕a5 ♘e2 18. ♗e2 ba5 19. ♖a3=) 17. ♗d2 ♘d4 18. ♖b6 ♖d8 19. ♗e3! (19. ♗g5 ♘e6–+; 19. ♗b4 ♘c6 20. ♖c6 ♖d3 21. ♗e7 ♗b7 22. ♖c4 ♖e8∓) ♘f5!∓; *b)* 15... b5!? 16. ♕c1 (16. dc5 ♖d8∓) c4 17. ♖a3 ♕c7∓] **♘e5 16. 0–0** [16. c4 ♘d3 17. ♖d3 ♕a4 18. ♕c1 (18. 0–0 ♕c4 19. f3 f5–+) f5 19. 0–0 ♕a2∓] **f5!∓ 17. ♖bb1** [17. ef5? c4 18. ♗b6 ♕d5–+; 17. ♗b1?! ♘c4 18. ♕d3? ♘d6–+; 17. ♘f4 g5! △ f4–+; 17. ♖fb1 ♘d3 18. ♕d3 ♕a2∓; 17. f3 ♘d3 18. ♕d3 fe4 19. fe4 ♖f1 20. ♔f1 ♗d7∓] **♘d3 18. ♕d3 ♕a2 19. ♖b6** [19. ♘c1 ♕a5–+] **fe4 20. ♕d2 ♕d2 21. ♗d2 a5–+ 22. ♖a1 ♖d8 23. ♖c6 ♖d5 24. ♗e3 ♗d7** [24... ♗g4 25. ♘f4 ♖d1 26. ♖d1 ♗d1–+] **25. ♖c5 ♖c5 26. ♗c5 ♔f7 27. ♖b1 ♖c8** [27... ♗e5! △ ♖b8–+] **28. ♗a3 ♗f6 29. h3 ♖c7 30. ♖b6 ♗a4 31. ♗b2 ♖d7 32. ♘d4 e5 33. ♘b5 ♗b5 34. ♖b5 ♖a7?** [34... ♖d1 35. ♔h2 ♖b1 36. c4 a4 37. ♔g3 h5!⊙ △ 38. h4 a3! 39. ♗a3 ♖h1–+] **35. c4 a4 36. ♗a3 ♗e7 37. c5 ♔e6** [37... ♖d7 38. ♖a5! ♖d1 39. ♔h2 ♖a1 40. ♗b2 ♖a2 41. ♗e5=] **38. ♔f1 ♔d5 39. ♔e2 ♖a6 40. ♖b7! ♗c5 41. ♖b5 ♖c6 42. ♖a5**

1/2 : 1/2 **[Adorján, Gy. Fehér]**

451. **D 85**

G. KOTLYAR 2295 – FTÁČNIK 2575

Reno 1991

1. d4 ♘f6 2. c4 g6 3. ♘c3 d5 4. cd5 ♘d5 5. e4 ♘c3 6. bc3 ♗g7 7. ♗e3 c5 8. ♕d2 ♕a5 9. ♖c1 cd4 10. cd4 ♕d2 11. ♔d2 0–0 12. ♘f3 ♖d8 13. ♖c7 N [13. ♗b5 – 31/517] **♘c6 14. d5** [14. ♔c3 ♗g4⇆] **e6 15. ♗g5!?** [15. ♘g5? ♗e5! 16. ♖f7 h6–+; 15. ♔c1 ed5 16. ed5 ♖d5 17. ♗c4 ♖d7∓] **f6** [15... ♖d6 16. ♗f4 (16. ♗c4 ♘a5 17. ♗f4 ♖d7!) ♖d8 17. ♘g5! ed5 18. ♘f7 *a)* 18... ♖f8 19. ed5 ♖f7 (19... ♘b4 20. ♗c4!) 20. ♖f7 ♔f7 21. dc6±; *b)* 18... ♖d7 19. ♖d7 ♗d7 20. ♘d6↑] **16. ♔c1!** [16. ♗h4 g5 (16... ed5 17. e5 ♖f8∓) 17. ♔c1 ed5 18. ed5 ♘b4 19. ♗g3 ♘d5 20. ♗c4 ♗e6∓] **ed5** [16... fg5!? 17. dc6 g4 (17... bc6 18. ♗c4! g4 19. ♘g5 ♗e5 20. ♖c8!) *a)* 18. cb7 ♗b7 19. ♖b7? ♖ac8 20. ♔b1 ♖d1#; *b)* 18. ♗c4 gf3 19. cb7 ♗h6 20. ♔c2 (20. ♔b1 ♖b8 21. ♖c8 ♖b7 22. ♔a1 ♗g7#) ♗b7 21. ♗e6 ♔h8 22. ♖b7 ♖d2 23. ♔c3 fg2 24. ♖g1 ♖f2∓; *c)* 18. ♘g5 ♗e5 (18... ♗h6 19. h4 gh3 20. f4 bc6 21. ♖h3↑) 19. cb7 ♗b7 20. ♖b7 ♖ac8 21. ♗c4□ ♖c4 22. ♔b1∓] **17. ed5 ♘b4** [17... ♘a5? 18. ♗d2 ♖d5 19. ♗a5 ♖a5 20. ♗c4 ♔h8 21. ♖e1+–; 17... fg5 18. dc6 g4 19. ♗c4 ♔h8 20. ♘g5] **18. ♗c4 b5** [18... ♘d5

19. ♖e1! (19. ♖d1 ♗e6∓) fg5 20. ♘g5 (20. ♗d5 ♖d5 21. ♖e8 ♗f8 22. ♖cc8 ♖c8 23. ♖c8 g4−+) ♗f5! (20... h6 21. ♗d5 ♖d5 22. ♖e8 ♗f8 23. ♖f7 ♖c5 24. ♔d2 ♖c2 25. ♔e1 ♖c1 26. ♔d2=) 21. ♖e8 ♖e8 22. ♗d5 ♔h8 23. ♘f7 ♔g8 24. ♘h6=] **19. ♗b3** [19. ♗b5 ♘d5 20. ♗c4 ♗e6∓; 19. ♗d2 ♘d5∓] **fg5** [19... ♘d5 20. ♖e1 fg5 21. ♘g5 ♗f5 22. ♖e8=] **20. d6 ♔h8 21. ♘g5 ♘d3** [21... ♖d7 22. ♘f7 (22. ♖d7 ♗d7 23. ♘f7 ♔g8 24. ♘e5 ♔h8 25. ♘d7 ♖d8 26. ♘c5 ♖c8−+; 25. ♘f7=) ♖f7 23. ♗f7↑] **22. ♔b1** [22. ♔d2 ♘e5 23. f4 ♖d6 24. ♔e1 ♖d7 25. ♖d7 ♘d7−+; 22. ♔c2 ♘e5 23. f4 ♗f5 24. ♔c1 ♘d3 25. ♔d2 h6 26. ♘f7 ♔h7 27. ♘d8 ♖d8∓] **♘e5 23. f4** [23. ♖e1 ♗f5 24. ♔c1 (24. ♗c2 ♗c2 25. ♔c2 ♖dc8−+) ♖dc8!−+] **♘c4** [23... h6 24. fe5 hg5 25. ♖e1 ♗f5 26. ♗c2 ♗c2 27. ♔c2 ♖ac8 28. e6!! ♖c7 29. dc7 ♖e8 30. e7 ♗f6 31. ♔b3 ♗e7 32. ♖e7+−; 23... ♗f5 24. ♗c2 (24. ♔c1? ♘d3 25. ♔d2 h6 26. ♘f7 ♔h7∓) ♗c2 25. ♔c2 ♘c4 (25... ♖d6 26. fe5 ♖a6 27. ♔b3±) 26. ♘f7 ♔g8 27. ♘d8 ♖d8 28. d7 ♔f7 29. ♖a7±] **24. ♘f7 ♔g8 25. ♗c4?** [25. ♘d8 ♗f5 26. ♗c2 ♗c2 (26... ♘a3 27. ♔c1 ♘c2 28. ♘b7!; 26... ♖d8 27. ♗f5 gf5 28. d7 ♔f7 29. ♖d1±) 27. ♔c2 ♖d8 28. d7 ♔f7 29. ♖a7±] **bc4 26. ♘d8 ♗f5 27. ♔c1 ♖d8 28. ♖c4** [28. ♖d1 ♗f8 29. d7 ♗a3 30. ♔d2 ♗d7−+] **♗f8! 29. ♖c7?!** [29. ♖d1 ♗d6 30. ♖dd4 ♗e6 31. ♖a4 ♖c8 32. ♔d2 ♗c5∓] **a5 30. ♖a7 ♗d6 31. ♖a5 ♖c8 32. ♔b2** [32. ♔d1 ♗g4 33. ♔d2 ♗b4] **♖b8** [33. ♔a1 ♗b4−+]

0 : 1 **[Ftáčnik]**

452.* **D 85**

ZSU. POLGÁR 2535 –
DE LA VILLA GARCÍA 2470

Pamplona 1991/92

1. d4 ♘f6 2. ♘f3 g6 3. c4 ♗g7 4. ♘c3 d5 5. cd5 ♘d5 6. e4 ♘c3 7. bc3 c5 8. ♖b1 0–0 9. ♗e2 ♘c6 10. d5 ♗c3 11. ♗d2 ♗d2 12. ♕d2 ♘a5 13. h4 ♗g4 14. ♘g5 ♗e2 15. ♔e2 h6 [RR 15... e6? 16. h5 ed5 (16... h6 – 40/(578)) 17. ♘h7 ♖e8 (17... de4 18. ♘f8 ♕d2 19. ♔d2 ♖f8 20. ♔e3 ♖e8 21. ♖bc1 b6 22. hg6 fg6 23. ♖h4+−) 18. hg6 ♖e4 19. ♔f1 fg6 20. ♕h6 ♕d6 21. ♘g5+− Zadrima] **16. ♘h3 N** [16. ♘f3; RR 16. h5 hg5 17. hg6 fg6 *a)* 18. ♕g5 ♕d6 19. ♖h6 ♕a6! 20. ♔e1 ♔g7 21. ♖h4! *a1)* 21... ♖h8 22. ♕e7 ♔g8 23. ♖h8 ♔h8 24. ♔d2 (24. f3 ♕d3=) ♘c4 25. ♔c3 ♕a5 26. ♔c4 ♕a2 27. ♖b3 b5 28. ♔c5 ♕b3 29. ♕f6=; *a2)* 21... ♔f7 22. e5 (22. ♖h7 ♔g8 23. ♕e7? ♕f6−+; 23. ♖h6=) ♕d3 23. ♖d1 ♕c3 24. ♔f1 ♕c2 25. ♖d2 ♕b1 26. ♔e2 ♔e8 27. ♖h7 ♕e4= Mileto 2255 – Zadrima 2235, Forli 1991; *b)* 18. ♕c3!? e5 (18... ♔f7 19. ♖h7 ♔e8 20. ♕g7 ♔d7 21. d6! ♖g8□ 22. de7 ♕e8 23. ♖d1 ♔c6 24. ♕f6 ♔b5 25. ♖b1 ♔a4 26. ♕c3+−; 18... b6 19. ♕h8 ♔f7 20. ♖h7 ♔e8 21. ♕g7 ♔d7 22. d6?! ♖g8 23. de7 ♕e8∓; 22. ♕g6=∞) 19. ♕h3 (19. ♕e5? ♕f6−+) ♔g7 20. ♕h7 ♔f6 21. ♖h3 g4 22. ♕h4 ♔g7 23. ♕h6 (23. ♕g4? ♕f6∓) ♔f6= Zadrima] **♔h7 17. ♕c3!? e5?!** [17... b6 18. f4!?; 18. ♘f4!?∞] **18. de6± ♕d4!** [18... fe6? 19. ♘g5! hg5 20. hg5 ♔g8 21. ♖h8 ♔f7 22. ♖h7 ♔e8 23. ♕g7+−] **19. ♕d4** [19. ♕a5? ♕e4 20. ♔d2 ♖fd8 21. ♔c1 ♖d4→] **cd4 20. ef7** [20. ♖b5 b6 21. ef7 ♖ad8 (21... ♖f7? 22. ♖d5 ♘c6 23. ♖d6+−) 22. ♖d5 ♖d5 23. ed5 ♖f7 24. ♖d1 ♖d7 25. ♖d4 ♘c6 26. ♖d2 ♘e7 27. ♘f4 g5±] **♖f7 21. ♔d3!?** [21. ♖hc1! ♖e8 22. ♔d3 ♖fe7 23. ♘f4! ♖f7 (23... ♖e4 24. ♘d5+−) 24. ♘d5 ♖f2 25. ♖c7 ♔h8 26. ♖b5 b6 27. ♖a7±] **♖c8** [21... ♘c6 22. f4 △ e5, g3, ♘f2-e4+−] **22. ♖hc1 ♘c6 23. f4 ♘b4** [23... ♖fc7 24. ♔d2 ♘a5 25. ♖c7 ♖c7 26. h5±] **24. ♔d4 ♖c1** [24... ♖d7 25. ♔e3 ♖c1 26. ♖c1 ♘a2 27. ♖a1+−] **25. ♖c1 ♘a2 26. ♖c8! b5** [26... ♘b4!?] **27. ♖b8 b4 28. e5 a5 29. e6** [29. h5] **♖a7** [29... ♖e7 30. ♔e5] **30. f5!?** [30. ♖d8? b3 31. ♖d7 ♖d7 32. ed7 b2 33. d8♕ b1♕=; 30. h5!?] **gf5 31. ♘f4 b3□** [31... ♔g7 32. ♔e5 △ ♘d5, e7+−; 31... a4 32. ♖d8! b3 33. ♖d7 ♖d7 34. ed7 b2 35. d8♕ b1♕ 36. ♕e7 ♔g8 37. ♕e8 ♔g7 38. ♘h5+−] **32. ♖b3 ♘b4** [32... a4 33. ♖g3!+−] **33. h5⊕ ♘c6 34. ♔c5 a4 35. ♖e3!+− ♘e7** [35... a3 36. ♔c6 a2 37. ♖e1 a1♕ 38. ♖a1 ♖a1 39. e7

♖e1 40. ♔d7] **36. ♘g6! ♘c8** [36... ♘g6
37. hg6 ♔g6 38. e7; 36... a3 37. ♘e7 a2
38. ♖e1 a1♕ (38... ♖e7 39. ♔d6) 39.
♖a1 ♖a1 40. ♘f5] **37. ♖d3 ♖a8** [37... a3
38. ♖d7] **38. ♖d7 ♔g8 39. ♖d8 ♔g7 40.
e7!** [40. ♘e7? ♖a5? 41. ♔b4 ♘e7 42.
♔a5 ♘c6 43. ♔a4 ♘d8 44. e7+−; 40...
a3!] **♖a5 41. ♔b4 ♘e7 42. ♘e7** [♖ 8/f6]
♖e5 43. ♘d5 [43. ♖d7?! ♔f6 44. ♘g8
♔g5 45. ♖g7 ♔h5 46. g3 ♖e6=] **♖e4 44.
♔c5! ♖g4 45. ♖d7 ♔f8 46. ♖a7 ♖g2 47.
♖a4 ♖h2 48. ♖a8 ♔f7 49. ♖a7 ♔f8 50.
♘f4 ♖d2** [50... ♖f2 51. ♘e6 ♔g8 52.
♔d6 ♖h2 53. ♔e5 ♖h5 54. ♔f6 ♖h1 55.
♖a8 ♔h7 56. ♘f8 ♔g8 57. ♘g6] **51. ♘g6
♔g8 52. ♘e7 ♔f8** [52... ♔f7 53. ♘d5
♔f8 54. ♔d6] **53. ♘f5 ♖g2** [53... ♖h2
54. ♔d6! ♖h5 55. ♔e6 ♔g8 56. ♔f6 ♖g5
57. ♘e7 ♔h7 58. ♘g6] **54. ♔d6 ♔g8 55.
♔e6 ♔h8 56. ♖a8 ♔h7 57. ♖a7 ♔h8 58.
♔f6 ♖g1 59. ♘e7 ♖f1 60. ♔g6 ♖a1 61.
♘c6   1 : 0**   [Zsu. Polgár]

453. !N   D 85

B. ALTERMAN 2495 − ČUČELOV 2435
Berlin 1991

**1. d4 ♘f6 2. c4 g6 3. ♘c3 d5 4. ♘f3 ♗g7
5. cd5 ♘d5 6. e4 ♘c3 7. bc3 c5 8. ♖b1
0−0 9. ♗e2 ♘c6 10. d5 ♘e5 11. ♘e5
♗e5 12. ♕d2 b6 13. 0−0 e6 14. f4 ♗g7
15. de6 ♗e6 16. f5 ♗c8 17. ♕d8! N** [17.
♗c4 − 38/605] **♖d8 18. ♗g5 f6□** [18...
♖e8? 19. ♗b5±] **19. ♗c4 ♔h8 20. ♗h4!±
♗b7 21. ♖be1 ♖d2** [21... ♖e8?! 22. e5!
♖e5 23. ♖e5 fe5 24. f6 ♗f8 25. f7 h5 26.
♗f6 ♔h7 27. ♗e5±] **22. ♖f2!** [22. fg6?!
♖e8! 23. ♗f6 ♖e4!=] **♖f2?!** [22... ♖ad8!?
23. e5!! ♖f2 24. ♔f2 *a)* 24... g5? 25. e6!
♗c6 (25... gh4 26. e7 ♖e8 27. ♗b5) 26.
e7 ♖c8 27. ♗g3+−; *b)* 24... ♖d2 *b1)* 25.
♔g1 fe5 26. f6 ♗f8 *b11)* 27. ♖e5 ♖g2
28. ♔f1 ♗c6 29. ♖e6 (29. f7?! ♔g7 30.
♖e6 ♖g4 31. ♗f6 ♔f7 32. ♖e4 ♔f6 33.
♖g4 ♗d6 △ h5∓) ♖g4=; *b12)* 27. ♗g3
h5! (27... ♖g2? 28. ♔f1 ♖d2 29. f7 h5
30. ♖e5+−) 28. ♖e5 ♗c6! 29. ♖e6 ♗d7
30. ♖e2 ♖e2 31. ♗e2 ♗e6 32. c4 ♔g8
33. a4 ♔f7=; *b2)* 25. ♔f1! *b21)* 25... g5?!

26. e6 ♗f8 (26... ♗g2 27. ♔g1 ♗c6 28.
e7 ♗e8 29. ♗g3+−) 27. e7 ♗g2 28. ♔g1
♗e7 29. ♖e7 gh4 30. ♖e8 ♗g7 31. ♖g8
♔h6 32. ♖g2+−; *b22)* 25... fe5 26. f6
♗f8 (26... ♗g2 27. ♔g1 ♗f8 28. ♗g5
♖c2 29. ♖d1+−) 27. ♖e5 ♗c6 28. ♖e7!!
♖d7 (28... ♗e7 29. f7!+−) 29. ♗e6±] **23.
♔f2 ♖e8** [23... ♖d8 24. e5!] **24. ♗d5!**
[24. ♗e6?! ♖d8! 25. ♗d5 (25. e5 g5=)
♗d5 26. ed5 (26. ♖d1 gf5) ♔g8 27. c4
b5!=] **♖e7** [24... ♗d5?! 25. ed5 ♖e1 26.
♔e1 ♔g8 27. ♗g3! ♗f8 (27... ♔f7? 28.
♗b8+−) 28. a4! ♔f7 29. c4 ♗e7 30. ♗b8
a6 31. ♗c7+−] **25. g4!± c4 26. a4 gf5**
[26... a6 27. ♖b1 ♗d5 28. ed5 ♖b7 (28...
gf5 29. ♖b6 ♔g8 30. d6 ♖d7 31. gf5+−)
29. ♔e3 b5 30. ♔d4+−] **27. gf5 a6 28.
♖d1 ♗d5?!** [28... ♖d7 29. ♖d4 ♗d5 30.
♖d5 ♖d5 31. ed5 ♔g8 32. ♔e3 b5 33.
ab5 ab5 34. ♔d4 ♗f8 35. ♗g3 ♗a3 36.
d6 ♔f7 37. ♔d5+−] **29. ed5+− ♔g8 30.
d6 ♖d7 31. ♔f3 ♔f7 32. ♔e4 ♗f8 33.
♗g3 ♔e8 34. ♔d5   1 : 0**
[B. Alterman]

454.   D 85

B. GEL'FAND 2665 − KAMSKY 2595
Beograd 1991

**1. d4 ♘f6 2. c4 g6 3. ♘c3 d5 4. cd5 ♘d5
5. e4 ♘c3 6. bc3 ♗g7 7. ♘f3 c5 8. ♖b1
0−0 9. ♗e2 cd4 10. cd4 ♕a5 11. ♗d2
♕a2 12. 0−0 ♕e6 13. ♕c2 ♕c6 14. ♕d3
♕d6 15. ♗b4 ♕d8 16. d5 N** [16. ♕a3 −
50/489] **♘a6 17. ♗a3 b6 18. ♕e3! ♘c5
19. ♖fd1** [△ e5, ♘d4, ♗f3⊞] **♗g4□ 20.
e5 ♖c8 21. h3 ♗f3 22. ♗f3 ♕c7?!** [22...
f6 23. d6! fe5 24. d7 ♖c7 25. ♗c5 ♖c5
26. ♗g4 △ ♖bc1±↑; 22... ♖e8!?] **23. d6
ed6 24. ed6 ♕d8□** [24... ♕d7? 25. ♗g4
f5 26. ♗e2 △ ♗b5±] **25. ♗e2! ♖e8 26.
♕f3±⊡ ♖e6!?⇄ 27. d7 ♖c7 28. ♗b5
♖e7!□** [28... a6?! 29. ♗c5 ab5 (29... bc5?
30. ♗c4 △ ♖b8+−) 30. ♕a8! ♗f6□
(30... ♕a8?? 31. d8♕ ♖e8 32. ♕c7 bc5
33. ♕c5 △ ♖b5+−) 31. ♕d8 ♗d8 32.
♗e3 △ ♖b5±] **29. ♖d2** [△ ♖bd1±] **♖ed7
30. ♗d7 ♖d7 31. ♖d7 ♕d7 32. ♕a8 ♗f8
33. ♖e1!± h5!⊕ 34. h4⊕** [34. ♖e8 ♕d1

35. ♔h2 ♕d6 36. g3 h4∞] **♕d4! 35. ♖e8?** [35. g3 ♔g7 36. ♕a7 △ 36... ♗d6?! 37. ♗c5 △ ♕a1±] **♔g7!**$\overline{\overline{\infty}}$ **36. ♕a7??** [36. g3□ ♕a1 37. ♔g2 ♕a3 38. ♖f8∞] **♗d6 37. ♔f1** [37. ♖e1 ♘d3 38. ♖f1 ♗g3−+] **♘d3 38. ♔e2□ ♘f4 39. ♔f3 ♕d1**
0 : 1 **[Kamsky]**

455. **D 85**

S. IVANOV 2440 – JANDEMIROV 2420
Čeljabinsk II 1991

1. d4 ♘f6 2. c4 g6 3. ♘c3 d5 4. cd5 ♘d5 5. e4 ♘c3 6. bc3 ♗g7 7. ♘f3 c5 8. ♖b1 0–0 9. ♗e2 cd4 10. cd4 ♕a5 11. ♗d2 ♕a2 12. 0–0 ♗g4 13. d5!? N [13. ♗e3 – 52/466] **b6** [13... ♘d7 14. ♖b7 ♘c5!? (14... ♖ab8 15. ♕b1±) 15. ♖e7 ♗f6 16. d6!∞] **14. ♗b4 ♖e8** [14... ♗f6 15. e5 ♗e5 16. ♗e7 ♖e8 17. d6 ♗d6! (17... ♘d7 18. ♘e5! ♗e2 19. ♘d7 ♗d1 20. ♘f6 ♔h8 21. ♖bd1±) 18. ♗b5! (18. ♕d6 ♕e2 19. ♖fe1$\overline{\overline{\infty}}$) ♗e7 (18... ♖e7 19. ♕d6 ♖d7 20. ♗d7 ♘d7 21. ♘d4±) 19. ♗e8 ♘a6 20. ♖a1 ♕c4 21. ♗f7 ♕f7 22. ♖a6∞] **15. ♗b5** [15. ♖c1 ♕b2 16. ♖b1 ♕a2=; 15. ♖e1 a5 16. ♗b5 ♗d7 17. ♖e2 ♕b1 18. ♕b1 ♗b5 19. ♖a2 ♗c4 20. ♖a3 ♘d7 21. ♗c3 ♗c3 22. ♖c3 b5∞; 15. e5 ♗e5 16. ♖e1 ♗d6 17. ♗c3 ♗f3 18. gf3!? ♕a3 19. ♖b3 ♕c5 20. ♗b5 ♖c8 21. ♖e4$\overline{\overline{\infty}}$↑; 17. ♗b5!?] **♗d7** [15... ♘d7?! 16. h3 ♗f3 17. ♕f3 ♖ad8 18. ♕g4 h5 19. ♕g3↑; 18. ♖fc1↑] **16. ♘d4** [16. ♕d3 ♗b5 17. ♕b5 ♘a6; 16. ♕e2 ♕e2 17. ♗e2 e6; 16. ♗d3!?] **♗b5** [16... ♗d4 17. ♕d4! ♗b5 18. ♗c3 f6 19. ♖b5 ♘d7 20. ♖a1 ♕e2 21. ♖b2 ♕h5 22. f4$\overline{\overline{\infty}}$↑; 16... a5!?] **17. ♘b5 ♕c4** [17... ♘a6 18. ♗a3 ♖ac8 (18... ♕c4 19. ♕f3) 19. ♕g4 (△ ♕d7) *a)* 19... ♘c5 20. ♘a7 ♖a8 (20... ♕a3? 21. ♘c8 f5 22. ef5 ♖c8 23. f6!+−) 21. ♗c5 bc5 22. ♘c6±; *b)* 19... e6 20. ♖fd1 ed5 21. ed5$\overline{\overline{\infty}}$] **18. ♕a4 ♖c8** [18... a6? 19. ♘c7 b5 20. ♕a5+−; 18... ♘d7 19. ♖bc1 ♕e4 20. ♖fe1 ♕d5 21. ♘c7±] **19. d6** [19. g3!? a5 20. ♖fc1 ♕c1 21. ♖c1 ♖c1 22. ♔g2 ♖c4? 23. ♘d6!!+−; 19... ♕e4∞] **ed6?!** [19... a6 20. ♘c7 b5 21. ♕a3 ♖a7 22. ♘d5!±; 19... ♘d7 20. ♘c7 ♘c5 21. ♕d1 ed6 22. ♘a8 ♖a8 23. ♕d6 ♘e4 24. ♕f4±; 19... a5! 20. ♘c7 b5 21. ♕a3 ♖c7 22. dc7 ♕c7 23. ♗e7 ♘c6 24. ♕d6 ♕b7 25. ♗f6 ♗f6 26. ♕f6 b4∞; 24. ♕c5!?; 21. ♕d1!?] **20. ♘d6 ♕c6 21. ♕a2** [21. ♕b3 ♖c7 22. ♖fd1 ♘a6; 21. ♕a3! *a)* 21... ♖d8 22. ♖fd1 ♘d7 (22... a5 23. ♕b3! ab4 24. ♘f7→; 22... ♕c7 23. ♘f7! ♖d1 24. ♖d1 ♘c6 25. ♘g5↑) 23. ♕a2 (23. ♘f7!? ♔f7 24. ♖d6∞) ♖f8 24. ♖bc1 ♘c5 25. ♗c5 bc5 26. ♖d5±; *b)* 21... ♖c7 22. ♖fc1 ♕d7 23. ♖c7 ♕c7 24. ♘e8! (24. ♖c1 ♘c6 25. ♕a4 b5! 26. ♕b5 ♖b8) ♕d7 25. ♘g7 ♔g7 26. ♕a1 f6 27. ♖d1$\overline{\overline{\infty}}$↑] **♖c7** [21... ♖f8? 22. ♖fc1 ♕d7 23. ♘b5! ♖c8 24. ♖c8 ♕c8 25. ♕d5±] **22. ♖fd1** [22. ♗a3 (△ ♖bc1) ♘a6; 22. f4 a5 23. ♗a3 (23. ♖fc1 ♕c1 24. ♖c1 ♖c1 25. ♔f2 ♖a7∓) ♘a6 24. e5∞] **a5** [22... ♕c2 23. ♘f5! ♗f6 24. ♕d5 ♕c6 25. ♕d8+−; 22... ♗f6 23. ♘f7! ♖f7 24. ♖d6 △ ♖f6±] **23. ♘f7?** [23. ♗a3 ♘a6 24. ♖bc1 ♘c5 25. ♗c5 bc5 26. ♖d5∞] **♕c4!□ 24. ♖bc1!?** [24. ♕c4 ♖c4 25. ♘g5 ab4 (25... ♖b4 26. ♖d8 ♗f8 27. ♖c1∞) 26. ♖d8 ♗f8 27. ♘e6 ♔f7 28. ♘f8 ♔e7 29. ♖bd1 b3−+; 24. ♖d8 ♔f7 25. ♖c1 ab4 26. ♖c4 ♖a2 27. ♖c7 ♔e6 28. g3∞; 25... ♕a2 – 24. ♖bc1] **♕a2** [24... ♕c1 25. ♘h6+−; 24... ab4 25. ♖c4 ♖a2 26. ♖c7±] **25. ♖d8** [25. ♘h6 ♗h6 26. ♖d8 ♗f8! 27. ♖f8 ♔g7 28. ♖c7 ♔h6−+] **♔f7** [25... ♗f8! 26. ♘h6 ♔h8 27. ♖f8 ♔g7 28. ♘f5 gf5 29. ♖c7 ♔g6 30. ef5 ♔h6−+] **26. ♖c7 ♘d7?⊕** [26... ♔e6 27. ♖d6 ♔e5 28. ♖e7 ♔f4 29. ♗d2∞; 26... ♔f6! 27. ♖d6 ♔g5 28. ♗d2 ♔h4 (28... ♕d2 29. ♖d2 ♗e5∞; 28... ♔h5 29. ♖d5 ♕d5 30. ed5∞) 29. h3 ♘a6 30. ♖g7 ♕a1 31. ♔h2 ♕g7 32. g3 ♔h5 33. g4 ♔h4 34. ♖d5 (△ ♗g5#) *a)* 34... g5? 35. ♗f4!! (△ ♗g3#) gf4 36. ♖h5#; *b)* 34... ♕f6! 35. f3 ♕b2−+] **27. ♖dd7** [27. ♖cd7? ♔e6 28. ♖d6 ♔e5 29. ♗c3 (29. ♖d5 ♕d5 30. ♖d5 ♔e4−+) ♔e4 30. f3 ♔f5−+] **♔e8**[27... ♔e6 28. ♖d6 ♔e5 29. ♖e7 ♔f4 30. ♗d2→; 27... ♔f6 28. ♗c3 ♔e6 (28... ♔g5 29. ♗d2 ♔h4 30. ♖g7→) 29. ♖e7=] **28. ♖e7= ♔d8 29. ♖cd7 ♔c8 30. ♖c7**
1/2 : 1/2 **[S. Ivanov]**

456. !N **D 85**

A. CHERNIN 2605 –
FERNÁNDEZ GARCÍA 2470

Pamplona 1991/92

1. d4 ♘f6 2. ♘f3 g6 3. c4 ♗g7 4. ♘c3 d5 5. cd5 ♘d5 6. e4 ♘c3 7. bc3 c5 8. ♖b1 0–0 9. ♗e2 cd4 10. cd4 ♕a5 11. ♗d2 ♕a2 12. 0–0 ♗d7?! 13. ♖b7 ♗c6 14. ♖e7 [14. ♖c7 – 52/467] **♕a3 15. ♗g5 h6 16. ♕c1 ♕b4 17. ♕d2 ♕a3 18. ♗h4! N** [18. ♕c1] **g5□ 19. ♗g5 hg5 20. ♕g5**⩱→» **♘d7** [20... ♖e8 21. ♖f7! ♔f7 22. ♗c4 ♔f8 23. ♘h4! ♗e4 24. ♕f4+–; 20... ♕d6!?] **21. ♘h4!**± **♕d6□ 22. ♘f5** [22. e5 ♕h6 23. ♕g3 △ ♘f5, ♗d3→] **♕f6□ 23. ♕g4 ♖ae8 24. e5 ♕f5 25. ♕f5** [25. ♖e8 ♕c2 (25... ♕g4 26. ♖f8+–⊥) 26. ♖e7 △ e6±→] **♖e7 26. ♖c1 ♗d5 27. ♖c7 ♗e6 28. ♕g5 ♖fe8** [28... f6 29. ♕h4] **29. f4+– f6 30. ♕h4 ♖b8 31. ♗d3 ♔f8 32. h3** [32. f5 ♘e5] **a5 33. f5 ♗d5 34. e6** [34... ♘b6 35. ♖e7 ♔e7 36. ♕g3]
1 : 0 **[A. Chernin]**

457. **D 85**

KIBALNIČENKO – V. SOROKIN

corr. 1990/91

1. d4 ♘f6 2. c4 g6 3. ♘c3 d5 4. cd5 ♘d5 5. e4 ♘c3 6. bc3 ♗g7 7. ♘f3 c5 8. ♖b1 0–0 9. ♗e2 cd4 10. cd4 ♕a5 11. ♗d2 ♕a2 12. 0–0 b6 13. ♕c1 ♕e6 14. ♗c4 ♕e4 15. ♖e1 ♕b7 16. ♗b4 ♗e6 17. ♖e6 fe6 18. ♘g5 ♘c6 19. ♘e6 ♔h8 20. ♗c3 ♗f6 21. ♕h6 ♖f7 N [21... ♖g8 – 47/560] **22. ♘c5 ♕c8 23. ♗f7 bc5 24. ♗g6 ♕g8 25. ♗e4 cd4** [25... ♘d4 26. ♗d4 cd4 27. ♗a8 ♕a8 28. ♕f4; 25... ♖c8 26. ♗c6 ♖c6 27. dc5±] **26. ♗c6 dc3** [26... ♖c8 27. ♗a1 ♖c6 28. ♗d4 △ ♕f4] **27. ♗a8 ♕a8 28. ♕f4! ♔g7 29. ♖b8 ♕d5 30. ♕g4 ♕g5** [30... ♔h6 31. ♖g8] **31. ♕g5 ♗g5 32. ♖c8 ♗f6 33. ♔f1 ♗d4 34. ♔e2 ♔f7 35. f3 ♗g1 36. h3 ♗d4 37. ♔d3 ♗e5 38. ♖a8+– h5 39. g4 hg4 40. fg4 ♗f6 41. ♖a7 ♔g6 42. ♖a5 ♗g7 43. ♖c5**
1 : 0 **[Kibalničenko, Zinov]**

458. **D 86**

ŠIROV 2610 – ŠTOHL 2555

Brno 1991

1. d4 ♘f6 2. c4 g6 3. ♘c3 d5 4. cd5 ♘d5 5. e4 ♘c3 6. bc3 ♗g7 7. ♗c4 0–0 8. ♗e3 ♘c6 9. ♘f3 e5 10. d5 N [10. ♖c1 – 51/467; 10. h3 – 51/468] **♘a5 11. ♗e2 b6 12. c4** [12. 0–0!? f5 13. c4 △ 13... c6?! 14. ♗d2! fe4 15. ♘g5 cd5 16. cd5±] **♘b7 13. ♘d2** [13. c5?! ♘c5 14. ♗c5 bc5 15. ♖c1 ♕d6 △ 16. ♕c2 ♗h6↑; ⌓ 13. 0–0∞] **♗d7** [13... f5!? 14. ♘b3 (14. f3 ♗h6!∓) ♕h4∞⇆; 13... ♗f6!?∞] **14. ♖c1 c5** [14... ♘c5?! 15. ♗c5 bc5 16. ♘b3 ♕e7 17. ♕d2 ♗a4 18. ♕a5 ♗b3 19. ab3⩲; ⌓ 14... ♕e7 15. ♘b3 (15. c5 ♘c5 16. ♗c5 bc5 17. ♘b3 ♗a4∞) c5!?∞ ×♘b3] **15. 0–0 ♘d6 16. a4** [△ a5↑] **a5□ 17. ♖b1 ♖b8∞ 18. ♗d3 f5 19. ef5** [19. f3?! f4 20. ♗f2 g5→»○] **gf5 20. f3□** [20. f4? e4 21. ♗c2 ♗d4∓] **♕e7** [20... ♕f6 21. ♔h1 △ g4↑] **21. ♖e1 ♔h8 22. ♗f2 ♗f6 23. ♔h1 ♕g7 24. ♕c2** [24. ♗c2!? ♖g8 25. ♖g1 △ ♕e2∞] **♖g8 25. ♗f1 ♗g5** [25... h5∞] **26. ♗g3 f4?!** [26... ♗f6 △ h5-h4∞] **27. ♗f2 ♗f5 28. ♘e4□** [28. ♗d3?? ♗h4–+] **♗e4** [28... ♘e4 29. fe4 ♗d7 30. ♖b2⩲] **29. fe4** [29. ♖e4!? ♘e4 30. ♕e4⩱] **♕f6** [29... ♕h6 30. ♖b3! △ ♖h3±] **30. ♕c3!↑** [×e5; 30. ♖b3 ♗h4 31. ♗h4 (31. g3 fg3 32. hg3 ♖bf8→) ♕h4 32. ♖eb1 f3!? 33. gf3 ♖g6⩱→] **♖ge8 31. ♕h3** [△ ♕d7] **♖b7! 32. ♖b3** [⌓ 32. ♖b2±] **♕g6 33. ♗d3 ♗d8 34. g3?!⊕** [34. ♕f3 △ ♖eb1, ♗e1-c3±] **♖f7⇆ 35. gf4 ♖f4 36. ♗g3 ♘e4!?** [36... ♖g4 37. ♖bb1!± △ 37... ♘e4? 38. ♖e4 ♖e4 39. ♕g2+–] **37. ♖e4□** [37. ♗f4?? ♘f2#; 37. ♕g2 ♘g3 38. hg3 ♕h5∓] **♖e4 38. ♕g2 ♖d4□** [38... ♕g4?? 39. ♕e4 ♕d1 40. ♔g2 ♕b3 41. ♕h7#] **39. ♗g6 ♖d1 40. ♕g1 ♖g1 41. ♔g1 hg6 42. ♔f2⩱ e4** [42... ♔g7 43. ♔e3 e4□ (43... ♔f6? 44. ♔e4±⊥) 44. ♖b1 – 42... e4] **43. ♔e3 ♔g7 44. ♖b1** [44. ♗f4 ♔f6⇆] **♗g5 45. ♔e2** [45. ♗f4 ♗f4 46. ♔f4 e3 47. ♖e1 ♔f6! (47... e2 48. ♔f3 ♖h8 49. ♖e2 ♔f7 50. ♔g4! △ h4, ♖e6±) 48. ♖e3 g5 49.

♔f3 ♖h8 50. ♖e6 ♔f5 51. ♖b6 ♖h4=⇆; 45... ♗d8!?] **e3!?** [45... ♔f6? 46. ♖b6 ♔f5 47. ♖c6 ♗f4 48. ♖c5±; 45... ♗d8!?= Širov] **46. ♖b6** [46. ♔f3 e2 47. ♖e1 (47. ♗f2 ♗d2 48. ♗e1 ♗b4!∓) ♖e3∓; 46. ♔d3 e2 47. ♗f2□ ♖h8 48. ♗g3 ♖e8=; 46. h4!? ♗d8 47. ♔f3 g5!?=⇆] **♖e4 47. ♖b7?!** [47. ♖a6 ♖c4 48. ♖a5 ♖c2 49. ♔f3=] **♔f6 48. ♗c7?** [48. d6 ♖c4 49. d7 ♔e7∓; 48. h4!? ♗h4 49. ♗h4 ♖h4 50. ♔e3 ♖c4 51. ♖b5 ♖a4 52. ♖c5 ♔e5 53. d6! ♔d6 54. ♖g5=; 48. ♖a7∞] **♔f5!∓** [48... ♖c4? 49. ♗d8 ♔f5 50. ♖f7 ♔g4 51. h3 ♔h5 52. ♖h7 ♗h6 53. h4 ♖c2 54. ♔f3 e2 (54... ♖f2 55. ♔g3 △ ♗g5+−) 55. ♔f2 △ ♗g5+−] **49. ♗a5 ♖c4 50. d6 ♖a4 51. ♗c3 ♖a3?⊕** [51... ♔e4! 52. d7 ♖a2 53. ♖b2 (53. ♗b2 c4 54. ♔d1 ♔f3−+) ♖a7 54. ♖b5 ♔d5 55. ♗b4 ♖c7∓; 51... ♖h4!?∓] **52. ♗b2 ♖a6** [52... ♖a2 53. d7?! ♔e4 54. ♖b8 c4∓; 53. ♔f3! △ 53... e2?! 54. ♔e2 ♗f6 55. d7 ♗b2 56. d8♕ ♗f6 57. ♕d2=] **53. d7 ♖d6 54. ♗c1 ♔e6 55. ♗e3?!** [55. ♖c7 ♖d7 (55... ♖d5 56. ♗e3 ♖e5 57. d8♘!=) 56. ♖c5=] **♗e3 56. ♔e3 ♖d7 57. ♖b8** [⌓ 57. ♖b6 ♔f5 58. ♖b8∓] **♖h7 58. ♖e8?⊕** [58. ♖g8□ ♖h3 59. ♔e4□ ♖h4 60. ♔e3 ♔f5 61. ♖f8□ (61. ♖c8 ♖h3−+) ♔g4 62. ♖f2∓] **♔d5 59. ♖d8** [59. ♖g8 ♖h3 60. ♔f4 ♖h2 61. ♖g6 ♔d4−+] **♔c4 60. ♖d2** [60. ♖g8 ♖h2 61. ♖g6 ♔c3−+] **♔b3** [61. ♔f4 c4 62. ♔g5 c3−+] **0 : 1**
[Štohl]

459. **D 86**

B. FINEGOLD 2465 – DE BOER 2425

Wijk aan Zee II 1992

1. d4 ♘f6 2. c4 g6 3. ♘c3 d5 4. cd5 ♘d5 5. e4 ♘c3 6. bc3 ♗g7 7. ♗c4 0–0 8. ♘e2 b6 9. h4 ♘c6 10. ♗d5 ♕d7 11. h5 e6 12. ♗b3 e5 13. hg6 hg6 14. ♗h6 ♗h6 15. ♖h6 ♔g7 16. ♕d2 ♗a6 17. ♘g3 N ♕g4□ 18. ♗d5 [18. ♗d1? ♕f4! 19. ♘h5 gh5 20. ♕f4 ef4 21. ♖c6 ♖ac8 △ 22... ♗b5∓, 22... ♗b7∓] **♗b7**

19. ♖h5! [△ ♘f5, ♕h6, ♖g5] **gh5□ 20. ♘f5 ♔f6□ 21. ♗c6 ♗c6 22. de5 ♔e5!?** [22... ♔e6 23. ♘d4 ♔d7 24. ♘c6 ♔c8∞] **23. ♕d4 ♔e6 24. f3!** [24. ♘g7=] **♕g2 25. ♕c4 ♔e5!** [25... ♔d7? 26. 0-0-0! ♔c8 27. ♕c6±↑] **26. ♕c6 ♕f3?** [26... ♕g1 27. ♔e2 ♕h2! 28. ♔d3 (28. ♔e3 ♕f4) ♖fd8! 29. ♔c4 ♖ac8!∞ Seirawan] **27. ♕c7 ♔e4** [27... ♔f6? 28. ♕e7 ♔g6 29. ♘h4+−] **28. ♘g3 ♔d3** [28... ♔e3 29. ♕e5 ♔d3 30. ♕d4 ♔c2 31. ♕d2#] **29. ♕d6! ♔c4 30. ♕b4! ♔d5 31. ♖d1 ♕d1□** [31... ♔c6 32. ♕c4 ♔b7 33. ♖d7 ♔b8 34. ♕c7#] **32. ♔d1+− f5?!⊕ 33. ♘h5 ♖ad8 34. ♕b5 ♔e4 35. ♔e2 f4 36. ♕c6 ♔f5 37. ♘g7 ♔g4 38. ♕g6 ♔h3 39. ♔f3 ♖d3 40. ♕d3 1 : 0** **[B. Finegold]**

460.* !N **D 86**

CAMPOS MORENO 2475 – TUKMAKOV 2525

Osuna 1991

1. d4 ♘f6 2. c4 g6 3. ♘c3 d5 4. cd5 ♘d5 5. e4 ♘c3 6. bc3 ♗g7 7. ♗c4 0–0 8. ♘e2 ♘c6 9. 0–0 [RR 9. ♗g5 ♕d7 10. 0–0 b6 N (10... ♘a5 – 20/651) 11. ♕d2 ♗b7 12. ♖ad1 e5 13. ♗d5 ♘a5 14. ♗b7 ♘b7 15. ♗h6 ♖ad8 16. ♗g7 ♔g7 17. f4 f6 18. fe5 fe5 19. ♕g5 ♕d6 20. ♘g3 ♔h8= Campos Moreno 2475 – Ftáčnik 2575, Barcelona – Lyon 1991] **e5 10. ♗a3 ♖e8 11. ♗f7 ♔f7 12. ♕b3 ♗e6 13. d5 ♘a5 14. de6 ♖e6 15. ♕a4 c6 16. ♖ad1 ♕c7 17. c4! N** [17. ♖d3 – 51/(469)] **♔g8** [17... ♗f8 18. ♗b2 ♗c5 19. ♗c3 b6 20. ♗a5 ba5 21. ♘c1 ♖b8 22. ♘b3 (22. ♘d3

&d4 23. c5±) ♖b4 23. ♕a3 ♗f8 24. c5±; 20. ♘c1!?; 17... ♖d8!?] **18. ♘c1!** [18. ♗b2 c5 19. ♖d7 ♕b6 20. ♗c3 ♘c6∞] **♗f8** [18... c5? 19. ♖d7 ♕b6 (19... ♕c6 20. ♖g7) 20. ♘d3 ♗f8 21. ♖d5±] **19. ♗f8** [19. ♗b2 c5 20. ♖d7 ♕c6! (20... ♕b6 21. ♘d3±) 21. ♕c6 bc6] **♖f8 20. ♘b3** ♘b3 21. ab3 b6 [21... a5 22. c5] **22. ♖d2** [22. h3 a5!; 22. b4 ♖d6! 23. ♖d6 ♖d6 24. ♕a7 ♕b4] **♕e7** [22... ♖d6 23. ♖d6 ♕d6 24. ♕a7 ♕d4 25. ♕c7 ♖f6 26. ♕e7±] **23. b4** [23. ♖fd1 a5! 24. ♖d7 ♕c5∞] **♖f7?** [23... ♖d6! 24. ♖fd1 (24. ♖d6 ♕d6 25. b5 cb5 26. cb5 ♖f7±) ♖fd8 25. ♕a2 (25. ♖d6 ♖d6 26. b5 cb5 27. cb5 ♕d7 28. ♖d6 ♕d6±) ♖d2 26. ♖d2 ♖d2 27. ♕d2 c5 28. b5 g5±] **24. ♖fd1** ♖ef6 25. ♕b3 ♖f4 26. ♖e2 [26. f3 a5!] g5 27. ♕c3 g4 28. ♖d3 a5!? 29. ba5 ♕c5 30. ♕d2 ba5 31. g3?! [31. h3!] ♖4f6 32. ♖d8 ♔g7 33. ♖a8 ♖d6! 34. ♕g5 ♖g6 35. ♕e3 [35. ♕d2 ♖d6=] ♕e3! [35... ♕c4 36. ♖a5±] **36. ♖e3 ♖d6 37. ♔f1!□** [37... ♖d2 38. ♖e2 ♖d1 39. ♖e1; 37. ♖a5 ♖d2; 37. ♖e2 ♖d1 38. ♔g2 ♖a1 39. ♖e8 a4 40. ♖e5 ♖a7!; 37. ♖e1 ♖d2 38. ♖f1 ♖a2 39. ♖e8 a4 40. ♖e5 ♖a7] **1/2 : 1/2**
[Tukmakov]

461.* D 86

MARIN 2525 – NAVROȚESCU 2370
Buziaș 1991

1. d4 ♘f6 2. c4 g6 3. ♘c3 d5 4. cd5 ♘d5 5. e4 ♘c3 6. bc3 ♗g7 7. ♗c4 0–0 8. ♘e2 ♘c6 9. ♗e3 e5 10. 0–0 N [10. ♖c1 – 49/(543)] ♘a5 11. ♗d3 b6 [11... ed4 12. cd4 c5 13. d5! ♗a1 14. ♕a1± △ 15. ♗c5, 15. ♗h6] 12. ♖c1 [12. ♕d2 ed4 13. cd4 c5] ♗b7 13. ♕d2 [13. f4? ed4 14. cd4 ♖e8 15. e5 c5! 16. dc5 ♕d5 17. ♖f2 ♖ed8 18. ♖c3 ♘c4∓ Marin 2525 – M. Ghindă 2450, Buziaș 1991] ♕d7 [13... ♕d6!? M. Ghindă] 14. ♗h6 [14. d5?! f5∓] c5 [14... f5?! 15. ef5 e4 16. ♗c2 gf5 17. ♗g7 ♕g7 18. ♘f4± △ 18... ♘c4?! 19. ♗b3] 15. ♗g7 ♔g7 16. f4!? [16. d5 f5 17. f4 – 16. f4] f5!□ [16... ed4 17. cd4 cd4 18. f5 f6 19. ♘f4 △ ♖c7→] 17. d5!□ [17. fe5 fe4∓; 17. ef5 e4∓] fe4 18.

♗e4 ♘c4 19. ♕d3 ♘d6 [19... ♘b2? 20. ♕g3 ♗d5? 21. ♖cd1] **20. c4 b5** [20... ef4? 21. ♘f4+–; 20... ♕e7 21. f5±; 20... ♖ae8 21. fe5 ♖e5 22. ♖f8 ♔f8 23. ♖f1 ♔g7 (23... ♔g8 24. ♗g6) 24. ♕c3 ♕e7 25. ♗d3 △ ♘f4-e6±] **21. cb5 c4 22. ♕e3 ♕b5 23. ♖b1** [23. ♘c3 ♕b6∓] **♕e8** [23... ♕d7?! 24. ♗f3! e4 (24... ef4 25. ♘f4±) 25. ♗e4 ♘e4 (25... ♖fe8 26. ♕d4±) 26. ♕e4 ♗d5 (26... ♕d5?? 27. ♖b7+–) 27. ♕d4 ♔g8 28. ♖fd1 ♖ad8 29. ♘c3 ♗e6 30. ♕e5 △ ♘e4↑] **24. ♘c3 ef4?** [24... ♖f4!□ 25. ♖f4 ef4 26. ♕d4 (26. ♕f4 ♕e7 27. ♖b7? ♘b7 28. d6 ♘d6! 29. ♗a8 ♕e1) ♔h6! (26... ♔g8 27. ♖b7! ♘b7 28. d6 △ ♗d5+–) 27. ♖f1 ♕h8!=] **25. ♕d4** [25. ♖f4 ♕e5∓] ♔g8 [25... ♔h6 26. ♖f3+–] **26. ♖b7!+– ♘b7 27. d6 ♖f7 28. ♗d5 ♖d8 29. ♘e4 ♖d6 30. ♗f7**   **1 : 0**
[Marin]

462. D 87

DREEV 2610 –
FERNÁNDEZ GARCÍA 2470
Logroño 1991

1. d4 ♘f6 2. c4 g6 3. ♘c3 d5 4. cd5 ♘d5 5. e4 ♘c3 6. bc3 ♗g7 7. ♗c4 c5 8. ♘e2 0–0 9. ♗e3 ♘d7 10. 0–0 ♕a5 11. a4!? N [11. ♗d3; 11. ♖c1] ♘b6 12. ♗b3 cd4 13. cd4 ♗d7 14. ♗d2 ♕a6 15. ♗b4 ♖fc8? [15... ♖ac8∞] 16. ♗e7 ♖e8 17. ♗c5 ♖e4 18. ♘c3 ♖h4 [18... ♖ee8 19. a5 ♘c8 20. ♘d5 ♕c6 21. ♖c1+–] **19. ♖e1?!** [19. a5 ♘c8 (19... ♘c4 20. ♘d5+–) 20. ♘d5 △ 20... ♖b8 21. ♕f3 ♗e6 22. ♕g3+–] **♗e6! 20. ♘b5** [20. ♗e6? fe6 21. ♖e6 ♕c4⊗] **♘d5! 21. ♖c1** [21. ♖e6 fe6 (21... ♕e6 22. ♕f3 ♖d8 23. ♘c7 ♖f4 24. ♘e6 ♖f3 25. gf3 fe6 26. ♗a7±) 22. ♗d5 ed5 23. ♘c7 ♕c6 24. ♘a8 b6∞; 21. ♗d5 ♗d5 22. ♘c7 ♕c6 23. ♘a8 ♗g2! 24. ♕e2 (24. ♘c7 ♗e4) ♗e4 25. f3 b6∞] **♕a5 22. ♕f3** a6?! [22... ♖f4] **23. ♘d6** [23. ♗d5 ♗d5 24. ♕d5 ab5 25. ♖e7±] ♖f4 24. ♕d3 ♖g4 [24... b5!?] **25. ♖e6!+– fe6** [25... ♘f4 26. ♕f3 ♖g2 27. ♔h1; 25... ♖g2 26. ♔h1 fe6 27. ♗d5] **26. ♗d5 ed5 27. ♕f3 ♖d4** [27... ♕d2 28. ♕d5] **28. ♕f7 ♔h8 29. ♘e8!**   **1 : 0**
[Dreev]

463. **D 87**

LAUTIER 2560 – ADORJÁN 2530
Polanica Zdrój 1991

1. c4 g6 2. d4 ♘f6 3. ♘c3 d5 4. cd5 ♘d5 5. e4 ♘c3 6. bc3 ♗g7 7. ♗c4 c5 8. ♘e2 ♘c6 9. ♗e3 0–0 10. 0–0 ♕c7 11. ♖b1 a6 N [11... cd4 12. cd4 ♘d4?! 13. ♗f7 ♖f7 14. ♘d4±; 11... ♗g4 – 52/472] **12. ♕c1! b5 13. ♗d3 ♖d8** [13... ♗b7 14. a4 b4? 15. cb4 cd4 16. ♗d4±] **14. a4** [14. f4?! ♗g4! 15. d5? c4∓] **ba4** [14... ♘e5! 15. de5 (15. ♗c2 cd4 16. cd4 ♘g4 17. ♗f4 ♕c4∓) ♖d3 *a)* 16. ab5 ♕e5 17. f3 (17. b6 ♕e4!) ab5 18. ♖b5 ♗a6 19. ♖c5 ♕d6; *b)* 16. ♘f4 ♖d8 17. ♘d5 ♕e5 18. ♗c5 ♕e4 19. ♘e7 ♔h8 20. ♖b4→] **15. ♖d1!** [15. ♘f4 cd4 16. cd4 ♗d4 17. ♘d5 ♗e3! (17... ♕d6?? 18. ♕c6 ♕c6 19. ♘e7 ♔g7 20. ♘c6+–) 18. ♘c7 ♗c1 19. ♘a8 ♗h6 20. ♗c4 ♘a5 21. ♖fd1 ♖f8! 22. ♗a2 ♗b7⩱] **♗d7 16. ♘f4! ♗e8** [16... e6?! 17. d5 ♘e5 18. de6 fe6 19. ♗e2± ×a6, a4, c5, e6] **17. ♘d5 ♕a5 18. ♗f4!** [18. ♗d2 ♖db8=] **♖a7** [18... e5 19. ♗g5 ed4 20. cd4! (20. ♗d8 ♖d8⩱) ♗d4 21. ♕f4! (21. ♗d2? ♘b4 22. ♖b4 cb4 23. ♗b4 ♖d5! 24. ♗a5 ♖a5∓) a3 22. ♘f6 ♔g7 23. ♖b7! ♘e5 24. ♗h6 ♔h8 25. ♘e8+–] **19. ♗d2 ♖dd7?** [19... ♖b8 20. ♖b8 ♘b8 21. ♕a3 ♘c6 22. dc5⩲] **20. ♘b6 ♖db7 21. c4 ♘b4 22. dc5! ♕c5!** [22... ♘d3 23. ♗a5 ♘c1 24. ♖d8! ♗h6 (24... ♔f8 25. c6 ♖c7 26. ♘d7 ♖d7 27. ♖e8 ♔e8 28. ♖b8 ♖d8 29. ♖d8#) 25. ♖e8 ♔g7 26. c6 ♖c7 27. ♘c8+–] **23. ♖b4 ♖b6 24. ♖b6 ♕b6 25. ♗e3 ♗d4** [25... ♕c7 26. ♗a7 ♕a7 27. c5 ♗d4 28. c6! ♗f2 29. ♔h1 ♗c5 30. ♗c4! ♗c6 31. ♖d8 ♔g7 32. ♕f4!+–] **26. c5 ♕b2 27. ♗d4 ♕d4 28. ♗c4!** [28. ♗b5?? ♕d1 29. ♕d1 ab5 (29... ♗b5? 30. ♕d8 ♔g7 31. c6! ♗c6 32. ♕d4) 30. ♕d8 ♔f8 31. c6 a3 32. c7 a2 33. ♕e8 ♔g7! 34. ♕h8 ♔h8 35. c8♕ ♔g7 36. ♕c3 f6 37. ♕a1 b4–+] **♕e4 29. ♖d8 ♕c6 30. ♗d5 ♕b5 31. ♗c4 ♕c6 32. ♗d5 ♕b5 33. h3?** [33. c6 ♔g7 34. ♗f3! ♗c6 35. ♗c6 ♕b4 36. ♕a1+–] **♔g7 34. ♗c4 ♕c6 35. ♗d5 ♕b5 36. ♕e3 ♗c6?** [36... ♖d7! 37. ♕d4 ♔h6! (37... f6? 38. ♖e8 ♖d5 39. ♖e7+–) 38. ♖e8 ♖d5 39. ♕d5 ♕e8 40. c6 a3 41. c7 a2! 42. ♕a2 ♕c6 43. ♕d2 ♔g7 44. ♕d8 ♕c1 45. ♔h2 ♕f4=; 38. ♖c8!→] **37. ♕d4 ♔h6 38. ♕h4 ♔g7 39. ♕d4 ♔h6 40. ♖g8+– ♕b1 41. ♔h2 ♕f5 42. ♗c6 a3 43. ♗f3 ♕f6 44. ♕e3 g5 45. ♕a3 ♖d7 46. ♕e3 ♖d4 1 : 0 [Lautier]**

464. **D 87**

LAUTIER 2560 – KAMSKY 2595
Beograd 1991

1. d4 ♘f6 2. c4 g6 3. ♘c3 d5 4. cd5 ♘d5 5. e4 ♘c3 6. bc3 ♗g7 7. ♗c4 c5 8. ♘e2 ♘c6 9. ♗e3 0–0 10. 0–0 ♕c7 11. ♖b1 b6 N 12. f3!? [12. dc5!? ♘e5 13. ♗d5 ♖b8 14. cb6 ab6 15. ♕c2 e6 16. ♗b3 ♗a6 17. ♖fd1 ♗e2 18. ♕e2 ♕c3] **♖d8 13. ♗f4 ♕b7 14. d5 ♘a5 15. ♗b5!□** [15. ♗d3?! c4 16. ♗c2 e6 17. ♕d2 ed5 18. ed5 ♖d5 19. ♗e4 ♖d2 20. ♗b7 ♖e2 21. ♗a8 ♗c3∓] **♗d7** [15... e6?! 16. c4 a6 17. ♗c6! (17. ♗a4?! ♘c4! 18. ♗c6 ♕a7 19. ♗a8 ♕a8 △ ed5∓) ♘c6 18. dc6 ♕e7 19. ♕a4 e5 20. ♗e3 ♕c7 21. ♘c3 ♗e6 22. ♘d5 ♗d5 23. ed5±; 15... a6?! 16. ♗c6! ♘c6 17. dc6 ♖d1 18. cb7 ♖f1 19. ♔f1 ♗b7 20. ♖b6 ♗c8 21. ♖c6 e5 22. ♗e3 ♗e6 23. a3 c4 24. f4! ef4 25. ♘f4 ♗c3 26. ♘e6 fe6 27. ♖c4 ♗b2 28. a4±] **16. ♕c2?!** [16. ♕d3] **e5!= 17. ♗g5 f6 18. ♗h4 ♗b5 19. ♖b5 ♘c4 20. ♕d3 ♘d6 21. ♖b2?!** [21. ♖bb1] **c4! 22. ♕c2 ♖f8!?** [△ f5] **23. ♗f2 ♕c7** [23... f5?! 24. ♗c5∞] **24. ♖bb1?!** [24. ♗e3!] **♗h6∓ 25. a4 ♖ae8 26. ♖bd1 ♖f7 27. ♔h1 f5 28. ef5!** [28. ♗g1 fe4 29. fe4 ♖ef8 30. ♖f7 ♖f7∓] **gf5 29. f4 ef4 30. ♘d4 ♘e4 31. ♗e1** [31. ♘e6!? ♕e5 32. ♗d4 ♕d5 33. ♘f4 ♕d6 34. ♕c1∓] **♕e5 32. ♘c6 ♕g7?⊕** [△ ♕g4; 32... ♕f6] **33. ♖d4?⊕** [33. d6! △ 33... ♖d7 34. ♘e7=] **♘d6□∓ 34. ♕f2 ♕g4 35. ♗d2 ♖e2 36. ♕f3 ♖g7 37. ♗f4 ♗f4 38. ♖f4 ♕g2 39. ♕g2 ♖gg2 40. ♖g1 ♖g1 41. ♔g1 a6 42. ♖f2?!** [42. ♖f3 △ ♖g3-h3 ×♘d6, h7] **♖e3 43. ♘d4 ♖c3 44. ♘f5 ♘f5 45. ♖f5 ♖d3–+ 46. ♔f2 c3! 47. ♖f6 b5 48. ♔e2** [48. ♖a6 b4 49. ♔e2 c2! 50. ♖c6 ♖c3 51. ♖c3 bc3] **♖d2 49. ♔e3 ♖d5 50. ♖a6 ♖c5 0 : 1 [Kamsky]**

465.*   **D 87**

I. FARAGÓ 2515 — ADORJÁN 2530

Magyarország (ch) 1991

1. d4 ♘f6 2. c4 g6 3. ♘c3 d5 4. cd5 ♘d5
5. e4 ♘c3 6. bc3 ♗g7 7. ♗c4 c5 8. ♘e2
♘c6 9. ♗e3 0–0 10. 0–0 ♕c7 11. ♖c1
♖d8 12. ♕d2 a6 13. a4? N [13. f4 —
41/(540); 13. ♗h6 ♗h8 — 18/612; 13... b5
N 1/2 : 1/2 P. Lukács 2500 — Adorján
2530, Magyarország (ch) 1991] ♗d7 14.
♕a2 ♗e8 15. ♕a3? [15. ♖fd1 b5 16. ♗b3
c4 17. ♗c2 e5∓] b5! 16. ♗a2 b4 17. cb4
[17. ♕b3 bc3 18. ♕c3 (18. d5 ♘d4—+)
cd4 19. ♗d4 (19. ♘d4 ♕d6—+) ♖d4 20.
♘d4 ♕d6 21. ♗f7! ♗h8! (21... ♔f7? 22.
♕c4 △ ♘c6±) 22. ♗e8 ♘d4 △ ♖e8∓]
cd4 18. ♗d2 ♕d6 19. ♖c5 [19. ♘f4?
♗h6! 20. g3 e5—+; 19. ♗d5 e6 20. ♗c6
♗c6 21. f3 a5∓] a5 20. ♗d5 [20. ba5 d3
21. ♘f4 ♗d4—+] ab4 [20... ♘b4 21. ♖a5
♘d5 22. ♕d6 ed6 23. ♖a8 ♖a8 24. ed5
♖a4—+] 21. ♕c1 ♖a6 22. ♗f4 [22. ♕c4
♘e5 23. ♕b4 ♘d3—+] e5 23. ♗g5 ♖b8
24. ♗c4 ♖a5 [24... ♖a4 25. ♖d5 (25. ♗b5
♖a1!—+) ♕c7 26. ♗b5 ♖a3 27. ♖c5 ♖c3
28. ♘c3 bc3∓] 25. ♗b5 ♘a7 26. ♘d4!?
♕d4 [26... ♘b5 27. ♘b5 ♗b5 28. ab5
♖ab5 29. ♖b5 ♖b5? 30. ♖d1 ♕c5 31.
♖d8 ♗f8 32. ♕c5 ♖c5 33. ♗h6+—] 27.
♗e3

27... ♘b5!! [27... ♕e4 28. ♗e8 ♖c5 29.
♕c5 ♖e8 30. ♕a7 b3 31. ♕b6 ♕d3 32.
a5 ♖a8 33. ♕b7 ♕a6 34. ♕b3 ♕a5∓]
28. ♗d4 ♘d4 29. ♕c4 ♖a4 [29... ♖aa8
30. ♖b1 b3 31. a5 ♗b5 32. ♕d5 ♖a5—+]

30. ♖c8 ♖aa8 31. ♖b8 ♖b8 32. ♕c7 ♖a8
33. ♕b7 ♗c6 34. ♕b4 ♗e4 35. ♕c4 h5
36. f4 ♗f5 37. fe5 ♗e5 38. ♕d5 ♖e8 39.
♖e1 ♘c6! 40. ♔h1 [40. ♕c6 ♗d4 41. ♔f1
♗d3—+] ♖e6 41. ♕d7 ♔g7 42. ♕d5
♘b4! 43. ♕f3 ♘c2 44. ♖f1 ♗f6 45. h3
♗e4 46. ♕f4 ♘e3 47. ♖f2 ♗c6 48. ♕c7
♘g2! 49. ♖g2 ♖e1 50. ♔h2 ♗e5
0 : 1   [Adorján, Gy. Fehér]

466.   **D 88**

FTÁČNIK 2575 — KUDRIN 2530

Reno 1991

1. d4 ♘f6 2. c4 g6 3. ♘c3 d5 4. cd5 ♘d5
5. e4 ♘c3 6. bc3 ♗g7 7. ♗c4 c5 8. ♘e2
0–0 9. 0–0 ♘c6 10. ♗e3 ♗g4 11. f3 ♘a5
12. ♗f7 ♖f7 13. fg4 ♖f1 14. ♔f1 cd4 15.
cd4 e5 16. d5 ♘c4 17. ♗f2 ♕f6 18. ♔g1
♖f8 19. ♕e1 ♗h6 20. ♘g3 ♕a6 21. ♔h1
♕a4 22. ♕e2 b6 23. h4 ♖f4!? N [23...
♗f4 — 49/549] 24. ♗e1 [24. ♖e1 ♕d7
25. g5 ♗f8 26. ♕c4 ♖f2⇆; 24... ♗f8!?]
♗f8 [24... ♘d6 25. ♗d2 ♖e4 26. ♘e4
♘e4 27. ♗e1±] 25. ♖c1 b5 [25... ♘d6
26. ♗d2 ♖f7 27. ♗c3↑] 26. ♖c3 [26. h5!?]
♗e7 [26... ♘d6 27. ♗d2! ♘e4 28. ♗f4
♘c3 29. ♕e5 ♕d1 30. ♔h2 ♘d5 31. ♕e6
♔h8 32. ♗e5+—; 26... ♗b4 27. ♖c4!?
(27. ♖f3 ♗e1 28. ♕e1 ♖f3 29. gf3 ♕a2∓)
bc4 28. ♕c4 a5□ 29. ♕c8 ♗f8 30. ♕e6
♖f7 31. ♗c3⇆] 27. h5 ♕a6 28. hg6 hg6
29. ♘f5? [29. ♖f3 ♖g4 30. ♖f8 ♔f8 31.
♕g4 ♕f6∓; 29. ♘f1 ♕f6 (29... ♘d6 30.
♖e3) 30. ♖f3 ♕h8 31. ♖h3 ♕f6∞] gf5
30. gf5 ♕h6! [30... ♘d6 31. ♖g3 ♔f8 32.
♕h5→; 30... ♕f6 31. g3 ♕h6 32. ♔g2
♕g5 33. ♔h3 ♕h6 34. ♔g2=] 31. ♖h3
♕g5 32. d6 [32. ♖g3 ♖h4 33. ♔g1
♗c5—+] ♗d6 [32... ♘d6? 33. ♖g3] 33.
♕d3 ♔g7 34. ♗d2 [34. ♕d5 ♖f1 35. ♔h2
♖e1 36. ♕b7 ♔f6 (36... ♕e7 37. ♖g3;
36... ♗e7 37. ♖g3 ♖h1 38. ♔h1 ♕g3 39.
♕e7 ♔h6 40. ♕f6 ♔h5 41. ♕h8 ♔g4
42. f6⇆) 37. ♕h7 ♕f4 38. ♖g3 ♖h1
39. ♔h1 ♕g3—+] ♘d2 35. ♕d6 ♖f1
36. ♔h2 ♕f4 37. ♖g3 ♕g3   0 : 1
[Ftáčnik]

467.*** !N **D 89**

CHRISTIANSEN 2600 – LAGUNOV 2445

Porz 1991

1. d4 ♘f6 2. c4 g6 3. ♘c3 d5 4. cd5 ♘d5 5. e4 ♘c3 6. bc3 ♗g7 7. ♗c4 c5 8. ♘e2 ♘c6 9. ♗e3 0–0 10. 0–0 ♗g4 11. f3 ♘a5 12. ♗d3 cd4 13. cd4 ♗e6 14. d5 [RR 14. ♖c1 ♗a2 15. ♕a4 ♗e6 16. d5 ♗d7 17. ♕b4 e6 18. ♘c3 ed5 *a)* 19. ed5 ♖e8 20. ♗f2 ♗f8 21. ♕f4!? N (21. ♕b2 – 46/(630)) *a1)* 21... ♘b3?! 22. ♖cd1 ♘c5 23. ♘e4! ♘e4 (23... ♘d3?! 24. ♖d3 ♗b5? 25. ♘f6 ♔h8 26. ♘e8 ♕e8 27. ♖e1±) 24. fe4 ♕b8 25. ♕f3 ♗d6 26. ♗d4 (Arakel'an – Rostomjan, SSSR 1991) ♖e7□ 27. ♕f6 ♗e5 28. ♕e7 ♗d4 29. ♔h1 ♕e8 30. ♕b4 ♗b6 31. ♕b2±; *a2)* 21... g5 22. ♕g3 ♘b3 23. ♖cd1!? f5 (23... ♘c5 24. ♘e4) 24. f4∞; 22... f5!?∞ Arakel'an; *b)* 19. ♘d5 ♗e6 20. ♖fd1 ♗d5 21. ed5 ♖e8 22. ♗f4 ♗e5 N (22... ♕f6 – 51/473) 23. ♗e5 ♖e5 24. d6 ♖d5 25. ♗e4 ♕b6 26. ♕b6 ♖d1 27. ♖d1 ab6 28. ♖b1 1/2 : 1/2 P. Lukács 2500 – József Horváth 2515, Magyarország (ch) 1991] **♗a1 15. ♕a1 f6 16. ♗h6** [RR 16. ♖b1 ♗d7 17. ♗h6 ♖f7 18. e5 ♗c6! N (18... e6 – 45/569) 19. e6 ♖g7 (19... ♖f8? 20. ♗f8 ♔f8 21. ♗g6 hg6 22. dc6 bc6 23. ♕c3!±) 20. dc6 ♕d3 21. cb7 ♘b7□ *a)* 22. ♗g7? ♕e2 23. ♗f6 ef6 24. ♖b7 ♖c8! 25. h4 ♖c2 26. ♕f1 ♕e3 27. ♔h2 ♕f4 28. ♔h3 g5!–+; *b)* 22. ♖b7? ♕e2 23. ♕b1 (23. ♗g7 ♕e3! △ ♖c8∓) ♕e6∓ Fliegner – Anka 2350, BRD 1991; *c)* 22. ♘f4 ♕e3 23. ♔h1 ♖c8 24. ♖e1 ♕d2 25. ♖d1 ♕e3= Anka] **♗d7!? N** [16... ♕b6 – 51/(474)] **17. ♗f8 ♕b6 18. ♘d4** [18. ♔h1 ♖f8=; 18. ♕d4!? ♕d4 19. ♘d4 ♔f8 20. ♖c1 ♖c8 21. ♖c8 ♗c8 22. ♔f2 e5 23. de6 ♔e7=] **♖f8 19. ♖b1 ♕d6!** [19... ♕c5 20. ♗b5±] **20. ♕c3?!** [20. ♗b5 ♖c8 21. ♗d7 ♕d7 22. ♘e6 ♕a4∞] **♕e5∓ 21. ♖c1** [21. ♗b5 ♖c8 22. ♕b4 (Christiansen) ♗b5! (22... ♖c4? 23. ♗c4 ♕d4 24. ♔h1 ♘c4 25. ♕e7+– Christiansen) 23. ♘b5 ♖c2! 24. ♕a5 (24. ♘d4 ♖c4) ♕g5! 25. ♕d8 ♔g7 (25... ♔f7?? 26. ♘d6+–) 26. ♕e7 ♔h6! 27. ♕f8 ♔h5 28. g4 ♔h4 29. ♘d4 (29. ♖e1 ♕d2! 30. ♕f6 ♔h3–+) ♕e3 30. ♔h1 ♔h3!!–+; ⌓ 21. ♘e2 ♕c3 22. ♘c3 ♖c8∓] **♖c8 22. ♕c8 ♗c8 23. ♖c8 ♔g7 24. ♘e6 ♔h6∓ 25. f4** [25. g4 ♘c6! 26. dc6 (26. f4 ♕a1 27. ♔f2 ♘d4) ♕e6 27. cb7 ♕b6–+] **♕b2!□** [25... ♕a1? 26. ♔f2 ♕a2 27. ♗e2 ♘b3 28. g4 g5 29. h4! ♕b2 30. ♖g8!+–] **26. g4** [26. ♔f1 ♕a2! 27. ♗e2 (27. g4 ♕h2) ♘b3 28. g4 ♘d2–+] **♕d2! 27. g5 ♔h5** [27... fg5? 28. fg5 ♔h5 29. ♗e2! ♔h4 30. ♔f2⇆] **28. ♗f1 ♕e3 29. ♔g2 ♕e4** [29... ♔g4!? Christiansen] **30. ♔f2 ♕d5 31. ♖h8** [31. ♗e2 ♔h4 32. ♖h8 h5 33. ♘g7!? fg5! (33... ♕d4? 34. ♔f3 fg5? 35. ♖h5!+–) 34. ♘h5 ♕d4–+] **♔g4** [31... fg5?? 32. ♖h7 ♔g4 33. ♗h3#] **32. ♖h7 ♕d2! 33. ♗e2 ♔f5–+ 34. ♖e7 ♘c6! 35. ♘g7** [35. ♖e8 ♘d4] **♔f4 36. gf6!?** [36. ♘e6 ♔f5 37. ♘g7 ♔g5 38. ♘e6 ♔f5 39. ♘g7 ♔f4 40. ♘e6 ♔e5] **♘e7?⊕** [36... ♕d4 37. ♔g2 ♕f6 38. ♘e6 (38. ♖b7 ♘d4) ♔e5 39. ♖e8 ♔d6–+] **37. ♘e6!** [37. fe7? ♕e3] **♔e5 38. f7** [38. fe7 ♕d7 39. ♘f8 ♕e8! 40. ♗d3 ♔d4–+] **♔e6 39. f8♕ ♕a2 40. ♕a8 b6 41. ♕e4 ♔d6 42. ♕b4 ♔d7 43. h4 ♕c2 44. ♕d4 ♔e6 45. ♔f1** [45. ♔e1 ♕c1] **♕f5 46. ♔e1 ♕e5! 47. ♕a4 a5** [47... ♕a5!? 48. ♕a5 ba5–+] **48. ♔d2 ♔f6 49. ♗d3 ♘f5! 50. ♕c6 ♕d6 51. ♕c3** [51. ♕f3!? (△ h5) ♕b4 52. ♔d1 ♕h4 53. ♕c6 ♔g5 54. ♕b6 ♕d4–+] **♕d4! 52. ♕c8** [52. ♕c6 ♔g7–+] **♕e3 53. ♔c3** [53. ♔c2 ♘d4] **♕e1** [53... ♕c5–+] **54. ♔b2 ♕b4 55. ♔a2 ♕a4 56. ♔b2 ♕b4 57. ♔a2 ♕d2! 58. ♗c2 ♔g7! 59. ♔a3 ♘d4 60. ♕b7 ♔h6 61. ♗g6** [61. ♗e4 ♕b4 62. ♔a2 ♘b5–+] **♕b4 62. ♔a2 ♔g6 63. ♕e4 ♔f6 64. ♕f4 ♘f5 65. ♕g5 ♔e5 66. h5 a4 67. h6 ♕b3 68. ♔a1 a3 0 : 1**
[Lagunov]

468. **D 91**

HÜBNER 2615 – EHLVEST 2605

Bayern – Lyon 1991

1. d4 ♘f6 2. c4 g6 3. ♘c3 d5 4. ♘f3 ♗g7 5. ♗g5 dc4 6. e4 c5 7. d5 b5 8. e5 b4 9. ef6 ef6 10. ♕e2 ♔f8 11. ♗e3 bc3 12. ♗c5 ♔g8 13. bc3 ♘d7 14. ♗e7 [14. ♕c4 ♗a6! 15. ♕a6 ♘c5 16. ♕c4 f5 17. ♗e2 ♘e4 18. 0–0 ♘c3∓] **♕e8 15. ♗a3 N** [15.

♗b4 — 42/610] **♗b7 16. 0-0-0□ ♕d8 17. ♕c4 ♘b6 18. ♕b4 ♖c8∓→ 19. d6 f5 20. ♗b2□ ♗e4! 21. c4□ ♗b2! 22. ♔b2 ♖b8 23. ♔a1 ♘a4?** [23... ♘d5! 24. ♕d2 ♗f3 25. gf3 ♕f6 26. ♕d4 ♘b4!—+] **24. ♕d2 ♖b2 25. ♕d4 ♕a5 26. ♘d2!□∞ ♗c6** [26... h5 27. ♘e4 fe4 28. d7 ♔h7 29. ♕h8!+—] **27. ♘b3 ♕b4 28. ♖d2** [28. d7 ♗d7 29. ♕d7 ♕a3 30. ♕d8 (30. ♘c1 ♖b1 31. ♔b1 ♕b2#) ♔g7 31. ♕d4 f6 32. ♘c1 ♘c3—+] **♖b3 29. ab3 ♕a3 30. ♔b1 ♕b3 31. ♔c1 ♕a3 32. ♔c2 ♘c5 33. ♕b2 ♕a4 34. ♔c1 ♘b3 35. ♔d1 ♘d2 36. ♔d2 ♕a5 37. ♕c3 ♕c5 38. ♕f6 ♕b4—+ 39. ♔e3⊕ ♕e1 40. ♔f4 ♕e4 41. ♔g5 ♕g4** [41... h6#] **42. ♔h6 ♕h5#** **0 : 1**
[Ehlvest]

469. **D 91**

BELJAVSKIJ 2655 — KAMSKY 2595
Beograd 1991

1. d4 ♘f6 2. c4 g6 3. ♘c3 d5 4. ♘f3 ♗g7 5. ♗g5 ♘e4 6. ♗h4 ♘c3 7. bc3 dc4 8. e3 b5 9. a4 c6 10. ♘d2 a6 11. ♗e2 ♖a7 12. 0—0 0—0 13. ♗f3 ♖d7 N [13... ♗f5 — 41/(545)] **14. ♕b1!∞** [△ ♕b4 ×c4, c6, e7] **♕c7 15. ♘e4 ♖dd8** [△ ♗f5] **16. ♕b4!** [16. ♘c5?! ♖de8 17. ♗g3 e5 18. ♕b4 f5 19. ♗e5 ♗e5 20. de5 ♖e5 △ ♕e7∓] **f5□ 17. ♘c5 ♖de8** [△ e5, f4] **18. ♖fd1! ♗f6!** [18... e5?! 19. d5 e4 20. d6 ♕a7 21. ab5!? cb5 (21... ef3 22. b6∞) 22. ♕b5! ef3 23. d7! ♘d7 24. ♘d7 ♗d7 25. ♖d7=∞] **19. ♗f6□** [19. ♗g3?! e5 20. d5 ♗e7!∓] **♖f6 20. ♖a2?! ♘d7! 21. ♖ad2 ♕b6** [21... ♘c5?! 22. ♕c5 ♕d6 23. ♕b6 ♕d8 24. ♕c5 ♕d6=] **22. g3 ♘c5 23. ♕c5 ♕c5 24. dc5 ♔f7∓ 25. ab5 ab5 26. ♖a2** [△ ♖a7-c7] **e5** [△ e4, ♗e6-d5—+] **27. ♖a7 ♖e7 28. ♖a8 ♗d7?!** [28... e4 29. ♖c8 (29. ♗e2? ♗e6 30. f3 ♗d5 31. fe4 ♗e4∓) ef3 △ g5-g4, ♖e5∓] **29. ♖d8 ♗e8 30. e4□⇆ f4 31. g4⊕ g5⊕ 32. h4 ♖h6 33. hg5 ♖g6 34. ♔f1 ♖g5 35. ♔e2 ♖g6 36. ♖h1 ♔g7 37. ♖a1 h6 38. ♖aa8 ♗f7 39. ♖a6** [39. ♖dc8?! ♖d7 40. ♖a6 b4 41. cb4 c3 42. ♖a3 h5! 43. ♖c3□ (43. g5?? ♗c4 44. ♔e1 ♖g5—+) hg4 44. ♗h1 f3∓] **♖c7 40. ♖d6 ♖f6 41. ♖d8 ♔g6** [41... ♗e6!?] **42. ♔d2** [△ ♔c2-b2-a3-b4-a5-b6] **♔g5** [△ ♗e6, ♖g6 ×g4] **43. ♔c2 ♗e6 44. ♖e8** [44. ♖d6 ♗d7∓] **♖g6** [△ 45... ♗g4 46. ♖e5 ♔f6—+] **45. ♖a1 ♔f6 46. ♖h1 ♖a7∓ 47. ♔b2 b4! 48. g5!□** [48. cb4?! c3 49. ♔b1 ♗c4 50. ♖d1 ♖a2 51. ♖d6 ♔f7 52. ♖e5 c2 53. ♔c1 ♗b3 54. ♖d7 ♔f8 55. ♖d8 ♔g7 56. ♖d7 ♔h8 57. ♖d8 ♖g8 58. ♖g8 ♔g8—+] **hg5 49. ♖e6 ♔e6 50. ♗g4 ♔f6 51. cb4 ♔g7!** [△ ♖h6-h2] **52. ♖h5?! ♖h6 53. ♖g5 ♖g6 54. ♖g6 ♔g6 55. f3 ♔f6 56. ♔c3 ♔e7 57. ♔c4 ♖a3—+ 58. ♗h5 ♔d7 59. ♗g4 ♔c7 60. ♗h5 ♔b7 61. ♗g4 ♖a1** [62. ♗d7 ♖c1 63. ♔b3 ♖d1 64. ♗g4 ♔a6 65. ♗e6 ♖d3 66. ♔c4 ♖f3] **0 : 1**
[Kamsky]

470.* **D 91**

GRIVAS 2425 — KARKANAQUE 2385
Xanthi 1991

1. d4 ♘f6 2. c4 g6 3. ♘c3 d5 4. ♘f3 ♗g7 5. ♗g5 ♘e4 6. cd5 ♘g5 7. ♘g5 e6 8. ♕d2 [RR 8. ♘f3 ed5 9. b4 0—0 10. e3 c6 11. ♗e2 a6 N (11... a5 — 46/637) 12. a4 ♗e6 13. 0—0 ♘d7 14. b5 ab5 15. ab5 c5 16. ♕d2 ♖a1? 17. ♖a1 cd4 18. ♘d4 ♘c5 19. ♖d1 ♕c7 20. ♗f3 ♖d8 (Seirawan 2600 — Epišin 2620, Wijk aan Zee 1992) 21. ♕c2±; 16... ♕c7± Seirawan] **♗h6 9. h4!? N** [9. f4 — 52/(479)] **f6 10. de6 fg5** [10... ♗e6? 11. ♕e3+—] **11. d5=∞ c6?!** [11... 0—0 12. h5!↑] **12. e4 ♗e6** [12... 0—0? 13. ♗c4±] **13. de6 ♕d2 14. ♔d2 ♔e7 15. hg5!** [15. ♗c4? b5 16. ♗b3 ♘a6 △ ♘c5=] **♗g5 16. ♔c2 ♔e6 17. g3! ♗f6 18. f4 ♘d7** [18... ♗c3 19. ♔c3 ♘d7 20. ♗h3 ♔e7 21. ♗d7 ♔d7 22. ♖h6±] **19. e5 ♗g7 20. ♗h3 ♔e7 21. ♗d7 ♔d7 22. ♘e4 ♖ae8 23. ♖ad1 ♔c7 24. ♖d6!** [△ 25. ♘g5, 25. ♘c5] **♗e5!? 25. fe5 ♖e5 26. ♖d4 h5 27. ♘c3!+— b5 28. ♖f1 ♖he8 29. ♖f7 ♖8e7 30. ♖df4 ♖f7 31. ♖f7 ♔b6 32. ♔d3 ♖g5 33. ♘e4 ♖g4 34. ♔e3?** [34. ♖g7 h4 35. gh4 ♖h4 36. ♖g6+—] **h4 35. ♖f4□** [35. ♔f3? hg3 36. ♔g4?? g2—+] **♖f4 36. gf4 c5 37. ♔f3 c4 38. ♔g4 b4 39. ♔h4 ♔c6 40. ♔g5 ♔d5 41. ♘g3!□** [41. ♘d2? c3 42. bc3 bc3 43. ♘b3 ♔e4=] **♔d4 42. ♔g6 ♔e3** [42... ♔d3 43. ♔f5 c3 44. bc3 bc3 45. ♘e4 c2 46. ♘c5 ♔c3 47. ♘b3 ♔b2 48. ♔e4 ♔a2 49. ♘c1 ♔b1 50. ♘d3

a5 51. f5 a4 52. f6 a3 53. f7 a2 54. f8♕ a1♕ 55. ♕b4+−] **43. f5 c3 44. bc3 bc3 45. f6 c2 46. f7 c1♕ 47. f8♕ ♕c6 48. ♔g5 ♕a4 49. ♕d6!!+−** [49. ♕f7 ♔d2 △ ♔c2-b2=] **♔f3 50. ♘f5 ♕a2** [50... ♔e2 51. a3] **51. ♕f4 ♔g2 52. ♘e3 ♔g1 53. ♕f1 ♔h2 54. ♔h4!** 1 : 0

[Grivas]

---

471. !N **D 91**

BAGIROV 2485 − DVOJRIS 2525
SSSR (ch) 1991

1. d4 ♘f6 2. c4 g6 3. ♘c3 d5 4. ♘f3 ♗g7 5. ♗g5 ♘e4 6. cd5 ♘g5 7. ♘g5 e6 8. ♕d2 h6 9. ♘h3 ed5 10. ♕e3 ♔f8 11. ♘f4 c5 12. dc5 d4 13. ♕d2 ♘a6! N [13... ♘c6 − 6/721] **14. e3□ ♘c5** [14... ♗f5 15. ed4 ♕d4 16. ♕d4 (16. ♗a6 ba6 17. 0-0-0 ♕c5 18. ♕d6? ♕d6 19. ♖d6 ♗e5−+) ♗d4 17. ♗d3=] **15. ♘b5 ♕e7! 16. ♘d4** [16. ♘d5!? de3 17. fe3 ♕d8 18. ♖c1 b6 19. ♘bc7 ♖b8 20. ♗c4∞] **♘e4 17. ♘d5□ ♘d2 18. ♘e7 ♘f1 19. ♘c8 ♘e3 20. fe3 ♖c8∓ 21. ♔d2 ♔e7 22. ♖ac1 ♗e5 23. h3 ♖cd8** [23... ♖hd8 24. ♖c8 ♖c8 25. ♔d3 ♔d6 26. g4 △ ♖f1=] **24. ♖c4 ♖d7 25. ♔e2!** [25. ♔d3? ♖hd8 26. ♖hc1 f5! △ f4∓] **♖hd8 26. ♖d1 f5 27. ♖d3! ♔f6** [27... f4 28. ♖b3 ♗d4 (28... fe3 29. ♘f3) 29. ♖d4 ♖d4 30. ed4 ♖d7 31. ♔d3=] **28. ♖b3 ♖e8 29. ♘f3 ♗g3 30. ♖d3 ♖de7 31. ♘d2 ♗c7** [31... f4 32. ♘f1] **32. ♔f3 h5 33. e4!= ♗b6** [33... f4 34. h4] **34. ♖d5 ♔e6 35. ♖d3 ♔f6 36. h4 fe4 37. ♘e4** [37. ♖e4 ♖e4 38. ♘e4 ♔e5∓] **♔g7 38. g3! ♖f8 39. ♔g2 ♖f5 40. a4 ♖fe5 41. ♔f3 ♖f7 42. ♔g2 ♖fe7** 1/2 : 1/2

[Bagirov]

472.* **D 91**

I. ROGERS 2565 − ZAHARIEV 2360
Crete 1991

1. d4 ♘f6 2. c4 g6 3. ♘c3 d5 4. ♘f3 ♗g7 5. ♗g5 ♘e4 6. cd5 ♘g5 7. ♘g5 e6 8. ♕d2 ed5 9. ♕e3 ♔f8 10. ♕f4 ♗f6 11. h4 ♔g7 12. e4 de4 [12... h6 13. e5!±] **13. ♗c4 ♕d6** [13... ♖f8 − 48/(629)] **14. ♕d6 cd6 15. ♘f7 ♖f8 16. ♘d6 ♘c6** [16... ♗d4

---

17. ♘ce4 ♗b2? 18. ♖b1±; 17... ♘c6] **17. ♘ce4 ♗d4 18. h5! h6!?** N [18... ♗b2? 19. ♖b1±; 18... gh5?! 19. ♖h5±; 18... ♘e5!? 19. h6 ♔h8 20. 0-0-0 ♗b6 21. ♗b3 ♗f5 22. f3± Murshed 2510 − Epišin 2615, Brno 1991] **19. hg6 ♗f5 20. ♗f7! ♗e4** [20... ♗g6!? 21. ♗g6 ♔g6 22. f3 ♗b2 23. ♖b1 ♗a3±; 22. ♖h3!?] **21. ♘e4 ♘e5 22. 0-0-0 ♖ad8 23. ♔b1! ♘g6 24. ♗g6 ♔g6 25. ♖d3! ♗e5 26. ♖dh3 ♔f5! 27. ♘c5!?** [27. f3 ♗f4 28. g3 ♗g5±] **♗g7□ 28. ♖g3 ♖f7 29. ♖h5 ♔f6 30. ♖h4! ♖d1□** [30... ♔f5? 31. ♖f3+−; 30... ♔e7 31. ♖e4+−] **31. ♔c2 ♖e1 32. ♖f3 ♔e7 33. ♖e4 ♖e4 34. ♖f7 ♔f7 35. ♘e4± ♔e6?** [35... b6 36. ♘d6?! ♔e6 37. ♘c8 a6 38. ♘b6 ♗d4±; 36. f3!±; 35... ♗d4 36. f3 ♔e6 37. b3 ♔d5 38. ♔d3±] **36. ♘c5 ♔d5 37. ♘b7 ♗d4 38. f3 ♗b6 39. b4! ♔d4** [39... ♔c6 40. ♘c5 a5 41. ♘a4+−; 39... ♔c4 40. a3+−] **40. ♘d6 h5** [40... ♔e3 41. ♘c4+−] **41. ♘f5 ♔e5 42. ♘g3 ♔f4** [42... h4 43. ♘e2 ♔d5 44. ♔d3+−] **43. ♘h5 ♔e3** [44. g4 ♔f3 45. g5+−]

1 : 0

[I. Rogers]

---

473. !N **D 91**

SCHROLL 2370 − EPIŠIN 2615
Wien 1991

1. d4 ♘f6 2. c4 g6 3. ♘c3 d5 4. ♘f3 ♗g7 5. ♗g5 ♘e4 6. cd5 ♘g5 7. ♘g5 e6 8. ♕d2 ed5 9. ♕e3 ♔f8 10. ♕f4 ♗f6 11. h4 h6 12. ♘f3 ♔g7 13. 0-0-0 ♗e6 14. e4 de4 15. ♘e4 [15. ♕e4 c5 16. ♕b7 ♘d7↑ ♗a2! N [15... c6] **16. g4** [16. d5 ♘d7 17. ♘f6 ♔f6∓] **♘d7 17. ♗d3**

17... c5!! [17... ♗d5 18. g5 ♗e7 19. ♘e5↑] 18. ♗b5 [18. dc5 ♖c8∓; 18. g5 ♗d4∓] ♗d5!□ 19. dc5 [19. ♗d7 ♗e4 20. ♕e4 ♕d7 21. g5 ♗d4 22. ♘d4 cd4∓] ♗e4 20. ♖d7 ♕a5 21. ♖f7? [21. ♕e4 ♕b5 22. ♖b7 ♕c5 23. ♔b1∓] ♔f7 22. ♘e5 ♔e7!!−+ [22... ♔g7 23. ♕e4+−] 23. ♘g6 ♗g6 24. ♕d6 ♔f7 25. ♗c4 ♔g7 26. ♕d7 ♔f8 27. ♕d6 ♗e7 28. ♕g6 ♕a1 29. ♔c2 ♕a4 30. ♔b1?⊕ [30. ♗b3 ♕f4; 30. b3 ♕e8 31. ♕f5 ♔g7 32. ♖e1 ♖c8!] ♕c4   0 : 1   [Epišin]

474.* !N   **D 93**

VE. SERGEEV 2370 − TITLIANOV
Rossija 1992

1. d4 ♘f6 2. c4 g6 3. ♘c3 d5 4. ♗f4 ♗g7 5. e3 c5 6. dc5 ♕a5 7. ♖c1 dc4 8. ♗c4 0−0 9. ♘f3 ♕c5 10. ♗b3 ♘c6 11. 0−0 ♕a5 12. h3 ♗f5 13. ♕e2 ♘e4 14. ♘d5 e5

15. ♗g5! N [15. ♗h2 ♗e6 16. ♖fd1 ♖fd8 17. ♕c4 ♘f6 18. e4 ♖ac8 19. ♘g5 ♘d4 20. ♘e7 ♔f8 21. ♘e6 ♔e7 22. ♘d8 ♖c4 23. ♗c4 ♘e4 N (23... ♗h6 − 45/573) 24. ♘f7 ♕b6 25. ♘e5 ♗e5 26. ♗e5 ♘f3 27. gf3 ♕f2 28. ♔h1 ♕f3= Timman 2630 − Ivančuk 2735, Hilversum (m/5) 1991] ♘g5 [15... h6 16. ♘e7! (16. ♗e7 ♖fe8 17. ♗a3 ♗e6 18. ♖fd1 ♖ad8 19. ♕c4±) ♘e7 (16... ♔h7 17. ♘c6 bc6 18. ♗e7±) 17. ♗e7 ♖fc8 (17... ♖fe8 18. ♗a3±) 18. g4 ♖c1 19. ♖c1 ♖c8 (19... ♗d7? 20. ♕d3+−) 20. ♖d1±; 15... ♘c5 16. ♗c4±] 16. ♘g5 h6 17. ♖c6!! hg5□ [17... bc6 18. ♘e7 ♔h8

19. ♘f7 ♔h7 20. ♘f5 gf5 21. ♕h5+−] 18. ♖c7 ♖ad8 19. ♘e7 ♔h7 20. ♖fc1± ♗e4 [20... ♖d7 21. ♖7c5 ♕d2 22. ♕d2 ♖d2 23. ♘f5 gf5 24. ♖c7±] 21. ♕c4 ♗d3 [21... ♗c6 22. ♖c6] 22. ♕g4 ♗f6 [22... e4 23. ♖7c5 ♕d2 24. ♕g5+−] 23. ♕f3 ♔g7 24. ♕b7+− ♕d2 25. ♖d1 ♕b2 26. ♘c6 ♗c4 27. ♘d8 ♖d8   1 : 0
[Ve. Sergeev]

475.   **D 94**

KASPAROV 2770 − TIMMAN 2630
Tilburg (Interpolis) 1991

1. d4 d5 2. c4 c6 3. ♘c3 ♘f6 4. e3 g6 5. ♘f3 ♗g7 6. ♗e2 0−0 7. 0−0 e6 8. b4 ♘bd7 9. ♗b2?! N [9. ♗a3 − 1/419] dc4! 10. ♗c4 b6 11. a4!? [11. e4 ♗b7 12. e5 ♘d5 13. ♘e4 ♘b4 14. ♘d6 ♖b8∞] ♗b7 12. ♗a3 ♖c8 [12... c5?! 13. bc5 bc5 14. ♖b1±] 13. ♖b1 ♖e8 [13... c5 14. bc5 ♗f3 15. ♕f3 bc5 16. ♗a6±] 14. ♕e2 ♘d5?! [14... ♗f8!∞] 15. ♘d5 [15. ♘e4?! ♗f8! 16. ♕a2 e5∞] cd5 [15... ed5 16. ♗a6±] 16. ♗b5! ♖e7 17. a5 ♖c7 [17... ♘f6 18. a6 ♗a8 19. ♗d3 ♖ec7 20. b5 ♘e4 21. ♖bc1±; 17... e5 18. a6 ♗a8 19. ♗d7 ♕d7 20. b5 ♗ee8 (20... e4 21. ♘e5) 21. ♗b2! (21. de5? ♗e5 22. ♘e5 ♖e5 △ d4∞; 21. ♕b2 ed4! 22. ed4 ♖e4∞) e4 22. ♘d2± (×♗a8) △ 22... ♖c2 23. ♖fc1 ♖ec8 24. ♖c2 ♖c2 25. ♕d1] 18. ♖fc1 ♘b8 19. a6 ♗c8 20. ♗d3 ♖c1 21. ♖c1 ♖c7 22. b5 [22. ♖c7!? ♕c7 23. b5± △ 23... ♕c3 24. ♗b2 ♕b4 25. ♕c2, △ 23... ♗f8 24. ♕b2±] ♖c1 23. ♗c1 ♕c7 24. ♗d2 f5 [24... ♘d7 25. e4!±] 25. ♕e1! ♘d7 26. ♗b4 ♗f8 [26... e5 27. ♘g5 ♘f6 28. de5 ♕e5 29. ♕c1 ♗d7 30. ♘f3±] 27. h4 [27. h3!?] ♘f6 28. ♘e5 ♘d7?! [28... ♗d7 29. ♗f8 ♔f8 30. ♕b4 ♔e8 31. f3 ♕c1 32. ♔f2±] 29. ♘f3?⊕ ♘f6 30. ♘e5 ♘d7 31. ♘c6! ♗a6??⊕ [31... ♘b8 32. ♗f8 ♔f8 (32... ♘c6 33. ♗h6+−) 33. ♕b4 ♔e8 34. ♘a7!! (34. ♘b8?±) ♕a7 35. ♕d6 ♗d7 36. ♕e5 ♔f7 37. ♕h8 h5 38. f3 ♕c7 39. ♕e5! ♕a7 (39... ♕e5 40. de5 ♘a6 41. ba6 ♗c6 42. a7 ♔e7 43. ♗b5+−) 40. g4+−] 32. ♕c1! [△ ♘e7]   1 : 0
[Kasparov]

249

476. !N **D 97**

BAREEV 2680 – SUĖTIN 2405
Hastings 1991/92

1. d4 ♘f6 2. c4 g6 3. ♘c3 d5 4. ♘f3 ♗g7 5. ♕b3 dc4 6. ♕c4 0–0 7. e4 c6 8. ♕b3 e5 9. de5 ♘g4 10. ♗e2 ♕c7?! [10... ♕b6 – 19/596] **11. 0–0 ♘d7 12. h3! N** [12. e6? ♘c5 13. ef7 ♖f7 14. ♕c4 b6! 15. e5□ ♗e6 16. ♕b4 ♘e5 17. ♘e5 ♗e5∓ Boleslavskij, Suėtin] **♘ge5 13. ♘e5 ♕e5 14. ♗e3 ♕e7 15. f4± ♘b6 16. ♖ae1 ♗e6 17. ♕c2 ♗c4 18. e5 ♗e2 19. ♖e2 ♕e6 20. ♗c5 ♖fd8 21. b3** [21. ♘e4] **♘d5 22. ♘e4 ♗f8 23. ♔h1 ♗c5 24. ♕c5 b6 25. ♕f2** [△ f5] **f5 26. ef6 ♘f6 27. ♘g5 ♕d5 28. ♖e5 ♕d3 29. f5 ♖f8 30. fg6** [30. ♖fe1±] **hg6 31. ♖e3?**

31... ♘g4!!∓ 32. ♕f8 ♖f8 33. ♖f8 ♔f8 34. ♖d3 ♘f2 35. ♔g1 ♘d3 36. ♘f3 ♘c1 37. ♘e5 c5 38. ♘g6 ♔g7 39. ♘e5 ♘a2 40. g4 ♘c1 41. ♔f2 ♘b3 42. ♔e3 a5 43. ♔d3 b5 44. ♔c3 a4? [44... ♘d4 45. ♘d3 ♘e6∓] **45. ♘d3 c4 46. ♘b4= ♘c5 47. ♘c2 ♘d3 48. h4 a3 49. ♘a3 b4**
1/2 : 1/2 **[Suėtin]**

477.* **D 97**

TIMMAN 2630 – KAMSKY 2595
Tilburg (Interpolis) 1991

1. d4 ♘f6 2. c4 g6 3. ♘c3 d5 4. ♘f3 ♗g7 5. ♕b3 dc4 6. ♕c4 0–0 7. e4 a6 8. ♗e2 [RR 8. e5 ♘fd7 9. e6 fe6 10. ♕e6 ♔h8 11. ♘g5 ♘c6 12. ♗e3 ♕e8!? N (12... ♘c5 – 47/577) *a)* 13. ♘d5 ♘c5 14. dc5 ♗e6 15. ♘e6 ♕f7 16. ♘dc7 ♖fd8!∓; *b)* 13. 0-0-0 ♘de5 14. ♕b3 ♘g4 *b1)* 15. h4 ♘e3 (15... ♘f2 16. ♗f2 ♖f2 17. h5 gh5 18. ♘ce4 ♖f8 19. ♗e2 △ ♗h5±) 16. fe3 ♗g4 17. ♗e2 ♗e2 18. ♘e2 ♘a5!∞; *b2)* 15. ♘d5 ♘a5 (15... ♕d7 16. ♘f4 ♕f5□ 17. h4 ♘f2 18. ♗f2 ♕f4 19. ♗e3 ♕d6 20. h5±→) 16. ♕b4 ♖f5! 17. ♕a5 (17. ♘e7 ♘c6–+) ♘e3 18. fe3 ♖g5 19. e4 c6 20. h4 ♖h5 21. ♗e2 cd5 22. g4 ♖h6 23. g5 ♖h5 (23... de4 24. gh6 ♗h6 25. ♔b1 ♗f5 26. h5→) 24. ♗h5 gh5 25. ♕d5∞; *c)* 13. ♕h3 ♘f6 14. ♕h4 e5 *c1)* 15. ♘d5 *c11)* 15... h6 16. ♘f6 (16. ♘c7 ♕e7 17. de5 ♘g4! 18. ♘a8 ♕b4 19. ♗d2 ♕b2 20. ♖c1 ♕e5–+) ♖f6 17. ♘e4 ♖f4! 18. ♗f4 ef4 19. ♕f4 ♗f5 20. ♗d3 ♘b4 21. ♗b1 ♕b5∞̄→; *c12)* 15... ♕d7! 16. de5 ♘e5 17. ♖d1 (17. 0-0-0 ♕g4! 18. ♕g4 ♘fg4 19. ♘c7 ♘e3 20. fe3 ♗g4! 21. ♘a8 ♖c8 22. ♔b1 ♗d1∓) ♕g4! 18. ♕g4 ♗g4 19. f3 ♘d5 20. ♖d5 ♖ae8!∓; *c2)* 15. de5 ♘e5 16. ♗e2 ♗f5 17. ♘d5 h6□ 18. ♘f6 (18. ♘c7 ♕c6 19. ♘a8 ♕g2 20. ♖f1 ♖a8∓→) ♖f6 19. 0–0 (19. ♘e4 ♕a4!) ♕e7 (1/2 : 1/2 Kahiani 2360 – Zezjul'kin 2405, Brno (open) 1991) 20. ♘e4 ♕b4! 21. f3 ♗e4 22. fe4 ♖f1 23. ♖f1 ♔h7 24. ♗c1 ♖e8; 20. ♘f3 ♖e6; 20. ♖ac1!? Zezjul'kin] **b5 9. ♕b3 c5 10. dc5 ♗e6?!** [⌓ 10... ♗b7 – 45/577] **11. ♕c2 ♕c8 N** [11... ♕c7 – 47/578] **12. ♘g5!** [12. ♘d4 ♘c6∞; 12. ♗e3 ♘bd7∞] **♕c5 13. ♘e6 fe6 14. ♕b3± ♘d5?!** [14... ♘g4 15. ♘d1; 14... ♕c6!? (△ 15. ♘f3 ♘fd7 16. e5 ♖f3) 15. 0–0±] **15. ed5 ♕f2 16. ♔d1 ♕g2 17. ♖e1 ♘d7 18. ♗e3 ♖ac8?!** [18... ♘e5□] **19. d6!+– ♖c6 20. de7 ♖e8 21. ♖c1 ♖e7 22. ♖c2 ♕h3 23. ♕b4 ♖f7 24. ♕e4 ♖d6 25. ♖d2 ♖d2 26. ♗d2 ♘e5 27. ♕a8 ♖f8 28. ♕a6 b4 29. ♘e4 b3 30. ♘c3** [30. ♘g5? ♕f5 31. ♕e6 ♕e6 32. ♘e6 ba2 33. ♔c2 ♖f2!] **♖d8 31. ♕b6 ♗f6 32. ab3 ♖a8 33. ♕b7 ♖d8 34. ♘e4 ♗g7 35. ♕b6 ♖a8 36. ♘g5 ♕f5** [36... ♖a1 37. ♗c1 ♗h6 38. ♕b8↑] **37. ♕e6 ♕e6 38. ♘e6 ♘c6 39. ♘g7 ♔g7 40. ♗c3⊕** **1 : 0** **[Timman]**

E

478.* **E 04**

ŠTOHL 2560 – SMAGIN 2550

Praha 1992

1. c4 e6 2. ♘f3 d5 3. d4 ♘f6 4. g3 dc4 5. ♗g2 c5 6. 0–0 ♘c6 7. ♕a4 [7. dc5 ♕d1 8. ♖d1 ♗c5 9. ♘bd2 c3 10. bc3 ♗d7 11. ♘b3 ♗e7 12. c4 N (12. ♘fd4 – 47/(589)) 0–0 13. ♗b2 ♖fd8 14. ♘e5 ♘e5 15. ♗e5 ♖ac8 16. ♗b7 ♖c4 17. ♗f3 ♗e8 18. e3 ♖d1 19. ♖d1 ♗c6 20. ♗c6 ♖c6 21. ♗d4 a6 1/2 : 1/2 Razuvaev 2575 – van der Sterren 2535, Praha 1992] **♗d7 8. ♕c4 b5 9. ♕d3 ♖c8 10. dc5 ♗c5 11. ♘c3 b4 12. ♘e4 ♘e4 13. ♕e4 ♕e7 N** [13... 0–0 14. ♖d1 (14. ♘g5? f5 15. ♕c4 ♘d4↑) ♕e7 15. ♗g5 f6 16. ♗e3↑; 13... ♘e7] **14. ♖d1** [⌓ 14. ♗e3!? f5 (14... ♗e3 15. ♕e3±) 15. ♕d3 ♗e3 16. ♕e3 e5 17. a3!?±] **e5! 15. ♗e3 f5** [15... ♗e3?! 16. ♕e3 0–0 17. ♖ac1±] **16. ♕d3 ♗e3** [16... e4? 17. ♗c5 ed3 18. ♗e7 de2 19. ♖d7+–] **17. ♕e3 e4?!** [17... 0–0! 18. ♘e5 (18. ♖ac1 e4 19. ♘d4 ♘d4 20. ♕d4 ♗e6=) ♘e5 19. f4 ♕c5 (19... ♗a4 20. b3 ♗c6 21. ♕e5 ♕e5 22. fe5 ♖fe8=) 20. ♕c5 ♖c5 21. fe5 ♗e6 22. ♖d6 ♖e5 23. ♖e6 ♖e6 24. ♗d5 ♖e8 25. a3 ba3 26. ♖a3 ♔f8 27. ♗e6 ♖e6=] **18. ♘d4 ♘e5** [18... 0–0!? 19. a3! a5 20. ♕b3 ♔h8 21. ab4 ab4 22. ♘c6 ♗c6 23. ♖d4±] **19. ♕b3!±→ a5** [△ 20... a4, 20... ♕f7; 19... ♕c5 20. ♘e6 ♕e7 21. ♘f4→] **20. ♕d5 ♖c5□** [20... ♕c5 21. ♘e6! (21. ♘b3 ♕d5 22. ♖d5 ♘c4 23. ♘a5 ♘b2±) ♕d5 22. ♘g7 ♔e7 23. ♖d5+–] **21. ♕a8 ♖c8□** [21... ♗c8 22. ♘f5+–] **22. ♕a5 0–0 23. ♖ac1 g6** [23... ♖a8 24. ♕d5 △ ♖c7→] **24. ♘b3 ♖c1** [24... ♘c6 25. ♕c5±] **25. ♖c1 ♕d6 26. ♕c5 ♖f6 27. f3! ef3 28. ef3 f4!? 29. gf4?!** [29. ♕d6 ♖d6 30. gf4 ♘c6 (30... ♘d3 31. ♖d1+–) 31. ♘c5 ♘d4 (31... ♗f5 32. ♘e4+–) 32. ♔f2 ♗f5 33. ♖d1+–] **♕c5 30. ♘c5** [30. ♖c5 ♘d3 31. ♖d5 ♗f5±⇆] **♖f4 31. ♖e1 ♖f5 32. ♘d7** [32. f4?! ♘f3 33. ♗f3 ♖c5±; ⌓ 32. ♖e5!? ♖e5 33. ♘d7 ♖e2 34. ♗f1 ♖b2 35. ♗c4 ♔g7 36. ♗b3 ♔h6 37. ♘e5 ♔g5 38. ♘d3 ♖d2 39. ♘b4 ♔f4 40. ♗d5±] **♘d7 33. ♖e4** [33. ♗h3 ♖g5 34. ♔f2 ♘c5⇆] **♖a5 34. ♗f1 ♘e5?!⊕** [34... ♔f8!? 35. ♖b4 ♖a2±⇆] **35. f4?⊕** [35. ♖b4! ♘f3 (35... ♖a2 36. f4 ♘f3 37. ♔f2 ♘d2 38. ♗d3+– ×♘d2) 36. ♔f2 ♘d2 (36... ♘h2 37. ♗h3 △ ♔g2+–) 37. ♗h3+–] **♘f3 36. ♔g2 ♘d2= 37. ♖b4 ♘f1 38. ♔f1 ♖a2 39. ♖b7** [39. ♔e2 ♖a1⇆ ×h2] **♖a4 40. b4 ♖a2 41. ♔g1** [41. h4? ♖h2 42. b5 ♖h4 43. b6 ♖f4 44. ♔g2 ♖b4] **♖b2 42. b5 h6** [42... ♔f8=] **43. b6 ♔f8 44. h4 h5!□** [44... ♔e8? 45. h5 gh5 46. f5+–] **45. ♔f1 ♔e8 46. ♔e1 ♔d8 47. ♖b8** [47. ♔d1 ♔c8 48. ♖c7 ♔b8 49. ♖c6 ♖b4 50. ♖f6 ♔b7 △ ♖b6=] **♔d7 48. ♔d1 ♖b4** [48... ♔c6? 49. ♖g8 ♖g2 50. f5+–] **49. ♔e2** [49... ♖f4 50. ♖g8 ♔c6 51. ♖g6 ♔b7=] **1/2 : 1/2** **[Štohl]**

479.** **E 04**

KOŽUL 2545 – G. M. TODOROVIĆ 2440

Novi Sad 1992

1. d4 d5 2. c4 e6 3. ♘f3 ♘f6 4. g3 dc4 5. ♗g2 ♘c6 6. 0–0 [RR 6. ♕a4 ♗b4 7. ♗d2 ♘d5 8. ♗b4 ♘b4 9. 0–0 ♖b8 10. ♘c3 a6 11. ♘e5 0–0 12. ♗c6 ♘c6 13. ♘c6 bc6 14. ♕c4 ♖b2 15. ♖ab1 ♖b6 16. ♕c5 h6 17. ♖fd1 N (17. a4 – 49/(568)) ♗d7 18. a4 ♕b8 19. a5 ♖b2 20. ♕a3

🏳b1 21. 🏳b1 ♕a7 22. ♕c5 ♕c5 23. dc5 ♗c8 24. 🏳b8 e5 25. f4 ef4 26. gf4 ♗e6 27. 🏳b7 🏳d8 28. 🏳c7 🏳d4 29. e4 🏳c4 1/2 : 1/2 Cs. Horváth 2460 – Luther 2470, Budapest 1991] **🏳b8 7. e3?! b5 N** [7... a6 – 48/(642)] **8. b3** [8. ♕e2 ♗e7 9. b3 cb3 10. ab3 0–0 11. 🏳d1 a6 12. ♗b2 ♘b4 13. e4 c6! 14. ♘c3 ♕b6! 15. ♘a2?! ♕a2 16. 🏳a2 (Savčenko 2485 – G. M. Todorović 2435, Wien (open) 1991) ♗b7!∓] **cb3 9. ab3 a6 10. ♗b2 ♗e7 11. ♘bd2 0–0 12. ♕b1!? ♘b4!** [△ c5] **13. ♘e5 ♘d7 14. ♘d7?!** [14. ♘d3 ♘d3 15. ♕d3 c5 16. ♘e4 ♕b6∓] **♕d7 15. ♘f3** [15. ♘e4 ♗b7 16. 🏳c1 f5!? 17. ♘c5 ♗c5 18. ♗b7 🏳b7 19. 🏳c5 🏳b6 △ ♘d5∓] **f6!∓ 16. h4 ♔h8?** [16... ♗b7] **17. h5 ♗b7** [17... ♕d5 18. ♘e5□ ♕b3 19. ♘g6□ hg6 20. ♕g6 f5 (20... ♕b2? 21. h6·🏳g8 22. ♗e4 f5 23. ♔g2 △ 🏳h1+–; 20... e5? 21. d5!) 21. h6 ♗f6 22. ♗f3!?∞; 22. 🏳ab1!? △ d5∞] **18. 🏳c1 ♗d6 19. ♘h4!** [△ ♗b7, ♕e4, ♘g6] **f5 20. d5!? ♕g8** [20... ♘d5 21. h6 e5 (21... ♘f6 22. hg7 ♔g7 23. ♗b7 🏳b7 24. 🏳a6∞) 22. hg7 ♔g7 23. 🏳d1∞] **21. e4** [21. de6 ♕e6∓; 21. h6!? gh6] **f4!** [21... fe4? 22. ♗e4+–; 21... ed5 22. ♘f5→] **22. ♗h3 🏳be8!** [22... ♘d5 23. ed5 ♗d5 24. ♕d3! ♕f7 25. g4±] **23. gf4?!** [23. e5? ♗e5! 24. ♗e5 ♕d5 25. ♗g2 ♕e5 26. ♗b7 fg3–+; 23. de6 🏳e6 24. ♘f5 ♕f7! 25. ♘g7 (25. ♗g7 ♗e4–+; 25. f3!?) 🏳e4∓ 26. ♕e4? ♗e4 27. ♗e6 ♘d3–+] **🏳f4 24. ♗g2 🏳f3 25. ♗g4 ♕f7!** [25... 🏳b3 26. 🏳c3 🏳b2 (26... 🏳c3 27. ♗c3 ×♘b4) 27. ♕b2 △ ♗e6] **26. e5** [26. ♗f3 ♕f3–+ ×b3, d5, e4, h5] **♗d5–+ 27. ♘e3** [27. ed6 🏳f2 28. ♘h4 (28. ♗h3 ♕f3) ♕f4 29. ♗e5 ♕e3] **♕f4! 28. ♗f3** [28. ♘d5 ♕g4 29. ♔f1 🏳h3] **♗f3 29. ♔f1** [29. ed6 ♕h4 30. ♘g2 ♕h3] **♕h4 30. ♔e1 ♗e4 31. ed6 ♗b1 32. 🏳c7 ♘d3** [33. ♔d2 ♕f2 34. ♔c3 ♕b2#] **0 : 1** [G. M. Todorović]

✓**480. !N** E 04

GLEJZEROV 2510 – JUNEEV 2400
Čeljabinsk II 1991

1. d4 ♘f6 2. c4 e6 3. g3 d5 4. ♗g2 dc4 5. ♘f3 ♘c6 6. 0–0 🏳b8 7. ♘c3 b5!? 8. ♘e5 ♘e5 9. de5 ♘d7 10. ♗c6 a6 11. ♕d4

♗b7□ **12. ♗b7 🏳b7 13. 🏳d1 c5! N** [13... c6? – 45/(596)] **14. ♕g4** [△ ♗f4, ♘e4; 14. ♕f4 ♕c7; 14. ♕e4 ♕c7 15. ♗f4 b4] **♕c7 15. ♗f4 ♕c6!□ 16. f3!** [△ 16... b4 17. ♘e4]

16... f5!□ [16... h5 17. ♕g5! 🏳h7 (17... g6 18. ♘e4) 18. ♕h4! ×🏳h7] **17. ef6 ♘f6 18. ♕g5∞ ♗e7!!□** [18... b4 19. ♘e4!±; 18... ♔f7 19. 🏳d8±] **19. ♕g7□ 🏳g8 20. ♕h6 🏳g6 21. ♕h3 b4! 22. ♘b1?!** [△ 22. ♘e4 ♘e4 23. fe4 (23. ♕h7? e5!∓) ♕e4 24. 🏳ac1∞] **♘d5 23. ♗e5 ♗g5?!** [23... ♗f8!∓ △ 24. ♘d2 ♘e3 25. ♘e4 (25. 🏳dc1? 🏳h6–+) ♘d1∓] **24. ♘d2!□** [24. e4? ♘e3! (24... ♘f4 25. ♗f4 ♗f4∓) 25. 🏳d6 ♕d6!! 26. ♗d6 🏳h6 27. ♕h6 ♗h6–+ 28. ♘d2 c3] **♘e3** [24... c3!?∞] **25. ♘e4□ ♘d1** [25... 🏳h6!? 26. 🏳d6□ (26. ♘d6 ♔f8–+) ♕c8 27. ♘f6 ♔f7 28. ♘h5∞] **26. ♘d6?** [26. 🏳d1∞] **♔f8 27. ♘b7 ♕d5!** [27... ♕b7? 28. 🏳d1±; 27... ♘e3? 28. ♕h7±] **28. ♕h7□ ♕e5 29. 🏳d1□** [29. ♕g6?? ♕e3 30. ♔h1 ♘f2 31. ♔g2 ♕e2–+] **♕e2 30. 🏳d8□** [30... ♗d8 31. ♕g6 ♗e7∓; 31. ♘d8!?∓]

1/2 : 1/2 [Glejzerov]

✓**481.*** E 04

B. LALIĆ 2510 – KAJDANOV 2555
Ca'n Picafort 1991

1. d4 d5 2. c4 e6 3. ♘f3 ♘f6 4. g3 dc4 5. ♗g2 a6 6. 0–0 b5 [RR 6... ♘c6 7. ♘c3 🏳b8 8. e4 ♗e7 N (8... b5 – 52/(491)) 9. d5 ed5 10. ed5 ♘b4 11. ♘e5 ♗f5 12. a3 (12. ♕f3 ♗d3 13. 🏳d1 ♗d6! 14. ♗f4 0–0 15. a3 ♗e5 16. ♗e5 ♘c2

17. ♖ac1 ♘d7∓; 12. ♗g5 0—0 13. a3 ♘bd5! 14. ♘d5 ♘d5 15. ♗d5 ♗g5 16. ♕f3 ♕f6 17. ♖fe1 ♗e6!∓ Wojtkiewicz 2510 — Kveinys 2470, Polska 1991) ♘d3 13. ♘c4 ♘c1 14. ♖c1 0—0=; 10. ♘d5!? Kveinys] 7. ♘e5 ♘d5 8. a4 ♗b7 9. ab5 ab5 10. ♖a8 ♗a8 11. e4 ♘f6 12. ♘c3 c6 13. d5 ♗e7 14. ♗f4?! N [14. de6 — 52/493] cd5 15. ♕a1 ♘c6! 16. ed5 ♘e5 17. ♗e5 0—0 [17... ♘d5 18. ♘b5 0—0 19. b3! cb3 (19... f6 20. bc4 fe5 21. cd5=) 20. ♗g7 ♗f6 21. ♗f6 ♕f6 22. ♕f6 ♘f6 23. ♖b1=] 18. de6 [18. d6?! ♗d6 19. ♗d6 ♗g2 20. ♖d1 ♗f3!∓] ♗g2 19. ♔g2! [19. ef7 ♖f7 20. ♔g2 ♘g4 — 19... ♔g2] ♘g4 [19... fe6 20. ♕a6=] 20. ♗f4! [20. ef7 ♖f7 21. ♗f4 g5! 22. ♗c1 b4∓↑] g5 [20... b4 21. ef7 ♖f7 22. ♖d1 ♕b6 23. ♕a8 ♖f8 24. ♕d5 ♔h8 25. ♘e4 c3 26. bc3 bc3 27. ♕c4=] 21. h3!□ gf4 22. hg4 fe6 [22... fg3 23. ♕a6=; 22... f3 23. ♔f3 b4 24. ♖d1 ♕c8 25. ♘e4 ♕b7 26. ♖e1 △ ♔g2=] 23. ♕a6 ♕a8 [23... f3 24. ♔g1 ♕d6 25. ♕b5 ♕d4 26. ♕h5⇆] 24. ♕a8 ♖a8 25. ♘b5 [25. gf4 ♗f6∓] fg3 26. ♔g3 ♖b8 27. ♘d4 ♗f6 28. ♘e6 ♗b2 [28... ♔f7 29. ♘c5 ♗b2 30. f4 c3 31. ♘d3∓] 29. f4!= ♖c8 30. ♖f2 c3 31. ♖c2 ♗a3 1/2 : 1/2 [Kajdanov]

482. **E 05**

KOŽUL 2580 — KOTRONIAS 2520
Bled/Rogaška Slatina 1991

1. d4 d5 2. c4 e6 3. ♘f3 ♘f6 4. g3 ♗e7 5. ♗g2 0—0 6. 0—0 dc4 7. a4 ♘c6 8. a5!? N [8. ♘c3] ♖b8 [8... a6 9. e3 △ ♘bd2±] 9. ♕c2!? ♘d4 [△ 9... b5!? 10. ab6 ab6 11. ♕c4 ♗b7 12. ♘c3 (12. ♖d1 ♘a5 13. ♕c2 ♗e4) ♘a5 13. ♕a4 c5] 10. ♘d4 ♕d4 11. ♗e3 ♕g4 [11... ♕d6 12. ♗a7 ♖a8 13. ♗e3 △ ♘d2-c4±] 12. h3 ♕h5 13. ♕c4± e5 [△ 13... ♗d6 14. ♗a7 ♖a8 15. ♗e3 e5 16. ♖d1! △ 16... ♗h3 17. ♗b7!] 14. ♕c7 ♗d7 [14... ♗h3 15. ♗f3 △ ♕e7] 15. g4 [15. ♗a7? ♖fc8 16. ♕b6 ♗c5] ♗g4□ 16. ♕e7 ♗h3 17. f3□ [17. ♗h3 ♕h3 18. f3 ♖fe8 19. ♕a3 ♖e6!−+] ♖fe8 18. ♕a3! [18. ♕c5 ♖bc8 19. ♕b5 a6] e4 [18... ♕g6 19. ♖f2 △ ♘d2, ♔f1±] 19.

♘d2 ♗g2 [19... ef3 20. ♖f3 ♗g2 21. ♔g2 ♘g4 22. ♘f1!±] 20. ♔g2 ♕g6 21. ♔f2 ef3 22. ♖g1! [22. ef3 ♖e6 △ ♖be8∞] ♘g4 23. ♖g4 ♕g4 24. ♘f3± ♗e4?! [24... ♖e6 25. ♖g1 ♕f5 △ ♖g6; 24... b6!?] 25. ♖g1 ♕e6 26. ♕c3 ♖g4□ [26... f6 27. ♕c7+−; 26... g6 27. ♗h6! f6 28. ♕c7 ♖e2 29. ♔f1+−] 27. ♖g4 ♕g4 28. ♗a7 ♖c8 29. ♗c5?! [29. ♕b3! ♕d7 (29... h5 30. ♕b7+−; 29... ♕e4 30. ♕f7+−) 30. ♗e3 △ ♗f4±] h5! 30. b4 h4 31. ♕e5?!⊕ [31. ♕d4] f6 32. ♕d4 ♕g3 33. ♔f1 ♕h3⊕ 34. ♔e1 ♕g3 35. ♔f1 ♕h3 36. ♔e1 ♕g3 37. ♕f2 ♕f2 38. ♔f2 g5 39. ♘d4 ♗f7 40. ♔g2!? [40. ♘f5? ♗e6 41. ♘d6 ♗c7 △ ♖h7] ♔g6 [40... ♖e8? 41. b5 ♖a8 (41... ♖c8 42. ♘b3 ♔e6 43. ♗f2! ♗d6 44. ♘c5 ♔c7 45. ♗d4+−) 42. a6 ba6 43. b6+−; 40... g4!?±] 41. ♘b5 ♖e8 [41... ♖h8 42. ♘d6 ♖h7 43. ♘b7! ♖b7 44. a6+−] 42. e3 ♖e5!? 43. ♘c3! [43. ♘d6? ♖d5 44. ♘b7 ♖d2 45. ♔g1 ♗f5! 46. a6 ♔e4 47. a7 ♔f3=] f5 44. ♗d4 ♖e8 45. b5+− ♔h5 46. a6 ba6 47. ba6 ♖e6 48. a7 ♖a6 49. ♘d5 ♖a2 50. ♔g1 ♔g4 51. ♘c7 1 : 0 [Kožul]

483. **E 05**

EHLVEST 2615 — KING 2505
Calcutta 1992

1. d4 ♘f6 2. ♘f3 e6 3. g3 ♗e7 4. ♗g2 0—0 5. 0—0 d5 6. c4 dc4 7. ♕c2 a6 8. ♘bd2!? b5 9. ♘g5 ♖a7 10. b3 cb3 11. ♘b3 h6 N [11... ♗b7 — 42/(641)] 12. ♘h3 [12. ♘f3? ♗b7∓] a5!? [12... ♗b7 13. e4 ♗a8 14. ♘f4↑] 13. ♖d1 [13. a4 b4 △ ♗d7, ♕e8 ✕a4] ♘bd7 14. ♖b1 b4 15. ♗b2 a4 16. ♘c5 ♘c5 17. dc5 ♕e8 18. c6 ♖a5 [18... ♘d5!? 19. ♘f4 (19. e4? ♘c3 20. ♗c3 ♕c6!) ♘f4 20. gf4∞] 19. ♗f6 gf6? [19... ♗f6 20. ♖b4 e5! (20... a3 21. ♘f4) 21. ♖a4 ♖a4 22. ♕a4 ♗e6∞ ✕♘h3] 20. ♕d2± ♔g7 21. ♘f4 ♗d6 22. ♘d3 ♕e7 23. a3 [△ 23. ♘b4] ♗a6 24. ab4 ♖b5 25. ♕a2 ♖fb8 26. ♕a4 ♖5b6 [△ ♗d3=] 27. ♘f4!? ♗f4 28. gf4 [28. ♖d7 ♖b4 29. ♖e7 ♖a4 30. ♖b8 ♖a1 31. ♗f1 ♗d6 △ ♗e2] ♗e2 29. ♖d4∞ [29. ♖d7 ♖b4 30. ♖e7 ♖b1 31. ♗f1 ♗f1−+] ♖d8

30. ♕a1 ♗b5 31. ♖c1 ♖d6 32. ♕c3 [△ ♕c5] ♖d4 33. ♕d4 ♗a4 34. ♖c5 ♖b8 35. ♗f3 ♗b5⊕ 36. ♕d7⊕ ♕d7 37. cd7 ♗d7 38. ♖c7 ♗e8 39. ♖b7 ♖c8 40. b5 ♖c3 41. ♔g2 ♖b3= 42. ♗c6 [42. b6? ♖f3; 42. ♗e2=] **♗c6 43. bc6 ♖c3 44. c7 ♔g6 45. f3** [45... ♔f5 46. ♔g3 h5 47. h4 ♖c2 48. ♖a7=] **1/2 : 1/2** [King]

484. E 08

TUKMAKOV 2535 –
CIFUENTES PARADA 2540
Wijk aan Zee II 1992

1. d4 d5 2. c4 e6 3. ♘f3 ♘f6 4. g3 ♗b4 5. ♗d2 ♗e7 6. ♗g2 0–0 7. 0–0 c6 8. ♕c2 ♘bd7 9. ♗f4 ♘e4!? 10. ♘fd2!? N [10. ♘bd2 g5!? 11. ♗e3 f5 12. ♘e4 de4 13. ♘e1∞; 10. ♘c3] **♘d2** [10... ♘d6 11. e4 (11. ♗d6!? ♗d6 12. e4) de4 12. ♘e4 ♘e4 13. ♕e4 ♘f6 14. ♕d3 ♕b6 15. b3 ♖d8 16. ♖d1 c5 17. d5 ed5 18. cd5 ♗g4 19. ♖d2∞; 10... f5!? 11. ♘e4 fe4 12. ♘c3∞] **11. ♘d2 g5!?** [11... f5 12. f3 g5 13. ♗e3 – 11... g5] **12. ♗e3 f5 13. f3! ♗d6** [13... ♕e8 14. ♔h1!? (14. ♗f2 ♘f6 15. e4 fe4 16. fe4 ♘g4 17. ♘f3 ♕h5∞) ♕h5 15. ♗g1] **14. ♗f2** [14. ♔h1 f4!? ♘f6 [△ g4] **15. e4 fe4** [15... de4!? 16. fe4 ♘g4 17. ♘f3] **16. fe4 ♘g4 17. ♘f3 dc4!** [17... ♘f2 18. ♖f2 g4 19. ♘e5] **18. ♗h3!** [18. e5 ♗c7 19. ♗h3 ♘f2 20. ♖f2 b5; 18. ♕c4 ♘f2 19. ♖f2 g4 20. ♘h4 (20. ♘e5 ♗e5 21. de5 ♕b6) ♖f2 21. ♔f2 ♗d7 22. ♘f5 ♗f8∞) ♘f2** [18... e5!? 19. ♕c4 ♔g7 20. ♗g4 ♗g4 21. de5 (21. ♘e5 ♗h3∞) ♗c7 (21... ♗f3 22. ed6±) 22. ♖ad1 (22. ♘d4 ♗e5∞) ♕e7! (22... ♕e8 23. ♘g5±) 23. ♗c5 ♗b6 (23... ♕c5 24. ♕c5 ♗b6 25. ♕b6 ab6 26. ♘g5 ♖f1 27. ♖f1±) 24. ♗b6 ab6 25. ♘d4 ♕e5∞] **19. ♖f2 b5** [19... e5?! 20. ♗c8 ♖c8 21. ♕c4 ♔g7 22. ♖af1!±] **20. ♖af1?!** [20. e5 ♗c7□ (20... ♗e7 21. ♖af1 △ ♘g5) 21. ♕e4! ♗d7 22. ♕g4 h6 23. ♗g2 △ h4∞] **♕e7?** [20... ♗d7 21. ♘e5 ♖f2 22. ♕f2 ♕e7! (22... ♗e5 23. ♕f7 ♔h8 24. de5±) 23. ♘d7 ♕d7 24. ♕f6 (24. d5 cd5 25. ed5 ♕g7!) ♖e8 25. ♕g5 (25. d5 cd5 26. ed5 ♗c5? 27. ♔h1 ♕d5 28. ♗g2+–; 26... ♕g7; 25.

e5!? ♗c7 26. ♕g5 ♕g7 27. ♕e3 ♗b6 28. ♖f4±) ♕g7 26. ♕f6 ♕f6 27. ♖f6 ♔g7 28. ♖e6 ♖e6 29. ♗e6 c5 30. e5 ♗c7 31. dc5 ♗e5 32. c6±; 20... e5! 21. ♗c8 ♖c8 22. ♘e5 ♖f2 23. ♕f2 ♗e5 24. ♕f7 (24. de5 ♕b6!) ♔h8 25. de5 ♕d4 26. ♖f2 ♕e5 27. ♕d7 ♖e8 28. ♕c6∞] **21. e5 ♗c7 22. ♘g5!+– ♖f2 23. ♕f2 ♗d7** [23... ♗b6 24. ♕f4] **24. ♕f4** [24. ♕f7 ♕f7 25. ♖f7 ♗d8 (25... ♖d8 26. ♖d7) 26. ♖h7 ♗g5 27. ♖d7] **♗b6** [24... ♖f8 25. ♗e6! ♗e6 26. ♕f8] **25. ♕g4 h5** [25... ♕g7 26. ♖f7 ♕f7 27. ♘f7 ♔f7 28. ♕h5 ♔g7 29. ♕g5 △ ♕f6, ♗e6] **26. ♕h5 ♗d4 27. ♔g2 1 : 0** [Tukmakov]

485. E 10

GAGARIN 2410 – BUTURIN 2425
Smolensk 1991

1. d4 ♘f6 2. c4 e6 3. ♘f3 c5 4. d5 b5 5. de6 fe6 6. cb5 ♗b7 7. g3 ♗e7 [7... ♕a5!? 8. ♘c3 a6 9. ba6 ♖a6∞ Smagin, Radovszki] **8. ♗g2 0–0 9. 0–0 ♕b6!? N** [9... a6 – 48/652] **10. ♘c3** [10. a4 a6∞↑《] **a6 11. ba6 ♖a6 12. b3 d5** [12... ♘c6 13. e4±] **13. ♘e5!** [△ ♘d3, ♘a4, ♗a3 ×c5] **♘c6?!** [13... ♘bd7!? 14. ♘d7 (14. ♘d3 ♗c6! 15. ♘f4 d4∞) ♘d7 (△ ♗f6) 15. ♘a4 ♕a7! △ ♗c6∞↑《] **14. ♘d3±** [×c5, e6] **♖fa8 15. ♘a4 ♕b5 16. ♗a3 c4?!** [16... ♘b4 17. ♘b4 cb4 18. ♗b2±; 16... ♘d7± ×e6]

17. ♗e7!!± [17. ♘c3 ♕a5 18. ♗e7 ♘e7 19. b4 ♕a3 (19... ♕b6 20. ♘f4 ♕b4∞) 20. ♘b5 ♕a4 21. ♕a4 ♖a4 22. ♘c5 ♖b4∞] **cd3** [17... ♘e7 18. ♘dc5±] **18.**

♗f6 de2 19. ♕d2 ef1♕ [19... gf6 20. ♖fe1±] **20. ♗f1 ♕b4** [20... ♕a5 21. ♗c3+−; 21. ♕g5+−] **21. ♕b4** [21. ♕g5?! ♕f8∞; 21. ♗c3?! ♕d6 22. ♗a6 ♗a6⇆] **♘b4 22. ♗c3!?** [22. ♗a6 △ ♗c3±] **♖a4** [22... ♘c6 23. ♗a6 ♗a6 24. ♘c5+− ∞《] **23. ba4 ♘c2?⊕** [23... ♖a4! 24. a3 (24. ♗b5? ♖a2; 24. ♖b1? ♘a2) ♘c6 (24... ♘c2 25. ♖a2 ♘d4 26. ♖b2 ♗c6 27. ♖b6±⊡) 25. ♗b5 △ a4±⊡ ♙a] **24. ♖b1+− ♗c6 25. a5 d4 26. ♗d2 ♗e4 27. ♖b6 ♔f7 28. ♗c4 ♖e8 29. a6 ♖e7 30. ♗g5 ♖e8 31. a7 ♘a3 32. ♗b3 d3 33. ♖b8 ♘c2 34. ♗a4 ♖e7?** [34... ♖f8□ 35. ♔f1 △ ♗d8+−] **35. ♗e7⊕ 1 : 0**
[Gagarin]

486. E 11

EPIŠIN 2615 – CHRISTIANSEN 2600
Wien 1991

1. d4 ♘f6 2. c4 e6 3. ♘f3 ♗b4 4. ♘bd2 c5 5. a3 ♗d2 6. ♕d2 b6 7. b4 N [7. e3 – 31/557] **♗b7 8. ♗b2 0–0 9. e3 ♕e7** [9... cb4 10. ab4 ♕e7 11. c5 ♘e4 12. ♕c2 d6 13. ♗d3 f5 14. 0–0⩲] **10. ♗d3 ♘a6** [10... cb4 11. ab4 ♘e4 12. ♗e4! ♗e4 13. d5±] **11. dc5 bc5 12. b5 ♘c7 13. 0–0 d5 14. ♘e5⩲ ♖fd8 15. ♕c2 ♘ce8!** [△ ♖ac8, ♘d6] **16. ♖fd1 ♖ac8 17. a4 ♘d6 18. f3 h6 19. ♕f2 ♘d7 20. ♘d7 ♖d7 21. ♖ac1!** [21. cd5 ed5 22. ♗a3 c4 23. ♗c2 ♕e6=] **dc4** [21... ♘c4 22. ♗c4 dc4 23. ♖d7 ♕d7 24. ♕g3 f5 25. ♕e5±] **22. ♗b1 f5 23. ♕g3 ♖cd8 24. ♕e5⩲ ♘e8 25. ♖d7 ♖d7 26. h3 ♖d5 27. ♕f4 ♘d6 28. ♗e5 ♘f7 29. ♗c3 ♘d6 30. ♕g3!** [30. e4? fe4 31. fe4 e5 32. ♕g3! ♖d4!∓] **e5 31. ♕g6! e4** [31... ♕f7 32. ♕f7 ♔f7 33. ♔f2±; 31... ♗c8!⩲] **32. f4 ♗c8 33. ♗a2± ♗e6?** [33... ♗d7 34. ♗e5 ♗e8 35. ♕g3±] **34. ♗g7 ♕g7□ 35. ♕e6 ♕f7 36. ♕f7 ♔f7 37. ♗c4?⊕** [37. g4! ♔f6 (37... fg4 38. hg4 ♔e6 39. f5 ♔f6 40. ♗c4 ♖d2 41. ♗e6 ♔g5 42. ♔f1 ♔g4 43. ♔e1 ♖h2 44. f6+−) 38. ♗c4 ♖d2 39. ♗f1+−] **♘c4 38. ♖c4 ♔e6 39. g4 ♖d1 40. ♔f2 ♔d5 41. ♖c2 fg4 42. hg4** [♖ 6/c] **c4 43. f5□ ♔c5 44. ♔g3** [44. f6?? ♖d6−+] **♔b4 45. f6** [45. ♔f4 c3 46. ♖h2!? (46. ♔e4 ♔b3 47. ♖f2 c2 48. ♖c2 ♔c2 49. a5=) ♔a4! (46... ♔b3? 47. ♖h6 c2 48. ♖c6 c1♕ 49. ♖c1 ♖c1 50. g5+−) 47. ♖h6 ♔b5 48. ♖h2 ♖d2 49. ♖h1 c2 50. ♖c1 a5 51. g5 a4 52. g6 ♖g2 53. g7 ♖g7 54. ♖c2 a3 55. f6 ♖a7 56. ♖a2 ♔c6 57. ♔e4 ♔d7! △ ♔e8=] **c3 46. ♖f2** [46. f7 ♖d8 47. ♔h4 ♔b3 48. ♖g2 c2 49. ♖c2 ♔c2 50. ♔h5 ♖f8 51. ♔g6 ♔d3 52. ♔g7 ♖f7 53. ♔f7 ♔e3=] **♖d8 47. ♔f4 ♖d2= 48. ♖f1 c2 49. f7 ♖d8 50. ♔e5** [50. ♔e4? ♖f8 △ ♖f7−+] **♔a4 51. ♔e6 ♖d1 52. f8♕ c1♕ 53. ♖d1 ♕d1 54. ♕f5** [54. ♕h6 ♕g4 55. ♔d5 ♕f5 56. ♔d4 ♔b5 57. ♕d6=] **♕b3 55. ♔e5 ♕e3 56. ♕d7 ♔a5 57. ♕c6 ♕b6** [57... ♕g3 58. ♔e4 ♕g4 59. ♔d5=] **58. ♔e4**
1/2 : 1/2 **[Epišin]**

487. E 11

FTÁČNIK 2575 – J. BENJAMIN 2540
Los Angeles 1991

1. d4 ♘f6 2. ♘f3 e6 3. c4 ♗b4 4. ♘bd2 0–0 5. a3 ♗d2 6. ♕d2 d6 7. b3 N [7. b4 – 31/558] **♘bd7 8. ♗b2 ♘e4 9. ♕c2 f5 10. g3 ♘df6 11. ♗g2 ♕e8 12. ♘d2 ♗d7 13. ♘f1!?** [13. ♘e4 fe4 14. ♗e4 ♘e4 15. ♕e4 ♗c6 16. d5 ed5 17. ♕g4= Ftáčnik; 14. d5! Byrne; 13... ♘e4!?] **♕h5 14. f3** [14. h4 ♕g6 15. ♖g1 d5∞] **♘g5 15. h4 ♘f7 16. f4 d5! 17. ♗f3 ♕h6 18. cd5 ♘d5 19. ♘d2** [19. ♗d5 ed5 20. ♕c7 ♕e6$\overline{\infty}$] **♗c6 20. ♘c4 a5 21. ♔f2 ♖a6** [△ ♘f6] **22. ♘e5 ♘d6** [22... ♘e5?! 23. de5 ×♘d5, ♕h6] **23. ♖ac1 ♘f6 24. ♗c6** [24. ♘c6 ♘de4] **bc6 25. ♘c6 ♘de4 26. ♔g2 ♘h5⊕** [26... ♖c6 27. ♕c6 ♘h5 28. d5 ♘f4 29. gf4 ♕g6 30. ♔f1 ♕g3 31. ♕e6 ♔h8 (31... ♖f7=) 32. ♗g7□ ♔g7 33. ♖c7 ♔h8 34. ♕e5=] **27. ♖h3?!** [27. ♘e7! ♔h8 28. ♖h3 c6!?∞] **♖c6! 28. ♕c6 ♕g6 29. ♔h2 ♕g4! 30. ♖e1** [30. ♖g1 ♕e2 31. ♖g2 ♘f2 △ 32... ♘g4, 32... ♘f6] **♘hg3 31. ♕c2?** [31. e3 ♕f3 (31... ♘e2 32. ♕e6 ♔h8 33. ♕e7 ♖g8 34. d5 h5! 35. ♕e6 ♔h7 36. ♗e5 ♘f2 37. ♖e2 ♕e2 38. ♕f5 g6 39. ♕f7 ♔h6−+ Ftáčnik) 32. ♖g1 ♘f1−+; 31. ♖g1! ♘f1 (31... ♕e2 32. ♖g2 ♘f1 33. ♔g1 ♕e1 34. ♕c1+−) 32. ♖f1 ♕e2 33. ♔g1

♕g4=] **♕f4 32. e3 ♕d6! 33. ♔g1 f4−+ 34. ef4 ♖f4 35. ♖h2⊕** [35. ♕g2 h5! △ 36. ♖g3 ♘g3 37. ♕g3 ♖g4−+] **♖g4 36. ♖g2 ♖h4 37. ♖h2 ♖g4 38. ♖g2 ♖h4 39. ♖h2 ♖g4 40. ♖g2 ♘g5! 41. ♖e5 ♘f3 42. ♔f2 ♘e5 43. de5 ♕f8! 44. ♔e3 ♘f1 45. ♔d3 ♕f3# 0 : 1** **[J. Benjamin]**

488.* **E 11**

BRENNINKMEIJER 2525 – CHRISTIANSEN 2600

Groningen 1991

1. d4 ♘f6 2. c4 e6 3. ♘f3 ♗b4 4. ♗d2 a5 5. g3 d6 6. ♗g2 ♘bd7 7. 0–0 e5 8. e3 c6 N [8... ♗d2 – 51/496] **9. ♗b4** [9. ♗c1 e4 10. ♘g5 d5 11. c5 a4 12. a3 ♗a5 13. ♕a4 h6 14. ♘h3 ♘f8 15. b4 ♗h3 16. ♗h3 ♗c7 17. ♕d1 h5=∞ Razuvaev 2590 – Ch. Lutz 2545, BRD 1991] **ab4 10. ♕b3 ♕a5** [10... c5!?] **11. ♘bd2 0–0 12. ♖fd1?!** [12. a3 c5 13. dc5 dc5 14. ♘g5±] **♘b6** [12... ed4 13. ed4 ♘b6=] **13. c5! e4!** [13... ♗e6 14. ♕c2 dc5 15. de5 △ ♘g5±] **14. ♘g5 dc5 15. dc5 ♕c5 16. ♘ge4 ♘e4 17. ♘e4 ♕e7 18. ♕d3?!** [18. ♘d6 ♖a4 (18... ♗g4? 19. ♖d4±) 19. ♘c8 ♖c8=] **♗g4 19. ♖dc1** [19. ♕d6? ♕d6 20. ♖d6 ♘a4∓] **♖fd8 20. ♕c2 ♖a5 21. ♘c5 g6 22. ♕e4 ♕e4 23. ♗e4 ♗c8∓ 24. ♔f1?!** [⌓ 24. a3∓] **♘a4 25. ♘a4 ♖a4 26. ♗c2 ♖a5 27. ♔e2** [27. a3∓] **b6 28. ♗b3 c5 29. a4⊕ ba3 30. ♖a3 ♖b5 31. ♖c2 ♖b4 32. f3□** [32. ♖d2 ♗g4 33. ♔e1 ♖d2 34. ♔d2 c4−+] **♗d7?** [32... ♗a6! 33. ♖a6□ ♖b3 34. ♖a3 ♖dd3 35. ♖b3 ♖b3∓] **33. ♖d2= ♗b5 34. ♔e1 ♖e8 35. ♗d5 ♖e7 36. e4 ♔g7 37. ♔d1 f5 38. ♔c2 fe4 39. ♗e4 ♗e8 40. h4 ♗f7 41. ♖d6 ♖c4 1/2 : 1/2** **[Christiansen]**

489. **E 11**

JE. PIKET 2590 – CHRISTIANSEN 2600

Groningen 1991

1. d4 e6 2. c4 ♘f6 3. ♘f3 ♗b4 4. ♗d2 a5 5. g3 d6 6. ♗g2 ♘bd7 7. 0–0 e5 8. ♕c2 0–0 9. ♘c3 ♖e8 10. e4 c6 11. ♖ad1 N [11. ♖fe1?! ed4 (11... ♕c7) 12. ♘d4 ♘e5 13. b3 ♕b6] **♘f8?!** [⌓ 11... ♕c7!? △ b5] **12. de5 de5 13. ♗e3 ♕e7 14. ♘a4!** [△ c5] **b5?** [14... ♗d6□ 15. h3 (15. ♘b6 ♖b8 16. c5 ♗c7 17. h3 ♘e6) ♗e6 (15... c5 16. ♘b6 ♖a6 17. ♘d5±) 16. c5 ♗c7 17. b3±] **15. cb5 cb5 16. ♘b6 ♖b8 17. a3! ♗d6** [17... ♘g4? 18. ♘d5+−] **18. ♕c6 ♗c7** [18... ♖d8 19. ♘c8 ♖bc8 20. ♕b5 ♘e4 21. ♘h4±] **19. ♘c8 ♖ec8 20. ♗h3 ♘e6 21. ♖c1!± ♘e8 22. ♖fd1 ♖d8□ 23. ♖d8 ♖d8** [23... ♘d8 24. ♕d7! ♔f8 25. ♗c5 ♗d6 26. ♕e7 ♗e7 27. ♘e5] **24. ♕b5 ♘d4 25. ♘d4 ed4 26. ♗g5! f6 27. ♗d2 ♘d6** [27... ♕e4 28. ♖e1 ♕g6 29. ♗f5+−; 27... ♔h8 28. ♗a5+−] **28. ♕c6!+− ♘e8 29. b4 ab4 30. ♗b4 ♗d6 31. ♕d5 ♔f8 32. ♕d4 ♗b4 33. ♕b4 ♖a8 34. ♕e7 ♔e7 35. ♖c3 ♘d6 36. ♗f1 g5 37. f3 h5 38. ♔f2 ♖a4** [38... ♖b8!?] **39. ♗d3 g4 40. f4 h4** [40... ♘e4 41. ♗e4 ♖e4 42. ♖e3; 40... ♖e4 41. ♖c7 ♔d8 42. ♗e4 ♔c7 43. ♗g6+−] **41. ♔e3 ♖a5 42. ♖c7 ♔d8 43. ♖c6 ♔d7 44. ♖a6 ♖c5 45. ♔d4 hg3 46. hg3 ♖h5 47. a4 ♖h3 48. e5 fe5 49. fe5 ♘c8 50. ♖g6 ♖g3 51. ♗f5 1 : 0** **[Je. Piket]**

490. **E 11**

POLUGAEVSKIJ 2630 – BELJAVSKIJ 2655

Reggio Emilia 1991/92

1. d4 ♘f6 2. c4 e6 3. ♘f3 ♗b4 4. ♗d2 ♕e7 5. g3 ♘c6 6. ♘c3 ♗c3 7. ♗c3 ♘e4 8. ♖c1 d6 9. ♗g2 0–0 10. 0–0 ♘c3 11. ♖c3 e5 12. d5 ♘b8 13. ♘d2 ♘d7 14. e4 N [14. b4 – 47/610] **a5 15. ♕e2** [15. f4?! ef4 16. gf4 f5!] **♘c5 16. f4 ♗d7 17. f5 f6 18. b3 c6 19. h4 ♖fb8 20. a4! ♗e8 21. dc6 bc6 22. g4 ♖b4** [22... ♗f7!? △ ♘a6-b4] **23. ♖ff3! ♕a7!** [23... d5 24. ed5 cd5 25. ♖g3! d4 26. ♗a8 dc3 27. ♗d5 △ ♖c3±] **24. ♖fe3!±** [24. ♔h2?! d5! 25. ed5 cd5 26. cd5 ♖g4 27. ♕f2 ♖d4!] **♔f8 25. g5 ♔e7 26. ♔h2 ♔d8 27. ♖g3** [27. gf6!? gf6 28. ♖g3 ♕f7 29. ♗f3 ♖a7 30. ♕e3 ♕f8 31. ♖c1!±] **♕f7 28. ♗f3 ♖ab8 29. ♕e3 ♔c7 30. ♗d1 ♖4b7 31. ♕g1 ♔b6?!**

[31... ♔d8 32. ♖g2 △ ♖cg3±; 31... g6!?] **32. g6! ♕g8?!** [32... hg6! 33. fg6 ♕e7 34. h5 ♗d7 35. ♗g4±] **33. ♖cd3 ♖d7** [33... hg6 34. ♖d6 ♖d7 35. ♖d7 ♗d7 36. b4 ab4 37. ♘b3 ♕c4 38. ♘c5 ♕c5 39. a5 ♔b5 40. ♗a4+−] **34. b4! ab4 35. ♘b3± ♕c4?** [35... hg6□ 36. a5 ♔c7 37. ♘c5 dc5 38. ♕c5±] **36. gh7 ♗f7 37. a5 ♔c7** [37... ♔b5 38. ♗e2+−] **38. ♘c5 dc5** [38... ♕c5 39. ♕c5 dc5 40. ♖d7 ♔d7 41. ♖g7 ♔e7 42. ♗h5+−] **39. ♖d7** [39. ♗b3! ♕d3 40. ♖d3 ♖d3 41. ♕g7+−] **♔d7 40. ♖g7 ♔d6** [40... b3 41. ♗h5! ♕c2 42. ♕g2 ♕g2 43. ♔g2 b2 44. ♗f7 b1♕ 45. ♗a2+−] **41. ♕g2!+− b3 42. ♗e2!** [42... ♕d4 43. ♖f7 b2 44. ♖f6] **1 : 0**
[Polugaevskij]

491. **E 11**

SEIRAWAN 2615 – JUSUPOV 2625
Beograd 1991

1. d4 ♘f6 2. c4 e6 3. ♘f3 ♗b4 4. ♗d2 ♕e7 5. g3 ♘c6 6. ♗g2 ♗d2 7. ♘bd2 d6 8. 0–0 [8. e4 e5 9. d5 ♘b8 10. b4; 8. ♘f1] **0–0 9. e4 e5 10. d5 ♘b8 11. ♘e1** [11. ♘h4 △ f4] **a5 12. ♘d3 ♘a6 13. a3 ♗g4** [13... ♘c5!? 14. ♘c5 dc5 15. f4 ♘e8 (15... ♘d7 16. ♕c2 f6 △ a4, ♘b6, ♗d7, ♘c8-d6) 16. fe5 ♕e5 17. ♕c2 ♘d6∞; 13... c6!?] **14. f3 ♗d7 15. b4 ab4** [15... c6 16. ba5!?] **16. ab4 c6 17. dc6! bc6 18. ♕c2 N ±** [18. ♕b3!?⩲] **d5 19. c5?!** [19. b5?! ♘b4 20. ♘b4 ♕b4 21. bc6 ♕c5 22. ♔h1 ♗c6∓; 19. ♕c3!? ♗e6 20. ♖a5↑] **♗e6?!** [⌓ 19... de4 20. ♘e4 (20. fe4 ♘g4 △ 21. ♘c4? ♘b4−+) ♘d5 21. ♕d2 ♗f5] **20. ♖a4! de4 21. fe4** [21. ♘e4 ♘d5 22. ♖fa1? ♘ab4; 22. ♕d2=] **♘g4! 22. ♖fa1 ♘c7 23. ♖a8 ♘a8!** [23... ♖a8? 24. ♖a8 ♘a8 25. ♕a4±] **24. ♘f3** [24. ♘c4 ♗c4 25. ♕c4 ♘c7 26. ♗f3=] **f6 25. ♕c1?** [⌓ 25. h3 ♘e3 26. ♕a4! ♕d7 (26... ♘g2 27. ♕c6±) 27. ♕a8! (Seirawan) ♘g2 (27... ♕d3? 28. ♕c6 ♗d7 29. ♕a6±) 28. ♕a3 ♘e3 (28... ♗h3?! 29. ♘f2±) 29. ♘de5 fe5 30. ♕e3 ♗h3 31. ♘e5=∞] **♘c7 26. ♗f1?! f5∓ 27. ♕g5** [27. ♘fe5 fe4 28. ♘g4 ed3 29. ♘f2 ♕f6∓; 28... ♗g4∓; 27. ♘de5 fe4 28. ♘g4 ef3∓; 28... ♗g4∓] **♕d7 28. ♖a7?** [28. ♖d1 fe4 29. ♘f2 ♘d5∓] **h6** [28... fe4! 29. ♘de5 (29. ♘fe5 ♘e5 30. ♕e5 ♖f1 31. ♔f1 ♕d3−+) ♘e5 30. ♕e5 ef3 31. ♖c7 f2−+] **29. ♕g6** [29. ♕d2 fe4 30. ♘de5 ♘e5 31. ♕d7 ♘f3−+] **♖f6 30. ♖c7 ♕c7 31. ♕e8 ♔h7−+ 32. ef5** [⌓ 32. ♕h5] **♗f7! 33. ♕a8 e4 34. ♗h3 ♘e3**
0 : 1 **[Jusupov]**

492.*** **E 12**

CHRISTIANSEN 2600
– CU. HANSEN 2600
Groningen 1991

1. d4 ♘f6 2. c4 e6 3. ♘f3 b6 4. a3 ♗a6 [RR 4... c5 5. d5 ♗a6 6. e4!? N (6. ♕c2 – 48/664) ♘e4□ 7. ♗d3 *a)* 7... f5 8. 0–0 ♗e7 9. ♖e1 ed5 10. cd5 ♗d3 11. ♕d3 0–0 12. ♘c3 ♘c3 13. bc3 d6 14. ♗f4 ♘d7 15. ♖e6±; *b)* 7... ♘d6 8. ♕e2!? (8. ♘e5 ♗e7 9. ♕f3 ♗b7 10. 0–0 0–0 11. ♘c3=∞) ♗e7 9. ♘c3=∞; *c)* 7... ♘f6 8. 0–0 ♗e7 *c1)* 9. ♖e1 0–0 10. ♗f4 ed5 11. cd5 d6 (11... ♗d3 12. d6 ♗d6 13. ♗d6 ♗b1 14. ♗f8 ♔f8 15. ♖b1 d5=∞) 12. ♗a6 ♘a6; *c2)* 9. ♗f4 ed5 10. cd5 ♗d3 11. ♕d3 d6 12. ♘c3 0–0 13. ♖fe1 ♖e8 14. ♖e2 ♘bd7 15. ♖ae1 ♗f8 16. h3 ♖e2 17. ♖e2 *c21)* 17... ♕c7 18. ♘d2 ♖e8 19. ♖e8 ♘e8 20. ♕b5!=∞ Lobron 2540 – Čehov 2525, BRD 1991; *c22)* 17... a6!? 18. a4 ♕c7 △ ♕b7, ♖e8 Čehov] **5. ♕c2 ♗b7 6. ♘c3 c5 7. e4** [RR 7. d5?! ed5 8. cd5 ♘d5 9. ♗g5 ♗e7 10. ♘b5 0–0 11. ♘d6 ♘e3 12. fe3 ♗f3 13. ef3 ♗g5 14. ♕e4 ♕e7 15. ♕e7 ♗e7 16. 0-0-0 a6 N (16... ♗d6) 17. ♗c4 ♖a7! (17... b5 18. ♗d5 ♖a7 19. ♗e4 ♖c7 20. ♖d5 g6 21. g4 ♖d8 22. ♖hd1 c4 23. ♔b1=∞) 18. ♖d5 b5 19. ♗d3 c4 20. ♗e4 g6 21. g4 ♘c6 22. h4 ♖c7 23. h5 ♘d8 24. g5 ♘e6 25. f4 ♘c5 26. ♗c2 ♗d6 27. ♖d6 ♖e8 28. ♖h3 ♖e6 29. ♖d5 (29. ♖d1 ♘e4 30. ♗e4 ♖e4 31. ♖dh1 d5∓ Kibalničenko) f5 30. gf6□ ♖f6 31. hg6 hg6 32. ♖g3 ♔f7∓ Kibalničenko – Konovalov, corr. 1990/91] **cd4 8. ♘d4 ♗c5 9. ♘b3 ♘c6 10. ♘c5** [RR 10. ♗d3 0–0 11. 0–0 *a)* 11... ♖c8 12. ♘c5! (12. ♗g5 – 45/(633)) bc5 13. ♗g5±; *b)* 11... h6!? N 12. ♘c5 bc5

13. ♗e3 d6 14. f3! (×e4, △ g4, h4↑⟫; 14. f4 ♖b8 15. h3 △ ♕f2, ♖ad1±) ♖b8 15. ♖fd1·♕e7 16. ♗f1 ♖fd8 17. ♖ab1! (17. ♕f2 ♘e5 18. ♖ab1 ♗a6 19. b3=) *b1)* 17... d5? 18. cd5 (18. ed5 ed5 19. ♗f4 ♘d4 20. ♕f2 ♖bc8±) ed5 19. ♘d5 ♘d5 (19... ♖d5 20. ♖d5 ♘d5 21. ♗c5+−) 20. ♗c5+−; *b2)* 17... ♗a6?! 18. ♕a4±; *b3)* 17... ♗a8 18. ♕a4 (18. ♕f2!?↑⟫) a5 19. ♗f2!? (19. ♖d2 △ 19... d5? 20. ed5 ed5 21. ♗f4± Sakaev) ♘e8 20. ♘b5± Sakaev 2495 − Milos 2515, São Paulo 1991] **bc5 11. ♗d3 d6** [△ 11... 0−0] **12. 0−0 ♘d4 N** [△ 12... 0−0 − 42/654] **13. ♕d1 ♘d7** [13... 0−0 14. ♗g5 h6 15. ♗h4 g5 16. ♗g3 e5 17. b4±] **14. f4 0−0 15. ♗e3 a5 16. a4! e5?!** [16... ♕e7; 16... ♗c6; 16... ♖e8] **17. f5± ♔h8 18. ♖a3 ♗c6 19. ♘b5?!** [19. ♕e1; 19. g4!?] **♘f6 20. ♕e1** [20. ♗g5 h6 21. ♗h4 g5!=] **h6! 21. ♕h4** [△ 21. ♗c1 △ ♗b1, ♖h3→] **♘h7** [21... ♘e4?? 22. f6+−] **22. ♕e1?!** [22. ♕d8 ♖fd8 23. ♗d2±] **f6 23. ♗d2 ♗e8 24. ♖f2?** [24. ♗b1 ♗f7 25. ♖c3 △ b3] **♖g8 25. h3** [△ 25. ♗c1 △ ♗f1] **♗f7 26. ♔h2 g5! 27. fg6?** [27. g4=] **♖g6 28. ♕f1 ♕e7 29. ♗b1 ♗e6!** [→⇔g] **30. ♖e3 ♘g5?** [30... ♖ag8! △ 31. ♗a5 ♕g7! 32. ♘d6 ♘g5∓→] **31. ♖g3!∓ ♖ag8 32. ♘d4 cd4 33. h4☐ ♘h7 34.** ˜ ˘ **♖g6∞ 35. g3 ♕g7! 36. ♖f3 ♕c7** 37. **♗d3** [×f3] **h5 38. b4** [38. b3!?] **ab4 39. ♗b4 ♖g8 40. a5** [40. ♖f6 ♘f6 41. ♕f6 ♕g7] **♖b8 41. ♗d2 ♖b2∓ 42. ♖f2 ♕c5 43. ♕c1 ♕a3 44. a6 ♖a2 45. ♕b1 ♖b2** [45... ♕a6 46. c5 ♕c6 47. ♕b8 ♔g7 48. cd6 ♖a8 49. ♕b1∞] **46. ♕c1 ♖a2 47. ♕b1 ♖b2 1/2 : 1/2 [Christiansen]**

493.**** E 12

B. GEL'FAND 2665 − AN. KARPOV 2730

Reggio Emilia 1991/92

1. d4 ♘f6 2. c4 e6 3. ♘f3 b6 4. a3 ♗b7 5. ♘c3 d5 6. ♕a4 [RR 6. cd5 *a)* 6... ed5 7. ♗f4 ♗d6 8. ♗g3 0−0 9. e3 ♘e4 10. ♕b3 ♘c3 11. ♕c3 c5 12. ♗e2 ♕e7 N (12... ♗g3 − 40/646) 13. ♗d6 ♕d6 14.

dc5 bc5 15. b4 ♘d7 16. bc5 ♘c5 17. 0−0 ♖fc8 18. ♖ab1 ♗a6 19. ♗a6 ♕a6 20. ♕d4 ♕a3 21. ♕d5 ♕d3 22. ♕d3 ♘d3= V. Salov 2655 − Hübner 2615, Wijk aan Zee 1992; *b)* 6... ♘d5 7. ♕c2 ♘c3 8. ♕c3 ♘d7 9. ♗g5 ♗e7 10. ♗e7 ♔e7 *b1)* 11. e3 ♘f6 12. ♖c1 N (12. ♗e2 − 47/ (616)) ♖c8 13. b4 ♕d5 (13... ♕d6 14. ♗e2 ♖hd8 15. 0−0 ♔f8∞) 14. ♗e2 (14. ♗c4 ♕h5) *b11)* 14... h5 15. 0−0 h4 (M. Röder 2430 − Tivjakov 2520, Torcy 1991) 16. ♕c4±; *b12)* 14... g5!? 15. 0−0 g4 (15... ♖hg8∞; 15... h5!?) 16. ♘e1 ♘e4 △ ♖hg8∞; 16... ♖hg8!?; 16... h5!?; *b2)* 11. ♖d1!? N ♘f6 12. ♘e5 (12. e3 ♕d6 △ ♖hc8=) ♕d6 13. ♘c4!? ♘e4! (13... ♕d5 14. ♕b4±; 13... ♘d5 14. ♕c2 △ e4±) *b21)* 14. ♘d6 ♘c3 15. ♘f5 (15. ♘b7? ♕d1 16. ♔d1 ♖ab8−+; 15. bc3=) ef5 (15... ♔f6!?) 16. bc3=; *b22)* 14. ♕d3 ♕d5 15. f3 ♘d6=; *b23)* 14. ♕c2 ♕c6 15. f3 ♘d6=; *b24)* 14. ♕b3 ♕f4!? (14... ♕d5 15. f3 ♘d6 16. e4 ♕g5∞) 15. f3 ♘d6 16. e3 ♕g5∞; *b25)* 14. ♕c1 ♕c6 15. f3 ♘d6 (Dreev 2610 − Tivjakov 2535, SSSR (ch) 1991) *b251)* 16. e3 ♖hd8=; *b252)* 16. ♘e5 ♕c1 17. ♖c1 ♖ac8 18. e4 (18. ♘c6 ♗c6 19. ♖c6 ♔d7! 20. ♖c1 c5=) ♖hd8!? (18... c6!?=) 19. ♘c6 ♗c6 20. ♖c6 ♘e8= ×d4; *b253)* 16. e4 ♖hd8 17. ♗e2 ♔f8 18. 0−0 ♖ac8=; 18... ♘c4!?; *b3)* 11. d5 ♗d5 12. ♕g7∞; *b4)* 11. ♖c1!? Tivjakov] **c6 7. cd5 ed5** [RR 7... ♘d5 8. ♗d2 N (8. ♘d5 − 44/(636)) ♘d7 9. e4 ♘5f6? 10. e5 ♘d5 11. ♘d5 ed5 12. ♗g5 ♗e7 13. ♗e7 ♕e7 14. ♖c1± B. Gel'fand 2665 − Kortchnoi 2585, Wijk aan Zee 1992; 9... ♘c3!] **8. g3 ♗d6 9. ♗g2 ♘bd7 10. 0−0 0−0 11. ♗f4 ♕e7 12. ♖ad1 ♖fe8 13. e3 c5!? N** [13... a5; 13... ♘f8 − 51/(503)] **14. ♗d6 ♕d6 15. dc5** [15. b4 c4!?; 15... a5!?] **bc5** [15... ♘c5 16. ♕b4±] **16. ♕f4 ♕f4** [16... ♕b6 17. ♘h4!? (17. b4±) *a)* 17... d4 18. ♘a4 ♕b3 19. ♗b7 ♕b7 20. ed4 ♖e4 21. ♕f3! (21. ♕d6?? ♘e8!) cd4 22. ♖d4±; *b)* 17... ♕b2 18. ♘d5 ♗d5 19. ♗d5 ♘d5 20. ♖d5 ♘f8 21. ♖c5 ♘e6 22. ♕e5±] **17. gf4 ♖ab8 18. b4** [18. ♘h4 d4! 19. ed4 ♗a6! (19... cd4 20. ♖d4 ♗g2 21. ♔g2 ♖b2∓) 20. ♖fe1 ♖e1 21. ♖e1 cd4∓; 18. ♖d2!?]

18... d4!∓ 19. ed4 cb4 20. ab4 ♗f3 21. ♗f3 ♖b4 22. ♘d5 [22. ♗c6 ♖c4 23. ♗d7 ♘d7 24. ♘b5∓; 22... ♖d8∓] **♘d5 23. ♗d5 ♘f6** [23... ♖d8 24. ♗c6 ♘f8 (24... ♘b8?! 25. d5 ♖f4 26. ♖a1) 25. d5 ♖f4 26. ♖a1 ♖d6∓] **24. ♗c6 ♖d8** [24... ♖c8!? 25. d5 ♖f4 26. ♖a1 ♖c7] **25. d5 ♖f4 26. ♖a1 ♖d6 27. ♖a7 h5 28. f3□ ♘d5** [28... ♘e4 29. ♖a4! (29. fe4? ♖g6−+) ♖g6 30. ♔h1 ♖gf6 31. ♖b1=] **29. ♗d5 ♖d5** [♖ 9/q] **30. ♖a3 ♖g5 31. ♔h1 ♔h7 32. ♖e3 ♔h6 33. ♖g1 ♖a5 34. ♖d3 ♖f6 35. ♖c3 ♖ff5 36. ♖d3 g6 37. ♖c3 ♖a4 38. ♖d3 ♔g7 39. ♖c3 ♔f6 40. ♖e3 ♖e5** [40... ♖b4!? *a)* 41. ♖ge1?! ♖b2 42. ♖d3 (42. ♔g1 ♖g5) ♖c5−+; *b)* 41. ♖d3 ♔e5 △ ♔f4∓; *c)* 41. ♖g2!] **41. ♖ge1□ ♖e3** [41... ♖b5 42. ♖e4 ♖a2 43. ♖4e2∓] **42. ♖e3** [♖ 6/a] **♔f5** [42... ♖a2 43. ♔g1 ♔f5 44. ♖e4 g5 45. h3 h4 46. ♖b4 ♖e2 47. ♖a4 f6 48. ♖b4 ♔e5 49. ♖g4!] **43. ♖e2 ♔f4 44. ♔g2 g5** [44... f5 45. h4 ♖a3 46. ♖b2 ♔e3 47. ♖b6 ♖a2 48. ♔h3 ♔f3 49. ♖g6 f4 50. ♖g5 ♖a1 51. ♔h2=] **45. ♔f2 f5 46. ♖b2 g4 47. fg4 hg4** [♖ 5/b] **48. ♖c2 ♖a3 49. ♖b2 ♔g5 50. ♖b8 ♖a2 51. ♔g1 ♖d2 52. ♖a8 ♔f4 53. ♖a3 ♖e2 54. ♖a1 ♔f3 55. ♖f1 ♔e4 56. ♖a1 f4 57. ♖d1 ♖c2 58. ♖e1 ♔f3 59. ♖f1 ♔e3 60. ♖e1 ♖e2 61. ♖a1 ♖c2 62. ♖e1 ♔d3 63. ♖f1 f3 64. ♖a1 ♔e2 65. ♖b1 ♖a2 66. ♖f1 ♔e3 67. ♖b1 ♖a4 68. ♖b3 ♔f4 69. ♖b8 ♖a1 70. ♔f2 ♖a2 71. ♔g1 ♖g2 72. ♔h1 ♖d2 73. ♔g1 ♖g2 74. ♔h1 ♖e2 75. ♔g1 ♖c2 76. ♖b4 ♔e3 77. ♖b3 ♔e2 78. ♖b1 ♖d2 79. ♖a1 ♖b2 80. ♖f1 ♔e3 81. ♖a1 ♖g2 82. ♔h1 g3 83. ♖a3 ♔f4 84. ♖a4 ♔f5 85. hg3 ♖g3 86. ♔h2 ♖g4 87. ♖a5 ♔f4 88. ♖a4 ♔g5 89. ♖a3 f2 90. ♖f3 ♖f4 91. ♖f4 1/2 : 1/2**
[An. Karpov]

494. E 12

KHALIFMAN 2630 − POLUGAEVSKIJ 2630
Reggio Emilia 1991/92

1. d4 ♘f6 2. c4 e6 3. ♘f3 b6 4. ♘c3 ♗b7 5. a3 d5 6. ♕a4 ♕d7 7. ♕c2 dc4 8. e4!? N [8. e3 − 52/509] **b5 9. ♗f4 a6** [9... c6!? △ 10. 0-0-0 a5!∞] **10. 0-0-0 ♗e7 11. g4 ♘c6!?** [11... 0−0 12. g5 ♘e8 13. ♗h3±] **12. g5** [12. d5? ed5 13. ed5 ♕g4∓; 12. ♘e5 ♕d6!? (12... ♕c8∞) 13. ♘g6 hg6 14. ♗d6 cd6∞̄] **♘h5 13. ♗e3 b4** [13... 0-0-0 14. ♗h3±] **14. ♘e5!** [14. ab4 ♘b4 *a)* 15. ♕d2? ♗e4! 16. ♘e4 (16. ♘e5 ♕a4!!−+) ♕a4 17. ♘c3 ♕a1 18. ♘b1 ♘a2 19. ♔c2 ♖b8−+; *b)* 15. ♕b1 0−0∞] **♘e5** [14... ♕c8 15. ab4±] **15. de5 ♕c6 16. ab4 ♗b4 17. ♗e2 g6 18. ♖d4! ♗c5 19. ♖c4 ♗e3 20. fe3 ♕b6 21. ♕a4 c6** [21... ♔f8 22. ♕a3 ♔g7 23. ♘a4±] **22. ♖d4!** [22. ♕b4?! ♕e3 23. ♔b1 ♘f4! 24. ♕b7 0−0∞̄] **0−0 23. ♗h5!** [23. ♕b4 ♕a7! 24. ♕d6 (24. ♗h5? c5!−+; 24. ♕e7 ♖fe8) ♘g7∞] **gh5 24. ♕b4 ♕b4** [24... ♕a7 25. ♕e7 ♖fe8 26. ♕f6±] **25. ♖b4± ♖ab8 26. ♖d1 c5 27. ♖b6 h4 28. ♖f1?!** [28. ♖d7! ♗a8 29. ♖a6 ♖b4 30. ♖a5±] **♖fc8! 29. ♖f4 ♖c6! 30. ♖c6 ♗c6 31. ♖h4 a5 32. ♖f4 a4 33. ♔c2 ♖a8!= 34. ♖f1 a3 35. ♖a1 ab2 36. ♖a8 ♗a8 37. ♔b2 ♔g7 38. ♔b3 ♔g6 39. ♔c4 ♔g5 40. ♔c5 ♔g4 41. ♔d6 ♔f3** [41... ♔h3? 42. ♔e7 ♔h2 43. ♔f7 h5 44. ♔e6 h4 45. ♔d6+−] **42. ♔e7 ♔e3 43. ♔f7 1/2 : 1/2**
[Khalifman]

495. !N E 12

JE. PIKET 2615 − SAX 2600
Wijk aan Zee 1992

1. d4 ♘f6 2. c4 e6 3. ♘f3 b6 4. ♘c3 ♗b7 5. a3 d5 6. ♕a4 ♕d7 7. ♕c2 dc4 8. e4 b5 9. ♗f4 [9. ♗e3!?] **a6 10. 0-0-0 ♗e7 11. g4?** [11. ♘e5 ♕c8 12. g4 0−0!? 13.

g5 ♘fd7; 11. ♗e2!?] ♗d6! N ∓ 12. ♗g5 [12. ♗e5 ♘c6 △ ♘a5, 0-0-0; 12. ♘e5 ♕e7 △ c5; 12. ♗g3 ♕e7 △ ♗a3!?] h6?! [12... ♕e7! 13. ♔b1 h6 14. ♗c1∓] 13. ♗f6 gf6 14. d5 e5 15. ♘h4 ♕g4 16. ♘f5 ♗c8?! [16... ♘d7 17. h4 0-0-0 18. ♗h3 ♕f4 19. ♔b1 ♔b8 △ ♘c5] 17. ♘e3 ♕f4 18. ♖g1 h5 19. ♔b1 ♘d7 20. ♗h3 ♘c5 21. ♗c8 ♖c8 22. ♖g7 ♘d3 23. ♘f5 ♕h2 [23... ♕f2!?; 23... ♔f8] 24. ♖d3 [24. ♘b5!? ab5 25. ♖d3 ♗f8 (25... cd3? 26. ♕c6 ♔f8 27. ♕d7+−) 26. d6 cd6 27. ♖d6 ♗g7 28. ♘g7 ♔f8 29. ♘f5 ♕g1 30. ♔a2 ♕g5 (△ ♔g8-h7) 31. f4!? ef4 32. ♕c3↑] cd3 25. ♕d3 ♔f8 26. ♕e3 ♕f4 [26... h4 27. ♕f3 (27. ♘e2 ♖h5 △ ♖f5) h3 (27... ♕f4 28. ♕h3∞) 28. ♘e2∞] 27. ♕h3 ♕f2 [27... ♖d8 (△ 28. ♕g2 ♖d7 29. ♔c2 h4 30. ♘e2 h3) 28. f3! △ ♔c2, ♘e2] 28. ♖g2 ♕e1 29. ♔c2!= ♖d8 30. ♖e2 ♕g1 31. ♖g2 ♕e1 [31... ♕b6 32. ♕g3 ♔e8 33. ♘g7 ♔e7 34. ♘f5 ♔d7 35. ♕h3!; 34... ♔e8=] 32. ♖e2 [32. ♘e2 ♗c5! 33. b4 ♗d4 34. ♕f3 c5!!−+] ♕g1 33. ♖g2 1/2 : 1/2 [Je. Piket]

496. E 12

ROMANIŠIN 2600 − DAUTOV 2595

Bad Lauterberg 1991

1. d4 ♘f6 2. ♘f3 e6 3. c4 b6 4. a3 ♗b7 5. ♘c3 d5 6. ♗g5 ♗e7 7. ♕a4 c6 8. cd5 ♘d5 9. ♘d5 [9. ♗e7 ♘e7 (9... ♕e7) 10. g3 0−0 11. ♗g2 ♘d7 12. 0−0 c5 13. ♖fd1±] ♗g5 [9... ed5 10. ♗e7 ♕e7 11. e3 0−0 12. ♗e2 c5 13. 0−0 ♘d7=] 10. ♘c3 0−0 11. ♖d1!? N [11. e4 − 49/582] ♗f6!? [△ c5; 11... ♘d7 12. g3 ♗e7 13. ♗g2 ♕c7 14. 0−0 ♘f6 (14... c5 15. d5±) 15. ♘e5 ♖ac8 16. ♘e4!?↑] 12. e4 [12. g3? c5 13. dc5 ♗c3 14. bc3 ♕c7∓; 12. ♘e4 ♗e7 13. g3 ♘d7 14. ♗g2 ♕c7 15. 0−0 ♖ad8= △ c5] ♕c7 13. ♗e2 ♘d7 14. e5 ♗e7 15. 0−0 ♖fd8= 16. ♖fe1 [×e5] ♘f8 [16... c5?! 17. d5 ♘e5 18. ♘e5 ♕e5 19. ♗a6 ♕b8 (19... ♕c7 20. d6 ♖d6 21. ♖d6 ♗d6 22. ♘b5 ♗h2 23. ♔h1 ♕c6 24. ♗b7 ♕b7 25. ♔h2±) 20. de6 ♗a6 (20... fe6?? 21. ♖d8+−) 21. ef7 ♔f7 22. ♕a6→; 16... a6!?] 17. ♖c1?! [⌓ 17. ♗d3 c5 18. ♗e4 ♗e4 19. ♖e4 cd4 20. ♘d4 ♖ac8=] c5 18. dc5 bc5!∓ [×e5] 19. ♕f4□ ♘g6 20. ♕e3 ♖ac8 [△ c4; 20... ♖ab8? 21. ♘a4; 20... c4? 21. ♘b5] 21. ♗d3!□ ♗f3 [21... c4 22. ♗e4 (22. ♗g6 fg6⊡) ♗c5 23. ♕g5 h6 24. ♕g3 ♗e4 25. ♘e4∞; 21... ♕b6 22. ♘a4! ♕a5 23. ♘c3] 22. ♗g6 [22. ♕f3 ♘e5 23. ♗h7 ♔h7 24. ♕h5 ♔g8 25. ♕e5 ♕e5 26. ♖e5 ♖d2 27. ♖e2 ♖e2 28. ♘e2 ♖d8∓] ♗g2 23. ♗f7 ♔f7 24. ♔g2 ♕b7?! [⌓ 24... ♔g8 25. ♕h3 ♕c6 26. ♘e4 ♖d4 27. f3 ♖f8∓ ×♔g2] 25. ♘e4 ♔g8 [25... ♕b2 *a)* 26. ♕f4 ♔g8 27. ♖b1 ♕d4 28. ♖b7 ♖d7 29. ♕g4 ♕d5!∓; *b)* 26. ♖c3! (Romanišin) ♔g8 27. ♕h3 ♕b6 28. ♖g3 ♖f8 29. ♔h1 ♕c6 30. f3↑] 26. ♕h3 ♕d5? [⌓ 26... ♕c6 △ ♖d4, ♖f8] 27. ♖cd1! ♕e5 28. ♘g3 ♕f6 29. ♖e6 ♕f7 30. ♖de1 ♗f8 [30... ♗f6? 31. ♘e4 ♗d4 32. f3± △ 33. ♘d6, 33. ♘g5] 31. ♘e4± h6⊕ 32. ♕g4⊕ ♔h8 33. ♖e3 ♖e8 34. ♖f3! ♕b7 35. ♕g6 [35. ♘g5!? ♖e6□ 36. ♘e6 (36. ♘f7 ♔h7 37. ♕e6 ♕c6=) ♗d6] ♕d7!□ 36. ♖e8 [36. ♘g5 hg5 37. ♖h3 ♔g8 38. ♕h7 ♔f7 39. ♕f5=] ♖e8 37. b3 ♖b8 38. a4 ♕d5 39. h4 c4 40. bc4 ♕c4 41. ♘d6 1/2 : 1/2 [Dautov]

497. E 13

KHALIFMAN 2640 − HULAK 2520

Bled/Rogaška Slatina 1991

1. d4 ♘f6 2. c4 e6 3. ♘f3 b6 4. ♘c3 ♗b4 5. ♗g5 ♗b7 6. e3 ♗c3 7. bc3 d6 8. ♘d2 ♘bd7 9. f3 h6 10. ♗h4 ♕e7 11. ♗e2 e5 12. e4 ♘f8 13. ♘f1 ♘g6 14. ♗f2 ♘f4 15. ♘e3 0−0 N [15... ♘6h5 − 50/538] 16. ♗f1?! [16. 0−0=] ♖fe8 17. g3 [17. d5!?]

17... ♗e4! 18. fe4 [18. gf4 ef4 19. fe4 fe3 20. ♗g3 ♘e4−+] **ed4!** [18... ♘e4 19. d5!±] **19. ♕d4** [19. cd4 ♘e4 20. ♗g1 d5!∓] **c5 20. ♕d2 ♘e4 21. ♕c2 ♕f6!** [21... ♘f2 22. ♕f2 ♕e3 23. ♕e3 ♖e3 24. ♔d2±] **22. ♗g1** [22. gf4 ♘f2−+] **♘c3 23. gf4 d5! 24. ♗g2 ♖ad8 25. cd5 ♘d5 26. 0-0-0 ♘e3 27. ♗e3 ♕a1 28. ♕b1 ♕c3 29. ♕c2 ♕e3 30. ♔b1 ♖d1 31. ♖d1 ♕f4−+ 32. ♗c6 ♕b4 33. ♔a1 ♖e1 34. ♖e1 ♕e1 35. ♔b2 g6 36. ♗b5 ♕b4 37. ♕b3 ♕b3 38. ♔b3 f5 39. ♔c3 ♔f7 40. ♔d3 g5 41. a4 ♔f6 42. ♗e8 g4 43. ♔e3 ♔g5 44. ♗b5 h5 45. ♗f1 h4 46. h3 g3 47. ♔f3 ♔f6 48. ♔f4 c4 49. ♔e3 c3 50. ♔d3 ♔e5 51. ♔c3 ♔e4 52. ♔d2 ♔f3 0 : 1** **[Khalifman]**

498. !N **E 14**

S. FINK 2305 − BALINAS 2405
USA 1991

1. d4 ♘f6 2. c4 e6 3. ♘f3 b6 4. e3 ♗b7 5. ♗d3 ♗e7 6. 0−0 0−0 7. ♘bd2 c5 8. b3 cd4 9. ed4 d5 10. ♗b2 ♘c6 11. ♖c1 ♖c8 12. a3! N [12. ♕e2 − 33/636] **dc4 13. bc4 ♘a5?!** [13... ♕d6; 13... ♖e8] **14. ♖e1 ♗d6?! 15. ♖c3!** [15. ♘e5 ♗e5 16. de5 ♕d3 17. ef6 ♕g6∞] **♖c7! 16. ♘e5 ♕a8?!** [16... ♗e5 17. de5 ♘d7 (17... ♖d7 18. ♕c2) 18. ♗h7 ♔h7 19. ♕h5 ♔g8 20. ♖h3 f5!; 18. ♗b1→]

17. d5! ed5? [17... ♗e5! 18. ♖e5 ed5 19. cd5 ♖c3 20. ♗c3 ♘d5!? 21. ♖h5 g6 (21... h6 22. ♖h6 ♖c8 23. ♕h5! gh6 24. ♕h6! f6 25. ♕h7 ♔f8 26. ♗g6 ♖c7 27. ♗b4 ♘b4 28. ♕c7 ♗d5 29. ab4±) 22. ♗b2 (△ ♖h7) ♘f4 (22... gh5? 23. ♗h7+−; 22... ♖c8!? 23. ♖h7 ♘c3!; 23. ♕g4) 23. ♖h7! ♔h7 24. ♕g4 f6 25. ♕f4⩱] **18. ♘g4 ♘g4□** [18... ♘e4 19. ♗e4 de4 20. ♘f6 ♔h8 (20... gf6 21. ♖g3 ♗g3 22. ♕g4+−) 21. ♖h3 h6 22. ♖h6 gh6 23. ♕h5 ♔g7 (23... ♗f4 24. ♕f5+−) 24. ♕g4 ♔h8 25. ♕f5+−] **19. ♕g4** [19. ♗h7! ♔h7 20. ♕g4 f6 (20... f5? 21. ♖h3 ♔g8 22. ♕g6 △ ♕h7-g7#) 21. ♖h3 ♔g8 22. ♕g6! △ ♖h7, ♕h5, ♖h8#, △ ♕h7, ♗f6!] **g6 20. ♖e6!? ♗c8** [20... fe6 21. ♗g6! hg6 (21... ♖g7 22. ♗h7+−) 22. ♕e6 △ ♖h3+−] **21. ♗g6 fg6** [21... fe6? 22. ♗e8! ♖g7 23. ♕g7 ♔g7 24. ♖g3 ♔h6 25. ♗g7#; 21... hg6? 22. ♖h3 f6 23. ♗f6! ♖f6 24. ♕h4!+−] **22. ♖h3 ♖g7 23. ♕d4!** [23. ♗g7? ♗e6!] **♖ff7??** [23... ♕b7 24. ♖d6 ♗h3 25. gh3 ♘c4 26. ♘c4 dc4 27. ♕c4 ♖gf7 (27... ♕f7 28. ♖d7!+−) 28. ♕d4 ♖g7=] **24. ♖e8 ♗f8 25. ♖f3 ♕b7 26. ♕g7 1 : 0** **[S. Fink, Acholonu]**

499. **E 15**

MAGERRAMOV 2560
− MAKARYČEV 2535
SSSR (ch) 1991

1. d4 ♘f6 2. c4 e6 3. ♘f3 b6 4. g3 ♗b4 5. ♗d2 a5 6. ♗g2 0−0 7. 0−0 ♗a6 8. b3!? d5 N [8... ♗b7 − 52/523] **9. cd5 ♘d5** [9... ed5 10. ♘e5±] **10. ♖e1 c5 11. e4 ♘f6 12. a3! ♗d2 13. ♘bd2 ♘bd7 14. e5 ♘d5 15. ♘e4±○** [×d6] **♕b8?!** [15... ♕e7! 16. ♘d6 ♖ad8!□ (16... cd4 17. ♕d4± △ 17... ♖ad8 18. ♘h4! ♘e5? 19. ♘df5!+−; 16... ♖fd8 17. ♘h4!± △ 17... ♘c3 18. ♕d2 cd4 19. ♕d4 ♘e2? 20. ♖e2+−) 17. ♖c1 cd4 18. ♘d4 ♘e5 19. ♘c4!? ♘c4 20. bc4 ♘f6 21. ♘c6 ♕c7 22. ♘d8 ♖d8 23. ♕a4 ♖c8⩱⇆] **16. ♘d6 cd4?!** [⌓ 16... h6±] **17. ♕d4± ♘c5** [17... ♖d8? 18. ♘f7! ♔f7 19. ♘g5 ♔e7 20. ♘e6!+−] **18. ♘g5! ♕d8□** [18... ♘b3? 19. ♕e4 g6 20. ♕h4 h5 21. ♗d5 ed5 22. ♘gf7!+−→; 18... h6? 19. ♘gf7! ♖f7 (19... ♘b3 20. ♕g4+−) 20. ♗d5 ed5 21. ♘f7 ♔f7 22. e6! ♘e6 23. ♕d5 ♗c8 24. ♖ac1+−→] **19. ♕g4 ♖a7!□** [19... ♘b3? 20. ♘e6 fe6 21. ♕e6 ♔h8 22. ♗d5+−; 19... h6? 20. ♘gf7 ♖f7 21. b4!+−] **20. b4 ♘d3 21. ♗e4! g6□** [21... ♘e1 22. ♗h7

♚h8 23. ♗e4!+−; 21... h6 22. ♘e6 fe6
23. ♗d3+−] **22. ♘e6 ♘e5□** [22... fe6?
23. ♗d3+−; 22... ♕d7? 23. ♗d5 ♘e1 24.
♖e1 ♗c8 25. h3! fe6 26. ♘c8+−] **23. ♘d8
♘g4 24. ♘8f7!±⊥ ♘df6 25. ♗c2 ♖af7 26.
♗b3! ♘h6 27. ♘f7 ♘f7 28. ♖e6 ♔g7 29.
♖b6 ♗c8 30. ba5+− ♘g5 31. f4 ♘h3 32.
♔g2 ♖e8 33. ♖c1 ♖e2** [33... ♗g4 34.
♗d1!+−] **34. ♔f1 ♖f2?!** [34... ♗g4 35.
♖c2 ♖e3 36. a6+−] **35. ♔e1 ♘e4 36.
♖c2   1 : 0   [Magerramov]**

500.   E 15

BAREEV 2680 − AN. KARPOV 2730
Tilburg (Interpolis) 1991

**1. d4 ♘f6 2. c4 e6 3. ♘f3 b6 4. g3 ♗a6
5. ♕a4** [RR 5. ♕b3 ♘c6 6. ♘bd2 d5 7.
♕a4 ♗b7 8. ♗g2 N (8. cd5 − 45/(654))
♗d6 9. ♘e5 0−0 10. ♘c6 ♕d7 11. 0−0
♖fe8! 12. ♕c2 ♗c6 13. b3 e5 14. ♗b2
dc4 15. ♗c6 ♕c6 16. ♕c4 ♕b7 (Čehov
2525 − Bareev 2680, BRD 1991) 17. de5
♗e5 18. ♗e5 ♖e5∓; 13. ♖d1!= Bareev]
**♗b7 6. ♗g2 c5 7. dc5 ♗c5 8. 0−0 0−0
9. ♘c3 ♗e7 10. ♗f4 ♘a6 11. ♖fd1 ♘c5
12. ♕c2 ♕c8** [RR 12... ♘ce4 N 13. ♘e5
♘c3 14. ♗b7 ♘d1 15. ♖d1 ♖b8 (15...
♖c8 16. ♕a4± Vyžmanavin, B. Arhan-
gel'skij) 16. ♘c6 dc6□ 17. ♖d8 ♖bd8 18.
♗c6± Vyžmanavin 2590 − Aseev 2525,
SSSR (ch) 1991] **13. ♖ac1 ♘ce4 14. h3?!
N** [14. ♘d4 ♘c3 (14... ♘f2?! − 48/694)
15. ♕c3 a6!?] **♖d8 15. g4?** [15. ♘d4=]
d6!∓ 16. ♕d3?! [16. g5?! ♘h5∓; 16. ♘e1]
♘c3 17. ♖c3? [17. ♕c3□] **e5−+ 18. g5
♘h5 19. ♗c1 e4 20. ♕d4 ef3 21. ♗f3
♗f3 22. ♖f3 ♗f8 23. b3 ♖e8 24. ♖d2
♕c6** [△ ♖e2]   **0 : 1   [An. Karpov]**

501.* !N   E 15

EPIŠIN 2620 − VAN DER WIEL 2540
Wijk aan Zee 1992

**1. d4 ♘f6 2. c4 e6 3. ♘f3 b6 4. g3 ♗a6
5. b3 d5 6. cd5 ♘d5** [RR 6... ed5 7. ♗g2
♗b4 8. ♗d2 c5 N (8... ♗d2 − 49/593) 9.
dc5 ♗c5 10. b4 ♗d6 11. ♘c3 ♗c4 12.
♗f4 0−0 13. ♗d6 ♕d6 14. a3 ♘bd7 15.
0−0 a5 16. ♘d2 ♗a6 17. b5 ♗b7 18. e3

♘c5 19. ♘f3 ♖ac8 20. ♘d4 g6 21. ♘ce2
♘ce4= Beljavskij 2655 − Ivančuk 2735,
Reggio Emilia 1991/92] **7. e4! N** [7. ♗g2
− 50/546] **♗f1□ 8. ♔f1 ♘f6 9. ♕e2** [9.
♗g5!? ♘bd7 (9... c5?! 10. d5! △ 10...
ed5? 11. e5 h6 12. ef6 hg5 13. ♕e2+−;
9... ♗e7 10. ♘c3 ♘bd7 11. e5±; 11.
♔g2±; 10. ♗f6!?) 10. e5 (10. d5 h6!⇄;
10. ♘c3 ♗b4 11. ♖c1 h6 12. ♗f6 ♘f6
13. ♕e2±; 13. e5±) h6 11. ♗f6! (11. ♗h4
g5 12. ♘g5? hg5 13. ♗g5 ♘e5!−+) gf6
12. ♘c3± △ 12... fe5 13. de5 ♗g7 14.
♕e2 ♘e5? 15. ♘e5 ♕d4 16. ♕b5 ♔f8
17. ♕c6+−; 9. ♕e2 △ ♔g2, ♖d1] **c5**
[9... ♗e7±] **10. d5!** [10. dc5 ♗c5=; 10.
♗b2 cd4 11. ♘d4 (11. ♗d4 ♘c6=)
♗c5=] **ed5 11. ed5 ♗e7** [11... ♕e7 12.
♘c3↑⊥] **12. ♘c3 ♘d5?!** [12... 0−0 13.
♔g2 ♘e8±] **13. ♘e4 ♘c3** [13... ♘c7? 14.
♗f4 ♘ba6 15. ♖d1+−→] **14. ♕a8 0−0
15. ♔g2** [15. ♗b2 ♗f6! (15... ♕d7?! 16.
♘e5!±) 16. ♗c3 ♗c3 17. ♖c1 ♕d7! 18.
♕e4 ♕h3∞; 16. ♕b7!?±] **♗f6** [15... ♕d7
16. ♘e5! ♕d4 17. ♕f3 ♕e5 18. ♗b2 ♗f6
19. ♖ac1±] **16. ♗f4! ♕d5?!** [16... ♘d7!±
Seirawan; 16... ♘e2? 17. ♕b8 ♕b8 18.
♗b8 ♗a1 19. ♗a7!± ×b6, c5] **17. ♗b8?**
[17. ♖ae1±; 17. ♗e5!± ♕d7?! 18. ♗b8
♘f4! 19. gf4 ♕g4 20. ♔f1 ♗a1 21. ♕b7!
♖e8 (21... ♖d8 22. ♗e5+−; 21... ♕h3
22. ♔e2+−; 21... f6 22. ♕d5 ♔h8 23.
h3!+−) 22. ♗e5 f6 23. ♖g1+−] **♗a1 18.
♖a1 ♘f6** [18... ♘b4 19. a3±; 18... ♘c3?!
19. ♕a7 ♕b8 20. ♕b8 ♖b8 21. a4±] **19.
♕a7 ♕b8 20. ♕b8 ♖b8** [♖ 9/h] **21. ♖d1
b5?!** [△ 21... g6 22. ♘e5! ♔g7 23. ♖d6?
♖b7=; 23. f4±; 23. a4±] **22. ♘e5 ♖a8?!**
[△ 22... ♔f8] **23. a4!** [23. ♖c1 ♖a2 24.
♖c5 ♖f2? 25. ♔g1+−; 23... ♘e4!∞] **ba4
24. ba4 ♔f8 25. ♖a1 ♔e7 26. a5 ♖a6⊕
27. f4?!** [△ 27. ♔f3] **♘e8!** [×c4] **28. ♖e1
♘d6 29. ♔f3** [29. ♘c4?! ♔d7 30. ♖d1
♔c7 31. ♘d6 ♖d6 32. ♖d6? ♔d6 33. ♔f3
f5!−+] **♔d8** [29... f6?! 30. ♘c4 ♗f7□ 31.
♘d6 ♖d6 32. ♖c1 ♖c6 33. ♔e4±] **30.
♖d1 ♔c7?** [30... ♔e7± △ f6] **31. ♖d5±**
[△ 31... ♖a5? 32. ♖d6 ♖a3 33. ♖d3+−]
c4 32. ♖c5 ♔d8? [32... ♔b7□ 33. ♔e3
f6 34. ♘f3 ♖c6 35. ♔d4! ♖c5 36. ♔c5 c3
37. ♘e1 ♗f5±] **33. ♘c6+− ♔e8 34. ♖e5
♔f8 35. ♘b4⊕ ♖a8 36. a6 c3 37. ♖c5
♖b8 38. a7 ♖a8 39. ♘c6 f6 40. ♖c3 ♘b5**

[⌓ 40... ♔e8] **41. ♖c5 ♘a7 42. ♖a5 ♘c6 43. ♖a8 ♔f7 44. ♔e4 ♘e7 45. g4 ♔e6 46. ♖f8! ♘c6 47. f5 ♔e7 48. ♖c8 ♘d8** [48... ♘e5 49. ♖c7 ♔f8 50. g5+−] **49. ♖c7 ♔f8 50. ♔d5 ♘f7 51. ♖c8 ♔e7 52. ♖g8 g5 53. ♖g7 ♔f8** [53... h6 54. ♖f7 ♔f7 55. ♔d6+−] **54. ♖h7** [54. ♖f7?? ♔f7 55. ♔d6 ♔g7 56. ♔e7 ♔h6!=] **1 : 0**
[van der Wiel]

502. **E 15**

EPIŠIN 2620 − HÜBNER 2615
Wijk aan Zee 1992

1. d4 ♘f6 2. c4 e6 3. ♘f3 b6 4. g3 ♗a6 5. b3 ♗b7 6. ♗g2 ♗b4 7. ♗d2 a5 8. 0−0 0−0 9. ♘c3 d5 10. ♘e5 N [10. ♕c2] **♘bd7 11. ♘d3 ♗e7** [11... c5? 12. dc5 bc5 13. ♘a4±] **12. ♖c1** [12. ♘f4 c6=] **♘e4 13. ♗e3! ♘df6 14. ♕c2 ♗a3** [14... ♖c8!?] **15. ♖cd1 ♘c3 16. ♕c3 ♘e4 17. ♕c2 ♕e7 18. ♗c1!** [18. c5 bc5 19. dc5 ♖fd8! (19... ♗a6 20. ♗e4 de4 21. ♘e5±; 19... e5 20. c6 ♗a6 21. ♗e4 de4 22. ♘c5±) 20. c6 ♗a6 21. ♗e4 de4 22. ♘c5 ♗e2! 23. ♕e2 ♗c5 24. ♗c5 ♕c5 25. ♕e4 ♖d6=] **♖ac8 19. ♗a3 ♕a3 20. cd5 ed5 21. ♘f4!** [21. ♗h3 f5 22. ♗g2 c5∞] **♕e7** [21... ♕d6? 22. f3 ♘f6 23. e4±] **22. ♖c1 c5 23. dc5 ♖c5** [23... bc5? 24. ♗e4 de4 25. ♖fd1 ♖fd8 26. ♕c3±] **24. ♕b2 ♖fc8 25. ♘d3 ♖5c7!** [25... ♖c1 26. ♖c1 ♖c1 27. ♕c1 ♘c5 28. ♕f4!±] **26. ♗h3 ♖e8 27. ♖c7 ♕c7 28. ♖c1 ♕d6 29. ♕c2** [⌓ 29. ♕d4 ♘g5 30. ♗f1 ♘e6 31. ♕e5⩲; 29... h5!?] **d4 30. ♕c7** [30. ♗g2? ♘c3 31. ♗b7 ♖e2−+] **♕c7 31. ♖c7 ♗a6 32. ♗d7!** [32... ♖d8 33. ♖a7 ♗d3 34. ed3 ♘d6 35. a4 ♔f8 36. ♖c7!±; 32... ♖b8! 33. ♖a7 ♗d3 34. ed3 ♘d6 35. ♖c7 ♖b7!=]
1/2 : 1/2 **[Epišin]**

503. **E 15**

EPIŠIN 2620 − KORTCHNOI 2585
Wijk aan Zee 1992

1. d4 ♘f6 2. c4 e6 3. ♘f3 b6 4. g3 ♗a6 5. b3 ♗b7 6. ♗g2 ♗b4 7. ♗d2 a5 8. 0−0 0−0 9. ♘c3 d5 10. ♘e5 ♘bd7 11. ♘d3 ♕e7 N 12. ♘a4! [12. ♘b4 ab4 13. ♘a4 ♖fb8! 14. ♘b2 (14. c5? ♗c6!∓) c5=] **♗d2 13. ♕d2 ♖ad8 14. c5** [14. ♖ac1 dc4 15. ♗b7 cd3 16. ♕d3 c5∓] **b5 15. ♘ab2?!** [15. ♘c3 ♘e4 (15... b4 16. ♘b5 ♗a6 17. ♘a7! ♘b8 18. ♘e5 ♕e8 19. a3±) 16. ♕c2 b4 17. ♘e4 de4 18. ♘b2 ♘f6 19. e3 e5 20. ♖fd1±] **♖a8 16. ♕f4?** [16. f4 ♘e4 17. ♕e3 ♖a6 18. ♘e5! f6 19. ♘d7 ♕d7 20. ♘d3 △ a3, ♖ac1, ♖fd1, ♘f2±] **♘b8 17. ♘e5 ♖a6!∓** [△ ♘e4, f6, e5, ♖e6] **18. ♖fe1!?** [⌓ 18. f3] **♘e4 19. e3 f6 20. ♘ed3 ♖e8! 21. a3?!** [21. ♕h4!?] **e5 22. ♕g4 ♖e6 23. ♕d1 ♕f7 24. ♖c1 ed4 25. ed4 ♘c6 26. ♘f4 ♖6e7** [26... ♘f2!? 27. ♔f2□ ♖e1 28. ♗d5 ♖d1 29. ♖d1∓] **27. ♕d3?** [27. f3 ♘g5∓] **g5!∓ 28. ♕b5 gf4 29. ♕b7 ♘d4−+ 30. ♘d3 c6 31. ♕b6 f3 32. ♗f1 ♖b7 33. ♕a6 ♖eb8 34. ♖e4 de4 35. ♘f4 ♖a7 36. ♕c4 ♕c4 37. ♗c4 ♔h8 38. ♖d1 ♘e2 39. ♘e2 fe2 40. ♖e1 ♖d7 41. ♖e2 ♖d4 42. ♔g2 a4 43. ♖e3 ab3 44. ♗b3 ♖d3 45. ♗c2 ♖e3 46. fe3 ♖b2 0 : 1**
[Epišin]

504. **E 15**

VAN WELY 2560 − KORTCHNOI 2585
Wijk aan Zee 1992

1. d4 ♘f6 2. ♘f3 e6 3. c4 b6 4. g3 ♗a6 5. b3 ♗b7 6. ♗g2 ♗b4 7. ♗d2 a5 8. 0−0 0−0 9. ♘c3 ♘e4 10. ♘e4 ♗e4 11. ♗b4 ab4 12. ♕d2 ♕e7 13. ♕f4 d5 [13... ♗f3 14. ♗f3 ♖a7 15. d5±○] **14. ♖fc1 c5** [14... c6 15. ♘e5 (15. c5 bc5 16. ♖c5 ♗f3 17. ♗f3 ♖c8±) ♗g2 16. ♔g2 c5 17. cd5 ed5 18. ♖c2±] **15. cd5 ed5?! N** [15... ♗d5 − 51/517] **16. ♕e3! ♘d7** [16... ♖a5!? △ 17. ♘d2 cd4 18. ♕d4 ♗g2 19. ♔g2 ♕e2 20. ♕b6±; 20. ♕b4±] **17. ♗h3!** [17. ♘d2? cd4 18. ♕d4 ♗g2 19. ♔g2 ♕e2=; 17. dc5 bc5 18. ♘d2 f5 19. ♘e4 fe4 20. f3 ♖a5 21. fe4 ♘f6∞] **f5 18. ♘e1** [18. ♘d2!? g5 19. ♘e4 fe4 20. f3±] **g5□ 19. ♕d2!± g4□ 20. ♗f1?** [20. ♗g2! ♗g2 (20... f4 21. gf4 cd4 22. ♕d4 △ f3±) 21. ♘g2 ♕e4 22. ♘f4 ♕d4 (22... cd4 23. ♖d1±) 23. ♕d4 cd4 24. ♖d1±] **f4□ 21. gf4 cd4 22. ♘g2?** [22. ♕d4? ♖f4 23. f3 gf3 24. ef3 ♕f7!∓; 22. f3!? gf3 23. ef3 △ ♕d4±] **♕f6!$\overline{\infty}$ 23. ♕b4 ♘c5 24. ♖d1** [24. a4!? △ 24... ♕e6 25. e3 d3 26. ♖a2∞] **♗c2?!**

25. ♖dc1 [25. ♖d2 d3 26. ♖c1 ♕b2 27. ♖e1 ♘e4∓; 25. ♖d4 ♘e6∓] **♗e4 26. ♖d1 ♗c2?!** [26... ♘e6! 27. e3 (27. ♕b6 ♘f4 28. ♕f6 ♘h3 29. ♔h1 ♖f6∓; 27. ♕d2 ♗g2 28. ♔g2 ♘f4 29. ♔h1∓) ♘g5 28. ♘e1 (28. fg5 ♕f2 29. ♔h1 ♖a2−+; 28. ♗e2 ♘f3 29. ♗f3 gf3 30. ♘e1 ♕g6∓) de3 29. fe3 ♘f3↑] **27. ♖dc1 d3!?** [27... ♗e4 28. ♖d1=] **28. ed3 ♗d3 29. a4 ♗e4 30. a5?!** [30. ♖a2 ♖ac8 31. ♖d1∞] **♘e6 31. ♕b6 ♘d4??⊕** [31... ♖ab8! 32. ♕d6 (32. ♕c6 ♘f4 33. ♘f4 ♕f4−+; 32. ♕e3 ♘d4∓) ♘g5 33. ♕f6 ♘h3 34. ♔h1 ♘f2 35. ♔g1 ♘h3 36. ♔h1 ♖f6 (36... ♘f2=) 37. a6 ♖f4 38. a7 ♖a8∓] **32. ♘e1!** [32. ♕f6? ♖f6 △ ♘b3, △ ♘f3, ♖h6∓] **♕g7?** [32... ♖ab8 33. ♕f6 ♖f6 34. a6 ♘b3 35. ♖cb1 ♗b1 36. ♖b1± △ 37. ♗g2, 37. a7±] **33. ♖c7??⊕** [33. ♖a4+−] **♘e2 34. ♗e2 ♕a1∞ 35. ♔f1 ♖f4 36. ♕e6 ♔h8 37. ♖f7 ♖f7 38. ♕f7 ♕g7 39. ♕g7** [39. ♕e6 △ ♕g4∞] **♔g7** [♖ 8/e] **40. b4** [40. a6? ♖b8 △ ♖b3∓] **d4 41. a6??** [41. ♗c4 *a)* 41... ♖b8 42. b5 (42. ♗d3? ♗c6 43. ♘c2 ♗a4 44. a6 ♗c2 45. ♗c2 ♖b6!−+) d3 43. ♘d3 ♖c8 44. ♘b2 ♖c4 45. ♘c4 ♗d3 46. ♔g2 ♗c4 47. b6 ♗a6 48. ♔g3 h5 49. ♔f4 (49. h3=) ♔f6 50. ♔e4 ♔e6=; *b)* 41... ♔f6 42. ♘d3! (42. a6? ♖c8 43. ♗d3 ♔e5 44. b5 ♖c1 45. ♗e4 ♔e4 46. b6 d3 47. a7 ♖a1 48. b7 d2−+) ♖b8 43. ♘c5 ♗c6 44. ♘a6 (44. ♘d3=) ♖c8 45. ♘c5=] **d3−+ 42. ♗d3 ♗d3 43. ♘d3 ♖a6 44. ♔g2 ♖a3! 45. ♘f4 ♖b3 46. h3 ♖b4 47. ♔g3 gh3 48. ♘h3 ♔f6 49. f3 ♔f5 50. ♘f2 ♖b6 51. ♘h3 ♖g6 52. ♔f2** [52. ♔h4 ♖g2 53. f4 ♔g6 54. ♘g5 h5−+] **♖g8 53. ♘g1 ♔g5 54. ♔g3 ♔h5 55. ♔h2** [55. ♔f2 ♔h4 △ ♖a8−+] **♔h4 56. ♘h3 ♖f8 57. ♔g2 ♖a8 0 : 1**
[Kortchnoi]

505.* E 15

AN. KARPOV 2730 – ANAND 2650
Tilburg (Interpolis) 1991

1. d4 ♘f6 2. c4 e6 3. ♘f3 b6 4. g3 ♗a6 5. b3 ♗b7 6. ♗g2 ♗b4 7. ♗d2 a5 8. 0–0 0–0 9. ♕c2 h6!? [RR 9... c5 10. ♖d1 cd4 N (10... ♘a6 – 46/716) 11. ♘d4 ♗g2 12. ♔g2 ♕c7 13. ♗g5 ♕e5 14. ♗f6 ♕f6 15. ♘c3 ♘c6 16. ♘db5 ♖fd8 17. ♖ac1 ♕e7 18. ♕e4 f5 19. ♕f3 ♗c5 20. ♘a4 ♘e5 21. ♕c3 ♘g4 22. ♘c5 ♕c5 23. ♕d4 ♘f6= Brenninkmeijer 2500 – Hübner 2615, Wijk aan Zee 1992] **10. ♘c3 ♖e8 N** [10... d6 – 46/714] **11. a3** [11. ♖fe1 d5=] **♗c3** [11... ♗f8 12. e4±] **12. ♗c3 ♗e4 13. ♕d1** [13. ♕b2 a4 14. b4 d5∓] **d5** [13... a4 14. ba4 d5 15. cd5 ♕d5 16. a5!⩲] **14. ♖c1 ♘bd7 15. ♖e1** [15. ♗h3?! dc4 16. bc4 ♗f3 17. ef3 e5!] **♕c8 16. ♗f1 ♕b7** [16... ♗f3 17. ef3⩲ △ f4, ♗g2] **17. ♘d2 ♗h7 18. ♗b2 c6** [18... ♘e4 19. ♗g2 ♘d2 20. ♕d2 ♗e4 21. f3 ♗g6 22. e4⩲] **19. e3 b5!? 20. cb5** [20. c5 a4⩱] **cb5 21. ♕e2! ♖eb8** [21... ♖ab8 22. b4⩲; 22. ♗c3!?] **22. f3** [22. ♗c3 b4 23. ♗b2 a4] **a4 23. b4 ♘e8 24. e4 ♘d6 25. ♕e3 ♖c8** [25... ♘c4 26. ♘c4 bc4 27. ed5⩲; 27. e5⩲] **26. ♕f4 ♖c1 27. ♖c1 ♕b6** [27... ♘c4 28. ♘c4 bc4 29. ed5 ed5 30. ♖e1±] **28. ed5?!** [28. ♖c5! de4 29. fe4 e5 30. ♕e3⩲] **ed5 29. g4** [29. ♖c5 ♘f6 30. g4 ♖e8 31. ♗c3± △ h4, g5] **♘c4 30. ♘c4 dc4⩱ 31. ♖e1 ♘f6 32. ♖e5** [32. h4 ♘d5 33. ♕e5 (△ ♕e8) ♕c6 △ f6∓] **♖d8 33. ♕d2** [33. ♕e3 ♕c6 34. ♖c5 ♕d7 △ ♘d5, f6∓] **♘d5 34. f4 ♕g6** [34... f6 35. ♖e1 f5!?] **35. h3 ♕b1?** [35... f6 36. f5 ♕f7 37. ♖e6 ♔h8∓] **36. f5± ♔h8 37. ♖e1! ♕a2 38. ♗g2 ♗g8** [38... f6 39. ♗d5 ♖d5 40. ♖e8 ♗g8 41. ♕c1 ♔h7] **39. ♗d5 ♖d5 40. f6! ♔h7 41. ♕c2 ♔h8 42. ♕e4 c3** [42... ♖d6 43. fg7 ♔g7 44. ♕e5 ♖f6 45. d5+−; 42... ♕b2 43. ♕d5 ♕a3 (43... gf6 44. ♕d6! ♔g7 45. ♖f1) 44. ♔g2!±] **43. ♗c3 ♕c4** [43... ♕a3 44. ♕d5 ♕c3 45. ♔f2±] **44. ♕f3+− ♔h7 45. ♖e3 gf6 46. ♕f6 ♕a2 47. ♕c6! ♕b1** [47... ♖g5 48. d5!] **48. ♔g2** [48. ♔f2? ♕h1 △ ♖f5] **♕c1 49. ♖e2 ♖g5 50. d5 ♕f4** [50... ♕d1 51. ♖d2 ♕b1 52. ♕f6+−] **51. ♗d2 ♖g4 52. hg4 ♕g4 53. ♔f2 1 : 0**
[An. Karpov]

506. E 15**

BRENNINKMEIJER 2525
– I. SOKOLOV 2570
Groningen 1991

1. d4 ♘f6 2. c4 e6 3. ♘f3 b6 4. g3 ♗a6 5. b3 ♗b4 6. ♗d2 ♗e7 7. ♗g2 ♗b7 8. ♘c3 0–0 [RR 8... d5 9. cd5 ed5 10. 0–0 0–0 *a)* 11. ♖c1 ♖e8 12. ♘e5 ♘bd7 N

(12... ♘a6 — 40/666) 13. ♗f4 c6 (13... ♘f8?! 14. ♘b5 ♘e6 15. ♘c6±; 13... a6!? △ ♘f8) 14. e4 ♘f8! 15. ed5 cd5 16. ♗h3 ♗a3 17. ♖c2 a6 18. ♘a4 ♘e6 19. ♗c1 ♗d6 1/2 : 1/2 Epišin 2615 — Aseev 2525, SSSR (ch) 1991; b) 11. ♕c2 ♘a6 12. ♖fd1 ♕c8 13. a3!? N (13. ♗g5 ♖d8 14. ♘h4 — 50/(547); 14. a3!?) c5 (13... c6!? 14. b4 ♘c7 15. ♗g5±) 14. dc5 (14. ♕b2!? △ ♖ac1) bc5 (14... ♘c5?! 15. b4 ♘ce4 16. ♖ac1±) 15. ♘e1 (15. ♗g5 d4!) d4!? (15... h6) 16. ♘a4 b1) 16... ♘d7 17. ♘b2! ♗g2 18. ♔g2 ♖e8?! 19. ♘c4 ♗f8 20. e3!± Ruban 2575 — Aseev 2525, SSSR (ch) 1991; 18... ♕b7!±; b2) △ 16... ♗g2 17. ♔g2 ♕b7 Ruban] 9. 0—0 ♘a6 10. ♘e5 d5 11. cd5 ed5 12. ♖c1 ♗a3?! N [12... ♕c8 — 51/519] 13. ♖b1 ♖e8 14. ♘d3!± ♗f8 15. ♗g5 c6 16. b4 ♘c7 17. ♕b3?! [17. b5!? cb5 18. ♗f6 (18. ♘b5?! ♕b5 19. ♖b5 ♕d7 △ ♘e4∓) ♕f6 19. ♘f4±; 17. a4±] h6 18. ♗f6 ♕f6 19. e3 ♗a6 20. ♖fd1 ♗c4 21. ♕b2 ♗d6∞ 22. a4 ♖ab8 23. b5 c5 24. ♘e2 ♕f5 25. ♕c3 ♘e6!↑ 26. dc5 [26. e4? de4 27. ♕c4 ed3 28. ♖d3 (28. ♕d3 ♘d4 29. ♘d4 ♖e1! 30. ♗f1 ♕d3 31. ♖d3 ♖b1 32. ♘c6 ♖e8 33. ♖d6 ♖ee1−+) cd4 △ 29. ♘d4? ♘d4 30. ♕d4 ♗c5−+] ♘c5 27. ♘d4 ♕f6 28. ♘b2 ♗b3 29. ♖dc1 ♗e5 30. ♕b4 [30. f4? ♗d4 31. ed4 (31. ♕d4 ♗a2) ♗a2! 32. ♖a1 ♘b3 33. ♖a2 ♘c1 34. ♕c1 ♕d4−+] ♗a2 31. ♖a1 ♗d4 32. ed4 ♖e2 [32... ♘b3 33. ♖c6 ♕f5 34. ♖f1 (34. g4 ♕g4 35. ♖a2 ♘d4→) ♖e2 35. ♘d1! △ ♘c3] 33. ♖f1 ♗c4 34. ♖ad1 ♖c2∓ 35. ♘c4 ♖c4 36. ♕d2 ♘b3 37. ♕a2 ♘d4 38. ♗d5 ♖c2 39. ♕b1 ♘e2 40. ♔h1 ♖b2?! [40... ♖bc8∓] 41. ♕a1∞ ♕c3 42. ♗g2! ♔h8 43. ♖d7± f5 44. ♕d1 ♕f6 45. ♖a7 f4 46. ♕d5 ♘c3 47. ♕f3?! [47. ♕c6!] ♖b4!⇆ 48. ♖c1 ♘e4 49. ♔g1 ♕b2! 50. ♖ac7 ♘c5= 51. ♖e1 ♖a4 52. ♕g4 ♖a1 53. ♖c8 ♖c8 54. ♕c8 ♔h7 55. ♕f5 ♔h8 56. ♕f8 ♔h7 57. ♕f5   1/2 : 1/2
[I. Sokolov]

507.   E 15

BELJAVSKIJ 2655 — LJUBOJEVIĆ 2600
                 Beograd 1991

1. d4 ♘f6 2. ♘f3 e6 3. c4 b6 4. g3 ♗a6 5. b3 ♗b4 6. ♗d2 ♗e7 7. ♗g2 c6 8. ♗c3

d5 9. ♘bd2 ♘bd7 10. 0—0 ♖c8 11. ♕b1 N [11. ♕c2!? c5 12. dc5 dc4 13. c6! ♖c6 14. ♘d4 ♖c7 15. ♘c6 ♕c8 16. ♘e7 ♔e7 17. ♗b4 ♘c5 18. ♘c4±; 11. ♖e1 — 39/(665)] c5 12. dc5 bc5 [12... dc4 13. b4 bc5 14. b5 ♖b8 15. a4± ✕c4; 12... ♘c5!?] 13. e3 ♖b8?! [△ 13... 0—0] 14. ♖d1 0—0 [14... dc4 15. ♘e5±] 15. ♘e5 ♗b7 16. cd5 ed5 17. ♕f5 ♘b6 18. ♖ac1 ♕c8 19. ♕c8 ♖fc8 20. ♘d3 c4 21. ♘f4 cb3 22. ab3 ♘e4 23. ♗e5 ♗d6 [23... ♖c1 24. ♖c1 ♖c8 25. ♖c8 ♘c8 26. ♘d5 ♘d2 27. ♘e7 ♘e7 28. ♗b7 ♘b3 29. ♗d6 ♘f5 30. ♗a3 g6 31. ♔f1 ♘d2 32. ♔e2 ♘c4 33. ♗c5 a5 34. ♗a6 ♘e5 35. ♗b5±] 24. ♗d6 ♘d6 25. ♖a1!± ♘b5 26. ♘f3 ♖c3 27. ♖db1 ♖c2 28. ♗f1 ♘c3 29. ♖e1! [29. ♗d3 ♖a2 (29... ♘b1 30. ♗c2 ♘c3 31. ♖a7+−) 30. ♖a2 ♘a2 31. ♖a1 ♘b4 32. ♗e2 a6±] ♘e4 30. ♗e2 ♖a8 31. ♘d4 ♖c3 32. ♖a5 ♘d2 33. ♗d1 ♘e4 34. f3 ♘d6 35. ♔f2 g5?! 36. ♘fe2 ♖c7 37. ♗c2 ♗c8 38. ♖ea1 [38. g4!? ♘b7 39. ♖a2 a5 40. h4 h6 41. ♖h1 ♘c5 42. ♘g3 △ ♘gf5± ✕h6] g4 39. ♘f4 gf3 40. ♔f3 a6 41. ♗d3 h6 42. g4 ♔f8 43. h3 ♖e7 44. ♖c1?! [44. ♔f2 (△ ♘d5) ♘e4 (44... ♗b7 45. ♗a6+−) 45. ♗e4 de4 (45... ♖e4 46. ♘d5 ♖d5 47. ♖d5 ♔g7 48. ♖aa5 ♖e8 49. ♖d6 ♖b8 50. ♖h5 ♖h8 51. g5+−) 46. ♖h5 ♔g7 47. ♖g1 ♖e8 48. g5 hg5 49. ♖gg5 ♔f6 50. ♖c5 ♔e7 51. ♖c6 ♘d7□ 52. ♘d5+−] ♗b7 [△ ♘bc4] 45. ♔f2 ♘d7! 46. ♘d5? [46. ♘c6 ♘e4 (46... ♖c8 47. ♖d5 ♘e4 48. ♗e4 ♖c6 49. ♖d7 ♖e4 50. ♖c6 ♗c6 51. ♖d6 ♗b5 52. ♖h6 ♖b4 53. ♖h8 ♔g7□ 54. ♖d8 ♖b3 55. ♘h5 ♔h7 56. h4 △ 56... a5 57. e4 a4 58. ♘f6 ♔g6 59. g5+−) 47. ♗e4 ♖e4 48. ♖d5 ♘f6 49. ♖f5 ♔g7 50. g5 hg5 51. ♖g5 ♔f8 52. ♖f5 ♘d7 53. ♘a5 ♖c8 54. ♖c8 ♗c8 55. ♘c4±] ♖e5 47. ♘c6 ♗c6 48. ♖c6 ♘b7 49. ♖aa6 ♖d8! [△ 50... ♘b8, 50... ♘dc5] 50. ♗c4 ♘b8 51. ♖f6 ♘c6 52. ♖c6 ♖c5 53. ♖a6 ♘d6 54. ♘h5 ♘c4 55. bc4 ♖c4 56. ♖h6 ♖e8 [56... ♖d2 57. ♔f3 ♖cc2 58. ♖h8 ♔e7 59. ♘g7 ♖f2 60. ♔g3 ♔f6 61. ♘f5 ♖f5 62. gf5 ♔f5 63. ♖g8 ♖e2 64. ♔f3 ♖h2 65. ♖g3 f6 66. e4 ♔e5=] 57. ♘g3 ♖e6 58. ♖h8 ♔e7 59. ♖a8 ♔f6 60. ♘f5 ♖c5 61. ♘d4 ♖b6

265

62. ♔g3 ♖c1 63. ♖g8 ♔e7 64. ♘f5 ♔f6 65. ♔h4 ♖e1 66. ♘h6 ♔e7 67. ♔g5 f6 68. ♔h4 ♖e3 69. ♘f5 1/2 : 1/2 [Beljavskij]

508.* **E 15**

L. PORTISCH 2570 – I. FARAGÓ 2515

Magyarország (ch) 1991

1. d4 ♘f6 2. c4 e6 3. ♘f3 b6 4. g3 ♗a6 5. b3 ♗b4 6. ♗d2 ♗e7 7. ♗g2 c6 8. ♗c3 d5 9. ♘bd2 ♘bd7 10. 0–0 0–0 11. ♗b2 ♖c8 12. ♖c1 c5 13. ♖c2 b5 14. dc5 N [14. cd5 ♘d5 15. dc5 ♘b4 16. ♖c1 ♘c5 17. a3 ♘d5 18. e4 ♘f6 19. b4 ♘a4 20. ♗d4 ♖c1 21. ♕c1 ♗b7 22. e5 ♘e4 23. ♘e4 ♗e4 24. ♕e3 ♕a8 25. ♖c1 ♘b6 26. ♗b6 ab6 1/2 : 1/2 Granda Zuniga 2485 – Adorján 2505, Novi Sad (ol) 1990] **bc4?!** [14... dc4?! 15. b4! ♗b7 16. ♕b1! a5 (16... ♘e4 17. ♖d1 ♕c7 18. ♘d4 ♘d2 19. ♖cd2 ♗g2 20. ♘e6!+–) 17. a3 ab4 18. ab4 ♘d5 19. ♗d4±; 14... ♘c5 15. cb5 ♗b5 16. ♘d4; 14... ♗c5 15. cd5 ♘d5 16. ♘e4] **15. b4! ♗b5 16. ♖c1 a5 17. a3** [17. a4? ab4!] **ab4 18. ab4 ♘b8 19. ♘d4 ♕d7 20. ♖a1 ♕b7 21. ♘b5 ♕b5 22. ♕a4! ♕a4 23. ♖a4 ♘e8 24. e4 ♗f6 25. ♗f6 ♘f6 26. ed5 ed5 27. ♘f3** [27. ♖d1!? △ ♘f1-e3±] **♖fd8 28. ♗h3 ♖c7 29. ♖a8 g6 30. ♘d4 ♔g7 31. ♖fa1 ♘c6 32. ♖d8 ♘d4□** [32... ♘d8 33. ♖a6+–] **33. ♗f1??** [33. ♖c8! ♖c8□ 34. ♗c8 c3 35. ♗a6 ♘e4 36. ♗d3 c2 37. ♖c1 ♘c3 38. ♖c2+–] **♘c6 34. ♖d6 ♘b4 35. ♖b6 ♘c2 36. ♖aa6 ♖c5** [36... ♘d7! 37. ♖c6 ♘c5! 38. ♖c7 ♘a6∓] **37. ♖a7** [37. ♖f6 ♘b4 △ c3] **c3⊕** [37... ♘e4!?] **38. ♖bb7 ♘b4 39. ♖f7 ♔h6?⊕** [39... ♔g8 △ 40. ♖f6 c2=] **40. ♖f6 c2 41. ♖ff7!** [41. ♖a1=] **c1♕ 42. h4??** [42. ♖h7 ♔g5 43. ♖af7 ♘d3 (43... ♖c2 44. h4 ♔g4 45. ♔h2+–) 44. f3!! ♕e3 45. ♔h1 ♘f2 46. ♔g2 ♘h3 47. ♔h3!+– △ 47... ♕e6 48. ♔g2 ♖c2 49. ♔h1] **♔h5 43. ♔g2 ♖c2□ 44. ♖h7 ♔g4 45. ♖af7 ♕e3!□ 46. ♖f4□** [46. ♗b5?? ♕g3] **♕f4 47. gf4 ♔f4 48. ♖g7 ♔f5 49. ♖b7 ♖b2 50. ♔g3 d4 51. ♖b5 ♔f6 52. ♖b6 ♔g7 53. ♖d6 1/2 : 1/2 [L. Portisch]**

509.* **E 15**

AN. KARPOV 2730 – POLUGAEVSKIJ 2630

Reggio Emilia 1991/92

1. d4 ♘f6 2. c4 e6 3. ♘f3 b6 4. g3 ♗a6 5. b3 ♗b4 6. ♗d2 ♗e7 7. ♗g2 c6 8. ♗c3 d5 9. ♘bd2 ♘bd7 10. 0–0 0–0 11. ♖e1 c5 12. e4 dc4 13. ♘c4 ♗b7 14. ♕d3 ♖c8 N [RR 14... cd4 15. ♘d4 ♘c5 16. ♕c2 ♖c8 N (16... a6 – 52/529) *a)* 17. ♖ad1 ♕e8! 18. e5 ♘d5 19. ♘f5 ef5 (19... ♘c3? 20. ♘fd6±) 20. ♗d5 ♗d5 21. ♖d5 ♘e4⇆ Ionov; *b)* 17. ♘b5! a6 18. ♖ad1 ab5 19. ♖d8 ♖fd8 20. ♘b6 ♖c6 21. ♘d5!± Ionov 2510 – Atalik 2435, Čeljabinsk 1991] **15. ♖ad1 b5 16. ♗a5** [16. ♘a5? ♗e4 17. ♖e4 b4 18. ♘b7 ♕c7 19. ♘c5 ♗c5∓] **♕e8** [16... bc4 17. ♗d8 cd3 18. ♗e7 ♖fe8 19. ♗f6 ♘f6 20. ♘e5!±] **17. ♘cd2** [17. ♘ce5 c4 18. bc4 bc4 19. ♕c2 (19. ♘c4? ♗e4!) ♘e5 20. de5 ♘e4! 21. ♖e4 ♗e4 22. ♕e4 ♕a4 23. ♕e1 c3∓] **cd4** [17... c4 18. bc4 bc4 19. ♕c2±] **18. e5** [18. ♕b5!?] **♘c5** [18... ♘d5 19. ♕b5 ♗c6 20. ♕d3±] **19. ♕d4 ♘d5 20. b4 ♘a6** [20... ♘a4 21. ♕a7 ♘c5 (21... ♕d7 22. ♕d4±) 22. bc5 ♗c6 23. ♘d4 ♖a8 24. ♘c6 ♖a7! 25. ♘a7 ♗c5 26. ♗d5 ed5 27. ♘b3 ♗a7 28. ♗b4±] **21. a3** [21. ♕a7 ♕d7 (21... ♗c6 22. a3 ♗c5 23. ♕a6 ♖a8 24. ♕c6! ♕c6 25. ♖c1 ♖a5 26. ♖c5 ♕b6 27. ♖d5±) 22. a3 (22. ♕d4 ♘ab4∓) ♗c5 23. bc5 ♖a8 24. ♕a8 ♖a8 25. ♘b3±; 22... ♘c5!?] **♕d7** [21... ♘b8 22. ♕a7 ♘c6 23. ♕b7 ♖b8 24. ♕a6+–] **22. ♕a7** [22. ♘b3 ♘b8!? (22... ♖c4 23. ♕a7 ♖c3 24. ♖e3!) 23. ♕a7 ♖c3⇆ △ ♘c6] **♘c5! 23. ♘e4 ♘e4!** [24. ♖e4 *a)* 24... ♗c5?! 25. bc5 ♖a8 26. ♕a8! (26. c6 ♕c6∓) ♖a8 27. ♗b4±; *b)* 24... ♖c3! 25. ♕d4 (25. ♖e3?? ♘e3! 26. ♖d7 ♖c1–+) ♖fc8⇆ 26. ♖e3!∞; 23... ♘b3 24. ♘d4 ♖a8 25. ♕a8 ♖a8 26. ♘b3±]
1/2 : 1/2 **[An. Karpov]**

510. **E 15**

VAN WELY 2560 – VAN DER WIEL 2540

Wijk aan Zee 1992

1. d4 ♘f6 2. c4 e6 3. ♘f3 b6 4. g3 ♗a6 5. b3 ♗b4 6. ♗d2 ♗e7 7. ♗g2 c6 8. 0–0

d5 9. ♗c3 ♘bd7 10. ♘bd2 0–0 11. ♖e1 c5 12. e4 de4 13. ♘e4 ♘e4 14. ♖e4 ♗b7 15. ♖e3 ♗f6 16. ♖c1 N [△ d5; 16. d5 ed5 17. cd5 ♗c3 18. ♖c3 ♕f6⇆; 16. ♖d3 — 34/632; 16. dc5! — 34/(632)] **cd4 17. ♘d4** [17. ♗d4 ♗d4 18. ♕d4 ♕e7=] **♗g2 18. ♔g2 ♕c8** [18... ♖c8? 19. ♘b5! △ 19... a6 20. ♖d3!] **19. h4** [△ ♕f3] **a6 20. ♕f3 ♖a7!** [⇔c] **21. a4 ♖c7 22. ♖a1?!** [△ a5; 22. a5? b5; ⌓ 22. ♘e2=] **♘e5 23. ♕f4?** [23. ♕e4? ♘c4; 23. ♕e2□ ♘c4 24. bc4 ♖c4 25. ♕b2□ ♖c3 26. ♖c3 ♗d4 27. ♖c8 ♗b2 28. ♖f8 ♔f8 29. ♖b1 ♗d4 30. ♖c1!=⊥]

23... ♘c4! 24. bc4 ♖c4 25. ♗b2□ ♖b4!! [25... ♕c5 26. ♖e4 (26. ♖d3) e5 (26... ♕d5 27. ♔h2) 27. ♕f3 ed4 28. ♗a3∞; 25... ♖d8 26. ♖e4∞] **26. ♖e2** [26. ♗c3 e5–+; 26. ♖a2 ♕a8 27. ♔h2 ♕d5–+] **e5** [26... ♖d8!–+] **27. ♕f3** [27. ♕d2 ♖b2! 28. ♕b2 ed4–+ △ 29. ♖c1 ♕b7 30. ♔g1 d3; 27. ♖e5 ♖b2–+] **ed4 28. ♗a3 d3!–+** [28... ♖a4 29. ♖c1∓] **29. ♕d3⊕** [29. ♖c1? de2 30. ♖c8 e1♘!; 29. ♖ea2 ♖b3! 30. ♖c1 ♕a8–+; 29. ♗b4! de2 30. ♖e1 ♖e8 31. ♖e2 ♖e2 32. ♕e2 ♕c6! 33. ♕f3 ♕f3 34. ♔f3 ♗d4–+⊥] **♕a8?** [29... ♖a4! 30. ♖ae1! ♕c6□ 31. ♔h2 ♖a8–+] **30. ♔h2 ♖d8?** [30... ♗a1! 31. ♗b4 ♖d8∓] **31. ♕c2?** [31. ♖ae1! (△ ♕d8) h6 (31... ♖bd4?! 32. ♕a6!=) 32. ♕d8 ♗d8 33. ♗b4 ♔h7!=] **♖h4–+ 32. gh4 ♗a1 33. ♕f5 g6 34. ♕g5 ♖e8 35. ♖d2 ♕f3 36. ♗d6 ♗f6 37. ♕g3 ♕e4 38. h5 ♖d8** [38... ♕a4] **39. hg6 hg6** [39... ♖d6? 40. gh7 ♔h7 41. ♕h3 ♗h4 (41... ♔g7 42. ♕g3) 42. ♖d6 ♕e5∓] **40. ♕f4 ♕f4 41. ♗f4 ♖d2 42. ♗d2 ♔f8 43. ♔g3 ♔e7 44. ♔f4 ♗d4 45. f3 f5! 46. ♔g5 ♔f7 47. ♔h6 ♗f6 48. ♗e1 ♗e7 0 : 1** [van der Wiel]

511. **E 15**

ZSU. POLGÁR 2535 – SAX 2600

Magyarország (ch) 1991

1. d4 ♘f6 2. c4 e6 3. ♘f3 b6 4. g3 ♗a6 5. b3 ♗b4 6. ♗d2 ♗e7 7. ♗g2 c6 8. 0–0 d5 9. ♘e5 ♘fd7 10. ♘d7 ♘d7 11. ♗c3 0–0 12. ♘d2 b5 13. c5 e5 14. de5 N [14. b4 — 49/606] **♘c5?!** [14... ♗c5!?] **15. ♖c1 ♗b7 16. ♗b2 a5 17. f4 a4?!** [17... f5!?] **18. f5!** [18. b4 a3] **♗g5** [18... ab3 19. ♘b3! (19. ab3 ♖a2 20. ♗d4 ♖d2 21. ♕d2 ♘b3 22. ♕c3 ♘c1 23. ♖c1±; 20. ♖c2!?) ♖a2 20. f6! gf6 21. ef6 ♗d6 (21... ♘b3 22. fe7 ♕b6 23. ♔h1+–) 22. ♘c5 ♗c5 23. ♖c5 ♖b2 24. ♕d4+–] **19. ♗d4!** [19. b4 ♗e3 20. ♔h1 a3; 19. ♘f3 ♗e3] **♘d7 20. b4! ♖e8** [20... ♕e7 21. ♘f3! ♗c1 22. ♕c1 ♕b4 23. f6 △ ♕g5, ♗h3+–↑] **21. ♘f3! ♗c1 22. ♕c1+– ♕c7 23. ♕c3!?** [23. f6?! ♘e5! 24. ♘e5 ♖e5 25. ♕f4 ♖ae8 26. ♕g4 g6 27. ♕f4 g5 28. ♕g4 ♔h8; 23. ♕f4!? f6 24. e6 ♕f4 25. gf4±] **♘b6 24. ♘g5** [24. ♕e3 ♘c4 25. ♕f4 f6 26. e6 ♕f4 27. gf4±; 24. g4!?] **♘c4 25. e6 f6** [25... fe6 26. fe6! △ ♖f7+–] **26. ♘h3** [26. ♗f6? gf6 27. ♕f6 ♖f8 28. ♘f7 ♖f7!∓; 26. ♘f7 ♖f8 △ ♖f7∞] **♘e5** [26... ♘d6 27. g4 △ 28. g5, 28. ♘f4-h5-f6↑] **27. ♘f4 ♕d6⊕ 28. ♘d3** [28. ♗c5+–] **♘d3 29. ed3 ♕e7 30. a3** [30. ♗c5 ♕c7 31. a3+–] **♖ac8 31. g4** [⌓ 31. ♗c5+–] **h6** [31... c5!?] **32. h4?!** [32. ♗c5+–] **c5! 33. bc5?!** [⌓ 33. ♗c5! d4 34. ♕d4+–] **♗c6 34. g5** [34. ♕b4!?] **♖f8** [34... hg5 35. hg5 fg5 36. f6 gf6 37. ♖f6±↑] **35. gh6 gh6 36. ♖f3** [36. ♗f3 ♔h8 37. ♗h5 ♗e8] **♔h7 37. ♖g3 ♖g8 38. ♕e1⊕** [38. ♗f6?! ♖g3 39. ♗e7 ♖g2 40. ♔f1 ♖cg8] **b4! 39. ab4** [39. ♖g8 ♖g8 40. ♕b4 ♕g7 41. ♕b2 ♕g3] **a3 40. ♖g6 ♖g6 41. fg6 ♔g6 42. ♕g3** [42. b5!? ♗b5 43. ♗d5 ♖g8 44. ♔h1 f5∞] **♔h7 43. h5?** [43. ♕d6! ♖c7 (43... ♕g7 44. ♔f1 ♖g8 45. ♗d5 ♗d5 46. ♕d5 ♕g3 47. ♕f5+–) 44. ♗h3↑] **♖g8 44. ♕h3** [44. ♕d6 ♕g7]

♖g5! 45. ♕e3 [45. ♔h1 a2] a2 46. b5 ♕c5! [46... ♗b5–+] 47. ♗c5 a1♕ 48. ♔h2 ♖g2 49. ♔g2 d4 50. bc6 de3 51. e7 ♕a8 0 : 1 [Zsu. Polgár]

512.* !N **E 15**

AN. KARPOV 2730 – KORTCHNOI 2610
Tilburg (Interpolis) 1991

1. d4 ♘f6 2. c4 e6 3. ♘f3 b6 4. g3 ♗a6 5. b3 ♗b4 6. ♗d2 ♗e7 7. ♗g2 c6 8. ♗c3 d5 9. ♘e5 ♘fd7 10. ♘d7 ♘d7 11. ♘d2 ♖c8 12. 0–0 0–0 13. e4 c5 [RR 13... de4 14. ♘e4 b5 15. ♕e2! N (15. ♖e1 – 51/(522)) bc4 16. ♖fd1 ♖c7!? (16... ♘b6? 17. ♘c5!±) *a)* 17. ♘d2 ♘b6 18. ♘c4 ♗f6= Epišin 2615 – Magerramov 2560, SSSR (ch) 1991; *b)* 17. ♘c5!? ♕c8 (17... ♘c5 18. dc5 ♖d7 19. ♕g4!↑) 18. ♘a6 ♕a6 19. ♕c4±⊞; *c)* 17. ♗a5! ♘b6 18. ♘c5 ♕c8 19. ♖ac1 ♖d8 20. bc4 ♗f6 21. ♘b3 ♖cd7 22. ♕e1! ♖e8□ (22... ♗d4? 23. c5+–; 22... ♗c4? 23. ♗b6+–) 23. ♗f1±○; 21. ♕g4!? △ 21... ♗c4? 22. ♗b6 ab6 23. ♘e4+– Magerramov] **14. ed5 ed5 15. dc5 dc4 16. c6 cb3 17. ♖e1 ♗b5 18. ab3 ♗c6 19. ♗c6 ♖c6 20. ♖a7 ♘f6 N** [20... ♗f6! – 48/(689)] **21. ♕f3 ♕d5** [21... ♖c7 22. ♖c7 ♕c7 23. ♘c4⩲] **22. ♖ee7 ♕f3 23. ♘f3 ♖c3 24. ♘g5** [24. ♘e5?! ♖e8!] **♖b3 25. ♘f7± ♖e8□ 26. ♖eb7 ♖e1 27. ♔g2 ♘e8 28. ♖b8** [△ ♘d6] **♖d3** [28... ♖e6 29. ♘d6! ♔f8 30. ♖f7 ♔g8 31. ♖d7 ♖d3 32. ♘e8 ♖d7 33. ♘f6 ♔f7 34. ♘d7+–] **29. f4** [29. ♖b6 ♔f8 △ ♖e7⩲] **♖e6 30. h4?** [30. ♘g5 ♖e2 31. ♔h3 h5!; 30. ♔h3!] **♖e2 31. ♔h3 h5!= 32. ♘e5 ♖d1! 33. ♖e8 ♔h7 34. g4□ ♖e3 35. ♔g2 ♖d2 36. ♔f1 ♖h3 37. ♔g1 ♖g3 38. ♔f1 ♖f3 39. ♔g1 ♖g3 40. ♔f1 ♖h3 1/2 : 1/2 [An. Karpov]**

513. **E 15**

B. GEL'FAND 2665 – VAN DER WIEL 2540
Wijk aan Zee 1992

1. d4 ♘f6 2. c4 e6 3. ♘f3 b6 4. g3 ♗a6 5. b3 ♗b4 6. ♗d2 ♗e7 7. ♗g2 c6 8. 0–0 d5 9. ♘e5 ♘fd7 10. ♘d7 ♘d7 [10... ♕d7 11. ♗f4! *a)* 11... dc4 12. bc4 ♗c4 13. ♘d2=∞ △ 13... ♕d4? 14. ♘c4 ♕c4 15. ♖c1 ♕a2 16. ♖c6!+–; 12... ♗f6!?; *b)* 11... 0–0 12. ♕d3] **11. ♗c3 0–0 12. ♘d2 ♖c8 13. e4 c5 14. ed5 ed5 15. dc5 dc4 16. c6 cb3 17. ♖e1 ♗b5 18. ab3 a5!? N 19. ♖c1!** [19. ♕g4?! ♗f6!∓; 19. ♗g7 ♔g7 20. cd7 ♗d7⇆⊞] **♗c6±** [19... ♗f6 20. ♘c4!±; 19... ♘c5!? 20. ♕g4! *a)* 20... ♗f6 21. ♗f6 ♕f6 22. ♘e4! ♘e4 23. ♕e4± △ 23... ♖c7 24. ♕e5; *b)* 20... f6 21. ♖cd1! ♕c7 (21... ♘d3 22. ♘c4 ♗c5 23. ♖e2±) 22. ♘c4 ♖ce8 (22... ♖cd8 23. ♘b6!±) 23. ♘e5? fe5 24. ♗e5 ♗d6!; 23. ♘e3!±; *c)* 20... g6 21. ♖cd1! f5! (21... ♗c6? 22. ♘c4; 21... ♘d3 22. ♘c4 ♗c5 23. ♖e2±) 22. ♕f4 ♗g5 23. ♕e5 ♗f6 24. ♕d5 ♕d5 25. ♗d5 ♔h8∞] **20. ♗g7 ♔g7 21. ♖c6 ♖c6 22. ♗c6 ♘f6 23. ♕c1!** [×g5, △ ♘f3-h4-f5→] **♗c5** [23... ♗b4?! 24. ♖e2] **24. ♔g2!** [24. ♘f3 ♘g4! △ ♕f6] **♕d4!** [24... ♘g4? 25. ♘e4; 24... ♕d3?! 25. ♘f3; 24... ♕d6 25. ♗f3 △ ♘c4] **25. ♖e2** [25. ♘f3?! ♕f2 26. ♔h1 (26. ♔h3 h6 27. ♘h4 ♘h7!∓) h6 27. ♖f1 (27. ♕a1 ♗b4∓) ♕e3 28. ♕a1 ♗b4!□∓ ⇗a1-h8] **♖c8⊕** [25... ♕d3?! 26. ♘e4! ♘e4 (26... ♕e2? 27. ♕g5 ♔h8 28. ♕f6 ♔g8 29. ♕e5!+–) 27. ♖e4±] **26. ♗f3?!** [26. ♘f3?! ♕d3 *a)* 27. ♕g5 ♕g6 28. ♕f4?! (28. ♕d2? ♖c6 29. ♘e5 ♖d6!) ♖c6 29. ♘e5 ♖e6! 30. ♘g6 ♖e2∓; *b)* 27. ♘e5 ♕e2 28. ♕g5 ♔f8 29. ♕f6 ♕f2 30. ♕f2 ♗f2 31. ♔f2 ♔e7!∓⊥; 26. ♗e4! *a)* 26... ♘e4 27. ♘e4 ♖c6 (27... ♕d5 28. ♕c3) 28. ♕g5 ♖g6 29. ♕f5±; *b)* ⌓ 26... h6 27. ♘f3 ♕b4 28. ♘h4!→; 27... ♕d7 △ ♗b4, ♖c5!⩲ ×f5] **♖e8= 27. ♕e1 ♗b4** [27... ♖e2 28. ♕e2 b5?! 29. ♗c6! a4 30. ba4 ba4 31. ♘f3±] **28. ♖e8 ♘e8** [28... ♗d2? 29. ♕e5] **29. ♕e8 ♗d2 30. ♕e2 ♗b4 31. ♗e4 h6 32. ♕g4 ♔f8 33. ♕f5 ♔e7?!** [⌓ 33... ♕d6 34. ♗d5 ♕g6= B. Gel'fand] **34. ♗d5 ♕f6 35. ♕c8! ♗c5 36. f4 ♕d6! 37. ♕b7 ♕d7 38. ♕d7 ♔d7 39. ♗f7 b5□= 40. ♗g6 a4 41. ba4** [41. ♗d3 ♔e7] **ba4 42. ♔f3 ♔e7 43. ♗c2 a3 44. ♗b3 ♔f6 45. g4 ♔g7 46. h4** [46... ♗e7 47. g5 hg5 48. hg5 ♗d8 49. ♔g4 ♗e7 50. ♔f5 ♗d8 51. ♗a2 ♗e7 52. ♗b1 ♗d8 53. ♔e6 ♗g5 54. fg5 a2! 55. ♗a2 ♔g6] **1/2 : 1/2 [van der Wiel]**

514. **E 16**

POLULJAHOV 2380
– KRUSZYŃSKI 2345
Polska 1991

1. d4 ♘f6 2. ♘f3 e6 3. c4 ♗b4 4. ♘bd2 0–0 5. g3 b6 6. ♗g2 ♗b7 7. 0–0 c5!? 8. a3 [8. ♘b3!? cd4 9. ♘bd4] **♗d2 9. ♗d2** [9. ♕d2 cd4 10. ♕d4 ♘c6 11. ♕h4 ♖c8=] **cd4 10. ♗b4 ♖e8 11. ♗d6!** [11. ♘d4 ♗g2 12. ♔g2 d5=; 12... ♘c6] **♗f3?! N** [11... ♘e4? 12. ♕d4 ♘d6 (12... ♘a6 – 16/562) 13. ♕d6 ♕e7; 11... ♘c6 12. ♘d4 ♘a5!] **12. ef3!** [12. ♗f3?! ♘c6=] **♘c6 13. f4 ♖c8 14. b3?!** [14. b4? ♘e7; ⌓ 14. ♖c1 ♘e7 (14... ♘a5 15. b3?! b5! 16. c5 ♘c6; 15. ♕d3!±) 15. ♗b7 ♖c6 (15... ♖c5 16. b4!±) 16. ♗c6 dc6 17. c5 (17. ♗e7 ♖e7 18. c5±) ♘f5 18. ♗e5±] **♘e7!** [14... ♘a5?! 15. ♖b1! b5 16. cb5 ♕b6 17. ♗e5 ♕b5 18. ♗f6 gf6 19. ♕d4±] **15. g4!** [15. ♗b7 ♖c6! (15... ♖c5!?) 16. ♗c6 dc6 17. ♗e7 (17. c5?! ♘f5) ♖e7⩲] **h6 16. h3 b5!□ 17. c5!** [17. ♗b7 ♖c7! (17... ♖b8? 18. ♕f3!; 17... bc4!? 18. ♗c8 ♕c8) 18. ♕f3 bc4 19. ♗c7 ♕c7 20. bc4 ♕c4 21. ♖fc1 ♕a4 22. ♖ab1 ♘fd5!=∞; 17. cb5 ♕b6 18. ♗e5 ♘ed5! (18... ♕b5? 19. ♗f6 gf6 20. ♕d4±; 18... ♘fd5? 19. ♕d4±) *a)* 19. a4 ♘c3 20. ♕d2 d6! 21. ♗f6 gf6 22. f5 (22. ♗c6 ♖c6! 23. bc6 ♕c6=∞) ♔g7∞; *b)* 19. ♕d4 ♕b5 20. g5 (20. ♗d5 ♘d5 21. ♗g7 ♘f4!=) hg5 21. fg5 ♘h5 22. ♗f3 f6! *b1)* 23. gf6 ♘hf6; *b2)* 23. ♗h5 fe5 24. ♕e5 (24. ♕h4 ♘f4! 25. ♗e8 ♖e8=∞) ♖f8=∞; *b3)* 23. ♗h2 g6 24. ♗h5 gh5 25. ♕h4 (25. gf6 ♔f7∞) ♕e2!∞] **♘c6 18. ♖e1** [⌓ 18. ♗c6 dc6 19. ♕d4 ♘d5 20. ♔h2 △ ♖g1, g5→; 20. ♖fd1!? △ ♖d3-g3, g5→; 19... ♘d7!? △ ♕f6, e5] **♘d5 19. ♕d3** [19. ♗d5? ed5 20. ♕f3 ♕a5] **a6 20. ♗d5 ed5 21. ♕f5 ♖e6! 22. ♕d5 ♖e1?!** [22... ♕a5 23. ♖e6 de6 24. ♕f3 ♕c3! 25. ♕c3 dc3 26. b4! a5 27. ♖c1=] **23. ♖e1 ♕a5 24. ♖e4! ♕a3?** [24... ♕c3! 25. ♔g2 ♘a5! 26. b4 (26. ♗c7? ♘b3 27. ♕d7 ♖f8; 26. ♖e7? ♕b3) ♘b3 (26... ♘c4? 27. ♖e7 ♘d6 28. ♕d6±; 26... ♕c4?! 27. ♕f5) 27. ♕b7 ♖d8 28. ♗e7 ♘d2! 29. ♖e1 ♖e8 30. ♕d7 ♖a8 (30... ♕f3? 31. ♔g1 ♖a8 32. ♕d4) 31. ♕b7 (31. c6? ♕f3 32. ♔g1 ♕h3) ♖e8=] **25. g5!→ hg5 26. fg5 g6?⊕** [26... ♘b4!?] **27. ♖f4 ♘d8 28. ♖h4?⊕** [28. ♕e5! ♘e6 29. ♕f6!! ♘f4 30. ♗e5 ♔f8 31. ♕h8 ♔e7 32. ♗d6 ♔e6 33. ♕e5#] **♘e6?** [28... ♕c1 29. ♔h2 ♕d2! 30. ♕g2! (30. ♗g3?! ♘e6 31. ♕e5 ♘g7 32. ♖d4 ♕c3 33. ♖d7 ♕b3) ♘e6 31. ♗e5 ♘g7 32. ♗d4±] **29. ♗e5 ♕a1 30. ♔h2 ♘g7 31. ♗g7
1 : 0** **[Poluljahov]**

515.* **E 16**

POLUGAEVSKIJ 2630
– V. SALOV 2665
Reggio Emilia 1991/92

1. d4 ♘f6 2. c4 e6 3. ♘f3 [RR 3. g3 d5 4. ♗g2 ♗b4 5. ♘d2 0–0 6. ♘f3 b6 7. 0–0 ♗b7 8. ♘e5 ♖e8 N (8... c5 – 34/640) 9. ♘df3 ♗f8 10. ♘g5 ♖e7 11. b3 h6 12. ♘gf3 c5 13. ♗b2 ♘a6 14. ♖c1 ♖c8 15. e3 ♖ec7 16. ♕e2 dc4 17. ♖c4 ♘b4 18. a3 ♘c6 19. ♘c6 ♗c6 20. ♖cc1 cd4 21. ♘d4 ♗g2 22. ♖c7 ♖c7 23. ♔g2 ♕d5 24. f3 ♗c5 25. e4 ♕d8 26. ♖d1 ♖d7 27. ♘c6 ♕c7= Ivančuk 2735 – V. Salov 2665, Reggio Emilia 1991/92] **♗b4 4. ♗d2 c5 5. ♗b4 cb4 6. g3 b6 7. ♗g2 ♗b7 8. 0–0 0–0 9. ♘bd2 d6 10. ♕b3** [10. ♕c2!?] **a5 11. ♖fd1 N** [11. ♖fc1 – 32/576] **♘a6 12. ♘f1 ♕e7 13. ♘e3 ♖fc8 14. ♘e1 ♗g2** [14... ♖ab8] **15. ♘1g2 g6 16. ♘f4 ♔g7 17. a3 ♖ab8?!** [17... ♕e8! (△ a4) 18. ab4 ♘b4=] **18. ♘d3!⩲ ba3** [18... b5 *a)* 19. ab4 ♘b4! 20. cb5 (20. ♘b4 bc4!) ♖b5=; *b)* 19. cb5! ♖b5 20. a4 (20. ♖ac1!?⩲) ♖bb8 21. ♘c4±] **19. ba3 ♘c7 20. a4 d5 21. ♖ac1 dc4 22. ♖c4 ♘cd5 23. ♘d5 ♘d5** [23... ed5 24. ♖c8 ♖c8 25. ♘e5±] **24. e4 ♖c4 25. ♕c4 ♘f6 26. f3 ♖d8 27. ♘e5** [27. ♔f2! ♖d7 28. ♖c1 ♕d8 29. ♔e3 ♘e8 30. ♕b5!±] **♕a3! 28. ♔g2 ♘d7?!** [28... ♕b2! 29. ♔h3 ♘d7!=] **29. ♘d3!± ♘f6 30. ♖b1 g5!□** [30... ♖b8 31. ♘e5±] **31. g4** [31. ♖b6 g4 32. ♖b7 gf3 33. ♔f3 ♕a1↑] **h5 32. h3 ♖c8□ 33. ♕c8 ♕d3** [♕ 9/b] **34. ♕c1! ♕e2 35. ♔g1 ♕f3 36. ♕g5**

♔h7 37. gh5 ♘e4 [37... ♕e4 38. ♖f1 ♕d4 39. ♔h2+−] **38. ♕g2! ♕e3 39. ♔h1 ♘g3 40. ♔h2 ♘h5** [40... ♘f5 41. ♖g1 ♕f4 (41... ♔h6 42. ♕g4+−) 42. ♔h1 ♔h6 43. ♕g4 ♕g4 44. hg4 ♘d4 45. ♖b1+−] **41. ♖f1! ♕d4** [41... f5 42. ♖g1+−] **42. ♖f7 ♔h6 43. ♕g4! ♕d6 44. ♔g1 ♕c5 45. ♖f2 ♘g7 46. ♕e4** [46. ♔g2! ♕c6 (46... ♘f5 47. ♕e4) 47. ♔h2 ♘f5 48. ♖g2 ♕c7 (48... ♕d6 49. ♔h1+−) 49. ♔h1 ♕c1 50. ♖g1 ♕c6 51. ♕g2+−] **e5 47. ♕h4 ♘h5 48. ♔h2 ♕d6 49. ♕e4** [49. ♖g2! e4 50. ♔h1 ♕d1 51. ♖g1 ♕f3 (51... ♕d5 52. ♕g4 e3 53. ♖g2 ♕f7 54. ♕g5 ♔h7 55. ♕e3+−) 52. ♔h2 ♕f5 53. ♕g4+−] **♘f4 50. ♖c2 ♔g5 51. ♕f3 ♕d7 52. ♖b2 ♕d4 53. ♕g4** [53. ♕b3!+−] **♕f6 54. ♕h4 ♔g6 55. ♕f2 ♕a4 56. ♕b6 ♔f5 57. ♕b7 ♕d4 58. ♕f7?!** [58. ♕h7!? ♔g5 59. ♖c2!±] **♔e4 59. ♕h7 ♕e3?⊕** [59... ♔f3! 60. ♖b3 ♔f2∞] **60. ♕c2! a4** [60... ♘d3 61. ♕e2 ♔f4 62. ♕g4+−; 60... e4 61. ♕f2+−] **61. ♖a2!+− ♕d7** [61... ♕d5 62. ♕c1! ♔e4 63. ♕b1! ♘d3 (63... ♔e3 64. ♕e1+−) 64. ♕h1 ♔d4 65. ♖a4; 61... a3 62. ♖a3 ♘d3 63. ♕g2! ♕c4! 64. ♕g1! ♔e4 (64... ♔e2 65. ♕g4) 65. ♕d1!! ♕b5 (65... ♘c5 66. ♕g4) 66. ♔g3! ♘c5 67. ♖a8! ♕b6 68. ♖d8!] **62. ♖a3 ♘d3 63. ♕c1! ♔e2** [63... ♔e4 64. ♕h1 ♔e3 (64... ♔f5 65. ♕f3 ♘f4 66. ♕g4) 65. ♕e1 ♔f3 (65... ♔f4 66. ♕d2) 66. ♕e5] **64. ♕g5** [64. ♖a2! ♔f3 65. ♕f1 ♔e4 66. ♕e2 ♔d4 67. ♕g4+−] **♕d5 65. ♕g2! ♕g2 66. ♔g2 e4 67. ♖a4 ♘e1** [67... e3 68. ♖a2 ♔d1 69. ♔f3 ♘c1 70. ♖a1 e2 71. ♖c1; 67... ♔e3 68. ♔g3] **68. ♔g3 e3 69. h4 ♔d2 70. ♖a2! ♔d3** [70... ♘c2 71. ♔f3 e2 72. ♖c2] **71. h5 ♘c2 72. ♖a8 e2 73. ♖d8 ♔e4 74. ♖e8 ♔f5** [74... ♔d3 75. ♖e2] **75. ♖e2 ♘d4 76. ♖d2   1 : 0   [Polugaevskij]**

516.   **E 18**

PLACHETKA 2470 − HOLMOV 2495
Bardejovské Kúpele 1991

1. ♘f3 ♘f6 2. c4 e6 3. g3 b6 4. ♗g2 ♗b7 5. 0−0 c5 6. ♘c3 ♗e7 7. b3 0−0 8. d4 ♘e4 9. ♗b2 ♗f6 10. ♕d3 N [10. ♕c2 − 15/513] **d5 11. cd5 ed5 12. ♖fd1 ♘a6 13.**

♖ac1 ♖e8 14. e3 ♕e7 [△ 15... ♘b4 16. ♕b1 (16. ♕f1 ♗a6) ♘f2!] **15. ♘e5! ♗e5?!** [15... cd4 16. ed4±] **16. de5 ♖ad8** [16... ♕e5? 17. ♘e4 ♕b2 18. ♘d6+−] **17. ♕b1!** [17. ♘e4?! de4 18. ♕c4 ♘b4! 19. ♗e4 ♗e4 20. ♕e4 ♘a2∓] **♘c3 18. ♗c3 ♘c7 19. f4±** [×d5] **♘e6 20. ♕b2 g6 21. ♕f2 h5 22. ♖d2 ♖d7 23. ♖cd1 ♖ed8 24. ♗b2 ♘g7 25. h3 ♕e6 26. ♔h2 ♘f5 27. ♗f3** [△ g4; 27. g4? hg4 28. hg4 ♘h6∓] **h4!? 28. g4 ♘g3 29. ♕g2 ♔f8 30. ♖f2!** [△ f5!→] **d4!□⇆ 31. ed4!** [31. ♗b7?! de3!∞] **♗f3 32. ♕f3 cd4 33. ♖fd2 ♕d5 34. ♕d5 ♖d5 35. ♖d4 ♖d4 36. ♖d4 ♖c8 37. ♖c4□ ♖c4** [37... ♖d8 38. ♖c2 ♖d3 39. ♗c3! △ ♗e1+−] **38. bc4 ♘e2!?** [38... ♘f1 39. ♔g1 (39. ♔g2 ♘e3 40. ♔f3 ♘c4 41. ♗c3 △ ♗e1+−) ♘d2 40. ♗a3 ♗e8 41. c5+−] **39. f5 gf5 40. gf5 ♘g3 41. f6 ♘f1 42. ♔g2! ♘e3 43. ♔f3 ♘c4 44. ♗d4 ♘a5** [44... ♔e8 45. ♔e4 ♔d7 46. ♔d5 △ ♗f2+−] **45. ♔e4 ♘c6 46. ♗c3 ♔e8 47. ♗e1 ♔d7 48. ♗h4 ♔e6 49. ♗g3+− ♘b8 50. h4 ♘d7 51. h5 ♘f8 52. ♗f2 ♘d7 53. ♗d4 ♘f8 54. ♗c3 ♘h7 55. ♔f4   1 : 0   [Plachetka]**

517.   **E 18**

P. KISS 2415 − ZAGREBEL'NYJ 2450
Gyula 1991

1. d4 ♘f6 2. c4 e6 3. ♘f3 b6 4. g3 ♗b7 5. ♗g2 ♗e7 6. ♘c3 ♘e4 7. ♗d2 ♗f6 8. 0−0 0−0 9. ♖c1 c5 10. d5 ed5 11. cd5 ♘d2 12. ♕d2 d6 13. ♘de4 ♗e7 14. f4 ♘d7 15. g4 a6 16. a4 b5 N [16... ♖b8?!] **17. ab5 ab5 18. ♘b5 ♕b6** [18... ♘f6!? 19. ♘f6 (19. ♘f2? ♕d7 20. ♘c3 ♘g4∓) ♗f6 20. g5! ♗a6! 21. gf6 ♗b5 22. fg7 ♖e8 23. ♖f2 ♗e3! (23... ♕f6? 24. e4±) 24. ♕d2 ♕e7∞] **19. ♘bc3 ♗a6 20. ♖b1 ♖fb8** [20... ♖ab8; 20... ♖fe8!?] **21. g5 f5 22. ♘g3** [△ 22. gf6 *a)* 22... ♘f6 23. ♕d2! (23. ♘g5? ♘g4!∓) ♘g4 24. ♔h1 c4 25. ♖f3±; *b)* 22... ♗f6 23. ♔h1± g6 23. h4?! [23. ♖f2?! c4!∓; 23. ♖e1 ♗f8!? (23... c4!? 24. ♔h1 ♘c5 △ 25. e4? ♘d3 26. ♖e2 ♘f2∓) 24. e4 fe4 25. ♘ge4 ♗g7⇆; 23. ♖f3!? c4 24. ♔h1 ♘c5 25. ♕c2 △ e4∞] **♗f8 24. h5 ♗g7 25. ♖e1 c4! 26. ♔h2**

26... ♘e5!! 27. fe5□ ♗e5 28. e3□ ♕d8! 29. ♕f3 [29. ♘e2?! ♕g5 30. ♘f4 ♕h4! 31. ♗h3 ♗f4! 32. ef4 ♖b3 33. ♖g1 ♖e8! 34. ♕f1 (34. ♕d4 ♖e2!−+) ♖ee3 35. ♕f2 ♖f3 36. ♕e1 ♖be3−+] **♕g5 30. ♗h3** [30. ♘e2 c3! 31. ♘c3 ♗d3! (31... gh5!? △ h4) 32. ♖bd1 ♗e4! 33. ♕f2 (33. ♘e4 fe4 34. ♕f2 ♖f8−+) ♕h4 34. ♗h3 ♖b2! 35. ♖e2 ♖e2 36. ♘e2 ♖a2 37. ♖e1 g5!!−+] **♖b3 31. ♖g1** [△ ♔h1] **♕h4! 32. ♘e2 ♖ab8 33. hg6 hg6 34. ♘f4?** [34. ♔g2□ *a)* 34... ♖b2?! 35. ♖b2 ♖b2 36. ♘f5! gf5 37. ♗f5! ♕f6 38. ♔h3 ♔f8 39. ♖g6 ♕h8 40. ♔g4!±→; *b)* 34... c3 *b1)* 35. ♘f5 gf5 *b11)* 36. ♔f1 ♔h8 37. ♗f5 ♗e2! 38. ♔e2 (38. ♕e2 ♖b2 39. ♖b2 cb2−+) ♖b2 39. ♖b2 ♖b2 40. ♔f1 c2 41. ♗c2 ♕c4!−+; *b12)* 36. ♗f5 ♗e2 37. ♕e2 ♖b2 38. ♖b2 ♖b2 39. ♔f3 (39. ♗c2 ♔f8! 40. ♔f1 ♖a2−+) ♔f8 40. ♕f1 (40. ♕e1 ♕h5 41. ♗g4 ♕f7 42. ♔e4 ♖b4 43. ♔d3 ♕d5−+) c2−+; *b2)* 35. ♗f5! ♗e2 (35... gf5? 36. ♕f5! ♗e2 37. ♕e6 ♔f8 38. ♖bf1+−) *b21)* 36. ♘e2 gf5 (36... ♖f8?! 37. ♔f1! △ 37... c2 38. ♖a1 ♖e3 39. ♗e6 ♔g7 40. ♖a7+−) 37. ♕f5! ♕h6□ 38. ♔f3 ♗g7⇆; *b22)* 36. ♗e6!? ♔h8 37. ♘e2 ♕h2 38. ♔f1 ♖b2 39. ♖c1! (39. ♖e1? ♖e2! 40. ♖e2□ ♖b1 41. ♖e1 ♖e1 42. ♔e1 ♕g1 43. ♔e2 ♔g7−+) ♖e2! 40. ♖g6!± △ 40... ♖e3? 41. ♕e3 ♖f8 42. ♔e1 ♕h4 43. ♔e2 ♕c4 44. ♕d3 ♖f2 45. ♔f2 ♕d3 46. ♖h1+−; *c)* 34... ♗c8!→ △ 35. ♘f5 ♗f5 36. ♗f5 gf5 37. ♔f1 (37. ♕f5? ♖e3!−+) ♗g7!∓] **♗f4!−+ 35. ♕f4 ♖b2 36. ♖b2 ♖b2 37. ♖g2 ♖g2 38. ♔g2 ♕f4 39. ef4 c3!**

0 : 1 **[Zagrebel'nyj]**

518. !N E 18

J. PINTÉR 2580 − A. SCHNEIDER 2390
Magyarország 1991

1. d4 ♘f6 2. c4 e6 3. ♘f3 b6 4. g3 ♗b7 5. ♗g2 ♗e7 6. ♘c3 0−0 7. 0−0 ♘e4 8. ♗d2 d5 9. cd5 ed5 10. ♖c1 ♘d7 11. ♗e3! N [11. ♕b3 − 36/635] **♘df6?!** [11... c5 12. ♘e4 de4 13. ♘d2 cd4 14. ♗d4 f5 (14... ♘f6 15. e3±) 15. ♕b3 ♔h8 16. ♖fd1⩲; 15. g4!?] **12. ♘e5! ♘c3 13. ♖c3 ♘e4 14. ♖c2 ♗d6 15. ♘d3 ♖e8 16. ♕c1 c6 17. ♗f4 ♖c8 18. ♖d1 ♕e7 19. ♗d6 ♕d6 20. ♕f4** [20. b4!] **♕f4?** [20... ♕e7!⩲] **21. ♘f4± a5 22. e3 g6 23. ♖dc1 ♔g7 24. h4 ♖cd8 25. b3!** [△ ♘d3-b2-a4] **h6 26. ♘d3 ♘g3??** [26... ♖d6 27. ♘b2 △ ♘a4±] **27. fg3 ♖e3 28. ♘e5+−** [28. ♘f4 ♖g3∞] **c5 29. ♖f2 f6 30. ♖f6 ♔f6 31. ♘g4 ♔e6 32. ♘e3 cd4 33. ♘c2 d3 34. ♘d4 ♔d6 35. ♖d1 ♔e5 36. ♖d3**

1 : 0 **[J. Pintér]**

519. E 20

KAPETANOVIĆ 2440 − SERPER 2490
Wien (open) 1991

1. d4 d5 2. ♘f3 ♘f6 3. c4 e6 4. ♘c3 ♗b4 5. cd5 ed5 6. g3 c6 7. ♗g2 0−0 8. 0−0 ♘bd7 9. a3 N [9. ♗f4 − 52/536] **♗d6 10. b4 a6 11. ♘e1 b5?! 12. e4! de4 13. ♕c2!?** [13. ♘e4 ♘e4 14. ♗e4 ♕b6! (14... ♗b7? 15. ♘d3±) 15. ♕c2 ♘f6 16. ♗c6 ♗h3 17. ♗a8 ♗f1$\overline{\overline{\infty}}$] **♗b7** [13... ♕b6 14. ♗e3↑] **14. ♘e4 ♘e4 15. ♗e4 ♘f6 16. ♗g2 a5 17. ♖b1 ab4 18. ab4 ♕b6 19. ♘d3?!** [19. ♗e3 ♘d5 20. ♘d3±] **♕d4□ 20. ♗e3** [20. ♗b2 ♕c4! 21. ♕c4 bc4 22. ♘e5=] **♕g4□** [20... ♕c4? 21. ♕c4 bc4 22. ♘c5±] **21. ♗c5 ♖ad8!** [21... ♖fd8 22. ♖a1!↑] **22. ♖fe1! ♕g6 23. ♖bc1** [23. ♕a2!] **h5!** [23... ♘d5? 24. ♗e4! ♕h5 25. ♗d6 ♖d6 26. ♗d5! ♖d5 (26... cd5 27. ♕c7 ♖h6 28. ♕b7 ♕h2 29. ♔f1+−; 26... ♕d5 27. ♘c5 ♗c8 28. ♖cd1 ♕f3 29. ♖d6 ♗h3 30. ♕e4+−) 27. ♘f4±] **24. ♕a2!⊕** [24. ♘e5? ♕c2 25. ♖c2 ♖fe8∓] **♘d5** [24... ♕d3? 25. ♖ed1 ♕d1 26. ♖d1 ♗c5 27. ♖d8 ♗f2 (27... ♖d8 28. bc5 ♖d1 29. ♗f1±) 28. ♕f2 ♖d8 29. ♕b6±] **25. ♘e5**

♕f6 26. ♕a7!□ ♗e5!□⊕ 27. ♗f8 ♗d4 28. ♗c5 ♕f2 29. ♔h1 ♘e3! 30. ♖g1 ♗c5 31. ♕c5 ♖d2 32. ♖ce1!□ ♖e2 33. ♖e2 ♕e2 34. ♕e7! ♕f2! 35. ♕b7 [35. ♗e4 f5 36. ♕e8 ♔h7 37. ♕h5 ♔g8= △ 38. ♕f3? ♘g4−+] ♘g2 36. ♕c6 [36. ♖g2=] ♘e3 37. ♕e8 ♔h7 38. ♕e4 f5 39. ♕f4 ♕d2 [39... ♕f4 40. gf4 ♘d5=] 40. h3 [40. ♕f3 ♘g4 41. ♕f5 g6 42. ♕f7 ♔h8=] ♕d5 41. ♔h2 ♕d2 42. ♔h1 ♕d5 43. ♔h2 1/2 : 1/2 [Kapetanović]

520. **!N** **E 20**

GUTMAN 2465 − ASEEV 2525
Wiesbaden 1991

1. d4 ♘f6 2. c4 e6 3. ♘c3 ♗b4 4. f3 [RR 4. ♘f3 c5 5. g3 ♘e4 6. ♕d3 d5 *a)* 7. ♘d2 N *a1)* 7... dc4 8. ♕c4 (8. ♕e4 cd4 9. ♘d1 ♘c6∓) ♘d2 9. ♗d2 ♕d4 10. ♕d4 cd4 11. ♘b5 ♗d2 12. ♔d2 ♘a6 13. ♗g2±; *a2)* 7... ♕f6 8. ♘ce4 de4 9. ♕e4 0−0 (9... cd4) 10. ♗g2 ♘c6!? 11. dc5 ♖d8 12. ♕c2 ♘d4 13. ♕d1 e5 14. e3 (14. 0−0 ♗g4∞) ♗h3! 15. 0−0 ♗g2 16. ♔g2 ♕c6 (Vilela 2430 − Lebredo 2255, La Habana 1991) 17. f3 ♘e6∞; *b)* 7. dc5 ♕f6! N (7... ♕a5 − 25/645) 8. cd5 ♘c3! (8... ed5 9. ♗d2 ♗c3 10. bc3 ♗e6 11. ♗e3 0−0 12. ♗g2 ♘d7 13. ♗d4 ♕e7 14. 0−0 ♘dc5 15. ♕e3 1/2 : 1/2 L. Valdés 2325 − Lebredo 2255, Cuba 1991) 9. a3 ♘d5 10. ab4 ♘b4 11. ♕b3 ♘8c6 12. ♗d2 a5 13. ♗g2 e5 14. 0−0 0−0= Vilela, Lebredo] **d5 5. a3 ♗e7 6. e4 c5 7. e5 ♘fd7 8. cd5 ed5 9. f4!? N** [9. ♘d5 − 49/(628)] **♘c6 10. ♘f3 cd4 11. ♘d4 0−0 12. ♗e3** [12. ♘d5? ♘de5 13. ♘e7 ♕e7 14. fe5 ♕h4−+; 12. ♗b5!?] **♘c5 13. ♗e2** [13. ♗b5∞] **♘e6!= 14. ♕d2 f6! 15. ♗f3?** [15. 0−0 fe5 16. fe5 ♘ed4 (16... ♘e5? 17. ♘f5) 17. ♗d4 ♖f1 18. ♖f1 ♗e6=] **fe5 16. ♘e6** [16. fe5 ♗h4!?∓↑] **♗e6 17. ♗d5 ♗d5 18. ♕d5** [18. ♘d5 ef4 19. ♗f4 ♗c5 20. 0-0-0 ♘d4−+] **♕d5 19. ♘d5 ef4 20. ♘f4?** [20. ♗f4 ♗c5 21. 0-0-0 ♖f4 22. ♘f4 ♗e3−+; 20. ♘e7 ♘e7 21. ♗c5∓] **♗h4 21. g3 ♖ae8 22. ♔d2** [22. 0−0 ♗f6∓] **♗f6 23. ♗c5 ♖f7 24. ♖ae1 ♘e5−+ 25. ♖e4 ♖c7 26. ♗d4 ♘f3 27. ♔e3 ♖e4 28. ♔e4 ♘d4 29. ♘d5 ♖c4** [29... ♖d7 30. ♖d1 ♘e6 31.

♘f6 gf6 32. ♖d7 ♘c5 33. ♔d5 ♘d7 34. ♔d6] **30. ♘f6 gf6 31. ♔d5 ♖a4 32. ♖f1 ♘c6⊕ 33. ♖f6 ♖d4 34. ♔c5 ♖d2 35. b4 ♘e5 36. ♖h6 ♘g4 37. ♖d6 b6 38. ♔c6 ♘e5** [38... ♖d6 39. ♔d6 ♘h2] **39. ♔c7 ♖d6 40. ♔d6 ♘c4 0 : 1 [Aseev]

521. **!N** **E 20**

ŠIROV 2610 − SAVON 2460
SSSR (ch) 1991

1. d4 ♘f6 2. c4 e6 3. ♘c3 ♗b4 4. f3 c5 5. d5 0−0 6. e4 d6 7. ♘e2 b5 8. ♘f4! N [8. de6 ♗e6 9. ♘f4 bc4 10. e5 de5 11. ♕d8 ♖d8 12. ♘e6 fe6 13. ♗c4 ♘d5 14. ♗g5 ♖d6 15. 0-0-0 ♗c3 16. bc3 ♘c6=] **e5 9. ♘e2 bc4 10. ♘g3∞ ♗a6 11. ♗g5 h6** [11... ♘bd7 12. ♘f5 ♕b6 13. ♕d2∞] **12. ♗e3 ♗c8?** [12... ♘bd7 13. ♘f5 ♘e8 14. ♕d2? h5! △ g6∓; 14. g4!∞] **13. ♗c4± ♘bd7 14. 0−0** [⌐ 14. ♖c1±] **♘b6 15. ♗e2 ♗c3 16. bc3 ♗d7 17. a4 ♖b8 18. a5 ♘a8** [18... ♘c8 19. ♕d2 ♘e7 (19... ♕e7 20. ♖fb1±) 20. f4 ef4 (20... ♘g6 21. f5! ♘e7 22. ♗h6 gh6 23. ♕h6 ♘c8 24. ♕g5 ♔h8 25. ♘h5+−) 21. ♗f4 ♘e8 22. e5! ♘g6 23. ed6±] **19. ♕d2 ♕e7 20. f4 ef4** [20... ♘g4? 21. ♗g4 ♗g4 22. f5+−; 20... ♘c7? 21. fe5 ♕e5 22. ♗f4 ♕e7 (22... ♘e4 23. ♕c2+−) 23. e5!+−; 20... ♖fe8 21. fe5 ♕e5 22. ♗h6! gh6 23. ♕h6 ♘e4 24. ♖f7! ♔f7 25. ♕h7+−; 20... ♖be8 21. ♖ab1! ef4 22. ♖f4+−] **21. ♖f4** [21. ♗f4 ♘h7!?] **♘c7 22. ♖af1 ♘ce8 23. ♕d3!!** [△ c4, ♗d2-c3; 23. ♕c2 ♕d8!?] **♖b3** [23... ♖b2 24. ♗c1 ♖a2 25. c4!±; 23... ♕d8 24. c4 ♕a5 25. ♗d2±] **24. ♗c1! ♕e5 25. ♕d1 ♖b7 26. ♕c2 ♘h7 27. a6?⊕** [27. ♗g4! ♗g4 (27... ♗b5 28. c4+−) 28. ♖g4+−] **♖b6 28. ♗g4?! ♗b5! 29. ♖f5** [29. c4 ♗a6∞] **♕e7 30. ♗e2 ♗d7 31. ♖5f4 ♘ef6** [31... ♕e5 32. ♗b2] **32. ♗b2 c4!? 33. ♗c4?** [33. ♗c1!±] **♘g4 34. ♗c1 ♕h4 35. ♖g4 ♕g4 36. ♗e3 ♗b5! 37. ♗b5 ♖b5 38. ♘f5?** [38. ♗a7 ♖a8 39. ♕d3! ♖a5 40. ♗d4 ♖5a6 41. h3 △ ♘f5±] **♘f6?** [38... ♘g5! 39. ♘d6 ♖a5 40. c4 ♖a6 41. c5 ♖d6! 42. cd6 ♕e4=] **39. ♖f4 ♕h5 40. ♖h4+− ♕h4 41. ♘h4 ♖e8 42. ♗a7 ♖e4 43. ♘f3 ♖a5 44. ♗d4 1 : 0 [Širov]

522. **E 20**

SAKAEV 2495 – LERNER 2540

SSSR (ch) 1991

1. d4 ♘f6 2. c4 e6 3. ♘c3 ♗b4 4. f3 c5 5. d5 ♘h5 6. g3 f5 7. e4 d6 N [7... 0–0 — 45/681] **8. de6** [8. ef5 ♗c3 9. bc3 ef5∞] **fe4** [8... ♗e6? 9. ef5 ♗f5 10. g4 ♕h4 11. ♔d2 ♕g5 12. ♔e2 ♕e7 13. ♔f2±] **9. f4 ♘f6** [9... g6!?] **10. f5** [10. ♗h3 ♕e7 (10... ♗c3!? 11. bc3 g6) 11. f5 g6 12. g4∞] **♘c6?!** [10... g6 11. ♗h3 (11. g4 h5 12. g5 ♘g4∓) gf5 12. ♗f5 ♗c3 13. bc3 ♕e7 14. ♗f4 ♗e6 15. ♗d6 ♕d7 16. ♗e6 ♕e6=] **11. a3?** [11. ♘e2! ♘e5 (11... g6 12. ♗h3 gf5 13. ♗f5 ♕e7 14. 0–0 ♗c3 15. ♘c3 ♗e6 16. ♗g5±) 12. ♕a4 ♔e7 13. ♗g2 ♘d3 14. ♔f1±] **♗c3 12. bc3 0–0** [12... g6!] **13. ♘h3 ♕a5 14. ♗b2?** [14. ♗d2 e3–+; 14. ♕d2□ ♘g4 (14... ♘e7 15. ♘f4 ♘f5 16. ♗h3∞) 15. ♗e2 e3 16. ♕d3 (16. ♕b2 ♘f2!) ♘ge5! (16... ♘ce5 17. ♕c2 ♘f2 18. ♘f2 ef2 19. ♔f1!∞) 17. ♕e3 ♖f5 18. ♘f4 ♘d4 19. 0–0 ♘e6∓] **♘d4∓ 15. g4 ♘f3 16. ♔e2 ♕a6 17. g5 ♗e6!** [17... ♕c4? 18. ♔f2 ♘g4 19. ♔g3+–; 17... ♘g4 18. ♕d5 ♖f5? 19. e7+–] **18. gf6** [18. fe6 ♕c4 19. ♔f2 ♘g4 20. ♔g3 ♕e6 21. ♘f4 ♖f4 22. ♔f4 ♖f8 23. ♔g3 ♕e5 24. ♔g4 ♕g5 25. ♔h3 ♖f4–+] **♗c4 19. ♔e3 ♖f6 20. ♘f4?** [20. ♕d5! ♗d5 21. ♗a6 ba6 22. c4 ♗c4 23. ♗f6 gf6 24. ♔e4 ♘d4∓] **♖f5–+ 21. ♘d5 ♖f7 22. ♗h3 ♖e8 23. ♖c1 ♕c6** [24. ♘f4 d5–+] **0 : 1** **[Lerner]**

523. **E 21**

DREEV 2610 – KISELËV 2510

SSSR (ch) 1991

1. d4 ♘f6 2. c4 e6 3. ♘f3 b6 4. ♘c3 ♗b4 5. ♕b3 c5 6. a3 ♗a5 7. ♗g5 h6 8. ♗h4 g5 9. ♗g3 g4 N [9... ♘e4 — 51/535] **10. ♘d2** [10. ♘e5 cd4 11. ♕c2 dc3 12. b4 d6∞] **cd4 11. ♘cb1** [△ ♕d3; 11. ♘b5!? *a)* 11... ♗d2 12. ♔d2 ♘e4 13. ♔e1 ♘a6 14. ♕d3 (14. ♘d4 ♕f6∞) ♘g3 *a1)* 15. ♕d4 ♘h1 16. ♘d6 (16. ♕h8? ♔e7 17. ♕h6 ♕g8∓) ♔e7 17. ♘f5 ef5 18. ♕e5=; *a2)* 15. ♕g3!?↑; *a3)* 15. hg3 ♕f6 16. ♕e4!±; *b)* 11... ♘e4 12. ♘c7 ♔f8 *b1)* 13. ♘a8 ♗d2 14. ♔d1 ♘c6 15. ♕d3 f5 16. f3 (16. ♘c7 ♕g5∓↑) ♘g3 17. hg3 ♗e3 18. fg4 ♘e5∓; *b2)* 13. ♕d3 ♗d2 14. ♔d1 ♗b7 15. ♘a8 ♗a8 16. ♕d4 ♖g8∓; *b3)* 13. 0-0-0!□ *b31)* 13... ♕g5 14. ♕d3 ♗d2 15. ♖d2 ♘d2 (15... ♘c5 16. ♕c2+–) 16. ♕d2 ♕d2 17. ♔d2 ♗b7 18. ♘a8 ♗a8 19. ♗b8+–; *b32)* 13... ♗d2 14. ♖d2 ♘d2 (14... ♕g5 15. ♕d3+–) 15. ♔d2 ♗b7 16. ♘a8 ♗a8 17. ♗d6 ♔g8! (17... ♔g7 18. ♗e5 f6 19. ♗d4 ♘c6 20. ♕g3! ♔h7□ 21. ♕g4 ♖g8 22. ♕h4 ♘d4 23. ♕d4 ♗g2=; 21. ♗c3!±⊕) 18. ♕g3 ♘c6 19. h3 (19. ♕g4 ♕g5∓) f5 (19... h5 20. hg4 ♕g5 21. ♗f4 ♕g4 22. ♖h5! ♕g3 23. ♖h8 ♔h8 24. ♗g3±⊕) 20. hg4 ♕g5 21. ♗f4 ♕g4 22. ♕g4 fg4 23. ♖h6 ♖h6 24. ♗h6 ♔h7=] **♘e4!** [11... ♘c6?! 12. ♗h4 ♕e7 13. ♕d3 △ b4⩱; 11... d6?! 12. ♕d3 ♗d2 13. ♘d2 e5 14. e3! de3 (14... ♘c6 15. ♗h4 △ ♘e4+–) 15. ♘e4! ef2 16. ♗f2 ♘bd7□ *a)* 17. ♗h4!? d5! (17... ♕e7 18. ♗e2 ♕e6 19. ♘d6±) 18. cd5⩱ ×f6; *b)* 17. ♘d6 ♔f8 18. ♖d1⩱ ⊕, ×↗h4-d8, ⇔f] **12. ♕d3 ♘g3** [12... ♘d2 13. ♘d2 ♗d2 14. ♕d2 ♘c6 15. h3!?⩱↑; 15. e3!?⩱↑] **13. ♕d4** [13. hg3 ♗d2 14. ♘d2 ♘c6∓; 13. ♕g3 ♗d2 14. ♘d2 f5∓] **♗d2 14. ♘d2 ♘h1□ 15. ♕h8 ♔e7 16. ♕h6**

16... ♗b7 [16... ♕g8 17. ♘e4 ♕g6 18. ♕g6 fg6 19. g3 ♗b7 20. ♗g2 ♘f2 21. ♔f2 ♘c6=; 16... ♕f8!? 17. ♕h4 (17. ♕f8 ♔f8 18. g3 ♗b7 19. e4 ♘c6 20. ♗g2 ♘f2 21. ♔f2 ♘e5∓; 17. ♕f4 f5∓) f6 18. ♕g4⩱] **17. ♕g5 ♔e8** [17... f6 18. ♕g7 ♔d6 19. ♖d1 ♔c7 20. ♕g4 △ ♘f3, g3⩱] **18. ♕g8 ♔e7 19. ♕g5 ♔e8 20. ♕g8 ♔e7** **1/2 : 1/2** **[Kiselëv, Gagarin]**

524. **E 25**

JAKOVIČ 2560 – SERPER 2490
SSSR (ch) 1991

1. d4 ♘f6 2. c4 e6 3. ♘c3 ♗b4 4. f3 d5 5. a3 ♗c3 6. bc3 c5 7. cd5 ♘d5 8. ♕d3 0–0 9. e4 ♘e7 10. a4!? N ♘bc6 [10... b6?! 11. dc5! bc5 12. ♕d8 ♖d8 13. ♗a3±⊞; 10... ♕a5!? 11. ♗d2! ♘bc6 △ 12. c4 ♘b4! 13. ♕b1 ♘ec6 14. d5 ♘d4∞; 10... cd4!? 11. cd4 b6 △ 12. ♗a3?! ♗a6 13. ♕e3 ♗f1 14. ♔f1 ♘bc6 △ ♘a5∓] **11. ♗a3 cd4 12. cd4 ♕c7?!** [12... f5!] **13. ♕c3! f5□ 14. ♗d3 fe4 15. ♗e4!** [15. fe4 ♕f4!∞] **♖d8 16. ♘e2 ♘d5 17. ♕d3** [17. ♕d2?! ♕a5!] **♘f6 18. 0–0 ♗d7 19. ♖ac1** [△ ♗e7] **♗e8 20. ♕e3** [△ 21. ♗c6 ♗c6 22. ♕e6] **♘e4??** [20... ♕d7! 21. ♗c6 bc6 △ ♘d5, ♗g6, ♖ab8±] **21. fe4+–** [⊞, ×»] **♗h5?** [21... ♗f7 22. ♖f2 △ ♖cf1→] **22. ♘f4 ♗f7** [△ e5] **23. d5! ed5 24. ed5 ♕e5□** [24... ♗d5? 25. ♘d5 ♖d5 26. ♕e6] **25. ♕f2! ♗d5 26. ♖c5 ♘e7 27. ♗b2! ♕f5 28. ♕g3 1 : 0** **[Serper]**

525.* **E 25**

ŠIROV 2610 – CHANDLER 2605
Hastings 1991/92

1. d4 ♘f6 2. c4 e6 3. ♘c3 ♗b4 4. f3 d5 5. a3 ♗c3 6. bc3 c5 7. cd5 ♘d5 8. ♕d3 0–0 9. e4 ♘e7 10. f4!? N [Henkin; 10. ♗e3 ♘bc6 11. ♘h3? N (11. dc5 — 52/543) ♕a5 12. ♔f2 ♖d8 13. ♗e2?! cd4 14. cd4 ♘d4! 15. ♗d4 ♕a4!∓ Širov 2610 – Budnikov 2525, SSSR (ch) 1991] **b6 11. ♕e3** [11. dc5?! bc5∓ ×e4] **♗a6 12. ♗a6 ♘a6 13. ♘f3** [×♘a6] **cd4 14. cd4 ♘c7 15. a4!?** [15. 0–0 f5=] **f5 16. ♗a3 fe4 17. ♕e4 ♕d5□ 18. ♕c2?!** [18. ♕d5 ♘cd5 19. g3 ♖fc8=] **♕a5!** [18... ♕d7?! 19. ♘g5 (19. 0–0? ♖f4) ♖f5 20. ♗e7 ♕e7 21. 0–0± (△ g4) ♕d6 22. ♖ac1! ♘d5 (22... ♕d4 23. ♔h1 ♘d5 24. ♕c8!!+–) 23. ♖ce1! ♘f4 24. ♘e6! ♖f6 25. ♘g5+–] **19. ♕d2?!** [19. ♔f2!? (Chandler) ♘cd5∞] **♕a4 20. 0–0 ♕e8** [⌓ 20... ♕d7 21. ♘e5 ♕e8∓] **21. ♖ae1** [×e6] **h6** [21... ♖f6 22. ♗d6! ♘cd5 23. ♗e5 ♖h6 24. g4=/∞]

22. d5!? [22. ♕b4!? ♖f7 23. ♘e5 ♘cd5∓] **♘ed5!** [22... ♘cd5? 23. ♖e6 ♕f7 24. ♖fe1 ♖fe8 (24... ♖ae8 25. ♗e7 ♘e7 26. ♕e2+–) 25. ♗e7 ♘e7 26. ♕a2! ♔f8 27. ♘e5+–] **23. ♗f8 ♕f8=/∞ 24. ♘d4 ♕d6 25. ♖c1?!** [25. f5!? e5 26. ♘f3 ♖e8 27. ♖e4! ♕f6! 28. g4 h5!∞ △ 29. h3 ♘f4] **♖f8** [25... a5 26. ♖c6 ♕d7 27. ♖fc1 a4 28. ♘f3! ♕e7 29. ♘d4 ♕d7 30. ♘f3=] **26. ♘c6! a5 27. ♘e5 ♖d8 28. ♖c6 ♕b4 29. ♕e1 ♕d4?⊕** [29... ♕e7∞] **30. ♔h1 ♘f4? 31. ♘f3+– ♕d3 32. ♖c7 ♘e2 33. ♕a1 1 : 0** **[Širov]**

526. **E 27**

AGREST 2480 – H. DOBOSZ 2410
Polska (ch) 1991

1. d4 ♘f6 2. c4 e6 3. ♘c3 ♗b4 4. a3 ♗c3 5. bc3 d6 6. f3 0–0?! [6... e5] **7. e4 e5 8. ♗g5 c5?! 9. d5 ♘bd7 10. ♗d3 N** [10. g4] **h6 11. ♗e3** [11. ♗h4?! ♖e8 12. ♘e2 ♘f8 △ ♘g6⇆] **♖e8 12. ♘e2 ♘f8 13. 0–0 ♘g6 14. ♕d2 ♔f8!? 15. ♘g3 ♔e7 16. ♖ab1 ♕c7 17. ♖b2 ♔d8 18. ♖fb1 ♖b8 19. ♗c2** [△ 20. ♗a4 ♗d7 21. ♗d7 △ ♘f5±] **♘e7 20. h4!○ ♗d7 21. ♖f1** [21. h5!?] **♘g6 22. h5 ♘f8 23. ♗d1** [△ f4] **♗c8□ 24. ♗e2 b6** [24... ♗d7 25. f4 ♘g4 (25... ef4 26. ♗f4 ♘e4 27. ♘e4 ♖e4 28. ♗h6! gh6 29. ♖f7+–) 26. ♗g4 ♗g4 27. f5 △ ♗h6+–; ⌓ 24... ♕e7±] **25. ♕c2 ♕e7 26. ♕b1** [△ a4-a5+–] **♔c7□ 27. ♗d1!** [×c6, f5] **♗d7□ 28. ♗c2!** [△ ♕d1, ♗a4] **♕d8 29. ♕d1 ♕c8 30. ♗a4 ♕a6 31. ♗d7 ♘8d7 32. ♕b3** [△ ♕a2, ♖b5, a4-a5+–] **♖h8□ 33. a4** [33.

♔f2! g6 34. ♖h1] **g6 34. hg6 fg6 35. ♕a2 h5 36. ♘h1!** [△ ♘f2-h3] **h4** [36... ♖bg8 37. ♖b5 g5 38. a5 ♕b7 39. ♘g3 △ ♘f5+−] **37. ♘f2 ♘h5 38. ♘h3 ♘g7** [×e6] **39. ♗g5!** [⁄⁄h4-d8] **♖h5 40. ♖b5+− ♕c8 41. a5 ♕e8 42. ♖b3 ♖b7 43. ♖fb1 ♖h7 44. ♕a4 ♘f8** [44... ♘f6 45. ab6 ab6 46. ♖b6! ♕a4 47. ♖b7 ♔d8□ 48. ♗f6 ♔e8 49. ♖b8 ♔f7 50. ♖1b7 ♔f6 51. ♖f8#] **45. ab6 ab6 46. ♖b6! 1 : 0**
[Agrest]

527. E 31

V. NEVEROV 2540 − OBUHOV 2265
Smolensk 1991

1. d4 ♘f6 2. c4 e6 3. ♘c3 ♗b4 4. ♗g5 h6 5. ♗h4 c5 6. d5 ♗c3 7. bc3 d6 8. e3 ed5 9. cd5 ♘bd7 10. ♗d3 ♕a5 11. ♘e2 ♘d5 12. 0−0 [12. ♗c4? ♘5b6 13. ♕d6 g5!−+; 12. ♗e4 ♘5f6∓] **♘c3** [12... 0−0 13. ♗h7 (13. ♕d2) ♔h7 14. ♕d5±↑ △ 15. ♕d6, 15. ♗e7] **13. ♘c3 ♕c3 14. ♖c1** [14. ♗f5 0−0 15. ♕d6 ♕e5 16. ♕d3 ♘f6∓; 14. ♗g3 d5! 15. ♗b5 (15. ♗d6 ♕f6∓⊂) 0−0 16. ♕d5 ♘f6 17. ♕f3 a6! 18. ♗a4 ♕b4 △ ♗g4] **♕a5 15. ♕g4 0−0 N** [15... g5] **16. ♕e4! g6 17. ♕f4 ♔g7** [17... ♕a2 18. ♕h6 ♕e6 19. e4! △ f4-f5, ♖f3→] **18. ♕d6 ♕a2!** [△ ♕e6] **19. ♗c4 ♕b2 20. f4!**

20... b5!□= 21. ♖b1 ♕c3 22. ♖fc1 [22. ♗d5? ♖b8∓ △ ♖b6; 22. ♗b5 ♕e3 23. ♗f2 ♕e6 24. ♕d3 a5! 25. ♖bd1 ♖a7∓] **♕e3?** [22... ♕a3! 23. ♖a1 ♕b2 24. ♖cb1 (24. ♗e1? b4) ♕c3 25. ♖c1 ♕b2 26. ♖cb1 ♕c3=] **23. ♗f2 ♕e8 24. ♖b5!** [24. ♗b5 ♕e6] **♘b6□ 25. ♖c5!** [25. ♗c5? ♘c4 26. ♕f8 ♕f8 27. ♗f8 ♔f8 28. ♖c4 ♗a6−+] **♘c4 26. ♗d4 ♔h7 27. ♖5c4 ♗e6 28. ♖c7 a5??** [28... ♖c8□ 29. ♕e5 (29. ♖c8 ♗c8 30. ♕f6 ♖g8 31. h3 ♕e6=) ♖g8 30. h3 (30. h4 ♖c7 31. ♖c7 ♗d5 32. ♕f6 ♕e6=) ♖c7 31. ♖c7 ♕d8 32. ♗a1 (32. ♖a7 ♕d5 33. ♕f6 ♕f5=) ♕d5 33. ♕c3 ♕b3 34. ♕f6 ♕b1 35. ♔h2 ♕f5 36. ♕d4 ♕d5 37. ♕c3 g5!] **29. ♖e7** [29... ♖c8 30. ♖e1 ♕d8 31. ♖1e6] **1 : 0**
[Obuhov]

528. !N E 31

BAREEV 2680 − CHANDLER 2605
Hastings 1991/92

1. d4 ♘f6 2. c4 e6 3. ♘c3 ♗b4 4. ♗g5 h6 5. ♗h4 c5 6. d5 d6 7. e3 ♗c3 8. bc3 ♕e7 9. ♘f3 ♘bd7 10. ♘d2 0−0 11. ♗e2 ♘e5 12. ♘e4! N [12. de6 − 51/544] **g5 13. ♘f6 ♕f6 14. ♗g3 ♘c4 15. 0−0 ed5** [15... ♘e5 16. f4; 15... b5 16. a4; 15... ♘b6!?] **16. ♕d5 ♗e6 17. ♕b7 ♖ab8** [17... ♘d2!?] **18. ♕a7 ♖b2 19. ♗c4! ♗c4 20. ♖fd1!±** [20. ♕a3 ♖fb8 21. ♖fd1 ♗e2! 22. ♖e1 (22. ♖d6? ♖b1 23. ♖d1 ♗d1 24. ♗b8 ♕b6−+) ♗d3∞] **♗e2 21. ♖e1!** [21. ♖d6 ♕c3 ×♖a1] **♗d3 22. ♕c7! c4!** [22... ♕c3 23. ♕d6 △ ♗e5, ♕h6+−; 22... ♖d8 23. e4+−] **23. ♕d6** [23. e4!? ♕c3 24. ♕d6±] **♖f2 24. e4 ♖d8 25. ♕c7** [25. e5 ♕d6 26. ed6 ♖d2 27. a4 f5±] **♖b2!** [25... ♖d2 26. e5+−]

26. a4! [26. ♖f1? ♗f1 27. ♖f1 ♕f1 28. ♔f1 ♖d1 29. ♗e1 ♖bb1 30. ♕g3 ♖d3!!=; 26. e5? ♕b6 27. ♕b6 ♖b6 28. a4 ♖a8=]

♖e8⊕ 27. e5 ♕g6 [27... ♕f5±] **28. ♕d6 ♖e6 29. ♕d5 h5!? 30. a5 h4 31. ♗f2 ♕f5** [31... h3 32. g4!] **32. ♕f3?** [32. ♕d4! ♖a6 (32... h3 33. a6+−) 33. h3±] **♖e5= 33. ♖e5 ♕e5 34. ♖e1 ♖b1! 35. ♖b1 ♗b1 36. ♕a8 ♔h7 37. ♕b7⊕** [37... ♕f5=] **1 : 0** **[Bareev]**

529. **E 31**

MURSHED 2510 – ADIANTO 2485

Penang 1991

1. d4 ♘f6 2. c4 e6 3. ♘c3 ♗b4 4. ♗g5 c5 5. d5 h6 6. ♗h4 d6 7. e3 ♗c3 8. bc3 e5 9. ♕c2 ♘bd7 10. ♘f3 ♕e7 11. ♘d2 g5 N [11... e4; 11... ♔d8] **12. ♗g3 b6?!** [12... e4] **13. ♗d3 ♔d8 14. 0-0-0! ♔c7 15. f4 ♘h5 16. ♕a4! ♗b7** [16... gf4 17. ef4 ef4 18. ♗h4!!±] **17. ♗f5 ♘g3 18. hg3 ♘f6 19. ♘f3! ef4 20. ef4 ♕e3 21. ♔b2** [21. ♔b1? ♕c3 △ ♕b4] **♕f2 22. ♔b3!** [22. ♖d2 ♕g3 23. ♖e1 ♖ae8 24. ♖de2 ♖e2 25. ♖e2 ♔b8=] **♕g2?** [22... ♖ae8] **23. ♖de1 ♖ae8 24. fg5! ♕f3** [24... ♖e1 25. ♖e1 ♕f3 26. ♖e7! ♔b8 27. ♖b7 ♔b7 28. ♕c6 ♔a6 (28... ♔b8 29. ♕d6 △ ♕f6) 29. ♗c8 ♖c8 30. ♕c8 ♔a5 31. ♕c6+−] **25. gf6 ♖e1 26. ♕d7 ♔b8 27. ♖e1 b5 28. ♖e8 ♖e8 29. ♕e8 ♔c7 30. ♕d7 ♔b6 31. ♕b5 ♔c7 32. ♕d7** **1 : 0** **[Murshed]**

& 31...Dd1+ = perpetual

530.* **E 32**

LAUTIER 2560 – R. LAU 2500

Polanica Zdrój 1991

1. d4 ♘f6 2. c4 e6 3. ♘c3 ♗b4 4. ♕c2 0–0 5. ♗g5 d6 6. e3 h6 [6... ♘bd7 – 48/(715)] **7. ♗h4 e5 8. ♘e2 ♖e8?! N** [8... c6 9. a3 ♗a5 10. de5 de5 11. b4 ♗c7 12. ♖d1 ♕e7 (12... ♘bd7?! 13. ♘e4 g5 14. ♘f6 ♕f6 15. ♗g3 △ ♘c3, h4±) 13. ♘e4 (13. ♘c1) g5 14. ♘f6 ♕f6 15. ♗g3 ♗f5 16. ♕b2 ♘d7 17. ♘c3⩲; 8... ed4 9. ♘d4⩲; RR 8... ♘bd7 9. 0-0-0!± ♗c3 (9... c6 10. g4→) 10. ♘c3 c6 11. g4 ♕e7 12. h3! ♖e8 13. ♗g2 ♘f8 (13... g5?! 14. ♗g3 e4 15. h4±) 14. f4! ♘g6 (14... ef4 15. ef4 ♕e3 16. ♔b1±; 14... g5 15. fg5 ♘6h7 16. ♘e4 hg5 17. ♗g3±)' 15. ♗f6 ♕f6 (15... gf6 16. de5! de5 17. f5 ♘f8 18. h4 ♘h7 19. ♗e4! ♗d7 20. g5 ♔g7 21. gh6 ♔h8 22. ♖hg1 ♖g8 23. ♕d2! ♖g1 24. ♖g1 ♖d8 25. ♖g7 ♕f8 26. ♕g2 ♗e8 27. ♗f3 a6 28. ♗h5 1 : 0 Bloh – Prohorov, corr. 1989/91) 16. ♘e4 ♕e7 17. de5! de5 18. f5 ♘f8 19. ♕f2± △ h4, g5 Bloh] **9. 0-0-0!± ♗c3** [9... ed4? 10. ♘d5+−; 9... g5 10. de5 ♖e5 11. ♗g3 ♖e8 12. a3±] **10. ♘c3 ♘bd7** [10... ed4 11. ed4 ♘bd7 12. ♗d3±] **11. de5** [11. ♗d3! c6 12. ♗f5 ♕c7 13. de5 de5 14. g4±; 14. ♖d2!?] **♖e5?** [11... de5 12. ♗d3 c6 13. ♗h7 ♔h8 14. ♗f5±; 11... ♘e5!⩲] **12. e4 b6?** [12... ♖e8 13. f4 g5!? 14. fg5 ♘g4 (14... ♘h7 15. ♘d5 hg5 16. ♗f2 ♘e5 17. ♗d4±) 15. ♕d2 ♘c5 16. h3 ♘e5 17. ♗f2! ♕g5 18. ♗e3 ♕g6 19. ♘d5 ♘e4 20. ♕c2±] **13. f4 ♖e6 14. g3 ♗b7 15. ♗h3 ♖e4□** [15... ♗e4? 16. ♘e4 ♖e4 17. ♗d7+−; 15... ♖e8? 16. ♖he1+− △ e5] **16. ♘e4 ♗e4 17. ♕e4 ♘e4 18. ♗d8 ♖d8 19. ♖hf1 a5 20. ♖de1** [⌓ 20. ♗f5 ♘dc5 21. ♖fe1 ♖e8 22. ♖d4 ♘f6 23. ♖e8 ♘e8 24. ♔c2 △ b3, a3, b4+−] **♘dc5 21. ♖e3 d5** [21... c6! 22. ♗f5 d5 23. cd5 cd5 24. ♖d1 ♘f6⇆] **22. cd5 ♖d5 23. ♗g2 f5 24. ♖d1 c6 25. ♗f1! ♔f8 26. ♗c4 ♖d1 27. ♔d1** [♖ 9/d] **♔e7 28. ♔c2 ♔f6 29. ♗f1** [29. ♗d3 ♔e6 30. ♗e4 fe4 △ ♔d5-d4, ♘d3⇆] **♔e6 30. ♖e1 ♔d6! 31. ♗g2 ♘f6 32. ♔d2 g6 33. ♗f3 ♔d7 34. ♖b1! ♘e6 35. b4 ab4 36. ♖b4 ♔c7 37. ♖c4 c5 38. ♖a4 ♘d4 39. ♗g2 g5 40. ♖a7 ♔d6 41. a4!+− gf4 42. gf4 ♘d7** [42... ♘e6 43. ♖f7 ♘h5 44. ♖b7! ♘hf4 45. ♖b6 ♔c7 46. ♖b7 ♔c8 47. ♗h1] **43. ♖a8 ♘e6 44. ♔e3 c4 45. ♖c8 ♘ec5** [45... ♘dc5 46. ♖c6 ♔e7 47. ♖b6 c3 (47... ♘a4 48. ♖b4) 48. ♖b4! c2 49. ♖c4] **46. ♔d4 ♘a4 47. ♔c4 ♘f6 48. ♖c6 ♔e7 49. ♗h3! ♘e4 50. ♔b4 ♘ac5 51. ♗f5 ♘a6 52. ♔b5** **1 : 0** **[Lautier]**

531. !N **E 32**

A. CHERNIN 2605 – OLL 2600

Pamplona 1991/92

1. d4 ♘f6 2. c4 e6 3. ♘f3 ♗b4 4. ♗d2 ♕e7 5. ♘c3 0–0 6. ♕c2 d6! 7. a3 ♗c3

8. ♗c3 ♘bd7 **9.** e3 e5 **10.** ♗e2 ed4! N [10... e4?!] **11.** ♘d4 [11. ♗d4 c5 12. ♗c3 b6] ♘c5 **12.** 0-0 ♘ce4 **13.** ♗e1 c5!= **14.** ♘b5 ♗f5 **15.** ♗d3 ♗g6 **16.** ♖d1 [16. f3 a6! (16... ♘g3 17. ♖f2!) 17. fe4 ab5 18. ♗h4∞] ♖fd8 **17.** ♕c1 d5 **18.** f3 [18. cd5 d5 19. f3 ♖d3 20. ♖d3 ♘g3→] a6! **19.** cd5 ab5 **20.** fe4 c4 [20... ♗e4 21. ♗h4 d5 22. ♗f6 gf6 23. ♗e4 ♕e4 24. d5 ♕d5 25. ♖f6 ♖d8=] **21.** ♗b4 ♕e8 **22.** ♗b1 ♘e4 **23.** ♖f4 ♘f6?! [23... ♕e5∞] **24.** ♖f6! ♗b1?! [24... gf6 25. e4∞] **25.** ♕b1 gf6 **26.** e4± ♕e5 **27.** ♗c3 ♕g5 **28.** ♖f1 ♖a6 [28... ♕e3 29. ♔h1 ♖e8 30. ♖f3 ♕e4 31. ♖g3 ♔f8 32. ♗b4+−] **29.** ♖f3 ♔h8 **30.** ♕f1 ♖dd6 **31.** ♖g3 ♕h6 **32.** h3 ♖d8 **33.** ♖f3 ♔g7 **34.** ♕f2 ♖e8 **35.** ♖g3 ♔h8 **36.** e5⊕ [36. ♖g4!+−] ♖g8 **37.** ♖f3 b4 **38.** ♗d4! ba3 **39.** ba3 ♖g6 **40.** d6 fe5 **41.** ♗e5 ♔g8 **42.** d7+− ♖a8 **43.** ♕d4 ♖d8 **44.** ♕d5 ♖e6 **45.** ♗c7   **1 : 0**
[A. Chernin]

532.   E 32

SEIRAWAN 2600 − SAX 2600
Wijk aan Zee 1992

1. d4 ♘f6 **2.** c4 e6 **3.** ♘c3 ♗b4 **4.** ♕c2 0-0 **5.** a3 ♗c3 **6.** ♕c3 d6 **7.** ♗g5 ♘bd7 **8.** f3 d5 **9.** e3 ♖e8 **10.** cd5 N [10. ♘h3 − 46/751] ed5 **11.** ♗h4!? [11. ♘e2! c6 12. ♗h4! ♘e4 13. ♗d8 ♘c3 14. ♘c3 ♖d8 15. ♗d3±; 15. b4±] ♕e7 **12.** ♗f2 c5! **13.** ♘e2 b6 **14.** ♘g3 cd4 **15.** ♕d4 ♘c5 **16.** ♖d1 ♗d7! **17.** b4 ♘e6 [17... ♗a4 18. bc5 ♗d1 19. ♕d1 ♕c5 20. ♗e2 ♕a3∞] **18.** ♕b2 ♗a4 **19.** ♖d2 ♖ac8 **20.** ♗e2 ♕d7?! [20... ♕c7 21. 0-0 ♕c3 22. ♖a1! ♕b2 23. ♖b2 ♖c3 24. ♘f1 ♖ec8 25. ♗e1 ♖3c7 (25... ♖3c6 26. ♗a6) 26. ♗g3±] **21.** 0-0 ♖c7 **22.** ♘f5 [22. ♘e4 ♗e4 23. fe4 ♕g5 24. ♖d5 ♕e7 25. ♗h4 ♘h3! Sax] ♖ec8 **23.** ♕e5? [23. ♗a6! ♖e8 24. ♗g3 ♖c6 25. ♗d3 △ ♗e5±] ♖c2 **24.** ♕c2 ♖c2 **25.** ♖e1 ♕c7 **26.** ♕c7 ♖c7 **27.** ♖a1? [27. ♗g3! ♖c3 28. ♖a1 △ ♗e5, ♘e7 ×d5] ♗c2⊕ **28.** g4?⊕ [28. ♘d6! ♗a4 29. ♗b5! ♗b3 30. ♗f1 ♗a4 31. ♘b5↑] g6 **29.** ♘d6 ♗a4 **30.** h4 ♖c3 **31.** ♗b5 ♗b3 **32.** ♗f1 d4? [32... ♗c4 33. ♘c4 dc4 34. ♗e1! ♖c2

(34... ♖e3 35. ♔f2) 35. ♖d1] **33.** ♘b5 ♖c2 **34.** ♘d4 ♘d4 **35.** ed4 ♗d5 **36.** ♗g2 ♖c3 **37.** g5? [37. ♗e1 ♖c2 (37... ♖d3?! 38. ♔f2±) 38. ♗h1! △ ♗g3-e5±] ♘h5 **38.** a4 ♘f4 **39.** ♗f1 ♖f3 **40.** ♖e1 ♘h3 **41.** ♗h3 ♖h3 **42.** ♖e8 ♔g7 **43.** ♗e1? [43. ♔f1 ♖h1 **44.** ♔f2 ♖h4 **45.** ♔g3! [45. ♖d8? ♖f4 46. ♔e3 ♖f5] ♖h1 [45... ♖e4 46. ♖e4 ♗e4 47. ♔f4 ♗c2 48. a5 f6 49. gf6 ♔f6 50. ♗h4 ♗e6 51. ab6 ab6 52. ♔g5=] **46.** ♖e5 ♖f1   **1/2 : 1/2**
[Seirawan]

533.   E 32

MAZ'YA − KODINEC
SSSR 1991

1. d4 ♘f6 **2.** c4 e6 **3.** ♘c3 ♗b4 **4.** ♕c2 0-0 **5.** a3 ♗c3 **6.** ♕c3 b6 **7.** ♘f3 ♗b7 **8.** b4 d6 **9.** ♗b2 ♘e4 **10.** ♕c2 ♘d7 **11.** e3 f5 **12.** ♗d3 ♕e8 **13.** 0-0 ♕h5 **14.** d5 N [14. ♗e2? − 33/667] e5!? **15.** ♗e4 fe4 **16.** ♕e4 [16. ♘d2?! ♘f6 17. ♘e4 ♘e4 18. ♕e4 ♕e2! a) 19. ♖ab1? ♖f4−+; b) 19. ♗c1 ♖f4 20. ♕b1 ♖c4 21. ♖a2 ♕h5 22. e4 (22. ♕d3 ♖h4 23. h3 ♗f8 24. e4 ♗c8 25. ♔h2 ♗h3! 26. gh3 ♖f3−+) ♕g6 23. f3 ♗d5∓; c) 19. ♗c3 ♖f4 20. ♕b1 ♖c4 21. ♖a2 ♕h5 22. ♕d3 ♖h4 23. h3 ♖f8 24. f3 ♕g5∓; d) 19. ♕b1 ♗a6! 20. b5 ♗c8 21. ♕a2 (21. ♕c1 ♗h3!) ♖f6 (21... ♗h3? 22. ♗e5!) 22. ♗c3 ♕h5→; e) 19. ♖a2 a5! (19... ♖f7 20. ♕b1 ♖af8 21. ♗e5 ♕c4 22. ♗g3 ♕d5 23. f3∞) 20. b5 ♗c8 21. ♕h4 ♗f5↑] ♘f6 **17.** ♕h4 [17. ♕c2?! ♘g4 (17... ♖f7!?) 18. h3 ♖f3! 19. gf3 (19. hg4 ♕g4 20. ♕e2 ♖af8∓; 19. ♕e4 ♘e3! 20. fe3 ♖ff8!∓) ♕h3 20. fg4 (20. ♖fc1? ♘h2!−+) ♕g4 21. ♔h2 ♕h4=] ♕g6 **18.** ♘e1 [18. ♖ac1? ♘e4! 19. ♔h1□ ♖f6 △ ♖af8, ♗c8∓↑»; 18. ♘g5 h6 19. ♘e6 ♖f7 20. f4 ♘d5! 21. cd5 (21. f5?! ♕f5 22. ♖f5 ♕f5 23. e4 ♕f6∓) ♗d5 22. ♘g5 hg5 23. ♕g5 ♕g5 24. fg5 ♖f1 25. ♖f1 ♗c4∓; 18. ♖ad1!? b5! 19. cb5 ♘d5 (19... ♗d5? 20. ♖d5! ♘d5 21. ♕c4 ♕f7 22. ♘g5 ♘b6 23. ♕f7 ♖f7 24. ♘f7 ♔f7 25. ♖c1±) 20. ♘e1 ♖f7 21. ♕c4 ♘b6 22. ♕b3±; 21... ♘f6!∞] ♖f7 [△ 18... b5] **19.** ♖d1 [19. b5!?] b5! **20.** f4

[20. cb5 ♗d5!?⩱; 20... ♖af8!?⩱] **bc4** [20... ♕e4!? 21. ♘f3!! ♕e3 22. ♔h1 ♕f4 23. ♕f4 ef4 24. ♘g5 (24. ♗f6 ♖f6 25. cb5 ♖e8∓) ♖e7 25. ♖f4 (25. ♗f6 gf6 26. ♘e6 bc4 27. ♘f4 ♖e5∓) ♖ae8! (25... bc4 26. ♗f6 gf6 27. ♘e4! f5 28. ♘c3! ♖ae8 29. h4 ♖e1 30. ♖e1 ♖e1 31. ♔h2 ♖c1 32. ♖c4 ♗d5 33. ♖c7 ♗e4 34. ♔g3! ♖c2 35. ♔f4 ♖f2 36. ♔e3 ♖g2 37. ♘e4 fe4 38. ♔e4± ×a7, ♔g8) 26. ♘e6! (26. ♗f6? ♖e1 27. ♖f1 ♖f1! 28. ♖f1 gf6 29. ♘e6 bc4 30. ♘c7 ♖e7 31. ♘b5 ♗d5∓) bc4 27. ♗f6 gf6 28. ♖g4! ♔h8 29. ♖c4 ♗d5 30. ♖d5 ♖e6 31. h3 c5!=; ⌓ 20... ♘g4 21. ♕g3 *a)* 21... ♕h5!? 22. ♘c2 bc4 (22... ef4 23. ♖f4 ×g7) 23. fe5 (23. h3? ♘f6 24. fe5 ♘e4!∓) ♘e5 24. ♗e5 de5 25. e4 ♖af8 26. ♘e3 c3!⇆; *b)* 21... ef4 22. ♖f4 ♖f4 (22... ♖af8 23. ♘d3! bc4 24. ♖g4 ♖f1 25. ♖f1 ♖f1 26. ♔f1 ♕d3 27. ♔f2 ♕d2=) 23. ef4 ♖e8↑] **21. fe5 ♘d5 22. ♖f7 ♕f7 23. ♕c4 ♘e3 24. ♕f7 ♔f7 25. ♖c1⩲ ♘d5** [25... ♖c8? 26. ♗d4±] **26. ♘f3 ♖e8 27. ♔f2 ♖e7 28. ♖c4 ♘b6 29. ♖f4 ♔g8 30. ed6 cd6 31. ♘d4?!** [31. ♗c1⩲] **♘c4= 32. ♗c1?⊕** [32. ♘f5 ♖e4 33. ♗c1 (33. ♘e7 ♖e7 34. ♖c4 ♗a6 35. ♖c2 d5=) ♖f4 34. ♗f4 ♘a3=] **♘e5! 33. ♘f5 ♘d3 34. ♔g3 ♖f7! 35. ♘d6 ♘f4 36. ♗f4** [36. ♘f7? ♘e2−+] **♖d7 37. ♘b7?** [37. a4!∓] **♖b7∓ 38. ♗e3 ♔f7 39. ♗c5 ♔e6 40. ♔f4** [40. a4!?] **♔d5 41. ♔e3 ♔c4 42. ♔e4 a5 43. ♗f8 a4 44. g4 ♖f7 45. ♗d6 ♖f2 46. h4 g6 47. ♔e3 ♖f1 48. ♗c7 ♖a1 49. ♔f4 ♖a3 50. ♔g5 ♖c3−+ 51. ♗e5 a3 52. b5 a2 53. b6 a1♕ 54. b7 ♕c1 55. ♗f4 h6 0 : 1** **[Kodinec]**

534. E 32

BAREEV 2680 − TIMMAN 2630

Tilburg (Interpolis) 1991

1. d4 ♘f6 2. c4 e6 3. ♘c3 ♗b4 4. ♕c2 0−0 5. a3 ♗c3 6. ♕c3 b6 7. ♘f3 ♗b7 8. e3 d6 9. b3 ♘bd7 10. ♗b2 ♘e4 N [10... a6 − 35/(631)] **11. ♕c2 f5 12. ♗d3 ♕e8 13. 0−0 ♕h5 14. d5!? ed5 15. ♘d4 ♘e5 16. ♗e2 ♕g6 17. f3 ♘c5 18. cd5 ♗d5 19. ♖ad1⩱ ♔h8** [19... c6!?] **20. b4 ♘cd7 21. ♔h1** [21. ♘b5 ♗c6 22. ♘d4=] **c6 22. b5 ♘c5** [22... c5 23. ♘f5±] **23. ♕b1 ♖ad8 24. ♗a1 cb5 25. ♗b5 ♗c4 26. ♘e2! ♗b5 27. ♕b5 ♕f7 28. ♘f4 ♘c4 29. ♘d5 ♘a3 30. ♕e2 b5 31. ♕b2 b4 32. ♘b4 ♘c4 33. ♕c3 ♘a4 34. ♕d4 ♘ab6 35. ♘d3 ♖de8 36. ♖fe1 ♖e7 37. ♘f4 ♖fe8 38. e4 fe4 39. ♖e4 ♖e4 40. fe4 ♔g8 41. ♘h5 ♘e5 42. ♘g3 ♘bc4 43. ♘f5 ♖d8 44. ♖c1** [△ 45. ♘g7 ♔g7 46. ♖c4] **♖d7 45. h3 h6 46. ♗c3 ♔h7 47. ♖a1 a5 48. ♔h2 ♕e6 49. ♕f2 ♕g6 50. ♕e2 d5 51. ♗e5 ♘e5 52. ♖a5= ♕f6 53. ♘g3 d4 54. ♕h5 g5?!** [54... d3? 55. ♖e5 g6 56. ♕g4+−; 54... ♘g6=] **55. ♘f5?!⊕** [55. ♕e8±] **♘f7 56. ♕f3 d3 57. e5?** [57. ♘e3=] **♘e5 58. ♕e4 ♘g6 59. ♘e3 d2 0 : 1** **[Timman]**

535. E 32

I. SOKOLOV 2570 − BELJAVSKIJ 2655

Beograd 1991

1. d4 ♘f6 2. c4 e6 3. ♘c3 ♗b4 4. ♕c2 0−0 5. a3 ♗c3 6. ♕c3 b6 7. ♘f3 ♗b7 8. ♗g5 c5 N 9. e3 [9. dc5 bc5 10. ♖d1? ♘e4] **d6** [9... h6 10. ♗h4 g5!? (10... d6 − 36/613) 11. ♗g3 ♘e4 12. ♕c2 f5∞] **10. dc5 bc5 11. ♘d2 a5 12. ♗d3 ♘bd7 13. 0−0 a4 14. ♖ad1 ♖a6 15. ♕c2 ♕a8 16. f3 h6?** [16... ♖b8 17. ♘b1 ♖b6 18. ♘c3 ♗c6⇆] **17. ♗h4 ♖b6 18. ♘b1 ♖b8 19. ♗g3!± e5 20. ♘c3 ♗c6 21. ♖f2 ♖8b7 22. ♗f5 ♕b8 23. ♖dd2** [23. ♘a4 ♖b3] **♖b3 24. ♕d1 ♘e8** [24... ♖b2? 25. ♖d6 ♖2b6? 26. ♗e5+−] **25. ♕c1** [25. ♗d7?! ♗d7 26. ♗e5 ♖b2 27. ♗d6 ♘d6 28. ♖d6 ♖b1 29. ♘b1 ♖b1 30. ♖d7 ♕b3 31. ♕b1 ♕b1 32. ♖f1 ♕b3∓] **g6 26. ♗d3** [26. ♗b1 ♘b6! 27. ♗a2 ♘c4 28. ♗b3 ♘d2 29. ♗f7 ♖f7 30. ♖d2 ♕b3⩲] **♘f8 27. ♗b1 ♘e6 28. ♗a2 ♖3b6 29. ♘d5 ♗d5 30. cd5 ♘6g7** [30... ♘6c7!?] **31. ♖fe2 ♕d8 32. ♖c2 ♘f6 33. ♗e1 ♕e8 34. ♗c3?** [34. ♗c4 ♖a7 35. e4!±] **♘f5!∞ 35. ♗c4 ♖a7 36. ♕e1** [36. e4 ♘d4 37. ♗d4 cd4 38. ♕h6∞] **h5 37. g3 ♖b8 38. ♖g2 ♕d8 39. ♖cd2 ♘h7 40. ♕e2 ♖e7 41. ♔h1 ♕f8 42. ♖d1 ♕h6! 43. ♖e1 h4!↑ 44. g4 h3 45. ♖f2 ♘h4 46. ♕c2** [46. ♕d2 ♘g2 47. ♖ee2 f5∓→] **♘g2 47. ♖ee2 ♖a7?** [47... ♘e3! 48. ♕d2 (48. ♕a4 ♕f4) ♕f4! 49. ♗a2 ♘g2 50. ♕c2

(△ ♖e4) ♘f6 51. ♗d2 ♕d4 52. ♗c3□ (52. ♗g5?? ♖b2!−+) ♘e3! 53. ♗d4 ♘c2 54. ♗c5 dc5 55. ♖c2 e4!∓↑]

48. f4!± ef4 49. ef4 ♕h4 [49... ♘f4? 50. g5! ♕g5 (50... ♕h4 51. ♖e4) 51. ♕d2+−] **50. g5! ♖aa8** [50... ♘g5? 51. ♗f6 ♘f4 52. ♗g5! (52. ♖e4? ♕f2! 53. ♕f2 ♘e4 54. ♕f4 ♘f6 55. ♕f6 ♖ab7 △ ♖b2→) ♕g5 53. ♕d2+−] **51. f5!+− ♘g5** [51... ♕c4 52. fg6] **52. fg6 f6 53. ♗f6 ♖e8 54. ♕f5** [54. ♕a4! ♕e4! (54... ♘e3 55. ♖e3) 55. ♖e4 ♘e4 56. ♕d7! ♘f2 57. ♔g1] **♘e3 55. ♖e3! ♖e3 56. ♗g5 ♕e4 57. ♕e4 ♖e4 58. ♗f1 ♖g4 59. ♗f6 ♖e8 60. ♗c3 1 : 0** **[I. Sokolov]**

536.* **E 32**

G. FLEAR 2515 − LEVITT 2465

Hastings II 1991/92

1. d4 ♘f6 2. c4 e6 3. ♘c3 ♗b4 4. ♕c2 0−0 5. a3 ♗c3 6. ♕c3 b6 7. ♗g5 ♗b7 8. ♘f3 [RR 8. f3 h6 9. ♗h4 d5 10. e3 ♘bd7 11. ♘h3 c5 12. cd5 ♘d5 13. ♗d8 ♘c3 14. ♗e7 ♖fe8 15. ♗h4 ♘d5 16. ♗b5 g5 17. ♗f2 ♖ed8 18. e4 ♘5f6 19. 0-0-0 ♖ac8 20. dc5 ♘c5 21. ♖d8 ♖d8 22. ♗c5 ♖c8 23. b4 bc5 24. ♔d2 cb4 25. ab4 ♘e4 26. fe4 ♗e4 27. ♘f2 ♖c2 (27... ♗g2 − 49/(661)) 28. ♔e3 ♗g2 29. ♖a1 f5 30. ♘d3 ♗d5 31. ♖a7 f4 32. ♔d4 f3 33. ♘e5!+− (△ ♖f7, ♗d3-h7, ♘g6#) f2 (33... ♖h2 34. ♗d3 ♖h4 35. ♔e3 ♖b4 36. ♖f7 ♖b3 37. ♔d2 ♖d3 38. ♔d3 g4 39. ♔e3; 33... ♖b2 34. ♔c5) 34. ♖f7! (34. ♗d3? ♖d2 35. ♖f7 ♗g2−+) ♗g2 35. ♔e3! ♖b2 36. ♗d3 f1♘ 37. ♔d4 ♖b4 38. ♔c3 ♗e4 39. ♔b4 ♗d3 40. ♖f2! ♗a6 41. ♔a5 Cosma, Dragomirescu] **d6 9. ♘d2 ♘bd7** [9... c5 N 10. f3 h6 11. ♗h4 cd4 12. ♕d4 e5 13. ♕d3 ♕e7 14. ♖d1 ♖d8 15. e4 ♘bd7 16. b4 a5 17. ♗f2 ab4 18. ab4 ♖a4 19. ♖b1 b5∓ Crouch 2365 − Kosten 2535, Hastings (open) 1991/92] **10. f3 c5 11. e4 ♖e8 N** [11... h6 − 52/(550)] **12. ♗e2** [⌓ 12. ♗d3] **♘d5!?** [12... ♘e4? 13. ♘e4; 12... e5! 13. de5 (13. d5 ♘d5) de5 △ ♘f8-e6-d4] **13. cd5** [13. ♗d8 ♘c3 14. bc3 ♖ad8∓] **♕g5 14. de6** [14. ♗b5 ♕g2 15. 0-0-0 cd4! (15... ♖e7 16. dc5 △ ♖dg1 ×g7) 16. ♕d4 ♖ec8 17. ♔b1 e5 18. ♕e3 ♕h3∓] **♕g2!?** [14... fe6 15. 0−0 ♘f6±; 14... ♖e6! 15. 0−0∞] **15. 0-0-0 ♕e2?!** [15... fe6 16. ♗b5 ♖e7 17. ♘c4∞̄ ×d6] **16. ed7 ♖ed8 17. dc5 ♖d7 18. ♘c4!** [△ ♖d2+−] **♕f2□** [18... d5 19. ♖d2 ♕c4 20. ♕c4 dc4 21. ♖d7+−] **19. ♖d6** [19. ♘d6 ♕c5 20. ♕c5 bc5=; 19. cd6 b5 20. ♕e3 ♕e3 21. ♘e3 ♖ad8=] **♖c7 20. ♖hd1 h5! 21. cb6 ab6 22. ♔b1 ♕h2?** [22... b5! 23. ♕e3 ♕h2 24. ♘b6 ♖e8∞] **23. ♕d4!± ♖ac8?!⊕** [23... b5 24. ♘b6 (24. ♘e3 ♗c8!?) ♖e8 25. ♘d7→ △ ♖g1, ♘f6] **24. ♘b6 ♕c2 25. ♔a2** [25. ♔a1 ♕d1 26. ♕d1 ♖c1∞̄] **♗a6 26. ♖g1 ♗c4 27. ♔a1 f6 28. ♖d8** [28. ♖f6 ♗f7 29. ♖c6] **♔h7 29. ♖c8 ♖c8 30. ♕d7+−** [30. ♘c8? ♕b3 31. ♔b1 ♗d3 32. ♔a1 ♗c4=] **♖g8 31. ♘c4 ♕c4 32. ♕f5 g6 33. ♕f6 ♕c2 34. e5 ♖a8** [34... ♕f5 35. ♕f5 gf5 36. ♖e1] **35. e6 ♕d3 36. ♕f7⊕** [36. e7] **♔h6 37. ♕f4 ♔h7 38. ♕f7 ♔h6 39. ♕e7?** [39. e7] **♕f3??** [39... ♕e3!±] **40. ♕g5 ♔g7 41. ♕g6 ♔f8 42. ♕g7 ♔e8 43. ♕d7 1 : 0** **[G. Flear]**

537. **E 32**

G. FLEAR 2515 − LËGKIJ 2420

Le Touquet 1991

1. d4 ♘f6 2. c4 e6 3. ♘c3 ♗b4 4. ♕c2 0−0 5. a3 ♗c3 6. ♕c3 b6 7. ♗g5 ♗b7 8. e3 d6 9. f3 ♘bd7 10. ♗d3 h6 11. ♗h4 e5 12. ♗f5?! ed4 13. ed4 [⌓ 13. ♕d4 ♘e5 14. 0-0-0!?∞] **♖e8 14. ♔d2?! N** [14. ♘e2 − 52/552] **c5! 15. ♗d7** [15. d5 ♘e5∓; 15. ♘e2 d5!∓] **♕d7 16. d5** [16.

♗f6 gf6 17. d5 b5!] **b5!** [16... ♘h7 (△ b5) 17. a4!=] **17. b3** [17. ♗f6 gf6 18. b3 (18. ♕f6 bc4 19. ♕h6 ♕f5∓) bc4 19. bc4 ♗a6 20. ♘h3 (20. ♘e2 ♕a4 21. ♖hc1 ♖ab8∓; 20. a4 ♖ab8 △ ♖b4∓) ♕a4 21. ♖hc1 ♖ab8∓] **bc4 18. bc4 ♕f5?!** [18... ♕a4! (△ ♘d5) 19. ♗f6 gf6 20. ♕c2 ♕c2 21. ♔c2 ♗a6∓] **19. ♗f6!□ ♕f4!** [19... gf6?! 20. ♘h3!∞ ×g5, f4] **20. ♔d1□** [20. ♔c2? ♖e3–+] **♖e3** [20... gf6 21. ♘e2 ♕e5 22. ♕e5 fe5 23. ♘g3∓] **21. ♘e2 ♖c3 22. ♘f4 gf6** [22... ♖c4 23. ♗e7 ♖f4 24. ♗d6 ♖d4∓] **23. ♖c1** [23. ♘h5 f5! 24. ♘g3 ♗c8 25. ♖e1 ♔f8 △ ♖c4∓] **♖a3 24. ♖e1 ♔f8 25. ♔d2 ♗a6?!** [25... f5∓] **26. ♘h5 ♖a4** [26... f5!? 27. ♘g3 ♗c8] **27. ♘f6 ♖c4 28. ♖c4 ♗c4 29. ♖e4! ♗b5 30. ♖g4 ♗e8!** [30... ♖d8 31. ♘h7 ♔e7 32. ♖e4 ♔d7 33. ♘f6 ♔c8 34. ♖e7=] **31. ♘h7 ♔e7 32. ♖e4 ♔d8 33. ♘f6 ♗d7 34. ♖h4** [34. ♘d7!? ♔d7∓] **♗f5! 35. ♖h6 ♔e7 36. ♘e4 ♗g6!** [36... ♗e4 37. fe4 a5 (37... ♖g8 38. g3 ♖b8 39. e5!=) 38. e5! de5 (38... ♖a6 39. e6) 39. ♖c6 a4 40. ♔c2=] **37. ♖h4** [37. h4 ♗e4! 38. fe4 ♖g8!∓; 37. g4 a5 38. h4 a4 39. ♔c2 a3 40. ♔b1∓] **♖b8!** [△ ♖b4] **38. ♘f2⊕** [38. ♘c3 ♖b2∓] **♖b2 39. ♔e3 a5** [39... ♗c2! 40. ♔d2 (40. ♖h8 a5 41. ♖a8 a4 42. ♘e4∓) ♗b3 41. ♔c3 ♖f2 42. ♔b3 ♖g2∓] **40. ♖a4 ♖b5 41. ♘e4!?** [41. ♔d2!?∓] **♖b3□∓ 42. ♔d2□** [42. ♔f2? ♖b4 43. ♖a5 ♗e4 44. fe4 ♖e4 △ ♖d4∓; 42. ♔f4?! f5] **♖b2** [42... f5!? 43. ♘c3 ♖b2 44. ♔e3 ♖b4! 45. ♖a5 f4∓] **43. ♔e3 ♗e4!? 44. fe4!** [♖ 7/h; 44. ♔e4?! ♖g2 45. ♖a5 ♖d2!∓; 44. ♖e4?! ♔f6 45. ♖f4 ♔e5 46. ♖f7 ♖g2∓] **♔f6!** [44... ♖g2 45. ♖a5 ♖h2 46. ♖a7 ♔f6 47. ♖d7! ♖h3 48. ♔f4 ♖h4 49. ♔e3=] **45. ♖a5?** [45. ♔f4!! ♖f2 46. ♔e3! (46. ♔g3? ♖f1!∓) ♖g2 47. ♖a5 ♖h2 (47... ♔e5 48. ♖a7=) 48. ♖a7 ♖h6 49. ♖d7 ♔g7 (△ ♖f6, ♔g6) 50. e5! de5 51. ♔e4=] **♔e5! 46. ♖a7 ♖b3 47. ♔f2 ♔e4 48. ♖f7** [48. g4 f6 49. ♖f7∓] **♖b2! 49. ♔g3 c4! 50. ♖c7 ♔d3 51. h4** [51. ♖c6 c3 52. ♖d6 ♖b5! 53. ♖c6 ♖d5 54. h4 c2 55. ♔h3 ♖d4 56. ♖c2 ♔c2∓] **c3–+ 52. h5 c2 53. h6 ♖b1 54. ♔f4** [54. h7 ♖h1 55. ♔g4 ♖h7] **c1♕ 55. ♖c1 ♖c1 56. g4 ♖f1 57. ♔g5 ♔e4 58. ♔g6 ♖g1** **0 : 1**
[Lëgkij]

538. **E 32**

M. SOROKIN 2510 – ATALIK 2435
Čeljabinsk 1991

1. d4 ♘f6 2. c4 e6 3. ♘c3 ♗b4 4. ♕c2 0–0 5. a3 ♗c3 6. ♕c3 b6 7. ♗g5 ♗b7 8. e3 d6 9. f3 h6 10. ♗h4 ♘bd7 11. ♗d3 c5 12. ♘e2 ♖c8 13. b4!? N [13. ♕d2 – 52/553] **d5** [13... cd4 14. ed4 d5 (14... ♗a6 15. ♕b3 d5 16. c5±; 14... b5 15. c5 e5 16. de5 ♘e5 17. ♗b5±) 15. c5 ♘e4 16. ♗d8 ♘c3 17. ♘c3 ♖fd8 18. ♘b5 ♗a6 19. ♔d2±] **14. dc5 bc5 15. b5 ♘b6?** [15... ♘e4! 16. ♗d8 ♘c3 17. ♗e7□ (17. ♗a5 ♘e5) ♖fe8 18. ♗d6 ♘a4!?=] **16. ♗f6 ♕f6 17. ♕f6 gf6 18. cd5 ♗d5** [18... ed5 19. ♘g3±; 18... ♘d5 19. ♔f2±] **19. ♘c3 ♗c4** [19... ♗b3!? △ c4, ♘a4⇆ ×b5] **20. ♗c4 ♘c4 21. ♔e2± ♖fd8 22. ♖hd1 f5** [22... ♖d1 23. ♖d1 ♘a3 24. ♖a1 ♘c4 25. ♖a7 ♖d8 26. ♖a4 ♘b6±] **23. a4 ♔f8 24. ♖ac1 ♘a5 25. ♖d8 ♖d8** [♖ 9/h] **26. ♘b1 ♖d5** [26... c4 27. ♖d1 ♖d1 28. ♔d1 ♔e7 29. ♔d2 ♔d6 30. ♔c3 ♔c5 31. ♘d2±] **27. ♘d2 f4?! 28. ef4 ♖d4 29. ♘e4** [29. g3 ♖a4 30. ♖c5 ♖a2⇆] **♖a4 30. ♖c5 ♘b3 31. ♖c8 ♔g7 32. ♔e3 ♘d4 33. ♘d6 ♖b4 34. ♖c7** [34. ♖c5! △ ♔d3, ♖c4+–] **♘b5 35. ♖f7 ♔g6 36. ♖e7 ♖b3 37. ♔f2 ♘d4 38. ♖a7 ♖b2 39. ♔e3 ♘c2?** [39... ♘c6! 40. ♖d7!□ (40. ♖a6 ♘b4⇆; 40. ♖c7 ♘b4⇆) ♖g2 41. ♘e8 ♖h2 42. ♖g7 ♔f5 (42... ♔h5?? 43. ♖g4 △ ♘f6#) 43. ♖f7 ♔g6 44. ♖f6 ♔h7 45. ♖e6±] **40. ♔d2 ♘b4 41. ♔c3 ♖b1 42. g3 ♘d5 43. ♔d4 ♘f6 44. ♘c4 ♖d1 45. ♔e3 ♘d5 46. ♔e2 ♖h1 47. ♘e5 ♔h5 48. ♘g4 ♔g6 49. ♔f2 ♖b1 50. ♘e5 ♔h5 51. ♔g2 ♖b2 52. ♔h3 ♘f4 53. gf4 ♖b7 54. ♘c6** **1 : 0**
[M. Sorokin]

539. **E 32**

HARLOV 2515 – SMAGIN 2535
Poliot – T. Petrosjan 1991

1. d4 ♘f6 2. c4 e6 3. ♘c3 ♗b4 4. ♕c2 0–0 5. a3 ♗c3 6. ♕c3 b6 7. ♗g5 ♗b7 8. ♘h3 h6 9. ♗h4 d6 10. f3 ♘bd7 11. ♘f2 N [11. e3 – 50/578] **♕e8 12. e3?!** [12. e4!] **♘h7! 13. ♗e2** [13. e4 f5 △ g5] **f5 14. ♘d3** [14. 0–0? g5 15. ♗g3 f4 16.

ef4 gf4 17. ♗h4 ♕h5–+] **c5 15. ♖g1 e5?!** [15... ♘hf6!?∞] **16. de5** [16. d5? b5⇆] **de5?!** [16... ♘e5! 17. ♘e5 de5 18. 0-0-0∞] **17. ♗g3!± e4 18. ♘e5 ♘df6 19. 0-0-0 ♕e6 20. f4** [20. ♘g6 ♖fd8 21. ♗e5 ♕f7∞] **♖fd8 21. ♗h4 g5?** [21... ♖d1 22. ♗d1±] **22. g4!→ ♖d1 23. ♗d1 ♖d8 24. gf5 ♕f5 25. fg5 hg5 26. ♗e2!** [26. ♗g4 ♘g4 27. ♘g4 ♖d6!] **♖e8 27. ♗g5! ♘g5 28. h4 ♘h7 29. ♘g4!+– ♖e6 30. hg5 ♘g5 31. ♖h1 ♔f8** [31... ♘f7 32. ♖f1] **32. ♖h5 ♕g6 33. ♕h8 ♔e7 34. ♘e5 ♕f5?⊕** [34... ♕f6 35. ♕b8] **35. ♕g7 1 : 0** **[Harlov]**

540. E 32

L. HANSEN 2510 – STEINBACHER 2360
Oostende 1991

1. d4 ♘f6 2. c4 e6 3. ♘c3 ♗b4 4. ♕c2 0–0 5. a3 ♗c3 6. ♕c3 b6 7. ♗g5 ♗b7 8. f3 d6 9. e4 e5!? N [9... c5 – 49/657] **10. de5** [10. d5 c6 11. ♘h3 (11. dc6 ♘c6 12. ♘h3 ♖c8∓↻) b5! (Steinbacher) 12. ♖d1 (12. cb5 cd5 13. ed5 ♘bd7!∓) bc4 13. ♕b4!? (13. ♗c4 cd5 14. ♗f6 ♕f6 15. ♗d5 ♗d5 16. ♖d5 ♘d7 17. 0–0 ♘b6=) ♗a6 *a)* 14. dc6 ♘c6 15. ♕d6 (15. ♕a4 ♕b6 16. ♗f6 gf6∓) ♕a5! 16. ♕d2 ♕d2 17. ♖d2 ♘d4∓; *b)* 14. ♗c4 c5 15. ♕a4 ♗c4 16. ♕c4 ♘bd7=; *c)* 14. ♗f6 ♕f6 15. dc6 ♘c6 16. ♕a4 ♗b7 17. ♗c4 ♘d4=] **de5 11. ♖d1** [11. ♕e5!? ♘c6 12. ♕f4 (12. ♕g3 ♕d4!⇆; 12. ♗f6 ♘e5 13. ♗d8 ♖ad8∞̄) ♕d4!? (12... ♘d4?! 13. 0-0-0!±) 13. ♗f6 (13. ♕d2?! ♘e4!?) gf6 14. ♕d2 ♖ad8! 15. ♕d4 ♘d4 16. 0-0-0 ♗a6!∞̄] **♕e7 12. ♘e2 ♘c6 13. ♘g3 ♘d4! 14. ♗d3** [14. ♘h5!? ♖fd8! (14... ♕e6?! 15. ♗f6 gf6 16. ♖d4!±) 15. ♗d3 ♖d6! 16. 0–0 (16. f4!? ♕e8∞) ♕f8∞] **♕e6** [14... h6⩲] **15. 0–0 ♘d7!?** [15... h6 16. ♗e3 c5⩲] **16. ♘f5! f6!?** [16... c5 17. ♘e7 (17. b4 f6 △ g6⇆) ♔h8 18. ♘d5⩲] **17. c5!** [17. ♗e3 c5 △ g6=] **♘c5?!** [17... fg5 18. ♗c4 ♗d5!? (18... ♔h8 19. ♗e6 ♘e2 20. ♔h1! ♘c3 21. ♖d7±) 19. ♘d4! (19. ♗d5 ♕d5!) ed4 20. ed5 dc3 (20... ♕f7 21. ♖d4+–; 20... ♕e3 21. ♕e3 de3 22. d6 ♔h8 23. dc7 ♘c5 24. b4±) 21. de6 ♘e5 22. ♗d5±; 17... ♔h8!? 18. ♗c4 (18. ♗e3!? bc5 19. b4!↑) ♕c6 (18... ♕e8 19. ♘d4 ed4 20. ♕d4±) 19. ♘d4 ed4 20. ♕d4 fg5 21. ♗d5! (21. ♕d7 ♕c5 22. ♕d4 ♕e7!=) ♕c5 22. ♗b7 ♖ad8 23. ♕c5 ♘c5 24. ♗d5 ♘d7 (24... ♘a4?! 25. ♖c1±) 25. ♖c1±] **18. ♗c4 ♔h8** [18... ♗d5!? 19. ♘d4 (19. ♖d4 ♗c4! 20. ♖c4 fg5 21. b4 a5!∞) ed4 20. ed5 ♕d6□ 21. ♖d4 (21. ♕d2!? fg5 22. ♕g5) fg5 22. b4 ♘d7 23. ♖e4 △ ♖e6±] **19. ♗e3± ♕e8⊕ 20. ♘d4 ed4 21. ♖d4 f5?! 22. ef5 ♖f5?** [22... ♘a4 23. ♕d2 ♘b2 24. ♗b3! △ ♖e1, ♖g4+–] **23. ♖g4⊕** [23... ♖f6 24. ♗h6+–; 23... ♕e7 24. ♖g7+–] **1 : 0** **[L. Hansen]**

541.* E 33

KRAMNIK 2490 – RAŠKOVSKIJ 2540
SSSR (ch) 1991

1. d4 ♘f6 2. c4 e6 3. ♘c3 ♗b4 4. ♕c2 ♘c6 5. ♘f3 d6 [5... 0–0 6. ♗d2 d5 7. e3 ♖e8 8. a3 ♗f8 9. ♗d3⩲] **6. ♗d2** [RR 6. a3 ♗c3 7. ♕c3 0–0 8. b4 e5 9. de5 ♘e4 10. ♕e3 f5 11. ♗b2 ♕e7 12. ed6 ♕d6 13. ♖c1 ♗e6 14. g3 ♖ad8 15. ♗h3! *a)* 15... ♗c4 16. ♗f5 ♘f6 (16... ♖f5 17. ♕e4 ♗e6 18. 0–0 ♖d5 19. ♖fe1+–) 17. ♕c3 b5 (17... ♗a6 18. b5 ♗b5 19. ♕b3 ♘d5 20. ♗h7+–) 18. 0–0 ♘e7 19. ♗d3 ♗d3 20. ♖fd1+– ♕e6 21. ♖d3 ♕e2?⊕ 22. ♕b3 ♘fd5 23. ♖e1 1 : 0 Baburin 2480 – Ma. Becker 2310, Berlin 1991; *b)* 15... ♔h8 16. 0–0 f4 17. ♕e4 ♗h3 18. ♖fe1± Baburin] **0–0 7. a3** [7. e4? e5 8. d5 ♘d4] **♗c3 8. ♗c3 a6?! N** [△ b5; 8... ♕e7 9. b4 (9. g3 – 49/665) e5 10. d5 (10. de5) ♘b8 11. e4⩲] **9. e4** [9. e3±] **e5!** [9... ♕e7 10. e5 de5 11. de5 ♘d7 12. ♗d3 h6 13. b4±] **10. de5** [⌓ 10. d5 ♘e7 (10... ♘d4 11. ♘d4 ed4 12. ♗d4 ♘e4 13. ♗d3±) 11. g3 △ 11... ♘g6 12. h4!±↑] **de5 11. ♘e5 ♘d4!** [11... ♘e5? 12. ♗e5 ♖e8 13. ♗f6 ♕f6 14. ♗d3±; 11... ♕e8 12. f4! (12. ♘c6 ♘e4 13. ♘e5 ♘c3 14. ♕c3 f6 15. c5±) ♘e5 13. ♗e5 ♘g4 14. ♗d4 (14. ♗c7!?) ♗f5 15. ♗d3 ♗e4 16. ♗e4 f5 17. 0-0-0 ♕e4 18. ♕e4 fe4 19. h3 ♘h6 20. ♗e5±] **12. ♕d3** [12. ♕d1?! c5 13. f3 ♖e8 *a)* 14. ♘d3? ♘e4! 15. fe4 ♖e4 16. ♔f2 (16. ♔d2 ♗g4∓) ♗g4 17. ♕b1 ♕g5 18.

♕c1 ♕f5 19. ♔g1 ♘b3∓; b) 14. ♗d4□
cd4 15. ♘d3 ♗e6⟐] c5 13. ♗d4 [13. f4
♘e4! 14. ♗d4 (14. ♕e4 ♗f5) ♕d4 15.
♕d4 cd4 16. ♗d3 ♘c5=] cd4 14. 0-0-0
b5!⟐ [14... ♗e6? 15. ♕d4 ♕a5 16. ♗d3
♖fd8 17. ♕c3 ♕c5 18. ♖d2 ♖d4 19.
♘f3+−] 15. ♕d4 ♕c7 16. c5 ♗b7! [16...
♗e6? 17. ♗d3 ♗b3 18. ♖d2 ♖fd8 19.
♕c3 ♖ac8 20. c6+−] 17. ♗d3 [17. f3?
♖ad8 18. ♕c3 ♖d1 19. ♔d1 ♗e4!→; 17.
♕d6 ♕d6 18. ♖d6 (18. cd6 ♘e4 19. ♘d3
♖ac8 20. ♔b1 ♖fd8∓) ♘e4 19. ♖b6 ♘f2
20. ♖g1 ♗e4↑] ♖ad8 18. ♕c3 ♗e4 19.
f4□ [19. ♖he1? ♖d5!] ♘d5 [19... ♗g2
20. ♖hg1 ♗e4∞] 20. ♕d4 ♗g2 [20...
♗d3 21. ♘d3±; 20... f5 21. ♗e4? ♘f4;
21. ♕f2±] 21. ♖hg1 f6 22. ♖g2 fe5 23.
♕e4! [23. ♕e5? ♕e5 24. fe5 ♘e3] ♕c5
24. ♔b1 ♘f6 25. ♕f5!? [25. ♕e5 ♕e5
26. fe5 ♘h5∞; 25... ♖d5=] ♕c6?⊕ [25...
♕d5!□ 26. ♕g5 (26. ♖gd2 ♖de8∓) g6 27.
fe5 ♘e4 28. ♕g4 ♕e5 (28... ♘f2 29. ♖f2
♖f2 30. ♗c4 ♕c4 31. ♖d8 ♔g7 32. ♖d7
♔g8 33. ♕c4 bc4 34. e6 ♖e2 35. e7 h5=)
29. ♖e2 ♖f4 (29... ♘f6 30. ♕g6; 29...
♘f2!? 30. ♗c4! ♘h8!) 30. ♗c4! ♔g7! 31.
♖d7! ♖d7 32. ♕d7 ♔h6∞] 26. ♖dg1+−
e4□ 27. ♖g7 ♔h8 28. ♕g5! [△ ♖h7] ♖d7
29. ♕h6 ♕c5 30. ♗e4 [30. ♕f6?? ♕g1]
♖ff7 31. ♕h7! 1 : 0 [Kramnik]

542.   E 38

LAU. KISS 2275 − STOICA 2435
România 1991

1. d4 ♘f6 2. c4 e6 3. ♘c3 ♗b4 4. ♕c2
c5 5. dc5 ♘a6 6. a3 ♗c3 7. ♕c3 ♘c5 8.
b4 ♘ce4 9. ♕d4 d5 10. c5 b6 11. f3 bc5
12. bc5 ♕a5 13. ♕b4 ♕c7 14. fe4 ♖b8
15. ♕a4 ♗d7 16. c6 0−0 17. ♗d2 ♗c6
18. ♕a5 ♕e5 19. ♗c3 ♕f4!? N [19...
♕e4 − 52/562] 20. ♗f6 [20. e5?! a) 20...
♘e4? 21. ♘f3 ♖b5 (21... ♕e3 22. ♗d4
♕b3 23. ♘d2!+−) 22. ♗d2!+−; b) 20...
♖b5! 21. ♕a7 ♖fb8→; 20. ed5 ♘e4 21.
♘f3 (21. ♕a7? ♗d5 22. ♕d4□ e5!−+;
21. ♘h3 ♕e3 22. ♗d2 ♕d4∞) ♖b5 22.
♕a7 ♖c5! (22... ♖fb8? 23. ♗b4!+−) 23.
♗d2 ♕f6 24. ♖b1 ♖d5∞; 20. ♘f3 ♘e4
21. ♗e5 ♕e3 22. ♗d4 (22. ♗b8? ♕f2
23. ♔d1 ♗a4!−+) ♕h6! (22... ♕b3? 23.

♘d2!±) 23. e3 ♖b3 △ ♖e3⟐; 20. ♘h3!
♕e4 (20... ♕h4? 21. ♘f2 ♘e4 22. g3+−)
a) 21. ♘f2 ♕g6! (21... ♖b1? 22. ♖b1
♕b1 23. ♘d1 ♘e4 24. ♗b4! ♕c2 25. e3
♖e8 26. ♗e2 e5 27. ♕a7 d4 28. 0−0!+−;
21... ♕f5?! 22. g3! ♘e4 23. ♘d1±) 22.
e3 ♖b3 △ e5, d4⟐; b) 21. ♗f6! b1) 21...
gf6? 22. ♘f2 ♖b1 23. ♖b1 ♕b1 24. ♘d1
d4 (24... e5 25. e3 d4 26. ♕d2! △
♗e2+−) 25. ♕c5! ♕e4 26. h4! △
♖h3+−; b2) 21... ♖b1! 22. ♖b1 ♕b1 23.
♔f2 ♕f5 24. ♔g1 ♕f6 25. ♕a7 (25. ♕c7
♕d4 26. ♘f2 ♗b5⟐; 25. ♕c5 e5 △ d4⟐;
25. ♘f2 e5 26. h4 d4⟐) d4 26. ♘f2 e5
27. e3! (27. h4 e4↑; 27. e4 ♕f4∞) ♖d8!?
(27... ♕g5?! 28. ed4 ♗g2 29. h4!+−; 27...
♖a8?! 28. ♕c5 de3 29. ♘g4!±; 27... ♕d6
28. ed4 ed4 29. ♘d3 ♖a8 30. ♕c5 ♕c5
31. ♘c5 ♖a3 32. h4!±) 28. ed4 ♖d4⟐]
♕f6 21. e5!? [21. ♖c1 de4 22. ♕c3 ♖b1!
23. ♕c6 (23. ♕f6 ♖c1 24. ♔d2 gf6 25.
♔c1 e3! △ ♗e4⟐) e3! 24. ♖b1 (24. ♘f3?
♕b2−+) ♕f2 25. ♔d1 ♕f1 26. ♔c2 ♕f5
27. ♔c1□ ♕f1 28. ♔c2 ♕f5=] ♕e5 22.
♖c1 ♕f4! [22... ♕d6? 23. ♕c5±] 23.
♕d2 [23. ♕c3?! ♖fc8 △ 24. e3 ♕h4 25.
g3 d4!∓] ♕d6⟐ 24. ♘f3 ♖fc8 [△ 25...
♕a3, 25... e5] 25. ♕d4?! [25. e3?! ♕a3
26. ♗e2 ♖b2∓; 25. ♘d4 e5 26. ♘c6 ♖c6
27. ♖c6 ♕c6↑; 25. ♖c3 e5 26. e3 ♖b1
27. ♔f2 ♖cb8↑; 25. ♕a5 ♕f4 26. ♕d2
♕d6=; 25. ♕e3!? a5 26. g3 a4∞] ♕a3
26. ♖a1 ♕d6 27. ♖a7 ♖b4! [27... ♖b1?!
28. ♔f2 ♖b4 29. ♕a1! △ e3±] 28. ♕d2
[28. ♕a1 ♕c5!→]

28... ♗a4!∓ [×♖a7; 28... ♕c5?! 29.
♖a1!∞] 29. e3 [29. ♕e3 d4∓] ♕b6 30.
♔f2!? [30. ♖a6? ♖b1 31. ♔f2 ♖f1 △

♕a6–+; 30. ♗d3? ♕a7 31. ♕b4 ♕e3–+; 30. ♖a4 ♖a4 31. ♗e2 ♖a1 32. ♗d1 ♖d1! 33. ♕d1 ♕e3 △ ♖c1–+] **♖b2 31. ♖a4 ♖d2 32. ♘d2 ♕b2 33. ♖d4□ ♖c2 34. ♔e1 ♕a1 35. ♔e2** [35. ♔f2 ♕d1–+] **♕a2!** [△ e5] **36. g3 e5 37. ♖d3 ♕a6!–+ 38. ♔d1** [38. ♔f2 d4! 39. ♗e2 (39. ed4 e4) de3 40. ♔e3 ♕h6 41. ♔f2 ♖d2 42. ♖d2 ♕d2 43. ♖d1 ♕a5!] **♖c5?!⊕** [38... ♖a2! 39. ♖d5 (39. ♘b3 ♕a4) ♖a1 40. ♔c2 ♕a2] **39. ♖b3! ♕a4 40. ♔e2 ♕g4! 41. ♔f2 h5! 42. ♗d3** [42. ♗e2 ♕h3 43. ♖d3 h4! △ 44. g4 e4 45. ♖d4 ♖c3 46. ♘f1 ♖c2 47. ♖d2 ♖d2 48. ♘d2 d4!] **e4 43. ♗b1** [43. ♗e2 ♕h3 △ ♖c2] **♕h3** [△ ♖c6-f6] **0 : 1** **[Stoica]**

543. !N **E 38**

VILELA 2430 – LEBREDO 2255
La Habana 1991

1. d4 ♘f6 2. c4 e6 3. ♘c3 ♗b4 4. ♕c2 c5 5. dc5 ♘a6 6. a3 ♗c3 7. ♕c3 ♘c5 8. b4 ♘ce4 9. ♕d4 d5 10. c5 b6 11. f3 bc5 12. bc5 0–0 13. fe4 ♘e4 14. ♘f3 ♖b8! N [14... f6] **15. e3 f6 16. ♗e2** [16. ♗d3? e5 17. ♕a4 ♘c5; 16. c6!?; 16. ♘d2!?] **e5 17. ♕d1 ♕a5 18. ♗d2 ♕c5 19. 0–0** [19. ♗b4 ♕e3 20. ♕d5 ♔h8→ ×♔e1] **♖b2!↑ 20. ♔h1** [20. ♗c1 ♘c3 21. ♗b2 ♕e3 22. ♖f2 ♘d1 23. ♖d1∞] **♘d2** [20... ♗e6!? △ 21. ♗b4 ♕e3 22. ♗f8 ♔f8∞] **21. ♘d2 ♗e6!** [21... ♕e3? 22. ♘c4!! ♕e2 (22... dc4 23. ♗c4 ♔h8 24. ♕d6! ♖e8 25. ♖f6! ♖f2 26. ♖f2 ♕f2 27. ♖f1+–) 23. ♘b2 ♕b2 24. ♕d5±] **22. ♕e1** [22. ♖f3? e4 23. ♖g3 ♕c2 24. ♕c2 ♖c2 25. ♖d1 ♖b8∓] **♕e3 23. ♗g4 ♕b6!** [23... ♕e1? 24. ♗e6 ♔h8 25. ♖ae1! ♖d2 26. ♖e5!+–; 23... ♕d2 24. ♗e6 ♔h8∞] **24. ♗e6 ♕e6∓ 25. ♖c1 ♕g4⊕ 26. ♖f2⊕** **1/2 : 1/2**
[Vilela, Lebredo]

544. **E 38**

ČEHOV 2525 – A. PETROSJAN 2505
Moskva (open) 1991

1. d4 ♘f6 2. c4 e6 3. ♘c3 ♗b4 4. ♕c2 c5 5. dc5 ♕c7 6. a3 ♗c5 7. b4 ♗e7 8. e4 a6 9. f4 d6 10. ♗d3 ♘bd7 11. ♘f3 ♘b6!? N [11... 0–0?! – 48/(748)] **12. ♕e2** [12. e5!?] **d5!? 13. ed5 ♘bd5 14. ♘d5 ed5 15. c5?** [15. 0–0!±] **b6!∓ 16. ♗e3 ♘e4 17. ♗d4?!** [17. ♘e5!? △ 17... bc5 18. ♗e4 de4 19. ♖c1] **bc5 18. ♗g7 ♖g8 19. ♗e5 ♕b6 20. ♖b1** [20. ♗e4 de4 21. ♕e4 ♗b7∓] **♗f5∓ 21. bc5 ♕a5! 22. ♔f1 ♕a3** [△ ♕d3] **23. ♗c2 ♕c5 24. ♖b2 ♕a3 25. ♕d1 ♖d8 26. ♖b7 ♖c8!–+ 27. ♘d4⊕ ♗g4 28. ♕e1 ♖c2 29. ♘c2 ♕d3 30. ♔g1 ♗c5⊕** [30... ♕c2] **31. ♘d4 ♗d4 32. ♗d4 ♕d4 33. ♔f1 ♕c4 34. ♔g1 ♕c5 35. ♔f1 ♖g6 36. h3 ♗c8 37. ♖b1 ♖g3 38. ♖c1 ♕b5 39. ♔g1 ♗d7 40. ♔h2 ♕b2 41. ♖g1 ♖h3#** **0 : 1**
[A. Petrosjan]

545. **E 39**

BAREEV 2680 – D. RAJKOVIĆ 2475
BRD 1991

1. d4 ♘f6 2. c4 e6 3. ♘c3 ♗b4 4. ♕c2 c5 5. dc5 0–0 6. a3 ♗c5 7. ♘f3 ♘c6 8. ♗g5 ♘d4 9. ♘d4 ♗d4 10. e3 ♕a5 11. ed4 ♕g5 12. ♕d2 ♕d2 13. ♔d2 b6 14. ♗d3 ♗b7 15. f3 ♖fc8 N [15... ♖fd8 – 48/751] **16. b4 ♗a6 17. c5 ♗d3 18. ♔d3 bc5** [18... d6!?] **19. dc5 d6 20. cd6 ♘e8** [20... ♖c6 21. ♖hd1! (21. ♘e4 ♘e4 22. ♔e4 ♖d6 23. ♖hd1 ♖b6! 24. ♖d7 a5 25. ba5 f5=) ♖d6 22. ♔c2 ♖c6 23. b5±] **21. ♘e4 ♖d8 22. ♖hd1 f5** [22... ♘d6 23. ♘d6 ♖d6 24. ♔c4 ♖c6 25. ♔b5±] **23. ♘c5 ♖d6 24. ♔c4 ♔f7?** [24... ♖ad8 25. ♖d6 ♖d6 26. ♖a2±] **25. ♖d6!+– ♘d6 26. ♔b3 g5 27. ♖d1 ♖d8 28. a4** [28. b5!?] **♘b7 29. ♖d7!** [29. ♖c1±; 29. ♖d8 ♘d8 30. ♔c4 ♔e7 31. b5 ♔d6±] **♖d7 30. ♘d7 ♔e7 31. ♘e5 a6** [31... ♔d6 32. ♘f7 ♔d5 33. ♘g5 h6 34. ♘f7 h5 35. a5 a6 36. f4] **32. ♔c4 f4 33. ♔d4 h5 34. a5 ♘d6 35. ♔c5 ♘f5 36. b5** **1 : 0** **[Bareev]**

546. **E 39**

M. GUREVIČ 2630
– BELJAVSKIJ 2655
Reggio Emilia 1991/92

1. d4 ♘f6 2. c4 e6 3. ♘c3 ♗b4 4. ♕c2 0–0 5. ♘f3 c5 6. dc5 ♘a6 7. g3 ♘c5 8.

♗g2 ♘fe4!? N 9. 0–0 ♗c3 [9... ♘c3?! 10. bc3 ♗a5 11. ♖d1±] **10. bc3 d6!** [△ ♗d7-a4; 10... ♕a5! 11. ♘d4! ♕c3 12. ♕c3 ♘c3 13. ♗a3 ♘3a4 14. ♘b5↑ △ ♘d6] **11. ♘d4** [11. ♘d2 ♘d2 12. ♕d2 ♕c7 13. ♖d1 ♖d8 14. ♕g5∞] **f5 12. ♘b3 ♗d7 13. ♘c5 ♘c5 14. ♗f4 e5** [14... ♗c6?! 15. ♗c6 bc6 16. ♖ad1 d5 (16... ♘b7? 17. ♗d6 ♘d6 18. c5±) 17. cd5 cd5 18. c4±] **15. ♗e3 e4** [15... ♗c6 16. ♗c6 bc6 17. ♖ad1 ♕e7 18. ♗c5 dc5 19. ♖d2 ♖ad8 20. ♖fd1±; 15... ♕c7!?] **16. f3 ♕c7! 17. ♕d2** [17. fe4? ♖ae8∓] **♗c6 18. ♖ad1 ♖ad8 19. ♗f4 ♕b6?!** [19... ♕f7! 20. ♗d6 ♗a4 21. ♗c5□ ♖d2 (21... ♗d1?! 22. ♗d4! ♗a4 23. fe4±) 22. ♖d2 ♖e8 23. fe4 ♕c4 24. ♗d4 fe4 25. e3 ♗c6 26. ♖df2∞] **20. ♔h1 ♖d7?!** [20... ♗a4 21. ♕d5 ♔h8 22. ♖d2±; 20... ♖f7!? 21. ♕d4!? (21. ♗d6? ♗a4∓) ♖fd7 22. ♗h3! g6 23. g4 ♘e6 24. ♕b6 ab6 25. ♗e3 ♖f8 26. gf5 gf5 27. f4±] **21. ♗d6 ♕d8** [21... ♖fd8 22. ♕f4 (△ ♗c5) ♕a6 23. ♕f5 ♕c4 24. fe4 h6 25. ♖d4 ♕c3 26. ♗e5!±] **22. ♕d4!?** [22. ♕f4 ♖f6 23. ♗c5 ♖d1 24. ♗d4 ♖f1 25. ♗f1 ♖f7∞] **♘e6** [22... b6 23. ♗c5! (23. ♗f8 ♖d4 24. cd4 ♕f8 25. dc5 ♕c5 26. fe4 ♕c4∞) ♖d4 (23... bc5 24. ♕g1 ♖d2 25. ♖d2 ♕d2 26. ♕c5±) 24. ♖d4 bc5 (24... ♕e8 25. ♗f8±) 25. ♖d8 ♖d8 26. fe4 ♗e4 (26... fe4 27. ♔g1 ♖d2 28. ♗h3! g6 29. ♗e6 ♔g7 30. ♖f7 ♔h6 31. ♖c7 ♗a4 32. h4!+–) 27. ♗e4 fe4 28. ♖f4±] **23. ♕e5 ♖e8 24. fe4 ♘g5 25. ♕f5 ♘e4** [25... ♖d6 26. ♖d6 ♕d6 27. ♕g5±; 25... ♗e4 26. ♗e4 ♘e4 27. ♗e5!±; 25... ♖f7 26. ♗f4!±]

26. ♗e5!± g6 27. ♖d7 gf5 [27... ♕d7 28. ♕d7 ♗d7 29. ♗e4 ♖e5 30. ♗d5 ♔h8 31. ♖f8 ♔g7 32. ♖f7 ♔h6 33. ♖d7+–] **28. ♖d8 ♖d8 29. ♗d4 ♖f8 30. ♔g1** [30. ♗a7?! ♖a8 31. ♗d4 ♖a2±] **h5 31. ♗h3 ♗d7 32. ♖f4 ♖f7 33. ♗g2 ♗c6 34. ♖h4 ♖h7 35. ♗f3 ♗e8 36. ♗a7 ♔g7 37. ♗d4 ♔g6 38. ♖e4 1 : 0 [M. Gurevič]**

547.** **E 39**

KORTCHNOI 2610 – TIMMAN 2630
Tilburg (Interpolis) 1991

1. d4 ♘f6 2. c4 e6 3. ♘c3 ♗b4 4. ♕c2 0–0 5. ♘f3 c5 6. dc5 ♘a6 7. g3 ♘c5 8. ♗g2 ♘ce4 9. ♗d2 [RR 9. 0–0 ♘c3 10. bc3 ♗e7 11. e4 d6 12. e5 de5 13. ♘e5 ♕c7 14. ♕e2 ♘d7 15. ♗f4 ♘e5 16. ♗e5 ♗d6 17. ♗d6 ♕d6 18. ♖ab1 ♖b8 19. ♖fd1 ♕c7 20. ♕e3 b6 21. c5 ♗d7 22. cb6 ab6 23. ♕d4 N (23. ♖b4 – 48/752) ♗c6 24. ♕d6 ♕d6 25. ♖d6 ♗g2 26. ♔g2 b5 27. ♖c6 g6 28. ♖c5 ♖a8 29. ♖bb5 ♖a2 30. ♖c7 ♖aa8 31. ♖bb7 ♖ac8 32. h4 ♖c7 33. ♖c7 ♖d8= Bareev 2680 – Kortchnoi 2610, Tilburg (Interpolis) 1991] **♘d2 10. ♘d2 a6** [RR 10... d5 11. cd5?! N (11. 0–0 – 52/569) ed5 12. 0–0 ♗g4 13. ♕d3 ♗c3 14. bc3 ♖c8 15. ♖ab1 b6 16. h3 ♗h5? 17. f4! h6 18. f5 (18. g4 ♗g6 19. f5±) ♕c7 19. ♖b4! (19. g4? ♗g4 20. hg4 ♘g4∞) ♘e4 (B. Finegold 2455 – Winants 2500, Belgique 1991) 20. ♘e4! de4 21. ♗e4 f6 22. ♗d5!±; 16... ♗e6= B. Finegold] **11. 0–0 ♕c7 12. ♘ce4 N** [12. ♖fc1 – 52/568] **♘e4 13. ♘e4 f5 14. ♕b3** [14. a3!? ♗e7 15. ♘d2] **♗e7 15. ♘c3 ♖b8 16. ♖ad1?** [16. ♖fd1] **♗f6 17. ♖d3 b5!∓ 18. cb5 ab5 19. ♘b5 ♕e5 20. a4 ♕e2 21. ♖b1 f4 22. ♗f3 ♕e5 23. g4 ♖d8** [⌓ 23... d5] **24. ♕d1 d5 25. ♘d4 ♕d6 26. b4 ♗d4?** [26... ♗d7 27. b5 ♖dc8∓] **27. ♖d4 ♗b7 28. b5 e5 29. ♖d2 ♕e6 30. ♗e4!□** [30. ♖b4 ♕e7! △ e4∓] **d4 31. ♗b7 ♖b7 32. a5 e4 33. a6 e3 34. fe3 ♕e3?** [34... fe3±] **35. ♖f2 ♖b6 36. ♖b3 ♕e4 37. ♕f3 ♕f3 38. ♖ff3 g5 39. ♖fd3 ♔f7 40. ♖b4 ♔e6 41. ♔f2 ♖db8 42. ♖dd4 ♖b5 43. ♖b5 ♖b5** [♖ 7/h] **44. ♖a4 ♖b8 45. ♔f3 ♖a8 46. a7 ♔f6 47. ♔e4 ♔g6 48. h4 h6**

49. hg5 hg5 50. ♖a5!+− ♔h6 [50... ♔f6 51. ♔d5 f3 52. ♔c6] **51. ♖a1 ♔g6 52. ♔d5 f3 53. ♔c6 ♔f6 54. ♖a5 1 : 0**
[Timman]

548.* **E 41**

V. NEVEROV 2540 − GAGARIN 2410
Smolensk 1991

1. d4 ♘f6 2. c4 e6 3. ♘c3 ♗b4 4. e3 c5 5. ♗d3 ♘c6 6. ♘f3 ♗c3 7. bc3 d6 8. 0−0 e5 9. ♘d2 [9. d5 ♘e7 10. ♕c2 0−0 11. ♘e1 h6!? N (11... ♖e8 12. e4±; 11... ♕e8) 12. g3 ♗h3 13. ♘g2 ♘d7 14. f4 f5 15. ♗d2?! e4 16. ♗e2 ♘f6 17. ♖fb1 b6∓ 18. a4 ♖c8! 19. a5?! ba5 20. ♕a2 ♖c7 21. ♕a5 ♗g4∓ Nikolaev 2430 − Kiselëv 2510, Podol'sk 1991; 15. e4=] **0−0 10. ♖e1 h6 11. d5 ♘e7 12. ♕c2 N** [12. e4 − 48/753] **♘e8 13. e4** [13. f4 ef4 (13... f5!?) 14. ef4 f5=] **f5 14. ef5 ♗f5 15. ♘e4 ♕d7** [15... ♘f6? 16. ♘c5 ♗d3 17. ♘d3± △ 18. c5, 18. f4] **16. ♖b1!** [16. f4? ♘g6 17. fe5 ♘e5 18. ♘c5 ♗d3 19. ♘d3 ♕f5∓] **b6 17. ♖b2 ♘f6 18. ♘g3 ♗d3 19. ♕d3 ♘h7 20. ♖be2 ♖f7** [20... g5!? 21. ♘e4 △ h4, △ g3, f4] **21. f4!±** [×e6, d6] **ef4 22. ♗f4 ♖af8 23. ♖e6 ♘c8 24. ♗d2 ♕d8** [△ ⇆»] **25. ♘e4 ♕h4 26. h3 ♘f6! 27. ♘d6?⊕** [27. ♘f6 ♖f6 28. ♖f6 ♕f6± ×d6] **♘d6 28. ♖d6 ♘h5−+→» 29. ♖de6** [29. ♖g6 ♘f4! 30. ♖e4□ ♘h3!; 29. ♕e2 ♕g3! 30. ♖e6□ ♖f2 31. ♕e4 ♘f6; 29. ♕e3 ♖f3! 30. ♕e6 (30. gf3 ♕g3 31. ♔h1 ♕h3 32. ♔g1 ♕g3 33. ♔h1 ♘f4!) ♔h8 31. ♗h6 ♕f2! 32. ♔h1 ♕g3!; 29. ♖e4 ♕f2 30. ♔h2 ♖f3; 29. ♔h2 ♖f3! △ ♖h3; 29. ♔h1 ♕f2 △ 30... ♖f3, 30... ♘g3] **♕f2 30. ♔h2** [30. ♔h1 ♖f3!] **♖f3! 31. ♖6e3** [31. ♕e2 ♖h3!; 31. ♕g6 ♖g3] **♘f4 32. ♕f1 ♕f1?!⊕** [32... ♕g3] **0 : 1** **[Kiselëv, Gagarin]**

549.* **E 41**

VOLKE 2425 − JUDASIN 2595
Podol'sk 1991

1. d4 ♘f6 2. c4 e6 3. ♘c3 ♗b4 4. e3 c5 5. ♗d3 ♘c6 6. ♘f3 ♗c3 7. bc3 d6 8. 0−0 e5 9. ♕c2 [9. d5 e4!? 10. dc6 ed3!? (10... bc6±) 11. cb7 ♗b7⩱] **h6 10. d5** [10. ♘d2 cd4!?∞] **♘e7 11. ♘d2** [11. ♘e1 0−0 12. f4 ef4 13. ef4 b5!∞] **0−0 12. h3 N** [12. f4?! ♘g4 13. ♖e1 (13. ♖f3 f5 14. e4 ef4 15. ef5 ♘e5∓) f5 14. h3 ♘f6 15. fe5 de5 16. e4 f4∓; 12. ♖b1 − 33/671] **♗d7!?** [12... ♘d7!? 13. f4 (13. ♘e4 ♘b6 △ f5∓) ef4 14. ef4 f5=; RR 12... ♘e8 13. f4 *a)* 13... f5 14. e4 ef4 15. ef5 (15. ♖f4? ♘g6 △ f4) ♗f5 16. ♖f4 ♕d7 *a1)* 17. ♗b2? g5 18. ♖f2 ♘g7 19. ♖af1 ♗d3 20. ♕d3 ♖f2 21. ♖f2 ♖f8 22. ♖f8 ♔f8 (△ ♕f5) 23. g4!= Volke 2425 − Kiselëv 2510, Podol'sk 1991; *a2)* 17. g4! ♗d3 18. ♖f8 ♔f8 19. ♕d3 ♔g8 20. ♘f3 △ ♗f4±; *b)* 13... ef4!? 14. ef4 f5 △ ♘f6= Kiselëv, Gagarin] **13. f4 ef4 14. ef4** [14. ♖f4 ♗e8! △ ♘g6, ♘d7∓ ×e5] **♔h8!? 15. ♘f3?!** [15. ♘e4 ♘e4 16. ♗e4 ♘g8⇆; 15. f5! b5! 16. ♘e4! bc4 17. ♗c4 ♘e4 18. ♕e4 ♘g8⇆] **b5! 16. cb5 a6!** [16... ♘ed5 17. c4 ♘b4 18. ♕d2= △ ♗b2 ⫽a1-h8] **17. ba6?!** [17. b6?! ♘ed5 18. b7 ♖a7∓; 17. c4!? ab5 18. ♗b2 (18. cb5 ♘ed5∓) bc4 19. ♗c4 ♘ed5 20. ♗d5! ♘d5 21. ♖fd1 (21. ♕d2 ♗c6 22. f5 ♔g8 △ 23... ♖a4, 23... ♕a5∓) ♗c6∓] **♘ed5∓↑ 18. ♗d2** [18. ♔h2!?] **♕c7! 19. ♖fe1** [19. c4 ♘b4 20. ♗b4 cb4 △ ♕c5, ♖a6↑] **c4! 20. ♗f5?!** [20. ♗e4 ♖a6∓↑« ×a2, c3, f4; 20. ♗f1∓ ×c4] **♗f5! 21. ♕f5 ♖a6 22. g4?** [22. ♔h2 ♕a7∓] **♕a7 23. ♔g2 ♖a2! 24. ♖a2 ♕a2 25. ♔g3** [25. g5 g6! 26. ♕b1□ ♘f4! 27. ♔g3 ♕b1 △ hg5−+] **♖b8!** [×♕f5] **26. ♖c1 g6 27. ♕c2 ♖b2 28. ♕d1 ♘e4 0 : 1**
[Judasin]

550. **E 43**

I. IBRAGIMOV 2485 − SISNIEGA 2540
São Paulo 1991

1. d4 ♘f6 2. c4 e6 3. ♘c3 ♗b4 4. e3 b6 5. ♗d3 ♗b7 6. ♘f3 ♘e4 7. 0−0 f5 8. ♘e2 0−0 N [8... ♗d6] **9. ♘g3?!** [9. ♘e1!? △ f3; 9. b3!?] **♗d6 10. ♕c2 ♗g3 11. hg3** [11. fg3 d5! 12. b3 ♘d7∞] **♖f6!** [11... c5 12. b3 (12. ♘d2 ♘c6⇆) ♘c6 13. a3 ♘e7 14. ♘d2±; 11... ♘c6 12. a3 ♘e7±] **12. b3** [12. g4? ♘c6! 13. a3 (13.

♗e4 ♘b4 14. ♕b3 fe4∓) fg4 14. ♗e4 gf3∓; 12. ♘d2 d5!∞ △ ♖h6, ♕e8-h5→] **♘c6?!** [12... ♖h6! 13. ♘d2! (13. ♗a3 ♕e8 14. d5 ♕h5 15. ♘h4 g5 16. ♗e2 ♕e8 17. ♘f3 ed5 18. cd5 ♗d5 19. ♕c7 ♘c6∓; 13. ♗b2 ♘a6 14. a3 ♕e8 △ ♕h5→) d5! (13... ♕e8 14. ♘e4 ♕h5 15. f3±; 13... ♘d2 14. ♗d2 △ e4±) 14. ♗a3 ♕g5 15. ♗e2∞] **13. ♗a3 ♘e7** [13... d5!? 14. ♖ac1⩲] **14. d5! ed5 15. cd5 ♗d5?!** [15... ♘d5! *a)* 16. g4!? ♘dc3!□ (16... fg4 17. ♗e4 gf3 18. ♕c4±; 16... ♘c5 17. ♗f5 g6 18. ♗d3 ♘d3 19. ♕d3 △ ♗b2± ×⤢a1-h8) 17. gf5 ♖f5 18. ♘d2∞; *b)* 16. ♗e4!? fe4 17. ♕e4⩲] **16. ♗e7! ♕e7 17. ♕c7± ♘c5** [17... ♖c6 18. ♕e5 ♕e5 19. ♘e5± ×d7, f5] **18. ♗e2 a5 19. ♖fd1 ♗f7** [⌓ 19... ♗b7 20. ♕e5!?±] **20. ♘e5! ♗e8?** [20... ♕d8□ 21. ♕d8 ♖d8 22. ♗b5±] **21. ♗f3 ♕d8 22. ♕d8 ♖d8 23. ♘c6 1 : 0**
[I. Ibragimov]

551. !N E 44

I. SOKOLOV 2570 – CU. HANSEN 2600
Groningen 1991

1. d4 ♘f6 2. c4 e6 3. ♘c3 ♗b4 4. e3 b6 5. ♘e2 ♘e4 6. ♕c2 ♗b7 7. a3 ♗c3 8. ♘c3 f5 9. d5 ♘c3 10. ♕c3 ♕e7 11. de6 de6 12. b3 ♘d7 13. ♗b2 e5! N = [13... 0–0] **14. 0-0-0 0-0-0 15. b4 ♖he8 16. f3 ♕h4 17. ♕e1?!** [17. c5!? bc5 18. bc5 ♘c5! (18... ♕a4 19. ♕b4 ♘c5 20. ♖d8 ♖d8 21. ♕a4 ♘a4 22. ♗e5⩲⊞) 19. ♕c5 (19. ♗b5 ♘a4! 20. ♖d8 ♖d8 21. ♕e5 ♘b2 22. ♕f5 ♔b8 23. g3 ♕e7→) ♖d1 20. ♔d1 ♖d8 21. ♔c2 ♕a4 (21... ♕e1!?) 22. ♔b1 ♖d1 23. ♗c1 ♕b3 24. ♔a1 ♗d5 25. ♗a6 ♔d8 26. ♕f8 ♔d7 27. ♗b5! c6 28. ♕g7 ♔d6 29. ♕f6 ♔c7 30. ♕e7 ♔b6 31. ♕d8 ♔c5 (31... ♔b5? 32. ♕b8 ♔c5? 33. ♕b4!+–) 32. ♕e7 ♔b6=] **♕h6∓ 18. ♔b1 g5 19. ♕f2 e4 20. ♗e2** [20. f4 gf4 21. ♕f4 ♕f4 22. ef4 e3] **f4 21. fe4 ♗e4 22. ♔a1 fe3 23. ♕g3 ♕g6! 24. ♖he1 h5 25. ♖d4 g4 26. ♗f1 ♕f7!∓ 27. h3** [27. ♕e3? ♗g2] **gh3 28. ♕h3⊕ ♔b8⊕ 29. ♔a2?** [29. ♕g3∓] **♕f2!–+ 30. ♖dd1** [30. ♕e3?? ♗b1] **♗c2 31. ♖c1 ♗f5 32. ♕h5 ♘f6 33. ♕g5 ♘g4 34. ♖e2 ♖g8! 35. ♕g8 ♖g8 36. ♖f2 ef2 37. ♗e2? ♘h2 38. ♗d4 ♖g2 39. ♗f1 ♖g1 0 : 1 [I. Sokolov]**

552. E 44

SPEELMAN 2630 – KEŃGIS 2575
London 1991

1. d4 ♘f6 2. c4 e6 3. ♘c3 ♗b4 4. e3 b6 5. ♘e2 ♗b7 6. a3 ♗e7 7. b4 N [7. d5 – 52/574] **a5 8. b5 d6** [8... d5!?] **9. ♘g3 h5!? 10. ♗e2 h4!?** [10... ♗g2 11. ♖g1 ♗b7 12. ♘h5 ♘h5 13. ♗h5 ♗f6∞] **11. ♗f3 ♕c8?!** [11... ♗f3 12. ♕f3 hg3 13. ♕a8 ♖h2 14. 0–0! ♔d7 15. fg3 ♘g4 16. ♖f7!+–; 11... d5!? 12. ♘ge2 ♘e4∞] **12. ♘ge4 ♘e4 13. ♘e4 ♘d7 14. h3?** [14. ♘c3!±] **f5 15. ♘c3 ♘f6 16. 0–0 d5! 17. ♗b2 ♕d7!?** [17... dc4 18. ♗b7 ♕b7 19. ♕e2 ♘d5 20. ♕c4 ♗d6=] **18. ♖c1 0–0 19. c5! bc5 20. dc5 c6** [20... ♗c5? 21. ♘d5!+–] **21. ♘a4 ♕e8** [21... cb5 22. ♘b6 ♕c6 23. ♘a8 ♖a8±] **22. b6 g5?** [22... ♘d7!∞] **23. ♗e2 ♕g6 24. ♗e5! ♘d7 25. ♗c7± e5?** [25... ♔g7 △ ♔h6] **26. f3 ♕e6 27. e4! fe4 28. fe4 ♖f1 29. ♗f1 ♘f6 30. ed5 ♘d5⊕ 31. ♗c4 ♔g7 32. ♗d5!? cd5 33. ♕g4 ♕g4 34. hg4 ♗c6 35. b7?** [35. ♗e5 ♗f6□ *a)* 36. b7!? ♗b7 37. ♗f6 ♔f6 38. c6 ♗c8 (38... ♗a6 39. ♘b6 ♖e8 40. c7±) 39. ♘b6 ♖b8 40. ♖b1!±; *b)* 36. ♗f6 ♔f6±] **♗b7 36. c6 ♗a6 37. ♘b6 ♖e8! 38. ♗e5 ♔f7 39. ♖c3** [39. c7 ♗a3!] **d4! 40. ♗d4 ♗d6 41. ♗f2 ♖e7! 42. ♖f3 ♔e6 43. ♖f5 ♖c7!= 44. ♘a4!** [44. ♖a5 ♖c6!∓] **♗a3 45. ♖a5 ♖c6 46. ♗e3 ♗e7 47. ♗g5 ♗g5 48. ♖g5 ♔f6 49. ♖h5 ♔g6 50. ♘c5 ♗e2 51. ♘e4 ♖e6 52. ♘f2 ♗g4 53. ♖h4 ♗f5 54. ♖b4 ♖e2 55. g4 ♗g4 1/2 : 1/2 [Keņgis]**

553. E 45

IVANČUK 2735 – TIMMAN 2630
Hilversum (m/2) 1991

1. d4 ♘f6 2. c4 e6 3. ♘c3 ♗b4 4. e3 b6 5. ♘e2 ♗a6 6. ♘g3 ♗c3 7. bc3 d5 8. ♗a3 ♗c4 9. ♗c4 dc4 10. ♕a4 ♕d7 11.

♕c4 ♕c6 12. ♕c6 ♘c6 13. c4 0-0-0 14. ♖c1 ♔b7 15. ♗e2 [15. f3!±] h5!? N [15... ♖d7] 16. f3?! [16. h3?! h4 17. ♘f1 ♘e4!∞; 16. h4! △ f3±] h4 17. ♘f1 ♖h5!∞ [17... ♘h5 18. ♘d2 f5 19. ♖hd1±] 18. ♗b2 [18. ♘d2 ♖a5 19. ♖c3 ♘e8 △ 20... ♘d6, 20... f5∞] ♘a5? [18... ♖a5 19. a3 ♖a4 20. ♘d2 ♘e8 21. ♖c2 ♘d6 22. ♖hc1 ♘a5 23. e4? b5!∓; 23. d5!?∞] 19. e4± b5 [19... ♖g5!? 20. g4! (20. ♔f2? ♘c6! 21. d5 ♘b4; 20. ♘e3 ♘h5 △ f5∞) hg3 21. hg3 b5 22. cb5! (22. e5?! ♘c4! 23. ♖c4 bc4 24. ef6 gf6∓; 22. f4!? ♖g6 23. e5 ♘d7 24. cb5 ♘b6 △ ♘ac4, ♖d5∞) ♖b5 23. ♗c3 ♘c6 24. ♖d1±] 20. ♘e3 bc4 [20... ♘c4 21. ♘c4 bc4 22. ♖c4 ♘d7 23. ♗c3! △ ♖b1±] 21. d5!? [21. ♘c4 ♖b5!±; 21. ♗c3!?; 21. ♖hd1! (△ ♗c3) c5 22. d5! ed5 23. ♗f6 gf6 24. ♘d5+−] ed5 22. ♗f6?! [22. ♖b1! ♔c8 (22... ♔c6 23. ♖hd1!±→) 23. ♗f6 gf6 24. ♘d5 △ ♖b5±] gf6 23. ♘d5 c6? [23... ♖d6! 24. ♖c2! (24. ♖b1?! ♔c6 25. ♖b8 ♖e5 26. ♖d1 f5 27. ♖c8 ♖d7!) ♖e5 25. ♘e3!±; 24... ♔c6!?] 24. ♘f6 ♖b5 25. ♖c2 ♖d6 [25... c3 26. ♖c3 ♖d6!? 27. ♘g4 ♖b2 28. ♔e3 ♖g2 (28... ♖a2 29. g3!) 29. a3!±] 26. ♘g4 f5 27. ♘f2 [27. ef5!? ♖f5 28. ♘e3±] ♖g6 [27... f4?! 28. ♘h3 ♖f6; 28. ♖d1!] 28. ♖g1 f4 29. h3 [29. ♘g4!? △ g3] ♖f6 30. ♖d1 [30. g3!? fg3 31. hg3 hg3 32. ♖g3 △ f4±] ♔c7 31. ♔d2 ♖c5 32. ♖dc1 [32. ♔c1 ♘b7! △ ♘d6] ♖f8 33. ♗e1 ♔b6 34. ♘f2 ♖g5 35. ♔f1 ♔b5 36. ♘d1 fg8 37. h3 ♔b4?! [37... ♖d8] 38. ♖b1 ♔a4? 39. ♘b2+− ♔a3 40. ♘c4 ♘c4 41. ♖b3 ♔a4 42. ♖c4 ♔a5 43. ♖c2 ♖8g6 44. ♖b7 1 : 0

[Ivančuk]

554.   E 45

D. RAJKOVIĆ 2475 − A. MARTIN 2415
Goša − Wood Green 1991

1. d4 ♘f6 2. c4 e6 3. ♘c3 ♗b4 4. e3 b6 5. ♘e2 ♗a6 6. a3 ♗c3 7. ♘c3 d5 8. cd5 ♗f1 9. ♔f1 ed5 10. b4?! 0−0 11. ♕b3 N [11. g3] ♘c6! 12. a4 ♕d7 13. ♗a3 [△ h3, ♖c1-c2, ♔g1-h2, ♖hc1] ♖fe8 14. h3 ♖e6! 15. ♖c1 ♖ae8 16. ♔g1

16... ♘d4! 17. ed4 ♖e1 18. ♔h2□ [18. ♖e1? ♖e1 19. ♔h2 ♘g4! 20. ♔g3 (20. hg4 ♕d6) ♕d6 21. ♔g4 (21. f4 ♖e3 22. ♔g4 ♕g6−+) h5!! 22. ♔f3 (22. ♔h5 ♕f4−+) ♕f6 23. ♔g3 ♕g5 24. ♔f3 ♕f5 25. ♔g3 h4 26. ♔h4 ♕f4 27. g4 ♖e6 28. ♕d5 ♖h6 29. ♕h5 g5♯] ♘g4! 19. hg4 ♕d6 20. ♔h3 ♕h6 21. ♔g3 ♖8e3! 22. fe3 ♕e3 23. ♔h4 ♕f2 24. ♔h3?? [24. g3□ g5 25. ♔g5 (25. ♔h5 ♕f6 26. ♕c2 ♖e4 27. ♕e4 de4; 25. ♔h3 ♖e6) ♕e3 26. ♔h5 (26. ♔f5 ♕e6 27. ♔g5 ♕g6 28. ♔h4 ♕h6♯) ♔g7 27. g5□ ♕f3 28. ♔h4 f5□ (28... ♕h1? 29. ♔g4) 29. gf6□ ♕f6 30. ♔g4 ♕e6 31. ♔f3 ♕e3 32. ♔g2 ♕d2=] g5! 25. g3 ♖e6   0 : 1
[A. Martin]

555.   E 46

RIVAS PASTOR 2450 −
POLUGAEVSKIJ 2630
Logroño 1991

1. d4 ♘f6 2. c4 e6 3. ♘c3 ♗b4 4. e3 0−0 5. ♘e2 d5 6. cd5 ed5 7. g3 c6 8. ♗g2 ♗f5 N [8... ♘a6 − 49/680] 9. ♕b3?! [9. f3] ♘a6!? 10. a3 [10. 0−0!?] ♗c3 11. ♘c3 ♕d7∓ [11... ♕b6!?] 12. ♗d2 ♖fe8 [12... ♘c7!?] 13. f3 c5 14. 0−0 h5! 15. ♖fe1 ♖ac8 16. ♖ac1 ♘c6! [△ ♖b6] 17. ♕d1 ♗h3 18. ♗h1 h4 19. ♖e2 [○ 19. ♘e2] ♗f5 20. ♗e1 hg3 21. hg3 ♖ce6 22. ♗f2 [22. dc5?! ♘c5 (22... ♖e3 23. ♖e3 ♖e3 24. ♗f2∞) 23. ♘d5 a) 23... ♘d5 24. ♖c5 ♖d6 25. ♖d2? ♘e3 26. ♖d6 ♘d1 27. ♖d7 ♖e1−+; 25. ♕b3!∞; b) 23... ♘d3!? 24. ♘f6 ♖f6 25. ♖c3 (25. ♖cc2 ♘f4 26. ♖ed2

♗c2 27. ♕c2 ♘h3∓) ♖d6↑; *c)* 23... ♕d5 24. ♕d5 ♘d5 25. ♖c5 ♘e3∓] **c4∓ 23. ♖e1 b5 24. ♘e2 g5 25. g4 ♗g6 26. ♕d2 b4! 27. ab4 ♖b6 28. b5 ♖b5 29. ♘c3 ♖b6** [29... ♖b3 30. ♖a1 ♘b4 31. ♘a4!∞] **30. ♖a1 ♘b4 31. ♘a4 ♘c2 32. ♘b6 ab6 33. ♗g2 ♘e1 34. ♕e1 ♕e6∓ 35. ♖a6?!** [35. ♕d2] **♗d3 36. ♕b4?** [36. ♖a1!?] **c3!−+ 37. ♖a1** [37. ♖b6 c2] **c2⊕** [37... ♘g4! 38. fg4 ♕g4 39. ♕a4 (39. ♔h2 ♔g7) ♖d8 40. ♕d1 ♕d1 41. ♖d1 cb2] **38. ♕d2 ♗g6 39. ♖c1 ♕d6?!** [39... ♔g7! △ ♖h8, ♘g4] **40. ♗f1 ♕e6 41. ♗e2?!** [41. ♗d3!∞] **♔g7!∓ 42. ♔f1** [42. ♖c2! ♗c2 43. ♕c2 ♖c8∓] **♖h8 43. ♗d3 ♘g4!−+ 44. ♗g6** [44. fg4 ♕g4] **♘f2 45. ♗c2** [45. ♖c2 ♖h1 46. ♔e2 ♕g6] **♕h3 46. ♔e2** [46. ♔f2 ♕h2 47. ♔e1 ♕g1 48. ♔e2 ♖h2 49. ♔d3 ♖d2 50. ♔d2 ♕f2] **♕g2! 0 : 1**
[Polugaevskij]

556.* **E 48**

M. GUREVIČ 2630 – POLUGAEVSKIJ 2630
Reggio Emilia 1991/92

1. d4 ♘f6 2. c4 e6 3. ♘c3 ♗b4 4. e3 0–0 [RR 4... ♘c6 5. ♗d3 e5 6. ♘e2 d5 7. 0–0 dc4 8. ♗c4 0–0 9. a3 ♗d6 10. d5 N (10. ♘b5 – 36/679) ♘e7 11. ♘g3 a6= (11... ♘f5 12. e4 ♘g3 13. fg3!?±) 12. ♕e2 ♘g6 13. ♖d1 (13. ♗d2!? △ 13... ♘g4 14. h3 ♘h6 15. ♘ce4 f5 16. ♘d6 cd6 17. f4±; 13... ♘e8!?∞) ♘g4!? (13... ♘e8 △ f5∞) 14. h3 ♘h6 15. ♘ce4! f5 16. ♘d6 cd6 17. f4 ♗d7 18. ♗d2 ♖c8 19. ♖ac1 ♕b6 20. ♔h2 *a)* 20... ef4 21. ef4 ♕b2 22. ♗b4! (22. ♖b1? ♕d4 23. ♖b7 ♗a4! 24. ♖c1 ♘f4∓) ♕e2 (22... ♕f6 23. ♘h5±) 23. ♘e2 ♘f7 24. ♘d4! △ ♘e6↑; *b)* 20... ♕b2 21. ♖b1 ♕a3 22. ♖b7∞; *c)* 20... ♗a4! 21. ♖f1 (I. Ibragimov 2485 – Raškovskij 2540, SSSR (ch) 1991) ♗b3! 22. ♗a5! ♕a5 (22... ♗c4 23. ♗b6 ♗e2 24. ♘e2± ×d6) 23. ♗b3 ♕b6 (23... ef4? 24. ef4 ♘f4 25. ♕e3 ♖c1 26. ♖c1 ♘g6 27. ♕e6 ♔h8 28. ♖c8 ♕b6 29. ♘f5! ♕b3 30. ♖f8 ♘f8 31. ♕e7 ♕b2 32. ♕f8 ♘g8 33. ♕d6±) 24. ♗c4∞ I. Ibragimov] **5. ♗d3 d5 6. cd5 ed5 7. ♘e2 ♖e8 8. 0–0 ♗d6 9. f3 c5 10. ♕e1!? N** [△ ♕h4, g4-g5↑≫; 10. a3 – 45/696] **♘c6 11. ♕h4** [△ ♘d5] **♗e7!? 12. ♕f2 a6!?** [△ b5-b4⇆≪] **13. g4 b5 14. ♘g3 b4 15. ♘ce2 a5!?** [△ ♗a6] **16. g5 ♘d7 17. f4 ♗a6 18. ♗a6 ♖a6 19. h4 ♘f8 20. f5?!** [20. ♗d2!? ♕b6 21. ♖ad1 △ ♗c1, f5-f6↑≫] **♗d6** [20... f6!? 21. g6 (21. h5 fg5 22. h6 ♗f6 23. hg7 ♔g7 24. ♘h5 ♔h8∓) hg6 22. fg6 ♘g6 23. ♘f5 ♗f8∓] **21. ♗d2 ♕b6!** [△ 22... cd4 23. ed4 ♗g3] **22. ♔g2 cd4 23. ed4 ♗g3 24. ♘g3!** [24. ♔g3?! ♕b5!? 25. ♘f4 ♖e4 26. ♗e3 ♘e7∓] **♕d4** [24... ♘d4? 25. ♗e3±] **25. ♕d4 ♘d4 26. ♖ad1!↑** [△ ♗f4] **♘c6 27. ♗f4 d4 28. ♖fe1 ♖d8** [28... ♖aa8 29. ♖e8 ♖e8 30. ♖c1 ♖c8 31. ♖c5 ♘d7 32. ♖b5 (△ ♘e4-d6) d3 33. ♖d5±] **29. ♖d2** [△ ♖c1-c5] **♘d7 30. ♖c1 f6 31. ♖c4 ♘de5!? 32. ♗e5 ♘e5** [32... fe5?! 33. ♔f3 ♔f7 34. ♘e4 △ ♔e2-d3, ♖dc2↑] **33. ♖cd4 ♖d4 34. ♖d4 ♖c6= 35. ♘e4 ♖c2 36. ♔g3** [36. ♖d2 ♖d2 37. ♘d2 ♘d3 38. ♘c4=] **♖b2 37. ♖d8 ♔f7 38. ♖a8 ♖a2 39. ♖a7 ♔f8 40. ♘c5 ♖a3 41. ♔f2 ♖a2 42. ♔g3 1/2 : 1/2** **[M. Gurevič]**

557. **E 48**

SKALIK 2415 – SERPER 2490
Gdynia 1991

1. d4 ♘f6 2. c4 e6 3. ♘c3 ♗b4 4. e3 c5 5. ♗d3 ♘c6 6. ♘e2 cd4 7. ed4 d5 8. cd5 ♘d5 9. a3 ♘c3 10. bc3 ♗d6 11. 0–0 N [11. ♗e4 – 47/693] **0–0** [11... b6!?; 11... e5!?] **12. ♘g3 ♗g3?!** [12... e5? 13. ♕h5! g6 (13... h6? 14. ♗h6!+−) 14. ♕h6 ed4 15. ♘h5 ♗e5 16. ♗g5→; 12... b6!? △ 13. ♕h5 f5!∞] **13. hg3 e5 14. d5!** [14. de5 ♘e5 15. ♗h7 ♔h7 16. ♕h5 ♔g8 17. ♕e5 ♗e6=] **♘e7 15. c4 ♗f5 16. ♖e1 f6 17. a4 ♗d3 18. ♕d3 ♕d7 19. ♗a3 ♖fd8 20. a5!±** [♂d, ⇔b] **♖ac8 21. ♖ed1 ♘f5 22. ♖ab1 h5!?** [22... ♘d4?! 23. ♗b2 ♘e6? 24. ♕e3 ♘c5 25. ♗a3+−] **23. c5 ♘d4 24. d6 ♕f7 25. a6 b5?!** [25... ba6] **26. cb6!+− ♖c3 27. ♕e4 ♖a3 28. b7 ♕f8** [28... ♖b8 29. ♖bc1 ♕d7 30. ♖d4! ed4 31. ♕d5 △ ♖c7] **29. ♕d5 ♔h7 30. ♖d4! ed4 31. ♕h5 ♔g8 32. ♕d5 ♕f7⊕** [32... ♔h7 33. d7! ♖b8 34. ♕h5 ♔g8 35. ♖e1 △ ♖e8] **33.**

b8♕ ♕d5 34. ♕d8 ♔h7 35. ♕c8?⊕ [35. d7 ♖a6 36. ♕e7 ♖d6 37. ♖b7! △ d8♕] **♕d6 36. ♕f5?** [36. ♖b5! ♖a1 37. ♔h2 f5 (37... g6 38. ♖b7; 37... ♕e7 38. ♕f5) 38. ♕f5 ♕g6 39. ♕h3 ♕h6 40. ♖h5 ♖a6 41. ♕f5] **♔g8 37. ♕c8 ♔h7 38. ♕f5?**
1/2 : 1/2 **[Serper]**

558. **E 52**

SPEELMAN 2630 – CHANDLER 2605
Hastings 1991/92

1. d4 ♘f6 2. c4 e6 3. ♘c3 ♗b4 4. e3 0–0 5. ♘f3 b6 6. ♗d3 ♗b7 7. 0–0 d5 8. a3 ♗d6 9. b3!? N [9. cd5 – 43/719] **♘bd7 10. ♘b5! ♗e7 11. ♗b2 c5?!** [11... a6 12. ♘c3 ♗d6±] **12. ♖e1 ♘e4 13. ♕c2 f5?! 14. ♖ad1 a6 15. ♘c3 ♗d6 16. dc5! ♘dc5** [16... bc5 17. cd5 ed5 18. ♘d5! ♗d5 19. ♗e4 fe4 20. ♖d5 ♘f6 (20... ef3 21. ♖d6 ♕g5 22. g3+–) 21. ♗f6 ♗h2! 22. ♘h2! (22. ♔h2?? ♕d5∓) ♕d5 23. ♗h4+–] **17. cd5 ed5 18. b4 ♘e6** [18... ♘d3 19. ♕d3±] **19. ♕b3! ♘c3□** [19... ♔h8 20. ♘e4 fe4 (20... de4 21. ♗e4!) 21. ♗e4 de4 22. ♕e6+–] **20. ♗c3 ♖c8 21. ♘d4!? ♘d4** [21... ♕f6 22. ♗a1 ♗e5 23. ♘e6! (23. ♘f5? ♗a1 24. ♖a1 ♖c3 25. ♕d1 ♖d3!) ♕e6 24. ♗d4!] **22. ♗d4 ♕c7** [22... b5±] **23. g3** [23. h3 ♗e5!; 23. f4!?] **♗e5?!⊕** [23... b5 24. ♕b2±]

24. ♗a6! ♗a6 [24... ♗g3 25. ♗b7 ♗f2 (25... ♗h2 26. ♔g2+–) 26. ♔g2! ♗e1 27. ♗c8 ♖c8 28. ♕d5 ♔h8 29. ♖e1+–] **25. ♕d5 ♖f7** [25... ♕f7!? 26. ♕f7 ♖f7 27. ♗e5 ♗b7+–] **26. ♗e5 ♕c2 27. ♕e6 ♕e4 28. ♖d7 ♗c4 29. ♖c1!⊕** [29... ♗e6 30. ♖c8 ♖f8 31. ♖g7; 29... h5 30. ♖c4! ♕c4 31. ♖d8! ♔h7 32. ♕c8+–]
1 : 0 **[Speelman]**

559. **E 52**

HÜBNER 2615 – KHALIFMAN 2630
BRD 1991

1. d4 ♘f6 2. c4 e6 3. ♘c3 ♗b4 4. e3 0–0 5. ♗d3 d5 6. ♘f3 b6 7. 0–0 ♗b7 8. a3 ♗d6 9. b4 dc4 10. ♗c4 ♘bd7 11. ♗b2 a5 12. b5 e5 13. ♖e1 e4 [13... ♕e7 14. e4±] **14. ♘d2 ♕e7 15. f4 N** [15. ♗e2 – 30/667] **ef3** [15... ♖ad8 16. ♗b3 △ ♘c4±] **16. gf3?!** [16. ♘f3 ♘e4 17. ♘d5 ♕d8!=] **♖ad8** [16... ♘g4?! 17. fg4 ♗h2 18. ♔f2 (18. ♔h2?? ♕h4–+) ♕h4 19. ♔e2±; 16... ♗h2!? 17. ♔h2 ♘g4! 18. ♔g3 (18. ♔g2? ♕h4–+; 18. ♔g1 ♘e3 19. ♕e2 ♕g5=∞) ♕d6 (18... ♘e3 19. ♖e3! ♕e3 20. ♘de4 ♕h6 21. ♕h1±) 19. f4 (19. ♔g4? ♕h2!–+) ♘df6∞] **17. ♕e2** [17. e4 ♗f4! △ ♘e5] **♖fe8 18. ♕f2 ♘f8** [△ ♘e6-g5] **19. ♘de4!** [19. e4 ♗f4∓] **♘g6 20. ♘d6 cd6!** [20... ♖d6 21. ♗f1±] **21. ♗f1 ♘h5** [△ f5, ♘h4; 21... d5!?] **22. e4 ♘hf4 23. ♕g3** [△ d5; 23. d5 ♘e5!↑] **d5!∓** [×d4, e4] **24. ed5!** [24. e5 f6! 25. ♗c1 ♕c7!∓; 24. ♖ad1 ♕f6∓] **♕d7 25. ♖e8 ♖e8 26. ♖e1 ♖e1** [26... ♖c8!?] **27. ♕e1 ♘d5 28. ♘e4 ♕e7** [28... f5 29. ♘c5!? bc5 30. dc5=∞; 28... ♘df4!?] **29. ♕g3 ♘df4 30. ♗c1! ♗e4 31. ♗f4 ♗d5** [31... ♗b7?! 32. ♗g5!] **32. ♗c1 h6 33. ♗d3** [33. ♕b8? ♔h7 34. ♕b6 ♘h4∓] **♕f6 34. ♗e3!** [34. ♗g6 fg6! (34... ♕d4 35. ♕f2 ♕d1 36. ♕f1=) 35. ♕f4 ♕e7∓] **♗f3 35. ♗g6 fg6 36. h4?⊕** [36. ♕f4! g5 (36... ♗e2 37. ♕f6 gf6 38. a4=) 37. ♕f6 gf6 38. d5 ♗d5 39. a4!=] **♗d5–+ 37. ♕f4 ♕e7 38. ♕e5?! ♕d7 39. ♔f2 ♕b5 40. ♔g3 ♕d7 41. ♕b8 ♔h7 42. ♕b6 ♕f5** **0 : 1**
[Khalifman]

560. **!N** **E 56**

LEMPERT 2440 – IONOV 2510
Moskva 1991

1. d4 ♘f6 2. c4 e6 3. ♘c3 ♗b4 4. e3 0–0 5. ♗d3 d5 6. ♘f3 c5 7. 0–0 ♘c6 8. cd5

ed5 9. ♘e5 ♕d6! N [9... ♕e7] 10. ♘c6 bc6 [10... ♕c6 11. dc5 ♗c3 (11... ♗c5 12. ♕a4 ♕a4 13. ♘a4 ♗d6 14. b3 ♗e5 15. ♗b2 ♗b2 16. ♘b2±) 12. bc3 ♕c5 13. ♕b3 ♕c7 14. c4 ♘g4 15. g3 dc4 16. ♕c4 ♕c4 17. ♗c4 ♘e5 18. ♗e2 ♗e6=] 11. f3! c4 [11... cd4?! 12. ed4 c5 13. ♘b5 ♕c6 14. a3 ♗a5 15. dc5 ♕c5 16. ♔h1 △ b4, ♗b2±; 11... ♗a5 12. ♕e1 ♗c7 13. ♕h4 a5 14. b3! cd4 15. ed4± 11... ♖e8! 12. ♔h1 c4 (12... a5 13. dc5 ♗c5 14. e4±) 13. ♗c2 c5 14. ♘e2 ♗a5 15. dc5 ♕c5 16. ♘d4 ♗c7∞; 11... a5!?] 12. ♗c2 c5 13. ♕e1 ♗d7 14. ♕h4 ♖fe8 15. ♗d2 [15. ♔h1 ♖ab8 16. g4 h6 17. g5 hg5 18. ♕g5→; 16... g6!∞] ♗a5 16. ♖ad1 [16. ♘d5? ♗d2 17. ♘f6 ♕f6 18. ♕h7 ♔f8−+; 16. ♘e4? de4 17. ♗a5 cd4 18. ed4 e3! 19. ♗c3 h6 20. d5 ♘d5 21. ♕d4 f6 22. ♕c4 ♗e6 23. ♕d3 ♔f8!∓] ♖ab8 17. ♗c1 [17. ♘d5? ♕d5 18. ♗a5 ♖b2 19. dc5 ♗c5 20. ♖d7 ♖c2∓] h6 18. ♔h1 ♗d8 19. ♕f2 ♗c7 20. g4 [20. g3!?] cd4! 21. ed4 ♘h7 22. ♕g2! ♗c6! [22... ♘g5?! 23. h4! (23. f4 ♘e4! 24. ♗e4 de4 25. ♘e4 ♖e4! 26. ♕e4 ♗g4 27. ♖de1 ♗e6 28. ♔g1 ♗b6∞∞) ♘e6 24. f4→] 23. ♘e2 [23. f4 ♘f6! 24. g5 ♘e4 25. ♗e4 (25. ♘e4 de4 26. d5 ♗d7 27. ♗e4 hg5 △ f5) de4 26. d5 ♗d7! 27. ♗e3 (27. ♘e4 ♕g6∞∞) ♗f5∞] ♘f8? [23... ♕d7! (△ ♗a4) 24. ♘f4! (24. ♘g3 ♗a4 25. ♗a4 ♕a4 26. f4 ♕d7=; 24. ♘c3 ♕d6 25. ♘e2 ♕d7=; 24. ♗f5 ♕d6 25. ♘g3 ♗a4 26. ♖d2 ♗a5 27. ♖df2 ♗e1 28. ♖e2 ♗g3 29. ♖e8 ♖e8 30. hg3 ♘g5=) ♖bd8 (24... ♗f4?! 25. ♗f4 ♖b7 26. ♗f5 ♕e7 27. ♗e5±) 25. ♘h5 △ g5→] 24. ♘g3 ♕d7 25. ♘h5→ [△ ♗h6] ♗d8 [25... ♕d6? 26. g5 hg5 27. ♗g5+−] 26. f4 [26. g5? hg5 27. ♗g5 g6!∞] ♘e6? [26... g6 27. f5! g5□ 28. f6±; 26... ♗a4 27. ♗a4 ♕a4 28. ♕d5 ♕a2 (28... ♖e2 29. ♘g3±; 28... ♖b5 29. ♕c6 ♖e6 30. ♕a8±) 29. g5! (29. f5!?) a) 29... hg5 30. fg5 ♘e6 (30... ♖e7 31. ♘f6 gf6 32. gf6+−) 31. g6! fg6 32. ♘g7! ♔g7 33. ♕e5 ♔g8 34. ♕b8+−; b) 29... g6 30. gh6±; c) 29... ♕a6 30. gh6 ♕h6 31. ♖g1 g6 32. ♘g3 △ f5±] 27. g5 hg5 28. fg5 [△ ♘f6] g6 29. ♘f6 ♗f6 30. gf6+− ♘f8 31. ♗f5 ♕d6 32. ♗g5 [32. ♗f4? ♕f6 33.

♗b8 ♖b8] ♘h7?⊕ 33. ♗g6! fg6 34. f7 ♔g7 35. ♗f4! ♕e6 36. ♗e5 ♔h6 37. fe8♕ ♖e8 38. ♖de1 ♕d7 39. ♖e3 g5 40. ♖h3 1 : 0 [Lempert]

561. E 59

LAUTIER 2560 − SCHMITTDIEL 2490
Polanica Zdrój 1991

1. d4 ♘f6 2. c4 e6 3. ♘c3 ♗b4 4. e3 0−0 5. ♗d3 d5 6. ♘f3 c5 7. 0−0 ♘c6 8. a3 ♗c3 9. bc3 dc4 10. ♗c4 ♕c7 11. ♗b5 a6 12. ♗e2 ♖d8 N [12... e5 − 29/554] 13. ♕c2 e5 14. ♗b2 ♗g4 15. de5 ♘e5 16. c4 ♘f3 17. gf3 ♗h5 18. ♖fd1 ♕c6 19. e4 [19. ♕f5 ♗g6 20. ♕f4 ♘e8=] ♘e8 [19... b5!?] 20. ♖d2± [20... ♗d5 ♘c7 21. ♕c3 ♕g6 22. ♔h1 ♘d5 23. cd5 f6 24. ♖g1 ♕f7 25. ♕f6 ♕f6 26. ♗f6 ♖d7 27. d6 ♖d6 (27... ♖f8? 28. e5±) 28. ♖g7 ♔f8 29. ♖h7 ♖f6 30. ♖h8 (30. ♖h5?! ♖d8 31. ♖c5 ♖d2∓) ♔e7 31. ♖a8 ♗f3 32. ♗f3 ♖f3∓; 20. ♕c3 f6 21. ♗d5 ♗f7 22. ♖ad1 ♗d5 23. cd5 ♕a4 24. e5 fe5 25. ♕e5 ♕c2 26. ♖d3 ♖d6∓; 24. ♕e3∞∞ △ f4, e5] f6 [20... ♖d2 21. ♕d2 f6 22. ♖d1 ♗f7 23. ♕d7 ♖c8 24. a4 ♗e6 25. ♕c6 ♖c6= △ ♘d6; 22. a4±] 21. ♖ad1 ♖d2 22. ♖d2 ♖c8 23. a4! ♖c7?! [23... b6! 24. ♗c3 ♗f7 25. ♕d1±] 24. a5 ♖d7 25. ♗a3 ♖d2 26. ♕d2 ♗f7 27. ♕d8 ♕d6?! [27... ♔f8? 28. ♕d4; 27... h6 28. ♗f1! ♔h7 (28... ♗e6? 29. ♗c5) 29. ♗h3 ♕d6 (29... ♕c7 30. ♕c7 ♘c7 31. ♗c5 ♗c4 32. ♗c8±) 30. ♕c8→] 28. ♕c8 ♕c7 [28... ♕d2? 29. ♕c5 ♕e2 30. ♕f8#] 29. ♕c7 ♘c7 30. ♗c5± ♘e6 31. ♗e3 ♘d8 32. ♗b6 ♘e6 33. ♗e3 ♘d8 34. f4 ♘c6 35. ♗b6 g6 36. ♔f1 ♗e6 37. ♔e1 ♔f7 38. ♔d2 f5 [38... ♔e7 39. ♔c3 ♔d7 40. h4 h5? 41. f5+−; 40... ♗f7±] 39. e5 ♔e7 40. ♔c3 ♔d7 41. ♗f1 ♔e7 42. ♗g2 ♔d7? [42... ♗e8! 43. ♗d5 ♗c8±] 43. ♗d5 ♔e7 44. h4? [44. ♗c5! ♔d7 45. ♗b4+−] h5? [44... ♗c8!±] 45. ♗c5! ♔d7 46. ♗b4+−⊙ ♘d8 47. ♔d4 ♔c8 [47... ♘c6 48. ♔c5] 48. ♗d6 [48. ♔c5? ♔c7] ♘c6 49. ♔c5 ♗d5 50. cd5 ♘a5 51. e6 ♔d8 52. ♗e5 ♔e7 53. ♗c3 ♘b3 54. ♔b6 1 : 0 [Lautier]

562. **E 59**

GULKO 2565 – Y. GRÜNFELD 2505

Philadelphia 1991

1. d4 ♘f6 2. c4 e6 3. ♘c3 ♗b4 4. e3 0–0 5. ♗d3 c5 6. ♘f3 d5 7. 0–0 ♘c6 8. a3 ♗c3 9. bc3 dc4 10. ♗c4 ♕c7 11. ♗a2 ♖d8 12. ♕c2!? N [12. ♖e1; 12. ♗b2 – 1/401] **♘a5 13. ♕e2 ♘d5!** [13... b6 14. e4 ♗b7 15. ♗g5±; 13... ♘e4 14. ♕d3 f5 15. ♘d2±] **14. ♗d2** [14. ♗b2 b6 15. c4 ♗a6∞] **b6 15. ♖ac1 ♗b7 16. ♘e5 ♘f6!** [16... ♖ac8 17. e4 ♘f6 18. ♗g5±] **17. f3?!** [17. ♖fd1±] **♕e7! 18. ♖fd1 ♖ac8** [18... cd4 19. cd4 ♕a3 20. ♗a5 ♕a5 21. ♖c7↑] **19. ♗e1 cd4 20. ed4 ♘d5!?** [20... ♕a3? 21. ♘f7+–; 20... ♘d7!? 21. f4 ♘e5 22. fe5 ♕a3 23. ♗h4⩱] **21. c4**

21... ♘f4? [21... ♕a3! *a)* 22. ♘f7? ♘f4 (22... ♔f7? 23. cd5 ♖c1? 24. ♕e6 ♔f8 25. d6+–) 23. ♕d2 ♘h3∓; *b)* 22. cd5! ♖c1 23. ♖c1 ♕c1 24. ♘f7! ♗d5□ 25. ♗d5 ♖d5 26. ♕e6 ♔f8! 27. ♘d6 (27. ♘h8? ♖d7!) ♖d6 28. ♕d6 ♔f7±] **22. ♕e3!** [22. ♕d2? ♖d4–+; 22. ♕b2 ♕g5∞] **♘h5** [22... ♕g5 23. ♘g4□ e5! (23... h5 24. h4+–) 24. ♗g3! (24. de5 ♖d1 25. ♖d1 ♘c4 26. ♗c4 ♖c4 27. h4 ♕e7 28. ♗b4 ♕e8=) h5 25. de5 ♖d1 26. ♖d1 ♘c4 27. ♕f4 ♕f4 28. ♗f4 hg4 29. ♖d7±] **23. ♗b4 ♕e8 24. ♗a5 ba5 25. ♖b1± ♖c7 26. ♕d2 a4 27. ♕a5 ♖e7?⊕** [27... ♕e7 28. ♖b7 ♖b7 29. ♘c6+–; 27... ♖dc8□ 28. c5 △ ♘c4-d6+–] **28. ♘f7** [×♘h5, ♖d8] **♖f7 29. ♕h5 g6 30. ♕e5 ♕e7 31. c5 ♗c8 32. ♖b8 ♖f5 33. ♗e6 1 : 0** [Gulko]

563.*** **E 60**

RIVAS PASTOR 2450 – EHLVEST 2605

Logroño 1991

1. d4 [RR 1. ♘f3 ♘f6 2. b3 g6 3. ♗b2 ♗g7 4. g3 c5 5. ♗g2 ♘c6 6. c4 d6 7. d4 cd4 8. ♘d4 ♗d7 9. 0–0 ♕c8!? N (9... 0–0 – 46/775) 10. ♖e1 (10. ♘f3 ♗h3 11. ♘bd2 h5∞) ♗h3 11. ♗h1 h5 12. ♘c6!? bc6 13. c5 d5□ 14. e4 h4 15. ed5 hg3 16. fg3 cd5 17. b4 (17. ♕d4!? ♘h5 18. ♕e3∞) ♕f5 *a)* 18. ♖e5?! ♕f1 19. ♕f1 ♗f1 20. ♔f1 ♖h2 21. ♗g2 ♘e4! 22. ♘a3□ ♗e5 23. ♗e5 f6! 24. ♗f4 (Tajmanov 2505 – Bruneau, Massy 1991) 0-0-0∓; *b)* 18. ♕f3!? e6 19. ♕f5 ♗f5 20. ♗d5 ♘d5 21. ♗g7 ♖h7∞ Bruneau, Dumitrache] **♘f6 2. c4 g6 3. ♗g5 N** [RR 3. f3 c5 4. d5 ♗g7 5. e4 d6 (5... 0–0 – 26/692) 6. ♘e2 0–0 7. ♘ec3 e5 8. ♗g5 h6 9. ♗e3 ♘e8 10. ♘d2 f5 11. ♗d3 f4 12. ♗f2 g5 13. a3 a5 14. ♘a4! b6 (14... ♘d7 15. b4 ab4 16. ab4 b6± W. Arencibia) 15. b4 ab4 16. ab4 ♘a6 17. b5! ♘b4 18. ♗e2 ♖f7 19. ♘b1! ♖fa7 20. ♘bc3 ♗f6 21. ♔d2! h5 22. ♔c1 ♕d7 23. ♔b2 ♗d8 24. ♖a3 g4 25. ♔b3± W. Arencibia 2560 – Ubilava 2555, Benasque 1991] **♘e4 4. ♗f4 e5!?** [RR 4... c5!? 5. ♕c2 ♕a5 6. ♘d2 f5 7. ♘f3 cd4? 8. ♘d4 ♗g7 9. ♘b3 ♕a4 10. ♘e4 fe4 11. g3 ♘c6 12. ♗g2± Speelman 2630 – Ehlvest 2605, Reykjavík 1991; 7... ♗g7=] **5. de5 ♗b4 6. ♘d2** [RR 6. ♗d2 ♘d2 7. ♘d2 ♘c6 8. ♘f3 ♕e7= Speelman, Ehlvest] **f6?!** [6... d6!?; RR 7. ♘f3 (7. ed6? ♕f6!) ♘c6= Speelman, Ehlvest] **7. ♘f3 ♘c6 8. a3 ♘d2 9. ♘d2 fe5 10. ♗e3 ♗d2** [⌓ 10... ♗e7 11. ♘e4 d6 △ ♗e6=] **11. ♕d2 d6 12. g3 ♗e6 13. ♗g2?! ♕d7?!** [13... ♗c4 14. ♖c1 ♗e6 15. h4⩱] **14. h4 a5 15. b3 a4 16. b4 ♗c4 17. ♖c1 ♗e6 18. h5 g5** [18... gh5 19. ♖h5→] **19. ♗g5 ♖g8 20. ♗e3± d5 21. ♖c5 ♘e7 22. ♕c2 c6 23. b5** [23. ♕h7±] **♘f5 24. bc6 bc6 25. ♕c3 ♘e3 26. ♕e3 ♕d6 27. 0–0 ♗d7 28. ♖fc1** [28. ♖d1! ♖g7 29. ♗d5 cd5 30. ♖dd5+–→] **♖f8 29. f4? e4 30. ♕d4 ♕f6 31. ♕b4 ♔f7 32. ♕b7 ♕e7 33. ♖c6?!⊕ ♖fb8 34. ♕c7 ♗c6 35. ♕c6**

♕e6 36. ♕c7 ♔g8 37. ♖d1 ♖b3 38. ♔h2 ♕f7⊕ [38... ♕g4!∓] 39. ♕f7 ♔f7 [♖ 9/o] 40. ♖d5 ♖e3 41. ♖f5 ♔g7 42. ♖e5 ♖a3 43. ♗e4 ♖a7 44. ♗d5 ♖c3 45. g4 h6?! [45... a3] 46. g5 ♖c5 47. gh6 ♔h6 48. ♖e6 ♔h7 49. ♗e4 ♔g8 50. h6 ♖c8 51. ♗d5 ♔h8+− 52. ♗a2 a3 53. ♔g3 [53. ♖d6 ♖e8 54. ♖d2 ♖ae7 55. ♗c4 ♖e4] ♖aa8 54. ♖e3 ♖e8 55. ♖e8 ♖e8 56. ♔f3 ♖c8 57. f5 ♔h7 [57... ♖c2? 58. f6] 58. e4 ♔h6 59. e5 ♖c3! 60. ♔e4 ♖c2 61. ♗d5 a2   0 : 1
[Ehlvest, E. Vladimirov]

564.*   E 60

JUSUPOV 2625 − I. SOKOLOV 2570
Beograd 1991

1. d4 ♘f6 2. c4 g6 3. ♘f3 ♗g7 4. g3 c5 5. ♗g2 ♕a5 [RR 5... d6 6. 0−0 cd4 7. ♘d4 h5!? N (Lanka; 7... 0−0 − 15/589) 8. h3 ♘c6! 9. ♘c6 (9. ♘c3 ♗d7 10. ♗e3 ♕c8! 11. ♔h2 h4 12. g4 ♘d4 13. ♗d4 ♕c4∞) bc6 10. ♘c3 (10. ♗c6 ♗d7 11. ♗g2 ♖c8 12. ♘d2 0−0∞̄) a) 10... ♗e6 11. ♗c6 ♔f8 12. ♗g2 (12. ♗a8 ♕a8 13. f3 ♗h3 14. ♖f2∞) ♕c8 13. h4 ♖b8 14. b3±; b) 10... 0−0 11. ♗e3 ♗e6 12. ♕d3 ♕c8 13. ♔h2 ♘d7 (13... h4 14. g4 ♘d7 15. f4! f5 16. g5±) 14. b3 a5 15. ♖ac1 ♖b8 16. ♕d2! b1) 16... ♘c5? 17. ♗c5! dc5 (Ionov 2510 − Širov 2610, SSSR (ch) 1991) 18. ♘a4±; b2) 16... ♕a6 17. ♗h6 ♘c5 18. ♗g7 ♔g7 19. ♘e4! ♘e4 20. ♗e4 a4 21. b4± Širov] 6. ♘c3 ♘e4 7. 0−0?! N [7. ♗d2 − 51/(571)] ♘c3 8. bc3 ♕c3∓ 9. ♗g5 [△ ♕a4; 9. ♗d2!? ♕c4 10. ♖c1∞̄; 9... ♕a3∓] ♕a5! 10. d5 d6 [10... ♗a1? 11. ♕a1 f6 12. d6] 11. ♖b1 ♕a2∓ 12. e4 ♘d7 13. ♖e1 ♘e5 14. ♘e5 ♗e5 15. ♗h6 b6 16. ♕d3 [16. f4 ♗d4 17. ♔h1 ♗b7 △ 0-0-0] ♕a4 17. ♗f1 ♕d7 18. h3 [18. f4 ♗d4 19. ♔h1 ♗b7∓ 20. e5?! de5 21. ♗g7? e4−+] ♕c7 19. ♖e2 ♗d7 20. ♖a2 ♗d4 21. ♖a6 ♖b8 22. ♕a3 ♖b7 23. ♔g2 ♔d8 24. ♗e2 ♔c8 25. ♗g4 ♔b8 26. ♕f3 ♗g4 27. hg4 e6−+ 28. ♗d2 h5 29. gh5 ed5 30. h6 dc4 31.

♖h1 ♕c6 32. ♖h4 f6 33. ♔g1 g5 34. ♖h5 ♖e7 35. ♕a3 ♕e4 36. ♕a2 c3   0 : 1
[I. Sokolov]

565.   E 60

P. NIKOLIĆ 2635 − EPIŠIN 2620
Wijk aan Zee 1992

1. d4 ♘f6 2. ♘f3 g6 3. c4 ♗g7 4. g3 c5 5. d5 d6 6. ♗g2 a6 N [6... 0−0] 7. a4 e5 8. de6 ♗e6 [8... fe6 9. ♘c3 0−0 10. 0−0 ♘c6 11. ♗f4±] 9. ♘g5 ♗c4 [9... ♘c6 10. ♘e6 fe6 11. ♘c3 0−0 12. 0−0 ♕e7±] 10. ♘d2 ♗e6 11. ♗b7 ♖a7 12. ♗g2 0−0 13. ♘e6 fe6 14. 0−0 ♘bd7 [14... d5 15. e4 ♘c6 16. ♘b3!±] 15. ♖b1 [15. ♖a3!? △ ♘f3-g5, ♖e3] d5 16. e4 [16. b3!?] ♘e5 17. ♘b3 [17. ed5 ed5 18. ♘f3 ♘f3 19. ♗f3 ♘e4 20. ♗e3 d4!=] c4 18. ♘d4 ♕b6! 19. a5 [19. ed5 ed5 20. ♗e3 ♘eg4 21. ♗f4 ♘e4!∓] ♕d6 20. f4

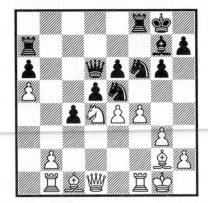

20... ♘e4!□ 21. fe5 [21. ♗e4? de4 22. fe5 ♖f1 23. ♔f1 ♗e5 24. ♗e3 ♖d7∓] ♖f1 22. ♕f1 [22. ♔f1? ♕e5 23. ♗e3 ♖b7∓; 22. ♗f1 ♕e5! 23. ♘f3 ♕b8! 24. ♗e3 ♖b7 25. ♗d4 ♗d4 26. ♕d4 ♖b3∞] ♕e5□ 23. ♘f3 ♕d6 24. ♗e3 ♖b7 25. ♕c1 ♕b4! 26. ♗h3! [26. ♘d4 ♘c3∓; 26. ♕c2!? ♕b3! 27. ♕b3 ♖b3∓] ♘c3 27. ♗e6 ♔h8 28. bc3 ♕b1 29. ♕b1 ♖b1 30. ♔g2 ♖b2 31. ♔f1 ♖b5! [31... ♗c3 32. ♗d5=] 32. ♗b6 ♗c3 33. ♗d7!□ ♖b2 34. ♗c8 ♗f6 35. ♗a6 c3 36. ♘e1 c2 37. ♘c2= ♖c2 38. ♗b7 ♖b2 39. ♗d5 ♔g7 40. a6 ♖b6 41. a7 ♖a6   1/2 : 1/2   [Epišin]

566.* !N **E 60**

JÁNOSI – KALLINGER

corr. 1989/91

1. d4 ♘f6 2. c4 g6 3. ♘f3 ♗g7 4. g3 0–0 5. ♗g2 d6 6. 0–0 c5 7. b3 ♘c6 8. ♗b2 ♘e4 9. ♘bd2 [RR 9. e3 ♗g4 10. ♕c2 N (10. ♕c1) ♗f5 (10... ♗f3 11. ♗f3 ♘g5 12. ♗c6□ bc6 13. dc5±) 11. ♕c1 d5! 12. dc5 (12. cd5 ♘b4! 13. ♖d1 ♖c8∓ Damljanović) ♗b2 13. ♕b2 dc4 14. bc4 ♘c5 15. ♘c3 ♗d3! 16. ♖fd1 ♕b6= Damljanović 2585 – Kir. Georgiev 2590, Jugoslavija 1991] **♗f5 10. ♘h4 ♘d2 11. ♕d2 ♘d4 12. ♘f5 ♘f5 13. ♗g7 ♘g7 14. ♗b7 ♖b8 15. ♗f3 ♕b6! N** [15... ♖b4 – 35/669] **16. h4 ♕b4 17. ♕c1 a5! 18. ♔g2 a4 19. ♖b1 ab3 20. ab3 ♘f5 21. h5 ♘d4 22. ♖h1!? ♘f3 23. ef3 ♕b7 24. ♕h6 e6** [24... e5=] **25. ♖be1!?** [△ hg6] **e5 26. ♖h4** [26. ♖e4 ♖be8! 27. ♖g4 ♖e7] **♕c7** [⌓ 26... ♖be8 27. ♖e3 ♖e6 28. ♔h2 ♖fe8] **27. ♖e3 ♖b6?** [27... ♖a8! △ 28. f4 ♕b7 29. ♔h2 ♖a1 30. f3 ♖a2 31. ♔h3 ♕d7⇆] **28. f4! ♕b7** [28... ef4? 29. ♖f4 ♕c6? 30. ♔h2 ♖e8 31. ♖f7!+–] **29. ♔h2 ♖e8** [29... ♖a6? 30. fe5 ♖a1 31. f3 ♖a2 32. ♔h3 ♕d7 33. e6! fe6 34. hg6+–] **30. f5!±→ d5** [30... gf5 31. ♕g5 ♔f8 32. h6 ♖e6 33. ♕g7 ♔e7 34. ♕h7+–] **31. cd5 ♕e7□ 32. f4! e4 33. fg6 fg6 34. f5 ♕f7! 35. hg6 ♖g6! 36. ♕f4** [36. fg6? ♕f2 37. ♔h3 ♕f1 38. ♔g4 ♕d1=] **♖f6 37. g4 ♕d5 38. ♔g3!** [38. ♕g5 ♖g6] **♔h8 39. ♖h2 ♖g8 40. ♖f2 ♖b6 41. ♔h4!! ♕d8** [41... ♖b3? 42. ♖b3 ♕b3 43. ♕e5 ♖g7 44. f6+–] **42. f6 ♖g6 43. ♕e5! h6 44. ♖e4?** [44. ♕e7!! ♕e7 45. fe7 ♖be6 46. ♖f8 ♖g8 47. ♔h5!! ♖e5 48. ♔h6 ♖e6 49. ♔h5 ♖e7 50. ♖g8 ♔g8 51. ♔g5+–] **♖bf6! 45. ♖ef4 ♕d1!** [×g4] **46. ♖2f3 ♕h1 47. ♖h3 ♕g2! 48. ♕e8 ♖g8 49. ♕e5 ♖g6 50. ♕h5 ♖g5!= 1/2 : 1/2** [Jánosi]

567.* **E 62**

DAUTOV 2595 – WAHLS 2560

BRD 1991

1. d4 ♘f6 2. c4 g6 3. ♘f3 ♗g7 4. g3 0–0 5. ♗g2 d6 6. 0–0 ♘c6 7. ♘c3 ♗f5 [RR 7... e5 8. d5 ♘e7 9. c5 ♘e8 10. cd6 ♘d6 11. e4 c6 12. dc6 ♘c6 13. ♗g5 ♗f6 N (13... f6 – 10/760) 14. ♗f6 ♕f6 15. h3 ♖d8 16. ♕e2 ♗e6 17. ♖fd1 ♖d7 18. ♖d2 ♖ad8 19. ♖ad1 ♕g7 20. b3 1/2 : 1/2 Adorján 2530 – J. Polgár 2550, Magyarország (ch) 1991] **8. ♘e1 ♕c8 9. e4 ♗h3 10. f4!? N** [10. ♘c2 – 51/574] **♗g2** [10... ♗g4 11. ♕d3! e5 12. fe5 de5 13. d5 ♘d4 14. ♗g5 ♘d7 15. h3 ♘c5 16. ♕d2 ♗h3 17. ♗e7±] **11. ♔g2 e5 12. d5 ♘d4 13. fe5 de5 14. ♗g5 ♘d7** [14... ♘h5 15. c5±] **15. ♕d2 ♖e8** [15... c5 16. ♗e7 ♖e8 17. d6 △ ♘d5→] **16. ♘f3 c6?!** [16... c5 17. ♘b5!? (17. ♗h6 ♘b6 18. b3 ♕c7 19. h4 ♘c8 20. h5 ♘d6=) ♘b5 18. cb5 a6 19. a4! ab5 20. ab5 ♕c7 21. b3 △ ♕d3, ♘d2±] **17. ♗h6! ♗h6** [17... ♗h8? 18. ♕f2±; 17... c5 18. ♗g7 (18. ♘d4?! ed4 19. ♘b5 ♗e5 20. ♕f2 f6 21. ♗f4 a6 22. ♗e5 ab5 23. ♗f6 ♖f8 24. e5 ♘e5∓) ♔g7 19. ♘b5 ♘b5 20. cb5±] **18. ♕h6 f6 19. ♖ad1 c5 20. h4 ♕c7 21. h5 ♘f8 22. ♘h2! ♕g7 23. ♕g7 ♔g7 24. h6 ♔f7 25. ♘g4 ♘d7 26. ♖f2 ♖f8 27. ♖df1 ♔e7 28. d6+– ♔e6** [28... ♔d6 29. ♘f6 ♘f6 30. ♖f6 ♘e6 31. ♖f7] **29. ♘d5 f5 30. ♘c7 ♔d6 31. ♘a8 ♖a8 32. ef5 gf5** [⌓ 32... ♘f5] **33. ♘e3 f4 34. gf4 ♖g8 35. ♔h3 ♖g6 36. fe5 ♔e5 37. ♘g4 ♔d6 38. ♖f7 ♘e6 39. ♖d7 1 : 0** [Dautov]

568.* **E 63**

LAGUNOV 2445 – BOEHLE

Porz 1991

1. c4 ♘f6 2. ♘f3 g6 3. g3 ♗g7 4. ♗g2 0–0 5. 0–0 d6 6. d4 ♘c6 7. ♘c3 a6 8. h3 ♖b8 [RR 8... ♗d7 9. e4 e5 10. d5 ♘d4!? N (Lanka; 10... ♘a5 – 15/585) 11. ♘d4 ed4 12. ♕d4 (12. ♘e2 c5! 13. dc6 ♗c6∞) ♕c8 13. h4 ♘g4 14. ♕d2 b5 15. cb5 ab5 16. ♘e2 ♕b7 17. ♕c2 b4! 18. ♗f4 ♖a2! 19. ♖a2 b3 20. ♖a7! ♕a7 21. ♕b3 ♖b8 22. ♕a3 ♕b6 (22... ♕b7!?) 23. b4! ♕b4 1/2 : 1/2 Pigusov 2540 – Keņgis 2575, Wien (open) 1991; 14. ♕d3!?; 14. ♕d1!? Keņgis] **9. ♗e3 b5 10. ♘d2 ♗b7**

11. d5 ♘e5 12. b3 c5 13. ♖c1 ♕a5 14. a4 ba4 15. ♘a4 ♕c7 N [15... e6 — 45/712] 16. b4! cb4 [16... ♘ed7? 17. bc5 ♘c5 (17... dc5 18. ♘b3+−) 18. ♘c5 dc5 19. ♗f4+−] 17. ♗b6 ♕c8 [17... ♕d7? 18. f4+−] 18. ♗a7 [18. ♕b3? ♘ed7 19. ♗a5 ♘c5 20. ♕b4 ♗d5∓] ♖a8!? [18... ♘fd7? 19. f4+−; 18... ♘ed7 19. ♗b8 ♕b8 20. ♘b3! ♕c7 21. ♕d2 a5 22. c5±; 18... ♕c7 19. ♗b8 ♖b8 20. ♕b3 (20. ♘b3!? △ c5) ♘ed7 (20... a5 21. c5±) 21. ♕b4 ♗d5 22. cd5 ♖b4 23. ♖c7 ♖a4 24. ♘e4!±⊥] 19. ♘b6 ♕c7 [19... ♕c5? 20. ♘b3+−] 20. ♘a8 ♖a8 21. ♗d4 ♘ed7 22. ♕a4! a5 23. ♘b3± ♘e8 [23... ♘c5!? 24. ♗c5 dc5 25. ♕b5 (△ d6) ♘e8!□ 26. ♕c5 a4 27. ♕c7 ♘c7 28. ♘c5 a3! 29. ♖b1!! (29. ♘b7? a2 30. c5 b3!! 31. d6 ed6 32. cd6 b2 33. dc7 bc1♕ 34. ♖c1 a1♕ 35. ♖a1 ♖a1 36. ♔h2 ♖c1∓) a2 30. ♘b7! ab1♕ 31. ♖b1+−]

24. c5! ♗d4 [24... dc5 25. ♗c5 ♘c5 26. ♖c5 △ ♖a5+−] 25. c6!! ♗c3 [25... ♘b6 26. cb7 ♕b7 27. ♕c6 ♕c6 28. ♖c6+−; 25... ♘c5 26. cb7! ♕b7 (26... ♖b8 27. ♕a5+−) 27. ♘c5 ♗c5 28. ♖c5! dc5 29. d6 ♕b8 30. ♗a8 ♕a8 31. de7 b3!? 32. ♖d1 b2 33. ♕b5!+−] 26. cd7! [26. cb7? ♕b7 27. ♕c6 (27. ♘a5? ♕c7 28. ♕c6 ♖a5−+) ♕a7 28. ♘a5 ♕a5 29. ♕d7 ♕c7=] ♘f6 27. ♘a5!!+− ♖a5 [27... ♕b6 28. ♘b7] 28. ♕b4 ♕d7?! [28... ♖c5 29. ♖c3 ♘d7] 29. ♕c3 ♖c5 30. ♕a3 ♖c1 31. ♖c1 ♔g7 32. ♕a5 ♕f5 33. ♖c7 ♗d5 34. ♖e7 ♕b1 35. ♔h2 ♗e6 36. ♕d8 ♕d1 [37. ♖e6] 1 : 0 [Lagunov]

569.** !N E 66

M. MATŁAK 2405 — KULCZEWSKI

corr. 1990/91

1. d4 ♘f6 2. ♘f3 g6 3. c4 ♗g7 4. g3 0—0 5. ♗g2 d6 6. 0—0 ♘c6 7. d5 ♘a5 8. ♘fd2 c5 9. ♘c3 a6 10. ♖b1 ♖b8 [RR 10... ♕c7 N 11. b3 ♖b8 12. ♗b2 b5 13. ♗a1 bc4 14. bc4 ♖b4 15. a3 ♖b1 16. ♕b1 ♗h6 17. f4 ♗d7 18. ♕c2 ♖b8 19. ♖b1 ♖b1 20. ♘cb1 ♗g7= Loginov 2540 — Kovalëv 2550, SSSR 1991] 11. b3 b5 12. ♗b2 bc4 13. bc4 ♗h6 14. ♗a1 ♗f5! [14... ♗d7 N 15. e3 ♕c7 16. ♕c2 e5 17. de6! ♗e6 18. ♘d5 ♗d5 19. cd5 ♗g7 20. ♗c3! ♘d7 (20... ♖b5? 21. ♕a4 ♖fb8 22. ♗a5+−) 21. ♗g7 ♔g7 22. ♕c3± M. Matłak 2405 — S. Olsson, corr. 1990/91] 15. e4 ♗g4 16. f3! [16. ♕c2?! — 42/763] ♗e3 17. ♔h1 ♗d7 18. h3! N [18. f4? ♘g4! 19. ♕e2 ♗d2 20. ♕d2 ♘c4 21. ♕e2 ♘ge3 22. ♖b8 ♕b8 23. ♖b1 ♕c7∓] ♗d2 19. ♕d2 ♘c4 20. ♕e2 ♘a3 [20... ♖b1?! 21. ♘b1! ×a6] 21. ♖bd1!?=/∞ [↗a1-h8; 21. ♖b8 ♕b8 22. ♕a6 ♘c2 23. ♖b1 ♕a8 24. ♕a8 ♖a8 25. ♗b2 ♘e3 26. ♗c1 ♘g2 27. ♔g2=] ♕a5 [21... ♗b5 22. ♘b5 ab5 23. f4 b4 24. e5 ♘h5 25. ♔h2 f5 (25... c4 26. g4 ♘g7 27. ♗d4 c3 28. e6 ♘b5 29. ♗e3=/∞ △ f5→) 26. ef6 (26. g4!? fg4 27. f5) ♘f6 27. g4 c4 28. g5 ♘h5 29. ♕e6 ♖f7 30. f5→; 23. e5!?; 21... ♘b5 22. ♕d2 ♘d4 23. f4 ♕c7 24. ♖fe1] 22. f4 ♘b5 23. ♕d2 [23. ♕e3?! ♘d4 24. ♖d2 ♗b5! △ ♘d7-b6] ♘h5 24. ♔h2 ♘d4 25. g4 ♘g7 26. e5 f5 27. e6 ♗b5 [27... ♗a4!? 28. ♖c1] 28. ♖f2 ♗c4 29. ♕e3 ♘b5? [29... ♗b5? 30. ♖d4 cd4 31. ♕d4 ♕b6 32. ♘b5+−; 29... ♖b4 30. ♖fd2 ♖fb8 31. ♖g1=/∞] 30. ♘b5!± [↗a1-h8] ♗b5□ [30... ♖b5 31. ♕c1 ×♗c4; 30... ab5 31. ♕c1 △ ♕b2] 31. ♕c1! ♗a4 32. ♖d3 h6 33. ♖g3 [×g6] ♔h7 34. ♗c3! ♕b5 [34... ♕b6 35. gf5! (35. ♗g7 ♔g7 36. gf5 ♗e8) ♘f5 36. ♖g6!! ♔g6 37. ♗e4+−] 35. ♗g7 [35. gf5? ♘f5 36. ♖g6 ♕d3!∞] ♔g7 36. gf5 ♖f5? [36... ♖f6□ 37. ♕c3 ♔g8 38. ♖g6 ♖g6 39. fg6 ♕b4 40. ♕e3! ♕d4 41. ♕d4 cd4 42. ♖d2 ♖b4 43. ♔g3 ♗b5 44. ♗e4±] 37. ♗e4 ♖f6 38. ♖fg2! [38. ♕c3 ♔h7 39. ♖g6 ♖g6 40. ♗g6 ♔g6 41. ♖g2 ♔f5] ♕b4 39. ♗g6 ♖bf8 40. f5 1 : 0 [M. Matłak]

570. E 67

TIMMAN 2630 – KASPAROV 2770
Tilburg (Interpolis) 1991

1. d4 ♘f6 2. c4 g6 3. ♘f3 ♗g7 4. g3 0–0 5. ♗g2 d6 6. 0–0 ♘bd7 7. ♘c3 e5 8. ♕c2 c6 9. ♖d1 ♕e7 10. b3 ed4?! N [10... ♖e8 – 52/592] **11. ♘d4 ♖e8 12. ♗b2** [12. ♗f4! ♘e5 (12... ♘h5? 13. ♘c6!) 13. ♕d2±] **♘c5 13. e3 a5 14. a3 h5! 15. b4** [15. h3 h4 16. g4 ♘g4! 17. hg4 ♗g4→] **♘ce4** [15... ab4?! 16. ab4 ♖a1 17. ♖a1 ♘e6 18. ♘f3!⩲] **16. b5 ♗d7!** [16... c5?! 17. ♘e4 ♘e4 18. ♘e2! ♘f2 19. ♔f2 ♕e3 20. ♔f1 ♗f5 (20... ♗g4 21. ♘f4!±) 21. ♕d2 ♗b2 22. ♕b2 ♗d3 23. ♖d3 ♕d3 24. ♗b7±] **17. ♖ac1 h4 18. a4?** [18. ♘e4 ♘e4 19. bc6!? (19. ♗e4 ♕e4 20. ♕e4 ♖e4 21. bc6 ♗c6!∓; 19. ♘f3=) bc6 20. ♗e4 ♕e4 21. ♕e4 ♖e4 22. c5∞] **hg3 19. hg3**

19... ♘f2! 20. ♕f2 ♘g4 21. ♕f3? [21. ♕d2 ♕e3 (21... ♘e3!?∞) 22. ♕e3 ♘e3 23. bc6 (23. ♖d3 ♘c4 24. ♗a1 d5∓) bc6 24. ♘c6 (24. ♗c6? ♘d1!–+) ♘g2 25. ♖d6 ♗c6 26. ♖c6 ♘e1!∓] **♘e3!** [△ ♗g4–+] **22. ♖e1** [22. bc6 bc6 23. ♘c6 ♗c6 24. ♕c6 ♘d1–+; 22. ♘e4 ♘g2–+] **♗d4 23. ♘d5 ♘g4?!** [23... ♘d1! 24. ♗d4 (24. ♔h2 ♕e1 25. ♖d1 ♕e2 26. ♘f6 ♗f6 27. ♕f6 ♕h5–+) ♕e1 25. ♔h2 cd5 26. ♕f6 (26. ♖d1 ♕e2–+) ♖e5–+] **24. ♗d4 ♕e1 25. ♖e1 ♖e1 26. ♗f1 cd5 27. ♕d5** [27. ♕h1 ♘e5–+] **♖ae8 28. ♗f2** [28. ♕h1!?–+⇆] **♗e6! 29. ♕b7** [29. ♕d6 ♗c4 30. ♗e1 ♖e1 31. ♕d8 ♔h7 32. ♕d4 ♘e5 33. ♔g2 ♗f1 34. ♔f2 f6!–+] **♖c1 30. ♕c6** [30. ♕e4 ♘f2 31. ♔f2 ♖f1!–+] **♖c8 31. ♕e4 ♖8c4 32. ♕a8 ♔h7 33. b6 ♖b4 34. ♕a5** [34. b7 ♖bb1 35. ♕a6 ♗c4–+] **♖bb1 35. ♔g2 ♖c2** **0 : 1**
[Kasparov]

571. E 68

P. NIKOLIĆ 2625 – B. GEL'FAND 2665
Beograd 1991

1. d4 ♘f6 2. c4 g6 3. ♘f3 ♗g7 4. g3 0–0 5. ♗g2 d6 6. 0–0 ♘bd7 7. ♘c3 e5 8. e4 ed4 9. ♘d4 ♖e8 10. h3 a6 11. ♘b3!? N ♖b8 12. ♕c2! [12. a4 ♘e5 13. ♕e2 c6⇆] **♘e5** [12... b5? 13. ♘a5!] **13. c5** [13. ♘d5 ♘d5 14. cd5 c6=] **dc5** [13... ♗e6?! 14. cd6 cd6 15. ♘d4±] **14. ♘c5** [14. ♖d1? ♕e7 15. f4? c4] **♕e7?** [14... ♕d6! 15. ♘b3 ♕d3 16. ♕d3 ♘d3 17. ♖d1 ♘c1 18. ♖ac1±] **15. ♗e3!±** [15. ♘b3 c5 16. f4 c4⇆] **b6** [15... ♘c4 16. ♗d4 ♖d8 17. ♗f6 (17. ♘b3±) ♗f6 18. ♘d5 ♖d5 19. ed5 ♕c5 20. ♖ac1 b5 21. b3+–] **16. ♘b3 c5 17. f4 ♘c4 18. ♗f2 ♗b7!? 19. ♖fe1** [△ ♘d5; 19. e5?! ♗g2 20. ♔g2 (20. ef6 ♕b7 21. fg7 ♗h3∞̄) ♕b7 21. ♔h2 ♘d5⩲] **♕d7□ 20. a4?** [20. ♘d5?! ♘d5 21. ed5 ♕a4∓; 20. ♖ad1! ♕c6 21. ♔h2 △ ♗h1, e5±] **♘b2! 21. ♕b2?** [21. e5 ♗g2 22. ♔g2 ♘d3 23. ♖ed1 (23. ef6? ♘e1 24. ♗e1 ♗f6∓) ♕b7 24. ♔h2 ♘f2 25. ♕f2 ♘e4=] **♘e4 22. ♖ad1** [22. ♗e4 ♗e4 23. ♔h2 ♗a8∞̄→] **♗c3!** [22... ♕c8 23. ♗e4 ♗e4 24. ♔h2 ♗a8∞̄] **23. ♖d7?** [23. ♕c3! ♕a4 (23... ♕d1 24. ♗e4 ♕d7 25. ♗b7 ♖e1 26. ♗e1 ♕b7∞) 24. ♕b2 ♘f2 25. ♔f2 ♗g2 26. ♔g2 ♕b4∞] **♗b2 24. ♖b7 ♖b7 25. ♖e4 ♖e4 26. ♗e4 ♖d7∓ 27. a5□ ba5 28. ♘c5?!** [28. ♘a5 ♖d1 29. ♔g2 ♗d4∓] **♖d1 29. ♔g2 ♗d4 30. ♗b7?** [30. ♘b3!□ ♗f2 31. ♔f2 a4 32. ♔e2! ♖d8 (32... ♖g1 33. ♔f2∓) 33. ♘c1 a3∓] **♖d2 31. ♘e4 ♖c2 32. ♗a6 ♗f2 33. ♗d3 ♖b2 34. ♘f2 a4 35. ♗c4 a3 36. ♔f3 ♖c2 37. ♗d5 ♖d2 38. ♗c4 ♖c2 39. ♗d5 a2 40. ♗a2 ♖a2** **0 : 1**
[B. Gel'fand, Kapengut]

572.*   **E 68**

P. NIKOLIĆ 2635 − VAN WELY 2560
Wijk aan Zee 1992

1. d4 ♘f6 2. ♘f3 g6 3. c4 ♗g7 4. g3 d6 5. ♗g2 0−0 6. 0−0 ♘bd7 7. ♘c3 e5 8. e4 ed4 9. ♘d4 ♖e8 10. h3 a6 11. ♘de2!? N ♖b8!? [RR 11... ♘b6 12. b3 ♘e4 13. ♘e4 ♖e4 14. ♗e4 ♗a1 15. ♗g2 ♗f6 16. ♘f4 ♖b8 17. ♗e3 ♗d7 18. ♗b6 cb6 19. ♕d6 ♗c6 20. ♕d8 ♖d8 21. ♘d5 1/2 : 1/2 P. Nikolić 2635 − B. Gel'fand 2665, Wijk aan Zee 1992] **12. ♕c2 ♘e5** [12... b5? 13. cb5 ab5 14. ♘d4+−] **13. b3 b5 14. cb5** [14. g4? ♘c6 15. e5 ♘b4−+] **ab5 15. ♗g5 c6**□ [15... h6?! 16. ♗f6 ♗f6 17. ♘d5 c5 18. ♘f6 ♕f6 19. f4± △ ♖ad1, ♘c3] **16. ♖ad1 b4 17. ♘a4 ♕c7 18. ♖fe1** [18. ♖d2!? h6 (18... ♗h3 19. ♗f6 ♗f6 20. ♗h3 ♘f3 21. ♔g2 ♘d2 22. ♕d2 ♖e4∞) 19. ♗e3 ♗h3 20. ♗h3 ♘f3 △ ♘d2, ♘e4, d5∞] **h6?!** [18... c5! 19. ♕d2 ♗b7∞] **19. ♗f4!?** [⊿h2-b8] **c5 20. ♕d2 ♗b7!?** [20... g5?! 21. ♗e5 de5 (21... ♖e5 22. ♕d6 ♕d6 23. ♖d6 ♘e4 24. ♖d8±) 22. ♕d6± △ ♘c1-d3, △ ♗h2, ♗f3 ×g4, c5] **21. ♕d6 ♕d6 22. ♖d6 ♘e4** [22... ♗e4 23. ♗e5 (23. ♘c5 ♘f3 24. ♗f3 ♗f3⨀) ♗e5 24. ♘f4± ×c5] **23. ♖b6! ♘d7?** [23... ♗c6 24. ♖b8 ♖b8 25. ♗e5 ♗e5 26. ♘c5 ♘c5 27. ♗c6 ♖d8±⟳] **24. ♖b5 ♗c6 25. ♖b8 ♘b8 26. ♗b8 ♗a4?!** [26... ♖b8!? 27. ♘c5 (27. ♘f4? ♖e8!) ♘c5 28. ♗c6 ♖d8 29. ♘f4±⟳] **27. ba4+− ♘c3 28. ♗d6?** [28. ♗a7! ♖e2 29. ♖e2 ♘e2 30. ♔f1 ♘c3 31. ♗c5 ♘a2 (31... ♘a4 32. ♗b4+−) 32. a5 b3 33. a6 ♘c3 34. a7 b2 35. a8♕ ♔h7 36. ♗e4+−] **♘e2 29. ♔f1 ♗c3! 30. ♖d1** [30. ♖e2 ♖d8] **♗d4 31. a5 ♖e6! 32. a6!**□ [32. ♗c7? ♖f6−+↑] **♖d6 33. a7 ♖a6 34. a8♕ ♖a8 35. ♗a8** [♖ 9/e] **♘c3 36. ♖d2 f5 37. ♗b7 ♔f7 38. ♗a6 ♔e6 39. ♗c4 ♔e5 40. ♔g2 ♔e4 41. h4 g5 42. f3 ♔e5** [42... ♔e3?? 43. ♖d3 △ ♖c3+−] **43. hg5 hg5⨀ 44. ♔h3 ♘d5 45. ♖e2 ♘e3 46. ♗g8 f4 47. ♔h2 g4 48. gf4 ♔f4 49. fg4 ♔f3 50. ♖e3 ♗e3 51. ♗f7 ♔f2 52. ♗g8 ♗g5 53. ♗f7 ♔e3 54. ♔g2 ♔d3 55. ♔f1 ♗h4 56. ♗g6 ♔d2 57. ♗f7 ♔d3**   **1/2 : 1/2** [van Wely]

573.* !N   **E 68**

DAUTOV 2595 − KNAAK 2535
Bad Lauterberg 1991

1. d4 ♘f6 2. c4 d6 3. ♘c3 ♘bd7 4. ♘f3 g6 5. g3 ♗g7 6. ♗g2 0−0 7. 0−0 e5 8. e4 ed4 9. ♘d4 ♖e8 10. h3 a6 11. ♗e3 ♖b8 12. g4?! [RR 12. a4 ♘e5 N (12... ♘c5) 13. b3 ♗d7 14. ♖e1 c5 15. ♘de2 ♗c6 16. ♕c2 b5 17. cb5 ab5 18. ab5 ♗b5 19. ♘b5 ♖b5 20. f4 1/2 : 1/2 Adorján 2530 − Grószpéter 2480, Magyarország (ch) 1991; 12. ♕c2 − 52/(593)] **♘e5 13. b3 c5 14. ♘de2 b5 15. f4 ♘eg4! N** [15... ♘ed7? 16. g5 ♘h5 17. ♕d6 b4 18. ♘d5 ♗a1 19. ♖a1 ♖e6 20. ♕c7±⟳ ×c5] **16. hg4 ♗g4 17. ♗f2 bc4!** [17... b4? 18. ♘d5 ♗a1 19. ♕a1 ♗b7 20. ♗f3 ♗d5 21. cd5 ♘f2 22. ♖f2 △ ♗g2, ♘g3-f5→] **18. bc4 ♗e6 19. ♕d3 ♖b4 20. ♖ad1**□ **♖c4??** [20... ♗c4 21. ♕d6 ♕d6 22. ♖d6 ♗c3 (22... ♖b2!? 23. ♗f3 h5! 24. e5 g5 25. ♖fd1 gf4 26. ♖d8 ♖d8 27. ♖d8 ♔h7 28. ♗c5 ♗e5∞) 23. ♘c3 ♗f1 24. ♗f1 ♘f2 25. ♔f2 ♖b2 (25... a5? 26. ♖c6±) 26. ♔f3 ♖c2 27. ♘d5 ♖b8! (27... ♖e6 28. ♖d8 ♔g7 29. ♘e3± △ ♖d7, ♗c4) 28. ♖a6 ♖bb2 29. ♘e3 ♖f2 30. ♔g3 ♖a2 31. ♖c6=] **21. e5!+− ♗e5** [⌂ 21... ♕a5 22. ♗d5! ♗d5 23. ♘d5 ♖a4 24. ed6 ♗d] **22. fe5 ♘e5 23. ♕d6 ♕g5 24. ♗g3 ♕e3 25. ♖f2 ♘g4 26. ♖d3 ♕g5 27. ♖f4 ♘e5 28. ♖e3 ♖f4 29. ♗f4 ♘c4 30. ♖e6 fe6 31. ♕a6 ♕h4 32. ♕c4 g5 33. ♕b5 ♕e1 34. ♔h2 ♕h4 35. ♗h3 ♕f2 36. ♔h1 ♖e7 37. ♕b8 ♔f7 38. ♗g5 ♕f3 39. ♔h2**   **1 : 0** [Dautov]

574.* *** !N   **E 69**

BLAGOJEVIĆ 2500 − GOLUBEV 2465
Skopje (open) 1991

1. d4 ♘f6 2. c4 g6 3. ♘f3 ♗g7 4. g3 0−0 5. ♗g2 d6 6. ♘c3 ♘bd7 7. 0−0 e5 8. h3 c6 9. e4 ♕b6 10. ♖e1 [RR 10. c5 dc5 11. de5 ♘e8 12. ♘a4 ♕b5 N (12... ♕a6 − 49/700) 13. ♗e3 ♘c7 14. ♖c1 ♘e6 15. b3 ♖d8 16. ♗g5 ♖e8 17. ♗e3 ♖d8= Jusupov 2625 − Damljanović 2585, Beograd 1991;

10. de5 de5 11. ♕c2 ♖e8 12. ♗e3 *a)* 12...
♕c7 13. c5 ♘f8 14. ♘a4 N (14. ♖fd1)
♘e6 15. b4 ♘d7 16. ♖fd1 b5 17. cb6 ab6
18. ♖ac1 b5 19. ♘c3 ♕b7 20. ♘b1! ♘b6
(20... ♗f8 21. a3 c5 22. bc5 ♘ec5 23.
♗c5 ♘c5 24. ♖d5±) 21. ♘bd2 ♗d7 22.
♗f1± Rogozenko 2310 − D. Popescu
2245, România (ch) 1991; *b)* 12... ♕b4
13. b3 △ a3± Rogozenko; 10. d5 cd5 11.
cd5 ♘c5 12. ♘d2! N (12. ♕e2 − 52/594)
♗d7 (12... a5 13. ♘b3 ♘fd7 14. ♗e3
♕b4 15. ♘c5 ♘c5 16. ♖b1±; 12... ♘e8
13. ♘a4!? ♘a4 14. ♕a4 f5 15. ef5 gf5 16.
♘c4 ♕d8 17. ♗d2 a6 18. ♕a3±) 13. ♘b3
♕c7 (13... ♘b3 14. ♕b3 ♕b3 15. ab3
♖fc8 16. ♗e3 a6 17. ♖fc1 h5 18. ♗f1
♔h7 19. ♗g5! ♘e8 20. ♘a4 ♗a4 21. ba4
♗h6 22. h4! △ ♗h3±) 14. ♘c5 ♕c5 15.
♗e3 ♕a5 16. ♕b3 b5 17. a3 ♖fc8 18.
♖fc1 ♕d8 19. a4! ba4 20. ♘a4± Lempert
2440 − Drozdov 2350, Moskva 1991; 18...
♗e8!?; 16... ♖ab8!? Lempert] **ed4 11.
♘d4 ♖e8 12. ♘de2!?** N [12. ♘f3 − 50/
606; RR 12. ♖e2 ♕b4 13. ♖c2 ♘c5 14.
♗d2 ♕b6 15. ♗e3 a5 16. ♖b1 ♕d8 17.
f3 ♘fd7 18. ♗f2 ♘e5 19. ♗f1 a4 20. b4
ab3 21. ab3 ♖a3 22. b4 ♘e6 23. ♘b3 ♕f6
24. f4 ♘f4! 25. gf4 ♕f4 26. ♗g2 ♕g5 27.
h4 ♕f4 28. ♘e2 ♘f3 29. ♔f1 ♕g4∞ Woj-
tkiewicz 2510 − A. Sznapik 2465, Warsza-
wa (m/4) 1991] ♘c5 [12... ♘e5?! 13. b3
△ 13... ♗h3 14. ♗e3] **13. ♕c2** [13. ♕d6?
♖d8] **♕b4! 14. ♗f4!** [14. b3? ♘fe4] **♕c4
15. ♖ad1!∞̄ d5** [15... ♘ce4? 16. ♖d4;
15... ♘fe4 16. b3 ♕b4 (16... ♕e6? 17.
♘d4 ♗d4 18. ♖d4) 17. a3 ♕a3! 18. ♘e4
♘e4 19. ♗e4 d5∞] **16. b3** [16. ed5 ♗f5↑]
♕a6 17. ♘d5! cd5 18. ♕c5◌ de4 [18...
b6!?] **19. ♘c3 ♗f5** [19... b6 20. ♕b5!? △
20... ♗b7 21. ♕a6 ♗a6 22. ♘e4±↑] **20.
♗f1! ♕b6** [20... ♕c6 21. ♕c6 bc6 22.
g4±] **21. ♕b6 ab6 22. ♘a4! ♗f8!?** [22...
♖a5 23. ♗d2!?; 22... h5! 23. ♖d2!?=] **23.
♗b5 ♖ed8 24. ♘b6 ♖d1 25. ♖d1 ♖a2
26. ♖d8 ♔g7 27. ♗e5 ♗e7!◌** [27... ♖a5?
28. ♘d5 ♖b5 29. ♗f6 ♔h6 30. g4 △ 30...
♗e6 31. g5 ♔h5 32. ♘f4 ♔h4 33.
♖f8+−; 27... ♗c5? 28. ♘d5±] **28. ♖e8
♖a5! 29. ♖e7 ♖b5 30. ♘c4 ♗e6= 31.
♗d4 ♖d5 32. ♗b2 b5 33. ♘e3 ♖d2 34.
♗e5 g5** [34... h5 35. h4! ∥a1-h8] **35. ♘g4**

[35. ♖b7 ♔g6; 35. ♖e6 fe6 36. ♘g4 ♔g6
37. ♘f6 ♔f5 38. ♗c3 ♖d3 39. g4 ♔f4]
**♗g4 36. hg4 ♔g6 37. ♗f6 ♔f6 38. ♖e4
1/2 : 1/2** [Golubev]

575.* E 69

IONOV 2510 − AKOPJAN 2590
SSSR (ch) 1991

**1. d4 ♘f6 2. c4 g6 3. ♘f3 ♗g7 4. g3 0−0
5. ♗g2 d6 6. 0−0 ♘bd7 7. ♘c3 e5 8. e4
c6 9. b3 ed4 10. ♘d4 ♖e8 11. h3 ♘c5 12.
♖e1 a5** [RR 12... ♗d7 13. ♗f4 N (13.
♖b1 − 30/704) ♕b6 14. ♗e3 ♖ad8 15.
♕c2 ♗c8 16. a3 ♕c7 17. ♖ad1 ♕e7 18.
b4 ♘cd7 19. ♕a2 a6 20. a4 a5 21. b5 c5
22. ♘de2 ♘b6 23. ♘f4 ♗e6 24. ♘e6 ♕e6
25. ♘d5 ♘fd5 26. ed5 ♕f6 1/2 : 1/2 V.
Salov 2665 − Kasparov 2770, Reggio Emi-
lia 1991/92] **13. ♖b1 h6 14. ♔h2 a4 15.
♗f4 N** [15. b4 − 44/717] **ab3 16. ab3 g5!?
17. ♗c1 ♘fd7 18. ♗e3** [18. ♘f5!? ♗c3
19. ♘h6 *a)* 19... ♔f8 20. ♕h5 ♕f6 (20...
♘e5 21. ♗g5±→) 21. ♖e3!±→; *b)* 19...
♔g7! 20. ♘f5 (20. ♕h5 ♘e5∞) ♔g8 21.
♘h6=] **♘e5 19. ♕c2 ♕f6 20. ♖ed1!** [20.
b4 ♘cd3 21. ♖ed1 ♘f4! 22. gf4 gf4 23.
♗c1 f3 24. ♗f1 ♕h4∞↑; 20... ♘c4!?] **h5!
21. ♘f5** [21. b4 ♘c4! 22. bc5 ♘e3 23. fe3
dc5∞̄] **♗f5 22. ef5 g4** [22... h4!? 23. gh4!
gh4 24. ♔h1∞] **23. h4□ ♖a3** [23... ♘f3!?
24. ♗f3 ♖e3! 25. fe3 gf3 *a)* 26. ♘a4 ♘d7
27. e4 ♘e5 (27... b5? 28. cb5 cb5 29.
♕c6!) 28. ♔h1∞; *b)* 26. b4!? ♘d7 27.
♘e4 ♕f5 28. ♖d6 ♔f8 29. ♖bd1 ♘e5 30.
♖d8 ♖d8 31. ♖d8 ♔e7 32. ♖e8!+−; 29...
♘f6!?] **24. ♗d4** [24. ♗c5 dc5 25. ♘e4?
♕f5 26. ♕c1 ♖a2 27. ♘d6 ♕f2−+; 24.
♗g5!? ♘f3 25. ♗f3 ♕c3 26. ♕c3 ♗c3
27. ♗g2± ♖ea8 **25. b4 ♘a4?** [25... ♘cd7
26. b5∞] **26. ♘e2!** [△ ♖a1] **c5□ 27. bc5
♘c5 28. ♘c3!** [28. ♘f4 ♖a2! 29. ♖b2 ♖b2
30. ♗b2 ♘f3 (30... ♖a2 31. ♘h5 ♘f3 32.
♗f3 ♕b2 33. ♕b2 ♖b2 34. ♗g4 ♖f2 35.
♔g1±) 31. ♗f3 ♕b2 32. ♕b2 ♗b2 33.
♗d5 ♗e5 34. ♘h5 ♖a2 35. ♔g2±] **♕h6
29. ♘d5** [29. ♗e3!?] **♘f3 30. ♗f3 ♗d4
31. ♖d4 ♖f3 32. ♖e1!±⊕** **1/2 : 1/2**
[Akopjan]

576. E 70

KORTCHNOI 2585 – JE. PIKET 2615
Wijk aan Zee 1992

1. d4 ♘f6 2. c4 g6 3. ♘c3 ♗g7 4. e4 d6 5. ♘ge2 a6 6. ♘g3 h5 N [6... 0–0 7. ♗e2 c5 (7... c6 – 40/741) 8. d5 b5!?; 8. dc5!?] **7. ♗e2 c6 8. 0–0 ♘bd7** [8... ♘g4 9. f3 ♘h2 10. ♔h2 e5 11. ♘h1 ed4 12. ♘b1±] **9. ♖e1! e5** [9... ♕b6 10. ♘a4 ♕c7 11. ♕c2⩲; 11. h3!±] **10. ♗g5 ♕c7 11. ♖c1?!** [11. h3 0–0 12. ♗e3∞; 11. d5 c5 12. ♖b1±] **0–0 12. d5 c5 13. ♘f1** [13. ♕d3 ♘h7 14. ♗d2 h4 15. ♘f1 f5 16. ef5 gf5 17. ♕h3 b5! 18. cb5 ab5 19. ♗b5 e4⩱] **♘h7 14. ♗d2 h4 15. ♗d3 ♘df6 16. ♘e3 ♗d7 17. a4 ♘h5 18. g3 ♗h6 19. ♖c2 ♔h8 20. ♘g2 ♗d2 21. ♕d2 hg3 22. hg3** [22. fg3!?] **♔g7 23. ♗e2 ♘7f6 24. ♕g5** [24. ♘h4!? △ ♕g5] **♘h7 25. ♕h4?!** [25. ♕e3 ♘7f6 26. f4 ♖h8 27. fe5 de5 28. ♔f2 ♕d6 △ ♘g4; 26. ♘h4!±] **♘5f6** [25... ♖h8? 26. ♗h5 ♘f6 27. g4 ♗g4 28. ♕g4 ♘g4 29. ♗g4±] **26. g4 ♕d8!=** [26... ♖h8!?] **27. ♘e3 ♖h8 28. ♖d2□** [28. ♔g2? ♘g4] **♕e7 29. ♔g2 ♘f8** [29... ♖ag8 △ ♔f8, ♘e8] **30. ♕g3 ♘6h7 31. ♖h1 ♘g5 32. ♖h8 ♔h8 33. ♖d1 ♔g7 34. ♖h1 ♘fh7 35. ♕h4 ♖h8 36. f3 ♕f6** [36... ♔g8 △ f6] **37. b3 ♔g8 38. ♘cd1 ♕g7 39. ♘f2 f6 40. ♘d3 ♘f7 41. ♕e1 ♘hg5 42. ♖h4 ♖h4 43. ♕h4 a5∓ 44. ♔f2 b6 45. ♔e1 ♕h6 46. ♕h6 ♘h6 47. ♔f2 f5 48. gf5 gf5 49. ef5 ♗f5** [49... ♘f5 50. ♘f5 ♗f5 51. ♔e3 ♗d3 52. ♗d3 ♘h3 53. ♗f1 ♘f4 54. ♔e4 ♔g7 55. ♔f5 ♔f7 56. ♔g5=] **50. ♔g3** [50... ♔f7 51. ♘f2 △ 52. ♗d1, 52. ♗f1=] **1/2 : 1/2** [Je. Piket]

577. E 70

SERPER 2490 – KOTRONIAS 2550
Gausdal 1991

1. c4 ♘f6 2. ♘c3 g6 3. e4 d6 4. d4 ♗g7 5. ♘ge2 0–0 6. ♘g3 c5 7. d5 e6 8. ♗e2 ed5 9. ed5 ♖e8 10. 0–0 ♘bd7 11. ♗f4 N [11. f4] **♘e5 12. ♕d2 a6 13. ♗g5 ♕c7** [13... ♕b6!? △ 14. a4 ♕b4!] **14. a4± h5?! 15. f4! ♘eg4 16. f5→ ♘h7** [△ ♗d4] **17. ♗g4! hg4** [17... ♘g5? 18. ♕g5 (18. ♗h5? ♗h6) hg4 19. fg6+–; 17... ♗d4 18. ♔h1 hg4 19. fg6 fg6 20. ♘ce4±] **18. f6!** [18. fg6!? fg6 19. ♘ce4 ♗f5! 20. ♘f5 ♖e4∞] **♗h8□** [18... ♗f8? 19. ♗h6+–] **19. ♘ce4 ♗f5 20. ♘f5 ♖e4** [20... gf5? 21. ♘g3+–] **21. ♘e7 ♔f8 22. ♗h6 ♔e8**

23. ♗g7!!+– ♗g7 [23... ♘f6? 24. ♗h8; 23... ♔d7 24. ♕h6] **24. fg7 ♔e7 25. ♕h6 ♕d8** [25... ♘f6 26. ♕g5; 25... ♖g8 26. ♕h4! f6 (26... ♘f6 27. ♕f6 ♔e8 28. ♖ae1) 27. ♕h7 ♔f7 28. ♖f6 ♔f6 29. ♕g8 ♕g7 30. ♖f1] **26. ♕h4!** [26. ♕h7 ♕g8] **g5** [26... f6 27. ♕h7 ♕g8 28. ♕g6] **27. ♕h7 ♖e5 28. ♖f7! 1 : 0** [Serper]

578.** E 70

IONOV 2510 – BOLOGAN 2535
SSSR (ch) 1991

1. d4 ♘f6 2. c4 g6 3. ♘c3 ♗g7 4. e4 d6 5. ♘ge2 0–0 6. ♘g3 e5 7. d5 c6 8. ♗e2 a6!? N [8... cd5 – 46/787] **9. a4?!** [9. 0–0 cd5 10. cd5 b5 11. b4 △ a4; RR 9. h4 b5 *a)* 10. cb5 ab5 11. dc6 ♘c6 12. ♗b5 ♘d4 13. ♗c4 ♕c7 14. ♕d3 ♘c2 15. ♕c2 ♕c4⩱ Volke 2425 – V. Kostić 2390, München 1991/92; *b)* 10. dc6 bc4 11. ♗c4 ♘c6∞ Ermenkov; *c)* 10. h5 cd5 11. cd5 ♘bd7 12. ♗e3 ♘b6 13. b3± Ermenkov 2505 – Topalov 2485, Šumen 1991] **a5!** [×b4, c5] **10. h4 h5 11. ♗g5 ♕b6 12. ♖a3!?** [12. ♕c2 ♘a6 △ ♘c5, ♗d7, ♖ac8∓] **♘bd7** [12... ♘a6?! 13. ♗f6 ♗f6 14. ♗h5! gh5 15. ♘h5→] **13. ♕c2 ♘c5 14. ♗e3 ♗d7** [14... ♘g4! 15. ♗g4 ♗g4 △ 16... ♕b2, 16... ♕b4] **15. ♘f1 ♖ac8**

16. ♘d2 ♕b4 17. ♘a2□ ♕b6 18. ♘c3 ♕d8 19. ♕b1 ♔h7 [△ ♗h6; 19... ♘a6!?] **20. b4 ab4 21. ♕b4 ♗h6 22. ♗h6 ♔h6∓ 23. a5 ♖a8 24. 0–0 ♘h7 25. ♘f3 ♕f6** [25... f5?? 26. ♘e5; 25... ♕e7!? △ f5] **26. ♕b2 ♗g4 27. ♕d2 ♔g7 28. ♘g5 ♗e2 29. ♘e2 cd5 30. ♘h7** [30. cd5 ♘g5 31. hg5 ♕e7 32. ♘c3 b6 33. ♖fa1 ba5] **♔h7 31. ♕d5!? ♖a6 32. ♖f3 ♕e7 33. ♖d1 ♔g7 34. g3 ♖d8 35. ♘c3 ♖a5 36. ♘b5 ♘e6 37. ♕d3 ♖a6 38. ♕d5 ♖c6 39. ♔g2 ♖c5 40. ♕d3 ♖c6 41. ♕d5 ♘c5 42. ♖a3 ♕e6! 43. ♕e6 fe6∓ 44. ♔f3 ♔f7 45. ♔e3 ♔e7 46. f4 ♘d7!** [×c4, e5] **47. ♖a7 ♖b8** [△ ♘b6] **48. ♖c1 ♖a6 49. ♖a1 ♖c6 50. ♖c1 ♘f6! 51. ♖c3 ♘g4 52. ♔f3 ♔f6 53. ♖a2 ♖bc8 54. ♖d2 ♖c4 55. ♖c4 ♖c4 56. ♘d6 ♖b4 57. ♔e2 ef4 58. gf4 e5 59. fe5 ♔e5 60. ♖d5 ♔f4 61. ♔d3 ♘e5–+ 62. ♔c3 ♖b6?** [62... ♖b1–+] **63. ♖e5! ♖d6 64. ♖e8 ♔g4 65. e5 ♖b6 66. ♔d4 ♔h4 67. e6 g5 68. ♔e5!** [68. e7? ♖e6 69. ♔d5 ♖e1 70. ♔d6 g4–+] **♖b1 69. ♖d8 ♖e1** [69... g4? 70. ♖d4! △ ♖e4, e7] **70. ♔f5 g4 71. ♖d4 ♔h3 72. ♖e4 ♖f1 73. ♔g5 ♖f8 74. ♔h5 ♖h8! 75. ♔g6 g3 76. ♔g7 ♖e8!–+** [76... ♖c8 77. ♖e3 ♔h2 78. ♖e5 g2 79. ♖h5 ♔g3 80. ♖g5 ♔f3 81. ♖f5 ♔g4 82. ♖f6! △ e7, ♔f7] **77. ♔f7 g2 78. ♔e8** [78. ♖e3 ♔g4!] **g1♕** [♕ 2/12] **79. ♖f4 ♕g6 80. ♔d7 ♕d3 81. ♔e8 ♕d6 82. ♖f6 ♔g4 83. ♔f7 ♕d5 84. ♔g7 ♕e5 85. ♔f7 ♕h5 86. ♔f8 ♔g5 87. ♖f2 ♕h6 88. ♔f7 ♕g6 89. ♔e7 ♕e4 90. ♔f7 ♕d5 91. ♖f6 b5 92. ♖g6 ♔h5 93. ♔f6 b4 94. ♖g8 b3 95. ♖h8 ♔g4 0 : 1 [Bologan]**

579.* E 70

KORTCHNOI 2585 – NUNN 2615
Wijk aan Zee 1992

1. d4 ♘f6 2. c4 g6 3. ♘c3 ♗g7 4. e4 d6 5. ♘ge2 0–0 6. ♘g3 e5 7. d5 a5 8. ♗e2 ♘a6 9. h4!? c6 10. h5 cd5 11. cd5 ♘c5 12. ♗e3 N [RR 12. a4!? N ♗d7 13. ♖a3 ♖c8 14. ♗e3 ♕b6 15. hg6 fg6 16. f3± I. Novikov 2550 – Gi. Hernández 2470, Pamplona (open) 1991/92; 12. ♗g5] **♕b6!** [12... a4 13. ♗c5 dc5 14. ♘a4 ♗d7 15. ♘c3±; 12... ♗d7 13. a4!±] **13. b3** [13. ♕d2?! ♗d7 △ a4; 13. 0–0!? ♕b2?! 14. ♗c5 dc5 15. ♘a4 ♕a3 (15... ♕d4 16. ♕c2 ♗d7 17. ♘b6±) 16. ♘b6 ♖b8 17. ♘c4 ♕c3 18. ♖c1 ♕d4 19. ♕c2±; 13... ♗d7!∞] **♗d7** [13... ♕b4 14. ♗d2 ♕d4 15. ♘b5 ♘d3 16. ♗d3 ♕d3 17. ♘d6±] **14. 0–0 ♕b4!?** [14... ♖fc8∞] **15. ♕d2!** [15. ♗d2 ♕d4∓] **♖fc8** [15... a4? 16. a3!] **16. a3! ♕b6** [16... ♕b3? 17. ♖fb1] **17. ♖ab1 ♕d8** [17... ♘b3? 18. ♕d1+–] **18. h6!?** [18. hg6∞] **♗f8 19. ♖fc1** [19. ♗g5!? ♗e7 20. f4 ♘e8! (20... ♕b6 21. ♕e3!±) 21. ♗e7 ♕e7 22. f5 ♕h4 23. ♕e3 ♘f6 △ g5, ♕h6∞; 19. b4∞] **♘g4 20. ♗g4 ♗g4 21. b4 ab4 22. ab4 ♘a4= 23. ♘a4 ♖a4 24. ♖c8 ♗c8 25. b5 ♗e7 26. ♕c2?!** [26. ♕b2 △ ♖a1=] **♖a8 27. b6 ♕f8!** [×h6] **28. ♖f1?!** [28. ♕b2 △ ♖a1] **♗d8∓** [28... g5? 29. ♖c1! △ 29... ♕h6 30. ♕c8±] **29. ♕c3?! ♗d7 30. ♕d2⊕ f5!∓ 31. f4 ♕h6 32. ♕f2** [32. fe5 ♗b6–+] **♖a3 33. ef5 gf5** [33... ♖e3? 34. ♕e3 ef4 35. ♖f4 ♗g5 36. ♘e2∞] **34. ♘e2 ♗b5?** [34... ♕h4! 35. g3 ♕g4 △ ♖a2, ♗b5–+] **35. ♖c1! ♗h4** [35... ♖e3 36. ♕e3 ♗e2 37. ♖c8 ♕f8□ 38. fe5 de5 39. d6!⇆; 35... ♗e2 36. ♕e2 e4∓] **36. g3□** [36. ♕f3 e4–+] **♗e2 37. gh4** [37. ♕e2 ♗g3–+; 37. ♖c8 ♔f7 38. ♖c7 ♗e7 39. ♕e2 ♖a1–+] **♕h5 38. ♖c8 ♔f7 39. ♖c7 ♔g6 40. fe5 ♕g4 41. ♔h2** [41. ♕g2 ♖e3 42. ♕g4 fg4 43. ed6 ♖d3 44. ♖b7 ♗f3! 45. ♖e7 (45. ♔f2 g3–+) g3 46. ♖e1 ♗d5–+] **de5∓** [41... ♗f1? 42. h5! ♕h5 43. ♔g1∞] **42. ♖c8?!** [42. d6? f4–+; 42. ♖c1! ♕e4 (42... ♔f6? 43. ♖g1 ♕e4 44. ♕g3 ♗g4 45. ♗g5+–) 43. ♕e2 ♖e3 44. ♕g2 ♕g2 45. ♔g2∓] **♕e4?!** [42... ♔f7! 43. ♖c7 ♔f6! 44. d6 f4 45. d7 ♖d3 46. ♖c2 ♗d1!–+] **43. ♕e2□** [43. d6 ♖e3 44. d7 ♖h3! 45. ♔h3 ♕h1–+] **♖e3 44. ♕g2 ♕g2 45. ♔g2 f4!∓** [45... ♖d3 46. ♖c7 ♖d5 47. ♖b7 ♖b5 48. ♖b8 ♔h5 49. b7 e4 (49... f4 50. ♖e8=) 50. ♔g3=; 45... ♖b3 46. d6 ♖d3 47. ♖c7 ♖d6 48. ♖b7 △ ♖b8, b7=] **46. ♖c7 ♖d3??=** [46... ♔f5! 47. ♖b7 ♔e4 48. d6 f3 49. ♔f1 (49. ♔g3 ♖e2 50. ♖f7 ♖g2 51. ♔h3 ♖g8–+) ♖d3–+] **47. ♖b7 ♖d5 48. ♖b8 ♖b5 49. b7 ♔h5 50. ♖e8 ♖b7 51. ♖e5 ♔g4 52. ♖g5 ♔h4 53. ♖g8 ♖b3 54. ♖f8 ♖g3 55. ♔f2 ♖g4 1/2 : 1/2 [Nunn]**

580. **E 70**

PISKOV 2465 – WAHLS 2560
BRD 1991

1. d4 ♘f6 2. c4 g6 3. ♘c3 ♗g7 4. e4 d6 5. ♗d3 0–0 6. ♘ge2 ♘bd7?! 7. ♗c2 a6 8. 0–0 N [8. a4 – 52/596] **c6** [8... c5 9. d5 b5 10. cb5 ab5 11. ♘b5 Δ a4, ♘ec3±] **9. a4 a5 10. h3 e5 11. ♗e3 ♖e8 12. ♕d2 ed4 13. ♗d4 ♘c5 14. ♘g3 ♕b6** [14... ♗e6 15. ♖fd1! ♗c4 16. e5±] **15. ♖ad1 ♕b4 16. f4! ♕c4 17. f5 ♘cd7 18. ♗b1!±** [Δ ♗a2→ ×f7] **♕b4 19. ♗a2 c5** [19... d5 20. ed5 cd5 21. ♘b5!±] **20. ♗f6 ♘f6 21. ♕d6 ♖a6 22. ♕c7 c4□ 23. ♗c4+– ♖c6** [23... ♕b6 24. ♕b6 ♖b6 25. fg6 hg6 26. e5] **24. ♕f7 ♔h8 25. ♗b5 ♖f8 26. ♕a2 ♖d6 27. ♕c4 ♖d1 28. ♖d1 gf5 29. e5! ♘e4 30. ♘ge4 fe4 31. e6 ♕e7** [31... ♕c4 32. ♗c4 ♖e8 33. e7] **32. ♗d7 ♗d7 33. ♖d7 ♕h4 34. ♕e4 ♕f2 35. ♔h2 ♕c5 36. ♘d5⊕ 1 : 0** **[Piskov, Glek]**

581. **E 70**

SEIRAWAN 2600 – B. GEL'FAND 2665
Wijk aan Zee 1992

1. d4 ♘f6 2. c4 g6 3. ♘c3 ♗g7 4. e4 d6 5. ♗d3 0–0 6. ♘ge2 ♘c6 7. 0–0 e5 8. d5 ♘d4 9. ♘d4 ed4 10. ♘b5 ♕e7!? N [10... ♖e8 – 52/(596)] **11. ♖e1 ♘g4 12. h3 ♘f2?** [12... a6 13. hg4 ab5 14. cb5 ♕h4 15. g3 ♕g4 16. ♕g4 ♗g4±] **13. ♔f2 a6 14. ♘a3 ♗e5 15. ♖f1!** [15. ♔e2 f5 16. ♔d2 ♕g5 17. ♔c2 ♕g2 18. ♕e2 ♕h3; 15. ♔g1 ♕h4 16. ♖f1 ♗h3!] **♕h4 16. ♔e2** [Δ ♘c2-e1; 16. ♔g1? ♗h3] **f5 17. ef5 ♗f5 18. ♗f5 ♖f5 19. ♖f5 gf5** [19... ♕e4 20. ♔f1 ♕f5 21. ♕f3 ♕d7 22. ♗h6] **20. ♔f1 ♕g3 21. ♕f3 ♕h2** [Δ ♖e8, ♗g3] **22. ♔e2?** [22. ♘c2! *a)* 22... ♗g3 23. ♘d4 (23. ♔e2) ♖e8 24. ♘e6+–; *b)* 22... ♖e8 23. ♔e2!! ♖e7! (23... ♗g7 24. ♔d3 ♕e5 25. ♗f4 ♕e4 26. ♕e4 fe4 27. ♔d2+–) 24. ♗d2 ♖g7 25. ♘e1 ♗g3 (25... ♖g3 26. ♕f5 d3 27. ♔d1+–) 26. ♘d3 ♗e5 27. ♖f1 ♖g2 28. ♖f2+–] **♔h8!** [Δ ♖g8; 22... ♖e8? 23. ♘c2!] **23. ♗g5!?** [23. ♘c2 ♖g8 24. ♘e1 ♗g3 25. ♗h6! (25. ♗d2 ♗e1 26. ♗e1 ♖g2 27. ♗f2 d3 28. ♔e3 f4) ♗e1 (25... ♖e8 26. ♔d2 ♕g1 27. ♘c2+–; 25... ♖g6 26. ♕f5+–) 26. ♖e1 ♖g2 27. ♔d1+–] **♖g8 24. h4 h6 25. ♖f1 hg5 26. ♕h5 ♔g7 27. ♕g5?** [27. ♖f5! ♕g2 28. ♔d3 ♕h3 29. ♖f3 ♕d7 30. ♘c2 gh4 31. ♖f5 ♗f6 32. ♕g4+–] **♔h7 28. ♕h5** [28. ♕f5 ♖g6? 29. h5+–; 28... ♔h6!] **♔g7 29. ♕g5** [29. ♖f5 ♕g2 30. ♔d3 ♗f6] **1/2 : 1/2** **[Seirawan]**

582.** **!N** **E 70**

KISELËV 2510 – A. KUZ'MIN 2520
SSSR (ch) 1991

1. d4 ♘f6 2. c4 g6 3. ♘c3 ♗g7 4. e4 d6 5. ♗d3 0–0 6. ♘ge2 ♘c6 7. 0–0 ♘d7 8. ♗e3 e5 9. d5 ♘d4 10. ♘b5! N [10. ♗b1 N ♘e2 11. ♕e2 a5 12. ♗c2 ♘c5 13. a3 f5 14. ef5 gf5 15. f4 e4 16. ♕d2 a4 17. ♗c5 dc5 18. ♘a4 ♗d4 19. ♔h1 ♗d7 20. ♘c3 ♕f6=∞ Arbakov 2415 – Belov 2430, Katowice 1990; 14. f3!?⩲; 10. ♗c2 – 52/597] **♘e2 11. ♗e2 a5** [11... f5 12. f3 (12. ♗a7? b6 Δ ♗a6, ♕c8-b7; 12. ef5?! gf5 13. f4 ef4 ×b2) a6 13. ♘c3 a5 14. a3 b6 15. b4 ♘f6 16. c5 ab4 17. ab4 ♖a1 18. ♕a1 bc5 19. bc5 fe4 20. fe4 ♘g4⩲ Glek 2540 – A. Kuz'min 2520, Moskva (open) 1991] **12. ♕d2 ♘c5** [12... f5 13. ef5 gf5 14. f4 b6 15. ♖ae1⩲] **13. ♘c3 b6 14. f3** [14. ♖ac1!?] **f5 15. ef5 ♗f5** [15... gf5!? 16. f4 ♗d7 17. ♖ae1 ♕e8 18. ♗d1⩲] **16. ♖ac1⩲** [×e4] **♖f7 17. ♘d1!** [Δ ♘f2, ♗d1-c2 ×e4, Δ ♖c3, ♗c5] **♕e7 18. ♘f2 ♖ff8 19. ♖fe1 ♖fe8 20. ♗d1** [Δ b3, a3, b4] **♖f8 21. ♗c2 ♕f7 22. ♖b1 h5?!** [×g5, g6; 22... ♖fe8⩲ Δ 23. b3 ♖a7 24. a3?! a4! 25. b4 ♘b3] **23. ♖bc1 ♔h7 24. ♗d1!** [Δ g3, ♔g2, h3, g4] **♗d7 25. b3 ♔h8 26. ♖f1 ♗f6 27. g3 ♗g7 28. ♔g2 c6?!⊕** [28... ♔h7⩲] **29. ♗e2 cd5 30. cd5 ♗f5 31. ♖c4 ♕e7 32. ♖e1 ♖fe8 33. ♔g1 ♖ac8?** [×a5; 33... ♔h7⩲] **34. ♗c5! ♖c5 35. ♖c5 dc5□ 36. ♗d3± ♖d8 37. ♗e4** [37. ♗c4!? Δ a4, g4, ♘e4] **♕d7 38. ♖d1 ♔h7 39. a4 ♗h6 40. ♕d3⊕** [40... ♗f8 41. ♔g2 ♗d6 42. ♕e2 ♕f7 43. ♗d3 Δ ♗c4, h3, g4, ♘e4] **1 : 0** **[Kiselëv, Gagarin]**

583.

ERMENKOV 2505 − KOŽUL 2560

Jugoslavija 1991

1. c4 ♘f6 2. ♘c3 g6 3. e4 d6 4. d4 ♗g7
5. ♗g5 0−0 6. ♕d2 ♘bd7 7. ♗d3! [7.
f4?! h6!] c6 8. ♘ge2 N [8. h4 − 4/804]
a6 9. a4 [9. ♗h6!? b5 10. h4] a5 10. 0−0
e5 11. d5 ♘c5 12. ♗c2 cd5 13. cd5 ♕b6=
14. ♖ab1 ♗d7 15. b3 ♖fc8 16. h3! [△
♗e3] ♗e8?! [16... h5!? △ ♔h7, ♘g8,
♗h6] 17. ♖fc1 ♖c7 18. ♗e3 ♖ac8 19. g4!
♕a6 20. f3 b5 [△ 20... ♕b6] 21. ♗d3!
♘d3□ 22. ♕d3 ♖b7 23. ab5 [23. b4!?]
♗b5 24. ♘b5 ♖c1 25. ♖c1 ♕b5 [25...
♖b5 26. ♘c3 ♖b6 27. ♕a6 ♖a6 28. ♘a4
△ ♖c6+−] 26. ♕b5 ♖b5 27. ♖c3! [×a5]
♘e8 28. ♗d2! ♔f8 29. ♔f2 ♘f6 30. ♔e1
♗h4 31. ♔d1 f5 32. ♔c2!+− fe4 33. fe4
♔e7 34. g5! [34. ♖c4 ♔d7 35. ♖a4 ♘f6!]
♗f2 35. ♖c6 ♔d7 36. ♘c3 ♖b6 37. ♖b6
♗b6 38. ♘a4 ♗d8 39. ♘b2 ♗g7 40. ♘c4
♘h5 41. h4! [41. ♘a5 ♘f4 42. h4 ♘g2]
h6 [41... ♘f4 42. ♗f4! ef4 43. ♔d3] 42.
gh6! ♗h4 43. h7 ♗f6 44. ♗a5! g5 45.
♗b4 g4 46. ♗d6 g3 47. ♗e5 g2 48. ♗f6
g1♕ 49. h8♕ ♕f2 50. ♘d2 ♘f6 51. ♕h3
♔d8 52. ♔d3 ♘d7 53. ♕h8 ♔e7 54. ♕g7
♔d6 55. ♘c4 ♔c7 56. ♕e7 ♕f1 57. ♔c2
♕e2 58. ♔c3   1 : 0   [Ermenkov]

584.   **E 73**

KAHIANI 2360 − LEVITINA 2380

Subotica (izt) 1991

1. d4 ♘f6 2. c4 g6 3. ♘c3 ♗g7 4. e4 d6
5. ♗e2 0−0 6. g4 c5 7. d5 e6 8. g5 ♘e8
9. h4 ed5 10. cd5 ♕e7!? N [10... a6 11.
a4 ♘d7∞; 10... ♗d7] 11. ♕d3 f5!? 12.
gf6 ♘f6 13. h5 gh5! 14. ♗g5 [14. ♗h5 a)
14... ♘h5? 15. ♖h5 ♕f7 16. ♖h2 ♗e5
17. f4! ♗f4 18. ♖f2 ♕g7 19. ♗f4 ♕g1
20. ♖f1+−; b) 14... ♘bd7 15. ♗g5 (15.
f4 ♘h5 16. ♖h5 ♘f6 17. ♖g5 h6 18. ♖g2
♗f5 19. ♖e2 ♘e4! 20. ♘e4 ♖ae8−+)
♘e5 16. ♕g3 c4 17. ♗e2±; c) 14... ♘a6!?
15. a3 (15. ♗g5 ♘b4 16. ♕e2 c4 17. 0-0-0
♘d3 18. ♔b1 b5↑) c4! 16. ♕c4 ♘c5 17.
f3 b6⧯] ♕f7 15. f3?! [15. 0-0-0 ♘g4 16.

♘h3∞; 15... a6!?] a6 16. a4 [16. 0-0-0!?]
♘bd7 17. f4 [17. ♘h3!?] h6! 18. ♗h4 ♖e8
19. ♘f3 ♘g4 20. f5

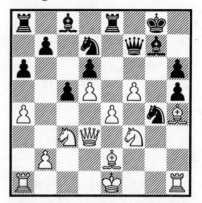

20... c4!∓ 21. ♕b1 [21. ♕c4 ♘c5 △
♘e3−+] ♘c5 22. ♘d2 ♗f5! 23. ♖f1! [23.
ef5 ♗c3 24. bc3 ♘d3 25. ♔f1 (25. ♔d1
♘e3#) ♖e2! 26. ♔e2 ♖e8 27. ♔f1
♘e3−+] ♗c3 24. bc3 ♘e4−+ 25. ♘e4
♖e4 26. ♕e4 ♗e4 27. ♖f7 ♔f7 28. ♔d2
[28. ♗c4 ♘e3−+] ♗d5 29. ♖f1 ♔e6 30.
♗g4 hg4 31. ♖f6 ♔d7 32. ♖h6 ♖e8 33.
a5 ♗f3 34. ♖h7 ♔c6 35. ♗g3 ♖e2 36.
♔c1 ♖g2 37. ♗f4 g3 38. ♖h6 ♖g1 39.
♔d2 ♖d1   0 : 1   [Gulko]

585.* *** **   **E 73**

TUKMAKOV 2535 − NIJBOER 2455

Wijk aan Zee II 1992

1. d4 ♘f6 2. c4 g6 3. ♘c3 ♗g7 4. e4 d6
5. ♗e2 0−0 6. ♗g5 ♘a6 7. f4 [RR 7.
♕d2 e5 8. d5 a) 8... ♕e8 9. ♗f3 c6!? N
(9... h5 − 52/601) 10. dc6 ♕c6 11. ♖c1
♗e6 12. b3 ♘c5 13. ♘ge2 h6! 14. ♗f6
♗f6 15. ♖d1 ♗g5! 16. ♕c2! (16. ♕d6?!
♖fd8 17. ♕c6 bc6∓) h5= Cs. Horváth
2450 − Dydyško 2500, Harkány 1991; b)
8... c6 9. f3 cd5 10. cd5 ♗d7 11. ♗b5!?
N (11. h4 − 50/(610)) ♕a5! (11... ♗b5
12. ♘b5 ♘c5 13. ♘e2 ♕d7 14. ♘bc3 b5
15. b4±) 12. ♗d7 ♘d7 13. ♘ge2 b5 14.
0−0 b4 15. ♘d1 ♖fc8 16. b3 (16. ♘e3 f6
17. ♗h4 ♗h6= Dydyško) ♘ac5 17. ♘e3
♕b5 18. ♘c4 ♗f8 19. ♕e3 ♘b6! 20.
♖ac1 a5= Harlamov 2410 − Dydyško
2500, Harkány 1991] c6 8. ♘f3 ♘h5!? N

[8... ♘c7 9. ♕d2 N (9. d5 – 50/610) d5 10. ♗f6 ♗f6 11. cd5 cd5 12. e5 ♗g7 13. h4± Moskalenko 2505 – Nijboer 2455, Wijk aan Zee II 1992] **9. f5! h6?** [9... gf5 10. ef5 ♘f6 11. g4 b5!∞; 10. ♘h4!?] **10. ♗e3 gf5 11. ef5 ♘f6 12. ♕c1!** [12. ♕d2 ♘g4 13. ♗f4 e5! 14. fe6 fe6∞] **♘g4?!** [12... ♗f5 13. ♗h6±] **13. ♗d2 ♗f5** [13... c5 14. h3! cd4 (14... ♘f6 15. d5±) 15. hg4 dc3 16. ♗c3±] **14. h3 ♘f6 15. ♗h6± ♘b4 16. 0–0 ♗h7** [16... ♘c2 17. ♗g7 ♔g7 18. ♕g5 ♗g6 19. ♖ac1; 16... ♗g6] **17. a3! ♘c2** [17... ♘d3? 18. ♕g5 ♘e8 19. ♗g7 ♘g7 20. ♕d2+–; 17... ♘a6 18. ♗g7 ♔g7 19. ♕g5 ♔h8 20. ♕h6 ♖g8 21. ♘g5 ♖g7 22. ♗d3+–] **18. ♗g7!** [18. ♕g5 ♘e8] **♔g7 19. ♕g5 ♔h8 20. ♖ac1 ♖g8** [20... c5 21. ♕h6! cd4 22. ♘g5+–] **21. ♕d2 c5?** [21... ♕d7!□ *a)* 22. ♖c2 ♗c2 (22... ♕h3? 23. ♘g5+–) 23. ♕c2 ♕h3∞; *b)* 22. ♔h1 ♖g2 (22... ♕f5 23. ♘e1) 23. ♔g2 ♖g8 24. ♔f2 (24. ♔h2 ♘g4 25. hg4? ♕g4–+; 25. ♔h1) ♕h3 25. ♖g1 ♘g4 26. ♖g4 ♖g4 27. ♖g1 ♖g1 28. ♔g1∞; *c)* 22. ♗d1 ♕h3 23. ♗c2 ♖g2 24. ♕g2 ♖g8 25. ♕g8 (25. ♘g5 ♕e3) ♗g8! 26. ♖ce1; *d)* 22. ♗d3! ♕h3 23. ♖c2 ♖g2 24. ♕g2 ♖g8 25. ♗h7+–] **22. ♖c2 ♗c2 23. ♕c2 ♕d7 24. ♔h2 ♖g7 25. d5+– ♖ag8 26. ♘h4 ♖h7 27. ♖f4 e6** [27... e5 28. ♖f6] **28. ♖f6 ♖h4 29. ♗d3 ed5 30. ♕f2 ♕g4 31. ♘d5 ♕d4 32. ♖f7 ♕e5 33. g3 ♖h6 34. ♖b7 ♕h5 35. ♘f4 ♕e5 36. ♘g6**

1 : 0 **[Tukmakov]**

586.* !N E 77

JE. PIKET 2615 – NUNN 2615

Wijk aan Zee 1992

1. d4 ♘f6 2. c4 g6 3. ♘c3 ♗g7 4. e4 d6 5. f4 c5 6. d5 0–0 7. ♘f3 e6 8. de6 [RR 8. ♗e2 ed5 9. ed5 ♘a6 10. 0–0 ♘e8!? N (10... ♘c7) 11. ♗d3 f5 12. ♗e3 ♘ac7 13. ♗f2 ♗f6 14. ♕d2!? (14. ♕e1?! ♗d7 15. ♗h4 ♗h4 16. ♕h4 ♕h4 17. ♘h4 ♘f6 18. ♖fe1 ♖fe8 19. ♘f3 ♔f8∓ Andrianov 2440 – Nunn 2610, Kavala 1991) ♗d7 15. ♖ab1 △ a3, b4±○ Andrianov] **fe6 9. ♗e2 ♘c6 10. 0–0 b6! N** [10... a6 – 45/728] **11. ♔h1 ♗b7 12. ♗e3 ♕e7** [12... ♘g4 13. ♗d2 ♕e7 14. ♕e1 △ ♕g3±] **13. ♕d2 ♖ad8 14. ♖ae1 ♔h8!** [14... d5 15. cd5 ed5 16. ed5 ♘a5 17. ♗d3 ♘d5 18. ♗d4] **15. f5!□** [15. ♗g1 ♘h5; 15. ♗d3 ♘g4 △ ♗h6] **ef5 16. ef5 gf5 17. ♗g5** [17. ♘h4 ♘d4! (17... ♘e4 18. ♘e4 ♕h4 19. ♘g3 ♘d4 20. ♗g5 ♕h3 21. ♗h5 ♗f6 22. ♗f6 ♖f6 23. ♖f4 △ ♔g1) 18. ♘f5 ♘f5 19. ♖f5 ♘e4 20. ♖f8 ♖f8 21. ♘e4 ♗e4∓] **♕d7 18. ♗d3 ♘e5** [18... ♘e7 19. ♕e2 ♖de8 20. ♕e6⩱; 18... ♘d4!? 19. ♘d4 cd4 20. ♘b5 ♘e4 21. ♗e4 fe4 22. ♗d8? ♖f1 23. ♖f1 e3 24. ♕d3 (24. ♕e2 ♕d8) ♕g4 25. ♖g1 e2 26. ♗h4 ♕h4 27. ♕e2 ♗e5–+; 22. ♘d4=] **19. ♗f5! ♕f5 20. ♘e5 ♕c8 21. ♘f3 ♕g4 22. b3 ♖de8 23. ♗f6 ♗f6 24. ♖e8 ♖e8 25. ♘d5 ♗g7 26. ♖e1 ♖f8?!** [26... ♖e1 27. ♕e1 ♗d5 28. cd5 h6=] **27. ♕d3** [27. a4!? △ ♕d3] **b5 28. ♖e7 bc4 29. bc4 ♗a6?⊕** [29... ♗c8 30. ♖a7 ♗f5⩱] **30. ♘e3 ♕f4 31. ♖a7 ♗c8 32. a4?⊕** [32. ♖a8] **♖e8?** [32... ♗h3 33. ♘g1 ♗e6; 32... ♗e6] **33. ♖a8! ♗d4 34. ♘f1 ♖g8 35. a5 ♕g4 36. ♘g3 ♗b7 37. ♖g8 ♔g8 38. ♘f5+– ♕f4 39. ♘5d4 ♕c1 40. ♘g1 cd4 41. ♕d4 ♕f1 42. ♕g4 ♔f8 43. h4 h5 44. ♕g5 ♕c4 45. ♕h5** [45. ♕d8 ♔g7 46. ♕d7 ♔h8 47. ♕b7 ♕h4 48. ♘h3 ♕e1 49. ♔h2 ♕e5 50. g3 h4 51. ♘f4 hg3] **d5 46. ♕f5 ♔e7 47. ♘f3**

1 : 0 **[Je. Piket]**

587.** !N E 81

IVANČUK 2735 – B. GEL'FAND 2665

Reggio Emilia 1991/92

1. d4 ♘f6 2. c4 g6 3. ♘c3 ♗g7 4. e4 d6 5. f3 0–0 6. ♗e3 [RR 6. ♘ge2 a6 7. ♗e3 c6 8. a4 a5 9. ♕d2 ♘a6 10. ♖d1 ♕c7 11. ♘c1 e5 12. ♗e2 ♘h5 N (12... ♘e8?!) 13. d5 c5 14. ♗d3 ♘b4 15. ♗b1 f5 16. ef5 gf5 17. 0–0 ♔h8 18. ♘1e2 ♕e7 19. ♘g3 ♘g3 20. hg3 1/2 : 1/2 I. Sokolov 2570 – Nunn 2610, Beograd 1991] **c5 7. dc5 dc5 8. ♗c5 ♘c6 9. ♕d8 ♖d8 10. ♗a3** [RR 10. ♖d1 ♖d1 11. ♘d1 ♘d7! N (11... ♗e6 – 47/(714)) 12. ♗a3 a5 13. ♘e3 ♘b4 14. ♘h3 ♘c5 15. ♘f2 e6 16. ♗e2 b6 17. ♘fd1 ♘a2 18. ♘c2 ♗a6 19. ♗c5 bc5 20. ♘a3 ♘c1 21. ♘b5 ♖b8∓ Razuvaev 2590 – Ši-

rov 2610, BRD 1991] **e6 11. ♘ge2 b6 12. ♘a4!? N** [12. ♘b5 — 47/(714)] **♗h6!?** [12... ♗a6?! 13. ♘ec3 ♘d4 14. 0-0-0!±] **13. ♖d1** [13. ♔f2?! ♘e5!? (13... ♖d2 14. b3 ♘e5∞) 14. ♗e7 (14. g4 ♘eg4!?→) ♘d3 15. ♔g3 ♘h5 16. ♔h4 ♖e8∞] **♗a6 14. ♘ec3** [14. b3!? ♖d1 15. ♔d1 ♖d8 16. ♔c2 △ 16... ♖d2 17. ♔b1 ♖d1 18. ♗c1 ♘d4 19. ♘b2 ♘e2 20. ♘d1 ♘c1∞] **♘d4!** [14... ♖d1 15. ♔d1 ♘d4 (15... ♖d8 16. ♔c2) 16. b3 △ ♗c1±] **15. ♗d3** [15. ♗e7?! ♘c2 16. ♔f2 ♗e3 17. ♔g3 ♘h5 18. ♔h4 ♖e8→] **♘h5!** [15... ♘d7 16. b3 (16. ♗e7!?) ♘e5 17. ♗b1±] **16. ♔f2** [16. b3 ♘f4∓] **♘f4 17. ♗b1!** [17. ♗f1 ♘c2 18. ♗e7 ♖d1 19. ♘d1 ♖e8 (19... ♗g7!?→) 20. ♗f6 ♘h5 21. ♗c3 ♖d8 22. ♗e2 ♘f4→] **♗c4 18. ♗e7 ♖d7 19. ♗f6 ♗g7= 20. ♗g7 ♔g7 21. b3** [21. g3 ♘fe2 22. ♘e2 ♗e2; 21. e5!? ♖ad8 22. g3 ♘fe2 23. ♘e4 ♗b5!? 24. ♘ac3 ♘c3 25. bc3?! ♘f5; 25. ♘c3] **♗a6 22. g3 ♘h5 23. ♘d5** [23. ♗d3 ♗b7 24. ♘e2] **♘c6 24. ♘e3** [24. ♘f4 ♘f6] **1/2 : 1/2**
[B. Gel'fand, Kapengut]

588. !N E 81

CAMPOS MORENO 2475 – E. MORTENSEN 2450

Barcelona – Århus 1991

1. d4 ♘f6 2. c4 g6 3. ♘c3 ♗g7 4. e4 d6 5. f3 0–0 6. ♗e3 c5 7. dc5 dc5 8. e5 ♘fd7 9. f4 f6 10. ef6 ♘f6 11. ♕d8 ♖d8 12. ♗c5 ♗f5! N [12... ♘a6?! — 50/622] **13. ♘f3 ♘e4 14. ♘e4 ♗e4 15. ♗a3 ♘c6 16. ♗e2 ♘d4 17. ♘d4 ♗d4∓ 18. ♗f3 ♗f3 19. gf3 ♖ac8 20. ♔e2** [20. ♖c1 ♗e3] **♖c4 21. ♖ac1** [21. ♗e7 ♖d7! 22. ♗a3 ♗b2!] **♖c1 22. ♖c1 ♗b6 23. ♖c4 ♔f7 24. b3 ♖d5** [△ ♖h5] **25. ♖c2 ♔e6** [25... ♔f6!? △ e6, ♔f5] **26. ♔f1 ♖d3** [26... ♔d7!? △ e6, ♗c7] **27. ♔g2 ♗e3 28. ♔g3 h5?! 29. ♗c5 ♗c5 30. ♖c5** [♖ 7/g] **a6 31. ♖c7 b5 32. ♖a7 ♖d6 33. a4 ba4 34. ba4 ♔f6 35. ♔h4 ♖e6 36. ♔g3 ♔f5 37. h4 ♔f6 38. ♖c7 ♖d6 39. ♖c5 e6 40. ♖a5 ♔e7 41. ♖g5 ♔f6 1/2 : 1/2**
[E. Mortensen]

589. !N E 81

KOHLWEYER 2405 – KINDERMANN 2500

BRD 1991

1. d4 ♘f6 2. c4 g6 3. ♘c3 ♗g7 4. e4 d6 5. f3 0–0 6. ♗e3 c5 7. dc5 dc5 8. e5 ♘fd7 9. f4 f6 10. ef6 ♘f6 11. ♕d8 ♖d8 12. ♗c5 ♘c6! N 13. ♘f3 [13. ♗e2!? Lobron] **b6 14. ♗a3 ♘g4 15. ♘d5 e6 16. h3 ed5 17. hg4 ♗g4** [17... d4?! 18. c5! (△ ♗c4, ♘g5) d3 19. 0-0-0 ♗a6 20. ♘e1±] **18. cd5 ♗f3** [RR 18... ♘d4 19. ♘d4 ♗d4 ×♔e1 Fishbein] **19. gf3 ♘d4 20. ♗d3?!** [20. ♖c1 b5! 21. ♗d3 ♖d5 22. ♗e4 ♖e8 23. ♔f2 ♖d7 24. ♖hd1=] **♖ac8 21. ♔f2** [21. d6?! b5 △ a5] **♖d5 22. ♖ac1 ♖dd8!∓ 23. ♗c4** [⌓ 23. ♗e4] **♔h8 24. ♗f7 ♘f5!∓ 25. ♖c8 ♖c8 26. ♖e1** [26. ♗g6? ♖c2] **♖c2 27. ♖e2 ♗d4 28. ♔e1 ♖e2 29. ♔e2 ♔g7 30. ♗c4** [30. ♗b3 h5 31. ♔f1 b5! △ a5; 31... ♗e3!?] **h5 31. ♔e1 ♘e3 32. ♗b5 ♗c5!** [32... ♘g2 33. ♔f1 ♘f4 34. ♗d6∓] **33. ♗c5?** [33. ♔f2!!□ (Hübner) ♘f5 (33... ♘d5 34. ♗c5 bc5 35. ♔g3; 33... ♗a3 34. ♔e3 ♗b2 35. ♗d7) 34. ♗c5 bc5 △ ♔f6, g5∓] **bc5–+ 34. ♔d2 ♘d5 35. ♔d3 ♘f4 36. ♔c4** [36. ♔e4 g5 37. ♔f5 h4 38. ♔g4 ♔f6 △ ♘g6-e5] **h4 37. ♗d7 h3 38. ♗h3 ♘h3 39. ♔c5 ♘g5 40. b4 ♘f3 41. a4 ♔f6 42. b5 ♔e6 43. a5 ♘e5 0 : 1 [Kindermann]**

590. !N E 81

L. HANSEN 2510 – FISHBEIN 2460

Stavanger 1991

1. d4 ♘f6 2. c4 g6 3. ♘c3 ♗g7 4. e4 d6 5. f3 0–0 6. ♗e3 c5 7. dc5 dc5 8. e5 ♘fd7 9. f4 ♘c6 10. ♘f3 f6 11. ef6 ♘f6 12. ♕d8 ♖d8 13. ♗c5 b6! 14. ♗a3!□ ♘g4! 15. ♖c1! N e5!? [15... ♘e3 16. ♘d5 ♘f1 17. ♖f1 ♗g4 18. ♔f2 e6 19. ♘e7 ♘e7 20. ♗e7 ♗b2 21. ♖c2 ♖e8 22. ♖b2 ♗f3=; RR 15... ♗h6!? 16. g3 e5 17. ♘d5 ef4 18. gf4 ♗g7=∞ Kindermann] **16. fe5 ♘ce5 17. ♗e2?!** [17. ♘e5 ♗e5 ×h2; RR 17... ♘e5 18. ♗e2 ♘d3 19. ♗d3 ♖d3= 20. 0–0 ♗c3?! 21. ♖f8 ♔g7 22. bc3 ♗b7

23. ♖cf1 ♖f8 24. ♗f8! ♔g8 25. ♗h6 ♖d8 26. h4±; 20... ♗b7! Kindermann; 17. ♘d5! ♗b7 18. ♗e2 ♗d5 19. cd5 ♖d5=] **♘d3! 18. ♗d3 ♖d3 19. ♘d5 ♗h6!** [RR 19... ♗b7! 20. ♔e2 ♖d5 21. cd5 ♗a6 22. ♔d1□ ♘f2 23. ♔c2 ♖c8 24. ♔b1 ♘h1 25. ♖h1 ♗d3 26. ♔a1 b5! △ ♖c2, b4→ Kindermann] **20. ♔e2??** [20. ♖c3 ♖c3 21. bc3 ♗b7 22. h3! ♘e3 (22... ♗d5 23. hg4=) 23. ♘e3?! ♗e3 24. ♔e2 ♖e8 25. ♔d3 ♗f2! 26. ♖f1 ♗e4 27. ♔d2 ♗g3!∓; 23. ♗c1!∓]

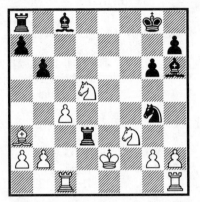

20... ♖d5!−+ 21. cd5 ♗a6 22. ♔d1 ♘f2 23. ♔c2 ♖c8 24. ♔b1 ♗c1 25. ♖e1 ♗d3 26. ♔a1 ♘g4 27. ♘d4 ♘e3 28. d6 ♗d2 29. ♖g1 ♘c4 30. ♘c6 ♖c6 31. d7 ♗g5 0 : 1 **[Fishbein]**

591.* **E 81**

CHRISTIANSEN 2600 − NUNN 2610
Wien 1991

1. d4 ♘f6 2. c4 g6 3. ♘c3 ♗g7 4. e4 d6 5. f3 0−0 6. ♗e3 c5 7. dc5 dc5 8. e5 ♘fd7 9. f4 f6 10. ef6 ef6 11. ♘f3 N [11. ♕d2 − 52/(612)] **♕e8** [11... ♘c6 12. ♗e2±] **12. ♕d2** [12. ♔f2!? f5 △ ♘f6] **♘b6 13. ♗e2 ♘a6 14. ♖d1 ♗f5** [14... ♗e6?! 15. b3 ♖d8?! 16. ♕d8 ♕d8 17. ♖d8 ♖d8 18. ♘e4±] **15. 0−0** [15. ♔f2! ♕f7 16. b3 ♖fe8 17. ♖hf1∞ Christiansen 2600 − J. Polgár 2550, Wien 1991; 17. ♘h4!±] **♕e7 16. ♘h4!? ♗c2** [16... ♗d7? 17. f5 g5 18. ♘d5 ♘d5 19. ♕d5 ♖f7 (19... ♔h8 20. ♖f3+−) 20. ♗h5! ♕e3 21. ♔h1 ♖f8 22. ♖fe1+−; 16... ♗e6? 17. f5±] **17. ♖de1 ♖ad8 18. ♕c1 ♗d3?** [18... f5 19. ♗f2 ♗c3 20. bc3 ♗e4 21. ♘f3∞] **19. f5!± ♕f7□** [19... g5?! 20. ♗d3 ♖d3 21. ♗g5] **20. ♗d3 ♖d3 21. ♕b1 ♖fd8** [21... ♕c4 22. fg6 ♖e3 23. gh7+−] **22. ♘d5 ♘b4□ 23. fg6 hg6 24. ♗c5 ♘6d5 25. a3! ♘c3** [25... ♘a6 26. ♕d3 ♘c5 27. ♕d1+−; 25... ♘b6 26. ab4 △ ♖e7±] **26. bc3 ♘c6 27. ♗d4 ♕c4□ 28. ♘g6→ ♘d4 29. cd4 ♕d4 30. ♔h1 ♕b6 31. ♕a2 ♕b3** [31... ♔h7 32. ♕f7] **32. ♕e2 ♖d2⊕ 33. ♘e7+− ♔f8 34. ♕h5 ♕c4 35. ♕h7 ♖e8?** [35... ♖e2 36. ♖e2 ♕e2 37. ♕g8 ♔e7 38. ♕g7 ♔e8 39. ♕f6] **36. ♖f6! 1 : 0**
[Christiansen]

592. **E 81**

LAUTIER 2560 − NUNN 2610
Beograd 1991

1. d4 ♘f6 2. c4 g6 3. ♘c3 ♗g7 4. e4 d6 5. f3 0−0 6. ♗e3 c5 7. dc5 dc5 8. e5 ♘fd7 9. f4 f6 10. ef6 ef6 11. ♘f3 ♕e8 12. ♕d2 ♘b6 13. ♗e2 ♘a6 14. ♖d1 ♗f5 15. 0−0 ♖d8!? N 16. ♕c1□ [16. ♕d8?? ♕e3] **♕e7 17. a3!** [17. ♘b5 ♘b4∞] **♘c7?** [17... ♔h8!±] **18. ♖fe1 ♖fe8** [18... ♖d1 19. ♗d1! ♘c4 20. ♗b3 ♗e6 21. f5! gf5 22. ♗f4+−] **19. ♖d8 ♖d8 20. ♗f1 ♗e6** [20... ♔h8 21. b4±] **21. ♘e4 ♘d7 22. ♗f2** [△ f5] **♕f8 23. g3 ♔h8** [△ 24... f5 25. ♘eg5 ♗g8] **24. h4!± b6** [24... f5 25. ♘eg5 ♗g8 26. h5! △ 26... h6 27. ♘h4] **25. ♗g2** [△ h5; 25. h5 ♗g4 26. ♘h2 gh5∞] **h5□ 26. b3 ♗f5?!** [26... ♘b8±] **27. ♘c3 ♘b8** [△ ♘c6-d4] **28. ♘d2 ♘e6 29. ♘d5 ♕d6** [29... ♘c6 30. ♘e3!+−] **30. ♘f1** [30. ♗e4 ♗g4□ 31. ♗g6 f5 △ ♘d4∞] **♘c6 31. ♘fe3 ♗g4** [31... ♘cd4 32. ♘f5 ♘f5 33. ♗e4 ♘fd4 34. ♗g6! ♘f3 35. ♔g2 ♘e1 36. ♕e1 △ ♕e2+−] **32. ♘g4 hg4 33. h5?** [33. ♘f6! ♗f6 34. f5 ♘c7 (34... ♘f8 35. ♕h6 ♔g8 36. ♗d5) 35. ♕h6 ♔g8 36. fg6 ♖d7 (36... ♕d7 37. ♗c6; 36... ♗g7 37. ♕h7 ♔f8 38. ♖f1) 37. ♗d5!+−] **f5□** [33... gh5 34. ♕c2 △ ♕g6+−] **34. hg6 ♘ed4± 35. ♖e3 ♕g6 36. b4 ♖e8 37. ♔f1 ♖e6 38. ♕b1 ♖e3 39. ♘e3 ♗f8 40. ♗e1 ♕e6 41. ♔f2?!** [41. ♕d3 △ ♗c3±] **cb4! 42. ♗d5** [42. ab4 ♗b4 43. ♗b4 ♘b4∞ △ 44. ♕b4 ♕e3] **♕e8□** [42... ♕e7 43. ab4 ♘b4

44. ♗c3+−] **43. ab4** [43. ♗d2!? ba3? 44. ♗c3+−; 43... a5] **♗b4 44. ♗b4 ♘b4 45. ♕d1** [45. ♕b4 ♕e3 46. ♔e3 ♘c2 47. ♔d2 ♘b4 48. ♗e6 ♘a6!□ 49. ♗f5 ♘c5 50. ♔e3 a5±; 45. ♕h1! ♔g7 46. ♕d1±] **♘bc6□ 46. ♗c6 ♘c6** [♕ 8/c] **47. ♘f5?** [47. ♕h1! ♔g8 48. ♕d5±] **♕g6□ 48. ♕h1** [48. ♕d7!] **♔g8□** [48... ♕h7 49. ♕c6 ♕f5 50. ♕a8 ♔g7 51. ♕a7 ♔f8 52. ♕b8 ♔e7 53. ♕c7 ♔f8 54. ♕d6 ♔f7 (54... ♔g7 55. ♕e5) 55. ♕d5+−] **49. ♕d5** [49. ♕c6 ♕f5 50. ♕a8 ♕f8□ 51. ♕f8 ♔f8=] **♔f8± 50. ♔e3 a5 51. ♘d6 ♘b4?!** [51... ♘e7 52. ♕e5 (52. ♕a8 ♔g7) ♕g7!=] **52. ♕a8 ♔e7 53. ♘e4 ♕c6 54. ♕a7 ♔d8 55. ♕b8 ♔d7 56. ♕a7 ♔d8** [56... ♔c8? 57. ♕e7] **57. ♕b8 ♔d7 58. ♕g8 ♕e6 59. ♕h7 ♔c6 60. ♔d4 a4?⊕** [60... ♘c2! 61. ♔d3 (61. ♔c3 ♘e3) ♘a3 62. ♘d2 ♕d6 63. ♔e2 ♕e6=] **61. ♕a7** [61. ♔c3 ♘a2 62. ♔d4 ♘b4 (62... a3? 63. ♕h1! ♔c7 64. ♕b1!) 63. ♔c3=] **♕d7□ 62. ♕d7 ♔d7 63. ♔c3 a3 64. ♘f2 ♔e6 65. ♘g4 ♘d3! 66. ♔b3 ♘c1 67. ♔a3 ♘e2 68. ♘e3 ♘g3 69. ♔a4 ♘e4 70. ♔b4** [70. ♔b5 ♘d6=] **♔f6 71. ♔b3 ♔e6 72. ♔b4 ♔f6 73. ♔b3 ♔e6 74. ♔c2 ♔d6 75. ♔d3 ♘g3!=** [75... ♘c5 76. ♔e2 (76. ♔d4 ♘e6 △ ♘f4=) ♘e6 77. f5 ♘g7! 78. f6 ♘h5 79. ♘f5 ♔e6 80. ♘g7 ♔f6! 81. ♘h5 ♔e5 82. ♔d3 b5=; 76. ♔c3!?±] **76. ♘g4** [76. ♘c2 ♘h5] **b5 77. cb5 ♔c5 78. ♘h6 ♔b5 79. ♔e3 ♔c6 80. ♔f3 ♘h5 81. f5 ♔d7 82. ♔g4 ♘g7 83. f6 ♘e8 84. f7 ♔e7 85. fe8♘ 1/2 : 1/2** **[Nunn]**

593. E 81

B. ALTERMAN 2495 − SMIRIN 2545

Israel 1991

1. d4 ♘f6 2. c4 g6 3. ♘c3 ♗g7 4. e4 d6 5. f3 0–0 6. ♗e3 ♘bd7 7. ♕d2 c5 8. ♘ge2 a6 9. 0-0-0 ♕a5 10. ♔b1 b5 11. g4!? N [11. dc5 − 18/652] **e6!** [×d5; 11... b4? 12. ♘d5 ♘d5 13. ed5±; 11... bc4?! 12. h4→; 11... ♘b6 12. ♘g3] **12. ♘g3** [12. g5 b4 (12... ♘h5? 13. ♘g3±) 13. gf6 ♘f6!∞; 12. ♖c1!?] **cd4 13. ♗d4 b4** [13... ♘e5? 14. ♗e5 de5 15. cb5±] **14. g5** [14. ♘ce2? ♘e5 15. ♘g1 ♘c6 16. ♗e3 d5!∓] **e5!** [14... bc3? 15. ♗c3 ♘e4 16. ♘e4 ♗c3 17. ♘c3±] **15. gf6 ♘f6 16. ♘ce2** [16. ♗e3? bc3 17. ♕c3 ♕c3 18. bc3 ♖d8∓; 16. ♘d5!? ♘d5 17. cd5 ed4 18. ♗d3=/∞] **ed4 17. ♘d4 ♕b6 18. ♗e2?** [18. h4 ♖d8 19. h5 d5!∞↑] **♖d8 19. h4 a5?** [19... d5!! *a)* 20. cd5? ♘d5 21. ed5 ♖d5−+; *b)* 20. ♘b3 a5! 21. e5 (21. cd5 a4 22. ♘c1 a3 23. b3 ♘d5 24. ed5 ♕f6−+) a4! 22. ♘c1 (22. ef6 ab3 23. fg7 ♖a2−+) ♘d7 23. f4 dc4 24. ♗c4 ♗b7−+; *c)* 20. c5 ♕c5? 21. e5 ♘d7 22. f4; 20... ♕c7!∓; *d)* 20. e5 dc4 21. ♗c4 ♘d5 (△ ♘c3) 22. ♕e1□ ♗b7∓] **20. h5**

20... d5! 21. hg6 [21. h6!?] **hg6 22. cd5** [22. c5 ♕c7!] **♘d5 23. ed5 ♖d5 24. ♕e3** [24. ♖h4 (△ ♗c4) ♗a6! 25. ♗a6 ♕a6 26. ♘ge2 ♖ad8 27. ♖dh1 ♕d6!=/∞] **♗e6!□** [24... ♖d4?? 25. ♕e8 ♗f8 26. ♖h8+−; 24... ♗b7? 25. ♘df5!+−; 24... ♗d7? 25. ♕e4 ♕d6 26. ♗c4+−] **25. ♘c2** [25. ♘df5 ♗f5 26. ♘f5 ♕e3 27. ♘e3 ♖e5 28. ♖d7 ♖e3 29. ♗c4 ♖f8 (29... ♖f3?? 30. ♗d5) 30. ♖f1∓; 25. ♕e4 ♗d4 26. ♗c4 ♖ad8 27. ♗d5 ♗d5 28. ♕e2 (28. ♕h4? ♗f3 29. ♕h7 ♔f8 30. ♖hf1 ♗g7!∓) a4∞] **♕c7 26. ♖d5** [26. ♘e4? ♕e5 27. ♕c1 ♖c8 (△ a4) 28. ♗d3 a4 29. f4 ♕b8 30. ♕e3 b3 31. ab3 ♕b3∓; 26. f4!? ♖c8 27. ♗d3□ (27. ♖c1? ♖c5 28. ♗d3 ♗a2! 29. ♔a2 b3−+) ♗b2!∞] **♗d5 27. ♖g1?⊕** [27. ♘e4? ♗a2 28. ♔a2 ♕c2−+; 27. ♖d1□ ♖c8 (27... ♗a2? 28. ♔a2 ♕c2 29. ♕b3) 28. ♖d2□ a4! (28... ♗b2? 29. ♔b2? ♕c3 30. ♔b1? ♗a2! 31. ♔a2 b3 32. ♔a3 bc2−+; 29. ♗a6!+−) 29. b3□ (29. ♗a6? ♗a2!−+) ab3 30. ab3 ♕a5=/∞] **♗a2 28. ♔a2 ♕c2−+ 29. ♕b3** [29. ♕c1 ♕a4 30. ♔b1 b3] **♕c5 30. ♖d1** [30. ♕d1 b3 31.

♔b1 a4 *a)* 32. ♘e4 ♕e5 33. ♘c3 a3 34. ♕b3 ab2 35. ♕b2 (35. ♖d1 ♕e3!) ♖b8 36. ♗b5 ♕f5 37. ♕c2 ♕c5 38. ♖c1 ♗c3; *b)* 32. ♕c1 ♕f2! (△ a3) 33. ♕d1 (33. ♕e1 ♕d4) a3 34. ba3 (34. ♘e4 ab2!) ♕c5 35. ♕c1 ♖a3] **a4 31. ♕d3 b3 32. ♔b1 ♕e5!** [32... a3?! 33. ♕b3 ab2 34. ♗c4□∓] **33. ♖d2 ♕g3 34. ♕d5 ♖c8 35. ♗c4 ♖c4 36. ♕c4 ♕e1 37. ♕c1 ♕c1 38. ♔c1 ♗h6 39. ♔d1 ♗d2 40. ♔d2 g5 0 : 1** **[Smirin]**

594. !N **E 83**

DOHOJAN 2545 – FROLOV 2470
SSSR (ch) 1991

1. d4 ♘f6 2. c4 g6 3. ♘c3 ♗g7 4. e4 d6 5. f3 a6 6. ♗e3 ♘c6 7. ♘ge2 0–0 8. ♕d2 ♖e8 9. a3! N [9. h4 – 49/715] **♗d7 10. d5?!** [10. b4±; 10. h4±] **♘e5 11. ♘d4 c5 12. ♘c2 e6 13. ♗e2 b5 14. cb5** [14. de6 ♗e6 15. cb5 ♘c4 16. ♗c4 ♗c4 17. 0-0-0 ab5 18. ♕d6 ♕d6 19. ♖d6 b4 20. ♘b1 (20. ab4 cb4 21. ♘b4 ♖a1 22. ♘b1 ♖c8–+) ♖ec8 21. ♘d2 ♗e6∓] **ed5 15. ed5** [15. ♘d5 ♘d5 16. ♕d5 ♗b5∓] **ab5 16. 0–0 ♘c4** [16... ♖b8 17. b4] **17. ♗c4 bc4∓ 18. ♗h6 ♗h6 19. ♕h6 ♖b8?** [19... ♗f5 20. ♘e3 ♗d3 21. ♖f2 ♖b8∓] **20. ♘e3 ♖b2 21. ♘c4 ♖c2 22. ♖fc1 ♖c3! 23. ♖c3 ♘d5 24. ♖cc1?** [24. ♖d3 ♗b5 25. ♖c1 ♕f6! 26. ♖d5 ♗c4 27. ♖h5!? ♕g7 28. ♕g7 ♔g7 29. ♖h4 ♗b3=] **♕f6 25. ♘d2?** [25. ♕d2□ ♘f4 26. ♖e1□ (26. ♕d6 ♕g5 27. ♖c2□ ♗a4! 28. ♖b2 ♗b5!–+) d5∞ 27. g3?! ♘h3 28. ♔g2 ♘g5 29. ♕d5 ♖e1 30. ♖e1 ♗c6–+] **♘f4–+ 26. ♘e4 ♕d4 27. ♔h1 ♘d3 28. h3 ♘c1 29. ♖c1 ♗f5** [⌓ 29... ♗c6] **30. ♘g5 ♕g7 31. ♕g7 ♔g7 32. ♖d1 c4 33. ♘e4□ ♗e4 34. fe4 c3 35. ♖c1□** [35. ♖d6 ♖c8 36. ♖d1 c2 37. ♖c1 ♔f6 38. ♔g1 ♔e5 39. ♔f2 ♔d4!–+] **♖c8 36. ♔g1 ♔f6 37. ♔f2 c2 38. ♔e3 ♖c3 39. ♔d4 ♖a3 40. ♖c2 ♔e6 41. ♖b2 h5 42. ♖f2 f6** [42... ♖a4 43. ♔e3 ♔e5 44. ♖f7 ♖e4 45. ♔f3 d5–+] **43. ♖b2 ♖a5! 44. ♖b3 ♖a2 45. g3 g5 46. ♖b8 ♖h2 47. ♖e8 ♔f7 48. ♖h8 ♖h3 49. ♔d5 ♖g3 50. ♖h5 ♖d3 51. ♔c6 ♖d4 52. ♖h7 ♔e6 53. ♖h8 ♖c4 54. ♔b5 ♖e4 0 : 1** **[Frolov]**

595.* !N** **E 86**

BARBERO 2485 – SCHANDORFF 2425
København 1991

1. d4 ♘f6 2. c4 g6 3. ♘c3 ♗g7 4. e4 d6 5. f3 0–0 6. ♗e3 e5 7. ♕d2 c6 8. ♘ge2 ♘bd7 9. 0-0-0 a6 10. ♔b1 b5 11. ♘c1 ♖e8 [11... ♗b7!? 12. de5 *a)* RR 12... de5 13. ♘b3 ♕c7 14. ♕d6!? N (14. ♖c1) ♖fc8 15. ♕c7 ♖c7 16. a3 ♗f8 17. ♗e2± Kramnik 2490 – Webster 2340, Guarapuava 1991; *b)* 12... ♘e5! N 13. ♕d6 ♘d5!? (13... bc4? 14. ♕e5 ♘d5 15. ♕g7! ♔g7 16. ed5± Granda Zuniga 2595 – Barbero 2485, Buenos Aires 1991) 14. ♕d8! ♘c3 15. bc3 ♖ad8 16. ♖d8 ♖d8 17. cb5 cb5] **12. de5 N** [12. d5] **de5 13. ♘b3 ♗b7 14. ♕f2!** [14. ♗e2; RR 14. g4! ♘f8 15. ♘c5 (15. ♕f2 ♕b8 16. h4 ♘e6 17. h5 ♘f4∞) ♕b8 (15... ♕e7 16. ♕d6! ♘e6 17. ♕e7 ♖e7 18. ♘e6 fe6 19. ♗e2±) 16. h4 ♘e6 17. ♘e6 ♖e6 (17... fe6 18. ♕g2 ♖d8 19. ♖d8 ♕d8 20. ♗e2 △ h5±) 18. h5 ♖e8 19. ♕f2 (19. ♕h2 ♕c7 20. ♗g5 ♖ad8 21. ♖c1 ♕e7± Sakaev, Lukin) ♖d8 20. ♖c1 ♘d7 21. ♕h2! ♘f8 22. hg6 fg6 23. f4!± Sakaev 2495 – Veerman 2330, Groningen (open) 1991] **♕c7** [RR 14... ♗f8 15. ♗e2 △ ♖c1, ♖hd1± Sakaev, Lukin] **15. ♗e2** [15. g4!?] **♘h5 16. g3 ♖ad8** [16... f5 17. ♘c5!] **17. ♖c1!? b4** [17... ♕b8 18. ♖hd1] **18. ♘a4 f5 19. c5! ♘df6 20. ♕g2 ♗c8** [△ 21... fe4 22. fe4 ♘e4; 20... f4 21. ♗d2] **21. ♗c4 ♔h8 22. ♘b6 fe4 23. fe4 ♘g4** [23... ♘e4 24. ♘c8+–] **24. ♗g5 ♗h6** [24... ♗f6 25. ♗d2] **25. ♗d8 ♖d8 26. ♘c8!** [26. ♖ce1 ♘e3] **♕c8** [26... ♗c1 27. ♘d6+–] **27. ♕e2!?** [27. ♖ce1 ♘e3 28. ♕e2] **♗c1 28. ♗a6 ♕d7 29. ♖c1 ♘gf6 30. ♖e1 ♕a7 31. ♗c4 ♖a8 32. ♔c2 ♕e7 33. ♕d2 ♖a2 34. ♕b4 ♖a8 35. ♕b6 ♕e8 36. ♕c7 ♖d8 37. ♕f7!+– ♕f7 38. ♗f7 ♔g7 39. ♗c4 ♖a8 40. ♘c1 ♖a1 41. ♖e2 ♖a8 42. b4 ♔h6 43. ♘d3 ♖e8 44. ♔c3 ♘g7 45. ♗b3 ♔g5 46. ♗a4 ♖e6 47. ♘f2 ♘fe8 48. ♖d2 h5 49. h4 ♔f6 50. ♘h3 ♔e7 51. ♘g5 ♖f6 52. b5 ♘e6** [52... cb5 53. ♗b5⊙] **53. ♘e6 ♖e6 54. b6 1 : 0** **[Barbero]**

596. **E 87**

RAZUVAEV 2590 – BARBERO 2485

Hartberg 1991

1. d4 ♘f6 2. c4 g6 3. ♘c3 ♗g7 4. e4 d6 5. f3 0–0 6. ♗e3 e5 7. d5 ♘e8!? 8. ♕d2 f5 9. ef5 gf5 10. 0-0-0 ♘d7 11. ♘h3 N [11. g4] **♘df6 12. ♗g5** [△ ♘f2, g4±] **♕e7 13. ♘f2 ♕f7 14. ♗e2 c6! 15. g4!? cd5 16. cd5 fg4** [16... ♗d7!?⇆] **17. ♘g4 ♗g4 18. fg4 ♖c8 19. ♖hf1** [19. ♔b1? ♖c3! 20. bc3 (20. ♕c3 ♕g6–+) ♘e4 21. ♕e3 ♕g6 22. ♗d3 ♘c3 23. ♔c2 e4!–+] **♕g6 20. ♗d3 ♘e4 21. ♖f8 ♗f8 22. ♗e4?!** [22. ♗e3! (Razuvaev) ♘d2 23. ♗g6 ♘c4 24. ♗e8 ♘e3 25. ♗d7 ♘d1 26. ♗c8 ♘c3 27. bc3 b6=] **♕e4 23. ♕e3?!** [23. ♕d3 ♕g4 24. ♗e3 e4! Şubă; 23. ♗e3 b5!] **♕g6∓ 24. ♔d2! ♖c4 25. h3 b5 26. a3 a5 27. b3 ♖d4 28. ♔c1 b4 29. ab4 ab4 30. ♘b5 ♖d1 31. ♔d1 ♕f7! 32. ♕d3 e4 33. ♕c4 ♕f3 34. ♔d2 ♗g7! 35. ♗e3 ♕g2 36. ♔e1 ♕f3 37. ♔d2 ♕g2 38. ♔e1** [38... ♗e5! 39. ♕f1 (39. ♕c8 ♗g3 40. ♔d1 ♕f1 41. ♔c2 ♕d3 42. ♔b2 ♗e5 43. ♔a2 ♕e2–+; 39. ♕e2 ♕h3) ♗g3 40. ♗f2 ♗f2 41. ♕f2 ♕h3∓] **1/2 : 1/2** **[Barbero]**

597.* **!N** **E 87**

A. KUZ'MIN 2520 – JE. PIKET 2590

Oostende 1991

1. d4 ♘f6 2. c4 g6 3. ♘c3 ♗g7 4. e4 d6 5. f3 0–0 6. ♗e3 e5 7. d5 ♘h5 8. ♕d2 ♕h4 9. g3 ♘g3 10. ♕f2 ♘f1 11. ♕h4 ♘e3 12. ♔e2 ♘c4 13. ♖c1 [13. b3?! N ♘b6 14. ♖c1 ♘a6 15. ♘h3 ♗d7 16. ♘f2 ♘c5 17. b4 ♘a6 18. ♘d3 ♘a4∞ A. Kuz'min 2520 – Lodhi 2425, Teheran 1991] **♗d7!? 14. ♘d1 ♘b6!** [14... ♗b5? 15. a4 ♗a6 16. b4±] **15. ♘e3** [15. ♖c7!? ♘a6 16. ♖b7 (16. ♖d7 ♘d7 17. ♕e7 ♘dc5 18. ♕d6? ♖fe8 △ ♖ad8–+) ♗b5 17. ♔f2 ♘c5 18. ♖c7 ♘d3 19. ♔g3 ♘f4∞; 16. ♖c3!?] **c6! N** [15... ♘a6 – 48/786] **16. ♘h3** [16. dc6 ♘c6 △ ♘d4↑] **cd5 17. ed5** [17. ♘d5 ♘d5?! 18. ed5 f6 19. ♘f2±; 17... ♘c6!∞] **♘a6?** [17... f6! 18. ♘f2 f5∞] **18. ♘g5 h6 19. ♘e4± ♘b4** [19... f5 20. ♘d6 f4 21. ♘g4] **20. ♘c3?** [20. ♖hd1 ♘a2 21. ♖c7±] **e4!** [20... a5 21. a3 ♘a6 22. ♘g4±] **21. fe4 ♖ae8∞** [△ f5] **22. a3** [22. e5 a5] **♘a6 23. b4 ♘c7** [23... f5!?] **24. ♔d2 ♖e5** [24... ♘b5?! 25. ♘b5 ♗b5 26. ♖c7±] **25. ♘g4 ♗g4 26. ♕g4 ♘c4 27. ♔d3 ♖g5** [27... ♘a3? 28. ♕d7±] **28. ♕e2?** [28. ♕g5? ♘b2 29. ♔c2 hg5 30. ♔b2 ♘b5 31. ♔b3 ♘c3 32. ♖c3 ♗c3 33. ♔c3 ♖c8∓; 28. ♕h3! ♖h5 (28... ♘e5 29. ♔c2±) 29. ♕g3 ♖g5 30. ♔c4 ♖g3 31. hg3 ♘e8∞] **♘a3 29. ♕a2 ♘ab5 30. ♘b5 ♘b5∓↑ 31. ♖hf1 a6 32. ♖f2 ♖h5 33. ♖f3⊕ f5 34. ef5 ♘d4 35. ♖cf1 ♘f3 36. ♖f3 ♖hf5 37. ♖f5 ♖f5** [♕ 5/i] **38. ♕c4∓ ♔h7 39. ♕e4 ♗e5 40. ♕h4 ♖f3 41. ♔e2 ♖f7 42. h3 h5 43. ♕d8 b5 44. ♔e3** [44. ♕c8? ♖f4 45. ♕a6 ♖b4 46. ♕b7 ♔h6 47. ♕f7 ♖b2 48. ♔d3 b4 49. ♕f8 ♔h7 50. ♕e7 ♗g7 51. ♕d6 b3 52. ♕b6 ♖b1∓; 44. h4!?∓] **g5** [44... ♖f4 45. ♕e7 ♔h6 46. ♕e8 ♖b4 47. ♕f8 ♔h7 (47... ♔g5 48. ♕e7=) 48. ♕e7 ♗g7 49. ♕d6⇆] **45. ♕c8 ♖f4 46. ♕d7 ♔h6 47. ♕e6 ♖f6 48. ♕c8= g4 49. hg4 hg4 50. ♕g4 ♖f4 51. ♕c8 ♖b4 52. ♕a6 ♔g5 53. ♕b7 ♔g4 54. ♕c8?!⊕** [54. ♕f7=] **♔g3 55. ♕e8 ♖b3 56. ♔e4 ♔f2 57. ♕f7 ♔e1 58. ♕h5 b4 59. ♕h1 ♔d2 60. ♕g2 ♔c3 61. ♕f3 ♔b2** [61... ♔c4 62. ♕e2 ♔c5?? 63. ♕a6+–] **62. ♕e2 ♔a1 63. ♕f1 ♔a2 64. ♕c4! ♔a3 65. ♕a6 ♔b2 66. ♕e2** **1/2 : 1/2** **[A. Kuz'min]**

598. **!N** **E 87**

LEVITT 2465 – PARKER 2335

Hastings (open) 1991/92

1. d4 ♘f6 2. c4 g6 3. ♘c3 ♗g7 4. e4 d6 5. f3 0–0 6. ♗e3 e5 7. d5 ♘h5 8. ♕d2 ♕h4 9. g3 ♘g3 10. ♕f2 ♘f1 11. ♕h4 ♘e3 12. ♔e2 ♘c4 13. ♖c1 ♗d7 14. b3! N ♘b6 [14... ♘a3!?±] **15. ♘h3 f6 16. ♘f2 c5!? 17. ♖cg1!?** [△ ♕g3, h4] **♘c8 18. a4! ♘a6 19. ♘d3 ♖b8 20. ♕g3 ♘e7 21. h4 h5 22. ♘b5!± ♗b5 23. ab5 ♘c7 24. ♘c5!** [24. f4?! f5? 25. fe5 fe4 26. ed6 ed3 27. ♔d3 ♘f5 28. dc7 ♘g3 29. cb8♕ ♖b8 30. ♖g3+–; 24... ♖f7] **dc5 25. d6 ♘e6 26. de7 ♖f7 27. ♖d1 ♖e7** [27... ♘f4?? 28. ♕f4!] **28. ♖d6 ♘f4 29. ♔f2 ♖c8 30. ♖c1**

c4?! 31. ♖c4 ♖c4 32. bc4 ♖c7 33. ♕h2!+− ♖c4 34. ♔g3 ♖c7 35. ♕d2 [35. ♕a2 ♔h7 36. ♕a7?? ♖c2!] **♖c1** [35... ♔h7 36. ♖d7] **36. ♔h2 ♖a1 37. ♖d7 ♗f8 38. ♖c7 b6 39. ♖c8 ♖a3?⊕ 40. ♖f8 1 : 0** **[Levitt]**

599.* **E 88**

AN. KARPOV 2730 − KASPAROV 2770

Reggio Emilia 1991/92

1. d4 ♘f6 2. c4 g6 3. ♘c3 ♗g7 4. e4 d6 5. f3 0−0 6. ♗e3 e5 7. d5 c6 8. ♗d3 cd5 9. cd5 ♘h5 10. ♘ge2 f5 11. ef5 gf5 12. 0−0 ♘d7 13. ♖c1 ♘c5 14. ♗c4 N [14. ♗b1 − 50/632] **a6 15. b4 ♘d7 16. a4 ♕h4!** [RR 16... ♕e8 17. ♔h1 ♘df6 18. b5 ♕g6 19. ♗d3 e4 20. ♗c2 ♗d7 21. ba6 ba6 22. ♖b1 ♖ae8 23. ♕d2 ♔h8 24. ♖b6 ♖g8 25. ♖g1± Timman 2630 − Kasparov 2770, Paris 1991; ⌓ 22... ♖ab8] **17. f4□** [17. ♕b3 ♔h8 18. ♗f2 ♕g5↑»] **♔h8! 18. ♕d2** [18. ♗f2? ♕g4 19. h3 ♕g6∓] **♖g8** [18... ♘df6? 19. h3 △ ♗f2] **19. g3!□ ♗h6** [19... ♕g4!? 20. ♘d1 ♘df6 21. ♘f2 ♕g6∓] **20. ♖f2 ♘hf6?** [20... ef4? 21. ♘f4 ♘g3? 22. hg3 ♖g3 23. ♘g2! ♗e3 24. ♕e3 ♘e5 25. ♘e2 ♖e3 26. ♘h4 ♖e4 27. ♖f4+−; 20... ♘df6 21. ♖g2 ♕h3 (21... ♕g4 22. ♗d3∞) 22. ♔h1 (22. fe5 ♗e3 23. ♕e3 ♘g4 24. ♕b6 f4!∓) ♗d7 23. ♘g1 ♕g4 24. ♗e2 ♕g6 25. fe5 f4!∓] **21. ♖g2 ♕h3 22. ♔h1 ♘g4 23. ♘g1 ♕h5 24. ♗e2 ♘df6?** [24... ♕g6 25. ♗g4 fg4 (25... ♕g4∞) 26. f5!? (26. ♖f2 ef4 27. ♗f4 ♗g7; 26. fe5 ♗e3 27. ♕e3 ♘e5; 26. ♘ge2 ♗g7) ♗e3 27. ♕e3 ♕f5 28. ♘e4 ♕g6 29. ♖c7! (29. ♖f2 ♘b6!; 29. ♖f1 b5!↑) ♖f8∞] **25. ♗b6** [25. h3 *a)* 25... ♘e3?! 26. ♗h5 ♘g2 27. ♗f3 ♘h4 (27... ♖g3 28. ♗g2 ♗f4 29. ♕e1; 27... ♘f4 28. ♘ge2+−) 28. ♕f2 (28. gh4 ♗f4 29. ♕e1 e4!∞̄) ♘f3 29. ♘f3±; *b)* 25... ♗d7 26. ♖h2 ♘e3 27. ♗h5 ♘h5 28. ♘ge2 ♖g3! 29. ♖g1 (29. ♘g3 ♘g3 30. ♔g1 ♗f4→) ♖g1 30. ♔g1 ef4∞̄] **♗d7 26. h3 ♖ae8 27. ♖f1?⊕** [27. ♖h2! ef4 28. gf4 (28. hg4?? ♕h2! 29. ♔h2 fg3) ♖e2□ 29. ♖e2 ♘e5 30. ♗d4 *a)* 30... ♖g1? 31. ♖g1 ♕f3 32. ♖gg2 ♕h3 (32... ♗f4 33. ♖e3!+−) 33. ♔g1 ♘f3 34. ♔f2+−; *b)* 30... ♕h4 31. ♖e5! (31. ♖f1? ♖g3 32. ♖g2 ♖d3 33. ♕e1 ♕e1 34. ♖e1 ♗f4∞) de5 32. ♗e5 ♗g7 33. ♕d4 (33. ♕e1? ♕e1 34. ♖e1 ♘d5!∓) ♘h5 (33... ♘e4 34. ♘e4 fe4 35. ♖c7±; 33... ♘g4 34. ♗g7 ♖g7 35. ♖c2±) 34. ♘ce2 ♘g3 35. ♘g3 ♕g3 36. ♖c7? ♕g2!; 36. ♕c3!; 35. ♔h2!±] **♖g7?!** [27... ♖e7] **28. b5** [28. ♖h2?? ♘h2 29. ♗h5 ♘f1−+] **ab5 29. ab5?** [29. ♗b5 ♗b5 30. ab5 ♖ge7∓] **♖ge7 30. ♕b2?!** [30. ♕e1 ef4 31. gf4 ♗g7 32. ♗d4 ♕h6∓] **ef4 31. gf4 ♕h4∓ 32. ♘d1 ♗g7 33. ♗d4 ♘e4 34. ♖f3 ♖g8** [34... h6! △ ♔h7−+] **35. ♗f1?!** [35. ♗d3!∓] **♗d4 36. ♕d4 ♖eg7 37. ♘c3 ♕f6??⊕** [37... ♘gf6! 38. ♘ge2 (38. ♖g7 ♖g7 39. ♘e4 fe4−+) h6!−+] **38. ♘ge2! ♕d4 39. ♘d4 ♘gf6 40. ♖g7 ♖g7 41. b6?** [41. ♔h2!∓] **♘c3 42. ♖c3 ♘d5 43. ♖b3□ ♘f4 44. ♔h2!□** [44. ♗b5 ♘e6! (44... ♗e6? 45. ♘e6 ♘e6 46. ♖d3) 45. ♘f5 ♘c5! 46. ♘g7 ♘b3 47. ♗d7 ♔g7 48. ♗c8 ♘c5−+] **♖g6!** [44... ♘e6?! 45. ♘f5 ♖f7 46. ♘d6!! (46. ♘e3 ♘c5∓) ♖f1 47. ♘b7 ♖f8 48. ♘a5 ♖b8 49. b7 ♔g7 (49... ♘c5 50. ♖c3! ♘b7 51. ♖b3 ♗c8 52. ♔g3 ♔g7 53. h4=) 50. ♖d3∓; 44... ♖f7!?] **45. ♗b5 ♗b5?** [45... ♘e6? 46. ♗d7 ♘d4 47. ♖d3=; 45... ♗e6! 46. ♖g3 (46. ♖f3 ♗d5!−+; 46. ♖e3 ♖g2 47. ♔h1 ♖g8∓) ♗f7 (46... ♔g7? 47. ♗e8!=) 47. ♘f5 ♖f6 48. ♘d4 ♘d5 49. ♗c6! ♖f4 50. ♖g4∓; 46... ♗c8!∓] **46. ♖b5** [♖ 9/h] **♖g2 47. ♔h1 ♖d2 48. ♘f5 ♔g8 49. ♖b4!** [49. ♖a5? ♘e6!∓] **♘h3** [49... ♘e6 50. ♖c4 ♔f7 51. ♖c7! ♔g6 52. ♘e3!=] **50. ♖c4 ♘f2 51. ♔g1 ♘h3 52. ♔h1 ♔f7 53. ♖c7 ♔e6 54. ♘e3 ♘g5 55. ♖b7 h5 56. ♖g7 ♘f3 57. ♖g2 ♔d7 58. ♖d2 ♘d2 59. ♔g2 ♔c6 60. ♘f5 ♘e4 61. ♔h3 1/2 : 1/2 [Kasparov]**

600. **E 90**

TSORBATZOGLOU 2300 − NUNN 2610

Kavala 1991

1. d4 ♘f6 2. c4 g6 3. ♘c3 ♗g7 4. e4 d6 5. h3 ♘bd7 6. ♘f3 e5 7. d5 ♘c5 8. ♕c2 0−0 9. g4 [9. b4? ♘ce4! 10. ♘e4 ♘e4 11. ♕e4 f5 12. ♕e3 (12. ♕h4 e4 13. ♘g5

h6) e4 13. ♘d4 f4 14. ♕c3 (14. ♕d2 e3! 15. ♕d3 ♕h4!∓) c5! 15. dc6 bc6∓ 16. ♗a3 c5!] **a5 10. ♗g5 h6** [10... c6] **11. ♗e3 h5?!** [11... ♘e8 12. ♖g1±] **12. g5 ♘h7 13. 0-0-0 ♗d7 14. ♗e2** [14. h4 ♗g4 △ f6] **a4 15. h4 f6 16. ♖dg1?!** [16. gf6 ♕f6 (16... ♘f6 17. ♘e5±; 16... ♗f6 17. ♖dg1 ♗g4 18. ♘h2! ♗e2 19. ♕e2±) 17. ♖dg1 ♗g4 18. ♘g5 ♗e2 19. ♘h7 ♔h7 20. ♕e2 ♕f3∞; 16. ♖hg1!±] **f5 17. ♘d2 c6** [17... f4 18. ♗c5 dc5 19. ♗f1 ♖e8 20. ♗h3 ♗f8±] **18. f3** [18. ♗c5 dc5 19. ♘a4 cd5] **♕a5 19. ♘db1!** [△ ♖d1] **cd5?** [19... ♖f7 20. dc6 bc6 21. ♖d1 ♗f8 22. ♖hf1 △ f4; 19... ♖fc8!?] **20. ♘d5 ♖f7 21. ♘bc3 ♘f8**

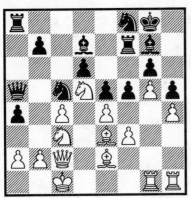

22. ♖g2! ♔h8 23. ♖d1 ♘fe6 24. ♘f6! a3 25. b3 ♘f4 [25... ♘d4 26. ♗d4 ed4 *a)* 27. ♖d4 ♖f6! 28. gf6 ♗f6 29. ♕d2 ♔h7 30. ♘d5 (30. ♔c2? ♘b3!∓ 31. ♔b3 ♕b6 32. ♘b5 ♗b5 33. ♖d6 ♗a4! 34. ♔a3 ♕c5 35. ♕b4 ♗d1−+) ♘b3! 31. ab3 a2 32. ♘f6 ♔g7 33. ♖g6 ♔g6 34. ♕g5 ♔f7 35. ♕h5 ♔f6 36. ♕g5=; *b)* 27. ♘cd5! fe4 28. fe4 ♘e6 29. e5!] **26. ♗f4 ef4 27. ♘cd5!** [27. ♖d6 fe4 28. fe4 ♕c7 29. ♖d2 (29. e5 ♗f5) f3! 30. ♗f3 ♕f4=∞] **♕d8 28. ♗f1±** [△ ♖gd2, ♗h3] **fe4** [28... ♗e6 29. ♘f4? ♖f6! 30. gf6 ♗h6 △ ♕f6; 29. e5!] **29. fe4 ♗g4?** [29... ♗e6] **30. ♖g4! hg4 31. e5 de5** [31... ♗f6 32. ef6+−] **32. ♕g6+−** [32. ♘f4 ef4 33. ♖d8 ♖d8 34. ♕g6+−] **♗f6 33. ♕f7 ♘b3 34. ♔b1⊕ ♘d4 35. ♕h5 ♔g8 36. ♘f6** [36. gf6] **♔f8 37. ♕h8 ♔f7 38. ♕d8 ♖d8 39. ♘g4 ♔e6 40. ♗d3 ♖d6 41. c5 ♖c6 42. g6 ♖c5 43. ♖c1** **1 : 0**
[Andrianov, Tsorbatzoglou]

601. **E 90**

ANDRIANOV 2440 – KOURKOUNAKIS 2425

Ikaria 1991

1. d4 ♘f6 2. ♘f3 g6 3. c4 ♗g7 4. ♘c3 0–0 5. ♗f4 c5 6. d5 d6 7. e4 b5 8. cb5 a6 9. a4 N [9. ba6 – 38/791] **♕a5 10. ♘d2 ♘h5□ 11. ♘c4! ♗c3 12. bc3 ♕c3 13. ♗d2 ♕d4 14. f3 ab5** [14... f5 15. ♗h6!] **15. ♘b6 ♖a7 16. ♘c8!** [16. ♕c1?! b4!; 16. ♗b5?! ♗a6] **♖c8 17. ♗b5 f5 18. ♖c1!± ♘d7** [18... fe4 19. ♕e2!] **19. ♕e2 ♕f6 20. ef5!?** [20. 0–0 f4 21. ♗c3±] **gf5** [20... ♕h4 21. ♔d1 △ ♕e6+−] **21. 0–0 ♘b6 22. g4! ♘g7 23. gf5 ♘f5 24. ♗c3 ♕f7** [24... ♘d4 25. ♕e4] **25. ♔h1 ♘d5 26. ♖g1 ♔f8 27. ♗d2=∞→ e6 28. ♖ce1** [28. ♖g2!? △ ♖cg1→] **♘c7 29. ♗d3⊕ ♖a4 30. ♗f5 ♕f5 31. ♖g5!→** [31. ♗h6? ♔e8 32. ♖g8 ♔d7] **♕f6 32. ♖eg1 ♖a1??⊕** [32... ♘e8] **33. ♖g8** **1 : 0**
[Andrianov]

602.* !N **E 90**

GAGARIN 2410 – JUFEROV 2435

Moskva 1991

1. d4 ♘f6 2. ♘f3 g6 3. c4 ♗g7 4. ♘c3 0–0 5. e4 d6 6. h3 e5 7. de5 de5 8. ♕d8 ♖d8 9. ♗g5 c6 [9... ♘bd7 10. 0-0-0 ♖f8 11. ♘d2 c6 (11... ♘c5?! 12. ♗e3 ♘e6 13. c5±) 12. ♗e3 ♖e8 13. c5 (13. g4) ♗f8 14. b4 a5 (14... b6 15. ♘b3 a5 16. ba5 bc5 17. ♔c2 ♗a6 18. ♖b1±) 15. a3 ab4 (15... b6 16. b5!?±) 16. ab4 b6 17. ♘b3 bc5 18. bc5 ♗a6 19. ♔c2 ♗e7 20. ♖a1 ♗f1 21. ♖hf1 ♘f8 22. ♔d3! ♘e6 23. ♔c4±; 18... ♖b8!? 19. ♔c2 ♖b3 20. ♔b3=∞ Frolov] **10. ♘e5 ♖e8** [10... h6 11. ♗f4! N (11. ♗f6?! – 41/(676)) ♘a6 *a)* 12. f3 ♘b4!? 13. ♖c1 ♘h5 14. ♗h2 ♗f6 *a1)* 15. f4?! g5 16. g3 gf4!? (16... ♗e5 17. fe5 ♗e6 18. g4 ♘f4 19. ♗f4 gf4 20. ♖h2!= Gagarin 2410 – Ščekačëv 2470, Moskva 1991) 17. gf4 ♗e5 18. fe5 ♗e6=∞↑; *a2)* 15. a3! ♗h4 16. ♔e2 ♘g3 17. ♗g3 ♗g3 18. ♘f7 ♘d3 19. ♘d8 ♘c1 20. ♔d1 ♘b3 21. c5 ♘c5 22. ♗c4 ♔g7 23. b4±; 15... ♘a6!?=∞; *b)* 12. ♗e2!? ♘c5

13. f3 ♘e6 14. ♗h2 ♘h5 15. ♘d3 ♘d4 16. g4 ♘f6 17. 0-0-0±] **11. 0-0-0 ♘a6 N** [11... ♔f8 — 41/676] **12. ♘f3 ♘c5 13. ♘d2!** [13. e5 ♘fd7 14. ♗f4±] **h6 14. ♗e3!** [14. ♗f6 ♗f6 15. f3 ♗c3 16. bc3 f5=∞] **♘fe4 15. ♘de4 ♘e4 16. ♘e4 ♖e4 17. ♖d8 ♔h7 18. ♗d3 ♖e6 19. ♖e1!!±** [19. ♗e2 ♗f6=] **b6□** [19... ♗f6 20. ♖f8 ♔g7 21. ♗h6! ♔h6 22. ♖e6+−] **20. ♗d2 ♗f6?!** [20... ♖e1! 21. ♗e1 ♗f6! 22. ♖e8 (22. ♖d6 ♗e5! △ 23. ♖c6? ♗b7) ♗b7 23. ♖a8 ♗a8 24. ♗e4 (△ b4-b5) ♗b7! △ ♗a6±] **21. ♖e6!** [21. ♖e8?! ♖e1! 22. ♗e1 ♗b7 23. ♖a8 ♗a8 24. ♗e4 ♗b7!=] **♗d8 22. ♖d6!±** [22. ♖c6? ♗b7] **♗c7 23. ♖f6** [23. ♖c6? ♗e5 △ ♗b7] **♔g7** [23... ♗e6 24. ♗g6+−] **24. ♗c3** [24. ♖c6? ♗e5 25. ♗c3 ♗c3 26. bc3 ♗b7 27. ♖c7 ♗g2=] **♔g8 25. ♗e4!** [25. ♖c6? ♗f4 26. ♔c2 ♗b7 27. ♖f6 ♗g5] **♗e6 26. ♗c6 ♖d8** [26... ♖c8 27. ♗d5+−] **27. b3 ♗d6!** [△ ♗a3, ♗f5⇆] **28. ♗e4 ♗e7 29. ♖f3 ♗g5 30. ♔b2!?** [30. ♔c2 f5 31. ♗d3 ♗c8⇆] **♖d1 31. ♖d3 ♖f1 32. ♗d4 ♗f6! 33. ♗f6** [33. ♔c3 ♗d4 34. ♔d4 ♖f2 35. ♔e5 ♔g7±] **♖f2 34. ♔a3?⊕** [34. ♔c3 ♖f6 35. ♖d8 (35. ♖f3!?) ♔g7 36. ♖a8 a5 37. ♖b8±] **♖f6 [♖ 9/k] 35. ♖d8 ♔g7 36. ♖a8** [36. ♖b8!? △ ♖b7] **a5 37. ♖b8 ♗d7± 38. ♖b7 ♖d6 39. ♔b2 ♔f6 40. ♔c3 ♔e5 41. ♗f3 f5 42. ♖c7 ♔f4 43. c5 bc5 44. ♖c5 ♖a6 45. ♗b7 ♖a7 46. ♗d5 g5?! 47. ♔d4±** [⊞, ×♔f4] **h5??** [47... g4±; 47... ♔g3±] **48. ♖c3+− g4□ 49. h4 g3□ 50. ♖f3 ♔g4 51. ♔e5 ♔h4 52. ♔f4 1 : 0 [Gagarin]**

603.* **E 90**

GULKO 2565 — R. MAINKA 2445

Wien (open) 1991

1. d4 ♘f6 2. c4 g6 3. ♘c3 ♗g7 4. e4 d6 5. ♘f3 0−0 6. h3 e5 7. d5 ♘a6 8. ♗g5 ♕e8 9. g4 ♗d7 N [RR 9... ♘c5 N 10. ♘d2 a5 11. ♕f3 ♘fd7 12. 0-0-0 f5 13. gf5 gf5 14. ef5 ♘f6 15. ♗f6 ♖f6 16. ♘de4 ♖f5 17. ♕g3 ♘e4 18. ♘e4 ♔h8 1/2 : 1/2 Lukin 2445 — Novik 2405, SSSR (ch) 1991; 9... ♘d7 — 52/625] **10. ♘d2?!** [△ ♕f3; 10. ♗d3!?±] **♔h8! 11. ♗d3 ♘g8 12. ♕e2 ♘c5** [12... ♗h6!? 13. ♗h6 ♘h6 14. g5 ♘g8 15. h4±] **13. ♗c2 f5 14. gf5 gf5 15. ef5 e4** [15... ♗f5 16. ♗f5 ♖f5 17. ♘de4±] **16. ♘de4 ♘e4 17. ♗e4 ♗f5 18. ♗f5 ♖f5 19. ♗e3!** [19... ♕e8? ♖e8 20. ♗e3 ♖f4∓] **c5 20. dc6!** [20. ♖g1? ♗c3 21. bc3∓ ×♗e3] **♕c6** [20... bc6!?] **21. ♖g1↑ ♘e7□ 22. 0-0-0 ♘g6 23. ♗d4 ♗d4** [23... ♘e5 24. ♘d5±] **24. ♖d4 ♖af8 25. ♕e3! ♖f3** [25... ♖f2 26. ♖g6 ♖f1 27. ♘d1+−] **26. ♕h6 ♖g8 27. ♘e4 ♕c7** [27... ♖f7 28. ♘d6 ♖f2 (28... ♖d7 29. ♖g6 ♖g6 30. ♕f8 ♖g8 31. ♕f6 ♖gg7 32. ♘f7 ♔g8 33. ♘h6+−) 29. ♖f4! ♖f4 30. ♕f4 ♖f8 31. ♕f8 ♘f8 32. ♘f7#] **28. ♕d2 ♖gf8 29. ♔b1! ♕e7 30. a3!+− ♖8f4 31. ♖g4 ♕e5 32. ♘d6 ♖f8** [32... ♖f2 33. ♖df4] **33. ♖ge4⊕ ♕h5 34. ♖d5 ♕h3 35. ♕d4 ♔g8 36. ♘e8! ♖3f7** [36... ♖8f7 37. ♖d8] **37. f4 ♕f1 38. ♔a2 ♕g2** [38... ♘f4 39. ♖f5!] **39. f5 ♘e7 40. ♖g4 1 : 0 [Gulko]**

604. **E 90**

ZAID 2395 — SMIRIN 2545

Israel 1991

1. d4 ♘f6 2. c4 c5 3. d5 g6 4. ♘c3 ♗g7 5. e4 0−0 6. ♘f3 e6 7. ♗d3 d6 8. h3 ♘a6 9. ♗e3 ♘c7 10. e5!? N [10. a4 — 47/723] **de5** [10... ♘fe8?! 11. 0−0 (11. ed6 ♘d6 12. ♗c5 ed5 13. cd5 ♖e8=∞) ed5 12. cd5 b6 13. ♗f4↑] **11. ♗c5 ♖e8 12. d6 ♘a6 13. ♗a3 ♘d7?** [13... ♘h5 14. c5 *a)* 14... ♕a5? 15. ♗a6 ♕a6 16. d7 ♗d7 17. ♕d7 ♖ed8 (17... e4 18. ♘g5+−) 18. ♕b5+−; *b)* 14... ♗d7! 15. 0−0 f5 16. ♗a6 ba6∞] **14. 0−0 f5 15. ♗e2 b6** [15... e4 16. ♘d4 ♘e5 17. c5±] **16. ♘d5! ♘dc5□** [16... ♗b7? 17. ♘e7 ♔h8 18. ♘g5+−] **17. ♘e7 ♖e7** [17... ♔h8? 18. b4 ♘e4 (18... ♘d7 19. ♘c6 ♕f6 20. ♗b2 ♗b7 21. ♕a4+−) 19. ♘c8 ♘c3 20. ♕d2 ♘e2 21. ♕e2 ♖c8 22. ♘e5+−] **18. de7 ♕e7 19. b4 ♘d7** [19... ♘e4 20. ♕b3±] **20. c5! e4□ 21. ♘d4 ♘e5 22. ♖c1?** [22. ♕a4?! ♘c7 △ 23. ♘c6? ♕e8∞; 22. f4! ♘d3 23. ♘c6! ♕d7□ 24. ♗d3 ed3□ (24... ♗a1? 25. ♗a6+−; 24... ♕c6 25. ♗e2 ♗a1 26. ♕a1+− ⁄⁄a1-h8) 25. ♘e5 ♕d4 26. ♖f2 ♗e5 27. fe5 ♗b7 (27... ♘c7 28. ♗b2±) 28. ♖c1± ×♘a6] **♘c7 23. ♘b5?**

[23. f4! ♘d3 24. ♘c6 ♕d7 25. ♗d3 ed3 26. ♘e5 ♕d4 27. ♖f2 ♗e5 28. fe5 ♘d5 29. ♗b2 ♕e4∞] ♘d5∓ [×》》] 24. ♘d6 ♘f4 25. ♔h1 ♗d7 26. ♖c3⊕ ♘ed3 27. ♖d3 ed3 28. ♗d3 ♗c6—+ 29. f3 ♕h4 30. ♔h2 ♗e5 [30... ♘h3! 31. g3 (31. gh3 ♗e5) ♕h6 32. ♔g2 ♘g5] 31. ♘c4 ♘d3?! [31... ♘h3 32. ♘e5 ♘f2 33. ♔g1 ♘d1 34. ♘c6 ♘e3—+] 32. ♘e5 ♗e5 33. ♕d6 ♕f4 34. ♔h1 ♗d5 35. ♖d1 ♕e3!□ [35... ♖e8? 36. ♗b2=] 36. ♗c1 ♕e2 37. ♖d5 ♕e1 38. ♔h2 ♘f3! 39. gf3 ♕f2 0 : 1 [Smirin]

605.   E 90

TUNIK 2470 — BAŽIN
Čeljabinsk (open) 1991

1. d4 ♘f6 2. c4 c5 3. d5 g6 4. ♘c3 ♗g7 5. e4 d6 6. ♗d3 0—0 7. ♘f3 e6 8. h3 ♘a6 9. 0—0 ♘c7 10. ♖e1 ♖b8 11. ♗f1 N [11. de6 → 49/722] e5 12. a3 ♘h5 [12... ♘d7!?] 13. b4 b6 14. ♖b1 ♘a6 15. ♖b3 ♕e7 16. g3 ♗d7 17. ♕e2 ♖be8 18. ♗g2 f5 19. ef5 gf5 20. ♘g5 ♘f6 21. ♘b5! e4 [21... h6 22. ♘e6 ♗e6 23. de6±] 22. ♘a7! h6 23. b5 hg5 [23... ♖b8 24. ♘c6 ♗c6 25. bc6 hg5 26. ♗g5∞] 24. ba6 ♗a4 25. ♘c6 ♕c7 26. ♖b1 f4 [26... ♘h7 27. ♗b2 ×b6] 27. gf4 gf4 28. ♗f4 ♘d5 29. cd5 ♖f4 30. ♕h5 ♗c6 31. dc6 ♖e5 32. ♕g6 ♖f6 33. ♕g3 ♕c6 34. a7 ♖e8 [34... ♕a8 35. ♖b6 ♕a7 36. ♕b3+→; 34... ♖f8 35. ♕b3±]

35. ♖e4!+— ♖e4 36. ♖b6! ♖e1 [36... ♕d5 37. ♖b8 ♖f8 38. ♖f8 ♔f8 39. ♕f3] 37. ♔h2 ♕b6 38. a8♕ ♔h7 39. ♕h4 ♔g6

40. ♗e4 ♖e4 41. ♕ae4 ♔f7 42. ♕h5 ♔g8 43. ♕ee8 1 : 0 [Tunik]

606.   E 90

B. FINEGOLD 2455 — SCHEEREN 2435
Nederland 1991

1. d4 ♘f6 2. c4 g6 3. ♘c3 ♗g7 4. e4 d6 5. ♘f3 0—0 6. h3 c5 7. d5 e6 8. ♗d3 ed5 9. ed5 ♖e8 10. ♗e3 ♗f5 11. ♗f5 gf5 12. 0—0 ♘e4 13. ♘e2 ♘d7 14. ♕c2 ♘f8 15. ♘d2!? N [15. ♖ae1 → 37/661] ♕h4 16. ♘e4 ♕e4 17. ♕e4 ♖e4 18. ♘g3 ♖c4 19. ♘f5 ♗b2 20. ♖ab1 ♖c2 21. ♗g5! [△ 22. ♖b2! ♖b2 23. ♗f6+—] ♘g6 22. ♖fd1! [△ ♘e3] ♗g7 23. ♖b7± ♗f8 24. h4!? ♖a2 25. ♖d3 [△ h5, ♖g3] h5 26. ♗f6 ♖e8 27. ♖f3 ♖a4 28. g3 a5!? 29. ♗c3! ♖a3⊕ 30. ♔g2 a4 31. ♖a7 ♖b8 32. ♖e3 ♖bb3 33. ♖e8!! ♖c3 34. ♘h6 ♔h7 35. ♘f7 ♗g7? [35... ♔g8!∞] 36. ♘g5+— ♔h6 37. ♖g8 ♘h4 38. gh4 ♗c4 39. ♘f7! ♔h7 40. ♖g7 ♔g7 41. ♘d6 1 : 0 [B. Finegold]

607.   E 90

BELJAVSKIJ 2655 — DAMLJANOVIĆ 2585
Beograd 1991

1. d4 ♘f6 2. c4 g6 3. ♘c3 c5 4. d5 ♗g7 5. e4 d6 6. ♘f3 0—0 7. h3 e6 8. ♗d3 ed5 9. ed5 ♖e8 10. ♗e3 ♘h5 11. 0—0 f5?! 12. ♗g5 ♗f6 13. ♗f6 N [13. ♕d2 → 23/650] ♕f6 14. ♖e1 ♖e1 15. ♕e1 ♗d7 16. ♕d2 ♘a6 17. a3 ♖e8 18. ♖b1!? [18. ♖e1 ♖e1=] ♖e7 19. g3 ♗e8 20. ♔g2 ♘g7 [△ 20... b6 △ ♘b8-d7-e5] 21. ♘e2 b6 22. ♕h6 ♗d7 23. ♘f4 ♖e8 24. h4± ♕g7 25. ♕g7 [25. ♕g5 ♘f6 26. h5 ♘e4 27. ♗e4 fe4 28. ♘h4 ♖e5 29. ♕d8 ♖e8 30. ♕g5 ♖e5=] ♔g7 26. h5 ♘f6 27. hg6 hg6 28. b4 ♘g4 29. b5 ♘c7 30. a4 ♖e8 31. a5 ♘e5 32. ♖a1 ♖a8 [32... ♘d3 33. ♘d3 ♖a8 34. ♘f4 ♔f6 35. ♖h1 ♖g8 36. ♖h7 ♖g7 37. ♖h6 ♔f7 38. ab6 ab6 39. ♘h4 g5 40. ♖d6 ♔e7 41. ♖b6 △ d6+—; 32... ♘f3 33. ♔f3 ♖a8 34. ♘h3 ♔f6 35. ♔f4±] 33. ♘e5 de5 34. d6 ef4 35. dc7 ♖c8 36. ab6 ab6 37. ♖a6 ♖c7 38. ♖b6 fg3 39. ♔g3 g5 40. ♖d6? [40. f4 g4 41. ♗f1 ♔f7

311

(41... ♖a7 42. ♖a6+−) 42. ♗g2 ♗e6 43. ♖b8 ♖a7 44. b6 ♖a3 45. ♔h4 ♖a2 46. b7 ♖g2 47. ♖f8+−] **♔f7 41. ♗e2 f4 42. ♔f3 ♗e6 43. ♔e4! ♖e7 44. ♗h5 ♔g7 45. ♖e6! ♖e6 46. ♔d5 ♖h6 47. ♗g4 ♔f7 48. ♔c5 ♔e7 49. b6 ♔d8 50. f3!+− ♖h1** [50... ♖h4 51. ♔c6 ♖h6 52. ♔b5 ♖h4 53. ♔a6] **51. ♔c6 ♖c1 52. c5 ♖c3 53. b7 ♖b3 54. ♗e6 1 : 0 [Beljavskij]**

608. **E 91**

VAN WELY 2475 − CEBALO 2525

San Benedetto del Tronto 1991

1. d4 ♘f6 2. c4 d6 3. ♘f3 g6 4. ♘c3 ♗g7 5. e4 0−0 6. ♗e2 ♗g4 7. ♗e3 ♘fd7 8. ♖c1 c5 9. d5 ♘a6 10. 0−0 ♘c7 11. h3 ♗f3 12. ♗f3 a6 13. a4 ♖e8 N [13... ♘e5; 13... ♕b8] **14. ♕d2 ♖b8 15. ♗e2 e6 16. ♖fe1 ed5 17. ed5 ♕e7 18. a5!↑≪ ♕f8 19. ♖b1** [△ b4] **f5 20. ♘a4** [20. b4?? f4! 21. ♗f4 ♗c3 22. ♕c3 ♕f4−+] **b5□ 21. ab6 ♘a8** [21... ♘b6 22. ♘b6 ♖b6 23. b3±] **22. b4 ♘ab6 23. ♘b6 ♖b6 24. bc5 ♖b1 25. ♖b1 ♘c5** [△ ♘e4↑] **26. ♗c5! dc5 27. ♖b6 a5 28. ♗d1** [△ ♗a4] **♗d4 29. ♕a5± ♕h6 30. ♖e6! ♖e6?** [30... ♖f8±] **31. de6** [♕ 8/h] **♕f4 32. ♕d8 ♔g7 33. ♕e7 ♔h6 34. ♕f8 ♔g5**

35. h4!!+− ♕h4 [35... ♔h4 36. ♕e7 ♕g5 37. ♕h7] **36. ♕d8 ♗f6 37. e7 ♕e4 38. e8♕ ♗d8 39. ♕d8 ♔h6 40. ♕d2 f4 41. ♗e2 ♕e5 42. ♗f3 ♔g7 43. ♔h2 h5 44. ♕d5 ♕e7 45. ♕b7 ♕b7 46. ♗b7 g5 47. ♔h3 ♔g6 48. ♗c6 ♔g7 49. ♗a4⊙** [△ 50. ♗e8, 50. ♗d1] **1 : 0 [van Wely]**

609.* !N** **E 92**

KORTCHNOI 2610 − KASPAROV 2770

Tilburg (Interpolis) 1991

1. ♘f3 ♘f6 2. c4 g6 3. ♘c3 ♗g7 4. e4 d6 5. d4 0−0 6. ♗e2 e5 7. de5 de5 8. ♕d8 ♖d8 9. ♗g5 c6 10. ♘e5 ♖e8 11. 0-0-0 ♘a6 12. ♖d6 ♗e6 [RR 12... ♘h5 N 13. ♘g4 ♘c5 14. ♘h6 (14. ♗e3 ♗c3!? 15. ♗c5 ♗g4 16. ♗g4 ♗e5!) ♔f8 15. ♗h5 ♗c3 16. ♗f3! ♗e5 17. ♖d2 ♗e6 18. b3 (18. ♗e3 b6 19. ♘g4 ♗g4! 20. ♗g4 ♘e4=) a5 19. ♗e3 b6 20. ♔c2 (20. ♔b1 a4∞; 20. ♖hd1 a4! 21. b4 ♘b3 22. ab3 ab3=∞) a4=∞ Miroslav Marković 2365 − Golubev 2465, Beograd 1991; 17. ♖dd1!? Golubev; 12... ♘e4 N 13. ♘e4 ♗e5 14. ♘f6 ♗f6 15. ♗f6 ♘c5 16. ♗d3 ♘d3 17. ♖d3 1/2 : 1/2 Ragozin 2395 − Gen. Timoščenko 2505, Wien (open) 1991; 12... ♖e5 − 49/730] **13. f4! N** [13. ♘f3] **h6!** [13... ♘c5? 14. ♗f3 *a)* RR 14... h6 15. ♗h4! g5 16. ♗f2! g4 17. ♗c5 gf3 18. gf3 ♗f8 19. ♖g1 ♔h7 20. f5 ♗d6 21. ♗d6 ♗d7 22. ♘f7 ♖g8 23. ♖d1 ♗e8 24. ♘e5 ♖d8 25. c5 ♗h5 26. h3! ♖g2 27. ♘g4 ♗g4 28. hg4+− Cvetković 2465 − Lj. Ilić 2260, Skopje (open) 1991; *b)* 14... ♘h5 15. ♗h5 gh5 16. ♘d3! (16. b4? ♘a6 17. b5 cb5 18. cb5 ♘c5∞) ♘d3 (16... ♗c3 17. ♘c5 ♗b4 18. ♘b7±) 17. ♖d3 h6 18. ♗h4 ♗c4 19. ♖g3 △ e5±] **14. ♗f6** [14. ♗h4?! g5! 15. fg5 (15. ♗g3 ♘c5) hg5 16. ♗g5 ♘c5 17. ♗f6 (17. ♗f3 ♘fe4 18. ♘e4 ♘e4 19. ♗e4 ♗e5 20. ♖d2 ♗c4 21. b3 ♗e6=) ♗f6 18. ♘d3 (18. ♘g4 ♗c3 19. bc3 ♘e4 20. ♖d4 ♘c3 21. ♘f6 ♔f8∓) ♗e7 (18... ♗c3 19. ♘c5 ♗b4 20. ♘b7 ♖eb8! 21. a3 ♗d6 22. ♘d6 ♖b3∞) 19. ♖d4 ♗f6 20. e5 (20. ♖d6=) ♘d3 21. ♖d3 ♗e5=∞] **♗f6 15. ♖hd1** [15. ♘f3!? ♗c3□ (15... g5? 16. f5! ♗c3 17. fe6 ♗g7 18. ef7 ♔f7 19. ♖f1 ♔g8 20. e5±) 16. bc3 ♘c5 (16... ♗g4? 17. e5 ♘c5 18. h3 ♘e4 19. hg4! ♘d6 20. ♗d3 ♘c8□ 21. f5±) 17. ♘d2 (17. ♖d4? ♗g4! 18. h3 ♘e4∓) ♗f5 18. ef5 (18. e5 ♖ad8=∞) ♖e2 19. fg6 (19. g4 gf5 20. gf5 ♖ae8! 21. ♖h6 ♖g2=∞) ♖g2 20. gf7 ♔f7 21. ♖e1 ♖h2∞] **♗e5 16. fe5 ♖ac8** [16... ♔f8? 17. c5! ♘c5 18. b4 ♘a6 19. ♗a6 ba6 20. ♖c6±; 16...

♖e7!? 17. ♖d8 ♖e8! 18. ♖a8 ♖a8||] **17. ♔d2 ♖e7 18. ♔e3 ♖ce8 19. ♖d8 ♔f8!** [19... ♘c5? 20. b4 ♘d7 21. ♖e8 ♖e8 22. ♘d5! cd5 23. cd5 ♘e5 24. de6 ♖e6 25. ♖d8 ♔g7 26. b5!±] **20. h4 ♘c5!** [20... ♗c8 21. ♖e8 ♔e8 22. h5! ♖e5 (22... g5 23. ♖d6) 23. hg6 fg6 24. g4!±] **21. ♖e8 ♖e8 22. b4 ♘d7 23. ♔f4 ♔e7!** [23... a5? 24. b5 ♔e7 25. bc6 bc6 26. ♖b1⩲] **24. ♘d5** [24. g4 g5 25. hg5 hg5 26. ♔g5 ♘e5 27. ♔f4 ♘c4 28. ♘d5 cd5 29. ed5 ♘b2! 30. ♖d2 ♖d8=; 24... a5!?] **cd5 25. cd5** [25. ed5?! ♗f5 26. g4 ♗c2 27. ♖d2 g5 28. hg5 hg5 29. ♔g5 ♗h7 30. ♔f4 ♔d8∓] **♖c8!** [25... g5 26. hg5 hg5 27. ♔g5 ♖g8 28. ♔f4 ♖g2 29. de6 fe6 30. ♗b5 ♘e5!=; 30. ♗c4⩲] **26. de6** [26. ♗b5?! g5! 27. hg5 hg5 28. ♔g5 (28. ♔e3 ♘e5 29. de6 ♔e6∓) ♖g8 29. ♔f4 ♗g4 30. ♖b1 (30. ♖c1 ♔d8) ♘f8∓] **fe6 27. ♖d2 ♖f8=**
1/2 : 1/2 **[Kasparov]**

610. **E 92**

OBUHOV 2265 – VE. SERGEEV 2365
SSSR 1991

1. d4 ♘f6 2. c4 g6 3. ♘c3 ♗g7 4. e4 d6 5. ♘f3 0–0 6. ♗e2 e5 7. ♗e3 ed4 8. ♘d4 ♖e8 9. f3 c6 10. ♕d2 d5 11. ed5 cd5 12. 0–0 ♘c6 13. c5 ♖e3 14. ♕e3 ♕f8 15. ♘c6 bc6 16. ♘d1 N [16. ♔h1?! – 50/639] **♖b8 17. ♔h1 ♗e6 18. ♕a3 ♕e7 19. ♖c1** [19. ♘f2 ♘h5 20. ♘d3 ♕h4→⟫] **d4! 20. ♕a4** [20. ♗c4? ♗c4 21. ♖c4 ♕e2–+] **♗h6 21. f4 ♗d5 22. ♗d3** [22. ♗c4 ♕c5 23. ♗d5 ♕c1 24. ♕c6 ♕c6 25. ♗c6∓; 22. ♗f3 ♗f4 23. ♖c2 (23. ♗d5 ♘d5 24. ♖c2 ♕h4–+) ♘e4∞̄] **♘g4→⟫ 23. ♕d4 ♗g7!** [23... ♖b4?? 24. ♕b4 ♕h4 25. ♕b8 ♔g7 26. f5 ♗c1 27. ♕g3+–] **24. ♕g1 ♖b4 25. ♖e1□ ♕d8** [25... ♕h4 26. ♖e8 ♗f8 27. ♗e2] **26. ♖e2 ♖f4 27. ♕e1 ♕g5 28. ♖e8 ♗f8 29. ♕g3 h5 30. ♔g1⊕** [30. h3 h4 31. ♕e1 ♗g2–+] **h4 31. ♕h3 ♘f6 32. ♖f8** [32. ♖e2 ♖f3–+; 32. ♖e3 ♗g2 33. ♕g2 ♖g4–+] **♔f8 33. ♖c2 ♖f3 34. ♕c8 ♔g7 35. ♗f1 ♘e4 36. b3 h3 37. ♕c7 ♘d2 38. ♖d2 ♖f1 39. ♔f1 ♕d2 40. ♕e5 ♔h7** **0 : 1**
[Ve. Sergeev]

611. **E 92**

KASPAROV 2770 – IVANČUK 2735
Reggio Emilia 1991/92

1. c4 ♘f6 2. ♘f3 g6 3. ♘c3 ♗g7 4. e4 d6 5. d4 0–0 6. ♗e2 e5 7. ♗e3 c6 8. ♕d2?! ♘bd7 9. ♖d1?! ♖e8 N [9... ed4?! – 42/785] **10. d5 cd5 11. cd5 a6?!** [11... ♘g4! 12. ♗g5 f6 13. ♗h4 h5∓↑] **12. 0–0 b5 13. ♕c2! ♘b6 14. a4!** [14. ♘d2 ♘g4 15. ♗g4 ♗g4 16. ♖c1 ♖c8=] **ba4** [14... b4? 15. a5! ♘bd7 16. ♘a4 ♕a5 17. ♘d2! (17. ♖a1 ♘g4 18. ♘b6 ♘e3 19. ♖a5 ♘c2 20. ♘a8 ♘c5⇆) ♗b7 18. ♖a1 ♖ec8 19. ♕b3±↑⟪] **15. ♘a4 ♘a4 16. ♕a4 ♖b8?** [16... ♗d7 17. ♕c2 ♕b8! 18. ♘d2 ♖c8=] **17. ♘d2! ♘g4** [17... ♖b2 18. ♗a6± △ 18... ♘g4? 19. ♗c8 ♘e3 20. fe3 ♕c8 21. ♘c4+–] **18. ♗a7!!** [18. ♗g5? ♗d7! 19. ♗d8 ♗a4 20. ♗c7 ♗d1 21. ♖d1 ♖b7 22. ♗d6∞̄; 18. ♗g4 ♗g4 19. f3 ♗d7 20. ♕a3 ♗b5=] **♖b2** [18... ♖a8 19. ♗b6± ♗d7 20. ♕a5; 18... ♖b7 19. ♕a6 ♕c7 20. ♖a1 ♖b2 21. ♕d3± △ 21... ♕c2?! 22. ♘c4 ♕e2 23. ♘b2 ♕b2 24. ♖fb1+–] **19. ♗a6 ♖e7 20. ♗c8 ♕c8 21. h3!** [21. ♘c4? ♖a7∓] **♕a8?** [21... ♕c2 22. ♕a3!±; 21... ♖bb7 22. ♕a6! ♕d7 23. ♗c5! dc5 24. hg4 ♕g4 25. ♘c4! ♖a7 26. d6!±; 21... ♗h6! 22. ♘c4 ♖a7 23. ♕a7 ♕c4 24. hg4 ♕e4 25. ♕d7 ♗e3! (25... ♗f8 26. ♖c1 ♖b8 27. ♖fd1±) 26. ♕d6 *a)* 26... ♕g4 27. ♖d3! (27. ♖a1? ♗f2! 28. ♖f2 ♖f2=) ♗d4 28. ♕f6±; *b)* 26... ♖f2 27. ♖f2 ♗f2 28. ♔f2 ♕f4 29. ♔e2 ♕g4 30. ♔d2 ♕d4 31. ♔c2 ♕c4 32. ♔b2 ♕e2 33. ♔a3! ♕d1 34. ♕b8 ♔g7 35. ♕e5± ⚲d] **22. ♖a1! ♘f6?** [22... ♖bb7 23. ♗c5!±; 22... ♖d2 23. hg4 ♖b2 (23... ♗h6 24. ♖fb1 ♖b7 25. ♕a6+–) 24. ♕c6! ♕d8 25. ♗e3 ♖b8 26. ♖fc1±] **23. ♘c4 ♖bb7 24. ♗e3 ♕b8** [24... ♕a4 25. ♖a4 ♘e8 26. ♖a8+–] **25. ♘a5 ♖b4 26. ♕d1! ♖e4 27. ♘c6 ♕f8 28. ♘e7 ♕e7 29. ♖a8 ♗f8** [29... ♘e8 30. ♕c2 ♖b4 31. ♕c6 ♔f8 32. ♖e8 ♕e8 33. ♕d6 ♕e7 34. ♗c5] **30. ♕f3! ♖e3** [30... ♔g7 31. ♗g5] **31. fe3 ♘d7 32. ♖b1**
1 : 0 **[Kasparov]**

612. E 92

BRENNINKMEIJER 2500 – NUNN 2615

Wijk aan Zee 1992

1. d4 ♘f6 2. c4 g6 3. ♘c3 ♗g7 4. e4 d6 5. ♘f3 0–0 6. ♗e2 e5 7. ♗e3 c6 8. ♕d2 ♕e7!? N 9. d5 ♘g4 10. ♗g5 f6 11. ♗h4 ♘a6 12. ♖d1 [12. 0–0 g5 13. ♗g3 h5↑] **♗h6!** [12... c5 13. a3! ♗h6 (13... g5 14. ♗g3 h5 15. h4!) 14. ♕c2 g5 15. ♗g3 f5 16. h3 ♘f6 17. ef5 e4 (17... ♘h5 18. ♗d3) 18. ♘h2 ♗f5 19. ♘g4 ♗g7 20. ♘e3⩲] **13. ♕c2 g5 14. ♗g3** [14. h3 ♘e3!] **f5 15. h3 ♘f6 16. ef5 cd5** [16... ♘h5 17. dc6 bc6 18. ♕a4! ♕c7 19. 0–0 ♘c5 20. ♕a3 ♗f5 21. ♗e5] **17. cd5 ♘h5 18. ♗a6!□** [18. 0–0 ♗f5 19. ♕a4 ♘c5 20. ♕a3 ♘f4 21. ♗f4 gf4∓] **ba6∞ 19. 0–0 ♗f5 20. ♕e2 ♘f4?** [20... g4? 21. ♘h4; 20... ♕b7 21. ♘e4! ♗e4 22. ♕e4 ♕b2 23. ♕g4↑; 20... ♖ae8 21. ♕a6 ♘f4 (21... ♗h3 22. gh3 ♖f3 23. ♘e4±; 21... g4 22. hg4 ♗g4 23. ♘e4 ♗f3 24. gf3 ♖f3 25. ♔g2 ♖ef8 26. ♕d6 ♕g7=∞; 26. ♖h1!±) 22. ♗f4 gf4 23. ♖fe1; 20... ♕g7! 21. ♘h2! (21. ♘e4 ♕g6 22. ♖fe1 ♖ab8 △ ♖b4∓; 21. ♕a6 g4 22. hg4 ♗g4→) ♘f4! (21... ♕g6 22. ♘g4 ♗g7 23. ♕a6±) 22. ♗f4 gf4 *a)* 23. ♘g4 ♗g5 24. f3 ♗d8 25. ♘e4 (25. ♕a6 h5 26. ♘f2 ♖f6!→) ♗b6 26. ♔h1 ♕g6 27. ♖c1 h5 28. ♘gf2 ♖ac8 29. ♕a6 ♔h8 △ ♖g8=∞⧉; *b)* 23. ♔h1 ♖ab8!? (23... ♖f6 24. ♘e4 ♖g6 25. ♖g1 ♔h8 26. ♘f3 △ ♘h4) 24. f3 ♖b4 25. ♘e4 ♖fb8 26. b3 ♕g6 27. ♘g4 a5∞⇆《] **21. ♗f4 gf4 22. ♘d4!± ♗d7** [22... ♗h3 23. gh3 ♕g7 24. ♔h1 ed4 25. ♖g1+–; 22... ♔h8 23. ♘f5 ♖f5 24. f3 △ ♘e4; 22... f3!? 23. ♘f3 ♕g7 24. ♔h1] **23. f3 ♔h8 24. ♘e6 ♖g8 25. ♕a6 ♗e6 26. de6 ♗f8?** [26... ♕e6 27. ♕d6 (27. ♖d6 ♕h3 28. ♖f2 ♗f8□ 29. ♖d5 ♕f5∞) ♕h3 28. ♖f2! (28. ♕e5 ♗g7 29. gh3 ♗e5 30. ♔f2 ♖ab8=∞) ♕h5 29. ♘e4!±] **27. ♕c4 ♕h4 28. ♖f2** [28. ♔h1?? ♖g2! 29. ♔g2 ♕g3 30. ♔h1 ♕h3 31. ♔g1 d5 32. ♕d5 ♗c5 33. ♕c5 ♕g3 34. ♔h1 ♕h4! 35. ♔g2 ♖g8#] **♕h3 29. ♘b5!** [29. ♘e4 ♖g6∞] **♖g6?** [29... ♖d8□ 30. ♕c7! ♕h4 31. ♘a7! (31. ♘d6 ♗d6 32. ♖d6 ♖c8!) ♖g7 32. ♕b6+–] **30. ♕e4!+– ♖b8 31. ♕g6 hg6 32. gh3 ♖b5 33. ♖c2 1 : 0** **[Brenninkmeijer]**

613. E 92

BRENNINKMEIJER 2500 – VAN WELY 2560

Wijk aan Zee 1992

1. d4 ♘f6 2. c4 g6 3. ♘c3 ♗g7 4. e4 d6 5. ♘f3 0–0 6. ♗e2 e5 7. ♗e3 ♘g4 8. ♗g5 f6 9. ♗h4 g5 10. ♗g3 ♘h6 11. de5 de5 12. ♕d5 ♘f7 13. h4 ♕e7 14. hg5 fg5 15. 0-0-0 c6 16. ♕a5 ♘a6! 17. ♘e1 [△ ♘c2-e3-f5] **♘c5** [17... b6 18. ♕a4 ♘c5 19. ♕c6 ♗b7 20. ♘d5!+–] **18. ♕a3** [18. ♘d3? b6 19. ♕a3 ♘d3 △ ♕a3∓] **♖e8∓ 19. f3** [△ 20. ♘a4, 20. ♘c2, 20. ♗f2] **♘e6 20. ♕e7 ♖e7 21. ♗f2?! N** [21. ♘c2 ♘d4!? (21... ♘f4 22. ♘e3) *a)* 22. ♗f2? ♘e2 (22... ♖d7) 23. ♘e2 g4!∓↑; *b)* 22. ♘e3 ♗e6∓] **♘f4!** [△ ♘e2, g4] **22. g4□** [22. ♗f1 g4 23. g3 ♘e6 24. fg4 ♘d4∓] **♖e8** [△ ♗f8-c5] **23. ♘c2** [23. ♘d3 △ 24. ♘f4 ef4∓ ×f3, ↗h8-a1] **♗f8 24. c5 ♗e6 25. b3 b5 26. ♖d2** [26. ♘b4 (△ ♘a6) a5! 27. ♘c6 ♘e2 28. ♘e2 ♖ec8–+] **a5∓** [×c5] **27. ♖hd1 ♖ed8?!** [27... ♘d8 (△ ♘b7) 28. ♘d5!? ♘e2 29. ♖e2 cd5 30. ed5 ♗f7 31. c6 ♗d6 32. ♘e3! △ ♘f5; 31... ♗g6 △ ♘f7!–+] **28. ♗f1** [28. ♔b2? b4 29. ♘a4 ♘e2–+] **♖d2 29. ♖d2 ♘d8 30. b4□ ♗f7?** [30... ♗c4 31. ♗c4 bc4–+ △ 32... ♘d3, 32... h5, 32... ♘de6] **31. ba5! ♘b7** [31... ♘fe6 32. a4 ♘c5 33. ♗c5 ♗c5 34. ab5 cb5 35. ♗b5⩲] **32. a6 ♘c5!?** [32... ♖a6 33. a4 ♘c5 34. ♗c5 ♗c5 35. ab5 cb5 36. ♗b5 ♖h6∓] **33. ♗c5 ♗c5 34. a4 b4 35. ♘d1** [△ ♘ce3, ♗c4] **♘e6?** [35... ♗e6! 36. ♘ce3 ♗d4 △ c5∓] **36. ♖d7 ♗e8 37. ♖b7 ♘d8 38. ♗c4?!** [38. a5!? ♘b7□ 39. ab7 ♖b8 40. a6 b3 41. ♘ce3 ♗d4=∞] **♗f7!= 39. ♗f7 ♘f7 40. ♘b4** [40. a7 ♗a7 41. ♘b4 ♗c5] **♘d8 41. a5 ♗d6 42. ♖b6 ♗c7 43. ♘c3 c5□ 44. ♘cd5 ♗b6 45. ♘b6** [45. ab6 cb4 46. a7 ♘b7 47. ♘c7 ♖c8 48. a8♕ ♖a8 49. ♘a8 ♘c5!=] **♖a7 46. ♘c8 ♖a8 47. ♘b6 1/2 : 1/2** **[van Wely]**

614.*   **E 92**

KIR. GEORGIEV 2590
— TRINGOV 2430
Sofija 1991

1. d4 ♘f6 2. c4 g6 3. ♘c3 ♗g7 4. e4 d6 5. ♘f3 0–0 6. ♗e2 e5 7. ♗e3 ♘g4 8. ♗g5 f6 9. ♗h4 ♘c6 10. d5 ♘e7 11. ♘d2 f5 [RR 11... h5 12. h3 ♘h6 13. g4 g5 14. ♗g3 h4 15. ♗h2 ♘g6 16. b4 ♖e8 17. c5 ♗f8∞; 11... ♘h6 12. f3 g5 13. ♗f2 f5 14. c5 g4!? N (14... ♘g6 — 47/728) 15. fg4 ♘g4 16. ♗g4 fg4 17. 0–0 ♘g6 18. ♘c4 dc5 19. ♗c5 ♖f1 20. ♕f1 b6 21. ♗e3 ♗a6 22. b3 ♕d7 23. a4 ♖f8 24. ♕d3 ♕f7 (24... ♘f4!? 25. ♘b6 ab6 26. ♕a6 g3! 27. hg3□ ♕g4 28. ♗f2□ ♘g2 29. ♕e2 ♕h3 30. ♕f1 ♘f4□ 31. gf4 ♕c3 32. f5 ♕b3∓ Frolov) 25. ♕d2 h5 26. ♘b5 ♘f4 27. ♘a7 ♕g6 28. ♖e1 ♕e4 29. ♗b6 ♕d5 30. ♕d5 ♘d5 31. ♗c5 ♖b8∓ Magerramov 2560 — Frolov 2470, Smolensk 1991] **12. c5 dc5!?** N [12... ♗f6 — 42/786] **13. ♗g4** [13. ef5 gf5 14. ♗g4 fg4 15. ♘de4 ♕e8∞] **fg4 14. ♘c4 ♕e8! 15. d6?!** [15. ♗g3?! b5 16. ♘e5 b4 17. ♘e2 (17. ♘a4 ♗e5! 18. ♗e5 ♘f5∓) ♗e5 18. ♗e5 ♘f5∓; 15. 0–0 △ 16. d6, 16. ♗g3 ×e5] **♘c6□ 16. dc7** [16. ♘d5 cd6 17. ♘c7 (17. ♘d6 ♕d7∓) ♕f7 18. ♕d5□ ♖b8 19. ♘d6 ♕d5 20. ed5 ♘d4 21. 0-0-0 ♗d7∓] **g5! 17. ♘d6** [17. ♗g5? ♕f7 18. ♕e2 ♘d4−+] **♕g6 18. ♗g3 h5?!** [18... ♘d4! 19. ♘c4 (19. ♘c8 ♖ac8∓) ♕f7 △ h5-h4∓] **19. ♕d5 ♗e6** [19... ♔h7 20. ♕c5 h4 21. 0-0-0∞] **20. ♕c5 h4 21. ♘b7 hg3?** [21... ♘d4□ 22. ♗e5 ♗e5 23. ♕e5 ♘c2 24. ♔d2 ♖f2 25. ♘e2 ♘a1 26. ♖a1 ♗c4 27. ♖e1 ♗e2 28. ♕d5±] **22. ♕c6 gf2 23. ♔d2 ♕f7 24. ♘d6 ♕f4 25. ♔c2 ♕e3 26. g3!+−** [×♗g7] **♕f3 27. ♖hf1 ♔h7 28. ♖ad1 ♕g2 29. ♘d5 ♕h2 30. ♖h1**   **1 : 0**
[Kir. Georgiev]

615.*   **E 92**

B. GEL'FAND 2665 — NUNN 2610
Beograd 1991

1. d4 ♘f6 2. c4 g6 3. ♘c3 ♗g7 4. e4 d6 5. ♘f3 0–0 6. ♗e2 e5 7. ♗e3 h6 8. 0–0

♘g4 **9.** ♗c1 ♘c6 **10.** d5 ♘e7 **11.** ♘d2 [RR 11. ♘e1 f5 12. ♗g4 fg4 13. ♘c2 g5 14. ♘e3 ♘f4 15. f3 gf3 16. ♖f3 g4!? N (16... ♕f8 — 49/732) 17. ♖f1 (17. ♖f4 ef4 18. ♘g4 ♘g6 △ 19. ♕g5, 19... ♕h4⯑⯑) ♗d7 18. a4 ♕e8 19. g3 ♖f1 20. ♘f1 ♕g6 21. ♕b3 b6 22. a5 ♖f8 23. ab6 ab6 24. ♕c2 ♕e8 25. ♗e3 ♘g6∞ M. Li 2285 − Rabelo 2295, La Habana 1991; 18. b4!? Vilela] **f5 12.** ♗g4 fg4 **13.** b4 a5 N [13... ♗d7 — 47/(727)] **14.** ba5 ♖a5 **15.** ♘b3 ♖a6 **16.** c5 g5 **17.** ♗e3 ♘g6 **18.** a4 ♘f4 **19.** a5 ♗d7 [19... h5 20. cd6 cd6 21. ♗b6 ♕e8 22. ♘d2 h4 23. ♘c4 ♖f6 24. ♘e3±] **20.** ♘d2 [20. cd6 cd6 21. ♗b6 ♕e8 22. ♘d2 h5 23. ♘c4 ♕g6 24. ♘e3 ♖c8 25. ♖c1∞] **dc5!?** [20... h5 21. ♘c4 △ ♕b3] **21.** ♗c5 ♖f7 **22.** ♕b3 [22. ♘c4 h5 23. d6?! ♗e6! ♗c8 [22... ♕a8?! 23. ♖fb1 b6?! 24. ab6! ♖a1 25. b7 ♖b1 26. ♘db1 ♕b8 27. ♗a7+−] **23.** ♘c4 h5 [23... ♕f6 24. ♘b5 ♗f8 25. ♗f8 ♔f8 26. ♕b4 △ d6] **24.** ♘b5 ♖h6?! [24... h4!? 25. d6 ♗e6 26. ♖ad1∞] **25.** d6 c6 [25... ♗e6 26. ♘c7 ♖c7 27. dc7 ♕c7 28. ♕b6!+−] **26.** ♘a7! ♗e6 **27.** a6! ba6 [27... b5 28. ♘c6!+−] **28.** ♘c6 ♕a8 **29.** ♘e7 ♔h7 **30.** ♕c2 h4 **31.** ♖fd1?! [31. ♘b6 ♕e8 32. ♖ad1 g3 33. fg3 hg3 34. hg3+−] **♕e8 32.** ♘b6 g3 **33.** ♘f5! [33. d7 ♗d7 34. ♘d7 gf2 35. ♔f1 ♖e7 36. ♗e7 ♕e7∞; 33. fg3 hg3 34. hg3 ♖ff6 35. gf4 ♖f4∞] **gf2 34.** ♗f2 ♖hf6 **35.** ♗e3 ♗f8 **36.** ♗f4 ef4 [36... gf4 37. ♘d5±] **37.** ♘d5 ♗f5 **38.** ♘f6 ♖f6 **39.** ef5 ♗d6 **40.** ♔h1 [40. h3 ♕e3⇆; 40. ♖e1! ♕b5 41. ♗e6+−] **h3 41.** ♖a6 ♕e3! **42.** ♖f1 [42. ♖ad6 ♖d6 43. ♕c7 ♔g8 44. ♕d6 hg2 45. ♔g2 ♕e2=] **g4 43.** ♖a4 [43. ♖d6 ♖d6 44. ♕c7 ♔g8 45. ♕d6 hg2 46. ♔g2 ♕e4 47. ♔g1 ♕e3 48. ♖f2 a) 48... ♕e1 49. ♔g2 ♕e4 (49... f3 50. ♖f3 gf3 51. ♔f3+−) 50. ♔f1 ♕b1 51. ♔e2 ♕e4 52. ♔d1! ♕b1 53. ♔d2+−; b) 48... g3! 49. ♕g6 ♔f8 50. ♕h6 ♔e8!! (50... ♔g8? 51. ♕g5! ♔f8 52. hg3 ♕c1 53. ♔h2 fg3 54. ♕g3+−) 51. hg3 ♕c1 52. ♖f1 ♕e3 53. ♔h1 ♕e4=] **hg2 44.** ♕g2 ♕d3! **45.** ♖g1 ♗c5 [45... ♕f5 46. ♕g4 (46. ♖a7 ♔h6 47. ♖a8 ♗f8 48. ♖a5 ♕e6∞) ♕g4 47. ♖g4 f3 48. ♖g1 f2=] **46.** ♖f4!? [46. ♕g4 ♗g1 47. ♕h4 ♔g7 48. ♖f4 ♗d4!=]

♗g1 47. ♖g4 ♕f5! [47... ♗e3? 48. ♖g7 ♔h6 49. ♖g6!+−] 48. ♖h4 [48. ♕h3 ♖h6 49. ♖g7 ♔g7 50. ♕f5 ♗h2=] ♖h6 49. ♕b7 ♔g8 50. ♕b8 ♔g7 51. ♕c7 ♔g8 52. ♕d8 ♔f7 53. ♕c7 ♔g8 54. ♕b8 ♔g7 55. ♕b7 ♔g8 56. ♖h6

56... ♗e3! 57. ♕b8 ♔f7 58. ♕c7 ♔g8 59. ♕d8 ♔f7 60. ♕c7 ♔g8   1/2 : 1/2
[B. Gel'fand, Kapengut]

616.** !N   E 92

BAREEV 2680 − KASPAROV 2770
Tilburg (Interpolis) 1991

1. d4 ♘f6 2. c4 g6 3. ♘c3 ♗g7 4. e4 d6 5. ♗e2 0−0 6. ♘f3 e5 7. d5 a5 8. ♗e3 [RR 8. ♗g5 h6 9. ♗h4 ♘a6 10. ♘d2 ♕e8 11. b3 ♘h7 12. a3 f5 N (12... ♗d7 − 51/(611)) 13. f3 h5 14. ♖b1 g5 15. ♗f2 g4 16. ef5 ♗f5 17. ♘de4 ♕g6 18. h3 gh3 19. gh3 ♔h8 20. ♖g1 ♕h6 21. h4 ♕f4∞ Speelman 2630 − Kasparov 2770, Paris 1991] ♘g4 9. ♗g5 f6 10. ♗h4 ♘a6! 11. ♘d2 h5! N [11... ♘h6 − 9/596] 12. a3 [RR 12. ♖b1 ♘c5 13. ♘b3 b6 14. ♘c5 bc5 15. h3 ♘h6 16. g4 hg4 17. hg4 ♘f7 18. ♕d3 ♗h6 19. f3 ♔g7 20. ♔d1 ♖h8 21. ♔c2 ♗f4 22. ♖bg1 ♗d7 23. ♔b1 ♕b8∞ Loginov 2540 − Tošić 2460, Subotica 1991] ♗d7 13. h3? [13. 0−0 △ 13... ♘c5?! 14. b4] ♘h6 14. ♖b1 ♘c5! [14... c6!? 15. 0−0 c5] 15. b4 ab4 16. ab4 ♘a4 17. ♕c2?! [17. ♘a4 ♗a4 18. ♕c1 ♗e8 19. f3! g5 20. ♗f2 f5∓] ♘c3 18. ♕c3 g5 19. ♗g3 h4! [19... ♕e8 20. f3 f5 21. ♗f2 ♕g6∓] 20. ♗h2 f5 21. c5 g4 22. c6 ♗c8!

[22... bc6 23. dc6 ♗e6 24. ♗c4∞] 23. hg4 fg4 24. cb7 [24. 0−0∓] ♗b7 25. 0−0 ♕g5∓ 26. ♖a1 [26. g3 ♖f7 (26... ♗c8∓) 27. ♘c4 ♕g6∓] ♖a1 [26... ♗d5!−+] 27. ♖a1 ♗d5? [27... ♘f5!−+ △ 28. ef5 e4 29. ♘e4 ♕f5] 28. ♖a7 ♗e6 29. ♖c7 ♕f6 30. ♕e3 ♘f7 31. ♗c4 ♗h6 32. ♕e2 ♗d2 [32... ♘g5? 33. ♗e6 ♘e6 34. ♕g4 ♔h8 35. ♖c2! ♕f2 36. ♔h1∞] 33. ♗e6 ♕e6 34. ♕d2 ♕b3?! [34... ♕g6! 35. ♕d3 (35. ♕e3 ♘g5 36. b5 h3 37. b6 hg2 38. b7 ♘f3 39. ♔g2 ♕h5−+) ♘g5 36. ♕c4 ♕e6! (36... ♔h8 37. ♖c8) 37. ♕e6 ♘e6 38. ♖c1 (38. ♖c6 g3! 39. ♖d6 gh2 40. ♔h2 ♔f7) ♘d4∓] 35. ♔h1! ♕b1 36. ♗g1 ♕e4 37. ♕c2 [37. f3!? gf3 38. gf3 ♕f3 39. ♕g2 ♕g2 (39... ♘g5?! 40. b5∞) 40. ♔g2 ♖b8! 41. ♖c4∓] ♕c2 38. ♖c2 [♖ 9/i] d5! 39. b5 [39. f3 d4! 40. fg4 d3 41. ♖b2 ♖d8 42. ♗e3 ♘d6−+] d4 40. f3 g3 41. b6

41... ♖d8!! [41... ♖b8? 42. ♖c6; 41... ♘d6? 42. ♖c5 ♖e8 43. ♖d5=; 41... ♔g7 42. b7! (42. f4 d3 43. ♖b2 ♘d6! 44. b7 ♖b8 45. fe5 ♖b7 46. ♖d2 ♘e4 47. ♖d3 ♖b1−+) ♘d6 (42... ♖b8∞) 43. ♖e2! ♔f6 (43... ♘c4 44. ♖e5? ♘e5 45. ♗d4 ♔f7 46. ♗e5 ♖d8−+; 44. ♖c2!; 43... ♘b7 44. ♖e5 d3 45. ♖b5! ♖b8 46. ♗e3 ♔f6 47. ♖b3=) 44. f4 d3 45. fe5 ♔e6 46. ♖b2=] 42. ♖c6 [42. b7 ♘d6 43. ♖b2 ♖b8 44. ♖b6 ♘b7 45. f4 ♖d8! (45... d3 46. fe5 d2 47. ♖b1 ♖d8 48. ♖d1 ♖d3 49. ♗b6∞) 46. ♖b7 e4 47. f5 e3 48. f6 ♔f8 △ ♖e8−+] ♘d6! 43. ♖c7 [43. ♖c5 ♔f7 (43... ♘b7! 44. ♖e5 d3 45. ♖e1 d2 46. ♖d1 ♖d3!−+⊙ Bareev) 44. ♖e5 ♘c4 45. ♖c5 d3 46. b7 d2 47. ♖c8 d1♕ 48. b8♕

♕g1!−+] **♖b8 44. ♖c6 ♘f5 45. ♖e6 ♘e3!** [46. ♖e5 ♖b6 47. ♖e4 ♖b1 48. ♖d4 ♘d1−+] **0 : 1** **[Kasparov]**

617. **E 94**

EPIŠIN 2615 – JURTAEV 2525

SSSR (ch) 1991

1. d4 ♘f6 2. c4 g6 3. ♘c3 ♗g7 4. e4 d6 5. ♘f3 0–0 6. ♗e2 e5 7. 0–0 ed4 8. ♘d4 ♖e8 9. f3 c6 10. ♔h1 ♘h5 11. g4 ♘f6 12. ♗f4 h5 13. g5 ♘h7 14. ♕d2 ♗e5 15. ♗e3 ♘a6 16. ♖ad1 ♗h3 [⌓ 16... ♕e7 Δ ♗d7, ♖ad8, ♗c8] **17. ♖g1 ♘c5 18. ♕e1!** [Δ ♕h4±] **♕e7 19. ♕h4 ♗d7 20. ♗f1** [20. f4!? ♗g7 21. ♗f3 ♗g4 (21... ♘e4 22. ♗e4 d5 23. cd5 cd5 24. ♗f3 ♕e3 25. ♘d5+−) 22. ♖g4! hg4 23. ♕g4 ♘e4 (23... ♖ad8 24. ♗f2 Δ h4-h5±) 24. ♗e4 d5 25. cd5 cd5 26. f5 ♗d4□ 27. ♖d4 (27. fg6? ♗c3 28. gf7 ♔f7! 29. g6 ♔g8∓) de4 28. ♘d5 ♕e5 29. f6↑] **a5** [⌓ 20... ♖ad8 Δ ♗c8] **21. ♗g2 ♗g7 22. ♖d2 a4 23. ♖gd1 ♖a5** [23... ♘e6 24. f4±; 23... ♘f8!?] **24. ♕g3 ♘f8 25. h3 ♗c8 26. f4!± ♘e4?** [26... ♘fd7 27. f5 ♗e5 28. ♕f2 ♘b6 29. ♕f1⩲] **27. ♘e4 d5 28. b4!!+− ♖a8** [28... ab3 29. ♘b3 Δ cd5] **29. cd5 cd5 30. ♘b5 h4!□** [30... de4 31. ♗c5 ♕e6 32. ♘c7] **31. ♕h4 ♕b4 32. ♘f6! ♗f6 33. gf6 ♖e3 34. ♖d5** [⌓ 34. ♕h6 ♘e6 35. ♖d5 Δ ♖d8+−] **♖a6! 35. ♘d6! ♕c3 36. f5!+− ♗d7 37. ♕h6 ♖h3 38. ♕h3 ♕h3 39. ♗h3 ♗c6 40. ♘e4** **1 : 0** **[Epišin]**

618. **E 94**

ŠIROV 2610 – JURTAEV 2525

SSSR (ch) 1991

1. d4 ♘f6 2. c4 g6 3. ♘c3 ♗g7 4. e4 d6 5. ♘f3 0–0 6. ♗e2 e5 7. 0–0 ed4 8. ♘d4 ♖e8 9. f3 c6 10. ♔h1 ♘h5!? 11. g4 ♘f6 12. ♗f4 h5! 13. g5 ♘h7 14. ♕d2 ♘a6! 15. ♖ad1 ♕e7 16. ♖g1! [16. a3?! ♗h3 17. ♖g1 ♖ad8 18. b4 ♘c7∓ Δ d5; 16. c5?! dc5 (16... ♘c5? 17. ♘c6!) 17. ♘b3 b6; 16. ♘b3 ♗e5] **♘f8** [16... ♗h3!? 17. ♕e1! ♖ad8 18. ♕g3 ♗c8 19. ♗e3±] **17. a3 ♗h3 18. b4!?** [18. ♖g3 ♗d7 19. b4 ♗e5!=] **♖ad8** [18... ♘c7 19. b5 ♖ad8] **19. b5 ♗d4** [19... ♘c7!? *a)* 20. ♘b3?! ♘fe6! 21. ♗e3 ♘c5!∓; *b)* 20. bc6 ♗d4 21. ♕d4 ♘fe6! *b1)* 22. ♕d6?! ♖d6 23. ♗d6 ♕d8 24. cb7 ♕d7! (24... ♕b8? 25. ♖b1 ♖d8 26. c5±) 25. c5 ♘c5! (25... ♖b8 26. ♖b1 ♘d8 27. ♘d5±) 26. ♗e5 ♕c6∓; *b2)* 22. ♗d6 ♘d4 23. ♗e7 ♖e7 24. ♘d5 ♘d5 25. ♖d4 bc6 26. cd5 cd5 27. ♗c4 ♖b8!∞; *b3)* 22. ♕d2 ♘f4 23. ♕f4 bc6 24. ♕e3!∞ Δ f4; *c)* 20. ♗e3! d5! (20... c5 21. ♘b3 b6 22. ♘d5 ♘d5 23. cd5±) 21. bc6 bc6! 22. ♘c6 ♕a3 23. ♘d5 ♘d5 24. cd5 ♖d5! 25. ♕d5 (25. ed5 ♖e3∞̅) ♕e3∞̅] **20. ♕d4 ♘e6 21. ♗d6 ♘d4 22. ♗e7 ♖e7 23. ba6 ba6 24. ♖g3 ♗c8 25. ♘d5! ♖d5□** [25... cd5 26. ♖d4+−] **26. cd5 ♘e2 27. ♖g2 ♘f4 28. ♖c2 ♔f8!** [28... ♗h3 29. dc6!±] **29. ♖c6** [29. dc6 ♖c7!∞] **♗b7 30. ♖c5!** [30. ♖c2? ♘h3! 31. ♖dc1 (31. d6 ♖d7 32. ♖c7 ♖c7 33. d7 ♖d7 34. ♖d7 ♗c6∓) ♖d7 32. ♖c7 ♔e7!∓] **♖d7 31. h4 ♔e7 32. ♔h2 ♘e6! 33. ♖c2 ♘g7 34. ♔g3 ♘e8 35. ♔f4 ♖d6 36. ♖b1 ♖d7⩲ 37. a4** [37. ♖cb2 ♗c8 38. ♖b8 ♖c7] **♔d8 38. ♖c5 ♘d6?** [38... ♖e7] **39. ♔e5?⊕** [39. e5! ♘f5 40. e6+−] **♘e8 40. ♖c3 ♖e7 41. ♔f4 ♘d6 42. ♖c5 ♖d7?** [42... ♘e8=] **43. e5! ♘f5 44. e6 ♖e7 45. ♔e5 fe6** [45... ♘g7 46. ♖d1!! (46. ♔f6 ♘e8) *a)* 46... ♔e8 47. ♖dc1! *a1)* 47... ♔d8 48. ♖c7!! ♖c7 (48... ♘e8 49. ♖e7 ♔e7 50. d6+−) 49. ♖c7 ♔c7 50. ef7+−; *a2)* 47... fe6 48. d6 ♖f7 49. ♖c7 ♖f5 50. ♔d4 e5 (50... ♖d5 51. ♔c3+−) 51. ♔e3! ♖f3 52. ♔e2+−; *b)* 46... fe6 47. de6 ♔e8 48. ♔f6! ♔f8 (48... ♘e6 49. ♖e5 ♗c8□ 50. ♖d6! ♖f7□ 51. ♔g6 ♔e7 52. ♖c6! ♗d7 53. ♖a6 ♖f3 54. ♔h5 ♖f4 55. a5+−) 49. ♖e5! ♗f3 50. ♖d7 ♘e8 51. ♔g6 ♗g4□ 52. a5! ♖d7 (52... ♖e6 53. ♖e6 ♗e6 54. ♖a7+−) 53. ed7 ♗d7 54. ♔h5 ♔f7 55. ♔h6!+−] **46. de6 ♘g7** [46... ♘h4 47. f4! ♘f5 48. ♔f6 ♘g7 49. ♖e5+−] **47. ♔f6!?+−** [47. ♖d1 ♔e8 48. ♔f6+−] **♘e8 48. ♔g6 ♖e6 49. ♔f7 ♖e7 50. ♔f8 ♘d6** [50... ♗f3 51. ♖f1! ♗g4 52. ♖d5 ♖d7 53. ♖d7 ♗d7 54. a5!] **51. ♖d1 ♖e8 52. ♔g7 ♔d7 53. ♖f5 ♔c7 54. ♖f6 ♖d8 55. ♖c1! ♔b6** [55... ♔b8 56. ♖f8] **56. g6 ♗d5 57. ♔h6 ♔b7 58. ♖d1 ♖h8** [58...

♗c6 59. g7] **59. ♔g5 ♔c6 60. g7 ♖g8
61. ♔g6 ♔c5 62. ♖d5 ♔d5 63. ♖f8
1 : 0** [Širov]

619. E 94

FTÁČNIK 2575 — JE. PIKET 2590

Groningen 1991

**1. d4 ♘f6 2. ♘f3 g6 3. c4 ♗g7 4. ♘c3
0—0 5. e4 d6 6. ♗e2 e5 7. 0—0 ed4 8.
♘d4 ♖e8 9. f3 c6 10. ♔h1 a6 11. ♘b3
N** [11... ♗g5] **b5 12. ♗f4 ♗f8** [12... ♗e6
13. cb5 (13. ♗d6 ♘c4 14. ♗c4 bc4 15.
♘c5±) ab5 14. ♕d6±; 12... bc4 13. ♗c4
♗f8 14. ♕d2 ♗b7 15. ♖ad1±] **13. c5!
d5□** [13... b4 14. ♘a4 dc5 15. ♕d8 ♖d8
16. ♘b6 ♖a7 17. ♗b8 ♖b7 18. ♗e5+—;
13... dc5 14. ♕d8 ♖d8 15. ♗g5 ♗e7 16.
e5 ♘d5 17. ♗e7 ♘e7 18. ♘c5 ♗e6 19.
♘3e4±] **14. ♗g5** [14... ed5 a) 14... b4 15.
♘e4 ♘e4 (15... ♘d5 16. ♗g5 ♗e7 17.
♗e7 ♕e7 18. ♗c4±) 16. fe4 ♖e4 17.
d6±; b) 14... ♘d5 15. ♘d5 cd5 16. ♗b8
(16. ♖c1 ♘c6∞) ♖b8 17. ♘d4 ♗c5! (17...
♗d7 18. b4±) 18. ♘c6 ♕d6 19. ♘b8
♕b8⇆ 20. ♕d5 ♗d6!] ♖a7! [14... ♗e7
15. ed5 cd5 (15... ♘d5 16. ♗e7 ♕e7 17.
♘d5 cd5 18. ♖e1±) 16. ♗f6 ♗f6 17. ♕d5
♕d5 18. ♘d5 ♗b2 (18... ♖e2 19. ♘f6
♔g7 20. ♘d5±) 19. ♖ae1 ♖d8 20. ♖d1
♗d7!±] **15. ♖c1** [15. f4 ♗e7 (15... h6 16.
♗f6 ♕f6 17. ed5 cd5∞) 16. e5 ♘fd7 17.
♗e7 ♕e7 18. ♕d4 f6⇆; 15. ed5 cd5 16.
♗f6 ♕f6 17. ♘d5 (17. ♕d5 ♖d8⇆)
♕b2∞; 15. e5 ♖e5 16. ♗f4 ♘bd7 17.
♗e5 ♘e5⊠] **♗e7** [15... h6 16. ♗f6 ♕f6
17. ed5 cd5 18. ♘d5 ♕b2 19. ♖c2 ♕g7
20. c6±] **16. ♗f4** [16. ed5 cd5 17. ♗f6
♗f6 18. ♘d5 ♗b2 19. ♖c2 ♗b7⇆] **♗e6**
[16... ♘bd7 17. ♘d4 ♗b7 18. ed5±; 16...
♖b7 17. ♗b8 ♖b8 18. ♘d4 ♗d7 19.
ed5±] **17. ♘d4 ♕d7□** [17... ♗c5 18. ♗b8
♕b8 19. ♘c6 ♕f4 20. ♘a7 ♗a7 21.
♘d5±; 17... de4 18. ♗b8 ♖d7 19. ♗d6
♗d6 20. ♘e6±] **18. ed5** [18. ♘e6 ♕e6!?
(18... fe6 19. e5 ♘h5 20. ♗e3 ♕c7 21. f4
♘g7 22. g4 ♘d7 23. b4± Je. Piket) 19.
ed5 ♘d5 20. ♘d5 cd5 21. ♗d3 ♘c6∞]
♗d5 [18... ♘d5!? 19. ♘e6 fe6 20. ♗h6→;
19... ♕e6] **19. ♕d2!?** [19. b4 a5 20. a3

ab4 21. ab4 ♘a6⇆] **♗c5 20. ♖fd1 ♗b6?**
[20... ♗b4 21. ♗b8 ♖b8 22. ♕f4 ♕d6
23. ♕d6 ♗d6 24. ♘c6! ♗c6 25. ♖d6+—;
20... ♖a8 21. ♘cb5 ab5 22. ♖c5 ♗a2
(22... ♗a2 23. b3) 23. ♗b8 ♖b8 24. ♕f4
♕a7 25. ♖c6 ♘h5 26. ♕d6±; 20... ♘h5
21. ♗b8 ♖b8 22. f4↑; 20... ♗d6!? a) 21.
♘c6? ♗c6 (21... ♗f4 22. ♕f4 ♗c6 23.
♘d5 ♘d5 24. ♕b8 ♖b8 25. ♖c6 ♘b4)
22. ♘d5 ♘d5 23. ♕d5 (23. ♗d6 ♕d6 24.
♕d5 ♕d5 25. ♖d5 ♖e2—+) ♗f4!—+; b)
21. ♗g5!? ♗e7∞] **21. ♗b8 ♖b8 22. ♘d5?**
[22. ♕f4 ♕d8□ 23. ♘c6 ♗c7! (23... ♗c6
24. ♖d8 ♖d8 25. ♕f6+—) 24. ♕d4 (24.
♘d8 ♗f4 25. ♘d5 ♘d5 26. ♘c6 ♗c1 27.
♘b8 ♘f4∞; 24. ♕h4 ♗c6 25. ♖d8 ♗d8±)
♕d6 (24... ♗c6 25. ♕a7±) 25. ♕h4! ♕c6
26. ♘d5 ♕d5 27. ♖d5 ♖d5 28. ♕d4
♘b6±] **cd5 23. ♕f4** [23. ♘c6 ♖e8 24.
♘a7 ♗e3 25. ♕c3 ♗c1 26. ♕f6 ♗h6∞]
♖e8 24. ♕f6 ♗d4 25. ♕d4 [25. ♖d4 ♖e2
(25... ♖c7! Je. Piket) 26. ♖d5 ♖c7!!∓]
♖e2 26. ♖c5 ♕e8 27. h3?! [27. ♖d5 ♕e1
28. ♖e1 ♕e1 29. ♔g1 ♖e7 30. ♖d1
♕e2∓] **♖d7 28. ♕c3 ♕e5! 29. ♕e5 ♖e5
30. a3 ♔g7** [30... ♖e2 31. ♖dd5 ♖d5 32.
♖d5 ♖b2 33. a4 ba4 34. ♖a5∓] **31. ♖d2
g5 32. a4 ba4 33. ♖a5 ♖e6?** [33... ♖d6
34. ♖a4∓] **34. ♖ad5 ♖d5 35. ♖d5 h6
36. ♖a5 ♖b6 37. ♖a4 ♖b2 38. ♖a6
1/2 : 1/2** [Ftáčnik]

620.* !N E 94

I. SOKOLOV 2570 —
B. GEL'FAND 2665

Beograd 1991

**1. d4 ♘f6 2. c4 g6 3. ♘c3 ♗g7 4. e4 d6
5. ♘f3 0—0 6. ♗e2 e5 7. ♗e3 ♘a6 8.
0—0 ♘g4 9. ♗g5 ♕e8 10. h3 h6 11. ♗c1
ed4! N =** [11... ♘f6 — 52/638, 640] **12.
♘d4 ♘f6 13. ♗f3 ♘h7 14. ♖e1** [RR 14.
♗e3 ♘g5 15. ♖e1 c6 16. ♗c1 ♘c5 17.
♖c2 ♕e7 18. ♘b3 ♘f3 19. ♕f3 ♘d3 20.
♖d1 ♘b2 21. ♖b2 ♗c3 22. ♖c2 ♗e5 23.
♗h6 ♖e8 24. c5 dc5 25. ♘c5 b6 26. ♘d3
♗g7 27. ♗g7 ♔g7 28. e5 ♗f5= Je. Piket
2615 — B. Gel'fand 2665, Wijk aan Zee
1992] **♘c5** [△ 14... ♘g5 15. ♗e3 (15.
♗g4 ♗g4 16. hg4 ♕e5! 17. ♘c2 ♕e6!

318

18. ♗f4 ♘h7 19. ♘d5 c6 20. f5 ♕d7 21. ♘f4 g5 22. ♘h5 ♗e5 23. ♘d4 ♘f6 24. ♘f3 ♕e7∞) ♘c5 16. ♘db5 ♕d8 17. ♗c5 (17. e5? ♘f3 18. ♕f3 ♘d3) dc5 18. ♕d8 ♖d8 19. ♘c7 ♘f3 20. gf3 ♖b8∞] 15. ♗e3 ♕d8?! [15... ♘g5] 16. ♘b3!± ♘e6 17. ♗e2 ♕h4 18. ♗f1 f5 19. ef5 gf5 20. g3 ♕f6 [20... ♕d8 21. f4±] 21. ♘d5 ♕f7 22. ♘d4!± [△ ♘f5] ♘f6 [22... c6 23. ♘f4] 23. ♘e6?! [23. ♗g2!±] ♗e6 24. ♘f6 ♕f6± 25. ♕c2 ♗d7 26. ♖ad1 ♗c6 27. ♗d4 ♕g5 28. ♗g7 ♕g7 29. ♗g2 ♗g2 30. ♔g2 f4 31. ♖e6 [31. g4!?] fg3?! [31... ♖f6±] 32. fg3 ♖f6 33. ♖f6 ♕f6 [♕ 9/e] 34. ♖f1 ♕e6 35. ♖f4 ♖e8 [35... ♖f8? 36. ♖g4 ♔h8 37. ♕c3 ♕e5 (37... ♖f6 38. ♖f4 ♕e2 39. ♔g1 ♕d1 40. ♔f2+−; 37... ♕f6 38. ♖f4+−] 38. ♕e5 de5 39. ♖g6+−] 36. ♖g4 ♔f8 [36... ♔h8?? 37. ♕c3 ♕e5 38. ♖e4+−] 37. ♖f4 [37. ♕f2 ♔e7 38. ♕a7 ♖a8 (38... ♖f8 39. ♖g7) 39. ♕f2 ♖a2 40. ♖g7 ♔d8⇄] ♔g8⊕ 38. ♕f2!?±⊕ ♕e5 [38... ♕e2? 39. ♖f8 ♔g7 40. ♖f7 △ ♖c7] 39. h4 ♕e6 40. ♔h2? [40. ♕a7!+−] ♕g6? [40... ♕e2! 41. ♖f8 ♔g7 42. ♖f7 ♔g8=] 41. ♕f3!+− h5 42. ♖f5 ♕e3 [42... ♕e2 43. ♔g1; 42... ♖e5 43. ♖e5 de5 44. ♕d5 ♕f7 45. ♕f7 ♔f7 46. g4!] 43. ♕d5 ♕e6 44. ♕e6 ♖e6 45. ♖g5! ♔f8 46. ♖h5 ♖e2 47. ♔h3 ♖b2 48. ♖h7! ♖c2 49. ♖c7 b5 50. h5 bc4 51. h6 ♔g8 52. ♔h4 d5 53. ♔h5 ♖a2 54. g4 d4 55. g5 c3 56. h7 [56... ♖h8 57. ♔h6] 1 : 0
[I. Sokolov]

621. !N   **E 94**

ŠIROV 2610 − KOVALËV 2550
BRD 1991

1. d4 ♘f6 2. c4 g6 3. ♘c3 ♗g7 4. e4 d6 5. ♘f3 0−0 6. ♗e2 e5 7. 0−0 ♘a6 8. ♗e3 ♘g4 9. ♗g5 ♕e8 10. de5 de5 11. h3 h6 12. ♗c1 ♘f6 13. ♗e3 ♘h5 14. c5 ♘f4 15. ♗b5! ♕e6 16. ♖e1! N [16. ♕a4?? − 52/640] ♘g2!? [16... g5 17. ♗a6 ba6 (17... ♘g2? 18. ♗g2 ♕h3 19. ♔g1 ba6 20. ♘h2+−; 17... ♕a6 18. ♗f4 ef4 19. ♘d5 ♖b8 20. ♘c7 ♕c6 21. ♕d6! ♗b2 22. ♖ab1 ♕d6□ 23. cd6 ♗g7 24. e5!+−) 18. ♗f4 ef4 19. ♘d5 ♗e5! 20. ♕a4 (△ ♖ad1,

♕a5±) ♖b8 21. ♖ad1 ♖b2?! 22. ♘d4! ♕e8 23. ♕a3±; 16... c6 17. ♗a6 ba6 18. ♗f4?! ef4 19. ♘d4 ♕c4!∞; 18. ♕d6!?± Kovalëv] 17. ♗g2 ♕h3 18. ♔g1 ♗g4 19. ♗f1! [19. ♗e2 f5→] ♕h5 20. ♗e2 [20. ♗g2? ♕h8 △ f5] ♖ad8 [20... f5 21. ♘e5! (21. ♘h2? ♗e2 22. ♕e2 ♕e2 23. ♖e2 f4∞) ♗e2 22. ♘e2 f4! (22... ♗e5 23. ♕d5 ♔h7 24. ♕e5 ♖fe8 25. ♕h2+−) 23. ♘f4! (23. ♗f4 ♖ad8! 24. ♕b3 ♔h7∞) ♕e5 (23... ♕g5 24. ♕g4! ♗e5 25. ♕g5 hg5 26. ♘g6 ♗b2 27. ♖ab1 ♗c3 28. ♖ec1+−) 24. ♘g6 ♕e4! 25. ♘f8 ♖f8 26. ♕h5! (△ ♗h6) ♖f6 (26... ♖f5 27. ♕h1!±) 27. ♖ad1! ♖g6 28. ♔f1±] 21. ♘d2 f5 22. ef5! [22. ♗g4? fg4→ △ ♖f3] gf5□ 23. ♗g4

23... ♕g6! [23... fg4 24. ♘ce4 ♖f3 25. ♘g3! ♕h3 (25... ♕h4? 26. ♘f3+−) 26. ♕b3 ♔h7 27. ♘de4! (△ ♖ad1) ♘c5 28. ♗c5! ♖b3 29. ab3 b6 30. ♗e3 a5 31. ♖ad1+− ×♕h3] 24. ♘ce4! [24. ♕b3? ♔h7 25. ♕b7 e4!→] h5! [24... fe4 25. ♔h1! a) 25... ♖d2 26. ♗d2 ♘c5 (26... ♖f2 27. ♗e3+−) 27. ♗e3 ♘d3 28. ♖g1! ♘f2 29. ♗f2 ♖f2 30. ♕d7!! ♔h8 (30... ♔h7 31. ♗f5+−) 31. ♖af1+−; b) 25... ♘c5 26. ♗c5 ♖d2 27. ♕d2 ♕g4 28. ♗e3! ♖f3 (28... ♖f5 29. ♕d8 ♔h7 30. ♖g3+−) 29. ♕d5 ♔h8 30. ♕e4!+−] 25. ♗g5! [25. ♘g5? f4!∞; 25. ♔f1!? hg4□ 26. ♕b3 ♕f7 27. ♕f7 ♖f7 28. ♘g5 ♖f6∞ △ ♖g6, f4] fe4 [25... ♖d2 26. ♗f5! ♕f5 27. ♕d2 ♕g4 28. ♘g3 h4 29. ♖e4+−] 26. ♗d8 ♖d8 [26... ♖f4 27. ♖e4!+−; 26... ♘c5 27. ♘e4! ♖f4 28. ♕d5! ♔h8 29. ♕c5 ♖g4 30. ♘g3+−] 27. ♕b3 ♔h8 28. ♘e4! ♕g4 [28... hg4 29. ♔g2+−] 29. ♕g3 ♕f5 30. ♕g5! ♕g5 31. ♘g5 ♖d4?!⊕ [31... ♖g8

32. ♔f1! (32. ♘e4?! ♘b4!⇆) ♘c5 33. ♖ad1! ♗f6 34. ♘f7 ♔g7 35. ♘e5+− △ 35... ♖e8 36. ♘d7!] **32. ♘e6 ♖g4 33. ♔f1 ♗f6 34. ♖ad1! ♔h7** [34... ♘b4 35. ♖d7+−] **35. ♖e3! ♔g6 36. ♖f3!** [△ ♖d7+−] **e4 37. ♘f8 ♔f7 38. ♖d7 ♔f8 39. ♖f6 ♔e8 40. ♖h7+− ♘c5 41. ♖c7 ♘d7 42. ♖h6 1 : 0** **[Širov]**

622. E 94**

M. GUREVIČ 2630 – DAMLJANOVIČ 2585

Beograd 1991

1. d4 ♘f6 2. c4 g6 3. ♘c3 ♗g7 4. e4 d6 5. ♘f3 0–0 6. ♗e2 e5 7. 0–0 ♘a6 8. ♖e1 c6 9. ♗f1 [RR 9. ♖b1 ed4 10. ♘d4 ♖e8 11. f3 ♘c7 12. ♗f4 N (12. ♗f1 – 51/618) d5?! 13. ed5 cd5 14. c5 ♘e6 15. ♘e6 ♗e6 16. ♗b5 ♗d7 17. ♖e8 ♕e8 18. ♗d7 ♕d7 19. ♗e5 ♕f5 20. ♗d4± Ribli 2595 – K.-J. Schulz 2400, BRD 1991; 12... ♘h5!?] **♗g4 10. ♗e3 ed4!? N** [10... ♗f3!? N 11. ♕f3 ♘g4 12. ♕g4 ed4 13. ♗g5 f6 14. ♗d2 dc3 15. ♗c3 f5 16. ♕h3 ♗c3 17. ♕c3 fe4 18. ♖e4 ♕b6 19. ♕d4 1/2 : 1/2 Ch. Bernard 2295 – Sharif 2415, France 1991; 10... ♘d7 – 48/(802)] **11. ♗d4 ♘c7 12. h3** [12. ♗e2 ♘e6 13. ♗e3 ♕e7!? 14. h3 ♗f3 15. ♗f3 ♘d7∞] **♗f3 13. ♕f3 ♘e6 14. ♗e3 ♘d7 15. ♖ad1** [15. ♕g3 ♘dc5!? △ ♗c3⇆] **♗e5 16. g3 ♖e8 17. ♕e2!?** [△ ♕d2, ♗g2, f4] **♘ec5 18. ♕d2 ♕a5!?** [△ ♗c3; 18... ♗c3 19. ♕c3 ♘e4 20. ♕c2↑] **19. ♗d4 ♖e6 20. ♗e5 ♘e5** [20... de5? 21. a3±] **21. ♖e3!** [△ ♕e2, h4, ♗h3] **♖ae8?** [21... ♕b6! 22. ♕e2 f6 23. h4 ♘f7 24. ♗h3 ♖e7∞] **22. a3± ♘b3** [22... ♕b6 23. b4 ♘b3 (23... ♘cd7 24. c5 dc5 25. ♘a4 ♕c7 26. f4±) 24. ♕b2 ♘d4 25. ♘a4 ♘df3 26. ♔g2 ♕a6 27. ♕b3±] **23. ♕c2 ♕b6 24. ♘a4 ♘d4 25. ♕c3 ♘df3** [25... ♕a6 26. ♖d4 ♕a4 27. c5+−] **26. ♖f3 ♕a6** [26... ♘f3 27. ♕f3 ♕a6 28. ♘c3+−] **27. b3 ♘f3 28. ♕f3 ♕a5 29. ♕c3 ♕h5 30. g4 ♕g5 31. ♕d2 ♕d2 32. ♖d2 ♖e4 33. ♖d6 ♖e1 34. ♔g2 ♖b1 35. ♘c5 ♖ee1 36. ♗d3 ♖g1 37. ♔h2 ♖h1 38. ♔g3 ♖bg1 39. ♔f4 ♖h3 40. ♘b7 h6 41. ♘c5?!** [41. ♗e4 ♖b3 42. ♖d7 △ ♘d6+−] **♔g7 42. ♖c6 ♖h4 43. ♗e2 h5 44. ♖c7 hg4 45. ♔e3 ♖h3 46. ♔d4 ♖h4 47. ♔e3 g3?!⊕** [47... ♖h3 48. ♔d4 ♖h4 49. ♘e6 ♔f6 50. ♘d8 g3 51. ♔e3 g2 52. ♖f7 ♔g5 53. ♘e6 ♔h6 54. ♘f4 ♖f4 55. ♖f4 ♖b1 56. ♖g4 g1♕ 57. ♖g1 ♖g1 58. c5±] **48. fg3 ♖g3 49. ♔d2 ♖h2 50. ♖e7 a5** [50... g5 51. ♘d3 g4 52. c5 ♖f3 53. c6 g3 54. ♘e1 ♖b3 55. c7 ♖h8 56. ♗g4+−] **51. ♘d3 g5 52. c5 ♔f6? 53. ♖e8+− a4 54. c6 ab3 55. c7 b2 56. ♘b2 1 : 0** **[M. Gurevič]**

623.* E 94

DORFMAN 2600 – ROMERO HOLMES 2485

Logroño 1991

1. d4 ♘f6 2. c4 g6 3. ♘c3 ♗g7 4. e4 d6 5. ♘f3 0–0 6. ♗e2 ♘bd7 7. 0–0 e5 8. ♕c2 ♘g4 N [RR 8... ed4 9. ♘d4 ♖e8 10. ♖d1 a6 11. ♗g5 h6 12. ♗h4 c6 N (12... ♖b8) 13. ♖d2 ♕b6 14. ♘b3 a5! 15. ♖d6 a4 16. ♘d2 ♕b4 17. ♖d3 ♘c5 18. a3 ♕b6 19. ♖e3 ♘g4 20. ♗g4 ♗g4 21. h3 ♗e6∞̄ Kišnëv 2540 – V. Kostić 2390, München 1991/92] **9. ♗g5** [9. ♖d1? ed4 10. ♘d4 ♘f2 11. ♔f2 ♗d4 12. ♖d4 ♕f6 13. ♔e3 ♕g5=; 9. d5] **f6** [9... ♗f6 10. ♗f6 ♘gf6 11. ♖ad1±] **10. ♗h4 h5 11. h3 ♘h6 12. de5** [12. ♖ad1!?] **de5 13. ♖ad1 ♖e8** [13... c6? 14. ♘e5+−] **14. c5 c6 15. b4 ♕e7 16. ♘d2 ♘f8 17. ♘c4 ♘f7 18. ♘d6 ♖d8** [18... ♘d6 19. cd6 ♕d8 20. b5! △ bc6, ♘a4] **19. ♘c8 ♖ac8 20. ♗c4** [20. f3 △ ♗f2] **♘e6 21. ♘e2 ♗h6! 22. ♕b3** [22. ♖d8 ♖d8 23. ♕b3 ♘d4 24. ♘d4 ♖d4 25. f3 ♔g7 26. ♗f2 ♖d2±] **♖d1 23. ♖d1 ♖d8 24. ♖d8 ♘fd8 25. f3** [25. f4 ♗f4 (25... ef4 26. ♘d4 ♔f7 27. ♘f5∞̄) 26. ♘f4 ef4 27. e5 g5 28. ef6 ♕f6 29. ♗e1∞̄] **♔g7 26. ♕d3 ♘f8 27. ♗e1** [27. f4 ♗f4 (27... ef4 28. e5 ♘d7 29. ef6 ♘f6 30. ♗f2∞̄) 28. ♘f4 ef4 29. e5∞̄] **♕d7 28. ♕d7 ♘d7 29. h4** [29. ♔f2? h4!=; 29. g3!?] **♘f8?!** [29... ♗e3! 30. ♔f1 a5=] **30. ♔f2 ♘fe6 31. g3 ♔f8 32. ♗c3 ♔e7 33. a3 ♘f7 34. ♗b2 ♗d2 35. ♘c1 ♗h6 36. ♘b3 ♘fd8 37. ♔e2 ♔d7 38. ♗c3 ♔e7 39. a4 a6⊕** [⌓ 39... ♔d7] **40. ♘a5 ♔d7 41. ♗a2 ♔e7 42. ♗c4 ♔d7 43. ♘b3! ♔e7**

44. ♔f2! ♘f7 45. ♗f1 ♘fd8 46. ♗h3 ♔f7 47. ♔e2 ♔e7 48. ♗e1 ♔d7 49. ♗f2 ♔c7 50. ♗e3 ♗e3 51. ♔e3 ♘g7 52. f4 ♘f7 53. ♘d2 [53. ♘a5! △ 53... g5 54. fg5 fg5 55. hg5 ♘g5 56. ♗f5±] **g5 54. hg5 fg5 55. fg5 ♘g5 56. ♗f5 a5! 57. ba5 ♘5e6 58. ♗e6** [⌓ 58. ♘b3 △ ♔d3-c4; 58. ♘c4 ♘c5 59. ♘e5 ♘a4 60. ♘d3±] **♘e6 59. ♘c4 ♘c5 60. ♘e5 ♘a4 61. ♘d3 ♔d6** [61... c5! 62. ♘f4 ♘b2 63. ♘h5 ♘c4 64. ♔f4 ♘a5 65. g4 b5 66. g5 b4 67. ♘f6 b3 68. g6 b2 69. ♘d5 ♔d6 70. ♘c3 ♔e6 71. ♔g5 ♘c6= △ ♘e7, ♔e5] **62. ♔d4 c5** [62... b6 63. a6+−] **63. ♔c4 ♔c6 64. ♘e5 ♔d6 65. ♘f7 ♔c6?** [65... ♔e7 66. ♔b3 (66. ♘g5 ♔d6 67. ♔b5 ♘b2=) ♘b6!! 67. ab6 ♔f7=] **66. ♔b3 b5** [66... ♔b5 67. ♘d6 ♔a5 68. ♘b7 ♔b6 69. ♘d6 ♔c6 70. ♘c4 (70. ♘c8 ♔b5 71. ♘a7 ♔a5 72. e5 ♘b6 73. e6+−) ♔b5 71. ♘a3 ♔a5 72. e5 ♘b6 73. e6 ♘c8 74. ♔c4 ♔b6 75. ♔d5 ♘e7 76. ♔d6 ♘f5 77. ♔d7 ♔a5 78. ♘c4 ♔b4 79. ♘d6 ♘e3 80. e7 ♘d5 81. e8♕ ♘f6 82. ♔e7 ♘e8 83. ♔e8 c4 84. ♘c4 ♔c4 85. ♔f7+−] **67. ♘e5** [67... ♔d6 68.♘c4!+−] **1 : 0** **[Dorfman]**

624. !N **E 94**

NOGUEIRAS 2540 − A. ZAPATA 2530

La Habana 1991

1. d4 ♘f6 2. ♘f3 g6 3. c4 ♗g7 4. ♘c3 0−0 5. e4 d6 6. ♗e2 e5 7. 0−0 ♘bd7 8. ♗e3 ♘g4 9. ♗g5 f6 10. ♗c1 c6 11. h3 ♘h6 12. ♗e3 ♘f7 13. ♕c2 ♗h6 [13... ♘g5?! − 33/730] **14. ♗h6 ♘h6 15. ♖fd1 ♕e7 16. c5! N** [16. b4] **dc5** [16... ed4 17. cd6 ♕d6 18. ♖d4 △ ♖ad1±] **17. d5!± f5?!** [17... cd5?! 18. ♘d5 ♕d6 19. ♖ac1 △ 19... b6 20. ♗b5!±; 17... ♘b6!? 18. dc6 bc6 19. ♘a4! ♘a4 20. ♕a4 △ ♖ac1] **18. dc6 bc6 19. ♕d2 ♔g7** [19... ♘f7 20. ♗c4! ♘b6! 21. ♗f7 ♖f7 22. ♕d6!±] **20. ♕d6! ♕d6□** [20... ♕f6 21. ♕c7!] **21. ♖d6 ♖b8!? 22. ♘g5!** [22. ♖ad1 ♖b2! 23. ♖d7 ♗d7 24. ♖d7 ♖f7 25. ♖d2 ♖fb7!⇆] **♖f6 23. ♖ad1 ♘b6** [23... ♖d6 24. ♖d6 ♖b2 25. ♖c6+−] **24. ♖d8! ♘f7 25. ♘f7 ♖f7 26. ♖e8 ♖bb7 27. ♖e5 ♖be7 28. ♖c5 fe4 29. ♖c6+− ♗b7 30. ♖cd6 ♖f5 31. ♖1d4 ♖c5 32. ♔f1 h5 33. ♔e1 ♖g5 34. g4 hg4 35. hg4 ♖ge5 36. b4 ♔h6 37. a4 ♗c8 38. a5 ♘d7 39. ♖c6 ♗b7 40. ♖cd6 ♗c8 41. ♖c4** **1 : 0**
[Nogueiras, Estévez]

625. **E 94**

MAGERRAMOV 2560 − BOLOGAN 2535

SSSR (ch) 1991

1. d4 ♘f6 2. c4 g6 3. ♘c3 ♗g7 4. e4 d6 5. ♗e2 0−0 6. ♘f3 e5 7. ♗e3 ♘g4 8. ♗g5 f6 9. ♗h4 ♘d7 10. 0−0 h5 11. de5!? N [11. h3] **de5 12. b4 ♘h6** [12... g5?! 13. h3 ♘h6 14. ♗g3±] **13. ♗g3 c6 14. c5 ♘f7 15. ♕b3±○ ♗h6! 16. ♖ad1 ♔g7 17. ♘d2!? f5?!** [17... a5 18. ♘c4! (18. a3 ab4 19. ab4 ♗d2 20. ♖d2 ♘c5!) ab4 19. ♕b4 △ ♘d6±↑; 17... ♗d2!? 18. ♖d2 ♕e7 (18... a5?! 19. b5! ♕e7 20. bc6 bc6 21. ♘a4±) 19. ♖fd1 ♖e8 20. f3 ♘f8 △ ♗e6±] **18. f4!!** [18. ef5? h4∓] **h4□** [18... ef4 19. ♗f4 ♗f4 20. ♖f4 ♕c7 21. ♖df1 ♘de5 22. ef5 ♗f5 23. ♘ce4! △ ♕c3±] **19. ♗f2 ♗f4 20. ♘f3!↑** [⇔d, ×h4] **♘g5!** [20... ♖h8?! 21. ef5 gf5 22. ♗c4 △ ♘e2!±→] **21. ♘h4 fe4** [21... ♘e4 22. ♘e4 fe4 23. g3 ♗g5 24. ♘g2 ♕e7 25. ♗e3!±] **22. ♕c2 ♖h8! 23. ♖d6! ♕e8□ 24. ♘e4** [24. ♖g6?! ♕g6 25. ♘g6 ♗h2 26. ♔h1 ♔g6∞] **♘e4 25. ♕e4 ♘f6 26. ♕c2** [26. ♖f6?! ♔f6 27. ♗d4 ♖h4 28. ♖f4 ♖f4 29. ♕f4 ♗f5!□∓] **g5 27. g3 gh4 28. gf4 ♗h3 29. ♖e1 ♖h6 30. f5 ♖h5!? 31. ♔h1!→** [31. ♗h5?? ♕h5−+] **♗f5 32. ♖g1 ♔h7 33. ♕d1! ♖h6** [33... ♗e4 34. ♗f3 ♖f5 35. ♗e4 ♘e4 36. ♖d7 ♔h8 37. ♗h4+−] **34. ♖g5!+− ♗e4 35. ♗f3 ♗d5 36. ♗d5 cd5** [36... ♘d5 37. ♖h6 ♔h6 38. ♕g4] **37. ♕f3 ♕e7 38. ♗h4! ♖h4 39. ♖f6 ♔h8 40. ♖h5** **1 : 0** **[Magerramov]**

626. **E 94**

B. GEL'FAND 2665 − ROMERO HOLMES 2490

Wijk aan Zee 1992

1. d4 ♘f6 2. c4 g6 3. ♘c3 ♗g7 4. e4 d6 5. ♘f3 0−0 6. ♗e2 ♘bd7 7. 0−0 e5 8.

♗e3 c6 9. d5 c5 10. ♘e1 ♘e8 11. g4 f5 N [11... ♕h4 – 48/806] **12. gf5 gf5 13. ef5 ♘b6** [13... ♘df6!? 14. ♗d3 e4!? 15. ♘e4 ♘e4 16. ♗e4 ♗f5=∞] **14. ♔h1 ♗f5 15. ♖g1 ♘f6** [15... e4 16. ♕d2 ♘f6 17. ♖g3 ♘bd7 18. ♘g2± △ ♖g1, ♘f4] **16. ♘f3!** [△ 17. ♘h4, 17. ♘g5] **♘g4?!** [16... ♘e4 17. ♘e4 ♗e4 18. ♖g4! ♗f5 19. ♖g3 ♗e4 20. ♔g1± △ ♘g5; 16... ♔h8 17. ♖g3±] **17. ♘g5 ♘e3** [17... ♕g5 18. ♖g4 ♕e7 19. ♖g3±] **18. fe3 e4?!** [18... ♔h8 19. ♗d3! (19. e4 ♗d7 20. ♘e6 ♗e6 21. de6 ♗h6⇆) e4 20. ♘ce4 ♗b2 21. ♖b1→] **19. ♘e6!±** [19. ♕e1!?] **♗e6 20. de6 ♕e7** [20... ♔h8±] **21. ♘e4 ♕e6 22. ♗d3!→ ♔h8 23. ♖g3!+–** [23. ♖g7 ♔g7 24. ♕h5 ♕f5 25. ♖g1 ♔h8 26. ♖g8! ♔g8 27. ♘f6 ♖f6 28. ♗f5 h6∞] **♘d7** [23... ♗b2 24. ♖b1 ♗e5 25. ♘g5 ♕h6 26. ♖h3! ♕g5 27. ♖h7 ♔g8 28. ♕g1! ♗f6 29. h4] **24. ♘g5 ♕h6 25. ♘h7 ♖f2** [25... ♗e5 26. ♘f8 ♗g3 27. ♘g6 ♔g7 28. ♕g1] **26. ♕g1 ♘e5 27. ♗e4 ♖af8** [27... ♖b2 28. ♘g5] **28. ♘f8 ♖f8 29. ♕g2 ♗f6 30. ♖g1 1 : 0** **[B. Gel'fand, Huzman]**

627. **E 97**

MILES 2555 – A. KUZ'MIN 2520

Oostende 1991

1. d4 ♘f6 2. ♘f3 g6 3. c4 ♗g7 4. ♘c3 d6 5. e4 0–0 6. ♗e2 e5 7. 0–0 ♘c6 8. ♗e3 ♘g4 9. ♗g5 f6 10. ♗c1 ed4 11. ♘d4 ♘d4 12. ♕d4 f5 13. ♕d5 ♔h8 14. ♗g4 c6 [RR 14... fg4 15. ♖d1! Adams] **15. ♕d3 fg4 16. ♗e3± ♗e6 17. ♖ad1 ♗e5 18. ♗d4 ♕f6 N** [18... ♕g5 – 49/(742)] **19. b3 ♖ad8 20. ♕e3 b6 21. ♖d2 ♖f7 22. ♖fd1 ♖fd7 23. ♘e2! ♔g8 24. ♖d3 ♕e7 25. ♗c3** [△ ♘d4] **♗f7 26. ♘d4 ♖c8 27. h3!± gh3 28. ♕h3 ♖dd8 29. ♕h6 ♗e8** [29... ♗g7 30. ♘f5+–] **30. ♘f3!** [30. ♘e2 △ ♕d2] **♗c3 31. ♖c3 ♗d7** [31... ♕e4 32. ♘g5 ♕e7 33. ♖e3+–] **32. ♕f4+–** [×d6] **c5 33. ♖d6 ♗c6 34. e5 ♖f8 35. ♕g4! ♗f3 36. ♖f3 ♕e5 37. ♖g6! ♔h8** [37... hg6 38. ♕g6 ♕g7 39. ♕e6 ♔h8 40. ♖h3] **38. ♖g5 ♕a1 39. ♔h2 ♖cd8 40. ♖h3 ♖f7 41. ♖g3 ♖ff8 42. ♖g7 1 : 0** **[Miles]**

628.* **E 97**

I. FARAGÓ 2515 – J. POLGÁR 2550

Magyarország (ch) 1991

1. d4 ♘f6 2. ♘f3 g6 3. c4 ♗g7 4. ♘c3 0–0 5. e4 d6 6. ♗e2 e5 7. 0–0 ♘c6 8. ♗e3 ♘g4 9. ♗g5 f6 10. ♗c1 f5 11. d5 [RR 11. ♗g5 ♕e8 12. d5 N (12. ♘d5 – 38/803) ♘b8 (12... ♘d4 13. ♘d4 ed4 14. ♘b5 ♖f7 15. ♖e1±) 13. ♘e1 ♘f6 14. ef5 ♗f5 (14... gf5 15. f4± Murugan) 15. ♘c2 a5 16. ♘e3 ♗d7 17. ♘g4 ♘a6 18. ♘f6 ♗f6 19. ♗e3! e4!? 20. ♗d4 ♘c5 21. ♗f6 ♖f6 22. ♕d4 ♖f5! 23. ♘d1± Murugan 2395 – Bologan 2535, Gausdal 1991] **♘e7 12. ♘g5 ♘f6 13. ef5 ♘f5 N** [13... gf5 – 49/743] **14. ♗d3 ♘d4** [14... c6!? 15. ♘ge4 ♘e4 16. ♗e4 ♘d4∞] **15. ♘e2** [15. ♗e3 ♘g4 16. ♘ce4 ♘e3 17. fe3 ♘f5 18. ♕d2 h6 19. ♘f3 c6∞] **♘f5 16. ♘g3 c6 17. ♘3e4 cd5** [17... h6!? 18. ♘f6 ♕f6 19. ♘e4 ♕f7] **18. ♘f6** [18. cd5 h6 19. ♘e6 ♗e6 20. de6 d5 21. ♕b3 ♘d4 22. e7!; 20... ♕e7] **♕f6 19. cd5 h6 20. ♘e4 ♕f7 21. ♘c3?** [21. ♕b3! ♘d4 22. ♕b4 ♗f5 23. ♗e3±] **♗d7 22. ♗e3 ♘d4 23. ♗d4 ed4 24. ♘b5 ♗b5 25. ♗b5 ♕d5 26. ♗d3 ♕e6 27. ♕c2 ♖ac8?** [27... g5] **28. ♕b3! ♕b3 29. ab3 g5** [29... a6? 30. ♗g6 d5 (30... ♖c6 31. ♗e4) 31. b4 ♖c6 32. ♗d3 ♖b6 33. b5±] **30. ♖a7 ♖c7 31. b4** [31. g3±] **♗e5 32. b5 d5 33. ♖e1 ♖e7 34. g3 ♖f3 35. ♖a3 ♔g7** [35... g4 36. ♔g2] **36. ♔g2 g4 37. h3 h5 38. hg4 hg4 39. ♖h1 ♗d6 40. ♖h4!** [40. ♖h7 ♔f6 41. ♖h6 ♔e5 42. ♖h5 ♔e6∓] **♖ef7□ 41. ♖h7** [41. ♖g4 ♔f8 42. ♖a8 ♔e7∓] **♔f6 42. ♖f7 ♔f7 43. ♖b3 ♔e6 44. ♗c2 ♖b3 1/2 : 1/2** **[J. Polgár]**

629. **E 97**

BRENNINKMEIJER 2500
– JE. PIKET 2615

Wijk aan Zee 1992

1. d4 ♘f6 2. c4 g6 3. ♘c3 ♗g7 4. e4 d6 5. ♘f3 0–0 6. ♗e2 e5 7. 0–0 ♘c6 8. ♗e3 ♘g4 9. ♗g5 f6 10. ♗c1 h5!? N [10... ♔h8, 10... ed4 – 51/(622)] **11. d5?!** [11.

de5 ♘ge5; 11. h3 ♘h6 12. ♗e3] **♘e7 12. h3 ♘h6 13. ♘d2 c5** [13... a5!?] **14. ♖b1 ♘f7** [14... ♗d7!? 15. b4 b6] **15. b4 b6 16. bc5 bc5 17. ♘b3?!** [17. ♕a4! △ ♘b3-a5] **♗d7 18. ♗d2** [△ ♘b5, ♗a5] **a6 19. ♕c1 f5 20. f3** [20. ♕a3 a5!∓] **f4 21. ♘d1 a5!∓ 22. a4!?** [22. ♕c3 a4 23. ♘a5 ♖a7 △ ♕c7, ♖fa8] **♗a4 23. ♕a3 ♗d7 24. ♘a5 ♕c7 25. ♘f2 ♖a7 26. ♕c3 ♗f6!** [26... ♖fa8 27. ♖a1 △ ♘b3=; 26... ♘h6 △ g5-g4, ♘ef5!?] **27. ♘b3** [△ ♗f4] **♗h4 28. ♖a1 ♖b7** [28... ♖fa8 29. ♖a7 ♖a7 30. ♖a1] **29. ♘c1 ♖fb8 30. ♘cd3 ♘c8 31. ♕c2 ♘b6 32. ♖fb1 ♕c8 33. ♖b2 ♗d8 34. ♖ba2?! g5 35. ♘c1 ♘h6 36. ♕d1 g4?⊕** [36... ♗e8 (△ ♖g7) 37. ♖a7 ♕c7 38. ♖b7 ♖b7 △ ♕c8, ♖g7, ♗d7] **37. hg4 hg4 38. ♘g4 ♗g4 39. fg4 ♖g7 40. ♖a7 ♖g6 41. ♗a5!= ♘g4 42. ♗g4 ♖g4 43. ♗b6 ♗b6 44. ♖a8!** [44. ♖e7 ♖g5 45. ♖e6 ♕f8∓] **♖g5!** [44... ♖a8 45. ♖a8 ♖g2 46. ♔g2 ♕a8 47. ♕g4 ♔h8 48. ♕h4 ♔g7 49. ♕g5 ♔f7 50. ♕f5 ♔g7 51. ♕d7 ♔g8 52. ♕d6 (52. ♕e6=) ♕a3!∞; 44... ♖g6 45. ♖b8 ♕b8 46. ♕h5 ♔g7 47. ♕h3 ♕d8 48. ♔f2; 44... ♖g7 45. ♖b8 ♕b8 46. ♖b1 △ ♕h5] **45. ♖b8 ♕b8 46. ♖a3** [46. ♕b3 ♖g3 △ f3; 46. ♖b1 ♕d8; 46. ♘d3 △ ♘e1-f3=] **♕c8 47. ♔f2 ♗d8 48. ♕a4?⊕ ♔f7 49. ♕d1 ♔g6∓ 50. ♖h3 ♗f6 51. ♘d3 ♖g4** [51... ♕a6 52. ♕c2 △ ♘f4] **52. ♕a4 ♗h4 53. ♔f3??** [53. ♔g1 ♖g2; 53. ♔f1□ f3 54. ♖f3 ♖e4∓]

53... ♔h5!!−+ [△ ♕g8] **54. ♕c6** [54. ♕d1 ♕g8] **♕g8 55. ♘e1 ♖g3 56. ♔e2 ♖g2 57. ♘g2 ♕g2 58. ♔d1 ♕h3 59. ♕e8 ♔g4 0 : 1** [Je. Piket]

630. !N E 97

PH. SCHLOSSER 2485 – P. POPOVIĆ 2550
Brno (Mitropa Cup) 1991

1. ♘f3 ♘f6 2. c4 g6 3. ♘c3 ♗g7 4. e4 d6 5. d4 0–0 6. ♗e2 e5 7. 0–0 ♘c6 8. ♗e3 ♘g4 9. ♗g5 f6 10. ♗c1 ♘h6 11. d5 ♘e7 12. b4 ♘f7 13. a4 f5 [13... a5!? △ 14. ba5 c5] **14. a5! N** [14. ♘d2 – 48/808] **h6?!** [14... fe4 15. ♘e4±; 14... c6!? 15. ♘d2; 15. ♘g5] **15. ♘d2 ♔h8?!** [15... g5] **16. c5 ♘g8 17. ♘c4 ♘f6 18. f3 f4** [18... ♘h5 19. cd6 cd6 20. ♘b5 f4 △ ♗f6-h4; 19. ♗e3!±] **19. ♗a3!±** [19. ♗d2 ♖g8⇆] **♖g8 20. b5 ♗f8 21. b6! ab6 22. ab6 ♗d7□ 23. ♕b3 dc5 24. bc7 ♕c7 25. ♖fb1 ♖b8 26. ♕b6! ♘e8 27. ♘b5 ♗b5 28. ♖b5 ♘fd6!? 29. ♕c7** [29. ♖c5 ♘c4] **♘c7 30. ♘d6 ♗d6 31. ♖b6 ♖gd8 32. ♖ab1 ♔g8** [⌓ 32... ♔g7 △ ♖a8] **33. ♗c4** [△ ♖d6] **♔f7** [33... ♔f8 34. ♖d6] **34. ♖b7 ♖b7 35. ♖b7 ♔e7** [35... ♖a8 36. ♖c7 ♗c7 37. d6] **36. ♔f1+− ♖c8 37. ♔e2 ♔d8 38. ♖b6 ♔d7 39. ♖c6 ♖a8 40. ♗c5 ♗c5 41. ♖c5** [♖ 9/i] **♖b8 42. ♖c6 ♖b2 43. ♔f1 ♖b1 44. ♔f2 ♖b2 45. ♔g1 ♖b1 46. ♗f1 ♘b5 47. ♖g6 ♘c3 48. g3 ♘e2 49. ♔f2 ♘d4 50. gf4 ef4 51. ♗h3 ♔e8 52. ♗g4 ♖b2 53. ♔g1 1 : 0**
[P. Popović]

631.* !N E 97

BELOV 2435 – VOLKE 2425
Podol'sk 1991

1. ♘f3 ♘f6 2. c4 g6 3. ♘c3 ♗g7 4. e4 d6 5. d4 0–0 6. ♗e2 e5 7. 0–0 ♘c6 8. d5 ♘e7 9. ♗g5 h6 10. ♗f6 ♗f6 11. b4 ♔g7 12. c5 ♘g8 13. a4 [13. cd6?! cd6 14. ♘d2 – 49/(744); 14. a4!?; 13. ♘d2 ♗g5 N (13... ♗e7) 14. ♘c4 f5 15. a4 ♘f6 16. ef5 gf5 17. cd6 cd6 18. a5 ♕e7 19. a6 b6 20. ♘b5 ♖d8 21. ♖e1 ♘e8 (Belov 2435 – Touzane 2250, Podol'sk 1991) 22. ♗f1±] **♗e7 14. cd6 ♗d6! N** [14... cd6] **15. ♕b3 f5 16. ♘d2 ♘f6 17. ef5 ♗f5!** [17... gf5 18. ♘c4 △ 19. ♘d6 cd6 20. f4±] **18. ♘c4 ♕e7 19. ♘d6 cd6 20. a5 ♘e4!**

21. ♘e4 ♗e4 22. f3 ♗f5 23. ♖ac1 ♖ac8 24. ♕e3! ♕g5!□ 25. ♕g5 hg5 26. a6 ♖c1 27. ♖c1 ♖c8! 28. ab7! ♖c1 29. ♔f2 ♖c8 30. bc8♕ 1/2 : 1/2 [Belov]

632. E 97

ĖJNGORN 2585 – A. KUZ'MIN 2520
SSSR (ch) 1991

1. d4 ♘f6 2. ♘f3 g6 3. c4 ♗g7 4. ♘c3 d6 5. e4 0–0 6. ♗e2 e5 7. 0–0 ♘c6 8. d5 ♘e7 9. ♗g5 ♘h5 10. g3 f6 11. ♗d2 f5 12. ef5 ♘f5 13. ♗d3 ♘f6 14. ♘g5 N [14. ♘e4 – 48/(810)] **♘d4** [14... h6?! ×g6, ↗b1-h7] **15. f3 c6 16. ♔g2 ♗d7 17. ♘ge4** [17. b4 cd5 18. cd5 ♖c8⇆] **♘e4 18. ♗e4 c5 19. a4** [19. h4!? a6 (19... b5 20. cb5 ♘b5 21. ♘b5 ♗b5 22. ♖h1 △ h5±) 20. ♖h1 ♗f5⇆ ×f3] **♕c8 20. g4?!** [20. ♖f2=] **♕d8!∓ 21. ♘b5?!** [21. ♘e2!?] **♗b5 22. ab5 ♗f6 23. ♖h1 ♖f7 24. ♖a3 a5?** [24... a6 25. ba6 ♖a6 26. ♖a6 ba6 △ 27. ♕a4 ♗g5 △ ♘e2-f4∓] **25. ♕e1! b6** [25... ♗h4? 26. ♗a5±] **26. h4 g5 27. hg5** [27. h5⩲] **♗g5 28. ♖h5 ♗d2 29. ♕d2 ♖aa7 30. ♕d3** [30. ♕g5 ♕g5 31. ♖g5 ♖g7 32. ♖h5 ♘e2 33. ♖h6 ♘f4 34. ♔f2 ♘g6±] **♕f6! 31. ♖a1 ♕f4 32. ♖ah1 ♔f8!⊕ 33. ♖h6** [33. ♖h7 ♖h7 34. ♗h7 ♖f7 35. ♗e4 ♖f6 △ ♖h6=∞] **♖g7! 34. ♖1h3?!** [34. ♖d6 h5! 35. ♖g6 ♖g6 36. ♗g6 hg4 37. ♖h8 ♔g7 38. ♖h7 ♔f6 39. ♖a7 gf3→; 34. ♖h7=] **♖af7 35. ♖3h4?⊕** [35. ♖h7=] **♕c1?** [35... ♖g4! 36. fg4 ♕f2 37. ♔h3 ♘e2–+] **36. ♖h2 ♔e7∓ 37. ♖e6? ♘e6 38. de6 ♖f6–+ 39. ♕e2** [39. ♕d5 ♖g4! 40. fg4 ♕f1 41. ♔g3 ♕f4 42. ♔g2 ♕g4 43. ♔h1 ♖f1#] **♖e6 40. ♗h7 ♖h6 41. ♖h6 ♕h6 42. ♗f5 ♖g8** [△ ♖h8]
0 : 1 [A. Kuz'min]

633.* !N E 97**

VAN WELY 2560 – NUNN 2615
Wijk aan Zee 1992

1. d4 ♘f6 2. c4 g6 3. ♘c3 ♗g7 4. e4 d6 5. ♘f3 0–0 6. ♗e2 e5 7. 0–0 ♘c6 8. d5 ♘e7 9. b4 ♘h5 10. g3 [RR 10. ♕b3 h6 11. c5 f5 12. a4 ♔h8 N (12... fe4 – 52/650) 13. ♖d1 a6 14. ♖a2 fe4 15. ♘e4 ♗f5 16. ♘g3 ♘f4 17. h3 ♗d7 18. ♗c4 b5 19. cb6 cb6 20. ♘e4 b5 21. ab5 ab5 22. ♖a8 ♕a8 23. ♗f1 ♕b8 24. ♗f4 1/2 : 1/2 I. Sokolov 2570 – Je. Piket 2590, Groningen 1991; 10. ♘d2 ♘f4 11. a4 (11. ♗f3!? ♘d3 12. ♗a3 a5 13. ba5 ♖a5 14. ♘cb1! ♘c5 15. ♗b4∞) f5 12. ♗f3 g5 13. ef5 ♘f5 14. g3 *a)* 14... ♘d4? 15. gf4 ♘f3 16. ♘f3! N (16. ♕f3 – 9/621) ef4 (16... e4? 17. ♘g5! ♗c3 18. ♖a3 ♗g7 19. ♖g3 1 : 0 A. Martin 2415 – Britton 2255, Great Britain (ch) 1991) 17. ♗b2 g4 18. ♔h1 gf3 19. ♖g1!+–; *b)* 14... ♘h3 15. ♔g2 ♕d7 16. ♘b3 ♘d4 17. ♘d4 ed4 18. ♘b5 c6 19. ♘a3 ♖f3 20. ♕f3 g4 21. ♕b3 ♕e7 22. ♖a2 ♗f5 23. f3 ♗e4!! (23... d3 – 20/721) 24. ♘b1!!□ △ ♘d2∞ A. Martin] **f5 11. ♘g5 ♘f6 12. f3 f4? 13. ♔g2 ♔h8** [RR 13... a5!? N 14. ba5 (14. ♖b1 ab4 15. ♖b4 h6 16. ♘e6 ♗e6 17. de6 ♖b8 18. ♘d5 c6 19. ♘b6∞) ♖a5 15. a4 (15. ♘e6!? ♗e6 16. de6 c6∞) ♘e8 16. ♕b3 (16. ♘e6 ♗e6 17. de6 ♕c8∞ Pugačëv) ♘f5 17. ef5 ♕g5 18. fg6 ♕g6 19. ♘e4 ♘f6 20. ♗d3= Tunik 2470 – Pugačëv 2355, Čeljabinsk (open) 1991] **14. c5! N ↑** [14. ♖b1? – 27/687] **h6 15. cd6 ♕d6** [15... cd6 16. ♘e6 ♗e6 17. de6 d5 18. ed5 ♘fd5 19. ♘d5 ♘d5 20. ♕b3±⧉♙] **16. ♘b5 ♕b6** [16... ♕d7 17. ♘e6 c6 18. gf4! △ fe5±♙] **17. a4!** [△ a5] **♘fd5** [17... c6? 18. d6!+–; 17... hg5 18. a5 ♕a6 19. ♘c7 ♕d6 20. ♘a8 ♗d7 21. b5 (△ ♗a3, d6, ♘c7) ♘eg8 22. ♗a3 ♕b8 23. ♗f8 ♗f8 24. g4!+– ⇔c; 17... ♘e8!? 18. ♘e6! (18. ♘h3?! a6 19. ♘a3 △ ♘c4∞ ×e5) ♗e6 19. a5 ♗h3 20. ♔h3 ♕f6±⧉] **18. ed5 hg5 19. a5 ♕f6 20. ♘c7 ♖b8** [20... e4? 21. ♖a3! △ 21... ♗g4 22. fg4 f3 23. ♗f3 ef3 24. ♖af3+–] **21. g4!** [21. d6? ♘f5 22. d7 ♖d8] **♗d7** [21... ♕d6 22. ♗a3! ♘f5 23. gf5 ♕c7 24. fg6 △ ♗d3+–→] **22. b5 ♖fc8 23. d6 ♘g8 24. ♖a2 ♘h6 25. ♖d2 ♘f7 26. ♗c4** [26. ♗b2 ♗f8 27. ♗a3+–] **e4 27. fe4 ♘e5 28. ♗e2** [28. ♗b2 ♘c4 △ ♘e3] **♖f8** [28... a6!?] **29. ♗b2 ♕f7 30. ♖d5 f3 31. ♗f3 ♘c4 32. ♗g7 ♕g7 33. ♕c1 ♗g4 34. ♗g4 ♖f1 35. ♔f1 ♖f8 36. ♔e1** [36... ♕f6 37. ♕c4+–] **1 : 0 [van Wely]**

634.* **E 97**

VAN WELY 2475 – CVITAN 2495
San Benedetto del Tronto 1991

1. d4 ♘f6 2. c4 g6 3. ♘c3 ♗g7 4. e4 d6 5. ♘f3 0–0 6. ♗e2 e5 7. 0–0 ♘c6 8. d5 ♘e7 9. b4 ♘h5 10. g3 f5 11. ♘g5 ♘f6 12. f3 c6 13. b5 h6 14. ♘e6 ♗e6 15. de6 ♘e8 16. bc6 N [16. ♗a3?!] **bc6 17. ♗a3 c5□** [17… ♖f6 18. ♖b1 ♖e6 19. ♕b3±↑; 19. ♖b7±↑] **18. ♕a4 ♘c7 19. ♕d7 ♕d7 20. ed7 ♘c6** [20… ♖fd8? 21. ♖fd1 ♖d7 22. ♗c5±] **21. ♗d1 ♗f6** [21… ♘d4 22. ♔g2 ♔f7 23. ♗a4 ♔e7 24. h4! h5 25. ♖ab1 ♖ab8 26. ♗c1!± van Wely 2400 – Reinderman 2245, Dieren 1990] **22. ♔g2?!** [22. ♗a4 ♘d4 23. ♔g2 △ ♖ad1!?-d3, ♗c1, ♘d5, ♖a3, △ ♗c1-d2, ♖ab1±] **♔g7 23. ♗a4 ♘a5! 24. ♘d5□ ♘d5 25. cd5 ♘c4 26. ♗c1 ♖ab8 27. ♖f2 ♖fd8 28. ♖c2 ♘b6 29. ♗c6 ♘d7 30. ♖c3** [△ ♖a3] **fe4** [30… a6 31. ♖a3 ♖b6 32. ♖b3±; 30… ♘b6 31. ♖a3 ♘c8 32. ♖b3! △ ♖ab1↑] **31. fe4 ♗g5! 32. ♗g5?** [32. ♖a3! ♗c1 33. ♖c1 ♖b2 34. ♔g1 (34. ♔h3!?∞) ♘f6 35. ♖a7 ♔g8±] **♖b2 33. ♔g1 hg5 34. ♖a3 ♘f6 35. ♖a7 ♔h6!** [35… ♔g8? 36. a4!∞] **36. ♖e1 c4?!** [36… g4 37. a4 ♘h7 38. ♗d7!; 36… ♖db8! △ 37… ♖b1, 37… ♖d2∓] **37. ♖f7□ ♘h7** [△ g4, ♘g5–+] **38. g4□** [△ ♖e3-h3#] **♖f8?** [38… ♖a2 39. ♖e3 ♖a1 40. ♔g2 ♖a2=] **39. ♖f8 ♘f8 40. a4± c3 41. ♖c1 ♖b3 42. ♔f2 ♘h7 43. ♔e2 ♘f6 44. ♔d3 ♖b4 45. ♔c3 ♖d4** [45… ♖e4 46. a5 △ a6+–] **46. a5 ♘e4 47. ♔b2 ♘f6 48. a6 ♘d5 49. ♗d5?!** [49. a7 ♘b6 50. ♖c3 △ ♖b3+–] **♖d5 50. ♖a1 ♖b5 51. ♔c3 ♖b8 52. a7 ♖a8 53. ♔c4 e4!□ 54. ♔d4??** [54. ♔d5! e3 55. ♔c6 d5! 56. ♔b7 ♖a7 57. ♔a7 d4 58. ♖e1 ♔g7 59. ♔b6 ♔f6 60. ♔c5 ♔e5 61. ♔c4 ♔e4 62. h3! d3 63. ♔c3 d2 64. ♖a1 ♔f3 65. ♔d3 ♔f2 66. ♖d1! ♔f3 67. ♖f1 ♔g2 68. ♔e2+–] **e3 55. ♔e3 d5! 56. ♔d4?!** [56. ♔d3 d4 57. ♔c4 d3 58. ♔c5 d2 59. ♔b6 ♖e8! 60. ♖d1 ♖e6 61. ♔c5 ♖e5 62. ♔b4 ♖e8 63. ♖d2 ♖a8 64. ♖a2 ♖a7 65. ♖a7=] **♖a7** [57. ♖a7=] **1/2 : 1/2**
[van Wely]

635.** **E 97**

M. GUREVIČ 2630 –
B. GEL'FAND 2665
Beograd 1991

1. d4 ♘f6 2. c4 g6 3. ♘c3 ♗g7 4. e4 d6 5. ♘f3 0–0 6. ♗e2 e5 7. 0–0 ♘c6 8. d5 ♘e7 9. b4 ♘h5 10. c5 h6!? [10… ♘f4 11. ♗f4 ef4 12. ♖c1 h6 13. ♘d4 ♔h8 14. a4 N (14. h3 — 50/(644)) ♘g8 15. a5 ♘f6 16. ♖e1 h5 17. ♕d2 ♔h7 18. a6! ♗h6 19. ab7 ♗b7 20. ♗f3 ♘g4 21. cd6 cd6 22. ♘c6 ♕f6 (Beljavskij 2655 – B. Gel'fand 2665, Paris 1991) 23. e5! ♘e5 (23… de5 24. ♘e4 ♕h4 25. h3±) 24. ♘e5 de5 25. ♘e4 ♕b6 26. ♘c5±] **11. ♘d2 ♘f4 12. ♘c4 ♘e2!?** [12… f5 13. f3 g5 14. cd6 N (14. ♗e3 — 40/769) cd6 15. ♘b5 ♖f6 16. ♗e3 b6 17. ♖c1 ♗a6 18. a4 ♗b5 19. ab5 ♕d7∞ Law 2345 – Pe. H. Nielsen 2445, Gausdal 1991] **13. ♕e2 f5 14. f3 f4 15. a4!? N** [△ ♗a3, b5-b6; 15. ♗a3 g5 16. b5 ♖f6 17. b6 ab6 18. cb6 ♖a3!? 19. ♘a3 ♖g6 △ g4⇆; 16. ♘b5 — 22/756] **g5 16. ♗a3 ♖f6 17. b5 ♘g6 18. b6! ab6** [18… cb6 19. ♘d6! bc5 20. ♘c8 ♖c8 21. ♖fb1↑] **19. cd6 cd6 20. ♕b2?** [20. ♘b5 ♗f8 21. ♕f2! ♖a6 (21… g4 22. ♕b6±) 22. ♖fc1 g4 23. ♘cd6±] **♖a6 21. ♘b5 g4! 22. ♘cd6 gf3 23. ♘c8 ♕c8 24. ♕c3?!** [24. gf3 ♘h4 25. ♔h1 ♖g6→; 24. ♖f3!? ♘h4 25. ♖h3 f3 (25… ♕g4 26. ♕f2±) 26. ♖h4 f2 27. ♔f1 ♕c4 28. ♕e2+–; 24… ♖a4!?⇆] **♕c3 25. ♘c3 fg2 26. ♔g2 ♗f8 27. ♗f8 ♘f8 28. ♔f3 ♖a8 29. ♖fc1!** [△ ♘d1-f2-g4] **♖g6 30. ♘d1 ♘h7 31. ♘f2 ♘g5 32. ♔g4!?** [32. ♔e2 ♘f7 33. ♖g1 ♖g1 34. ♖g1 ♔f8 35. ♖b1=] **♖g7 33. ♔h5** [33. ♔f5?! ♖f7 34. ♔e5? ♘f3 35. ♔d6 ♖d8 36. ♔e6 ♖e8 37. ♔d6 ♘e5–+] **♘f3 34. h4 ♘d4** [△ 35… ♘b3, 35… ♘e2] **35. ♖g1 ♘e2 36. ♖g7 ♔g7 37. ♖b1 ♘g3 38. ♔g4 h5 39. ♔g5** [39. ♔f3 ♖a4 40. ♖b6 ♖a3 41. ♔g2 ♖a2 42. ♖b7 ♔f6 43. ♔f3=] **♖g8 40. ♖b6??⊕** [40. a5 ♔f7 41. ♔h6 ♖g6 42. ♔h7 ♖g7 43. ♔h6 ♖g6=] **♔h7 41. ♔f6 ♖g6 42. ♔e5** [42. ♔e7 ♖b6 43. d6 ♘e2 44. d7 ♘d4–+] **♖b6 43. d6 ♖b2 44. ♘d3** [44. d7 ♖d2 45. ♔e6 ♘e2 46. e5 ♔g7 47. ♔e7 ♘d4–+] **♖d2 45.**

♘f4 ♘e4! 46. ♔e4 ♖d6 47. ♘h5 ♖a6 48. a5 ♔h6 49. ♘f4 ♖a5−+ [△ ♖b5-b1] **50. ♘e6 ♔h5 51. ♔d4 ♔h4 52. ♔c4 ♖a1 53. ♘c5 ♖b1 54. ♘e4 ♔g4 55. ♘d2 ♖d1 56. ♘e4 ♔f4 57. ♘c5 ♖b1 58. ♔d4 ♔f5 59. ♔d5 ♔f6 60. ♔d6 ♖b6 0 : 1**
[M. Gurevič]

636. !N E 97

BOGDANOVSKI 2420
− GOLUBEV 2465
Skopje 1991

1. d4 ♘f6 2. ♘f3 d6 3. c4 g6 4. ♘c3 ♗g7 5. e4 0−0 6. ♗e2 e5 7. 0−0 ♘c6 8. d5 ♘e7 9. ♘d2 ♘e8 10. b4 f5 11. c5 ♘f6 12. f3 f4 13. ♘c4 g5 14. ♗a3 ♘g6 15. b5 ♘e8 16. b6 ab6 17. cb6 cb6 18. ♕b3 h5 19. ♖ab1 [19. ♕b4? g4!→; 19. ♖fb1!? △ 19... g4 20. ♘b6 ♕g5 21. ♘a8 g3 22. h3+−] **g4 20. ♘b6 ♕g5! N** [20... ♕h4?! − 49/(756)] **21. ♔h1** [21. ♘a8?! g3! 22. h3 ♕h4 23. ♖fc1 ♗h3 24. ♔f1 ♗g2 25. ♔e1 ♕h2=∞→] **♘h4 22. ♘c8 ♖c8** [22... gf3 23. ♗f3 ♖c8 24. ♘b5!] **23. ♖g1 ♖f7 24. ♖bc1?!** [24. ♘b5 ♗f8∞ 25. fg4?! hg4 26. g3; 25... ♘f6!] **♗f8 25. ♘a4 ♖c1 26. ♗c1 ♖g7∓↑» 27. ♕d1** [27. g3? gf3 28. ♗f3 ♕g6 29. ♕d3 ♘f6 30. ♘c3 ♘f3 31. ♕f3 h4∓ △ 32. g4 ♘g4 33. h3 ♘h2!; 28... b5!] **♘f6 28. ♘b6 ♕g6! 29. ♗d2** [29. ♕e1 g3 △ 30. h3 ♘g4! 31. fg4 hg4→ 32. ♗g4 ♕g4!! 33. hg4 ♖h7−+] **♘h7 30. ♕f1** [30. g3? gf3 31. ♗f3 ♘f3 32. ♕f3 ♘g5−+] **g3!? 31. ♗e1!⊕** [31. h3? ♘g5 32. ♕e1 ♘h3 33. gh3 g2 34. ♔h2 ♕g3 35. ♕g3 fg3#; 31. hg3 fg3! △ 32. ♗b5 ♘f5! 33. ♗d7 ♕f6 34. ♗f5 ♖g4!−+; 31. ♗b5 ♘g5!∓] **♖c7!?⊕ 32. ♗c4 ♗e7 33. a4** [33. h3? ♗d8 34. ♕d3 ♖g7 35. ♘c8 ♘g5; 33. ♕d3!? ♗d8 34. ♕a3 ♘f8!] **♗d8 34. a5 ♔h8** [34... ♖g7] **35. ♕e2** [35. ♗b5!?∓] **♖g7 36. ♗b5 ♕f6! 37. ♗e8?!** [37. ♕c4!?] **gh2 38. ♔h2 ♕e7?** [38... ♖g3!] **39. ♗a4?** [39. ♗d7 ♗b6!? 40. ab6 ♘f3! △ 41. ♕f3 ♘g5!; 39. ♗h5!? ♖g3!? 40. ♗g4 ♘f3 41. ♕f3 ♕h4!? 42. ♗h3 ♕h3 (42... ♘g5 43. ♕c3! ♕h5 44. ♗g3 ♘e4 45. ♗e1!) 43. gh3 ♖f3∞; 39... ♘g5!?]

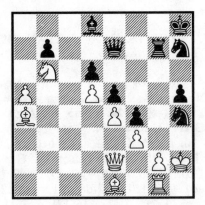

39... ♖g3!! [△ ♘f3] **40. ♗g3** [40. ♗d7 ♘f3 41. ♕f3 ♖f3 42. gf3 ♗b6−+; 40. ♔h1 ♘f5 41. ♖f1 ♕h4 42. ♔g1 ♘g5! △ 43. ef5 ♘h3 44. ♔h2 ♘f2 45. ♔g1 ♕h1 46. ♔f2 ♕g2#; 40. ♖f1 ♕g5! (40... ♖g2 41. ♕g2 ♘g2 42. ♔g2⇆; 40... ♕g7!?) 41. ♖f2 ♕g7! △ ♘g5∓→] **♘f5!!−+** [40... fg3? 41. ♔g3 ♘f5 42. ♔f2] **41. ♖c1** [41. ♖d1 fg3 42. ♔g1 ♕h4 43. ♕e1 ♕h2 44. ♔f1 ♕h1 45. ♔e2 ♕g2 46. ♔d3 ♕f3; 41. ef5 fg3 △ ♕h4#; 41. ♗f2 ♘g3; 41. ♖h1 ♘g3] **fg3 42. ♔g1 ♕h4 43. ♕b5** [43. ♕e1 ♘d4] **♕h2** [43... ♘d4 44. ♕e8 ♔g7 45. ♕d7 ♔h6 46. ♕h3 ♕h3 47. gh3 ♘e2 48. ♔g2 ♘c1 △ 49. ♗c6 ♘b3] **44. ♔f1 ♕h1 45. ♔e2 ♕g2!** [46. ♔d3□ ♕f3 47. ♔c4□ ♕e4 48. ♔c3□ ♕e3!? (48... ♘f6) 49. ♔b2 ♕c1 50. ♔c1 ♗g5 51. ♔b1 g2 52. ♕e8 ♔g7 53. ♕d7 ♘e7] **0 : 1**
[Golubev]

637. E 97

FTÁČNIK 2575 − AKOPJAN 2590
Groningen 1991

1. d4 ♘f6 2. ♘f3 g6 3. c4 ♗g7 4. ♘c3 0−0 5. e4 d6 6. ♗e2 e5 7. 0−0 ♘c6 8. d5 ♘e7 9. ♘d2 ♘d7 10. b4 f5 11. c5 ♘f6 12. f3 f4 13. ♘c4 g5 14. a4 ♘g6 15. ♗a3 ♖f7 16. b5 ♗f8 17. b6 cb6 18. cd6! ♘e8 19. ♘b5 N [19. ♖c1] **♗d7 20. ♗b2 ♕f6** [20... a6 21. ♘c7 ♘c7 22. dc7 ♕c7 23. d6 ♕c5 24. ♔h1 b5 25. ab5 ♗b5 26. ♖c1↑; 20... ♗b5 21. ab5 ♗d6 22. ♖a2!? ♗b8 23. ♕a1=∞] **21. ♖a2** [21. ♘c7 ♖c8 (21... ♘c7?! 22. dc7 ♗c5 23. ♔h1 ♖c8 24. d6 ♗e6 25. ♗a3±) 22. ♘e8 ♗e8 23.

♗a3 b5 24. ab5 ♗b5⇆] ♘d6 [21... ♗b5 22. ab5 a) 22... ♘d6 23. ♘b6 (23. ♕a1 ♘c4 24. ♗c4±) ♘e4!? 24. d6! (24. ♘a8 ♘c5 25. ♔h1 ♘g3 26. hg3 ♘e7−+) ♗d6 25. fe4 ♗c5 26. ♔h1 ♗b6 27. ♗c4±; b) 22... ♗d6 23. ♕a1 ♗b8 24. ♖d1 △ d6] 22. ♘bd6 ♗d6 23. ♘d6 ♕d6 24. ♗a3 [24. ♕b3 ♗c5 25. ♔h1 ♖c8 26. ♗a3 ♕c3⇆] ♕f6 25. ♕b3 ♖c8 [25... h5!? 26. ♖c2 g4 27. ♖fc1 (27. ♖c7 g3 28. ♗b7? ♗a4 29. ♖f7 ♕h4−+) ♘h4⇆] 26. ♖c2 ♖c2 [26... h5 27. ♖c8 ♗c8 28. ♕c2 ♗d7 29. ♗b5] 27. ♕c2 h5 [27... ♕d8 28. ♖c1 ♕e8 29. d6 ♗a4 30. ♕a2 ♔g7 31. ♖c7→; 27... a6 28. ♕b3 h5 29. d6↑] 28. ♗b5! [28. h3 g4 29. fg4 hg4 30. ♗g4 ♗g4 31. hg4 ♕h4 32. ♕c8 ♔g7 33. d6 f3!] g4 [28... ♗b5 29. ab5 g4 30. fg4 hg4 31. ♕c8 ♔h7 32. ♕g4±] 29. ♗d7 ♖d7 30. ♕c8 ♕d8 [30... ♖d8 31. ♕b7 (31. ♕e6 ♕e6 32. de6 ♖e8∓; 31. ♕f5 ♕f5 32. ef5 ♘f8 33. ♖d1 ♔f7∓) g3 32. ♖c1±] 31. ♕d8 ♖d8 [9/i] 32. ♖c1 ♖d7 [32... gf3!? 33. gf3 (33. ♖c7 fg2 34. ♔g2 ♖b8 35. d6∞) ♖d7 34. ♖c8 ♔f7 35. ♔f2 ♔f6 36. ♖e8 ♔f7=] 33. ♖c8 ♔f7 34. ♔f2 ♔f6 [34... gf3 35. ♔f3 ♔f6 36. g3±] 35. g3!? fg3 [35... gf3 36. gf4 ♘f4 37. ♔f3± ×h5] 36. hg3 gf3 37. ♔f3 ♔f7 [37... ♔g5 38. ♖e8 ♖f7 39. ♔g2 h4 40. d6 hg3 41. ♖e7! ♖f2 42. ♔g3 ♖a2 43. ♗c1 ♔f6 44. ♖e8!+−] 38. ♔e3 h4 [38... ♔f6 39. ♔d3 ♔g5 40. ♔c4±] 39. gh4 ♘h4 40. ♖f8 [40. ♖a8! a6 41. ♖f8 ♔g7 42. ♖e8 ♘g6 43. ♖e6 b5 44. ab5 ab5 45. ♖b6±] ♔g7 41. ♖e8 [41. ♖a8! a6 42. ♖e8 ♘g6 43. ♖e6± ♘g6 42. ♖a8 a6 43. ♖e8 ♔f7 44. ♖e6 b5 45. ab5 ab5 46. ♖b6 ♘f4 47. ♖b5 ♔f6 48. ♗b2 [48. ♖b6 ♔f7 49. ♗b2 ♘d5! 50. ed5 ♖d5] ♖d6 49. ♔f3 [49. ♗c1!? △ ♖d7 50. ♔f3 ♘d3 51. ♖b6 ♔f7 52. ♗e3 ♔e8!?] ♖d7 [49... ♖d8 50. ♖b6 ♔g5 51. ♗c1 ♖h8 52. ♗f4 ef4 53. e5±] 50. ♖b6 [50. ♗c1!? ♘d3 51. ♖b6 ♔f7] ♔f7 51. ♖b5 [51. ♖h6!? ♖d8 (51... ♔g7 52. ♖d6!! ♖d6 53. ♗e5 ♖f6 54. ♗f6 ♔f6 55. ♔f4+−) 52. d6 ♘g6 53. ♗a3 ♔g7±] ♘d3 [51... ♔f6 52. ♗c1 ♘d3 53. ♖b6 ♔f7 54. ♗e3 ♔e8!?±] 52. ♗c3 ♖c7 53. ♗a5 ♖c5! [53... ♖d7 54. ♔g4±] 54. ♖b7 ♔g6 55. ♖a7 [55. d6 ♖a5 56. d7 ♖a8 57. ♖b6 ♔f7 58. ♖d6 ♘e1 59. ♔e2 ♔e7=; 55.

♗d2 ♖c2 56. ♔e3 ♘c5 57. ♖b6 ♔f7 58. ♖c6 ♖c4 59. ♔f3 ♘e4!=; 55. ♗b6 ♖b5 56. d6 ♘c5=] ♖b5! 56. d6 ♘c5 57. ♗d2 [57. ♗d8 ♖b3 58. ♔e2 ♘e4 59. d7 ♘c5=] ♖b3 58. ♔e2 [58. ♗e3 ♔f6! 59. d7 ♔e7=] ♘e4?⊕ [58... ♖b7! 59. ♖b7 ♖b7 60. d7 ♔f6!□ 61. ♗a5 ♔e7=] 59. d7 ♘g3 60. ♔d1 ♖d3 61. ♔c2 e4 62. ♗a5   1 : 0   [Ftáčnik]

638.   !N   E 97

EPIŠIN 2615 − NUNN 2610
Wien 1991

1. d4 ♘f6 2. c4 g6 3. ♘c3 ♗g7 4. e4 d6 5. ♘f3 0−0 6. ♗e2 e5 7. 0−0 ♘c6 8. d5 ♘e7 9. ♘d2 a5 10. ♖b1 c6 11. a3 b5 12. dc6 b4 13. ab4 ab4 14. ♘b5! N [14. ♘d5] ♘c6 15. ♘b3!± [×d4, d5, d6] ♗e6! [15... ♘e8 16. ♗e3] 16. ♕d3! [16. ♕d6?! ♖c8 17. f3 (17. ♕d8 ♖fd8 18. f3 ♘d4 19. ♘3d4 ed4 20. b3 d3 21. ♗d1 ♗d7∓) ♕b6 18. ♕c5 ♕b8∞; 16. ♗g5 h6 17. ♗f6 ♗f6 18. ♘d6 (18. ♕d6 ♕d6 19. ♘d6 ♗e7±) ♘d4! 19. ♘d4 ♕d6 20. ♘e6 ♕e6 21. ♕c2 ♖fc8 △ ♗e7-c5; 20. ♘b5±] ♘e8 [16... ♘a5 17. ♘a5 ♕a5 18. ♗d2 ×b4, d6] 17. ♗e3 f5 18. f3 fe4 19. fe4 ♖f1 20. ♖f1 ♕d7 21. h3! [△ ♗g4] ♗f8 [21... h5 22. ♘d2 △ ♘f3-g5±] 22. ♗g4 ♗g4 23. hg4 ♕e6 24. ♘d2 ♖c8 25. ♕d5 ♘d8 26. b3 ♗e7 27. ♗b6 ♘f6 [27... ♕d5 28. ed5 △ ♘e4+−] 28. ♖f6!+− ♗f6 29. ♘d6 ♖b8 [29... ♖c6 30. c5 △ 31. ♗d8 ♕d5 32. ed5 ♖d6 33. cd6 ♗d8 34. ♘e4] 30. ♗c7 ♕d5 31. ed5 ♖a8 32. ♘6e4 ♗e7 33. c5 ♔f7 34. c6 ♖c8 35. ♗b6 ♘d6 36. ♘d6 ♗d6 37. ♘e4 ♗f8 38. ♔f2 ♔f7 39. ♔e2 ♔e8 40. ♔d3 ♗e7 41. ♔c4 ♖b8 42. c7 1 : 0   [Epišin]

639.**** !N   E 97

BOGUSZLAVSZKY 2360
− V. GUREVIČ 2440
Berlin 1991

1. d4 ♘f6 2. c4 g6 3. ♘c3 ♗g7 4. e4 d6 5. ♘f3 0−0 6. ♗e2 e5 7. 0−0 ♘c6 8. d5 ♘e7 9. ♘d2 a5 10. a3 ♘d7 [RR 10... ♗d7 a) 11. ♖a2 a4 N (11... c5 − 47/

327

(741)) 12. b4 ab3 13. ♘b3 b6 14. a4 ♘h5!? 15. g3 (15. ♗h5 gh5 16. ♕h5 ♘g6!∞) f5 (15... ♗h3!? 16. ♖e1 f5∞) 16. f3 ♔h8 17. ♖f2 (17. ♗e3 ♘g8 18. ♗f2 ♗h6⇆; 17. a5 ba5 18. ♘a5 c6!?∞ Bljumberg, Golubev) fe4 18. fe4 ♖f2 19. ♔f2=
R. Ščerbakov 2495 − Bljumberg 2260, Katowice 1992; *b)* 11. b3 ♘e8 N (11... c5 − 51/628) 12. ♖b1 f5 13. b4 ab4 14. ab4 ♗h6!? (14... ♘f6 15. c5 ♗h6 16. ♘c4±) 15. c5 fe4!? 16. ♘de4 ♗c1 17. ♖c1 ♘f5 18. ♗c4 ♔h8 19. ♕d2 ♘f6 20. ♖ce1 ♘e4 21. ♘e4 ♕e7 22. f4 ef4! 23. ♖f4∞ Zarubin 2435 − Golod 2310, Smolensk 1991; 18. ♗g4!? Golod] **11. ♖b1 f5 12. b4 ♔h8 13. f3** [RR 13. ♕c2 ♘g8 14. ef5 gf5 15. f4 ef4 16. ♘f3 ♘e5 17. ♗f4 ab4 18. ab4 ♗d7 *a)* 19. c5! N ♕f6 20. ♘e5 de5 21. ♗e3 ♕g6! (21... e4 22. ♖b3 ♕e5 23. ♗f4! ♕d4 24. ♔h1 △ ♖d1±) 22. ♘b5!? (22. b5?! f4!∞ Ambarcumjan 2345 − Edelman 2420, Los Angeles 1991) ♗b5 23. ♗b5 c6 24. ♗d3! e4 25. ♗c4± Ambarcumjan, Lputjan; *b)* 19. ♘b5! N ♘e7 20. ♕d2 *b1)* 20... ♘7g6 21. ♗g5 ♕b8 (21... ♗f6 22. ♗f6 ♖f6 23. ♘bd4±) 22. c5! (22. ♗e3?! f4 23. ♗d4 c6!∞ Sulipa 2380 − Tondivar 2265, Groningen (open) 1991) f4 23. ♘e5 de5 24. d6±; *b2)* 20... ♘f3 21. ♖f3 ♘g6 22. ♗h6± Sulipa; *c)* 19. ♖bd1 − 51/629] **f4 14. ♕c2 g5 15. ♘b5 b6 16. c5 dc5 17. bc5 bc5 18. ♘c4!?** N [18. ♘c3] **c6 19. d6!** [19. dc6?! ♘c6∓] **cb5 20. de7 ♕e7 21. ♖b5∞ a4 22. ♖a5! ♖a5 23. ♘a5 ♘b6** [23... ♘f6?! 24. ♗b2 ♗d7 25. ♘c4 ♘e8 26. ♖d1±] **24. ♗d2** [24. ♗b2 c4!] **♗e6 25. ♖b1 ♕c7 26. ♖b5 ♖c8 27. ♕b2 ♘d7 28. ♗c3?!** [28. ♗c4±] **c4 29. ♘b7 h5 30. ♗d1 g4! 31. ♕a2** [31. ♗a4?! gf3 32. gf3 ♗h3 △ ♖g8→; 31. fg4 hg4 32. ♗a4 f3⇆] **♖b8 32. ♕b2 gf3 33. ♗f3 ♗g4 34. ♘a5 ♖c8** [34... ♖b5 35. ♕b5 ♕b6 36. ♕b6 ♘b6 37. ♘c6 ♘d7 38. ♘a5 ♘b6=] **35. ♕e2 ♕a7 36. ♔f1 ♕a6 37. ♖d5 ♗e6 38. ♖d1 ♖c5 39. ♗h5□** [39. ♕e1? ♖a5! 40. ♗a5 c3−+] **♖a5 40. ♗a5 ♕a5 41. ♗g4! ♗g4 42. ♕g4 ♘f8 43. ♖c1 ♕d2⊕ 44. ♕h3 ♔g8 45. ♕c3! ♕d6** [45... ♕c3?! 46. ♖c3±] **46. ♕c4 ♔h8 47. ♖c3 ♕d1 48. ♔f2 ♕d2 49. ♔f1 ♕d1 50. ♔f2 ♕d2 1/2 : 1/2**
[V. Gurevič]

640. !N **E 97**

EPIŠIN 2615 − KINDERMANN 2500
Wien 1991

1. d4 ♘f6 2. c4 g6 3. ♘c3 ♗g7 4. e4 d6 5. ♘f3 0−0 6. ♗e2 e5 7. 0−0 ♘c6 8. d5 ♘e7 9. ♘d2 a5 10. ♖b1 ♘d7 11. a3 f5 12. b4 ♔h8 13. f3 ♘g8 14. ♕c2 ab4 15. ab4 ♘df6?! 16. c5 ♘h5 17. ♘c4! N [17. g3 − 52/652] **♘f4 18. ♗e3± ♕g5 19. ♗d3 ♗d7 20. ♔h1** [20. cd6? b5±] **♕e7□ 21. b5! dc5□ 22. b6 c6 23. ♗f4! ef4 24. e5 cd5 25. ♘d5 ♗a4! 26. ♕e2 ♕d7 27. ♘c7 ♖ad8 28. ♗c2!** [28. ♘d6 ♘e7! 29. ♗c4 ♘c6±] **♗c2** [28... ♗c6 29. ♖fe1 △ ♗b3, ♘d6+−] **29. ♕c2 ♕e7** [29... ♕d3 30. ♕a2 △ ♘d6+−] **30. ♖fe1 ♖d4 31. ♘d6+− ♖d6 32. ed6 ♕d6 33. ♘e8 ♕c6 34. ♘g7 ♔g7 35. ♕c4 ♖f7 36. ♖e5 ♖d7 37. ♕c5 ♕f6 38. ♖be1 ♔h6 39. ♖e8 ♔g7 40. ♕c8 1 : 0** [Epišin]

641.* **E 97**

EPIŠIN 2615 − J. POLGÁR 2550
Wien 1991

1. d4 ♘f6 2. c4 g6 3. ♘c3 ♗g7 4. e4 d6 5. ♘f3 0−0 6. ♗e2 e5 7. 0−0 ♘c6 8. d5 ♘e7 9. ♘d2 a5 10. ♖b1 ♘d7 11. a3 f5 12. b4 ♔h8 13. f3 ab4 14. ab4 ♘g8 15. ♕c2 ♘gf6 16. ♘b5 ♘h5 17. g3 ♘df6 18. c5 ♗d7 19. ♖b3 ♗h6 [RR 19... fe4 N 20. fe4 ♗h3 21. ♖e1 ♗h6 22. ♘f3 ♗c1 23. ♖c1 ♘g4∞ B. Gel'fand 2665 − Kasparov 2770, Paris 1991] **20. ♖c3 fe4 21. fe4 ♗h3 22. ♖e1 ♕d7 N** [22... dc5 − 52/655] **23. ♘f3 ♗c1 24. ♖c1 ♘f4 25. ♘g5!** [25. gf4 ♕g4 26. ♔f2 ♕f4→] **♘e2 26. ♕e2 ♗g4 27. ♕c4 ♘e8** [27... ♖ae8 28. ♖f1!±] **28. ♖f1 ♖f1 29. ♕f1 ♔g8□ 30. h3 h6** [30... ♕e7 31. ♕c1 ♗e2 (31... ♗d7 32. ♘c7±) 32. cd6 cd6 33. ♘c7 ♘c7 34. ♖c7±] **31. c6! bc6 32. dc6 ♕e7 33. hg4 hg5** [33... ♕g5? 34. ♖f3 △ ♘c3-d5, b5+−] **34. ♖f3??** [34. ♕c4 ♔g7 (34... ♕f7 35. ♕f7 ♔f7 36. ♖f3 ♔e7 37. ♘c3 ♘f6 38. b5 ♔e6 39. ♖d3! △ ♔f1-e2-d1-c2-b3-b4±) 35. ♖f3 ♘f6 36. ♘c3 ♖a1! 37. ♖f1 (37. ♔g2 ♕e8 △ ♕h8∞) ♖f1 38.

♔f1! (38. ♕f1 ♕e6!∞) ♘g4 39. ♔e1! ♕f8 40. ♕e2 ♘f6 41. b5±] **d5! 35. ed5?⊕** [35. ♘c3 ♕b4 36. ♘d5 ♕c5 37. ♔h2 ♘d6 38. ♖f6=] **♕b4 36. d6 ♘d6 37. ♘d6 cd6 38. ♖f6 ♕b3! 39. ♔h2?!** [39. ♖g6 ♔h7 40. ♖d6 ♕g3 41. ♔h1 ♕h4 42. ♔g1 ♕g4 43. ♔h1=] **♔g7 40. ♖d6??** [40. ♖g6 ♔g6 41. ♕f5 ♔g7 42. ♕g5 ♔f7 43. ♕h5! ♔e7 44. ♕h4=] **♖h8 0 : 1 [Epišin]**

642. E 97

AN. KARPOV 2730 – KASPAROV 2770
Tilburg (Interpolis) 1991

1. d4 ♘f6 2. c4 g6 3. ♘c3 ♗g7 4. e4 d6 5. ♘f3 0–0 6. ♗e2 e5 7. 0–0 ♘c6 8. d5 ♘e7 9. ♘d2 a5 10. ♖b1 ♘d7 11. a3 f5 12. b4 ♔h8 13. f3 ♘g8 14. ♕c2 ♘gf6 15. ♘b5 ab4 16. ab4 ♘h5 17. g3 ♘df6 18. c5 ♗d7 19. ♖b3

19... ♘g3?! N 20. hg3 ♘h5 21. f4! [21. ♔g2? ♘g3 22. ♔g3 f4 23. ♔f2 ♕h4 24. ♔g1 ♗h3!∓; 21. ♖f2? ♘g3 22. ♘f1 ♘e2 23. ♕e2 fe4∓] **ef4 22. c6!** [22. gf4? ♘f4∓; 22. ♗b2 ♘g3 23. ♗g7 ♔g7 24. ♖g3 fg3∞; 22. ♗h5 ♗b5 23. ♖f4 gh5 24. ♗b2∞] **bc6 23. dc6** [23. ♗h5 cb5 24. ♗e2 fg3∞] **♘g3!** [23... ♗c6? 24. ♕c6 ♘g3 25. ♖g3 fg3 26. ♘f3!+–; 23... ♗e6? 24. ♗h5 ♗b3 25. ♘b3 gh5 26. ♗f4±] **24. ♖g3 fg3 25. cd7 g2!** [25... ♕h4? 26. ♘f3 ♕h3 27. ♗b2 g2 28. ♗g7 ♔g7 29. ♖e1+–] **26. ♖f3?!** [26. ♖f2! ♕d7 (26... ♕h4 27. ♖g2 fe4 28. ♘f1) 27. ef5±] **♕d7?** [26... ♕h4 27. ♔g2 ♕g4 28. ♔f1 fe4 29. ♕e4 ♕d7∞] **27. ♗b2?** [27. ef5!± c6? 28. ♗b2!+–] **fe4 28. ♖f8 ♖f8 29. ♗g7 ♕g7 30. ♕e4 ♕f6 31. ♘f3 ♕f4! 32. ♕e7** [32. ♕f4 ♖f4 33. ♘c7 ♖b4=] **♖f7 33. ♕e6?!⊕** [33. ♕e8 ♖f8=] **♖f6?!** [33... g5! 34. ♔g2 g4 35. ♘bd4□ (35. ♘g1 ♕f2 36. ♔h1 ♕h4–+) gf3 36. ♘f3∓] **34. ♕e8 ♖f8 35. ♕e7 ♖f7 36. ♕e6?! ♖f6?! 37. ♕b3 g5 38. ♘c7 g4** [38... ♕c1 39. ♔g2 ♕c7 40. ♕e3⩲] **39. ♘d5 ♕c1 40. ♕d1** [40. ♔g2 gf3 41. ♗f3 ♕d2 42. ♔f1 ♖f5! △ ♖e5=] **♕d1 41. ♗d1** [♖ 8/d] **♖f5 42. ♘e3 ♖f4 43. ♘e1 ♖b4 44. ♗g4**±⊥ **h5 45. ♗f3 d5 46. ♘3g2 h4 47. ♘d3 ♖a4 48. ♘gf4 ♔g7 49. ♔g2 ♔f6 50. ♗d5 ♖a5 51. ♗c6 ♖a6 52. ♗b7 ♖a3 53. ♗e4 ♖a4 54. ♗d5 ♖a5 55. ♗c6 ♖a6 56. ♗f3 ♔g5!?** [56... ♔f5!? 57. ♗b7 ♖a7 58. ♗c8 ♔e4] **57. ♗b7 ♖a1 58. ♗c8 ♖a4 59. ♔f3 ♖c4 60. ♗d7 ♔f6 61. ♔g4 ♖d4 62. ♗c6 ♖d8 63. ♔h4 ♖g8 64. ♗e4 ♖g1 65. ♘h5 ♔e6 66. ♘g3 ♔f6 67. ♔g4 ♖a1 68. ♗d5 ♖a5 69. ♗f3 ♖a1 70. ♔f4 ♔e6 71. ♘c5 ♔d6 72. ♘ge4 ♔e7** [72... ♔d5!?] **73. ♔e5 ♖f1 74. ♗g4 ♖g1 75. ♗e6 ♖e1 76. ♗c8 ♖c1 77. ♔d4 ♖d1 78. ♘d3 ♔f7 79. ♔e3 ♖a1 80. ♔f4 ♔e7 81. ♘b4 ♖c1 82. ♘d5 ♔f7!** [82... ♔d8 83. ♗e6 ♖c6 84. ♗f7!± ×a8] **83. ♗d7 ♖f1 84. ♔e5 ♖a1 85. ♘g5 ♔g6 86. ♘f3 ♔g7 87. ♗g4 ♔g6 88. ♘f4 ♔g7 89. ♘d4 ♖e1 90. ♔f5 ♖c1 91. ♗e2 ♖e1 92. ♗h5 ♖a1 93. ♘fe6 ♔h6 94. ♗e8 ♖a8 95. ♗c6 ♖a1 96. ♔f6 ♔h7** [96... ♖f1?! 97. ♘f5 ♔h5? 98. ♗g2! ♖f2 99. ♗h3!+–] **97. ♘g5 ♔h8 98. ♘de6 ♖a6 99. ♗e8 ♖a8 100. ♗h5 ♖a1 101. ♗g6 ♖f1 102. ♔e7 ♖a1 103. ♘f7 ♔g8 104. ♘h6 ♔h8 105. ♘f5 ♖a7 106. ♔f6 ♖a1 107. ♘e3 ♖e1 108. ♘d5 ♖g1 109. ♗f5 ♖f1 110. ♘df4 ♖a1 111. ♘g6 ♔g8 112. ♘e7 ♔h8 113. ♘g5 ♖a6 114. ♔f7 1/2 : 1/2 [Kasparov]**

643.* E 97

BELJAVSKIJ 2655 – KHALIFMAN 2630
Reggio Emilia 1991/92

1. ♘f3 ♘f6 2. c4 g6 3. ♘c3 ♗g7 4. e4 d6 5. d4 0–0 6. ♗e2 e5 7. 0–0 ♘c6 8. d5 ♘e7 9. ♘d2 a5 10. ♖b1 ♘d7 11. a3

f5 12. b4 ♔h8 13. f3 ♘g8 14. ♕c2 ♘gf6 15. ♘b5 ab4 16. ab4 ♘h5 17. g3 ♘df6 18. c5 ♗d7 19. ♖b3 ♘g3!? 20. hg3 ♘h5 21. f4 ♗b5!? N 22. ♗b5 ef4 23. ♗b2!? [23. gf4 ♘f4 24. ♘f3 fe4 25. ♕e4 ♕c8! 26. ♘h2 ♘h3 27. ♔g2 ♖a2 28. ♗b2! ♖f1 29. ♗f1 ♖b2 30. ♖b2 ♗b2 31. ♕e3!= Khalifman 2630 – Kindermann 2500, München (rapid) 1991] **♘g3** [23... ♕g5!? 24. ef5 ♘g3 (24... gf5!?) 25. ♘f3 ♕h5∞] **24. ♗g7 ♔g7 25. ♕c3** [25. ♖f4? ♘e2!∓] **♔g8 26. ♖f4 ♘h5!** [26... ♘e4 27. ♘e4 fe4 28. ♖f8 (28. ♖e4? ♕g5) ♕f8 29. ♗d7! h5 30. ♖b1!±] **27. ♖f2 fe4 28. ♖f8** [28. ♘e4 ♖f2 29. ♘f2 ♕g5 30. ♔f1 ♘f4∞̄] **♕f8 29. ♘e4?!** [29. ♗d7! ♘f4 30. ♕e3±] **♕f5!∞̄ 30. ♕f3** [30. ♘f2 ♕g5 31. ♔f1 ♘f4∞̄] **♕d5 31. ♖d3 ♕e5 32. ♖d1 d5 33. ♘f2 c6∓ 34. ♗f1 ♖f8 35. ♕h3 ♘f4 36. ♕f3 ♕b2 37. b5 ♘h3!? 38. ♕h3 ♕f2 39. ♔h1 ♖f5 40. bc6 bc6 41. ♕b3 ♖g5 42. ♗h3 ♖g3 43. ♕b8 ♔g7 44. ♕e5 ♔h6 45. ♕e6 ♕f3** [45... ♖e3 46. ♕g4] **46. ♔h2 ♕f2 47. ♔h1 ♕c5∓ 48. ♖f1 ♕c2 49. ♖f7 ♕d1 50. ♖f1 ♕c2 51. ♖f7 ♕d1 52. ♖f1 ♕d3 53. ♔h2 ♖g5 54. ♕c8?** [54. ♕d6∓] **♕g3 55. ♔h1 ♔h5! 0 : 1**
[Khalifman]

644. !N E 97

EPIŠIN 2620 – JE. PIKET 2615
Wijk aan Zee 1992

1. d4 ♘f6 2. c4 g6 3. ♘c3 ♗g7 4. e4 d6 5. ♘f3 0–0 6. ♗e2 e5 7. 0–0 ♘c6 8. d5 ♘e7 9. ♘d2 a5 10. ♖b1 ♘d7 11. a3 f5 12. b4 ♔h8 13. f3 ♘g8 14. ♕c2 ♘gf6 15. ♘b5 ♘h5 16. g3 ab4 17. ab4 ♘df6 18. c5 ♗d7 19. ♖b3 ♘g3 20. hg3 ♘h5 21. f4 ♗b5 22. ♗b5 ef4 23. ef5! N ♘g3 [23... ♖f5 24. ♘e4±] **24. ♖f4 ♘f5** [24... ♘h5 25. ♖g4 ♖f5 26. ♘e4±] **25. ♘f3 dc5 26. bc5 ♖a1** [26... ♕d5 27. ♖d3 ♕e6 28. ♗d7±] **27. ♖d3!** [27. ♔g2 ♕d5 28. ♗b2 ♖aa8 29. ♗g7 ♔g7 30. ♕b2 ♔h6±] **♕e7 28. ♔h2 ♖fa8□ 29. ♗b2 ♖1a2 30. ♖b3 ♘e3?** [30... h6!±] **31. ♕e2 ♕c5** [31... ♘d5 32. ♖e4 ♕f8 33. ♘e5+–] **32. ♖e4+– c6** [⌓ 32... ♖b2 33. ♖b2 ♗b2 34. ♕b2 ♔g8] **33. ♖ee3 ♗b2 34. ♖b2 ♖b2 35. ♕b2 ♔g8 36. dc6 bc6 37. ♖e5 1 : 0** **[Epišin]**

645. E 97

EPIŠIN 2620 – VAN WELY 2560
Wijk aan Zee 1992

1. d4 ♘f6 2. c4 g6 3. ♘c3 ♗g7 4. e4 d6 5. ♘f3 0–0 6. ♗e2 e5 7. 0–0 ♘c6 8. d5 ♘e7 9. ♘d2 a5 10. ♖b1 ♘d7 11. a3 f5 12. b4 ♔h8 13. f3 ♘g8 14. ♕c2 ♘gf6 15. ♘b5 ab4 16. ab4 ♘h5 17. g3 ♘df6 18. c5 fe4 19. fe4 ♗h3 20. ♖f2 ♕d7 [20... ♘g4 – 51/631] **21. c6 bc6 22. dc6!? N** [22. ♕c6 – 51/632] **♕e7 23. ♘c3 d5?!** [23... ♗e6 △ d5∞; 23... ♗h6!? 24. ♘c4 ♗c1 25. ♖c1 ♘g7 △ ♘e6-d4∞] **24. ed5 e4□** [24... ♗f5 25. ♖f5!±↑] **25. ♘c4?** [25. ♘de4! ♘e4 26. ♕e4 ♕e4 27. ♘e4 ♗f5 (27... ♗d4 28. ♗b2! ♗b2 29. ♖f8 ♖f8 30. ♖b2+–) 28. ♗d3 (28. ♖f5!?∞) ♘f6 (28... ♖ae8 29. ♗b2!+–; 28... ♖fe8 29. ♖f5 gf5 30. ♘c5 △ ♘e6∞̄; 29. ♘c5±) 29. ♘c5 ♗d3 30. ♘d3 ♘d5±] **♘g4 26. ♗g4 ♖f2 27. ♕f2 ♗g4∓** [27... ♖f8? 28. ♕f8! ♕f8 29. ♗h3 ♗c3 30. ♗e3 △ d6+–] **28. ♕e3?** [28. ♕e1! (M. Kuijf) ♖f8↑ 29. d6? cd6 30. ♘d5 ♕f7 31. ♘ce3 ♗e6–+; 29. ♘e3 △ ♗d2∓] **♖f8 29. ♗d2** [29. ♗b2 ♕b4] **♕f7** [△ ♗h3] **30. h4?!** [30. ♘e4?! ♕d5→] **♗f3 31. ♗e1 ♕f5–+ 32. ♖b2□ ♘g3!?** [32... ♘f6!? △ ♘g4] **33. ♗g3 ♕h3 34. ♗c7□** [34. ♗h2 ♕g4 35. ♔f1 ♗e2 △ ♗c4] **♕h1 35. ♔f2 ♗h5?** [35... ♗e2! 36. ♗f4 (36. ♔e2 ♕g2 37. ♔d1 ♖f1 38. ♕e1 ♖e1 39. ♔e1 ♗c3 40. ♖d2 ♗d2 41. ♘d2 e3–+) ♕f1 (36... ♗c4 △ ♕h4, ♖f4–+) 37. ♔g3 ♖f4 38. ♕f4 ♕g1 39. ♔h3 ♗f1–+] **36. ♗f4 ♕h4 37. ♔g1□ ♖f4 38. ♖g2 ♕f6!?** [38... ♗f3!? 39. c7 ♕h3 40. c8♕ ♕c8 41. ♕f4 ♗g2 42. ♔g2 ♗c3–+] **39. ♘d2!□ ♕d4 40. ♕d4?⊕** [40. ♖g3!□ ♗f3! (40... ♖g4? 41. ♕d4! ♗d4 42. ♔g2 ♖g3 43. ♔g3 ♗c3 44. ♘c4+–; 40... ♕e3? 41. ♖e3 ♗d4 42. ♘c4+–) 41. ♕d4 ♗d4 42. ♔h2 ♗c3–+→; 41. ♔f2!?] **♗d4 41. ♔h2 ♗c3 42. d6 ♗e5 43. d7** [43. ♘c4 ♖h4 44. ♔g1 ♗d4 45. ♖f2 ♗f3–+] **e3 44. ♔h3 ♗c7 0 : 1** **[van Wely]**

646. E 97

B. GEL'FAND 2665 – VAN WELY 2560
Wijk aan Zee 1992

1. d4 ♘f6 2. c4 g6 3. ♘c3 ♗g7 4. e4 d6 5. ♗e2 0–0 6. ♘f3 e5 7. 0–0 ♘c6 8. d5 ♘e7 9. ♘d2 a5 10. a3 ♘d7 11. ♖b1 f5 12. b4 ♔h8 13. f3 ♘g8 14. ♕c2 ♘gf6 15. ♘b5 ab4 16. ab4 ♘h5 17. g3 ♘df6 18. c5 fe4 19. fe4 ♗h3 20. ♖e1!? N ♘g4 21. ♘f3 h6 [△ ♖f7] **22. cd6 cd6 23. ♕c7 ♕c7 24. ♘c7 ♖a2 25. ♖b2 ♖a3** [25... ♖b2 26. ♗b2 ♖c8 27. ♖c1 ♘hf6 28. ♗d3! (28. ♘d2 h5! △ ♗h6) h5 29. ♘g5 ♗h6 30. ♘f7 ♔h7 31. ♘h6 ♔h6±; 29. ♘e6!±] **26. ♘h4 ♔h7** [26... ♖c8 27. ♖c2±] **27. ♘b5!** [27. ♘e6 ♖c8 28. ♗f1 ♗f1 29. ♖f1 ♘gf6⇆ ×e4] **♖a6** [27... ♖a1 28. ♗g4 ♗g4 29. ♘d6±] **28. ♖c2 ♖f7** [28... ♖f2? 29. ♗g4 ♖c2 30. ♗h3 ♖a1 31. ♗d2 ♖aa2 32. ♗e3+–] **29. ♘f3 ♗f6 30. ♘d2??** [30. ♘c7 ♖a4 31. ♗f1 ♗f1 32. ♖f1 ♖b4 33. ♘e8! ♖e7! 34. ♘d6 ♖d7⇆; 30. ♗f1! ♗f1 31. ♖f1 ♖b6 32. ♘c3 ♖c7!? 33. h3 ♘g3 34. ♖e1 ♖b4 35. hg4 ♖bc4 36. ♗d2+–] **♗d8 31. ♘c4** [31. ♗g4 ♗b6 32. ♔h1 ♗g4∓] **♖f2 32. ♘e3□** [32. ♗d3 ♖c2 33. ♗c2 ♖a2 34. ♖e2 ♖a1 35. ♖e1 ♗g5 36. ♗d2 ♖a2 37. ♗g5 ♖c2 38. ♘e3 ♖h2!–+] **♗b6?** [32... ♖h2! 33. ♗g4 ♖c2 34. ♗h3 ♗b6–+] **33. ♖c7! ♗c7 34. ♗g4 ♗b6 35. ♗h3 ♖c2** [35... ♖aa2? 36. ♘c3+–] **36. ♔h1 ♖c1** [37. ♖c1 ♗e3 38. ♖c7 ♔h8 39. ♗f1 (39. ♖c8=) ♘f6!⇆] **1/2 : 1/2**
[B. Gel'fand, Huzman]

647. !N E 97

HUZMAN 2505 – J. IVANOV 2380
Wijk aan Zee (open) 1992

1. ♘f3 ♘f6 2. c4 g6 3. ♘c3 ♗g7 4. e4 d6 5. d4 0–0 6. ♗e2 e5 7. 0–0 ♘c6 8. d5 ♘e7 9. ♘d2 a5 10. a3 ♘d7 11. ♖b1 f5 12. b4 ♔h8 13. f3 ♘g8 14. ♕c2 ♘gf6 15. ♘b5 ab4 16. ab4 ♘h5 17. g3 ♘df6 18. c5 fe4 19. fe4 ♗h3 20. ♖e1 ♘g4 21. ♘f3 h6 22. ♖b3! N ± [△ ♗f1] **♖f7 23. ♗f1 ♗f1 24. ♖f1 ♗f8** [△ 25... dc5 26. bc5 c6] **25. c6! bc6 26. dc6** [26. ♕c6!?±] **♕e8** [△ 27... ♖a6, 27... ♕e6; 26... d5!? 27. ♔g2 (△ h3) de4 28. ♕e4 ♖a2 29. ♖b2 ♖b2 30. ♗b2 ♘hf6 31. ♕e2 ♘d5 32. ♘e5!±] **27. ♕c4! ♖a2 28. ♖a3! ♖a3 29. ♘a3 d5! 30. ♕d5! ♗b4 31. ♘c4?!** [31. ♘c2 ♘gf6 (31... ♘hf6 32. ♕c4+–) 32. ♕c4 ♗f8 33. ♗b2+–] **♘hf6 32. ♕b5 ♗c3! 33. h3! ♘e4 34. hg4 ♘g3 35. ♖f2 ♘e4 36. ♗b2??** [36. ♖e2! ♖f3 37. ♖e4 ♗d4 (37... ♕f8 38. ♘e5+–) 38. ♔g2 ♖f2 39. ♔g3 △ ♘e5+–] **♘f2 37. ♔f2 ♗b2 38. ♕b2 ♖f3!–+ 39. ♔f3 ♕c6 40. ♔g3 ♕c4 41. ♕e5 ♔g8 42. ♕e8 ♔g7 43. ♕e5 ♔f7 44. ♕e3 g5 0 : 1 [Huzman]**

648. E 97

EPIŠIN 2615 – A. KUZ'MIN 2520
SSSR (ch) 1991

1. d4 ♘f6 2. c4 g6 3. ♘c3 ♗g7 4. e4 d6 5. ♘f3 0–0 6. ♗e2 e5 7. 0–0 ♘c6 8. d5 ♘e7 9. ♘d2 a5 10. ♖b1 ♘d7 11. a3 f5 12. b4 ♔h8 13. f3 ♘g8 14. ♕c2 ♗h6 15. ♘b3 ab4 16. ab4 ♘df6 17. ♘a5 N [17. ef5 – 48/815; 17. c5] **♘h5 18. g3 ♘hf6!** [18... ♗c1 19. ♕c1 (19. ♖bc1 ♕g5∞) f4 20. g4 ♘g7 21. ♕e1 h5 22. h3 ♘h6 23. ♕f2 ♘f7 24. ♔g2 ♘e8 25. ♖h1±] **19. ♖f2 ♕e7** [⌓ 19... ♔g7; 19... f4!? 20. ♗d2 fg3 21. hg3 ♘h5 22. ♔g2∞] **20. ♗d2 ♔g7 21. ♖c1 ♗d2 22. ♕d2 ♘h6 23. ♗d3! fe4 24. fe4** [24. ♘e4 ♘f5=] **♗h3 25. ♗f1 b6!** [25... ♗f1 26. ♖cf1±] **26. ♗h3** [26. ♘c6 ♕d7 27. ♗h3 ♕h3 28. ♖cf1=] **ba5 27. ba5 ♖a5 28. ♗e6** [28. ♖cf1 ♖a3!! △ ♖c3=] **♖aa8 29. ♖cf1 ♘fg4= 30. ♖f8 ♖f8 31. ♖f8 ♕f8 32. h3 ♘f6 33. g4 ♘f7 34. ♗f7 ♕f7 35. ♕f2 ♕e7 36. ♕a7 1/2 : 1/2 [Epišin]**

649. !N E 99

KOŽUL 2545 – P. POPOVIĆ 2550
Novi Sad 1992

1. d4 ♘f6 2. c4 g6 3. ♘c3 ♗g7 4. e4 d6 5. ♘f3 0–0 6. ♗e2 e5 7. 0–0 ♘c6 8. d5 ♘e7 9. ♘e1 ♘d7 10. ♗e3 f5 11. f3 f4 12. ♗f2 g5 13. a4 ♘g6 14. a5 ♖f7 15. c5! N [15. b4 – 51/636] **♘c5** [15... dc5 16. ♗c4 ♗f8 (16... ♔h8 17. d6 ♖f8 18. ♘b5!±)

17. d6 ♗d6 (17... cd6 18. ♘c2 △ ♘a3±) 18. a6±; 15... ♗f8 16. c6 ♘f6 (16... bc6 17. dc6 ♘f6 18. ♗c4±) 17. cb7 ♗b7 18. a6 ♗c8 19. ♘c2 (19. ♘b5?! g4 △ 20. ♘a7 g3) h5 (19... ♖g7 20. ♘b4 ♘e7 21. ♗b5 △ 21... g4? 22. ♗h4 ♘g6 23. ♘c6+−) 20. ♘b4 (20. h3!?) g4 21. ♘c6 ♕e8 22. ♘b5 g3 23. ♗e1±] **16. ♗c5 dc5 17. ♗c4 ♔h8** [17... ♘f8 18. ♕b3 ♔h8 19. ♘d3 b6 (19... ♘d7 20. d6 ♖f8 21. ♘b5±) 20. d6 ♖d7 21. dc7 △ ab6±]

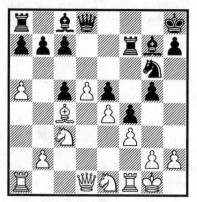

18. a6! ba6 [18... ♖d7 19. ab7 ♗b7 20. ♘d3 ♗f8 21. ♘a4±; 18... b6 19. d6 *a)* 19... ♖d7 20. ♕d5 c6 (20... ♖b8 21. dc7 ♖d5 22. cb8♕+−) 21. ♕c6 ♖b8 22. ♘b5±; *b)* 19... ♖f8 20. ♕d5! (20. ♗d5 ♖b8 21. ♘b5 cd6 22. ♘a7 ♗d7□ 23. ♘c6 ♗c6 24. ♗c6 ♘e7) ♖b8 21. ♘b5 c6 (21... cd6 22. ♘d6 △ ♘f7±) 22. ♕c6 ♗d7 23. ♕d5±] **19. ♘d3 ♗f8 20. ♘a4 ♖b8** [20... ♗d6 21. ♘ac5 ♕e7 22. b4 ♖b8 23. ♗a6] **21. b3!±** [21. ♘ac5?! c6! 22. ♘e6 (22. dc6? ♕d4) ♗e6 23. de6 ♖g7∞] **♗d6 22. ♘ac5 ♕e7 23. ♘a6** [23. ♖a5? ♖b5! 24. ♗b5 ♗c5−+] **♖b6 24. ♖a5 g4! 25. fg4 ♕g5 26. ♘ac5** [26. ♘f2?! ♖g7 △ h5→] **♗g4 27. ♘e6 ♕h5** [27... ♗e6 28. de6 ♖g7 29. ♖f2 △ 29... ♘h4 30. ♘f4+−] **28. ♕a1! f3 29. ♖a7 h6** [29... ♖b8 30. ♖a8 ♖a8 31. ♕a8 ♘f8 32. ♕e8] **30. ♖a8 ♔h7 31. ♕a4 ♗e6⊕** [⌓ 31... ♖e7] **32. de6 ♕g5 33. ♖f2 ♖g7 34. ♖f3 ♘f4** [34... ♘h4 35. ♖g3 ♗c5 36. ♔f1! ♕f6 37. ♔e2+−; 34... ♗c5!? 35. ♘c5 (35. ♔f1 ♕g2!! 36. ♔g2 ♘f4 37. ♔f1 ♖g1#) ♘h4 36. ♖g3 ♕c1 37. ♗f1 ♕c5 38. ♔h1 ♖e6 (38... ♖e7 39. ♖h8! ♔h8 40. ♕a8 ♔h7 41. ♕g8#) 39. ♖g7 ♔g7 40. ♕d7 ♕e7 (40... ♖e7 41. ♕g4 ♘g6 42. ♗c4+−) 41. ♕c8 ♘g6 42. ♗c4±] **35. ♘e1! ♗c5** [35... ♘g2 36. ♖g3+−; 35... ♗b4 *a)* 36. ♖g3? ♘h3! 37. ♔h1 (37. ♔f1? ♖f7! 38. ef7 ♖f6 39. ♖f3 ♖f3 40. ♘f3 ♕c1−+; 37. gh3 ♕e3 38. ♔g2 ♕d2 39. ♔f3 ♖f7 40. ef7 ♖f6 41. ♔g4 ♕g5#) ♘f2=; *b)* 36. e7! *b1)* 36... ♗e7 37. ♕e8 (△ ♕h8, ♖g3) ♘h5 38. ♖f7+−; *b2)* 36... ♗e1 37. ♖h8 ♔h8 38. e8♕ ♔h7 39. g3+−; *b3)* 36... ♘h3 37. ♔h1! (37. ♖h3 ♕d2! 38. ♕a1 ♗c5 39. ♔h1 ♕f2−+) ♗e1 (37... ♕c1 38. ♖h8 ♔h8 39. e8♕ ♔h7 40. ♗g8! ♖g8 41. ♕ad7 ♖g7 42. ♕g7 ♔g7 43. ♖f7+−) 38. ♖h8 ♔h8 39. e8♕ ♔h7 40. ♕a2+−] **36. ♔f1 ♘g2** [36... ♘e6 37. ♕e8 ♘f8 38. ♖f5 ♕h4 39. ♕e5+−] **37. ♕e8!+− ♘e3 38. ♔e2 ♘c4** [38... ♘g4 39. ♕h8 ♔g6 40. ♖g8] **39. ♕h8 ♔g6 40. ♖g3 ♖b3 41. ♖g5 hg5 42. ♘d3 1 : 0 [Kožul]**

650.* E 99

ŠIROV 2610 − NUNN 2610

BRD 1991

1. d4 ♘f6 2. c4 g6 3. ♘c3 ♗g7 4. e4 d6 5. ♘f3 0−0 6. ♗e2 e5 7. 0−0 ♘c6 8. d5 ♘e7 9. ♘e1 ♘d7 10. ♘d3 f5 11. ♗d2 ♘f6 [RR 11... ♔h8 12. b4 ♘f6 13. f3 h5!? (13... h6 − 52/658) 14. ef5 gf5 15. f4 e4 16. ♘f2 ♘g4 17. ♗g4!? N (17. ♘g4 hg4∞) hg4 18. ♖c1 (18. g3!? ♘g8 19. h3 gh3 20. ♕h5 ♘h6 21. ♘h3 ♗d7 22. ♘g5 ♕e8!= Bologan) c6!? 19. ♗e3 a5! 20. b5 c5= Barkhagen 2360 − Bologan 2535, Mamaia 1991] **12. f3 h5!? 13. ef5 N** [13. c5] **gf5** [13... ♘f5 14. ♘f2±] **14. f4 e4 15. ♘f2 ♘g4** [15... h4 16. ♘h3± △ ♘g5] **16. ♘g4 fg4** [⌓ 16... hg4 17. ♗e3⩲] **17. ♘e4 ♗b2 18. ♖b1! ♗d4 19. ♔h1± ♘f5** [19... c5 20. dc6 bc6 (20... ♘c6 21. ♖b5!) 21. ♗a5!? ♕a5 22. ♕d4 ♘f5 23. ♕d3; 19... ♗f5 20. ♗d3 b6 21. ♕c2 △ 22. ♘g3, 22. ♘g5] **20. ♗d3 b6** [20... ♘e3 21. ♗e3 ♗e3 22. g3; 20... ♗d7 21. ♖b7?! ♗b6∞; 21. ♖e1] **21. ♖e1! ♗d7 22. ♘g5 ♖f6** [22... ♕f6 23. ♘e6+−; 22... ♖e8 23. ♘e6 ♗e6 24. ♖e6! ♖e6 (24... ♘g7 25. ♖h6+−) 25. de6 ♕f6 26. ♕e2!± △ ♕e4] **23. ♗b4!!**

[×♗d4] **a5□ 24. ♗a3 ♗c3 25. ♖e2** [△ 26. ♖c1 ♗b4 27. ♗b2+−] **h4 26. ♖e6!** [26. ♖c1? ♘g3 27. hg3 hg3 28. ♖c3 ♖f4!!∞] **♘h6** [26… ♗e6 27. ♘e6 ♖e6 28. ♕g4 ♘g7 29. de6+−] **27. ♗h7 ♔g7 28. ♕d3! ♗e6 29. ♕c3!!** [29. de6? ♖f4! 30. ♕g6 (30. ♕c3 ♕f6 31. ♗b2 ♕c3 32. ♗c3 ♔f8∞) ♔h8 31. ♕h6 ♕f8! △ ♖f1] **♗g8** [29… ♗d7 30. ♗b2+− △ ♘e4] **30. ♗b2!** [△ ♗g8; 30… ♗h7 31. ♘e6] **1 : 0**
[Širov]

651. E 99

B. GEL'FAND 2665 − KASPAROV 2770

Reggio Emilia 1991/92

1. d4 ♘f6 2. c4 g6 3. ♘c3 ♗g7 4. e4 d6 5. ♗e2 0−0 6. ♘f3 e5 7. 0−0 ♘c6 8. d5 ♘e7 9. ♘e1 ♘d7 10. ♘d3 f5 11. ♗d2 ♘f6 12. f3 f4 13. g4 g5 14. b4 h5 15. h3 ♔f7 N [15… ♘g6 − 50/(669)] **16. ♗e1 ♖h8 17. ♔g2 ♘g6** [17… ♖h6!? 18. ♗f2 ♕h8 19. ♖h1 ♗d7 20. ♕b3 ♕h7 21. ♖ag1 ♖h8 22. ♕d1 hg4 23. hg4 ♖h2 24. ♖h2 ♕h2 25. ♔f1∞] **18. c5** [⌓ 18. ♗f2 a5 19. a3 hg4 20. hg4 ♘h4 21. ♗h4 ♖h4 22. ♖h1 ♕h8=] **hg4 19. hg4**

19… ♘h5! [19… ♘h4 20. ♗h4 ♖h4 21. ♖h1±] **20. ♖h1** [20. gh5 *a)* 20… ♗h3!? 21. ♔g1! (21. ♔h3 ♖h5 22. ♔g2 ♕h8 23. ♗h4 ♘h4 24. ♔f2 ♘g2!! 25. ♖h1 ♖h2−+) ♖h5 22. ♖f2 ♕h8 23. ♗f1∞; *b)* 20… ♖h5 *b1)* 21. ♘f2 *b11)* 21… ♕h8 22. ♖h1 ♖h1 23. ♘h1 ♗d7 (23… ♕h3 24. ♔g1 ♗d7 25. ♗f1±) 24. ♘f2 ♕h5 25. ♗d2 ♕h4! (25… ♖h8 26. ♕h1!±) 26. ♕g1 ♕g3 27. ♔f1 ♖h8∞̅; *b12)* 21… ♘h4! 22. ♔g1 ♕h8→ (△ 23… ♘g2! 24. ♔g2 ♖h2 25. ♔g1 ♕h4 26. ♘g4 ♖h1 27. ♔g2 ♕h3 28. ♔f2 ♕g3#) 23. ♗c4 (23. ♘g4 ♘f3! 24. ♗f3 ♗g4−+) ♘g2 24. ♔g2 ♖h2 25. ♔g1 ♕h4 26. ♘g4 ♖h1 27. ♔g2 ♕h3 28. ♔f2 ♖h2 29. ♘h2 ♕h2#; *b2)* 21. ♖h1 ♖h1 22. ♔h1 ♕h8 23. ♔g2 ♕h5 24. ♗f1 g4∓→] **♘g3 21. ♗g3 fg3** [21… ♖h1 22. ♕h1 fg3 *a)* 23. ♔g3 ♘f4 24. ♕h2 ♗d7 25. ♕f2 ♕h8 26. ♕h2 ♕h2 27. ♔h2 a5! 28. cd6 (28. b5? ♘e2 29. ♘e2 ♗b5∓) cd6 29. ba5∓; *b)* 23. ♕h3 ♘f4?! 24. ♘f4 ef4 25. e5⇆; 23… ♕f6!?→ △ ♗d7, ♖h8] **22. ♕d2 ♖h4** [22… ♕f6!? 23. ♔g3 ♗d7↑] **23. ♔g3 ♗d7 24. ♖h4 gh4 25. ♔h2=** [25. ♔h3 ♕f6 △ ♗h6] **♗f6** [25… ♘f4? 26. c6 bc6 27. dc6 ♗c6 28. ♘f4 ♗h6 29. ♗c4 ♔e8 30. ♘ce2±] **26. b5** [26. ♕h6 ♗g7 27. ♕d2=; 27. ♕e3!?] **♗g5 27. ♕e1 ♗e3** [27… ♔g7! 28. c6 ♗c8 29. a4 a6∞̅] **28. c6 ♗c8** [28… bc6 29. bc6 ♗c8 30. ♖b1±] **29. ♘d1 ♗d4 30. cb7 ♗b7 31. ♖c1 a6 32. ♕d2 ab5** [32… ♔g7 33. ♘e3 ♗e3 34. ♕e3 ab5 35. ♘b4±] **33. ♕h6 ♘f8** [33… ♖a2 34. ♖c7 ♕c7 35. ♕h7 ♔f6 36. ♕c7 ♖e2 37. ♔h1 ♖d2 38. g5!+−] **34. ♖c2** [34. ♘e3 ♗e3 (34… ♖a2 35. ♘f5! ♖e2 36. ♔h1→) 35. ♕e3 ♖a2 36. ♖b1 (36. ♘b4 ♖b2∞) ♕a8 37. ♘b4 ♕a7=] **♗b6 35. ♘e3 ♕f6 36. ♕h5 ♕g6 37. ♘f5 ♕h5 38. gh5 ♗c8**⊕ [⌓ 38… ♘d7 39. f4 ef4 40. ♘f4 ♘f6∓] **39. ♘h4 ♘h7 40. f4 ef4 41. ♘f4 ♘g5** [41… ♗d7!?; 41… ♘f6!? △ 42. ♗b5 ♘g4⇆] **42. ♗b5 ♘e4 43. a4** [43… ♘f6 44. ♘f3=; 43… ♗g4!?=; 43. ♘e6 ♘f6⇆]
1/2 : 1/2 [B. Gel'fand, Huzman]

652. E 99

IVANČUK 2735 − TIMMAN 2630

Hilversum (m/4) 1991

1. d4 ♘f6 2. c4 g6 3. ♘c3 ♗g7 4. ♘f3 0−0 5. e4 d6 6. ♗e2 e5 7. 0−0 ♘c6 8. d5 ♘e7 9. ♘e1 ♘d7 10. ♘d3 f5 11. ♗d2 ♘f6 12. f3 f4 13. c5 g5 14. ♖c1 ♘g6 15. cd6 cd6 16. ♘b5 ♖f7 17. ♕c2 ♘e8 18. a4 h5 19. ♘f2 ♗f8 20. ♕b3 ♖g7 21. h3 ♘h4 22. ♖c2 a6 23. ♘a3 ♗d7 24. ♖fc1

♖b8 25. ♘c4 b6 N [25... g4 — 39/758; 25... ♘f6] 26. a5 [26. ♘a3 b5] g4! 27. fg4 ♘f6 28. ♘b6 hg4 29. hg4

29... ♘g2! [29... ♘g4 30. ♘g4 ♗g4 31. ♗g4 ♖g4 32. ♗e1±] 30. ♕h3?! [30. ♔g2 ♘g4 31. ♗g4 ♗g4 32. ♔f1 ♕g5 33. ♗b4! (33. ♗e1 ♗d7!→) ♗h5 34. ♘h3 ♕h4 35. ♗e1 ♖g3 36. ♗g3 ♕h3 37. ♔g1! fg3 38. ♖g2+—; 32... ♗d7!∞] ♘e3 31. ♗e3 ♖h7!∓ 32. ♕g2 [△ 32. ♕f3 fe3 33. ♕e3 ♗h6] fe3 33. ♘d1 ♘h5?! [33... ♗h6∓ △ 34. ♖c7 ♗f4 35. g5 ♗h3!—+] 34. gh5!□ [34. ♘d7 ♘f4 35. ♘f8 ♘g2 36. ♘h7 ♘f4—+] ♖g7 35. ♘d7 ♖g2 36. ♔g2 ♕d7 37. ♘e3 ♗h6 38. ♘g4 ♗g5 39. ♖c7 ♕a4 40. ♖1c4 ♕a5 41. ♘f2?! [41. ♖c8 ♖c8 42. ♖c8 ♔g7 43. ♖c2∓] ♕e1∓ 42. ♖c8 ♖c8 43. ♖c8 ♔g7 44. ♖c2 ♗h4? [44... ♗e3 45. ♗f3 a5!∓] 45. ♗f3 ♕h6 46. ♖e2 ♕c1 47. ♘g4 ♔g5 48. ♘e3 ♔f4 49. h6!

[49. ♘f5 ♗d8! △ ♗b6—+] ♕c8 50. ♘f5= ♕d8 51. ♖e3 ♗g5?! [51... ♕g5 52. ♔f1 ♕f5 53. ef5 ♔e3=] 52. h7 ♗f6 [52... ♕h8? 53. ♗e2 ♕h7 54. ♖f3 ♔e4 55. ♗d3 ♔d5 56. ♘e3+—] 53. ♗e2 ♗h8 54. ♗d3± ♕c7 55. ♖f3 ♔g5 56. ♖g3 ♔f6 57. ♖h3 ♕c1 58. ♘d6 ♕b2 59. ♔f1 a5 [△ 59... ♕c1] 60. ♘c4± ♕a1 61. ♔e2 a4 62. d6 ♕d4□ 63. ♖h6 [63. ♖g3 ♕a7 64. ♖g8 ♕h7 65. ♖f8 ♔g6!□ 66. d7 ♕h5 67. ♔e1 ♕h1 68. ♗f1 ♕h4 69. ♔d1 ♗f6 70. ♘e5 ♔g7 71. ♖f7 ♔g8 72. ♗c4 ♕h1=; 63. ♘e3! a3 64. ♖f3! (Ivančuk; 64. ♘d5? ♗e6 65. ♖h6 ♔d7 66. ♗b5? ♔d8—+) ♔g6 65. ♖g3 ♔h5□ 66. ♖g8 a2 67. ♖h8 a1♕ 68. ♖c8! ♕e3 69. ♔e3 ♕a7 70. ♔e2 ♕h7 71. ♖c7 ♕g6±] ♔g7 [63... ♔f7 64. ♘e3!+—] 64. ♖e6 ♔h7 65. ♖e7 ♔g6 66. d7 ♗f6 67. ♖e6 a3 68. ♘d6 ♕b6 69. ♗c4 a2!□ 70. ♗a2 ♕b2 71. ♔f3 ♔h5!! 72. ♖f6 ♕c3□ [72... ♕a3 73. ♔g2 ♕a2 74. ♖f2 ♕g8 75. ♔f1 ♕d8 76. ♘f7! ♕d7 77. ♖h2+—] 73. ♔g2 ♕d2 74. ♖f2 ♕d6 [♕ 5/i] 75. ♗e6± ♔g6 76. ♔h2 ♔g7 77. ♖f7 ♔g6 78. ♗d5 ♕c7 79. ♔g3 ♕d8 80. ♔g4 ♕g5 81. ♔f3 ♕d8 82. ♔f2 ♕c7 83. ♔g3 ♕b6 84. ♔h4 ♕a5 85. ♔g4 ♕d8 86. ♔f3 ♕a5 87. ♖f5 ♕a3 88. ♔g4 ♕d6 89. ♖f7 ♕b6 90. ♖f3 ♕d6 91. ♗c6 ♔g7 92. ♔g3 ♕d2 93. ♗b5 ♔g5 94. ♔h3 ♕h6 95. ♔g2 ♕d2 96. ♖f2 ♕g5 97. ♔f1 ♕c1 98. ♔g2 ♕g5 99. ♔f1 ♕c1 100. ♔e2 ♕c2 101. ♔f3 ♕d1 102. ♔g3 ♕g1 103. ♔f3 1/2 : 1/2

[Timman]

A

ABRAMOVIĆ [1/(1)] – Marković, Miroslav (289); Raičević, V. **11**
ADAMS [12/(3)] – Agdestein, S. 37, **351**; Bareev **9**; Bosboom (310); Chandler **158**, 296; Hodgson **167**; Short, N. 129, **264**, 305, **(334)**; Širov 80; Speelman (79), **260**; Suėtin **174**
ADIANTO [1] – Murshed 529
ADLA [(1)] – Harlov **(157)**
ADORJÁN [4/(4)] – Faragó, I. 465; Granda Zuniga (508); Grószpéter **(573)**; Lautier 463; Lukács, P. (465); Polgár, J. **(567)**; Polgár, Zsu. **421**; Portisch, L. 450
AGDESTEIN, S. [5/(1)] – Adams **37**, 351; Bareev **10**; Chandler 308; Širov (299); Speelman **410**
AGREST [1/(2)] – Dobosz, H. **526**; Dvojris (215); Pisuliński (121)
AKOPJAN [10/(5)] – Christiansen **(44)**; Dohojan **(426)**; Ftáčnik 637; García, Gi. **436**; Hansen, Cu. 32; Harlov (292); Ionov 575; Istrăţescu (224); Ivanov, I. **359**; Jakovič **43**; Kuz'min, A. 402; Nielsen, Pe. H. 447; Sequeira (144); Sokolov, I. 385; Ulybin **106**
ALEKSIĆ, N. [(1)] – Tivjakov **(204)**
ALLEGRO [(1)] – Joksić (400)
ALONSO, R. [(1)] – Guerra, P. **(419)**
ALTERMAN, B. [6/(1)] – Cejtlin, Mark 211; Čučelov **453**; Dolmatov 205; Novikov, I. 442; Pintér, J. **(426)**; Smirin **593**; Spassov, L. **426**
AMBARCUMJAN [1/(1)] – Edelman **(639)**; Galdunc 252
ANAND [21/(3)] – Bareev 368; Beljavskij 428; Gel'fand, B. **147**; Gurevič, M. 357; Ivančuk 262; Kamsky **335**, (421); Karpov, An. **128**, **130**, 505; Kasparov 181, **215**, 258; Khalifman **(339)**; King **225**; Kortchnoi **275**, 405; Polugaevskij **217**; Salov, V. **323**; Short, N. 180, **334**; Timman **(129)**, **254**, 291
ANDERSSON, U. [1/(2)] – Lautier **(404)**; Širov 2; Yrjölä **(30)**
ANDRIANOV [2/(1)] – Georgiev, Kr. 154; Kourkounakis **601**; Nunn **(586)**
ANJUHIN [(1)] – Puškin **(115)**
ANKA [(1)] – Fliegner (467)
ANTON [1] – Kujala 253
ANTÚNES [1/(2)] – Bellón López **59**; Estévez (304); Judasin (310)
APICELLA [(1)] – Szalánczy (280)
ARAKEL'AN [(1)] – Rostomjan **(467)**
ARBAKOV [(1)] – Belov **(582)**
ARENCIBIA, J. [(1)] – Nogueiras (17)
ARENCIBIA, W. [2/(2)] – de la Villa García (177); Hernández, Gi. 345; Rodríguez, Am. 346; Ubilava **(563)**
ARKELL, K. [(1)] – Miles **(61)**
ARLANDI [(1)] – Portisch, L. (436)
ASEEV [5/(7)] – Budnikov **278**; Epišin (506); Gipslis **(112)**; Gutman 520; Haritonov (41); Holmov **(48)**; Kramnik (41); Mihal'čišin, A. **443**; Ruban (506); Sakaev **214**; Serper 41; Vyžmanavin (500)
ATALIK [1/(1)] – Ionov (509); Sorokin, M. 538
ATLAS, V. [(2)] – Efimov (218); Schlenker, Joch. **(279)**

B

BABULA [(1)] – Kapengut (156)
BABURIN [(1)] – Becker, Ma. **(541)**
BACHLER, K. [2] – Colias **316**; Szpisjak **166**
BAGIROV [3/(1)] – Čehov 427; Dvojris **471**; Holmov (113); Ulybin 113
BALAŠOV [2] – Judasin 342; Naumkin **283**
BALDWIN [(1)] – Shamkovich (340)
BALINAS [1] – Fink, S. 498
BARBERO [4/(1)] – Granda Zuniga (595); Hector 289; Luther **15**; Razuvaev 596; Schandorff **595**
BARCENILLA [(1)] – Ye Rongguang **(330)**
BAREEV [21/(4)] – Adams 9; Agdestein, S. 10; Anand **368**; Čehov (500); Chandler 245, **528**; Hodgson (40), **67**; Kamsky 239; Karpov, An. 272, **500**; Kasparov 362, **616**; Kortchnoi 39, **(547)**; Lautier (358); Rajković, D. **545**; Short, N. 248; Širov 270, **430**; Speelman **125**; Suėtin **476**; Svešnikov 250; Timman 42, **534**
BARKHAGEN [(1)] – Bologan **(650)**
BARLOV [(1)] – Blagojević, D. **(335)**
BAŠAGIĆ, Z. [(1)] – Matulović **(81)**
BAŠKOV [1/(1)] – Ivanov, S. (384); Rechlis **201**
BATAKOV [(1)] – Levit **(197)**
BAŽIN [1] – Tunik 605
BECKER, MA. [(1)] – Baburin (541)
BELJAVSKIJ [14/(7)] – Anand **428**; Damljanović **607**; Gel'fand, B. 54, (300), 389, **(635)**; Gurevič, M. 392, 546; Ivančuk **(501)**; Jusupov 433; Kamsky **469**; Karpov, An. 437; Kasparov (60); Khalifman **643**; Lautier **(355)**; Ljubojević **507**; Nikolić, P. **(264)**; Polugaevskij 490; Salov, V. **45**; Seirawan (392); Sokolov, I. 535
BELLÓN LÓPEZ [5] – Antunes 59; Campos Moreno **400**; Ehlvest 81, **445**; Illescas Córdoba 152

335

BELOV [2/(4)] — Arbakov (582); Judasin (49); Mesropov (378); Savon 378; Touzane (631); Volke 631
BENJAMIN, J. [3] — Brooks 151; Ftáčnik 487; Gurevich, D. 12
BEREBORA [1] — Ibragimov, I. 448
BERNARD, CH. [(1)] — Sharif (622)
BEŠUKOV [(1)] — Poluljahov (46)
BIELCZYK [(1)] — Lindarenko (115)
BLAGOJEVIĆ [2/(1)] — Barlov (335); Cvetković 369; Golubev 574
BLATNÝ, P. [1] — Kranzl 294
BLJUMBERG [(1)] — Ščerbakov, R. (639)
BLOH [(1)] — Prohorov (530)
BLUMENFELD [1] — Gaspard 210
BOEHLE [1] — Lagunov 568
BOGAERTS [(1)] — Geenen (306)
BOGDANOVSKI [1] — Golubev 636
BOGUSZLAVSZKY [1] — Gurevič, V. 639
BOLOGAN [5/(2)] — Barkhagen (650); Epišin 127; Frolov 184; Ionov 578; Magerramov 625; Murugan (628); Ulybin 124
BORGES MATEOS [1] — Gurevich, I. 255
BORRISS [1] — Leko 188
BOSBOOM [(1)] — Adams (310)
BOSCH [1] — Cifuentes Parada 226
BRENJO [1] — Raičević, V. 86
BRENNINKMEIJER [14/(2)] — Christiansen 488; Dreev (357); Epišin 422; Gel'fand, B. 424; Hübner (505); Nikolić, P. 415; Nunn 612; Piket, Je. 629; Romero Holmes 68; Salov, V. 370; Sax 251; Schmittdiel 286; Seirawan 36; Sokolov, I. 506; van der Wiel 62; van Wely 613
BRITTON [(1)] — Martin, A. (633)
BRODSKIJ, M. [1/(3)] — Makarov, M. (194); Maljutin (112); Osipov (161); Šabalov 237
BROOKS [1] — Benjamin, J. 151
BRUNEAU [(1)] — Tajmanov (563)
BRUSTMAN [(1)] — Kramnik (165)
BRYNELL [1] — Henkin 143
BRYSON [1] — Flear, G. 332
BUDNIKOV [1/(3)] — Aseev 278; Petronić (52); Širov (525); Vyžmanavin (101)
BUTURIN [1] — Gagarin 485
BYHOVSKIJ, AV. [1] — Levitt 435

C

CALDERIN [(1)] — Hernández Ruíz (65)
CALUWE [1] — Hansen, L. 19
CAMPOS MORENO [3/(2)] — Bellón López 400; Ftáčnik (460); Mortensen, E. 588; Tukmakov 460; Winants (18)
ČATALBAŠEV [(1)] — Svešnikov (423)
CEBALO [1] — van Wely 608
ČEHOV [6/(8)] — Bagirov 427; Bareev (500); Hübner 100; Judasin 159, (159); Lobron (492); Novikov, I. (427); Petrosjan, A. 544; Rublevskij (157); Tal (61); Vaganjan (61); Vyžmanavin 40; Wang Zili 165; Ye Jiangchuan (157)
CEJTLIN, MARK [2] — Alterman, B. 211; Smirin 200
CEJTLIN, MIH. [3/(4)] — Hába (308); Hennigan 133; Ježek 105; McNab 117; Rechlis (105); Sekulić, V. (126); Vokáč (120)

ČELUŠKINA [(1)] — Prudnikova (81)
ČERNJAEV [1] — Marić, M. 145
ČERNJAK [1] — Tunik 89
CHANDLER [9/(1)] — Adams 158, 296; Agdestein, S. 308; Bareev 245, 528; Hodgson 112; Short, N. 302; Širov 525; Speelman (299), 558
CHERNIN, A. [4] — Fernández García 456; Illescas Córdoba 360; Judasin 123; Oll 531
CHRISTIANSEN [11/(2)] — Akopjan (44); Brenninkmeijer 488; Epišin 486; Ftáčnik 146; Gavrikov 171; Hansen, Cu. 492; Kindermann 33; Lagunov 467; Nunn 307, 591; Piket, Je. 489; Polgár, J. (591); Sokolov, I. 34
ČIBURDANIDZE [1/(4)] — Xie Jun (321), (346), 349, (350), (440)
CICHOCKI [(1)] — Kiselëv (413)
CIEMNIAK [(1)] — Daniel'an, O. (272)
CIFUENTES PARADA [4/(1)] — Bosch 226; Moskalenko 107; Ricardi (183); Tukmakov 484; van Wely 372
ĆIRIĆ [1] — Neulinger 203
CLAVIJO [1] — Rodríguez, Am. 208
COLIAS [1] — Bachler, K. 316
COSTA [1] — Züger 401
CRAMLING, P. [1/(1)] — Romero Holmes (180); Smagin 432
CROUCH [(1)] — Kosten (536)
ČUČELOV [1] — Alterman, B. 453
ČUDINOVSKIH [(1)] — Karpman (235)
CVETKOVIĆ [1/(1)] — Blagojević 369; Ilić, Lj. (609)
CVITAN [1] — van Wely 634

D

DABETIĆ [1] — Stamenković 256
DAMLJANOVIĆ [8/(4)] — Beljavskij 607; Gel'fand, B. 3; Georgiev, Kir. (566); Gurevič, M. 622; Jusupov (574); Kamsky 7; Lautier 31; Ljubojević (61); Nunn 197; Razuvaev 18; Seirawan 6; Sokolov, I. (28)
DANAILOV [(1)] — Zlotnik (46)
DANIEL'AN, O. [(3)] — Ciemniak (272); Ivanov, V. L. (272); Muratov (272)
DARCYL [1] — Larsen, B. 60
DAUTOV [8/(2)] — Grünberg, H.-U. 82; Knaak 573; Luther 319; Mohr, S. 118; Muhametov 412; Nielsen, Pe. H. (296); Polgár, J. 321; Romanišin 496; Štohl (5); Wahls 567
DE BOER [1] — Finegold, B. 459
DE LA VILLA GARCÍA [2/(2)] — Arencibia, W. (177); Illescas Córdoba 136; Polgár, Zsu. 452; Rivas Pastor (54)
DEEV [(1)] — Kuprejčik (159)
DINU [(1)] — Sokolov, A. (208)
DOBOSZ, H. [1] — Agrest 526
DOBROVOLSKÝ [1/(1)] — Gipslis 311; Titov (311)
DOHOJAN [2/(5)] — Akopjan (426); Epišin (420); Frolov 594; Gurevič, M. 425; Harlov (251); Kruppa (271); Nenašev (388)
DOLMATOV [3] — Alterman, B. 205; Heissler 233; Pfleger 126
DONČENKO [(1)] — Ivanov, V. L. (143)
DONČEV [1] — Radulov, I. 317
DONEV [(5)] — Dückstein (294); Hertneck (382); Lutzenberger (253); Reich (122); Schmid (253)

DONGUINES [1] – Ye Rongguang 72
DORFMAN [2] – Rivas Pastor 383; Romero Holmes **623**
DOUVEN [1] – Meulders 85
DRAŠKO [1] – Kapetanović 371
DREEV [7/(7)] – Brenninkmeijer (357); Fernández García **462**; Harlov (251); Illescas Córdoba **(424)**; Kiselëv **523**; Lanka **(393)**; Maksimenko **382**; Malanjuk **99**; Minasjan (272); Piket, Je. 409; Sakaev (429); Schmittdiel 247; Sokolov, I. **73**; Tivjakov **(493)**
DROZDOV [(1)] – Lempert (574)
DÜCKSTEIN [1/(1)] – Donev **(294)**; Smyslov **318**
ĐUKIĆ, Ž. [(1)] – Sokolov, I. (415)
DUMITRACHE [(1)] – Milu (295)
DUNDUA [(1)] – Reuter **(157)**
DVOJRIS [3/(7)] – Agrest **(215)**; Bagirov 471; Epišin **(139)**; Ikonnikov **162**; Judasin (159); Makarov, M. **(194)**; Maljutin **(179)**, (184); Mejster, Ja. **(320)**; Serper **194**
DYDYŠKO [(2)] – Harlamov (585); Horváth, Cs. (585)
DZINDZICHASHVILI [1] – Fedorowicz 187

E

EDELMAN [(1)] – Ambarcumjan (639)
EFIMOV [1/(1)] – Atlas, V. **(218)**; Levitt 65
EHLVEST [12/(1)] – Bellón López **81**, 445; Hübner 468; Illescas Córdoba **376**; Judasin 236; King **483**; Murshed **299**; Oll 241; Polgár, Zsu. **375**; Rivas Pastor **121**, 563; Romero Holmes **179**; Speelman (563)
ĖJNGORN [2] – Harlov **363**; Kuz'min, A. **632**
ELIZART CARDENAS [1] – Osmel García 249
ENGQVIST [(1)] – Schäfer, Ma. (138)
EPIŠIN [21/(7)] – Aseev **(506)**; Bologan 127; Brenninkmeijer **422**; Christiansen **486**; Dohojan **(420)**; Dvojris (139); Gel'fand, B. 108; Hübner **502**; Jurtaev **617**; Kindermann **640**; Kortchnoi **503**; Kuz'min, A. **648**; Magerramov **(512)**; Mokrý **120**; Murshed (472); Nikolić, P. 565; Nunn (266), **638**; Piket, Je. **644**; Polgár, J. **641**; Šabalov **420**; Salov, V. 35; Sax 266; Schroll 473; Seirawan (470); Šnejder 446; van der Wiel **501**; van Wely **645**
ERMENKOV [2/(2)] – Kožul **583**; Mirković **(137)**; Sagalčik **310**; Topalov **(578)**
ERNST, TH. [2/(2)] – Gausel **328**; Kiik **(175)**; Lerner **193**, **(193)**
ESTÉVEZ [1/(3)] – Antúnes **(304)**; Medina, C. **(304)**; Nogueiras **(304)**; Pérez, I. **304**
ESTRADA [(1)] – Watanabe **(253)**

F

FARAGÓ, I. [4] – Adorján **465**; Polgár, J. **628**; Polgár, Zsu. **377**; Portisch, L. 508
FAULAND [1] – Nunn 116
FEDOROWICZ [2/(2)] – Dzindzichashvili **187**; Martín del Campo, J. (76); Wolff, P. **(190)**; Yermolinsky 213
FERNÁNDEZ GARCÍA [5] – Chernin, A. 456; Dreev 462; Illescas Córdoba **178**; Judasin 313; Polugaevskij 4
FINEGOLD, B. [3/(2)] – de Boer **459**; Scheeren **606**; Vajser 134; Wagman (305); Winants **(547)**
FINK, S. [1] – Balinas **498**
FISHBEIN [2/(1)] – Hansen, L. 590; Hector 228; Ibragimov, I. **(342)**
FLEAR, G. [4] – Bryson 332; Lëgkij **537**; Levitt **536**; Pähtz 386
FLIEGNER [(1)] – Anka **(467)**
FOMIN [1] – Minerva 140
FROLOV [3/(3)] – Bologan 184; Dohojan 594; Jakovič **(161)**; Kramnik **(154)**; Magerramov (614); Raškovskij 74
FTÁČNIK [7/(1)] – Akopjan **637**; Benjamin, J. **487**; Campos Moreno (460); Christiansen 146; Hansen, Cu. 51; Kotlyar, G. 451; Kudrin **466**; Piket, Je. **619**

G

GAGARIN [3/(2)] – Buturin **485**; Juferov **602**; Neverov, V. 548; Ščekačëv **(602)**; Zarubin **(106)**
GALDUNC [1] – Ambarcumjan **252**
GALJAMOVA-IVANČUK [(1)] – Gaprindašvili **(64)**
GAPRINDAŠVILI [1/(2)] – Galjamova-Ivančuk (64); Kapengut **(91)**; Vojska 64
GARCÍA, D. [1] – Nijboer 227
GARCÍA, GI. [1] – Akopjan 436
GASPARD [1] – Blumenfeld 210
GAUSEL [1/(1)] – Ernst, Th. 328; Lagunov (119)
GAVRIKOV [2/(1)] – Christiansen **171**; Kapengut **91**; Portisch, L. **(436)**
GAVRILOV [(1)] – Seferjan **(256)**
GAŽÍK [1] – Popović, P. **196**
GDAŃSKI, J. [(1)] – Kuczyński (281)
GEENEN [(1)] – Bogaerts (306)
GEL'FAND, B. [25/(8)] – Anand 147; Beljavskij **54**, **(300)**, **389**, (635); Brenninkmeijer **424**; Damljanović 3; Epišin **108**; Gurevič, M. **273**, 635; Ivančuk 587; Jusupov **(26)**; Kamsky **454**; Karpov, An. **493**; Kasparov **(641)**, **651**; Kortchnoi **(493)**; Lautier **398**; Ljubojević 24; Nikolić, P. 571, (572); Nunn 232, **615**; Piket, Je. (620); Polugaevskij 441; Romero Holmes **626**; Salov, V. 141, (353); Sax 148; Seirawan 581; Sokolov, I. 620; van der Wiel **513**; van Wely **646**
GELLER, E. [1/(2)] – Kuprejčik 338; Smyslov **(329)**; Unzicker **(332)**
GEORGIEV, KIR. [1/(1)] – Damljanović (566); Tringov **614**
GEORGIEV, KR. [1] – Andrianov **154**
GEORGIEV, V. [(1)] – Radulovski (149)
GHINDĂ, M. [(1)] – Marin (461)
GINSBURG, M. [1] – Waitzkin **25**
GIPSLIS [1/(1)] – Aseev (112); Dobrovolský **311**
GLEJZEROV [1] – Juneev **480**
GLEK [(7)] – Ibragimov, I. (105); Isaev **(444)**; Jusupov **(257)**; Kuz'min, A. **(582)**; Smejkal (99); Svešnikov (250); Székely (93)
GLUZMAN [2] – Mirković 388; Tringov **220**
GODENA [(1)] – Portisch, L. (417)
GOL'DIN, A. [1] – Palatnik 20
GOLOD [(1)] – Zarubin (639)
GOLUBEV [3/(3)] – Blagojević 574; Bogdanovski 636; Kožul **(228)**; Marinković, I. (202); Marković, Miroslav (609); Mirković **137**

GÓMEZ, A. [(1)] – Valdés, L. **(298)**
GORJAČKIN [1] – Svešnikov 144
GRANDA ZUNIGA [2/(3)] – Adorján **(508)**; Barbero **(595)**; Illescas Córdoba **416**; Judasin (313); Oll 175
GRIVAS [1/(1)] – Karkanaque **470**; Velikov **(5)**
GRÓSZPÉTER [1/(1)] – Adorján (573); Polgár, Zsu. **366**
GRÜNBERG, H.-U. [1] – Dautov 82
GRÜNBERG, S. [1] – Marin 104
GRÜNFELD, Y. [1/(2)] – Gulko 562; Mikhalevsky, V. **(332)**; Yermolinsky **(197)**
GUERRA, P. [(1)] – Alonso, R. (419)
GULIEV [(1)] – Zarubin (95)
GULKO [4/(1)] – Grünfeld, Y. **562**; Judasin **57**; Mainka, R. **603**; Peters, J. **75**; Pigusov (440)
GUREVIČ, M. [19/(2)] – Anand **357**; Beljavskij **392**, **546**; Damljanović **622**; Dohojan 425; Gel'fand, B. 273, **635**; Ivančuk **364**; Jusupov 411; Kamsky 271; Karpov, An. 418; Kasparov **22**; Lautier 95; Ljubojević **(446)**; Nikolić, P. **246**; Nunn (272); Piskov **399**; Polugaevskij **556**; Salov, V. 102; Seirawan 97; Sokolov, I. **38**
GUREVIČ, V. [2/(2)] – Boguszlavszky 639; Kerkmeester (142); Siegfriend (235); Vorotnikov 142
GUREVICH, D. [3] – Benjamin, J. **12**; Sturua 69; Wolff, P. 229
GUREVICH, I. [2/(1)] – Borges Mateos **255**; Motwani (252); Palac **230**
GUTMAN [1] – Aseev **520**

H

HÁBA [(2)] – Cejtlin, Mih. (308); Rechlis (135)
HALLEBEEK [1] – Petrosjan, A. **231**
HAMARAT [(1)] – Rubinčik (165)
HANSEN, CU. [4/(1)] – Akopjan **32**; Christiansen 492; Ftáčnik **51**; Khalifman **(29)**; Sokolov, I. 551
HANSEN, L. [3/(1)] – Caluwe **19**; Fishbein **590**; Steinbacher **540**; Summermatter **(19)**
HARITONOV [(1)] – Aseev **(41)**
HARLAMOV [(1)] – Dydyško **(585)**
HARLOV [5/(6)] – Adla (157); Akopjan **(292)**; Dohojan **(251)**; Dreev **(251)**; Ėjngorn 363; Judasin 157; Kosten (153); Sakaev **(251)**; Širov **336**; Smagin **539**; Ulybin **17**
HARTOCH [1] – Lagunov 119
HEBDEN [(1)] – Watson, W. (343)
HECTOR [2/(2)] – Barbero **289**; Fishbein **228**; Khalifman **(294)**; Smagin (295)
HEISSLER [1] – Dolmatov 233
HENKIN [1/(1)] – Brynell 143; Kajdanov **(414)**
HENNIGAN [1] – Cejtlin, Mih. **133**
HERNÁNDEZ, GI. [1/(1)] – Arencibia, W. **345**; Novikov, I. (579)
HERNÁNDEZ RUÍZ [(1)] – Calderin **(65)**
HERTNECK [(2)] – Donev **(382)**; Keitlinghaus **(8)**
HJARTARSON [3] – Spassky 149, **333**; Vaganjan 46
HODGSON [4/(3)] – Adams 167; Bareev **(40)**, 67; Chandler 112; Nunn (305); Short, N. (345); Širov 79
HOLMOV [1/(3)] – Aseev (48); Bagirov **(113)**; Plachetka 516; Titov (48)
HORT [1] – Schmittdiel **21**
HORVÁTH, CS. [(3)] – Dydyško **(585)**; Luther **(479)**; Todorčević **(411)**
HORVÁTH, JÓZSEF [(1)] – Lukács, P. (467)
HORVÁTH, P. [(1)] – Markov, Ju. (389)
HOWELL [1] – Kengis **114**
HRÁČEK [1] – Malanjuk **103**
HÜBNER [5/(4)] – Brenninkmeijer (505); Čehov **100**; Ehlvest **468**; Epišin 502; Khalifman **559**; Romero Holmes **202**; Salov, V. (493); Seirawan **(363)**; van der Wiel **(417)**
HUDOROŠKOV [(1)] – Kibalničenko (415)
HULAK [1] – Khalifman 497
HUZMAN [1/(2)] – Ivanov, J. **647**; Leko (302); Mathe (304)

I

IBRAGIMOV, I. [6/(4)] – Berebora **448**; Fishbein (342); Glek **(105)**; Krasenkov **(449)**; Magerramov 379; Raškovskij **(556)**; Ruban 374; Sisniega **550**; Šnejder 373; Vaganjan **391**
IKONNIKOV [1] – Dvojris 162
ILIĆ, LJ. [(1)] – Cvetković (609)
ILLESCAS CÓRDOBA [8/(1)] – Bellón López **152**; Chernin, A. **360**; de la Villa García **136**; Dreev (424); Ehlvest 376; Fernández García 178; Granda Zuniga 416; Judasin **49**; Vladimirov, E. **23**
IONOV [4/(3)] – Akopjan **575**; Atalik **(509)**; Bologan **578**; Lempert 560; Magerramov (362); Širov **(564)**; Sorokin, M. **384**
IOSELIANI [(1)] – Sedina (154)
ISAEV [(1)] – Glek (444)
ISTRĂŢESCU [1/(1)] – Akopjan **(224)**; Votava **224**
ITKIS [(1)] – Vlad (162)
IVANČUK [11/(4)] – Anand **262**; Beljavskij (501); Gel'fand, B. **587**; Gurevič, M. 364; Karpov, An. 365; Kasparov 611; Khalifman **(310)**; Polugaevskij **352**; Salov, V. **(515)**; Timman **212**, 393, 438, (474), **553**, **652**
IVANOV, ALEXA. [2/(1)] – Ivanov, I. **327**; Rohde, M. **138**; Watson, W. (343)
IVANOV, I. [2] – Akopjan 359; Ivanov, Alexa. 327
IVANOV, J. [1] – Huzman 647
IVANOV, S. [3/(2)] – Baškov **(384)**; Jandemirov **455**; Pisuliński **76**; Šipov 406; Titov (406)
IVANOV, V. L. [(2)] – Daniel'an, O. **(272)**; Dončenko **(143)**
IVANOVIĆ, B. [2/(1)] – Kožul **216**; Popović, P. **(228)**; Raškovskij **223**

J

JAĆIMOVIĆ, D. [(1)] – Raškovskij (74)
JAKOVIČ [3/(1)] – Akopjan 43; Frolov (161); Kiselëv 413; Serper **524**
JANDEMIROV [1/(1)] – Ivanov, S. 455; Muhametov **(329)**
JÁNOSI [1] – Kallinger **566**
JANOVSKIJ [(1)] – Zajcev (272)
JANSA [3] – Smagin 218; Sokolov, I. **337**; Watson, W. **207**
JEŽEK [1] – Cejtlin, Mih. **105**
JOKSIĆ [(1)] – Allegro **(400)**
JOVIČIĆ, M. [(1)] – Marinković, I. (202)

JUDASIN [20/(7)] – Antúnes **(310)**; Balašov **342**; Belov (49); Čehov 159, **(159)**; Chernin, A. **123**; Dvojris **(159)**; Ehlvest 236; Fernández García 313; Granda Zuniga **(313)**; Gulko 57; Harlov **157**; Illescas Córdoba 49; Kiselëv **150**; Knežević, M. **324**; Lukin 219; Malanjuk 132; Murey (236); Nikolaev **172**; Oll **195**, **238**; Polgár, Zsu. 90; Savon 235; Sorokin, M. 47; Ulybin 183; Velička **(310)**; Volke 549
JUFEROV [1/(1)] – Gagarin 602; Tunik (449)
JUNEEV [1] – Glejzerov 480
JURKOVIĆ, A. [(1)] – Sokolov, A. (277)
JURTAEV [2/(1)] – Epišin 617; Lukin **(219)**; Širov 618
JUSUPOV [5/(5)] – Beljavskij **433**; Damljanović **(574)**; Gel'fand, B. (26); Glek (257); Gurevič, M. **411**; Lautier 66; Nikolić, P. **(357)**; Nunn (287); Seirawan 491; Sokolov, I. **564**

K

KAHIANI [1/(1)] – Levitina **584**; Zezjul'kin **(477)**
KAJDANOV [1/(2)] – Henkin (414); Lalić, B. 481; Piket, Je. (426)
KALLINGER [1] – Jánosi 566
KAMSKY [22/(2)] – Anand 335, **(421)**; Bareev **239**; Beljavskij 469; Damljanović 7; Gel'fand, B. 454; Gurevič, M. **271**; Karpov, An. **139**, 449; Kasparov 221, 301; Kortchnoi 53, **268**; Lautier 464; Ljubojević **71**; Nikolić, P. **279**; Nunn **353**; Seirawan 55; Short, N. 169, **395**; Sokolov, I. 414; Timman **(24)**, **309**, 477
KANCLER [(1)] – Raškovskij (74)
KAPENGUT [1/(2)] – Babula **(156)**; Gaprindašvili (91); Gavrikov 91
KAPETANOVIĆ [2] – Draško **371**; Serper **519**
KARAKLAJIĆ [1] – Matulović 322
KARKANAQUE [1] – Grivas 470
KARPMAN [(1)] – Čudinovskih (235)
KARPOV, AN. [22] – Anand 128, 130, **505**; Bareev **272**, 500; Beljavskij **437**; Gel'fand, B. 493; Gurevič, M. **418**; Ivančuk **365**; Kamsky 139, **449**; Kasparov 297, **599**, **642**; Khalifman 348; Kortchnoi 44, **512**; Polugaevskij **509**; Salov, V. 303; Short, N. 288, **341**; Timman **407**
KASPAROV [20/(8)] – Anand **181**, 215, **258**; Bareev **362**, 616; Beljavskij **(60)**; Gel'fand, B. **(641)**, 651; Gurevič, M. 22; Ivančuk **611**; Kamsky 221, **301**; Karpov, An. 297, 599, 642; Khalifman **394**; Kortchnoi **243**, 609; Polugaevskij (441); Salov, V. (575); Short, N. **(8)**, 182, **242**; Speelman (616); Timman **(292)**, **475**, 570, **(599)**
KAZAKOV [(1)] – Stjažkin (149)
KEITLINGHAUS [1/(1)] – Hertneck (8); Štohl 8
KEŃGIS [3/(5)] – Howell 114; Lev, R. 63; Lukin **(182)**; Murugan **(212)**; Pigusov (568); Polgár, Zsó. (113); Remlinger (63); Speelman 552
KERKMEESTER [(1)] – Gurevič, V. **(142)**
KHALIFMAN [7/(5)] – Anand (339); Beljavskij 643; Hansen, Cu. (29); Hector (294); Hübner 559; Hulak **497**; Ivančuk (310); Karpov, An. **348**; Kasparov 394; Kindermann **(643)**; Polugaevskij 494; Salov, V. **96**
KIBALNIČENKO [1/(2)] – Hudoroškov **(415)**; Konovalov **(492)**; Sorokin, V. **457**
KIIK [1/(1)] – Ernst, Th. (175); Przewożnik **240**

KINDERMANN [6/(4)] – Christiansen 33; Epišin 640; Khalifman (643); Kohlweyer 589; Nunn 287; Razuvaev **344**; Rogers, I. 84; Smagin **(346)**; van der Sterren (84); Watson, W. **(129)**
KING [2/(1)] – Anand 225; Ehlvest 483; Petrosjan, A. **(233)**
KISELËV [4/(4)] – Cichocki **(413)**; Dreev 523; Jakovič **413**; Judasin 150; Kuz'min, A. **582**; Nikolaev (548); Ristović **(413)**; Volke (549)
KIŠNĚV [(1)] – Kostić, V. **(623)**
KISS, LAU. [1] – Stoica **542**
KISS, P. [1] – Zagrebel'nyj **517**
KLINGER [(1)] – Züger (387)
KNAAK [2] – Dautov 573; Kruszyński 263
KNEŽEVIĆ, M. [1] – Judasin 324
KODINEC [1] – Maz'ya 533
KOHLWEYER [1] – Kindermann **589**
KOMAROV [(1)] – Zijatdinov (247)
KONDALI [(1)] – Tomašević, R. (293)
KONGUVEL [(1)] – Wang Zili **(185)**
KONOVALOV [(2)] – Kibalničenko (492); Nadanjan (209)
KORTCHNOI [17/(6)] – Anand 275, **405**; Bareev **39**, (547); Epišin 503; Gel'fand, B. (493); Kamsky **53**, 268; Karpov, An. **44**, 512; Kasparov 243, **609**; Nikolić, P. **(28)**; Nunn 579; Piket, Je. 576; Romero Holmes (251); Salov, V. 27; Sax **(53)**; Short, N. **434**; Timman 274, **547**; van der Wiel (264); van Wely 504
KOSTEN [4/(2)] – Crouch (536); Harlov **(153)**; Pein **325**; Sadler **153**; Speelman 259; Tivjakov 265
KOSTIĆ, V. [(3)] – Kišněv (623); Ulybin **(287)**; Volke (578)
KOTLYAR, G. [1] – Ftáčnik **451**
KOTRONIAS [4] – Kožul 482; Nunn **339**; Rogers, I. 189; Serper 577
KOURKOUNAKIS [1] – Andrianov 601
KOVALËV [2/(2)] – Kuz'min, A. **(330)**; Leko **192**; Loginov (569); Širov 621
KOZAKOV [(1)] – Rogozenko **(162)**
KOŽUL [8/(1)] – Ermenkov 583; Golubev (228); Ivanović, B. 216; Kotronias 482; Matulović 199; Popović, P. 198, **649**; Todorović, G. M. **479**; Velimirović 186
KRAMNIK [6/(6)] – Aseev **(41)**; Brustman (165); Frolov (154); Krasenkov **312**; Lerner **1**; Lindstedt 94; Neverov, V. 387; Raškovskij **541**; Rosselli **206**; Sorokin, M. **(387)**; Tivjakov (259); Webster **(595)**
KRANZL [1] – Blatný, P. **294**
KRASENKOV [5/(1)] – Ibragimov, I. (449); Kramnik 312; Nenašev **13**; Šabalov **355**; Serper **419**; Zajcev 156
KRUPPA [1/(2)] – Dohojan **(271)**; Lputjan **(278)**; Šnejder **234**
KRUSZYŃSKI [2/(1)] – Knaak 263; Laptev **(256)**; Poluljahov 514
KUCZYŃSKI [1/(1)] – Gdański, J. **(281)**; Romanišin **350**
KUDRIN [2] – Ftáčnik 466; Miles 58
KUIJF, M. [1] – Wolff, P. 160
KUJALA [1] – Anton **253**
KULCZEWSKI [1] – Matłak, M. 569
KUPOROSOV [1/(3)] – Mihal'čišin, A. **290**; O'Donnell, T. **(317)**; Pančenko, A. G. **(113)**; Sedrakjan **(206)**

KUPREJČIK [2/(2)] − Deev (15?); Geller, E. 338; Vaganjan (248); Watson, W. 18?
KUZ'MIN, A. [7/(3)] − Akopjan 402; Éjngorn 632; Epišin 648; Glek (582); Kiselëv 582; Kovalëv (330); Lodhi (597); Miles 627; Piket, Je. 597; Širov 83
KVEINYS [1/(1)] − Wojtkiewicz (481); Zajčik 122

L

LAGUNOV [3/(1)] − Boehle 568; Christiansen 467; Gausel (119); Hartoch 119
LALIĆ, B. [1] − Kajdanov 481
LANDENBERGUE [(1)] − Portisch, L. (170)
LANKA [(1)] − Dreev (393)
LAPTEV [(1)] − Kruszyński (256)
LARSEN, B. [1] − Darcyl 60
LAU, R. [1] − Lautier 530
LAUTIER [13/(4)] − Adorján 463; Andersson, U. (404); Bareev (358); Beljavskij (355); Damljanović 31; Gel'fand, B. 398; Gurevič, M. 95; Jusupov 66; Kamsky 464; Lau, R. 530; Ljubojević 358; Nikolić, P. (47); Nunn 592; Polgár, Zsu. 404; Schmittdiel 561; Seirawan 396; Sokolov, I. 361
LAW [(1)] − Nielsen, Pe. H. (635)
LEBREDO [1/(2)] − Valdés, L. (520); Vilela (520), 543
LĒGKIJ [1] − Flear, G. 537
LEJLIĆ [1] − Raičević, V. 168
LEKO [2/(1)] − Borriss 188; Huz?an (302); Kovalëv 192
LEMPERT [1/(1)] − Drozdov (57?); Ionov 560
LERNER [3/(1)] − Ernst, Th. 193 (193); Kramnik 1; Sakaev 522
LEV, R. [1] − Kengis 63
LEVIT [(1)] − Batakov (197)
LEVITINA [1] − Kahiani 584
LEVITT [4/(1)] − Byhovskij, Av. 435; Efimov 65; Flear, G. 536; Parker 598; Tivjakov (265)
LI, M. [(1)] − Rabelo (615)
LIANG JINRONG [(1)] − Rodríg ez, R. (218)
LIMA [1] − Rodríguez, Am. 293
LINDARENKO [(1)] − Bielczyk (15)
LINDEMANN [(1)] − Polgár, Zso (205)
LINDSTEDT [1] − Kramnik 94
LITTLEWOOD, P. [1] − Watson, W. 343
LJUBOJEVIĆ [5/(4)] − Beljavskij 507; Damljanović (61); Gel'fand, B. 24; Gurevič, M. (446); Kamsky 71; Lautier 358; Nikolić, P. (341 Nunn 176; Seirawan (127)
LOBRON [1/(1)] − Čehov (492); ?magin 390
LODHI [(1)] − Kuz'min, A. (597)
LOGINOV [(2)] − Kovalëv (569); Tošić (616)
LPUTJAN [(3)] − Kruppa (278); ?alanjuk (99); Serper (398)
LUBOČSKIJ [1] − Malinin 276
LUKÁCS, P. [1/(4)]? − Adorján (46?); Horváth, József (467); Polgár, Zsu. (17); Rogers, I. 1?1; van Wely (3)
LUKIN [1/(3)] − Judasin 219; Jurt?ev (219); Kengis (182); Novik (603)
LUTHER [3/(2)] − Barbero 15; Dai?tov 319; Horváth, Cs. (479); Smagin 261; Thorsteins (19)
LUTZ, CH. [(1)] − Razuvaev (488)
LUTZENBERGER [(1)] − Donev (253)
LYRBERG [1] − Malanjuk 110

M

MAGEM BADALS [(1)] − Polgár, Zsu. (379)
MAGERRAMOV [4/(4)] − Bologan 625; Epišin (512); Frolov (614); Ibragimov, I. 379; Ionov (362); Makaryčev 499; Ščerbakov, R. 431; Sorokin, M. (381)
MAINKA, R. [1/(1)] − Gulko 603; Smagin (299)
MAKAROV, M. [(3)] − Brodskij, M. (194); Dvojris (194); Vaulin (99)
MAKARYČEV [5] − Magerramov 499; Mejster, Ja. 314; Nenašev 315; Nikolenko 306; Ulybin 244
MAKSIMENKO [1] − Dreev 382
MALANJUK [6/(1)] − Dreev 99; Hráček 103; Judasin 132; Lputjan (99); Lyrberg 110; Neverov, V. 101; Ruban 98
MALININ [1] − Lubočskij 276
MALJUTIN [1/(7)] − Brodskij, M. (112); Dvojris (179), (184); Nesterov (184); Obuhov (184); Šabalov 92; Ščerbakov, R. (154); Titov (120)
MARIĆ, M. [1] − Černjaev 145
MARIN [2/(1)] − Ghindă, M. (461); Grünberg, S. 104; Navroţescu 461
MARINKOVIĆ, I. [(3)] − Golubev (202); Jovičić, M. (202); Mirković (75)
MARKOV, JU. [(1)] − Horváth, P. (389)
MARKOVIĆ, MIROSLAV [1/(2)] − Abramović (289); Golubev (609); Raičević, V. 281
MARTIN, A. [1/(1)] − Britton (633); Rajković, D. 554
MARTÍN DEL CAMPO, J. [(1)] − Fedorowicz (76)
MARTÍN DEL CAMPO, R. [(1)] − Pein (337)
MATHE [(1)] − Huzman (304)
MATŁAK, M. [1/(1)] − Kulczewski 569; Olsson, S. (569)
MATULOVIĆ [2/(1)] − Bašagić, Z. (81); Karaklajić 322; Kožul 199
MATVEEVA [(1)] − Prudnikova (89)
MAZ'YA [1] − Kodinec 533
McNAB [1] − Cejtlin, Mih. 117
MEDINA, C. [(1)] − Estévez (304)
MEJSTER, JA. [2/(1)] − Dvojris (320); Makaryčev 314; Novik 320
MESROPOV [(1)] − Belov (378)
MEULDERS [1] − Douven 85
MIHAL'ČIŠIN, A. [3] − Aseev 443; Kuporosov 290; Stangl 56
MIKHALEVSKY, V. [(1)] − Grünfeld, Y. (332)
MILES [3/(1)] − Arkell, K. (61); Kudrin 58; Kuz'min, A. 627; Vyžmanavin 61
MILETO [(1)] − Zadrima (452)
MILLER, M. [(1)] − Shamkovich (204)
MILOS [(2)] − Sakaev (492); Sisniega (339)
MILU [(1)] − Dumitrache (295)
MINASJAN [1/(2)] − Dreev (272); Ruban (186); Vaganjan 48
MINERVA [1] − Fomin 140
MIRKOVIĆ [2/(2)] − Ermenkov (137); Gluzman 388; Golubev 137; Marinković, I. (75)
MITKOV, N. [(1)] − Tivjakov (204)
MOHR, S. [1] − Dautov 118
MOJSEEV [(1)] − Pančenko, A. G. (113)
MOKRÝ [1/(1)] − Epišin 120; Polgár, J. (220)
MORENO [(1)] − Pérez, Y. (105)
MORGADO, J. S. [(1)] − Nesis (209)
MOROZEVIČ [(1)] − Savčenko (206)

MORTENSEN, E. [1] − Campos Moreno 588
MOSKALENKO [2/(1)] − Cifuentes Parada 107; Nijboer (585); Tukmakov 78
MOTWANI [(1)] − Gurevich, I. (252)
MUHAMETOV [2/(2)] − Dautov 412; Jandemirov (329); Rublevskij (180); Tal 329
MURATOV [(1)] − Daniel'an, O. (272)
MUREY [1/(2)] − Judasin (236); Smagin 295; Svešnikov (383)
MURSHED [2/(1)] − Adianto 529; Ehlvest 299; Epišin (472)
MURUGAN [1/(2)] − Bologan (628); Keņgis (212); Neelakandan 403

N

NADANJAN [(1)] − Konovalov (209)
NAUMKIN [4] − Balašov 283; Pavlović, M. 109; Ruban 356; Sadler 380
NAVROŢESCU [1] − Marin 461
NEDOBORA [(2)] − Nosorogov (58); Solomčenko (58)
NEELAKANDAN [1] − Murugan 403
NENAŠEV [3/(1)] − Dohojan (388); Krasenkov 13; Makaryčev 315; Vaganjan 439
NESIS [1/(1)] − Morgado, J. S. (209); Wibe 209
NESTEROV [(1)] − Maljutin (184)
NEULINGER [1] − Ćirić 203
NEVEROV, V. [5] − Gagarin 548; Kramnik 387; Malanjuk 101; Obuhov 527; Širov 77
NIELSEN, PE. H. [1/(2)] − Akopjan 447; Dautov (296); Law (635)
NIJBOER [2/(1)] − García, D. 227; Moskalenko (585); Tukmakov 585
NIKČEVIĆ, N. [(1)] − Striković (118)
NIKOLAEV [1/(2)] − Judasin 172; Kiselëv (548); Touzane (76)
NIKOLENKO [2/(1)] − Makaryčev 306; Obuhov (182); Širov 269
NIKOLIĆ, P. [10/(10)] − Beljavskij (264); Brenninkmeijer 415; Epišin 565; Gel'fand, B. 571, (572); Gurevič, M. 246; Jusupov (357); Kamsky 279; Kortchnoi (28); Lautier (47); Ljubojević (341); Nunn 282, 284; Piket, Je. (95); Popović, P. (440); Romero Holmes (251); Sax (69); Seirawan 28; Sokolov, I. 440; van Wely 572
NIKOLOV, S. [(1)] − Topalov (225)
NIŻYŃSKI [(1)] − Venturino (442)
NOGUEIRAS [2/(4)] − Arencibia, J. (17); Estévez (304); Panno (12); Sariego 5; Zapata, A. (353), 624
NOSOROGOV [(1)] − Nedobora (58)
NOVIK [1/(1)] − Lukin (603); Mejster, Ja. 320
NOVIKOV, I. [1/(2)] − Alterman, B. 442; Čehov (427); Hernández, Gi. (579)
NOVIKOV, J. [(1)] − Sergeev, Ve. (105)
NUNN [23/(7)] − Andrianov (586); Brenninkmeijer 612; Christiansen 307, 591; Damljanović 197; Epišin (266), 638; Fauland 116; Gel'fand, B. 232, 615; Gurevič, M. (272); Hodgson (305); Jusupov (287); Kamsky 353; Kindermann 287; Kortchnoi 579; Kotronias 339; Lautier 592; Ljubojević 176; Nikolić, P. 282, 284; Piket, Je. 586; Romero Holmes 177; Salov, V. (228); Seirawan 131; Širov 650; Sokolov, I. (587); Tsorbatzoglou 600; van der Wiel 163; van Wely 633

O

OBUHOV [2/(3)] − Maljutin (184); Neverov, V. 527; Nikolenko (182); Šabanov (183); Sergeev, Ve. 610
ODEEV [1/(1)] − Rajskij 444; Savčenko (444)
O'DONNELL, T. [(1)] − Kuporosov (317)
ÓLAFSSON, H. [(1)] − Polugaevskij (4)
OLL [6] − Chernin, A. 531; Ehlvest 241; Granda Zuniga 175; Judasin 195, 238; Tal 267
OLSSON, S. [(1)] − Matłak, M. (569)
ORLOV, G. [1] − Rowley 277
OSIPOV [(1)] − Brodskij, M. (161)
OSMEL GARCÍA [1] − Elizart Cardenas 249
OSTOJIĆ, N. [1] − Petronić 52

P

PÄHTZ [1] − Flear, G. 386
PALAC [1] − Gurevich, I. 230
PALATNIK [1/(1)] − Gol'din, A. 20; Vaganjan (30)
PANBUKČIJAN [(1)] − Svešnikov (251)
PANČENKO, A. G. [(3)] − Kuporosov (113); Mojseev (113); Titov (113)
PANČENKO, A. N. [(2)] − Rublevskij (228); Yilmaz, T. (226)
PANNO [(1)] − Nogueiras (12)
PARKER [1] − Levitt 598
PAVLOVIĆ, M. [1] − Naumkin 109
PECORELLI GARCÍA [1] − Rodríguez, Am. 280
PEDERSEN, E. [(1)] − Radulov, I. (317)
PEIN [1/(1)] − Kosten 325; Martín del Campo, R. (337)
PÉREZ, I. [1] − Estévez 304
PÉREZ, Y. [(1)] − Moreno (105)
PETERS, J. [1] − Gulko 75
PETRONIĆ [1/(1)] − Budnikov (52); Ostojić, N. 52
PETROSJAN, A. [3/(1)] − Čehov 544; Hallebeek 231; King (233); Serper 16
PÉTURSSON [1] − Varga, Zo. 87
PFLEGER [1] − Dolmatov 126
PIGUSOV [(2)] − Gulko (440); Keņgis (568)
PIKET, JE. [9/(8)] − Brenninkmeijer 629; Christiansen 489; Dreev 409; Epišin 644; Ftáčnik 619; Gel'fand, B. (620); Kajdanov (426); Kortchnoi 576; Kuz'min, A. 597; Nikolić, P. (95); Nunn 586; Romero Holmes (188); Sax 495; Seirawan (11); Sokolov, I. (633); van der Wiel (353); van Wely (388)
PINTÉR, J. [1/(1)] − Alterman, B. (426); Schneider, A. 518
PISKOV [2/(1)] − Gurevič, M. 399; Unzicker (276); Wahls 580
PISULIŃSKI [1/(1)] − Agrest (121); Ivanov, S. 76
PLACHETKA [2/(2)] − Holmov 516; Popović, P. (169); Sokolov, I. 30; Tivjakov (180)
POLGÁR, J. [6/(3)] − Adorján (567); Christiansen (591); Dautov 321; Epišin 641; Faragó, I. 628; Mokrý (220); Portisch, L. 170; Sax 191; Tolnai 173
POLGÁR, ZSÓ. [1/(2)] − Keņgis (113); Lindemann (205); Rogers, I. 14
POLGÁR, ZSU. [9/(3)] − Adorján 421; de la Villa García 452; Ehlvest 375; Faragó, I. 377; Grószpéter 366; Judasin 90; Lautier 404; Lukács, P. (17); Magem Badals (379); Portisch, L. 417; Sax 511; Tolnai (89)

POLUGAEVSKIJ [11/(2)] − Anand 217; Beljavskij **490**; Fernández García **4**; Gel'fand, B. **441**; Gurevič, M. 556; Ivančuk 352; Karpov, An. 509; Kasparov **(441)**; Khalifman 494; Ólafsson, H. **(4)**; Rivas Pastor 555; Rodríguez, Or. **381**; Salov, V. **515**
POLULJAHOV [1/(1)] − Bešukov **(46)**; Kruszyński **514**
POPESCU, D. [(1)] − Rogozenko (574)
POPOVIĆ, P. [7/(3)] − Gažík 196; Ivanović, B. (228); Kožul **198**, 649; Nikolić, P. (440); Plachetka **(169)**; Raičević, V. **257**; Schlosser, Ph. 630; Sinanović **204**; Vujošević, V. **330**
PORTISCH, L. [4/(5)] − Adorján **450**; Arlandi **(436)**; Faragó, I. **508**; Gavrikov (436); Godena **(417)**; Landenbergue (170); Polgár, J. 170; Polgár, Zsu. **417**; Sax (170)
PROHOROV [(1)] − Bloh (530)
PRUDNIKOVA [1/(2)] − Čeluškina (81); Matveeva (89); Šumjakina **429**
PRZEWOŹNIK [1] − Kiik 240
PUGAČĚV [(1)] − Tunik (633)
PUŠKIN [(2)] − Anjuhin (115); Žukov (115)

R

RABELO [(1)] − Li, M. (615)
RADULOV, I. [1/(1)] − Dončev 317; Pedersen, E. (317)
RADULOVSKI [(1)] − Georgiev, V. **(149)**
RAGOZIN [(1)] − Timoščenko, Gen. **(609)**
RAIČEVIĆ, V. [5] − Abramović 11; Brenjo **86**; Lejlić 168; Marković, Miroslav 281; Popović, P. 257
RAJKOVIĆ, D. [2] − Bareev 545; Martin, A. **554**
RAJSKIJ [1] − Odeev **444**
RAŠKOVSKIJ [3/(3)] − Frolov **74**; Ibragimov, I. (556); Ivanović, B. 223; Jaćimović, D. **(74)**; Kancler **(74)**; Kramnik 541
RAZUVAEV [3/(3)] − Barbero **596**; Damljanović 18; Kindermann 344; Lutz, Ch. **(488)**; Širov **(587)**; van der Sterren **(478)**
RECHLIS [1/(2)] − Baškov 201; Cejtlin, Mih. **(105)**; Hába **(135)**
REICH [(1)] − Donev (122)
REINDERMAN [(1)] − van Wely (634)
REMLINGER [(1)] − Keņgis **(63)**
RENET [1/(1)] − Sokolov, A. **(176)**; Sulipa 88
REUTER [(1)] − Dundua (157)
RIBLI [1/(1)] − Schulz, K.-J. **(622)**; Tischbierek 397
RICARDI [(1)] − Cifuentes Parada **(183)**
RISTOVIĆ [1] − Kiselëv (413)
RIVAS PASTOR [4/(1)] − de la Villa García **(54)**; Dorfman **383**; Ehlvest 121, **563**; Polugaevskij 555
RÖDER, M. [(1)] − Tivjakov **(493)**
RODRÍGUEZ, AM. [4] − Arencibia, W. **346**; Clavijo **208**; Lima 293; Pecorelli García 280
RODRÍGUEZ, OR. [1] − Polugaevskij 381
RODRÍGUEZ, R. [(1)] − Liang Jinrong (218)
ROGERS, I. [5/(1)] − Kindermann **84**; Kotronias **189**; Lukács, P. **111**; Polgár, Zsó. **14**; Schmittdiel (112); Zahariev 472
ROGOZENKO [(2)] − Kozakov (162); Popescu, D. **(574)**
ROHDE, M. [1] − Ivanov, Alexa. 138

ROMANIŠIN [2/(1)] − Dautov **496**; Kuczyński 350; Schmittdiel (299)
ROMERO HOLMES [8/(5)] − Brenninkmeijer 68; Cramling, P. **(180)**; Dorfman 623; Ehlvest 179; Gel'fand, B. 626; Hübner 202; Kortchnoi **(251)**; Nikolić, P. **(251)**; Nunn **177**; Piket, Je. **(188)**; Salov, V. **164**; van der Wiel 285; van Wely (61)
ROSSELLI [1] − Kramnik 206
ROSTOMJAN [(1)] − Arakel'an (467)
ROWLEY [1] − Orlov, G. **277**
ROZENTALIS [1] − van der Wiel **326**
RUBAN [3/(3)] − Aseev **(506)**; Ibragimov, I. **374**; Malanjuk **98**; Minasjan (186); Naumkin 356; Vilela (387)
RUBINČIK [1/(1)] − Hamarat **(165)**; Vitomskis **340**
RUBLEVSKIJ [(5)] − Čehov **(157)**; Muhametov (180); Pančenko, A. N. **(228)**; Svešnikov **(157)**; Tivjakov (180)

S

ŠABALOV [4] − Brodskij, M. 237; Epišin 420; Krasenkov 355; Maljutin **92**
ŠABANOV [(1)] − Obuhov **(183)**
SADLER [2] − Kosten 153; Naumkin 380
SAGALČIK [1] − Ermenkov 310
SAKAEV [3/(4)] − Aseev 214; Dreev **(429)**; Harlov (251); Lerner **522**; Milos **(492)**; Tal 93; Veerman **(595)**
SALOV, V. [13/(5)] − Anand 323; Beljavskij 45; Brenninkmeijer **370**; Epišin 35; Gel'fand, B. **141**, **(353)**; Gurevič, M. **102**; Hübner **(493)**; Ivančuk **(515)**; Karpov, An. **303**; Kasparov **(575)**; Khalifman 96; Kortchnoi 27; Nunn (228); Polugaevskij 515; Romero Holmes 164; Seirawan 367; van der Wiel 190
SARIEGO [1] − Nogueiras 5
SAVČENKO [1/(3)] − Morozevič (206); Odeev **(444)**; Svešnikov **408**; Todorović, G. M. **(479)**
SAVON [4/(1)] − Belov 378; Judasin **235**; Širov 521; Soloženkin **347**; Svešnikov (135)
SAX [8/(3)] − Brenninkmeijer **251**; Epišin **266**; Gel'fand, B. **148**; Kortchnoi (53); Nikolić, P. (69); Piket, Je. 495; Polgár, J. 191; Polgár, Zsu. 511; Portisch, L. **(170)**; Seirawan 532; van der Wiel **298**
ŠČEKAČĚV [(1)] − Gagarin (602)
ŠČERBAKOV, R. [2/(2)] − Bljumberg **(639)**; Mageramov 431; Maljutin (154); Svešnikov 155
SCHÄFER, MA. [(1)] − Engqvist **(138)**
SCHANDORFF [1] − Barbero 595
SCHEEREN [1] − Finegold, B. 606
SCHLENKER, JOCH. [(1)] − Atlas, V. (279)
SCHLOSSER, PH. [1] − Popović, P. **630**
SCHMID [(1)] − Donev (253)
SCHMIDT, A. [(2)] − Varga, Zá. **(211)**, (211)
SCHMITTDIEL [5/(2)] − Brenninkmeijer **286**; Dreev **247**; Hort 21; Lautier 561; Rogers, I. **(112)**; Romanišin **(299)**; Sokolov, I. **300**
SCHNEIDER, A. [1] − Pintér, J. 518
SCHROLL [1] − Epišin **473**
SCHULZ, K.-J. [(1)] − Ribli (622)
SEDINA [(1)] − Ioseliani **(154)**
SEDRAKJAN [(1)] − Kuporosov (206)
SEFERJAN [(1)] − Gavrilov (256)

SEIRAWAN [12/(6)] – Beljavskij **(392)**; Brenninkmeijer **36**; Damljanović 6; Epišin **(470)**; Gel'fand, B. **581**; Gurevič, M. **97**; Hübner (363); Jusupov **491**; Kamsky **55**; Lautier **396**; Ljubojević (127); Nikolić, P. **28**; Nunn 131; Piket, Je. (11); Salov, V. 367; Sax **532**; Sokolov, I. (365); van Wely **29**
SEKULIĆ, V. [(1)] – Cejtlin, Mih. (126)
SEQUEIRA [(1)] – Akopjan **(144)**
SERGEEV, VE. [2/(1)] – Novikov, J. **(105)**; Obuhov 610; Titlianov **474**
SERPER [8/(3)] – Aseev **41**; Dvojris 194; Jakovič 524; Kapetanović 519; Kotronias **577**; Krasenkov 419; Lputjan (398); Petrosjan, A. **16**; Širov **(427)**; Skalik 557; Vladimirov, E. (396)
ŠESTOPEROV [1] – Varavin 222
SHAMKOVICH [(2)] – Baldwin **(340)**; Miller, M. **(204)**
SHARIF [(1)] – Bernard, Ch. (622)
SHORT, N. [15/(4)] – Adams **129**, 264, **305**, (334); Anand **180**, 334; Bareev **248**; Chandler 302; Hodgson **(345)**; Kamsky **169**, 395; Karpov, An. **288**, 341; Kasparov (8), **182**, 242; Kortchnoi 434; Timman **115**, (340)
SIEGFRIEND [(1)] – Gurevič, V. **(235)**
SINANOVIĆ [1] – Popović, P. 204
ŠIPOV [1] – Ivanov, S. **406**
ŠIROV [15/(7)] – Adams **80**; Agdestein, S. **(299)**; Andersson, U. **2**; Bareev **270**, 430; Budnikov **(525)**; Chandler **525**; Harlov 336; Hodgson **79**; Ionov (564); Jurtaev **618**; Kovalëv **621**; Kuz'min, A. 83; Neverov, V. **77**; Nikolenko **269**; Nunn **650**; Razuvaev (587); Savon **521**; Serper (427); Sorokin, M. (74); Štohl **458**; Suėtin (333)
SISNIEGA [1/(1)] – Ibragimov, I. 550; Milos **(339)**
SITANGGANG [1] – Tu Hoang Thai 70
SKALIK [1] – Serper **557**
SKEMBRIS [1] – Wahls 135
SMAGIN [7/(5)] – Cramling, P. 432; Harlov 539; Hector **(295)**; Jansa **218**; Kindermann (346); Lobron 390; Luther **261**; Mainka, R. **(299)**; Murey **295**; Štohl 478; Todorović, G. M. (346); van der Sterren **(299)**
SMEJKAL [(1)] – Glek **(99)**
SMIRIN [3] – Alterman, B. 593; Cejtlin, Mark **200**; Zaid 604
SMYSLOV [2/(1)] – Dückstein 318; Geller, E. (329); Suėtin **354**
ŠNEJDER [3] – Epišin **446**; Ibragimov, I. **373**; Kruppa 234
SOKOLOV, A. [1/(3)] – Dinu **(208)**; Jurković, A. **(277)**; Renet (176); Vajser **161**
SOKOLOV, I. [15/(5)] – Akopjan **385**; Beljavskij **535**; Brenninkmeijer 506; Christiansen 34; Damljanović (28); Dreev 73; Đukić, Ž. **(415)**; Gel'fand, B. **620**; Gurevič, M. 38; Hansen, Cu. **551**; Jansa 337; Jusupov 564; Kamsky **414**; Lautier **361**; Nikolić, P. 440; Nunn **(587)**; Piket, Je. **(633)**; Plachetka 30; Schmittdiel 300; Seirawan **(365)**
SOLOMČENKO [(1)] – Nedobora (58)
SOLOŽENKIN [1] – Savon 347
SOROKIN, M. [4/(3)] – Atalik **538**; Ionov 384; Judasin **47**; Kramnik (387); Magerramov (381); Širov **(74)**; Vyžmanavin 423
SOROKIN, V. [1] – Kibalničenko 457
SPASSKY [2] – Hjartarson **149**, 333
SPASSOV, L. [1] – Alterman, B. 426
SPEELMAN [6/(5)] – Adams **(79)**, 260; Agdestein, S. 410; Bareev 125; Chandler (299), **558**; Ehlvest **(563)**; Kasparov **(616)**; Kengis **552**; Kosten 259; Suėtin **(378)**
STAMENKOVIĆ [1] – Dabetić 256
STANGL [1] – Mihal'čišin, A. **56**
STEINBACHER [1] – Hansen, L. 540
STJAŽKIN [(2)] – Kazakov **(149)**; Todorov, T. **(149)**
ŠTOHL [4/(1)] – Dautov **(5)**; Keitlinghaus **8**; Širov 458; Smagin **478**; van der Sterren 50
STOICA [1] – Kiss, Lau. 542
STRIKOVIĆ [(1)] – Nikčević, N. (118)
STURUA [1] – Gurevich, D. **69**
SUĖTIN [3/(2)] – Adams 174; Bareev 476; Širov **(333)**; Smyslov 354; Speelman (378)
SULIPA [1/(1)] – Renet **88**; Tondivar **(639)**
ŠUMJAKINA [1] – Prudnikova 429
SUMMERMATTER [(1)] – Hansen, L. (19)
SVEŠNIKOV [5/(7)] – Bareev **250**; Čatalbašev (423); Glek **(250)**; Gorjačkin **144**; Murey (383); Panbukčijan **(251)**; Rublevskij (157); Savčenko 408; Savon **(135)**; Ščerbakov, R. **155**; Varavin **(300)**; Zajcev **292**
SZALÁNCZY [(1)] – Apicella **(280)**
SZEKÉLY [(1)] – Glek **(93)**
SZNAPIK, A. [(1)] – Wojtkiewicz (574)
SZPISJAK [1] – Bachler, K. 166

T

TAJMANOV [(1)] – Bruneau **(563)**
TAL [3/(1)] – Čehov **(61)**; Muhametov **329**; Oll 267; Sakaev **93**
THORSTEINS [(1)] – Luther **(19)**
TIMMAN [17/(6)] – Anand (129), 254, **291**; Bareev **42**, 534; Ivančuk 212, **393**, **438**, **(474)**, 553, 652; Kamsky (24), 309, **477**; Karpov, An. 407; Kasparov (292), 475, **570**, **(599)**; Kortchnoi **274**, 547; Short, N. 115, **(340)**
TIMOŠČENKO, GEN. [(2)] – Ragozin (609); Tischbierek (147)
TISCHBIEREK [1/(1)] – Ribli 397; Timoščenko, Gen. **(147)**
TITLIANOV [1] – Sergeev, Ve. 474
TITOV [(5)] – Dobrovolský **(311)**; Holmov **(48)**; Ivanov, S. **(406)**; Maljutin (120); Pančenko, A. G. **(113)**
TIVJAKOV [1/(8)] – Aleksić, N. (204); Dreev (493); Kosten **265**; Kramnik **(259)**; Levitt **(265)**; Mitkov, N. (204); Plachetka **(180)**; Röder, M. (493); Rublevskij **(180)**
TODORČEVIĆ [(1)] – Horváth, Cs. (411)
TODOROV, T. [(1)] – Stjažkin (149)
TODOROVIĆ, G. M. [1/(2)] – Kožul 479; Savčenko (479); Smagin **(346)**
TOLNAI [1/(1)] – Polgár, J. **173**; Polgár, Zsu. (89)
TOMAŠEVIĆ, R. [(1)] – Kondali **(293)**
TONDIVAR [(1)] – Sulipa (639)
TOPALOV [(2)] – Ermenkov (578); Nikolov, S. (225)
TOŠIĆ [(1)] – Loginov (616)
TOUZANE [(2)] – Belov (631); Nikolaev **(76)**
TRINGOV [2] – Georgiev, Kir. 614; Gluzman 220
TSORBATZOGLOU [1] – Nunn **600**
TU HOANG THAI [1] – Sitanggang **70**

TUKMAKOV [4] − Campos Moreno 460; Cifuentes Parada 484; Moskalenko 78; Nijboer 585
TUNIK [2/(2)] − Bažin 605; Černjak 89; Juferov (449); Pugačëv (633)

U

UBILAVA [(1)] − Arencibia, W. (563)
ULYBIN [6/(1)] − Akopjan 106; Bagirov 113; Bologan 124; Harlov 17; Judasin 183; Kostić, V. (287); Makaryčev 244
UNZICKER [(2)] − Geller, E. (332); Piskov (276)

V

VAGANJAN [4/(3)] − Čehov (61); Hjartarson 46; Ibragimov, I. 391; Kuprejčik (248); Minasjan 48; Nenašev 439; Palatnik (30)
VAJSER [2] − Finegold, B. 134; Sokolov, A. 161
VALDÉS, L. [(2)] − Gómez, A. (298); Lebredo (520)
VAN DER STERREN [1/(3)] − Kindermann (84); Razuvaev (478); Smagin (299); Štohl 50
VAN DER WIEL [9/(3)] − Brenninkmeijer 62; Epišin 501; Gel'fand, B. 513; Hübner (417); Kortchnoi (264); Nunn 163; Piket, Je. (353); Romero Holmes 285; Rozentalis 326; Salov, V. 190; Sax 298; van Wely 510
VAN WELY [11/(4)] − Brenninkmeijer 613; Cebalo 608; Cifuentes Parada 372; Cvitan 634; Epišin 645; Gel'fand, B. 646; Kortchnoi 504; Lukács, P. (3); Nikolić, P. 572; Nunn 633; Piket, Je. (388); Reinderman (634); Romero Holmes (61); Seirawan 29; van der Wiel 510
VARAVIN [1/(1)] − Šestoperov 222; Svešnikov (300)
VARGA, ZÁ. [(2)] − Schmidt, A. (211), (211)
VARGA, ZO. [1] − Pétursson 87
VAULIN [(1)] − Makarov, M. (99)
VEERMAN [(1)] − Sakaev (595)
VELIČKA [(1)] − Judasin (310)
VELIKOV [(1)] − Grivas (5)
VELIMIROVIĆ [1] − Kožul 186
VENTURINO [(1)] − Niżyński (442)
VILELA [1/(2)] − Lebredo (520), 543; Ruban (387)
VITOMSKIS [1] − Rubinčik 340
VLAD [(1)] − Itkis (162)
VLADIMIROV, E. [1/(1)] − Illescas Córdoba 23; Serper (396)
VOJSKA [1] − Gaprindašvili 64
VOKÁČ [(1)] − Cejtlin, Mih. (120)
VOLKE [2/(2)] − Belov 631; Judasin 549; Kiselëv (549); Kostić, V. (578)
VOROTNIKOV [1] − Gurevič, V. 142
VOTAVA [1] − Istrăţescu 224
VUJOŠEVIĆ, V. [1] − Popović, P. 330
VYŽMANAVIN [3/(2)] − Aseev (500); Budnikov (101); Čehov 40; Miles 61; Sorokin, M. 423

W

WAGMAN [(1)] − Finegold, B. (305)
WAHLS [3] − Dautov 567; Piskov 580; Skembris 135
WAITZKIN [1] − Ginsburg, M. 25
WANG ZILI [1/(1)] − Čehov 165; Konguvel (185)
WATANABE [(1)] − Estrada (253)
WATSON, W. [3/(4)] − Hebden (343); Ivanov, Alexa. (343); Jansa 207; Kindermann (129); Kuprejčik 185; Littlewood, P. 343; Weindl (228)
WEBSTER [(1)] − Kramnik (595)
WEINDL [(1)] − Watson, W. (228)
WIBE [1] − Nesis 209
WINANTS [1/(2)] − Campos Moreno (18); Finegold, B. (547); Wolff, P. 26
WOJTKIEWICZ [(2)] − Kveinys (481); Sznapik, A. (574)
WOLFF, P. [3/(1)] − Fedorowicz (190); Gurevich, D. 229; Kuijf, M. 160; Winants 26

X

XIE JUN [1/(4)] − Čiburdanidze (321), (346), 349, (350), (440)

Y

YE JIANGCHUAN [1/(1)] − Čehov (157); Ye Rongguang 331
YERMOLINSKY [1/(1)] − Fedorowicz 213; Grünfeld, Y. (197)
YE RONGGUANG [2/(1)] − Barcenilla (330); Donguines 72; Ye Jiangchuan 331
YILMAZ, T. [(1)] − Pančenko, A. N. (226)
YRJÖLÄ [(1)] − Andersson, U. (30)

Z

ZADRIMA [(1)] − Mileto (452)
ZAGREBEL'NYJ [1] − Kiss, P. 517
ZAHARIEV [1] − Rogers, I. 472
ZAID [1] − Smirin 604
ZAJCEV [2/(1)] − Janovskij (272); Krasenkov 156; Svešnikov 292
ZAJČIK [1] − Kveinys 122
ZAPATA, A. [1/(1)] − Nogueiras (353), 624
ZARUBIN [(3)] − Gagarin (106); Golod (639); Guliev (95)
ZEZJUL'KIN [(1)] − Kahiani (477)
ZIJATDINOV [(1)] − Komarov (247)
ZLOTNIK [(1)] − Danailov (46)
ZÜGER [1/(1)] − Costa 401; Klinger (387)
ŽUKOV [(1)] − Puškin (115)

komentatori • комментаторы • commentators • kommentatoren •
commentateurs • comentaristas • commentatori • kommentatorer •
棋譜解説 • المعلقون

ADAMS [6] 37, 167, 174, 260, 264, 296
ADORJÁN; FEHÉR, GY. [3] 421, 450, 465
AGDESTEIN, S. [1] 351
AGREST [1] 526
AKOPJAN [4] 32, 43, 402, 575
AKOPJAN; DEMENT'EV [4] 106, 359, 436, 447
ALTERMAN, B. [2] 211, 453
ALTERMAN, B.; VAJSMAN, A. [3] 205, 426, 442
ANAND [9] 128, 180, 217, 258, 323, 335, 368, 405, 428
ANDERSSON, U. [1] 2
ANDRIANOV [2] 154, 601
ANDRIANOV; TSORBATZOGLOU [1] 600
ARENCIBIA, W. [1] 345
ASEEV [3] 214, 278, 520

BACHLER, K. [2] 166, 316
BAGIROV [2] 113, 471
BARBERO [4] 15, 289, 595, 596
BAREEV [7] 9, 10, 39, 125, 270, 528, 545
BELJAVSKIJ [4] 45, 433, 507, 607
BELLÓN LÓPEZ [2] 59, 400
BELOV [2] 378, 631
BENJAMIN, J. [3] 12, 151, 487
BLATNÝ, P. [1] 294
BLUMENFELD [1] 210
BOLOGAN [3] 127, 184, 578
BORRISS; UHLMANN [1] 188
BRENNINKMEIJER [6] 36, 62, 68, 251, 286, 612
BRODSKIJ, M.; VAJSMAN, A. [1] 237
BYRNE; MEDNIS [1] 187

ČABRILO [2] 53, 71
ČEHOV [2] 165, 427
CEJTLIN, MIH. [3] 105, 117, 133
CHANDLER [5] 129, 158, 245, 302, 308
CHERNIN, A. [2] 456, 531
CHRISTIANSEN [6] 33, 146, 171, 488, 492, 591
ČIBURDANIDZE; KUZ'MIN, G. [1] 349
CIFUENTES PARADA [3] 107, 226, 372
ĆIRIĆ [1] 203
CVETKOVIĆ [2] 369, 401

DAMLJANOVIĆ [4] 7, 18, 31, 197
DAUTOV [7] 82, 118, 319, 321, 496, 567, 573

DOLMATOV [2] 126, 233
DORFMAN [2] 383, 623
DREEV [3] 99, 247, 462
DVOJRIS [1] 162

EHLVEST [4] 299, 375, 376, 468
EHLVEST; VLADIMIROV, E. [5] 81, 121, 179, 445, 563
ELIZART CARDENAS [1] 249
EPIŠIN [15] 266, 420, 422, 446, 473, 486, 502, 503, 565, 617, 638, 640, 641, 644, 648
ERMENKOV [2] 310, 583
ERNST, TH. [1] 328

FINEGOLD, B. [3] 134, 459, 606
FINK, S.; ACHOLONU [1] 498
FISHBEIN [2] 228, 590
FLEAR, G. [3] 332, 386, 536
FOIŞOR, O. [1] 64
FROLOV [1] 594
FTÁČNIK [5] 51, 451, 466, 619, 637

GAGARIN [2] 485, 602
GALDUNC [1] 252
GAVRIKOV [1] 91
GEL'FAND, B.; HUZMAN [6] 108, 148, 424, 626, 646, 651
GEL'FAND, B.; KAPENGUT [9] 3, 24, 54, 389, 398, 441, 571, 587, 615
GEL'FAND, B.; RAJSKIJ [1] 444
GEORGIEV, KIR. [1] 614
GIPSLIS [1] 311
GLEJZEROV [1] 480
GLUZMAN [1] 220
GOL'DIN, A. [1] 20
GOLUBEV [2] 574, 636
GRIVAS [1] 470
GULKO [4] 75, 562, 584, 603
GUREVIČ, M. [14] 38, 95, 246, 273, 357, 364, 392, 399, 411, 425, 546, 556, 622, 635
GUREVIČ, V. [2] 142, 639
GUREVICH, I. [2] 230, 255

HANSEN, L. [2] 19, 540
HARLOV [4] 17, 157, 363, 539

345

HENKIN [1] 143
HJARTARSON [2] 149, 333
HODGSON [2] 67, 112
HORT [1] 21
HÜBNER [2] 100, 202
HUZMAN [1] 647

IBRAGIMOV, I. [5] 374, 379, 391, 448, 550
ILLESCAS CÓRDOBA; ZLOTNIK [5] 136, 152, 178, 360, 416
IVANČUK [4] 262, 393, 438, 553
IVANOV, ALEXA. [2] 138, 327
IVANOV, S. [3] 76, 406, 455

JÁNOSI [1] 566
JANSA [1] 207
JUDASIN [15] 47, 49, 57, 123, 132, 159, 172, 183, 219, 235, 236, 313, 324, 342, 549
JUDASIN; OLL [2] 195, 238
JUSUPOV [1] 491

KAJDANOV [1] 481
KAMSKY [9] 239, 268, 271, 301, 309, 353, 454, 464, 469
KAPETANOVIĆ [2] 371, 519
KARPOV, AN. [17] 44, 130, 139, 272, 288, 303, 341, 365, 407, 418, 437, 449, 493, 500, 505, 509, 512
KASPAROV [15] 22, 181, 215, 221, 242, 243, 297, 362, 475, 570, 599, 609, 611, 616, 642
KEŃGIS [3] 63, 114, 552
KHALIFMAN [6] 348, 394, 494, 497, 559, 643
KIBALNIČENKO; ZINOV [1] 457
KINDERMANN [2] 344, 589
KING [2] 225, 483
KISELËV [1] 413
KISELËV; GAGARIN [4] 150, 523, 548, 582
KODINEC [1] 533
KORTCHNOI [3] 275, 434, 504
KOSTEN [3] 153, 259, 325
KOVALËV [1] 192
KOŽUL [5] 186, 199, 216, 482, 649
KRAMNIK [5] 1, 94, 206, 387, 541
KRASENKOV [3] 312, 355, 419
KRUSZYŃSKI [1] 263
KUCZYŃSKI [1] 350
KUJALA [1] 253
KUPREJČIK [2] 185, 338
KUZ'MIN, A. [3] 83, 597, 632
KVEINYS [1] 122

LAGUNOV [3] 119, 467, 568
LARSEN, B. [1] 60
LAUTIER [7] 66, 358, 396, 404, 463, 530, 561
LËGKIJ [1] 537
LEMPERT [1] 560
LERNER [2] 193, 522
LEVITT [3] 65, 435, 598
LIMA [1] 293

MAGERRAMOV [3] 431, 499, 625
MAKARYČEV [4] 244, 306, 314, 315
MAKSIMENKO [1] 382
MALANJUK [3] 101, 103, 110
MALININ [1] 276
MALJUTIN [1] 92
MARIN [2] 104, 461
MARTIN, A. [1] 554
MATŁAK, M. [1] 569
MATULOVIĆ [1] 322
MEJSTER, JA. [1] 320
MEULDERS [1] 85
MIHAL'ČIŠIN, A. [3] 56, 290, 443
MILES [3] 58, 61, 627
MINERVA [1] 140
MIRKOVIĆ [2] 137, 388
MOKRÝ [1] 120
MORTENSEN, E. [1] 588
MUHAMETOV [2] 329, 412
MURSHED [1] 529
MURUGAN [1] 403

NAUMKIN [4] 109, 283, 356, 380
NENAŠEV [2] 13, 439
NESIS [1] 209
NIJBOER [1] 227
NIKOLIĆ, P. [2] 279, 415
NOGUEIRAS; ESTÉVEZ [3] 5, 304, 624
NUNN [11] 116, 163, 176, 232, 282, 284, 287, 307, 339, 579, 592

OBUHOV [1] 527
OLL [3] 175, 241, 267
OLL; KIIK [1] 240
ORLOV, G. [1] 277

PETRONIĆ [1] 52
PETROSJAN, A. [3] 16, 231, 544
PIKET, JE. [6] 409, 489, 495, 576, 586, 629
PINTÉR, J. [1] 518
PISKOV; GLEK [1] 580
PLACHETKA [1] 516
POLGÁR, J. [4] 170, 173, 191, 628
POLGÁR, ZSU. [5] 90, 366, 377, 452, 511
POLUGAEVSKIJ [6] 4, 352, 381, 490, 515, 555
POLULJAHOV [1] 514
POPOVIĆ, P. [6] 196, 198, 204, 257, 330, 630
PORTISCH, L. [2] 417, 508
PRUDNIKOVA [1] 429

RADULOV, I.; KOSTAKIEV [1] 317
RAIČEVIĆ, V. [4] 11, 86, 168, 281
RAŠKOVSKIJ [2] 74, 223
RECHLIS [1] 201
RIBLI [1] 397
RODRÍGUEZ, AM. [3] 208, 280, 346

ROGERS, I. [5] 14, 84, 111, 189, 472
ROMERO HOLMES [2] 147, 177
ROZENTALIS [1] 326
RUBAN [1] 98

SAKAEV [1] 93
SALOV, V. [8] 27, 35, 96, 102, 141, 164, 367, 370
SEIRAWAN [8] 6, 28, 29, 55, 97, 131, 532, 581
SERGEEV, VE. [2] 474, 610
SERPER [5] 41, 194, 524, 557, 577
SHORT, N. [7] 115, 169, 182, 248, 305, 334, 395
ŠIROV [11] 77, 79, 80, 269, 336, 430, 521, 525, 618,
    621, 650
ŠIROV; ČERNJAEV [1] 145
SKEMBRIS [1] 135
SMAGIN [5] 218, 261, 295, 390, 432
SMIRIN [3] 200, 593, 604
SMYSLOV [2] 318, 354
ŠNEJDER [2] 234, 373
SOKOLOV, A. [1] 161
SOKOLOV, I. [14] 30, 34, 73, 300, 337, 361, 385, 414,
    440, 506, 535, 551, 564, 620
SOLOŽENKIN; ŠEVELEV [1] 347
SOROKIN, M. [2] 384, 538
SPEELMAN [2] 410, 558
STAMENKOVIĆ [1] 256
ŠTOHL [4] 8, 50, 458, 478
STOICA [1] 542
STOICA; ISTRĂŢESCU [1] 224
STURUA [1] 69
SUĖTIN [1] 476

SULIPA [1] 88
SVEŠNIKOV [4] 144, 155, 250, 408

TIMMAN [9] 42, 212, 254, 274, 291, 477, 534, 547,
    652
TIVJAKOV [1] 265
TODOROVIĆ, G. M. [1] 479
TU HOANG THAI [1] 70
TUKMAKOV [4] 78, 460, 484, 585
TUNIK [2] 89, 605

ULYBIN [1] 124

VAGANJAN [2] 46, 48
VAN DER WIEL [6] 190, 285, 298, 501, 510, 513
VAN WELY [6] 572, 608, 613, 633, 634, 645
VARAVIN [1] 222
VARGA, ZO. [1] 87
VILELA; LEBREDO [1] 543
VITOLIŃŠ; VITOMSKIS [1] 340
VLADIMIROV, E. [1] 23
VYŽMANAVIN; ARHANGEL'SKIJ, B. [2] 40, 423

WAITZKIN [1] 25
WATSON, W. [1] 343
WOLFF, P. [3] 26, 160, 229

YERMOLINSKY [1] 213
YE RONGGUANG [2] 72, 331

ZAGREBEL'NYJ [1] 517
ZAJCEV [2] 156, 292

kombinacije • комбинации • combinations • kombinationen • combinaisons • combinaciones • combinazioni • kombinationer • 手筋 • التضحيـــات

I Kombinacije sa matnim napadom
Комбинации на мат
Combinations with mating attack
Mattkombinationen
Combinaisons avec attaque de mat
Combinaciones con ataque mate
Combinazioni con attacco di matto
Mattkombinationer
攻撃の手筋
خطة لامـاتـة الشاه

II Kombinacije za postizanje remija
Комбинации на ничью
Combinations to reach the draw
Remiskombinationen
Combinaisons pour faire nulle
Combinaciones para la obtencion de tablas
Combinazioni di patta
Remikombinationer
引分の手筋
خطة التـوصل الى تعـادل

III Kombinacije za postizanje materijalnog preimućstva
Комбинации для достижения материального перевеса
Combinations leading to material advantage
Kombinationen zwecks Materialgewinn
Combinaisons pour obtenir avantage matériel
Combinaciones para la obtencion de ventaja material
Combinazioni con guadagno materiale
Kombinationer som leder fill materiel fördel
駒得の手筋
خطة تحقيق أفضلـية مـادية

IV Sve ostale kombinacije
Все остальные комбинации
All the other combinations
Weitere Kombinationstypen
Autres combinaisons
Todas las demas combinaciones
Altre combinazioni
Alla övriga kombinationer
その他の手筋
سائر الخطط الاخرى

1. ANTONSEN 2325 −
BOSBOOM 2460
Oostende 1991

I

1... ?   −+

2. SRIDHAR 2255 −
PRASAD 2420
Palani 1991

I

1... ?   −+

3. POLULJAHOV 2380
− TUNIK 2470
SSSR 1991

I

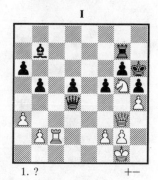

1. ?   +−

4. PLACHETKA 2470
− PLANK 2230
Hartberg 1991

I

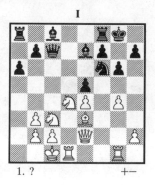

1. ?   +−

5. A. MIHAL'ČIŠIN 2530
− KOVALENKO
SSSR 1992

I

1. ?   +−

6. N. MITKOV 2490 −
SUMMERMATTER
2350
Chiasso 1991

I

1. ?   +−

7. S. ŠČERBAKOV −
JAWOROWSKIJ
Ukraina 1991

I

1... ?   −+

8. K. BACHLER −
A. MARQUEZ
USA 1991

I

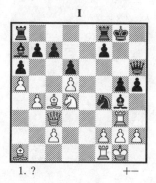

1. ?   +−

9. GUSEJNOV 2375 −
GULIEV 2375
Baku 1991

I

1... ?   −+

349

10. E. MEYER 2465 – GELMAN
USA 1991

I

1. ? +–

11. G. ORLOV 2500 – P. WOLFF 2545
USA 1991

II

1... ? =

12. GOL'CMAN – NOVIK 2405
Sankt Peterburg 1992

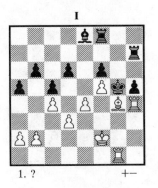

III

1... ? –+

13. ZÜGER 2430 – LANDENBERGUE 2415
Schweiz (ch) 1991

III

1. ? +–

14. FLOREAN – ORAL 2255
Mamaia 1991

III

1... ? –+

15. SAVČENKO 2485 – ALEKSEJ IVANOV 2380
Wien (open) 1991

III

1. ? +–

16. R. A. SANTOS 2280 – NAME
Brasil 1991

III

1. ? +–

17. O. DANIEL'AN 2315 – BORISOV 2305
Brno (open) 1991

III

1. ? +–

18. SHERZER 2460 – COLLIER
USA 1991

III

1. ? +–

19. SERPER 2490 –
DJURHUUS 2410
Gausdal 1991

III

1. ?   +–

20. PALATNIK 2470 –
PRASAD 2420
Calcutta 1991

III

1. ?   +–

21. M. BRODSKIJ 2415
– SAVON 2460
SSSR 1991

III

1. ?   +–

22. LIMA 2440 –
DA COSTA JÚNIOR
Brasil 1991

III

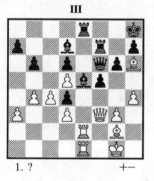

1. ?   +–

23. A. KUZ'MIN 2520 –
SAKAEV 2495
SSSR (ch) 1991

III

1. ?   +–

24. ARSENOVIĆ –
UGRINOVIĆ 2380
Jugoslavija 1991

IV

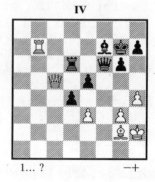

1... ?   –+

25. ROZENTALIS 2575 –
ULYBIN 2565
Gdynia 1991

IV

1. ?   +–

26. LACO 2265 –
LANZANI 2335
Imperia 1991

IV

1. ?   +–

27. G. M. TODOROVIĆ
2435 – KOMAROV
2460
Biel (open) 1991

IV

1. ?   +–

351

1. ANTONSEN − BOSBOOM

1... ♗f3!! [1... ♘e1? 2. ♗f7 h5 3. ♗g8+−; 1... ♗e5!? 2. ♕a8! (2. ♗f7? ♕f7! 3. ♖e5 ♕g7−+) ♗d6∞] 2. ♖f1 [2. gf3? ♕h3−+; 2. ♖e3 ♗g2! 3. ♔g2 ♕g4 4. ♔f1 (4. ♖g3 ♕e2 5. ♔h3 ♘f4−+) ♕f4 5. ♔e2 ♘c1! 6. ♔d1 ♕d4−+] ♗g2! 3. ♔g2□ ♘e1!! [3... ♕g4?? 4. ♔h1+−; 3... ♕c6? 4. ♔h3 ♕d7 5. ♘f5!? (5. ♔g2=) gf5∞] 4. ♔f2 [4. ♖e1 ♕g4 5. ♔f2□ ♗d4 6. ♖e3 ♕f4 7. ♔g2 ♕e3! (7... ♗e3? 8. ♕b7! c2!=) a) 8. ♘f7 ♕f2 9. ♔h3 ♕f1 10. ♔g4 (10. ♔g3 ♗f2−+) h5 11. ♔h4 ♗f6 12. ♔g3 (12. ♘g5 ♗g5−+) h4 13. ♔g4 ♕f5#; b) 8. ♕b7 ♕e2 9. ♔h3 ♕h5 10. ♔g3 (10. ♔g2 ♕g4−+) ♗e5 11. ♔f2 ♕h2 12. ♔f1 (12. ♔g2 ♕g2 13. ♔g2 ♗d6−+; 12. ♔f3 ♕f4 13. ♔g2 ♕d2−+ − 12. ♔f1) ♕f4 13. ♔e2 ♕d2 14. ♔f3 ♕d3 15. ♔f2 (15. ♔g2 ♕e2 16. ♔g1 ♗d4 17. ♔h1 ♕f1 18. ♔h2 ♗e5#) ♗d4 16. ♔g2 ♕e2 17. ♔h3 ♕f1! 18. ♔g2 ♕d3 19. ♕g3 (19. ♔h2 ♗e5 20. ♔g1 ♕b1−+) ♕g3! 20. ♔g3 ♗e5−+] ♕h3! 5. ♘c4 [5. ♖e1 ♗d4−+; 5. ♘e4 ♗d4 6. ♔e1 ♕e3 7. ♔d1 ♕d3!−+] ♕g2! [6. ♔e3 ♕f1−+; 6. ♔e1 c2! 7. ♗c2 ♗c3 8. ♔d1 ♕f1#]   0 : 1   [Bosboom]

2. SRIDHAR − PRASAD

1... ♘f5!! 2. g3 [2. ♗b7?? ♘g3#; 2. ♗f5 ♕h4 3. h3 (3. ♗h3 ♕h3) ♕h3! 4. ♗h3 ♖h3#] ♕a8! 3. ♗b7□ [3. ♗g2 ♘g3#] ♕b7 4. ♖g2□ [4. ♕g2 ♘g3#] ♘e3 [5. ♕d2 ♖h2! 6. ♔h2 ♘f1−+; 5. ♕f2 ♖h2! 6. ♔h2 ♘g4−+; 5. ♕e2 ♕g2 6. ♕g2 ♘g2 7. ♔g2 ♖c6−+]   0 : 1   [Prasad]

3. POLULJAHOV − TUNIK

1. ♘e6!! [1. ♖c7? f4; 1. ♕b8?! ♖e7!] ♕d1 [1... ♕e4 2. ♘g7 ♕c2 3. ♘e6!+−] 2. ♔h2 ♕c2 3. ♘f8!! [3. ♕g5? ♔h7 4. ♕f6 ♖c7!] ♕c7 [3... ♖g8 4. ♕g5 ♔g7 5. ♕e7+−; 3... ♕c1 4. f4+−; 3... g5 4. ♕d6+−] 4. f4 ♖g8 [4... ♕e7 5. ♕g5!+−] 5. ♕g5−♔g7 6. ♘e6 ♔f7 7. ♘c7 ♖c8 8. ♕h6   1 : 0
[Poluljahov]

4. PLACHETKA − PLANK

1. ♘f5! gf5 [1... ♗c5 2. ♘d5+−] 2. gf5 ♔h8 3. ♘d5!! [3. ♗h6 ♖g8 4. ♘d5 ♕d6!∞] ♘d5 [3... ♕d6 4. ♘e7! (4. ♘b6+−) ♕e7 5. ♗h6+−] 4. ♗h6! ♗f6 5. ♕g2 ♘f4□ 6. ♗g7 ♔g8 7. ♗f6 ♘g6 8. ♕g5 ♕b6 9. ♗e5! f6 10. ♕h6 fe5 11. fg6   1 : 0   [Plachetka]

5. A. MIHAL'ČIŠIN − KOVALENKO

1. ♘g7! ♔g7 2. ♗d4 ♔g8 [2... f6 3. gf6 ♗f6 4. ♖hg1+−] 3. g6! fg6 4. ♕e6   1 : 0   [A. Mihal'čišin]

6. N. MITKOV − SUMMERMATTER

1. ♗h6! gh6 2. ♕h6! ♗h6 3. ♖g7 ♔h8 4. ♖h6#   1 : 0

7. S. ŠČERBAKOV − JAWOROWSKIJ

1... ♕c2! 2. ♔c2 ♘d3!! [3. ♔d2 ♘d5! 4. ♖c1 ♖b2 5. ♖c2 ♖c2 6. ♔c2 ♖b8 7. ♕e2 ♖b2 8. ♔d1 ♘e3#; 3. ♘e2 ♖b2 4. ♔d1 ♖b1 5. ♔d2 ♖b2 6. ♔e3 (6. ♔d1 ♘d5−+) ♖e4 7. ♕e4 ♖e2 8. ♔d4 ♖e4#; 3. ♖f3 ♘d5 4. ed5 ♖b2 5. ♔d1 ♖b1 6. ♔d2 ♖b2−+]   0 : 1   [Jaworowskij]

8. K. BACHLER − A. MARQUEZ

1. ♘f5! ♗f5 2. ♖g5! ♗g6 3. ♕f6 ♘g2 [3... ♖ae8 4. ♕f4 ♖e4 5. ♕f6 ♖c4 6. ♖h5+−] 4. ♖h5! ♗f2 5. ♕h1 [5... ♗e4 (△ ♘f4#) 6. ♕h8!+−]   1 : 0   [K. Bachler]

9. GUSEJNOV − GULIEV

1... ♘f4! 2. ef4 [2. ♖c7 ♘e2 3. ♔f1 ♕h2 4. ♖bb7 ♘c1!−+] ♕h3! 3. gh3 [3. ♔f1 ♕f4 4. gh3 ♕e4!−+; 3. ♔h1 ♘f2 4. ♔g1 ♘h3 5. ♔h1 g3!−+] gh3 4. ♔h1 [4. ♔f1 ♖cg7 5. ♔e1 ♕f4−+] ♕f4 [4... ♕g6? 5. ♗f3!] 5. f3 ♕g5   0 : 1   [Guliev]

10. E. MEYER − GELMAN

1. ♗f3!! [1. ♖hh1? ♔f4∞; 1. ♗h5? ♔h4 2. ♗e8 ♖hh8∞] ♔h6 [1... ♔h4 2. ♔e3! △

♔f4, ♖h1#] **2. ♗h5!** [2... ♗h5 3. ♖g6#]
1 : 0 **[Sherzer]**

11. G. ORLOV – P. WOLFF

1... ♕a3!⊕ 2. fe5 [2. ♕b8? ♗b8 3. ♖e8 ♕e3 4. ♔h1 (4. ♔f1 ♗a7–+) ♗d6–+] **♖bd8! 3. ed8♕** [3. ♖d8 ♖e7] **♖d8 4. ♖d8 ♕c1 5. ♔f2 ♕f4 6. ♔e2** [6. ♔e1 ♕h4=] **♕g4!!= 7. ♔f1** [7. ♔e3 ♕g5; 7. ♔d2 ♕g5; 7. ♔e1 ♕h4; 7. ♔f2 ♕h4; 7. ♔d3 ♕d1] **♕c4! 8. ♔g1 ♕c1 9. ♔f2 ♕f4 10. ♔e2 ♕g4 1/2 : 1/2** **[P. Wolff]**

12. GOL'CMAN – NOVIK

1... ♘d5! 2. ed5 ♕h4 3. ♖fd1□ ♗h6!! 4. f4□ [4. ♕d2 ♕h2 5. ♔f1 ♕h1 6. ♗g1 ♗d2–+] **ef4! 5. ♘e1** [5. ♘f4 ♘e5 6. ♖d4 ♖f6–+ △ 7. ♕d2 ♗f4 8. ♖f4 ♖f4 9. ♗f4 ♕h2 10. ♔f1 ♕h1#] **♕h2! 6. ♔f1 ♘e5 7. ♘f3 fe3!! 8. ♔e1** [8. ♘h2 gh2–+] **♕g2**
0 : 1 **[Novik]**

13. ZÜGER – LANDENBERGUE

1. ♕g3?? [1. ♖g7!! ♗g7 (1... ♔h8 2. ♖g5 ♔h7 3. ♕e7+–) 2. ♕g7!! ♔g7 3. ♗f8 ♔f8 4. ♘h3 (△ ♘f3+–) ♘h3 5. ♘f3 ♕g2 6. ♔g2 ♘f4 7. ♔g3 (7. ♔f1+–) ♘e2 8. ♔f2 ♘c1 9. ♘e5!+–] **♕h1# 0 : 1** **[Züger]**

14. FLOREAN – ORAL

1... ♗h3! 2. ♗g5! ♖e8!! 3. gh3 [3. ♘d5! ♕f7 4. ♘e7 ♖e7 5. ♗e7 ♗g4 6. ♖e1 ♗d4 7. ♔h2 g5! 8. ♗g5 ♕h5 9. ♔g3 ♕g5 10. ♖e8 ♔g7–+] **♕g3 4. ♕g2 ♗d4 5. ♔h1 ♖e1 6. ♖e1 ♕e1 0 : 1** **[Oral]**

15. SAVČENKO – ALEKSEJ IVANOV

1. ♖f7! ♘f7 [1... ♔f7 2. ♖g7 ♔e8 (2... ♔f6 3. ♘h5#; 2... ♔f8 3. ♘e6 ♔e8 4. ♖e7#) 3. ♖e7 ♔d8 4. ♘e6 ♔c8 5. ♖c7#] **2. ♘e6 ♔e8 3. ♗b5 ♖b5 4. ♘c7 ♔d7 5. ♘b5 ♖b8 6. a4 ♔c6 7. ♖c3 1 : 0** **[Savčenko]**

16. R. A. SANTOS – NAME

1. ♖d7! ♕d7 2. ♘h7!! [2. ♘f6±] **♔h7** [2... ♗e4 3. ♗e4 ♔h7 4. ♕h4 ♔g8 5. ♗g6+–] **3. ♕h4 ♔g8** [3... ♘h5 4. ♘f6 △ ♕h5+–] **4. ♕h6!!** [△ ♘g5] **♗d8⊕** [4... e5 5. fe5 fe5 6. ♗e5 ♗d8 7. ♘g5! ♗g5 8. ♕g6!+–; 4... ♗e4 5. ♗e4 ♗f8 (5... ♘f5 6. ♕g6 ♔f8 7. g4 ♘g7 8. ♕h7 △ ♗g6+–) 6. ♗f6 ♘f5 (6... ♕f7 7. ♗g6+–) 7. ♕h8 ♔f7 8. ♕h7! ♗g7 (8... ♘g7 9. ♗g5+–) 9. ♗f5! ♔f6 (9... ef5 10. ♕g7 ♔e6 11. ♖e1 ♔d6 12. ♖d1+–) 10. ♕g6 ♔e7 11. ♕g7 ♔d8 12. ♕g5!+–] **5. ♘f6 ♗f6 6. ♗f6 ♕f7?** [6... ♖f8 7. ♗g6 ♖f6 8. ♕h7 ♔f8 9. ♕h8+–; 6... ♘f5!? 7. ♕g6 ♔f8 8. ♗c3!! *a)* 8... a5 9. ♗f5 ef5 10. ♕f6 ♔g8 11. ♕h8 ♔f7 12. ♕g7 ♔e6 13. ♕f6#; *b)* 8... ♗g2 9. ♕g2 ♘e3 10. ♗b4+–; *c)* 8... ♖e7 9. ♗f5 ef5 10. ♕h6 ♔e8 11. ♕h8 ♔f7 12. ♕g7 ♔e6 13. ♕f6#; *d)* 8... ♘e3 9. ♗b4! ♖e7 10. ♕f6 ♔g8 (10... ♔e8 11. ♕h8 ♔f7 12. ♕h7! ♔f8 13. ♗g6+–) 11. ♗e7 △ ♕g6, ♗f6; *e)* 8... ♕f7 9. ♗f5+–; *f)* 8... ♕b7 9. ♗f5 ♗g2 (9... ef5 10. ♕f6 ♔g8 11. ♕h8 ♔f7 12. ♕g7 ♔e6 13. ♖e1+–) 10. ♔g1 ef5 (10... ♗f1 11. ♗b4 ♖e7 12. ♗e4+–) 11. ♗b4 ♖e7 12. ♗e7+–] **7. ♗e5 ♕f8 8. ♗g6 1 : 0** **[R. A. Santos]**

17. O. DANIEL'AN – BORISOV

1. ♗c6! bc6 2. ♘c6 ♕f8 [2... ♕e6 3. ♖d8 ♘e8 4. ♘d4!+–] **3. ♖d8 ♘e8 4. ♕c5!!** [4... ♗b7 5. ♘e7 ♔h8 6. ♘g6!+–; 4... h6 5. ♘e7 ♔h7 6. ♕c2+– ×♗c8; 4... g6 5. ♘e7 ♔g7 6. ♕c3+– ×♗c8; 4... f6! 5. ♕d5 ♔h8 6. ♘e5! ♖a7 7. ♕c5!! ♖e7 8. ♘c6+–]
1 : 0 **[O. Daniel'an]**

18. SHERZER – COLLIER

1. ♘b5!! [1. fg6? fg6 2. ♗e6 ♔h8 3. ♘d5?? ♗g5–+] **♗b5 2. fg6 fg6** [2... hg6 3. ♖f6! ♕c2 4. ♖g6! fg6 5. ♗e6 ♖f7 6. ♗f7 ♔f7 7. ♕h7 ♔f8 8. ♖f3+–] **3. ♗e6 ♖f7** [3... ♔h8 4. ♕h7! ♔h7 5. ♖h3 ♔g7 6. ♗h6 ♔h7 7. ♗f8+–] **4. ♗f7 ♔f7 5. ♕h7 ♔e6 6. ♖f6**
1 : 0 **[Sherzer]**

19. SERPER – DJURHUUS

1. ♖f6! [1. ♘d1? (△ 1... ♘d7?? 2. e5+–) ♔e7∓; 1. ♗f6?! ♗f6 2. ♖f6 bc3 3. bc3 ♔e7=∞] **♔c7□** [1... ♔e8? 2. ♖d6 f6 3. ♗f6

♗f6 4. ♖f6 bc3 5. bc3+−; 1... h6? 2. ♖f7 hg5 3. ♖g7 bc3 4. bc3+− **2. ♘d1!** [2. ♖ff1? bc3 3. bc3 ♗e6∞] **h6 3. ♗h4 g5 4. ♘h5! ♗f6 5. ♗g3!!+− ♖a5 6. ♘f6 ♔b7 7. ♗e1 c5 8. ♘e3 ♗e6 9. ♗g3 ♘c6 10. ♘c4+−** [Serper]

20. PALATNIK − PRASAD

1. ♖f6! ♖f6 [1... ♖dd7 2. ♕g5 ♕e4 3. ♘e5+−] **2. ♖f6 ♕e4** [2... ♔f6 3. ♕d6 ♔g7 (3... ♔f7 4. ♘e5+−) *a)* 4. ♕e7? ♘f7 5. ♘d6 (5. ♘e5 ♕e4 6. ♕f7 ♔h6∞) ♖d7 6. ♕d7 ♕f8 7. ♘e8 ♔h6 8. ♘f6 ♘g5!∞; *b)* 4. ♕e5! ♔g8 5. ♕e6 ♔g7 6. ♕e7 ♘f7 (6... ♔g8 7. ♘e5 ♖f8 8. ♕e6 ♘f7 9. ♕g6+−) 7. ♘d6 ♖f8 8. ♘f7 ♖f7 9. d8♕+−] **3. ♕g5 ♖d7** [3... ♘f7 4. ♖f7 ♔f7 5. ♘d6+−] **4. ♘e5+−** [×g6] **1 : 0** [Palatnik]

21. M. BRODSKIJ − SAVON

1. ♗a6! ♕a5 [1... ba6 2. ♖b3 ♗a8 3. ♘b6 ♔a7 4. ♘c6 ♕c6 (4... ♗c6 5. ♘d5+−) 5. ♘c8+−] **2. ♖c6!** [2... ♗c6 3. ♘c6 bc6 4. ♕b3+−; 2... ♕a4 3. ♘b5 ♗c6 4. ♕a7 ♔c8 5. ♗b7 ♗b7 6. ♕a4+−; 2... ba6 3. ♘b6+−] **1 : 0**

[M. Brodskij, A. Vajsman]

22. LIMA − DA COSTA JÚNIOR

1. c5!!+− [△ c6] **dc5 2. bc5 bc5 3. d6!!** [3. ♗f4 ♖fe7 4. ♗g5 ♕d6 5. ♗e7 ♖e7⊞⊡] **♕d6 4. ♕d5 ♖fe7⊡ 5. ♗g5 ♗e6⊡ 6. ♖e5!! ♕d5 7. ♗d5!** [7... ♖e5 8. ♗f6#] **1 : 0**
[da Costa Júnior]

23. A. KUZ'MIN − SAKAEV

1. e4! g5 [1... ♘e4 2. ♗e4 de4 3. ♘c4+−; 1... d4 2. ♘c4 ♕a6 (2... ♕b4 3. ♗c7 dc3 4. ♕b4 cb4 5. ♗d8+−) 3. ♗c7 dc3 4. ♕a6 ♗a6 (4... ♖d2 5. ♕b7 ♖d1 6. ♗f1+−) 5. ♗d8 cd2 6. ♗e7 ♗c4 7. ♖d2+−] **2. ♗g5 d4 3. ♘e2 ♕e6 4. ♗f6 ♕f6 5. ♘c4+−**
[A. Kuz'min, Sakaev]

24. ARSENOVIĆ − UGRINOVIĆ

1... d3! [1... ♕e6? 2. ed4 ed4 3. ♖b4 ♕f6 (3... d3 4. ♖d4=) 4. ♖b7 △ ♗d5] **2. ♗d5 d2 3. ♗f7** [3. ♖f7 ♕f7 4. ♕d6 (4. ♗f7 d1♕ △ ♖d2) d1♕ 5. ♕e5 ♕f6−+] **♕f2 4. ♔h3 ♕f1** [4... d1♕? 5. ♕e5 (5. ♗b3? ♔h6 6. ♗d1 ♕f1 7. ♔h2 ♖d2−+) ♕f6 6. ♗b3 ♖d7 7. ♕f6 ♔f6 8. ♗d1 ♖b7 9. ♔g4=] **5. ♔h2 ♕h1! 6. ♔h1 d1♕ 7. ♔h2 ♖d2 8. ♔h3 ♕f1   0 : 1** [Ugrinović]

25. ROZENTALIS − ULYBIN

1. ♖f6! gf6 2. ♘f5 ♖e6 [2... ♖c8 3. ♕d3 ♗c6 4. e4! ♕f4 5. ♕f3 ♕f3 6. gf3 △ ♔e3, ♖g2+− ⇔g, ∥a3-f8, ×f6] **3. ♖d2 ♕b8⊡ 4. ♕d1!** [△ ♕g4 ×♗d7] **1 : 0**
[Rozentalis]

26. LACO − LANZANI

1. ♖h6! ♔h6 2. ♖h1 ♔g5 [2... ♔g7 3. ♖h7 ♔g8 4. ♕g1+−→] **3. ♖h7 ed4** [3... ♖h8 4. ♕g1 ♔f6 5. ♕f2 ♗f5 6. ♕h4 g5 7. ♕h6 ♗g6 8. ♕g7 ♘e6 9. d5 cd5 10. cd5#] **4. ♕h1! ♔f6 5. ed4 ♗f5 6. ef5** **1 : 0**
[Laco]

27. G. M. TODOROVIĆ − KOMAROV

1. g7 ♕h4 2. ♔g1 [2. ♖h3 ♕f6∞] **♗c5 3. ♕f2!!** [3. ♖f2? ♕f6] **♕f2** [3... ♗f2 4. ♖f2 ♕f6 (4... ♖f8 5. ♗g6+−; 4... ♖g8 5. f7+−) 5. ♖f6 ♖g8 6. ♗g6 ♔e7⊡ 7. ♖f7 ♔d6 8. ♗h7 ♖aa8 9. ♗g8 ♖g8 10. ♖b4+−] **4. ♖f2 ♖f8 5. f7 ♖f7 6. g8♕ ♖f8 7. ♗g6 ♔d8 8. ♕f8 ♗f8 9. ♖f8 ♔e7 10. ♖f7 ♔d6 11. ♖b4   1 : 0** [G. M. Todorović]

registar • индекс • *index* • *register* • *registre* • *registro* •
registro • *register* • 棋譜索引 • الفهرس

ANTONSEN — Bosboom **1**
ARSENOVIĆ — Ugrinović **24**
BACHLER, K. — Marquez, A. **8**
BORISOV — Daniel'an, O. 17
BOSBOOM — Antonsen 1
BRODSKIJ, M. — Savon **21**
COLLIER — Sherzer 18
DA COSTA JÚNIOR — Lima 22
DANIEL'AN, O. — Borisov **17**
DJURHUUS — Serper 19
FLOREAN — Oral **14**
GELMAN — Meyer, E. 10
GOL'CMAN — Novik **12**
GULIEV — Gusejnov 9
GUSEJNOV — Guliev **9**
IVANOV, ALEKSEJ — Savčenko 15
JAWOROWSKIJ — Ščerbakov, S. **7**
KOMAROV — Todorović, G. M. 27
KOVALENKO — Mihal'čišin, A. **5**
KUZ'MIN, A. — Sakaev **23**
LACO — Lanzani **26**
LANDENBERGUE — Züger 13
LANZANI — Laco 26
LIMA — da Costa Júnior **22**
MARQUEZ, A. — Bachler, K. 8
MEYER, E. — Gelman **10**
MIHAL'ČIŠIN, A. — Kovalenko 5

MITKOV, N. — Summermatter **6**
NAME — Santos, R. A. 16
NOVIK — Gol'cman 12
ORAL — Florean 14
ORLOV, G. — Wolff, P. **11**
PALATNIK — Prasad **20**
PLACHETKA — Plank **4**
PLANK — Plachetka 4
POLULJAHOV — Tunik **3**
PRASAD — Palatnik 20; Sridhar 2
ROZENTALIS — Ulybin **25**
SAKAEV — Kuz'min, A. 23
SANTOS, R. A. — Name **16**
SAVČENKO — Ivanov, Aleksej **15**
SAVON — Brodskij, M. 21
ŠČERBAKOV, S. — Jaworowskij **7**
SERPER — Djurhuus **19**
SHERZER — Collier **18**
SRIDHAR — Prasad **2**
SUMMERMATTER — Mitkov, N. 6
TODOROVIĆ, G. M. — Komarov **27**
TUNIK — Poluljahov 3
UGRINOVIĆ — Arsenović 24
ULYBIN — Rozentalis 25
WOLFF, P. — Orlov, G. 11
ZÜGER — Landenbergue **13**

komentatori • *комментаторы* • *commentators* • *kommentatoren* •
commentateurs • *comentaristas* • *commentatori* • *kommentatorer* •
棋譜解説 • المعلقون

BACHLER, K. 8
BOSBOOM 1
BRODSKIJ, M.; VAJSMAN, A. 21
DA COSTA JÚNIOR 22
DANIEL'AN, O. 17
GULIEV 9
JAWOROWSKIJ 7
KUZ'MIN, A.; SAKAEV 23
LACO 26
MIHAL'ČIŠIN, A. 5
NOVIK 12
ORAL 14
PALATNIK 20

PLACHETKA 4
POLULJAHOV 3
PRASAD 2
ROZENTALIS 25
SANTOS, R. A. 16
SAVČENKO 15
SERPER 19
SHERZER 10, 18
TODOROVIĆ, G. M. 27
UGRINOVIĆ 24
WOLFF, P. 11
ZÜGER 13

završnice • окончания • endings • endspiele • finales • finales • finali • slutspel • 收 局 • المرحلة النهائية

klasifikacija • классификация • classification • klassifizierung • classification • clasificación • classificazione • klassifikation • 大分類 • التصنيف

♙	
♙**0**	1, 2, 3 ‖ ♙ : ♔ 1♙ : 1♙ 2 ∞ ♙ : 2♙
♙**1**	‖ 2♙ : 2♙
♙**2**	3♙ : 3♙
♙**3**	4♙ : 4♙ 5♙ : 5♙ 6♙ : 6♙ 7♙ : 7♙ 8♙ : 8♙
♙**4**	2♙ : 1♙
♙**5**	3♙ : 2♙
♙**6**	4♙ : 3♙
♙**7**	5♙ : 4♙
♙**8**	6♙ : 5♙ 7♙ : 6♙ 8♙ : 7♙
♙**9**	‖ ♙

♖	
♖**0**	♖ : ♔ ♖ : ♙
♖**1**	♖ : ♘
♖**2**	♖ : ♗
♖**3**	♖ (┘♙) : ♖ (┘♙) ♖ + 1♙ : ♖ (┘♙)
♖**4**	♖ + 2, 3, 4, ‖ ♙ : ♖ (┘♙)
♖**5**	♖ + 2♙ : ♖ + 1♙
♖**6**	‖ ♖ : ♖└ >
♖**7**	♖ (└♙) : ♖ (└♙) ┘>
♖**8**	♖ : ♘♘ / ♘♗ / ♗♗ ♖ : ♘♘♘ / ♘♘♗ / ♘♗♗ / ♗♗♗ ♖♘ / ♖♗ : ♙ ♖♘ / ♖♗ : ♘ / ♗ ♖♘ / ♖♗ : ♖
♖**9**	‖ ♖

♕

♕ **0**	♕ : ♔ ♕ : ♙
♕ **1**	♕ : ♘ ♕ : ♗
♕ **2**	♕ : ♖
♕ **3**	♕ (┘♙) : ♕ (┘♙) ♕ (└♙) : ♕ (┘♙)
♕ **4**	♕ (└♙) : ♕ (└♙)
♕ **5**	♕ : ♘♘ / ♘♗ / ♗♗ ♕ : ♖♘ / ♖♗
♕ **6**	♕ : ♖♖ ♕ : ♘♘♘ / ♘♘♗ / ♘♗♗ / ♗♗♗ ♕ : ♖♘♘ / ♖♘♗ / ♖♗♗ ♕ : ♖♖♘ / ♖♖♗ ♕ : ♖♖♖
♕ **7**	♕♘ / ♕♗ : ♙ ♕♘ / ♕♗ : ♘ / ♗ ♕♘ / ♕♗ : ♖ ♕♘ / ♕♗ : ♕
♕ **8**	♕♘ / ♕♗ : ♘♘ / ♘♗ / ♗♗ ♕♘ / ♕♗ : ♖♘ / ♖♗ ♕♘ / ♕♗ : ♖♖ ♕♘ / ♕♗ : ♕♘ / ♕♗
♕ **9**	‖ ♕

1. E. PANDAVOS 2345 −
   DELITHANASIS 2210
   Greece 1991

   ♖ 1/g

   1. ?   =

2. B. LARSEN 2525 −
   SPANGENBERG 2285
   Buenos Aires 1991

   ♖ 4/d

   1... ?   =

3. MAGERRAMOV 2560
   − ZAHAROV 2380
   Smolensk 1991

   ♖ 6/e

   1. ?   +−

4. ERMENI 2240 −
   CVETKOVIĆ 2465
   Skopje (open) 1991

   ♖ 6/e

   1. ?   =

5. D. RAJKOVIĆ 2475 −
   DAMLJANOVIĆ 2585
   Jugoslavija 1991

   ♖ 8/g6

   1. ?   =

6. VL. SERGEEV 2335
   − ILINČIĆ 2490
   Banja Vrućica 1991

   ♖ 9/i

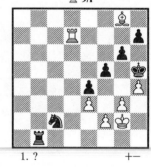

   1. ?   +−

7. HOLMOV 2495 −
   G. GEORGADZE 2515
   Batumi 1991

   ♖ 9/i

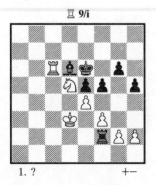

   1. ?   +−

8. NUNN 2610 −
   BRESTIAN 2475
   Wien 1991

   ♖ 9/i

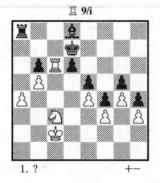

   1. ?   +−

9. KORŽ −
   KAPETANOVIĆ 2440
   corr. 1986/91

   ♖ 9/j

   1... ?   −+

10. BUDNIKOV 2525 —
NOVIK 2405
SSSR (ch) 1991

♖ 9/j

1... ?   =

11. G. FLEAR 2515 —
TOZER 2340
Hastings II 1991/92

♖ 9/k

1... ?   =

12. DREEV 2610 —
B. ALTERMAN 2495
Berlin 1991

♖ 9/o

1... ?   −+

13. TITOVA-BORIĆ 2235
— STOJNEV 2230
Tuzla 1991

♖ 9/q

1. ?   =

14. M. PAVLOVIĆ 2440
— A. MIHAL'ČIŠIN
2520
Jugoslavija 1991

♖ 9/r

1. ?   =

15. KÁROLY HONFI
2350 — KALLINGER
corr. 1989/91

♕ 6/b

1. ?   =

16. ROZENTALIS 2575
— KLAUSER 2370
Chiasso 1991

♘♗

1. ?   +−

17. MAKSIMENKO 2430
— BAJKOV 2355
SSSR 1991

♘♗

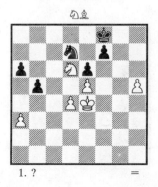

1. ?   =

18. ESTÉVEZ 2350 — J. J.
HERNÁNDEZ 2280
Cuba 1991

♘♗

1. ?   +−

19. SAKAEV 2495 −
SUNYE NETO 2485
São Paulo 1991

1... ?   −+

20. QIN KANYING 2270
− AMURA 2385
Subotica (izt) 1991

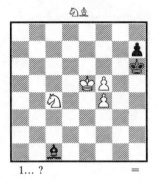

1... ?   =

21. GAPONENKO 2155
− SEDINA 2300
SSSR 1991

1... ?   =

22. DORFMAN 2600 −
BELLÓN LÓPEZ 2510
Logroño 1991

1. ?   +−

23. MASCARENHAS 2280
− M. SOROKIN 2510
Rio de Janeíro 1991

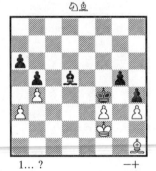

1... ?   −+

24. PLACHETKA 2470
− BAŠKOV 2470
Ostrava 1991

1. ?   =

25. KAHIANI 2360 −
WANG PIN 2295
Subotica (izt) 1991

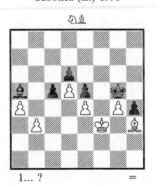

1... ?   =

26. STOICA 2435 −
CR. IONESCU 2280
România 1991

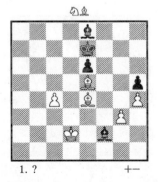

1. ?   +−

27. MOTWANI 2440 −
I. GUREVICH 2495
Hastings II 1991/92

1. ?   =

360

1. E. PANDAVOS – DELITHANASIS

1. f3! gf3 [1... g3 2. ♖g4 ♘f4 3. ♔e3 ♘d5 (3... ♘h5 4. ♖g8 ♔f6 5. f4 △ ♖g5+–) 4. ♔d2+–; 1... ♘f4 2. ♔e3 ♘g2 3. ♔f2 ♘f4 4. fg4 ♔g4 5. ♔e3+–] **2. ♔f3 ♔e5** [2... ♘e1 3. ♔f2 ♘c2 4. ♖c4 ♘a3 5. ♖c3 ♘b1 6. ♖d3 △ ♔e2, ♖b3+–] **3. ♖c4** [3. ♖e4?? ♔d5!=] **♔d5?** [3... ♘e1!! 4. ♔f2 (4. ♔e2 ♘g2=) a) 4... ♘d3 5. ♔e3 ♘e1 (5... ♘b2 6. ♖d4+–) 6. ♖e4 ♔d5 7. ♖d4 ♔c5 8. ♖d2 ♔c4 9. ♔e2 ♘d3 10. ♖c2+–; b) 4... ♔d5!! 5. ♖c3 ♔d4!!=] **4. ♖e4!⊙ 1 : 0**
[Andrianov, E. Pandavos]

2. B. LARSEN – SPANGENBERG

1... ♖g2?? [1... ♖f1=] **2. ♖g6 ♖f2 3. ♔g5 ♖g2 4. ♔f4 ♖f2 5. ♔e4 ♖f1 6. h6 ♖e1 7. ♔d5!** [7. ♔d4 ♖d1 8. ♔e3 ♖f1 9. ♔e4 ♖e1=] **♖d1 8. ♔c6 ♖c1 9. ♔d7 ♖d1 10. ♖d6 ♖h1 11. ♔d8 ♖h5 12. h7 ♔g7 13. ♖d7 ♔h8 14. f6 ♖a5** [14... ♖f5 15. ♔e7! (15. f7? ♖f7=) ♔h7 16. ♔e6] **15. f7 ♖a8 16. ♔e7 ♔g7 17. h8♕! ♔h8** [17... ♖h8 18. ♖d1] **18. ♖d8 1 : 0** **[B. Larsen]**

3. MAGERRAMOV – ZAHAROV

1. h4 gh4□ 2. ♔h4 ♖b2 3. ♔g3 ♖e2 4. ♖h1 ♔g5 5. ♖h5 ♔g6 6. ♖e5 ♔f6 7. f4 ♖e1 8. f5 [△ 8. ♔f2! ♖h1 9. f5+–] **♖g1 9. ♔f3** [△ 9. ♔f2+–] **ef5 10. ♖f5 ♔e6 11. ♖e5! ♔d6 12. ♖e8 ♖f1 13. ♔g2 ♖e1** [13... ♖f6 14. ♖a8 ♔e7 15. ♖a7 ♔e8 16. ♔g3+–] **14. ♖e5+– ♖e2 15. ♔f3 ♖e1 16. ♔f2 ♖h1 17. ♖h5 ♖h5 18. gh5 ♔e6 19. ♔f3 ♔f5 20. e4! de4 21. ♔e3** [21... ♔g5 22. ♔e4 ♔h5 23. ♔f5] **1 : 0**
[Magerramov]

4. ERMENI – CVETKOVIĆ

1. ♔f5! ♖d1! [1... ♖b6 2. e4=] **2. ♔f6 ♖h1 3. ♔e5 ♖h2 4. ♖e1 ♔g3 5. e4 h3 6. ♔d6** [6. ♔f5? ♖f2 7. ♔g5 h2 8. e5 ♖e2+] **♖d2!** [6... ♖g2 7. e5 h2 8. e6 ♖g1 9. ♖e3!=] **7. ♔c5!** [7. ♔e6? ♖g2 8. e5 h2 9. ♖h1 ♖g1 10. ♖h2 ♔h2 11. ♔d5 (11. ♔f5 ♖f1 12. ♔g5 ♖a1–+) ♖d1 12. ♔c6 ♖e1 13. ♔d5 (13. ♔d6 ♖e4–+) ♔g3 14. e6 ♔f4 15. ♔d6 ♔f5 16. e7 ♔f6–+] **h2 8. ♔b5!** [8. e5? ♖e2! 9. ♖e2 h1♕ 10. e6 ♕h5–+] **♖e2 9. ♖c1 ♖g2 10. ♖h1 ♖g1 11. ♖h2 ♖h2 12. ♔a5 ♖b1! 13. ♔a6 ♔g3 14. e5** [14. a5? ♔f4 15. ♔a7 ♔e4 16. a6 ♔d5 17. ♔a8 ♔c6 18. a7 ♖h1 19. ♔b8 ♖h8#] **♔f4 15. e6 ♔e5 16. e7 ♖b8 17. a5 ♔d6 18. e8♕?** [18. ♔a7! ♖e8 (18... ♔c7 19. a6=) 19. ♔b6!! (19. a6 ♔c5 20. ♔b7 ♖e7+) ♖e7 20. a6 ♖e1 21. ♔b7! (21. a7 ♖b1 22. ♔a6 ♔c7 23. a8♘ ♔c6 24. ♔a7 ♖b2+) ♔d7 (21... ♔c5 22. a7 ♖e7 23. ♔a6!=; 21... ♖b1 22. ♔c8!=) 22. a7 ♖b1 23. ♔a8!=] **♖e8 19. ♔b7 ♔c5 20. a6 ♖e7**
0 : 1 **[Cvetković]**

5. D. RAJKOVIĆ – DAMLJANOVIĆ

1. g4! [1. ♖h2 ♖f1 2. ♔e2 ♖e1! 3. ♔f2 ♖e8–+; 1. ♔c2 ♔e3 a) 2. ♔b2 ♔d2! 3. ♔b3 ♔e3 4. ♔a4 ♖g3 5. ♖h3□ ♔e1! 6. ♖g3 ♔f1 7. ♔b5 ♔e2 8. ♖g2 ♔e3 9. ♖f2 ♔f2 10. ♔c6 ♔e3 11. ♔d6 ♔d4–+; b) 2. ♔c3 ♖f1! 3. ♖f1 ♔e2 4. ♖a1 f1♕ 5. ♖f1 ♔f1 6. g4 (6. ♔d3 ♔f2 7. g4 hg4 8. h5 g3 9. h6 g2 10. h7 g1♕ 11. h8♕ ♕d1 12. ♔e4 ♕f3#) hg4 7. h5 g3 8. h6 g2 9. h7 g1♕ 10. h8♕ ♕e3! 11. ♔c2 ♕e2 12. ♔c3 (12. ♔b3 ♕d3+; 12. ♔b1 ♕d3!–+) ♕e5 13. ♕e5 de5 14. ♔d3 ♔e1! 15. ♔e3 (15. ♔e4 ♔d2 16. ♔d5 e4–+) ♔d1 16. ♔d3 ♔c1 17. ♔e4 ♔d2 18. ♔e5 ♔c3 19. ♔d5 ♔b4–+; c) 2. ♔b3 ♔d2! (2... ♖f1 3. ♖f1 ♔e2 4. ♖a1! f1♕ 5. ♖f1 ♔f1 6. g4 hg4 7. h5 g3 8. h6 g2 9. h7 g1♕ 10. h8♕∓) 3. ♔a4 (3. ♔b2 ♖c1! 4. ♔b3 ♖c3 △ ♖g3–+) ♔c3 (3... ♖f1 4. ♖f1 ♔e2 5. ♖a1 ♔f3 6. ♔b5 ♔g3 7. ♔c6 ♔h4 8. ♔d6 ♔g3 9. ♔c5 ♔g2 10. ♔b6=; 3... ♖b1 4. ♔a3! d5 5. ♔a2) 4. ♔b5 (4. g4 hg4 5. h5 g3 6. h6 ♖f1!–+) ♔b3 5. ♔c6 ♖d1 6. ♔b5 (6. ♔b6 ♔b4 △ d5–+) ♔a3 7. g4 (7. ♔a5 d5! 8. cd5 c4–+) hg4 8. h5 ♖b1! 9. ♔a5 (9. ♔c6 ♖f1! 10. ♖f1 g3 11. h6 g2 12. ♖a1 ♔b2 13. h7 ♔a1! 14. h8♕ ♔a2 15. ♕a8 ♔b1 16. ♕b7 ♔c1–+) ♖f1! 10. ♖f1 g3 11. h6 g2 12. ♖f2 (12. ♖a1 ♔b2 13. h7 ♔a1! 14. h8♕ ♔a2 15. ♕c3 f1♕ 16. ♕c2 ♔a1 17. ♕c3 ♔b1 18. ♕b3 ♔c1 19. ♕c3 ♔d1–+) g1♕ 13. ♖f3 ♔b2 14. ♖h3 ♕g2 15. ♖h5 (15. ♖h4 ♕a8 16. ♔b5

♕b7 17. ♔a5 ♕h7–+) ♕a8 16. ♔b6 ♕b8 17. ♔a6 ♔c3 18. h7 ♕h8 19. ♖h4 ♔b4 20. ♔b7 d5 21. cd5 ♔b5–+] **hg4 2. h5 g3 3. h6 ♖f1!** [3... g2? 4. ♖h4 ♔e5 5. ♗g2+–] **4. ♖h4!** [4. ♖f1? g2 5. h7 gf1♕ 6. h8♕ ♔c4–+] **♔e5 5. h7 ♖d1!** [5... ♖g1? 6. h8♕+–] **6. ♔c2** [6. ♔d1 f1♕ 7. ♔c2 ♕e2 8. ♔c3 ♕f3 9. ♔c2 ♕f5 10. ♔c3=] **♖c1!** [7. ♔b3? ♖b1 8. ♔a4 ♖b8–+; 7. ♔c1=; 7. ♔d2=] **1/2 : 1/2** **[Mirković]**

6. VL. SERGEEV – ILINČIĆ

1. ♖c7! [1. ♔h3? ♖h1 2. ♔g2 ♖c1!=] **♘e1** [1... ♖c1 2. ♔h2 ♔g4 3. ♗h7 ♔f3 4. ♗g6 ♔f2 5. ♗f5 ♔e3 6. ♖c4!+–] **2. ♔h3 g5□** [2... h6? 3. ♖c5!+– △ g4#] **3. ♖h7 ♔g6 4. h5 ♔f6 5. ♖f7 ♔e5 6. g4! ♘f3** [6... fg4 7. ♔g4 ♘f3 8. ♖f5 ♔d6 9. ♖d5 ♔e7 10. h6+–] **7. ♖f5 ♔d6 8. ♖f3! ef3 9. ♔g3 ♔e5 10. ♔f3 ♖g1!? 11. ♗h7 ♔f6** [11... ♖a1 12. ♗f5 ♖a4 13. h6 ♔f6 14. h7 ♔g7 15. e4! ♖a3 16. ♔e2 ♖a2 17. ♔e3 ♖a3 18. ♔d4 ♖a2 19. e5!+–] **12. ♗f5 ♔e5 13. h6 ♔f6** [13... ♖a1!? 14. h7 ♖a8 15. ♔g3 ♖b8 16. ♗c2 ♖a8 17. ♗b3! ♔f6 18. f4 ♔g7 19. ♗c2! gf4 (19... ♔f6 20. e4!+–) 20. ♔f4!+–] **14. ♔e4 ♖h1 15. h7 ♔g7 16. f4 gf4 17. ♔f4!** [♖ 2/e; 17. ef4? ♖e1 18. ♔d5 ♖f1 19. ♔e5 ♖e1 20. ♗e4 ♖g1 21. g5 ♖f1 *a)* 22. g6 ♖f2 23. f5 ♔h8! 24. ♔f6 (24. f6? ♖f6=; 24. ♗d3 ♖g2 25. f6 ♖g5!=) ♖g2! 25. ♔e6 ♖f2=; *b)* 22. f5!? ♔h7 23. f6 ♔g8 24. g6 ♖g1! 25. ♗f5 (25. ♔d6 ♔f8!) ♔f8 26. ♔f4 ♔g8 27. ♗g4 ♔f8 28. ♔g5 ♔g8 29. ♔h4 (29. g7 ♔f7=) ♔f8=] **♖a1 18. e4 ♖a4 19. g5 ♖b4 20. g6 ♖a4 21. ♗e6 ♖a8 22. ♔g5 ♖a5 23. ♗f5 ♖b5 24. h8♕! ♔h8 25. ♔f6 ♖b7 26. ♗e6! ♖a7 27. e5** [△ ♗f7] **1 : 0** **[Vl. Sergeev]**

7. HOLMOV – G. GEORGADZE

1. ♘b6!! fe4 2. fe4 ♖g2 [2... ♔e7 3. ♘c8 ♔d7 4. ♖d6 ♔c8 5. ♖g6 ♔d7 6. ♔e3 ♖a2 7. h4+–; 2... ♖f6 3. ♘c4 ♔d7 4. ♖d6 ♖d6 5. ♘d6 ♔d6 6. ♔c4 g5 (6... ♔c6 7. h4!+–) 7. ♔b5 h4 8. ♔b6 g4 9. g3+–; 2... ♖f1 3. ♘c4 ♖d1 4. ♔c3 ♖c1 5. ♔d2+–] **3. ♘c4 g5 4. ♖d6 ♔e7 5. ♖d5** **1 : 0** **[Holmov]**

8. NUNN – BRESTIAN

1. ♖c4 [1. ♔b3 ♖b8 2. ♘d1 ♖a8 3. ♘b2 ♗c7 4. ♘c4 ♖b8 5. ♔a3 ♖b7 6. ♔b4 ♖b8 7. a5 ba5 8. ♘a5 ♗a5? 9. ♔a5 ♖a8 10. ♖a6 ♖c8 11. ♖a7 ♔e6 12. b6 ♖c3 13. b7 ♖b3 14. ♔a6 ♖a3 15. ♔b6 ♖b3 16. ♔c7 ♖c3 17. ♔b8 ♖f3 18. ♔a8+–; 8... ♗b6!±] **♖b8 2. ♘d5! ♖a8 3. ♔b3 ♖b8 4. ♔b4⊙ ♖a8 5. ♖c6 ♖b8 6. a5 ba5 7. ♔a4 ♖a8?!** [7... ♖c8 8. ♖c8 ♔c8 9. b6 ♔b7 10. ♔a5+–; 7... ♖b7 8. ♖a6 ♖b8 9. ♖a7 ♔c8□ (9... ♔e6 10. ♖g7 △ b6+–) 10. ♖g7! ♖b7 11. ♖g6 ♔d7 (11... ♖d7 12. b6 △ ♔a5+–) 12. ♖g8⊙ ♖b8 13. ♖g7 ♔c8 14. ♖a7⊙ ♖b7 15. ♖a6 ♔d7 16. ♖a8⊙ ♗c7 (16... ♔e8 17. b6+–) 17. ♘c7 ♖c7 (17... ♔c7 18. ♔a5+–) 18. b6 △ b7+–] **8. ♖b6!+– ♖c8** [8... ♖a7 9. ♖b8+–; 8... ♗b6 9. ♘b6 ♔c7 10. ♘a8 ♔b7 11. ♔a5 ♔a8 12. ♔b6 (△ ♔c7) ♔b8 13. ♔c6+–] **9. ♖b7 ♔e6 10. b6 ♖c1 11. ♖h7** [11. ♖g7!] **♖a1 12. ♔b5 ♖b1 13. ♔a5 ♗b6** [13... ♖b3 14. ♔a6 ♖f3 15. b7 ♖b3 16. ♔a7 ♖a3 17. ♔b8 f3 18. ♔c8 f2 19. ♔d8] **14. ♘b6 ♔f6 15. ♘d5 ♔g6 16. ♖d7 ♖b3 17. ♖d6 ♔h7 18. ♘c7 ♖f3 19. ♘e6 ♖e3 20. ♘g5 ♔g7 21. ♖e6 f3 22. ♖e5 f2 23. ♖f5 ♔g6 24. ♘e6 ♖e4 25. ♘f4** **1 : 0** **[Nunn]**

9. KORŽ – KAPETANOVIĆ

1... ♖d3! [1... ♖c3 2. ♖a5 ♗c7 3. ♖a7 ♔g7? 4. h5! gh5 5. ♔h5 ♖f3 6. ♖c7 ♔f6 (6... ♖f7 7. ♖c1 ♖a7 8. ♔g4! a2 9. ♖a1 ♖a3 10. ♔f4 ♔f6 11. ♔e4=) 7. ♔g4! ♖f1 8. ♖c2! (8. ♖a7? ♖a1 9. ♔g3 ♔e5 10. ♔g2 ♔d4–+) ♖a1 (8... ♔e5 9. ♖e2! ♔d4 10. ♖a2=) 9. ♖e2! a2 10. ♖g2=] **2. ♖a5 ♗c7!** [2... ♗d6? 3. h5!=] **3. ♖a6 ♗d6 4. ♖a5 ♖d4! 5. ♔h3 ♖d2!** [6. ♖a6 a2 7. ♗e4 ♗e5! 8. ♖g6 ♔h7!–+; 6. h5 a2 7. hg6 ♗e5–+; 6. ♖d5 ♖h2 7. ♔g4 a2–+; 6. ♗d5 ♗b4 7. ♖b5 ♖d5! 8. ♖d5 (8. ♖b4 ♖a5 9. ♖b1 a2 10. ♖a1 ♔h5 11. ♔g3 ♖a4–+) a2 9. ♖d1 ♗c3–+] **0 : 1** **[Kapetanović]**

10. BUDNIKOV – NOVIK

1... ♔e7! [1... ♔c5? 2. b8♕ ♗b8 3. ♖b8 h2 4. ♖c8! ♔b6 5. ♖c1+–] **2. b8♕** [2. ♗c6

h2 3. a5 ♖c3 4. ♗g2 ♖c2 5. ♔f3 ♖c3 6. ♔g4 (6. ♔e4 ♖c2 7. ♔f3 ♖c3=) ♗c7=] **♗b8 3. ♖b8 [♖ 8/g5] h2 4. ♖h8 ♖b1! 5. ♗c6 ♖c1!!** [5... ♔d6 6. ♗a8! ♖a1 7. ♖h4 ♔c5 8. ♔d3 ♔b6 9. ♔c3 ♔a5 10. ♖h5! ♔b6 11. ♔b3 ♖b1 12. ♔a2 ♖b4 13. ♔a3+−] **6. ♗f3** [6. ♗a8!? ♖a1 7. ♖h4 ♔f6 8. ♔d3! ♔g5 9. ♖d4 (9. ♖b4 h1♕ 10. ♗h1 ♖h1 11. ♔c4 ♔f6 12. a5 ♔e6 13. a6 ♔d6 14. ♖a4 ♖c1! 15. ♔b5 ♖b1 16. ♔a5 ♔c7=) *a)* 9... h1♕ 10. ♗h1 ♖h1 11. ♔c4 ♔f5 12. a5! ♔e5 13. ♖d8! ♔e6 14. a6 ♖a1 15. ♔b5 ♖b1 (15... ♔e7 16. ♖d4 △ ♖a4+−) 16. ♔c6 ♖c1 17. ♔b7 ♖b1 18. ♔a7 ♔e7 19. ♖b8! ♖a1 20. ♖b6+−; *b)* 9... ♔f5!! 10. ♔c3 h1♕ 11. ♗h1 ♖h1 12. a5 ♔e6 13. ♔b4 ♖b1 14. ♔c5 ♖c1 15. ♔b6 ♖b1 16. ♔a7 ♔e7=] **♖a1 7. ♖h4 ♔f6 8. ♔f2 ♔g5 9. ♔g3 ♖a3 10. a5 ♔g6 11. ♖h5 h1♕ 12. ♖h1 ♖a5= 1/2 : 1/2 [Novik]**

11. G. FLEAR – TOZER

1... ♗e6 [1... ♖g8 2. ♖f5 ♔d6 3. ♔f4! (K. Arkell) ♔c5 4. ♗f1 ♖h8 (4... ♖e8 5. ♔e3=; 4... e3 5. ♗e2! h3 6. ♖h5=) 5. ♔e3! h3 6. ♖h5=; 1... ♔d6 2. ♖h8 (2. ♔d4 ♖e5 3. ♖d8 ♔e7 4. ♔e5 e3!−+; ⌓ 3. ♔e3∓) ♔c5 3. ♖h4 ♔c4 4. ♖h5 ♖g8 5. ♗f1 ♔b3 6. ♗b5 ♖g4 (6... cb5 7. ♖d5=; 6... ♔b2 7. ♗a4=) 7. ♗e2 (7. c4 ♗f7−+) ♖g1 (7... ♖g2 8. ♗d1 ♔b2 9. ♗a4=) 8. c4 ♗c4 9. ♗c4 ♔c4 10. ♖a5 ♔b3 11. ♖a6 (11. ♔e4 ♔b2 12. ♖a4? ♖g4) ♖e1 12. ♔d2 ♖b1 13. ♖b6 ♔a2 14. ♔e3 ♖b2 15. ♖c6 ♔a3 16. ♔e4=] **2. ♖f4 ♔d5!?** [2... ♗d5 3. ♖f8=] **3. ♖e4 ♖e5 4. ♖e5 ♔e5 5. ♗g2! c5** [5... ♗g4 6. ♗c6 h3 7. ♗b5=; 5... ♗d5 6. ♗d5 cd5 7. ♔f3 ♔f6 8. ♔g2 ♔g6 9. ♔h2=; 5... ♗d7!? 6. g5 h3 7. ♗e4 h2 8. g6 ♗f5 9. g7! (9. ♗c6 ♗g6 △ ♗f7-d5−+) ♗e4 10. g8♕ h1♕ 11. ♕g7 ♔e6 (11... ♔d5 12. ♕d4=; 11... ♔d6 12. ♕f6 ♔c7 13. ♕e7=) 12. ♕g8 ♔d6 13. ♕d8 ♔e5 14. ♕d4 (14. ♕e7 ♔d5 15. ♕f7 ♔c5 16. ♕e7 ♔c4 17. ♕b4=) ♔f5 15. ♕d7=] **6. ♗c6 ♗g4 7. ♗b5 ♗d1 8. ♗d7= ♗b3 9. ♔f3 ♗d5 10. ♔e3** [10. ♔g4 ♗e6−+] **♗b3 11. ♔f3 ♔d6 12. ♗f5 ♗d5 13. ♔f4 ♗e6 14. ♗c2 h3 15. ♔g3 ♗d7 16. b3 ab3 17. ♗b3 ♔e5 18. a4 ♔e4 19. a5 ♗c8 20. ♗c4 ♔e3 21. a6 ♗a6! 22. ♗a6 c4! 23. ♗c4 ♔d2 24. ♔h3 ♔c3 1/2 : 1/2 [G. Flear]**

12. DREEV – B. ALTERMAN

1... e5! 2. fe5 ♗e5 3. h5 ♖f4 4. ♔e2 [4. ♔g3 g5!!⊙ 5. ♔h3 ♖f2−+] **♖g4 5. hg6 hg6 6. ♖h3 ♖g2! 7. ♔f3 ♖c2** [8. ♖h7 ♔e6 9. ♖e3 ♖c3 10. ♖c3 ♗c3−+] **0 : 1 [B. Alterman, A. Vajsman]**

13. TITOVA-BORIĆ – STOJNEV

1. e6! [1. ♖b4?? ♖a1 2. ♔a1 ♖c1#; 1. ♖d1? ♖ca7 2. e6 (2. ♔c1 ♖a1 3. ♔d2 ♖d7−+) ♔e6 3. f5 ♔e7 4. ♖e1 (4. ♖e2 ♔f7 5. fg6 ♔g7−+) ♔f7 5. fg6 ♔g6 6. ♖e6 ♔g7 7. ♔c1 ♖d7!!−+] **♔e6** [1... ♔f6 2. ♖d1=] **2. ♖e2! ♔f6 3. ♖e1 ♖ca7 4. ♔c1 ♖c5 5. ♔b1= [Borić, Titova-Borić]**

14. M. PAVLOVIĆ – A. MIHAL'ČIŠIN

1. ♖h8? [1. ♖h7! ♔h7 2. ♖b7! (2. ♖h8? ♔g7 3. ♖g8 ♔f7 4. ♖f8 ♔e7 5. ♖e8 ♔d7 6. ♖d8 ♔c7 7. ♖c8 ♔b7 8. ♖b8 ♔a7 9. ♖b7 ♔a6 10. ♖b6 ♔a5 11. ♖b5 ♔a4 12. ♖b4 ♔a3 13. ♖a4 ♔b2−+) ♔g8 3. ♖b8 ♔f7 4. ♖b7=] **♔h5 2. ♖bh7 ♔g4 3. ♖h4 ♔f3 0 : 1 [A. Mihal'čišin]**

15. KÁROLY HONFI – KALLINGER

1. ♖f3! ♕h5 [1... h2 2. ♖h3 ♔g8 3. ♖b4 g5 4. ♖d4 △ ♖d2=] **2. ♖g3 ♕h6 3. ♖bg7!! ♕g7 4. ♖h3 ♔g8 5. ♖d3= ♕b7 6. ♔c1 a5 7. c4 ♕b4** [7... a4 8. c5 ♕b4 (8... ♕b5 9. c6 ♕c6 10. ♔b2=) 9. c6 a3 10. c7 ♕e1 11. ♖d1 ♕e3 12. ♖d2=] **8. ♖b3 ♕c4 9. ♔b2 a4 10. ♖d3** [△ ♖d3-a3-d3=] **1/2 : 1/2 [Károly Honfi]**

16. ROZENTALIS – KLAUSER

1. ♘d5!!+− f2 [1... ♔g2 2. ♔d4 △ ♘e3] **2. ♔e2 d3** [2... ♔g2 3. ♘f4 ♔g1 4. ♘h3] **3. ♔f1 ♔f3** [3... d2 4. ♘c3 ♔f3 5. a4+−]

4. ♘c3 ♔e3 5. ♘d1 ♔d2 6. ♘f2 ♔c3 7. ♔e1 d2 8. ♔d1 ♔b4 9. ♘e4! ♔a3 10. ♘c3 1 : 0 [Rozentalis]

17. MAKSIMENKO – BAJKOV

1. h6 ♔g8□ [1... f6? 2. ♘e8!!+−] 2. h7 ♔h7 3. ♘f7 ♔g6 4. ♘d8 ♘f8 5. d5 ed5 6. ♔d5 a5 7. e6 ♔f6 [7... ♔e6? 8. ♘e6 b4 9. a4 b3 10. ♘f4 ♔g5 11. ♘d3+−] 8. ♔d6 ♔g6 [8... ♘e6? 9. ♘e6 b4 10. a4 b3 11. ♘c5 b2 12. ♘e4+−] 9. ♔c6 b4 10. ♘b4!? [10. ab4 ab4 11. ♘b4 ♘e7 12. ♔d7 ♘g6 13. ♘d5 ♔g7 14. ♔d8 ♘e5=] ab4 11. ab4 ♘e7? [11... ♔e5! 12. b5 ♘c4 13. ♔c5 (13. ♔d5 ♘b6=) ♔e6 14. ♔c4 ♔d6=] 12. b5+− ♘c8 13. ♔c7 ♘e7 14. ♔d7 [14. b6 ♔d5 (14... ♔e6 15. b7 ♘d5 16. ♔c6 ♘b4 17. ♔b5+−) 15. ♔d8!+−] ♘d5 15. e7! ♘e7 16. b6 1 : 0 [Maksimenko]

18. ESTÉVEZ – J. J. HERNÁNDEZ

1. g4!+− [1. ♔c2 ♔e4; 1. ♘d1 ♘a3] hg4□ 2. g3!!⊙ [2. ♘g4 ♔f4! 3. ♘e3 ♔g3=] ♘a3 3. ♘g4 ♔f5 4. ♘e3 ♔e5 5. ♔c3 ♔e4 6. ♔b2! 1 : 0 [Nogueiras, Estévez]

19. SAKAEV – SUNYE NETO

1... ♘c3 2. ♔e3 ♘a4! 3. ♔e2 [3. ♔d4 ♔b1 4. ♔d3 ♘c5! 5. ♔c3 (5. ♔d2 ♘b3−+) ♔a1 6. ♔c2 ♘d3−+] ♘b2? [3... ♔c1! 4. ♔e1 (4. ♔d3 ♔b1 5. ♔d2 ♘b2⊙) ♘c5 5. ♔e2 (5. ♗g7 ♘d3 6. ♔e2 ♘b2−+) ♔b1 6. ♔d1 (6. ♔d2 ♘b3−+; 6. ♗g7 ♘a4−+) ♘d3 7. ♔d2 ♘b2 8. ♔c3 ♔a1 9. ♔c2 ♘d3−+] 4. ♔e3 ♔b1?? 5. ♔d2= ♘c4 6. ♔d1 ♘a5 7. ♗g7 ♘b3 8. ♗f6 ♘c5 9. ♗g7 ♘d3 10. ♗a1 ♘b4 11. ♗g7 ♘c2 12. ♔d2 ♘a3 13. ♔d1 ♘c4 14. ♗a1 ♘e3 15. ♔d2 1/2 : 1/2 [Sakaev]

20. QIN KANYING – AMURA

1... ♔g7? [1... ♔h5! 2. f6 (2. ♘b6 ♔g4 3. ♘d5 h5 4. ♘f6 ♔h4=) ♔g4 3. f5 h5 4. f7 ♗h6 5. ♔f6! h4 (5... ♗f8? 6. ♘e5 ♔g3 7. ♔g5!+−) 6. ♘e5 ♔g3 7. ♘d7 h3 8. ♔g6 h2 9. ♔h6 h1♕ 10. ♔g7 ♔f4!=] 2. f6 ♔f7

3. ♘d6

[3. ♔f5? (△ ♘e5) ♗f4=] ♔f8 4. ♔f5 [4. f5!? h5 5. ♔e6 h4 6. ♘f7!! (6. ♘c4 ♗f4 7. ♘b6 ♗h6 8. f7 ♔g7 9. ♘d7 ♔h8!=; 6. ♘c8 h3 7. ♘e7 ♗h6!=) h3 (6... ♗f4 7. ♘h8+−; 6... ♗b2 7. ♘g5 ♗a3 8. ♘h3! △ ♘f4-g6+−) 7. ♘e5 a) 7... ♗h6 8. f7 (8. ♘g6? ♔e8=) ♔g7 9. ♘g4 ♔f8 10. ♘f6 (10. f6? ♗f4=) ♔g7 11. ♔e7 ♔h8 12. ♔g4+−; b) 7... ♗a3 8. ♘g6 ♔e8 (8... ♔g8 9. f7 ♔g7 10. ♘e7 ♗b2 11. f6! ♗f6 12. ♘g6+−) 9. f7 ♔d8 10. f6 h2 11. ♘e7 h1♕ 12. f8♕ ♔c7 13. ♕c8 ♔b6 14. ♘d5+−] ♗a3 [4... h5 5. ♘e4 h4 6. ♘g5+−] 5. ♘e4 [5. ♘c4!? △ ♘e5] ♔f7 6. ♘g5 ♔f8 7. ♘f3!+− ♔f7 8. ♘e5 ♔f8 9. ♔e6 ♔g8 10. f5 h5 [11. f7 ♔g7 12. f6 (12. ♘g6? ♗f8!) ♗h6 13. ♘d7 h4 14. f8♕ ♗f8 15. ♘f8 h3 16. ♘d7 h2 17. f7 h1♕ 18. f8♕ ♔g5 19. ♕f5! ♔h6 20. ♕f6 ♔h7 21. ♘f8 ♔g8 22. ♕f7 ♔h8 23. ♘g6#] 1 : 0 [O. Foişor]

21. GAPONENKO – SEDINA

1... ♗a8 2. ♔f2 [2. ♘a7 ♔h3 3. c6 ♔h2 4. c7 ♗b7 5. ♘b5 g4 6. ♘d6 g3 7. ♘b7 g2 8. c8♕ g1♕ 9. ♔d2 ♕f2 10. ♔c3 ♕e3 11. ♔b4 ♕b6 12. ♔a4 ♕a6=] ♔h3 3. ♘g1 a6? [3... a5 4. ♘e7 (4. ♘b6 ♗b7 5. ♘c4 a4 6. ♘e3 g4 7. ♘f5 ♗c6 8. ♘g3 ♗f3 9. ♘h5 ♔h4=) g4 5. c6 g3 6. hg3 ♔g3 7. c7 ♗b7 8. ♘c6 (8. c8♕ ♗c8 9. ♘c8 ♔f3 10. ♘b6 ♔e3 11. ♘c4 ♔d3 12. ♘a5 ♔c3=) ♔f3 (8... a4? 9. ♘e7 ♔f3 10. c8♕ ♗c8 11. ♘c8 ♔e3 12. ♘b6 ♔d3 13. ♘a4 ♔c2 14. ♘b2!+−) 9. ♘a5 ♗c8! (9... ♗a6? 10. ♘c6 ♔e4 11. a4 ♗b7 12. a5 ♗d5 13. ♘b8 ♔d6 14. a6+−) 10. ♘c4 ♗a6 11. ♘d6 ♔e3 12. c8♕ ♗c8 13. ♘c8 ♔d4 14. ♘b6 ♔c3=] 4. ♘e7 g4 5. c6 g3 6. hg3 ♔g3 7. c7 ♗b7 8. ♘f5 ♔f4 9. ♘d6 1 : 0 [Sedina, Kosikov]

22. DORFMAN – BELLÓN LÓPEZ

1. ♗g8! [1. ♗h5 ♗d7 (1... ♔e6 2. f7 ♔e7 3. ♗f3 ♗d7!) 2. f7 ♔e7 3. ♔d5 ♗a4] ♗b7 [1... ♗a8? 2. f7! ♔e7 3. f8♕ ♔f8 4. ♔d5+−] 2. ♔e3! [2. b5 ♗c8! (2...♗a8? 3. f7+−) 3. ♔d5 ♗d7 4. ♔c6 (4. ♗c4 ♗b5! 5. ♗b5 ♔e6=) ♔h3 △ ♗f1-b5] ♗c6

[2... ♗c8 3. ♗d5!+−] **3. ♔f4 d4** [3... ♗b7 4. ♔f5+−] **4. ♗c4!⊙ b5** [4... ♔d7 5. ♔e5+−; 4... ♗d7 5. ♔e4+−] **5. ♗b3 ♔d7 6. ♔f5** [△ ♔g6-g7] **♔e8□ 7. ♗c2! ♔f7 8. ♗d3+− ♗d7 9. ♔e5 ♗e8 10. ♗e2 ♗d7** [10... ♔g6 11. ♔e6] **11. ♗h5 ♔f8 12. ♔d4 ♗e6 13. ♗f3! ♗c4** [13... ♔f7 14. ♗d5] **14. ♗e4 ♗e6 15. ♗c6 ♗c4** [16. ♔e4 ♗e2 17. ♔f5 ♗d3 18. ♗e4]
1 : 0 **[Dorfman]**

23. MASCARENHAS − M. SOROKIN

1... g4!−+ [1... ♗e6 2. ♗g2 ♗c4 3. ♗h1 ♔e5 4. ♗g2 ♔d4? 5. f4!=] **2. hg4 h3⊙ 3. g5 ♗f7 4. ♔g1 ♔g3 5. f4 h2 6. ♔f1 ♗h5!** [△ ♗f3] **0 : 1** **[M. Sorokin]**

24. PLACHETKA − BAŠKOV

1. ♗f3! [1. ♗e8 a5! 2. ba6 ♗a6 3. g6 fg6 4. ♗g6 ♗e2−+; 1. ♔e4 a5 2. ba6 ♗a6−+; 1. ♔e3 ♔e5 (1... a5? 2. ba6 ♗a6 3. ♗f3=) 2. ♗e8 f5! 3. gf6 (3. ♗h5 f4 △ ♗b5−+) ♔f6∓] **♗b5 2. ♗h5 a5 3. ♗g4 ♔e7 4. h5 a4 5. h6 ♔f8** [5... ♗d3? 6. ♗f5! ♗f5 7. ♔f5 ♔f8 8. ♔f6 ♔g8 9. h7 ♔h7 10. ♔f7+−] **6. ♗d1□ ♗d7** [6... a3 7. ♗b3 ♗d3 8. ♔e5! (8. ♔e3 ♗b1−+) ♔e7 9. ♔d4 ♗b1 10. ♔c3 ♔f8 (10... f6=) 11. ♗d5 ♗f5 12. ♔b3= △ 12... ♗e6? 13. ♗e6 fe6 14. ♔a3 e5 15. ♔b4+−] **7. ♔e5 ♔g8!** [7... a3 8. ♗b3= △ 8... ♗e6? 9. ♔f6! ♔g8 10. ♗e6 fe6 11. g6 a2 12. h7 ♔h8 13. g7 ♔h7 14. ♔f7+−] **8. ♔f6 ♗c6 9. ♗h5 ♗e4!□** [9... ♗d5? 10. ♗f7! ♗f7 11. h7+−] **10. ♗f7 ♔h7 11. ♔e5 ♗g6** **1/2 : 1/2**
[Plachetka]

25. KAHIANI − WANG PIN

1... ♗b6 2. ♔e2! ♔f4 3. ♔d3 ♗d8!□ [3... ♔g3 4. g5+−] **4. g5! ♔g5□** [4... ♗g5? 5. a5 ♗d8 6. a6 ♗b6 7. ♗f5 △ ♔c4-b5+−] **5. ♔c4 ♔f4 6. ♗f5□** [6. ♔b5? ♔e4] **h3!** [6... ♔g3 7. ♔b5 h3 8. ♗h3 ♔h3 9. a5 ♗a5 10. ♔a5 ♔g4 11. ♔b5 ♔f4 12. ♔c6 ♔e4 13. ♔d6 ♔f4 14. ♔c5+−] **7. ♗h3 ♔e4 8. ♗g2 ♔e3 9. ♔b5□ e4?!** [9... ♔d4! 10. ♔c6 c4!=] **10. ♔c6 ♔d4□ 11. ♔d6 ♔c3??** [11... c4! 12. bc4 (12. ♗e4 cb3 13. ♗b1 ♔c4=) ♔c4 13. ♗e4 ♔b3=] **12. ♔c5 ♔b3 13. ♔b5 e3 14. ♗f1 ♔c3 15. a5 ♗c7 16. a6 ♗b8 17. d6** **1 : 0** **[Kahiani]**

26. STOICA − CR. IONESCU

1. ♔e2 ♗c5 2. ♔f3 [△ 3. ♔f4, 3. g4; 2. ♗f3? ♗d6! 3. ♗d6 ♔d6 4. ♔e3 e5 5. ♗d5 ♗g6=] **♗b4!** [2... ♗d6 3. ♔f4+−; 2... ♗a3 3. g4! hg4 4. ♔g4 △ h5+−] **3. ♗d4!?** [△ c5; 3. g4! ♗e1 (3... hg4 4. ♔g4 △ h5+−) 4. g5! (4. ♗g3? hg4 5. ♔g4 ♗h5!=) ♗h4 5. g6 (5. ♔f4!? ♗e1 6. g6 ♗d2 7. ♔g3 ♗e1 8. ♔h3 ♔f8□ 9. c5 ♗d7 10. c6 ♗c8 11. c7 ♗f2 12. ♗f3! h4 13. ♗c6! ♗e1 14. ♔g4 ♗f2 15. ♔g5 h3 16. g7 ♔f7 17. ♗e8! ♔g8 18. ♔g6+−) ♗f6 6. ♔f4! (6. g7? ♗f7 7. ♔f4 ♗g7! 8. ♗g7 e5 9. ♔e5 ♗c4=) ♗d7 7. c5 (△ ♗b7) ♗c8 8. c6 ♗a6 (8... h4 9. ♗f6 ♔f6 10. ♔g4+−; 8... ♗e5 9. ♔e5 h4 10. ♗g2 ♗a6 11. ♗h3 ♗c8 12. ♗f1+−⊙) 9. c7 ♗c8 10. ♗f3 h4 11. ♗h5! h3 12. g7 ♗g7 (12... h2 13. g8♕ h1♕ 14. ♕e8‡) 13. ♗g7 h2 14. ♗f3 △ ♗e5+−] **♔d6□ 4. ♗g7!** [△ ♗f8; 4. ♔f4?! ♗d2 5. ♗e3? e5 6. ♔f3 ♗e3 7. ♔e3 ♗f7=] **♔e7** [4... ♔c5!? 5. ♗d3! (5. ♗f8? ♔c4 6. ♗b4 ♔b4 7. ♔f4 ♔c3! 8. ♔e5 ♔d2! 9. ♔e6 ♔e3 10. ♔e5 ♗d7=) ♗e1 6. ♗e5! (6. ♗f8? ♔d4=) ♗d2 (6... ♗a4 7. ♔e2 ♗b4 8. g4! hg4 9. h5+−; 6... ♗f7 7. ♔e2 ♗b4 8. ♔e3 ♗e8 9. ♗g7! △ ♗f8+−; 6... ♔c6 7. ♗d4 ♗b4□ 8. ♔f4! ♗d2 9. ♔e5 ♗e1 10. ♔e6 ♗g3 11. ♗e4 ♔c7 12. ♗e5 ♗e5 13. ♔e5+−) 7. g4! ♗e1 (7... ♗c6 8. ♔g3 ♗e1 9. ♔h3 hg4 10. ♔g4+−; 7... hg4 8. ♔g4 ♗a4 9. ♗f4 ♗d1 10. ♔g5 ♗f4 11. ♔f4 ♔d4 12. ♔g5! ♔d3 13. c5+−) 8. ♗f6! (8. g5? ♗h4= △ 9. g6 ♗g6!) hg4 (8... ♗c6 9. ♔e2+−) 9. ♔g4 ♗a4 10. ♔g5! ♗b3 11. h5 ♗c4 12. ♗c4 ♔c4 13. ♔g6 ♗d2 14. ♗g5+−] **5. ♗e5!⊙ ♔d7** [5... ♔f7 6. ♗d4! △ c5+−; 5... ♗c5 6. ♔f4 △ ♔g5+−; 5... ♗a3 6. g4 hg4 7. ♔g4+−; 5... ♗f7 6. g4 ♗e1 7. g5! ♗h4 8. g6+−; 5... ♗a4!? 6. ♗g6 ♗b3 7. ♔e3 ♗d1 (7... ♗c4 8. ♗h5+−) 8. ♗e4! ♗a4 (8... ♔f7 9. ♗f3 ♗f3 10. ♔f3 △ g4+−) 9. g4! hg4 10. h5 ♗a3 11. ♔d2! ♗b4 12. ♔d3 △ h6+−] **6. g4! hg4** [6... ♗e1 7. g5! ♗h4 8. g6 ♔e7 9. g7 ♗f7 10. ♗h7+−] **7. ♔g4 ♔e7**

[7... ♗c5 8. h5 ♗e3 9. ♗g7 ♔e7 10. h6 ♔f7 11. ♔h5! ♔g8 12. ♗g6+−] **8. h5 ♗d2□ 9. c5 ♗a4 10. c6 ♗d1** [10... ♗b5 11. c7 ♗a6 12. ♗c6 ♗c8 13. ♗g7+−] **11. ♗f3** [11. ♔h4+−] **♗c2?** [11... ♗f3 12. ♔f3 ♗h6 13. ♔g4 ♔d8 14. ♗f4 ♗g7 15. ♔g5 e5 16. ♗e3 ♔c7 (16... e4 17. ♔g6 ♗c3 18. h6 ♔c7 19. h7 ♔c6 20. ♗g5 △ ♗f6+−) 17. ♔g6 ♗h8 (17... ♗f8 18. ♔f7+−) 18. h6 ♔c6 19. h7 e4 20. ♗h6 △ ♗g7+−] **12. c7 ♔d7 13. ♗b7 1 : 0 [Stoica]**

27. MOTWANI − I. GUREVICH

1. ♔b3 ♔e6 2. ♔a4 ♘g6! 3. ♔b5 ♘ce7 4. ♔c5? [4. ♗a5! (van Mil) ♘f5 (4... ♔d7 5. ♘f3=; 4... ♘h4 5. ♗d8 f3 6. ♔c5=) 5. ♔c5 ♘gh4 6. ♗d8 f3 7. ♗h4 ♘h4 8. ♔b4 f2 9. ♔c3 ♘f3 10. ♘f1=] **♘h4 5. ♗a5** [△ ♗d8] **♔d7!⊙ 6. ♘f1 ♘f3 7. ♗d2 ♘g5 8. ♗f4 ♘e6 9. ♔b4 ♘f4 10. ♘e3 ♔e6 11. ♔c5 ♘f5 12. ♘d5 ♘d5 13. ♔c4 ♘g7 14. ♔c5 ♘e8 15. ♔c6 ♘ec7 16. ♔c5 ♔d7 17. ♔c4 ♔c6 18. ♔d3 ♘e6 19. ♔e4 ♘e7 20. ♔d3 ♔d5 21. ♔e3 ♘f5 22. ♔d3 ♘fd4−+ 23. ♔e3 ♘b3 24. ♔d3 ♘bc5 25. ♔e3 ♔c4 26. ♔e2 ♔d4 27. ♔d2 ♘b3 28. ♔c2 ♔c4 29. ♔b2 ♘bd4 30. ♔a3 ♘c2 31. ♔b2 ♘e3 32. ♔a3 ♘d1 33. ♔a4? ♘b2 34. ♔a3 ♔c3 35. ♔a2 ♘c4 36. ♔b1 ♔d2 37. ♔a1 ♔c1 38. ♔a2 ♔c2 39. ♔a1 ♘d4 0 : 1 [I. Gurevich]**

registar • индекс • index • register • registre • registro • registro • register • 棋譜索引 • الفهرس

ALTERMAN, B. − Dreev 12
AMURA − Qin Kanying 20
BAJKOV − Maksimenko 17
BAŠKOV − Plachetka 24
BELLÓN LÓPEZ − Dorfman 22
BRESTIAN − Nunn 8
BUDNIKOV − Novik **10**
CVETKOVIĆ − Ermeni 4
DAMLJANOVIĆ − Rajković, D. 5
DELITHANASIS − Pandavos, E. 1
DORFMAN − Bellón López **22**
DREEV − Alterman, B. **12**
ERMENI − Cvetković **4**
ESTÉVEZ − Hernández, J. J. **18**
FLEAR, G. − Tozer **11**
GAPONENKO − Sedina **21**
GEORGADZE, G. − Holmov 7
GUREVICH, I. − Motwani 27
HERNÁNDEZ, J. J. − Estévez 18
HOLMOV − Georgadze, G. **7**
HONFI, KÁROLY − Kallinger **15**
ILINČIĆ − Sergeev, Vl. 6
IONESCU, CR. − Stoica 26
KAHIANI − Wang Pin **25**
KALLINGER − Honfi, Károly 15
KAPETANOVIĆ − Korž 9
KLAUSER − Rozentalis 16
KORŽ − Kapetanović **9**
LARSEN, B. − Spangenberg **2**
MAGERRAMOV − Zaharov **3**
MAKSIMENKO − Bajkov **17**
MASCARENHAS − Sorokin, M. **23**
MIHAL'ČIŠIN, A. − Pavlović, M. 14
MOTWANI − Gurevich, I. **27**
NOVIK − Budnikov 10
NUNN − Brestian **8**
PANDAVOS, E. − Delithanasis **1**
PAVLOVIĆ, M. − Mihal'čišin, A. **14**
PLACHETKA − Baškov **24**
QIN KANYING − Amura **20**
RAJKOVIĆ, D. − Damljanović **5**
ROZENTALIS − Klauser **16**
SAKAEV − Sunye Neto **19**
SEDINA − Gaponenko 21
SERGEEV, VL. − Ilinčić **6**
SOROKIN, M. − Mascarenhas 23
SPANGENBERG − Larsen, B. 2
STOICA − Ionescu, Cr. **26**
STOJNEV − Titova-Borić 13
SUNYE NETO − Sakaev 19
TITOVA-BORIĆ − Stojnev **13**
TOZER − Flear, G. 11
WANG PIN − Kahiani 25
ZAHAROV − Magerramov 3

komentatori • комментаторы • commentators • kommentatoren • commentateurs • comentaristas • commentatori • kommentatorer • 棋譜解説 • المعلقون

ALTERMAN, B.; VAJSMAN, A. 12
ANDRIANOV; PANDAVOS, E. 1
BORIĆ; TITOVA-BORIĆ 13
CVETKOVIĆ 4
DORFMAN 22
FLEAR, G. 11
FOIŞOR, O. 20
GUREVICH, I. 27
HOLMOV 7
HONFI, KÁROLY 15
KAHIANI 25
KAPETANOVIĆ 9
LARSEN, B. 2
MAGERRAMOV 3
MAKSIMENKO 17
MIHAL'ČIŠIN, A. 14
MIRKOVIĆ 5
NOGUEIRAS; ESTÉVEZ 18
NOVIK 10
NUNN 8
PLACHETKA 24
ROZENTALIS 16
SAKAEV 19
SEDINA; KOSIKOV 21
SERGEEV, VL. 6
SOROKIN, M. 23
STOICA 26

završnice u partijama • окончания из партий • endings in the games • endspiele in den partien • finales dans les parties • finales en las partidas • finali nelle partite • slutspelen från partierna • 収局索引 • المرحلة النهائية للاشواط

♙ **3/c3** 50

♖ **2/j** 208
♖ **2/l** 208
♖ **4/g** 230
♖ **5/a** 272
♖ **5/b** 493
♖ **5/h** 312
♖ **6/a** 266, 493
♖ **6/b** 180
♖ **6/c** 486
♖ **6/d** 225
♖ **6/e** 92
♖ **6/g** 272
♖ **6/j** 180
♖ **7/g** 332, 588
♖ **7/h** 244, 307, 537
♖ **7/i** 312
♖ **8/a** 366
♖ **8/b5** 109
♖ **8/c** 430
♖ **8/d** 642
♖ **8/f6** 452
♖ **9/c** 229
♖ **9/d** 366, 530
♖ **9/e** 572
♖ **9/h** 15, 69, 138, 322, 501, 538, 547, 599
♖ **9/i** 19, 44, 96, 121, 214, 364, 616, 630, 637
♖ **9/j** 142, 192, 218
♖ **9/k** 107, 114, 312, 349, 371, 602
♖ **9/n** 203, 404
♖ **9/o** 127, 563
♖ **9/q** 493
♖ **9/s** 275

♕ **2/l2** 578
♕ **4/d** 405
♕ **4/l** 276
♕ **5/h** 94, 96
♕ **5/i** 597, 652
♕ **6/a** 166
♕ **6/b** 166
♕ **6/f2** 410
♕ **8/b** 78
♕ **8/c** 75, 106, 308, 592
♕ **8/e** 405
♕ **8/f** 242, 276
♕ **8/h** 32, 287, 608
♕ **8/i** 346
♕ **9/b** 515
♕ **9/c** 245
♕ **9/e** 258, 620
♕ **9/f** 354
♕ **9/o** 407

turniri • *турниры* • *tournaments* • *turniere* • *tournois* • *torneos* • *tornei* • *turneringar* • 競技会 • دورة مباريات

IMPERIA, IX 1991
(52 players, 9 rounds)

1—2. Tivjakov, Psakhis 7$^1/_2$, 3. Pétursson 7, 4. Cvitan 6$^1/_2$, 5—9. Forintos, Kosten, A. Grosar, Zločevskij, Sermek 6, 10—13. Laco, Možný, Sarno, Benvenuti 5$^1/_2$, etc.

MALGRAT DE MAR, IX 1991   cat. VII (2425)   g=7, m=5$^1/_2$

1. Campos Moreno 6, 2—3. K. Spraggett, P. Cramling 5$^1/_2$, 4—5. Bellón López, García Ilundain 5, 6—7. Pablo Marin, Garriga Nvalart 4$^1/_2$, 8. Estrella 3$^1/_2$, 9. García Palermo 3, 10. Parés Vives 2$^1/_2$

KAVALA, IX 1991
(56 players, 9 rounds)

1—3. Kir. Georgiev, Kotronias, Andrianov 7, 4—12. Kr. Georgiev, Skembris, Tukmakov, Nunn, Blees, Luther, I. Radulov, I. Marinković, Blazquez 6$^1/_2$, etc.

ESPAÑA (ch), IX 1991
(58 players, 9 rounds)

1. Rivas Pastor 8, 2. Illescas Córdoba 7, 3. Gómez Esteban 6$^1/_2$, 4—11. García Ilundain, Izeta, de la Villa García, Or. Rodríguez, L. Bernal, Comas Fabrego, Mellado, Ochoa de Echagüen 6, 12—18. de la Riva, Pablo Morán, Estremera Panos, San Segundo, Bellón López, Fernández García, Martín González 5$^1/_2$, etc.

BUDAPEST, IX—X 1991   cat. VIII (2432)   g=9$^1/_2$, m=7

1. Loginov 9, 2—3. József Horváth, Draško 8, 4—5. Fogarasi, P. Lukács 7$^1/_2$, 6. Ka. Müller 7, 7—8. Schäfer, Teske 6$^1/_2$, 9—11. Fette, Zagrebel'nyj, Enquist 6, 12. Almasi 5, 13. Szabolcsi 4$^1/_2$, 14. Sinkovics 4

MANILA, IX—X 1991

		1	2	3	4	5	6	7	8	9	10	11	12	13	14	15	
XIE JUN	g 2465	$^1/_2$	$^1/_2$	1	0	0	$^1/_2$	$^1/_2$	1	$^1/_2$	$^1/_2$	1	$^1/_2$	1	$^1/_2$	$^1/_2$	8$^1/_2$
ČIBURDANIDZE	g 2495	$^1/_2$	$^1/_2$	0	1	1	$^1/_2$	$^1/_2$	0	$^1/_2$	$^1/_2$	0	$^1/_2$	0	$^1/_2$	$^1/_2$	6$^1/_2$

BRNO (Mitropa Cup), X 1991

1. Jugoslavija 17, 2. ČSFR 14, 3. Deutschland 13$^1/_2$, 4. Magyarország 11$^1/_2$, 5. Schweiz 11, 6. Österreich 9, 7. Italia 8

BARDEJOVSKÉ KÚPELE, X 1991   cat. VIII (2427)   g=7, m=5

1. Titov 6, 2. Plachetka 5$^1/_2$, 3—5. Mi. Lazić, Gipslis, Dobrovolský 5, 6. Holmov 4$^1/_2$, 7. Dražić 4, 8—9. Salai, Gizyński 3$^1/_2$, 10. P. David 3

XANTHI, X 1991   cat. VII (2420)   g=8$^1/_2$, m=6$^1/_2$

1—2. Kr. Georgiev, Bologan 8$^1/_2$, 3. Grivas 8, 4. Kotronias 7, 5. Seitaj 6$^1/_2$, 6—7. Skembris, Velikov 6, 8. Blees 4$^1/_2$, 9. A. Kofidis 4, 10. Karkanaque 3, 11—12. Karayannis, Delithanasis 2

PODOL'SK, X 1991   cat VIII (2428)   g=8, m=6

1. Murey 9, 2. Judasin 8$^1/_2$, 3. Zajcev 7$^1/_2$, 4—5. Kiselev, Savon 7, 6. I. Belov 6$^1/_2$, 7. Volke 5, 8. M. Knežević 4$^1/_2$, 9—10. Terterians, Poldauf 4, 11. Nikolaev 2$^1/_2$, 12. Touzane$^1/_2$

GUARAPUAVA, X 1991
Panamerican Team Championship

1—2. Cuba, Brasil 19, 3. Colombia 17½, 4—5. Chile, Argentina 14½, 6. México 13, 7. Paraguay 8, 8. Uruguay 6½

CUBA (ch), X 1991
(51 players, 11 rounds)

1—2. Nogueiras, R. Vera 8, 3. Am. Rodríguez 7, 4. J. Arencibia 6½, 5—11. Aldama, Lugo, J. C. Díaz, I. Herrera, Fuentes, W. Arencibia, Calderin 6, 12—20. Borges Mateos, Pecorelli García, Sariego, Rom. Hernández, Becerra, J. Armas, R. Alonso, J. C. González, Ro. Pérez 5½, etc.

WIEN, X 1991   cat. XII (2532) g=5½, m=4

				1	2	3	4	5	6	7	8	9	10		
1	CHRISTIANSEN	g	2600	•	½	1	½	1	1	1	½	1	1	7½	1
2	EPIŠIN	g	2615	½	•	0	½	1	0	1	1	1	1	6	2
3	J. POLGÁR	wg	2550	0	1	•	1	½	0	1	½	½	1	5½	3—5
4	RIBLI	g	2595	½	½	0	•	½	1	½	½	1	1	5½	3—5
5	NUNN	g	2610	0	0	½	½	•	½	1	1	1	1	5½	3—5
6	MOKRÝ	g	2525	0	1	1	0	½	•	0	½	1	1	5	6
7	KINDERMANN	g	2500	0	0	0	½	0	1	•	1	1	½	4	7
8	BRESTIAN	m	2475	½	0	½	½	0	½	0	•	0	0	2	8—10
9	FAULAND	m	2475	0	0	½	0	0	0	0	1	•	½	2	8—10
10	SCHROLL	f	2370	0	0	0	0	0	0	½	1	½	•	2	8—10

WIEN (open), X 1991
(226 players, 9 players)

1. Lobron 7½, 2—11. Savčenko, Ikkonikov, Keņgis, Budnikov, Rotštejn, Psakhis, Smagin, Cvitan, Serper, Kapetanović 7, 12—21. Gulko, Pigusov, Lanka, Pfeiffer, Zysk, P. Blatný, Aleksej Ivanov, Wedberg, Zsó. Polgár, van Wely 6½, 22—42. Godena, I. Faragó, Gen. Timoščenko, Fishbein, Ragozin, Degerman, Sermek, Th. Ernst, Murey, Podzielny, Dutreeuw, R. Mainka, G. M. Todorović, Blauert, Tischbierek, M. Jukić, N. Mitkov, Tolnai, Neubauer, M. Schlosser, Lalev 6, etc.

CA'N PICAFORT, X 1991
(94 players, 9 rounds)

1—3. Je. Piket, Cifuentes Parada, Komljenović 7, 4—9. Kajdanov, Henkin, Moskalenko, Şubă, Zlotnik, Krasenkov 6½, 10—18. Gavrikov, F. Braga, García Palermo, J. Reyes, Langeweg, Chamdanov, García Ilundain, Gamundi, Tarrío 6, etc.

LAS PALMAS, X 1991
(44 players, 9 rounds)

1. Romero Holmes 7, 2—4. Oll, P. Cramling, Todorčević 6½, 5—8. Gómez Esteban, Franco, Magem Badals, A. Brito 6, 9—16. Illescas Córdoba, Ochoa de Echagüen, Fernández García, Bellón López, Morović Fernández, J. Morales, Rivas Pastor, Also 5½, etc.

STARÝ SMOKOVEC, X 1991   cat. X (2476) g=6, m=4

1. I. Sokolov 7, 2—3. P. Popović, Cs. Horváth 6, 4. Štohl 5½, 5. M. Matłak 5, 6. Tibenský 4½, 7. Jansa 3½, 8. Gažík 3, 9. Plachetka 2½, 10. Š. Gross 2

TORONTO, X 1991

Canada — Hrvatska 5 : 7 (3½ : 2½, 1½ : 4½)

PENANG, X—XI 1991
Asian Team Championship
(18 teams, 9 rounds)

1. China 29, 2. Philippines 25, 3—4. Indonesia, Bangladesh 21, 5—7. Singapore, Australia, Myanmar 20, 8—10. India, Vietnam, Iran 19½, 11—12. Qatar, Yemen 18, 13. Malaysia „A" 17½, 14. Malaysia „B" 15½, 15. United Arab Emirates 15, 16. Japan 12½, 17. Bahrain 8½, 18. Brunei 4½

TILBURG (Interpolis), X–XI 1991

cat. XVII (2666) g=6

				1	2	3	4	5	6	7	8		
1	KASPAROV	g	2770	● ●	½ ½	1 0	½ 1	½ ½	1 1	1 ½	1 1	10	1
2	N. SHORT	g	2660	½ ½	● ●	0 ½	½ ½	1 1	1 ½	½ ½	1 ½	8½	2
3	ANAND	g	2650	0 1	1 ½	● ●	1 0	1 0	0 ½	1 ½	1 ½	8	3
4	AN. KARPOV	g	2730	½ 0	½ ½	0 1	● ●	½ 0	½ 1	½ 1	½ 1	7½	4
5	KAMSKY	g	2595	½ ½	0 0	0 1	½ 1	● ●	1 0	½ ½	½ 1	7	5
6	TIMMAN	g	2630	0 0	0 ½	1 ½	½ 0	0 1	● ●	1 0	1 1	6½	6
7	KORTCHNOI	g	2610	0 ½	½ ½	0 ½	½ 0	½ ½	0 1	● ●	½ ½	5½	7
8	BAREEV	g	2680	0 0	0 ½	0 ½	½ 0	½ 0	0 0	½ ½	● ●	3	8

BEOGRAD, X–XI 1991

cat VIII (2427) g=8, m=6

1. M. Pavlović 8, 2. Golubev 7, 3–4. Gluzman, Lanka 6½, 5–7. R. Simić, V. Raičević, Miroslav Marković 6, 8. I. Marinković 5, 9. I. Radulov 4½, 10. Mirković 4, 11. D. Vasiljević 3½, 12. S. Marinković 3

NEW YORK, XI 1991

USA – Hrvatska 7½ : 6½ (2½ : 4½, 5 : 2)

SSSR (ch), XI 1991
(64 players, 11 rounds)

1–2. Minasjan, Magerramov 8½, 3. Epišin 7½, 4–9. Rublevskij, Nenašev, Kiselev, Bologan, Ruban, Vyžmanavin 7, 10–14. Harlov, Frolov, Širov, Tivjakov, Vaganjan 6½, 15–22. A. Kuz'min, Malanjuk, Kramnik, Čehov, Akopjan, Novikov, Makaryčev, Krasenkov 6, 23–38. Ionov, M. Sorokin, Serper, Bagirov, Nikolenko, I. Ibragimov, Aseev, Šabalov, Dreev, Jurtaev, Jakovič, Dohojan, Lputjan, Balašov, Svešnikov, Raškovskij 5½, 39–49. Kancler, Korzubov, M. Makarov, Maljutin, A. G. Pančenko, Judasin, Ulybin, Ějngorn, Tal, Budnikov, Lerner 5, 50–56. Sakaev, Mejster, Titov, A. Šnejder, Dvojris, Aleksandrov, R. Ščerbakov 4½, 57–62. Naumkin, Savon, Zajcev, M. Brodskij, Lukin, Neverov 4, 63. Kruppa 3½, 64. Novik 3

BAD LAUTERBERG, XI 1991

cat. X (2490) g=7½, m=5½

1. Dautov 8½, 2–3. Romanišin, Knaak 7½, 4–6. Vogt, Pe. H. Nielsen, King 6½, 7. Luther 5½, 8–10. S. Mohr, H.-U. Grünberg, Hertneck 4, 11. Soffer 3½, 12. Nagatz 2

PARIS, XI 1991
(Knockout matches consisting of two 25-minute games. In case of a drawn match, a blitz game playoff determined the winner)

An. Kaprov	1 ½						
Speelman	0 ½	An. Karpov	0 0				
Timman	1 ½	Timan	1 1				
Kamsky	1 ½			Timman	1 ½		
V. Salov	1 ½			Anand	0 ½		
Jusupov	0 ½	V. Salov	0 0				
Kortchnoi	0 0	Anand	1 1				
Anand	1 1					**Timman**	1 ½
N. Short	½ 1					Kasparov	0 ½
M. Gurevič	½ 1	N. Short	0 ½				
Lautier	0 1 0	Bareev	1 ½				
Bareev	1 0 1			Bareev	0 0		
Beljavskij	½ ½ ½			Kasparov	1 1		
B. Gel'fand	½ ½ ½	B. Gel'fand	0 0				
Khalifman	½ 0	Kasparov	1 1				
Kasparov	½ 1						

SUBOTICA (izt), XI 1991
(35 players, 13 rounds)

1–2. **Gaprindašvili, Peng Zhaogin** 9, 3–4. **Ioseliani, Levitina** 8½, 5–7. **Wang Pin, Qin Kanying,** Arahamija 8, 8–12. Galjamova-Ivančuk, Matveeva, Litinskaja-Šul', Kahiani, Sofieva 7½, 13–15. Ch. A. Foişor, Nuţu-Gajić, Mádl 7, 16–21. Verőci, Demina, Vuksanović, Vojska, Chonkics, V. Bašagić 6½, 22–30. Mac Artur, Botsari, Čeluškina, G. Marković, N. Bojković, M. Marić, Jahn, S. Maksimović, Paasikangas 6, 31. Sh. Jackson 5½, 32–33. Amura, Naung Khwong Thi Wong 5, 34. Koskela 3½, 35. Chidi 2½

BAD WÖRISHOFEN, XI 1991
(111 players, 11 rounds)

1–2. Smyslov, E. Geller 8½, 3–6. Dückstein, Usačyj, Krogius, Unzicker 8, 7–10. Pachmann, Károly Honfi, Durão, L. da Silva 7½, 11–22. Sarapu, Weigel, Suětin, Stoljar, Winiwarter, Jahr, Jaszczuk, Ojanen, Mertins, Tessner, Patzl, Schuler 7, etc.

DUNDEE, XI 1991 cat. VII (2405) g=7, m=5½

1. G. Flear 6½, 2–3. Şubă, Motwani 5½, 4–5. McNab, Bryson 5, 6. Plaskett 4½, 7. Orr 4, 8. Dunworth 3½, 9. Bathie 3, 10. Crouch 2½

BEOGRAD, XI 1991 cat. XV (2611) g=5½, m=3½

				1	2	3	4	5	6	7	8	9	10	11	12		
1	B. GEL'FAND	g	2665	●	0	½	1	0	1	1	½	1	½	1	1	7½	1
2	KAMSKY	g	2595	1	●	1	½	½	0	½	½	1	½	½	1	7	2–3
3	NUNN	g	2610	½	0	●	½	½	½	1	1	½	½	1	1	7	2–3
4	M. GUREVIČ	g	2630	0	½	½	●	1	1	1	1	½	0	½	½	6½	4–5
5	I. SOKOLOV	g	2570	1	½	½	0	●	0	½	1	1	½	½	1	6½	4–5
6	DAMLJANOVIĆ	g	2585	0	1	½	0	1	●	0	½	1	1	½	0	5½	6
7	P. NIKOLIĆ	g	2625	0	½	0	0	½	1	●	½	1	½	½	½	5	7
8	JUSUPOV	g	2625	½	½	0	0	0	½	½	●	0	1	1	½	4½	8–9
9	LAUTIER	g	2560	0	0	½	½	0	0	0	1	●	1	1	½	4½	8–9
10	SEIRAWAN	g	2615	½	½	½	1	½	0	½	0	0	●	0	½	4	10–12
11	LJUBOJEVIĆ	g	2600	0	½	0	½	½	½	½	0	0	1	●	½	4	10–12
12	BELJAVSKIJ	g	2655	0	0	0	½	0	1	½	½	½	½	½	●	4	10–12

SKOPJE, XI 1991 cat. VIII (2440) g=9½, m=7

1–2. Raškovskij, N. Mitkov 9½, 3. Golubev 8½, 4–6. A. Mihal'čišin, Ink'ov, Mi. Lazić 7½, 7. B. Ivanović 7, 8. Sofrevski 6, 9–11. Popčev, D. Jaćimović, Bogdanovski 5½, 12. Tringov 5, 13. Redžepagić 4, 14. Kočovski 2½

BUDAPEST, XI–XII 1991 cat. VIII (2435) g=9, m=6½

1. I. Rogers 9½, 2–3. Novikov, P. Blatný 8, 4. Züger 7, 5–6. Zsó. Polgár, Schmittdiel 6½, 7–8. P. Lukács, Zo. Varga 6, 9. Somlai 5, 10. J. Dobos 4½, 11. Afek 4, 12–13. Stajčić, Carlier 3½

LOS ANGELES, XI–XII 1991
(120 players, 9 rounds)

1. J. Benjamin 7, 2–3. P. Wolff, D. Root 6½, 4–12. G. Orlov, I. Ivanov, Ftáčnik, Leski, J. Peters, Silman, D. Strauss, Small, Booth 6, 13–22. D. Gurevich, Fishbein, Brooks, Remlinger, Kotliar, Jacobi, Durham, Wolski, Toyboy, Alonso 5½, etc.

BUDAPEST, XI–XII 1991 cat. VII (2417) g=8½, m=6½

1–2. Šereševskij, Henkin 8½, 3. Hazai 6½, 4. Apicella 6, 5–7. A. Schneider, Kočiev, van Mil 5½, 8. I. Bilek 5, 9. B. Lengyel 4½, 10. Szalánczy 4, 11. Vígh 3½, 12. Berebora 3

JUGOSLAVIJA (ch), XII 1991
(67 players, 13 rounds)

1–3. Striković, P. Popović, D. Kosić 9, 4–8. V. Raičević, B. Ivanović, Ilinčić, Velimirović, Abramović 8½, 9–12. Kožul, D. Blagojević, Miroslav Marković, Tošić 8, 13–20. Sinanović, Mozetić, B. Knežević, Draško, Barlov, Brkljača, Brenjo, N. Nikčević 7½, 21–26. Lejlić, V. Vujošević, Neb. Ristić, Zd. Vuković, Mijailović, Matulović 7, etc.

ELGÓIBAR, XII 1991 cat. VIII (2429) g=7, m=5

1. Franco 7, 2. Topalov 6, 3. Ubilava 5½, 4. Izeta 4½, 5—7. Gómez Esteban, A. Hoffman, Alvárez Ibarra 4, 8—9. García Palermo, Cruz López 3½, 10. Iruzubieta 3

EEKLO, XII 1991 cat. VII (2415) g=7, m=5½

1. A. Mihal'čišin 6, 2—4. A. Petrosjan, K. Berg, Martens 5½, 5. King 5, 6. Cardon 4½, 7—8. Dutreeuw, Barkhagen 4, 9. van Laatum 3, 10. Hallebeek 2

LAS PALMAS, XII 1991 cat. X (2500) g=6, m=4½

1—3. Kortchnoi, Franco, Topalov 6, 4. Granda Zuniga 5½, 5. Morović Fernández 5, 6. de la Villa García 4½, 7. Gómez Esteban 4, 8. Romero Holmes 3½, 9. García Padron 2½, 10. Santo-Roman 2

ENGLAND (ch), XII 1991

N. Short	1 ½
Chandler	0 ½
Nunn	0 ½
Hodgson	1 ½
Speelman	½ ½ ½ ½ ½ ½ ½ 1
Kosten	½ ½ ½ ½ ½ ½ ½ 0
W. Watson	½ ½ 0 ½
Adams	½ ½ 1 ½

N. Short	½ 1
Hodgson	½ 0
Speelman	½ 0
Adams	½ 1

N. Short	0 1 ½ ½ 1 1
Adams	1 0 ½ ½ 0 0

KECSKEMÉT, XII 1991 cat. VIII (2428) m=7

1—2. Arhipov, P. Blatný 9, 3. Hráček 8½, 4—5. Malanjuk, I. Gurevich 7½, 6—8. Palac, Leko, Weindl 7, 9. Borriss 6, 10. Klarić 5½, 11—12. O. Ivanov, Krizsany 5, 13. Stajčić 4, 14. Tratar 3

MAGYARORSZÁG (ch), XII 1991 cat. VIII (2428) m=7

				1	2	3	4	5	6	7	8	9	10		
1	J. POLGÁR	wg	2505	●	½	1	½	½	½	½	1	1	½	6	1
2	ADORJÁN	g	2530	½	●	½	½	1	½	½	½	½	1	5½	2—3
3	SAX	g	2600	0	½	●	½	1	1	½	1	½	½	5½	2—3
4	JÓ. HORVÁTH	g	2515	½	½	½	●	½	½	½	½	1	½	5	4—5
5	ZSU. POLGÁR	wg	2535	½	0	0	½	●	1	1	½	1	½	5	4—5
6	L. PORTISCH	g	2570	½	½	0	½	0	●	1	1	½	½	4½	6
7	P. LUKÁS	g	2500	½	½	½	½	0	0	●	½	½	½	3½	7—9
8	GRÓSZPÉTER	g	2480	0	½	0	½	½	0	½	●	½	1	3½	7—9
9	TOLNAI	g	2480	0	½	½	0	0	½	½	½	●	1	3½	7—9
10	I. FARAGÓ	g	2515	½	0	½	½	½	½	½	0	0	●	3	10

ČELJABINSK, XII 1991 cat. X (2486) g=9½, m=7

1. Dvojris 10½, 2—4. Magerramov, Ionov, Ulybin 9½, 5—7. R. Ščerbakov, Ikonnikov, Vyžmanavin 8, 8. M. Sorokin 7½, 9—10. Pe. H. Nielsen, Kiselev 6½, 11. S. Atalik 6, 12—13. Magomedov, Laketić 5½, 14. Ničevski 4, 15. Kantorik ½

ČELJABINSK II, XII 1991 cat. VII (2407) m=8

1. S. Ivanov 9½, 2. Temirbaev 9, 3. Glejzerov 8½, 4—7. Šipov, Baškov, Rublevskij, A. N. Pančenko 8, 8. Jandemirov 7, 9—11. Czerwoński, Pisuliński, T. Yilmaz 6½, 12—13. Poluljahov, Juneev 6, 14. Tumurhuyag 4, 15. Kolasiński 3½

HILVERSUM, XII 1991

			1	2	3	4	5	6	
IVANČUK	g	2735	1	1	½	½	½	0	3½
TIMMAN	g	2630	0	0	½	½	½	1	2½

LOGROÑO, XII 1991

				1	2	3	4	5	6	
1	ILLESCAS CÓRDOBA	g	2545	½ ½	0 ½	½ ½	½ 1	½ ½	½ ½	6
2	BELLÓN LÓPEZ	g	2510	0 ½	0 0	0 ½	0 0	½ 1	½ 0	3
3	RIVAS PASTOR	g	2450	1 0	0 0	0 0	1 0	0 0	½ ½	3
4	FERNÁNDEZ GARCÍA	g	2470	½ 0	0 ½	½ ½	½ 0	0 0	0 ½	3
5	OR. RODRÍGUEZ	g	2460	0 0	0 ½	½ ½	0 0	0 1	½ 0	3
6	ROMERO HOLMES	m	2485	0 ½	0 0	0 0	0 ½	0 ½	0 0	1½
										19½

				1	2	3	4	5	6	
1	POLUGAEVSKIJ	g	2630	½ ½	1 ½	0 1	½ 1	1 1	1 ½	8½
2	EHLVEST	g	2605	1 ½	1 1	1 1	1 ½	1 ½	1 1	10½
3	DORFMAN	g	2600	½ ½	1 ½	1 1	½ ½	½ ½	1 1	8½
4	EPIŠIN	g	2615	½ 0	1 1	0 1	½ 1	1 1	1 ½	8½
5	DREEV	g	2610	½ ½	½ 0	1 1	1 1	1 0	1 ½	8
6	E. VLADIMIROV	g	2580	½ ½	½ 1	½ ½	1 ½	½ 1	1 1	8½
										52½

GRONINGEN, XII 1991 cat. XIII (2575) g=5½, m=3½

				1	2	3	4	5	6	7	8	9	10		
1	JE. PIKET	g	2590	●	½	½	1	½	1	½	½	½	1	6	1—2
2	CU. HANSEN	g	2600	½	●	1	½	0	½	1	1	½	1	6	1—2
3	I. SOKOLOV	g	2570	½	0	●	1	1	1	½	0	½	½	5	3—4
4	CHRISTIANSEN	g	2600	0	½	0	●	½	½	1	1	1	½	5	3—4
5	AKOPJAN	g	2590	½	1	0	½	●	½	0	½	½	1	4½	5—6
6	DREEV	g	2610	0	½	0	½	½	●	½	1	1	½	4½	5—6
7	FTÁČNIK	g	2575	½	0	½	0	1	½	●	½	½	½	4	7
8	SCHMITTDIEL	m	2490	½	½	1	0	½	0	½	●	½	0	3½	8—9
9	ROMANIŠIN	g	2600	½	0	½	0	½	0	½	½	●	1	3½	8—9
10	BRENNINKMEIJER	m	2525	0	0	½	½	0	½	½	1	0	●	3	10

GRONINGEN (open), XII 1991
(140 players, 9 rounds)

1—4. Klovans, Keņgis, Šnejder, Savčenko 7, 5—11. Kveinys, F. Levin, Mališauskas, Kramnik, Tivjakov, Kuczyński, B. Finegold 6½, 12—19. Gelpke, Lukin, N. Mitkov, Nijboer, Th. Ernst, I. Ibragimov, Sakaev, Züger 6, 20—40. Vanheste, Tjiam, Pál Petrán, van Gisbergen, Zagema, M. Hoffmann, Minasjan, Waiser, Vehi Bach, Renet, Zlotnik, Cifuentes Parada, Turner, Keitlinghaus, Djurhuus, B. Lalić, Kiik, Bosboom, Lanka, Pogorelov, Carlier 5½, etc.

MÜNCHEN, XII 1991—I 1992
(90 players, 9 rounds)

1—3. B. Alterman, R. Lau, Kovalëv 7, 4—7. Palac, Jakovič, A. Greenfeld, V. Kostić 6½, 8—14. Ulybin, Kindermann, Wahls, K. Müller, van der Sterren, Mathe, van Wely 6, 15—20. Aseev, K. Bischoff, Ph. Schlosser, H.-U. Grünberg, Brunner, Volke 5½, etc.

STOCKHOLM, XII 1991—I 1992
(170 players, 9 rounds)

1—3. Pétursson, Henkin, D. Cramling 7½, 4—10. L.-Å. Schneider, Stefánsson, Åkesson, Brynell, Borge, Carlhammar, Poley 7, 11—18. Degerman, J. Johansson, Wedberg, A. Gretarsson, Sanden, Ch. Hartman, Čičak, Magnusson 6½, etc.

PAMPLONA (open), XII 1991—I 1992
(108 players, 9 rounds)

1—5. Franco, Urday, Topalov, Novikov, Ėjngorn 7, 6—11. Todorčević, Veingold, Danailov, L. Mendoza, Garbisu, Delgado 6½, 12—21. F. Jimenez, F. Braga, Eslon, Gi. Hernández, Lezsano, Sión Castro, J. Morales, Guerra, Redin, Nedobora 6, etc.

PAMPLONA, XII 1991–I 1992 cat. XIII (2551) g=5½, m=3½

				1	2	3	4	5	6	7	8	9	10		
1	JUDASIN	g	2595	●	½	0	½	1	1	½	½	1	1	6	1–2
2	ILLESCAS CÓRDOBA	g	2545	½	●	½	½	0	1	½	1	1	1	6	1–2
3	ZSU. POLGÁR	wg	2535	1	½	●	1	0	½	½	½	½	1	5½	3
4	OLL	g	2600	½	½	0	●	½	0	1	1	1	½	5	4
5	EHLVEST	g	2605	0	1	1	½	●	½	1	½	0	0	4½	5–6
6	A. CHERNIN	g	2605	0	0	½	1	½	●	½	½	1	½	4½	5–6
7	MAGEM BADALS	m	2490	½	½	½	0	0	½	●	1	½	½	4	7
8	GRANDA ZUNIGA	g	2595	½	0	½	0	½	½	0	●	½	1	3½	8–9
9	FERNÁNDEZ GARCÍA	g	2470	0	0	½	0	1	0	½	½	●	1	3½	8–9
10	DE LA VILLA GARCÍA	m	2470	0	0	0	½	1	½	½	0	0	●	2½	10

STAVANGER, XII 1991–I 1992
(28 players, 9 rounds)

1. Fishbein 7, 2–3. Pe. H. Nielsen, Bologan 6½, 4. L. Hansen 6, 5–6. Hector, Gausel 5½, 7–13. Østenstad, Westerinen, Fyllingen, Whiteley, J. O. Fries-Nielsen, Remlinger, Egeli 5, etc.

HASTINGS, XII 1991–I 1992 cat. XIV (2586) g=7½, m=5

				1	2	3	4	5	6	7	8		
1	BAREEV	g	2680	● ●	½ 1	1 0	1 ½	1 1	½ 1	½ 1	½ 1	10½	1
2	S. AGDESTEIN	g	2590	½ 0	● ●	1 ½	1 ½	½ 1	1 0	½ 1	½ 1	9	2
3	ŠIROV	g	2610	0 1	0 ½	● ●	½ ½	½ 1	1 ½	1 ½	½ 1	8½	3
4	SPEELMAN	g	2630	0 ½	0 ½	½ ½	● ●	0 ½	½ 1	1 1	½ ½	7	4–5
5	ADAMS	g	2615	0 0	½ 0	½ 0	1 ½	● ●	1 0	½ 1	1 1	7	4–5
6	CHANDLER	g	2605	½ 0	0 1	0 ½	½ 0	0 1	● ●	½ 1	½ 1	6½	6
7	HODGSON	g	2570	½ 0	½ 0	0 ½	0 0	½ 0	½ 0	● ●	1 ½	4	6
8	SUETIN	g	2405	½ 0	½ 0	½ 0	½ ½	0 0	½ 0	0 ½	● ●	3½	8

HASTINGS (open), XII 1991–I 1992
(158 players, 9 rounds)

1. Crouch 7½, 2–5. I. Gurevich, Hebden, Kosten, Sadler 7, 6–15. Conquest, G. Flear, Howell, V. Neverov, Ruban, Şubă, Gen. Timoščenko, Mih. Cejtlin, van Mil, Arahamija 6½, 16–24. K. Arkell, Gostein, Mestel, Motwani, K. O'Connell, Palatnik, Parker, Summerscale, Wells 6, etc.

REGGIO EMILIA, XII 1991–I 1992 cat. XVIII (2676)

				1	2	3	4	5	6	7	8	9	10		
1	ANAND	g	2650	●	½	1	½	½	½	1	1	0	1	6	1
2	B. GEL'FAND	g	2665	½	●	½	½	½	½	1	½	½	1	5½	2–3
3	KASPAROV	g	2770	0	½	●	½	1	½	½	½	1	1	5½	2–3
4	AN. KARPOV	g	2730	½	½	½	●	½	0	½	½	1	1	5	4
5	IVANČUK	g	2735	½	½	0	½	●	1	½	½	½	½	4½	5–7
6	KHALIFMAN	g	2630	½	½	½	1	0	●	½	0	½	1	4½	5–7
7	POLUGAEVSKIJ	g	2630	0	0	½	½	½	½	●	1	½	1	4½	5–7
8	V. SALOV	g	2665	0	½	½	½	½	1	0	●	1	0	4	8–9
9	M. GUREVIČ	g	2630	1	½	0	0	½	½	½	0	●	1	4	8–9
10	BELJAVSKIJ	g	2655	0	0	0	0	½	0	0	1	0	●	1½	10

REGGIO EMILIA II, XII 1991–I 1992 cat. VIII (2444) g=8, m=6

1. L. Portisch 8½, 2. Gavrikov 7½, 3. Arlandi 6½, 4–5. Godena, Gaprindašvili 6, 6–7. Cebalo, Kapengut 5½, 8. Manca, Borgo 5, 10. Landenbergue 4, 11. Bukal 3½, 12. Mantovani 3

CALCUTTA, I 1992
(104 players, 11 rounds)

1–4. King, Norwood, Anand, Dreev 8, 5–11. Kir. Georgiev, Ribli, Barua, Vyžmanavin, Ejngorn, Ehlvest, L. Ravi 7½, 12–20. Bologan, Hasin, Gufel'd, Saravanan, Mishra, Sahu, Ganesan, Rengarajan, Imocha 7, etc.

PRAHA, I 1992 cat. XI (2505) g=8, m=5½

				1	2	3	4	5	6	7	8	9	10	11	12	13		
1	W. WATSON	g	2535	●	½	½	½	½	1	½	1	½	½	1	1	1	8½	1
	ŠTOHL	m	2560	½	●	½	½	½	½	½	1	1	½	½	1	1	8	2–4
3	R. MAINKA	m	2455	½	½	●	½	½	1	½	½	½	½	1	1	1	8	2–4
	RAZUVAEV	g	2575	½	½	½	●	½	½	0	1	½	1	1	1	1	8	2–4
5	SMAGIN	g	2550	½	½	½	½	●	½	½	½	1	1	1	0	½	7	5
6	VAN DER STERREN	g	2535	0	½	0	½	½	●	1	0	½	1	½	1	1	6½	6
7	KINDERMANN	g	2505	½	½	½	1	½	0	●	½	0	1	½	½	½	6	7–9
8	KEITLINGHAUS	m	2440	0	0	½	0	½	1	½	●	1	½	½	1	½	6	7–9
9	I. ROGERS	g	2550	½	0	½	½	0	½	1	0	●	½	1	½	1	6	7–9
10	JANSA	g	2460	½	½	½	0	0	0	0	½	½	●	0	½	1	4	10
11	PEKÁREK	m	2455	0	½	0	0	0	½	½	½	0	1	●	½	0	3½	11–12
12	MEDUNA	g	2500	0	0	0	0	1	0	½	0	½	½	½	●	½	3½	11–12
13	VOKÁČ	m	2450	0	0	0	0	½	0	½	½	0	0	1	½	●	3	13

SEVILLA, I 1992
(200 players, 9 rounds)

1–3. Oll, Judasin, Campora 7½, 4–14. Jakovič, Rivas Pastor, B. Lalić, Zlotnik, P. Cramling, Sanz Alonso, Tal, Komljenović, Gulko, Topalov, Bellón López 7, 15–23. Illescas Córdoba, Danailov, Todorčević, M. Marin, de Aysa, Nedobora, S. Kovačević, Gi. Hernández, Martínez Semprun 6½, etc.

GAUSDAL, I 1992
(68 players, 9 rounds)

1–7. Kramnik, Kotronias, Th. Ernst, Lerner, Renet, Gausel, Østenstad 6½, 8–9. Motwani, Emms 6, 10–19. L. Hansen, Reeh, Bellin, Fossan, G. Kuz'min, Tisdall, Webster, Henkin, Hector, Bern 5½, etc.

WIJK AAN ZEE, I 1992 cat. XIV (2592) g=7, m=4½

				1	2	3	4	5	6	7	8	9	10	11	12	13	14		
1	V. SALOV	g	2655	●	½	½	½	½	½	1	1	½	½	½	½	1	1	8½	1–2
2	B. GEL'FAND	g	2665	½	●	½	½	½	½	½	1	½	1	½	½	1	1	8½	1–2
3	KORTCHNOI	g	2585	½	½	●	½	½	½	½	1	½	½	1	½	½	½	7½	3–4
4	HÜBNER	g	2615	½	½	½	●	½	½	½	½	½	½	1	½	½	1	7½	3–4
5	P. NIKOLIĆ	g	2635	½	½	½	½	●	½	½	½	½	½	½	0	1	½	6½	5–8
6	JE. PIKET	g	2615	½	½	½	½	½	●	½	0	½	½	0	1	1	½	6½	5–8
7	SEIRAWAN	g	2600	0	½	½	½	½	½	●	½	½	½	1	1	0	½	6½	5–8
8	EPIŠIN	g	2620	0	0	0	½	½	1	½	●	1	½	0	½	1	1	6½	5–8
9	VAN DER WIEL	g	2540	½	½	½	½	½	½	½	0	●	½	1	0	0	1	6	9–11
10	SAX	g	2600	½	0	½	½	½	½	½	½	½	●	½	½	½	½	6	9–11
11	VAN WELY	m	2560	½	½	0	0	½	1	0	1	0	½	●	1	½	½	6	9–11
12	NUNN	g	2615	½	½	½	½	1	0	0	½	1	½	0	●	0	½	5½	12–13
13	BRENNINKMEIJER	m	2500	0	0	½	½	0	0	1	0	1	½	½	1	●	½	5½	12–13
14	ROMERO HOLMES	m	2490	0	0	½	0	½	½	½	0	0	½	½	½	½	●	4	14

WIJK AAN ZEE II, I 1992 cat. X (2489) g=7½, m=5½

1. Tukmakov 9, 2. P. Wolff 8½, 3. Nijboer 6½, 4–5. Moskalenko, Winants 6, 6. de Boer 5½, 7. Cifuentes Parada 5, 8–9. B. Finegold, van Mil 4½, 10. Bronštejn 4, 11. Ermenkov 3½, 12. M. Kuijf 3

EUROPEAN CLUB CUP

⅛ Final:	1. **Lyon (FRA)** – Barcelona (ESP)	7½ : 4½	(4½ : 1½, 3 : 3)
	2. **Boavista (POR)** – Dudelange (LUX)	10½ : 1½	
	3. CE Genf (SWZ) – **T. Petrosjan (URS)**	5½ : 6½	(3 : 3, 2½ : 3½)
	4. Bosna (JUG) – **Solingen (GER)**	won by default	
	5. **Hapoel (ISL)** – Vysherad (ČSFR)	won by default	
	6. **Wood Green (ENG)** – Goša (JUG)	6 : 6	(3½ : 2½, 2½ : 3½)
	7. **Bayern (GER)** – Porz (GER)	6½ : 5½	(2 : 4, 4½ : 1½)
	8. **Poliot (URS)** has a bye		
¼ Final:	1. Lion (FRA) – **Bayern (GER)**	4½ : 7½	(1½ : 4½, 3 : 3)
	2. T. Petrosjan (URS) – **Poliot (URS)**	5½ : 6½	(2½ : 3½, 3 : 3)
	3. **Solingen (GER)** – Boavista (POR)	11 : 1	(6 : 0, 5 : 1)
	4. Wood Green (ENG) – **Hapoel (ISL)**	2½ : 9½	(½ : 5½, 2 : 4)

fide information

FIDE INTERNATIONAL RATING LIST, January 1, 1992

MEN

A

Aaberg, A. (SVE)	15	2245
Aagaard, J. (DEN)	33	2285
Aarland, S. A. (NOR)	5	2225
Aban, E. (ARG)	0	2230
f Abarca Aguirre, M. (CHI)	0	2365
Abbas, B. H. (IRQ)	0	2210
m Abdennabi, I. (EGY)	0	2395
Abdul Karim, A.-A. (YEM)	0	2205
Abdul Moula, S. (YEM)	0	2205
Abdul Satar, M. A. (IRQ)	0	2240
Abdul, M. N. (IND)	9	2255
m Abdullah, M. (UAE)	26	2280
m Abel, L. (HUN)	60	2430
f Abibula, A. (ROM)	0	2350
Abou el Zein, E. M. (EGY)	13	2340
Abouchaaya, T. (AUS)	0	2215
g Abramovic, B. (JUG)	16	2475
Abramson, H. (ARG)	0	2225
f Abravanel, Ch. (FRA)	0	2320
Abregu, M. (ARG)	0	2220
m Abreu, J. D. (DOM)	0	2385
Absmaier, F. (GER)	5	2250
Ac, M. (CSR)	0	2225
Acebal, A. (ESP)	2	2295
f Acevedo, A. (MEX)	8	2305
Acharya, C. K. (IND)	29	2310
Acimovic, S. (JUG)	0	2370
Ackermann, R. (SWZ)	0	2295
Acosta, A. (COL)	3	2345
Acosta, T. (ARG)	0	2250
Ada, B. (CAN)	0	2225
Adad, C. (ARG)	0	2225
g Adams, M. (ENG)	33	2590
m Adamski, A. (POL)	1	2305
m Adamski, J. (POL)	21	2375
f Adelman, Ch. D. (USA)	2	2220
Ademi, S. (JUG)	0	2240
Adhami, H. (PAL)	0	2205
g Adianto, U. (RIN)	0	2485
m Adla, D. (ARG)	7	2435
Adler, J. (SWZ)	0	2255
Adler, V. (URS)	12	2370
g Adorjan, A. (HUN)	24	2535
f Adrian, C. (FRA)	8	2295
f Ady, J. J. (ENG)	0	2300
f Adzic, S. (JUG)	0	2265
f Afek, Y. (ISL)	44	2340
m Afifi, A. (EGY)	13	2395
Afriany, V. (HAI)	0	2215
Agamaliev, G. (URS)	7	2350
Agarwal, B. (IND)	0	2260
Agdamus, J. L. (ARG)	0	2230
f Agdestein, E. (NOR)	0	2330
g Agdestein, S. (NOR)	0	2590
Ageichenko, G. A. (URS)	5	2340
Agh, M. (HUN)	0	2240
Agistriotis, M. (GRC)	12	2230
Agnolin Diaz, A. (ARG)	0	2220
m Agnos, D. (ENG)	19	2410
m Agrest, E. (URS)	17	2485
Agudelo, A. (COL)	0	2355
f Aguila, G. (ARG)	0	2320
Aguilar, J. (PER)	0	2315
Aguilera, J. (ESP)	14	2245
Aguirre, P. J. (ESP)	13	2210
f Agustsson, J. (ISD)	0	2315
f Ahlander, B. (SVE)	0	2415
Ahmd Saleh, B. (YEM)	0	2205
Ahmed, F. M. (YEM)	0	2205
Ahmed, K. T. (EGY)	14	2335
Ahmed, Z. A. (ALG)	20	2225
Ahmels, V. (GER)	0	2240
Aidarov, N. (URS)	0	2330
Ajanski, J. S. (BLG)	0	2350
Ajvazi, R. (JUG)	0	2225
Akeel, M. (SYR)	0	2270
m Akesson, R. (SVE)	20	2465
g Akopian, V. (URS)	30	2605
Akopov, R. (URS)	0	2340
Al-Ghasra, A. (BAR)	0	2205
f Al-Khateeb, A. (SYR)	5	2250
m Al-Modiahki, M. (QTR)	23	2290
Al-Othman, A. W. (KUW)	0	2240
f Alaan, V. (PHI)	0	2385
Alarcon, R. (CRA)	0	2230
Alava, M. (FIN)	1	2265
Alawieh, A. (FRA)	6	2360
Alayola, J. E. (MEX)	0	2235
f Alber, H. (GER)	2	2335
Albert, Th. (GER)	0	2275
Albrecht, R. (GER)	3	2285
g Alburt, L. O. (USA)	11	2535
f Aldama, D. (CUB)	32	2380
Aleksandrov, A. (URS)	19	2460
Aleksandrov, G. (BLG)	0	2235
Alekseev, A. (URS)	0	2365
Alekseev, V. G. (URS)	7	2370
Aleksic, M. (JUG)	0	2215
m Aleksic, N. (JUG)	35	2400
Alet, J.-P. (FRA)	10	2280
Alexakis, D. (GRC)	5	2240
Alexandre, J. (POR)	0	2300
Alexandrou, A. (CYP)	11	2270
Ali, S. (UAE)	0	2205
Alienkin, A. (URS)	0	2415
Alkaersig, O. (DEN)	1	2260
f Allan, D. (CAN)	0	2275
Allan, W. M. (JRD)	0	2205
f Allegro, V. (SWZ)	6	2330
f Allen, B. L. (USA)	0	2325
Allen, E. J. (USA)	4	2225
Allen, K. (IRL)	0	2300
f Almada, E. (URU)	8	2340
Almaguer, F. (CUB)	0	2215
Almasi, I. (HUN)	39	2350
Almasi, Z. (HUN)	55	2390
Almeida Saenz, A. (MEX)	15	2330
Almeida, J. T. (POR)	14	2255
Almeida, M. A. (ESP)	0	2315
Alonso, J. I. (ESP)	6	2300
m Alonso, R. (CUB)	18	2395
f Alpern, D. (ARG)	0	2330
Alsalati, A. H. (BAR)	0	2280
Alsharfi, S. S. (YEM)	0	2205
Alsharhan, F. (UAE)	0	2205
f Alster, L. (CSR)	0	2235
Altamirano, B. (ARG)	0	2225
Altan-Och, G. (MON)	0	2350
m Alterman, B. (ISL)	9	2515
f Alterman, V. I. (ISL)	0	2405
Altgelt, A. (GER)	0	2235
Altini, D. (ITA)	4	2255
Alvarez Castillo, H. (ARG)	0	2230
m Alvarez Ibarra, R. D. (ESP)	34	2360
f Alvarez, F. (CUB)	18	2275
Alvas, P. (GRC)	0	2220
f Alvir, A. (JUG)	0	2300
m Alzate, D. (COL)	0	2375
Alzugaray, D. (CUB)	0	2205
Amaral, N. (POR)	11	2250
Ambarcumjan, A. (URS)	0	2345
m Ambroz, J. (CSR)	24	2415
Amendola, K. (GRC)	1	2250
Amer, S. (LIB)	0	2205
Amir, K. (PAK)	0	2270
f Ammann, Ph. (SWZ)	9	2255
g Anand, V. (IND)	22	2670
Anapolsky, S. (URS)	0	2375
m Anastasian, A. (URS)	10	2490
Anceschi, V. (ITA)	18	2290
Andersen, D. (DEN)	11	2275
Andersen, I. (DEN)	5	2230
Andersen, K. V. (DEN)	3	2295
f Anderson, R. (USA)	19	2270

f	Andersson, Bjorn (SVE)	0	2330
	Andersson, Bjorn (SVE)	0	2225
	Andersson, G. (SVE)	0	2245
g	Andersson, U. (SVE)	31	2605
	Anderton, D. W. (ENG)	9	2235
	Anderton, M. (ENG)	15	2240
	Andi, P. (HUN)	5	2250
m	Andonov, B. (BLG)	13	2335
f	Andonovski, Lj. (JUG)	0	2265
	Andrade, W. (BRS)	10	2275
	Andre, S. (FRA)	9	2350
	Andre, W. (GER)	0	2230
	Andreasen, P. (DEN)	8	2290
	Andreasson, I. (SVE)	0	2390
	Andreev, D. (BLG)	2	2240
	Andreoli, R. (ITA)	1	2210
m	Andres, M. (CUB)	0	2325
	Andresen, S. (GER)	0	2295
m	Andrianov, N. (URS)	54	2440
	Andrienko, A. (URS)	0	2230
f	Andrijasevic, M. (JUG)	0	2315
m	Andrijevic, M. (JUG)	0	2355
m	Andruet, G. (FRA)	0	2365
	Andurkar, D. A. (IND)	5	2225
f	Anelli, A. (ARG)	0	2300
	Anetbaev, B. (URS)	0	2250
m	Angantysson, H. (ISD)	0	2285
	Angelov, A. (BLG)	0	2290
	Angelov, E. (BLG)	0	2250
	Angelov, G. (BLG)	0	2210
m	Angelov, K. (BLG)	0	2290
	Angelov, R. (BLG)	0	2225
	Angqvist, Th. (SVE)	14	2235
	Anguix Garrido, J. (ESP)	9	2300
	Angyal, F. (HUN)	0	2220
m	Anic, D. (FRA)	28	2405
m	Anikaev, Y. N. (URS)	0	2415
	Anilkumar, N. R. (IND)	6	2305
	Anilkumar, O. T. (IND)	4	2265
	Anino, S. (ARG)	0	2275
m	Anitoaei, D. (ROM)	13	2350
	Anka, E. (HUN)	25	2330
	Annageldiev, O. (URS)	0	2420
	Annakov, B. (URS)	25	2365
	Anokhin, V. (URS)	7	2365
	Ansell, S. (ENG)	19	2285
	Anselmo, A. (FRA)	0	2240
	Anstad, T. (NOR)	16	2305
m	Antic, D. (JUG)	14	2410
	Antic, Z. (JUG)	0	2285
	Antkowiak, G. (POL)	0	2250
m	Antonio jr., R. (PHI)	17	2500
m	Antonov, V. (BLG)	0	2395
	Antonsen, M. (DEN)	40	2390
	Antoshik, A. (CSR)	0	2205
g	Antoshin, V. S. (URS)	0	2255
m	Antunes, A. (POR)	16	2465
	Aoiz, J. J. (ESP)	13	2325
	Aoldia, K. (ALG)	9	2210
f	Aparicio, A. (ARG)	0	2330
	Apatoczky, P. (HUN)	0	2255
	Apel, S. (GER)	0	2245
m	Apicella, M. (FRA)	23	2435
f	Appel, R. (GER)	6	2380
	Appleberry, M. (USA)	11	2310
	Appolonov, S. (URS)	13	2305
	Arancibia, E. (CHI)	9	2345
	Aranda Gonzales, J. (ESP)	10	2330
m	Arapovic, V. (JUG)	16	2390
	Araros, H. (CHI)	1	2240
	Araya, C. (CRA)	15	2215
	Araya, M. (CHI)	9	2395
	Araya, R. (CHI)	23	2290
m	Arbakov, V. (URS)	19	2450
f	Arbouche, M. (MRC)	4	2260
f	Ardaman, M. (USA)	9	2410
f	Ardeleanu, A. (ROM)	1	2350
	Ardeleanu, C. (ROM)	0	2220
g	Ardiansyah, H. (RIN)	0	2460
f	Arduman, C. (TRK)	9	2405
m	Arencibia, J. J. (CUB)	11	2430
g	Arencibia, W. R. (CUB)	36	2535
	Ari, Z. (TRK)	9	2240
	Arino, F. (FRA)	0	2210
m	Arkell, K. C. (ENG)	44	2460
g	Arkhipov, S. (URS)	13	2515
	Arki, M. (FRA)	9	2225
m	Arlandi, E. (ITA)	0	2420
	Armanda, I. (JUG)	0	2275
m	Armas, I. (FRA)	0	2440
m	Armas, J. (CUB)	43	2400
	Armenteros, N. (CUB)	0	2285
	Armstrong, M. J. (ENG)	0	2210
	Arnason, A. T. (ISD)	0	2270
g	Arnason, J. L. (ISD)	11	2515
f	Arnason, Th. (ISD)	11	2295
	Arnaudov, P. (BLG)	2	2270
	Arndt, S. (GER)	0	2235
f	Arnold, F. (HUN)	0	2325
f	Arnold, L. (GER)	10	2320
	Arrata, P. (ECU)	0	2215
	Arsic, S. (JUG)	0	2270
	Arsovic, A. (JUG)	0	2300
f	Arsovic, G. (JUG)	12	2310
f	Arsovic, Z. (JUG)	12	2305
	Arutyunyan, A. (URS)	0	2245
m	Asanov, B. (URS)	14	2405
	Asaturoglu, R. (TRK)	11	2250
	Aschwanden, F.-B. (SWZ)	0	2210
f	Ascic, A. (JUG)	0	2390
	Ascolese, P. (USA)	11	2275
m	Aseev, K. N. (URS)	63	2560
	Asensio, E. (ARG)	0	2225
f	Asfora, M. (BRS)	0	2270
	Asfura, C. (CHI)	0	2225
f	Ashley, M. (USA)	14	2370
	Asmat Pacheco, J. (PER)	0	2205
	Assem, M. (EGY)	0	2310
	Assmann, Th. (GER)	0	2335
	Astolfi, F. (FRA)	0	2255
f	Astrom, G. (SVE)	9	2315
	Astrom, R. (SVE)	5	2305
m	Atalik, S. (TRK)	24	2455
f	Atanasijadis, A. (JUG)	0	2300
	Atanaskovic, P. (JUG)	0	2250
	Atanasov, G. (BLG)	0	2300
m	Atanasov, P. (BLG)	0	2365
	Atanasov, R. (BLG)	0	2265
	Ater, I. (ISL)	9	2265
	Atia, J. A. (IRQ)	0	2220
	Atkinson, P. (WLS)	6	2215
	Atlas, R. (USA)	0	2205
	Atlas, V. (URS)	0	2435
	Attard, W. (MLT)	0	2225
f	Aturupane, H. (SRI)	0	2340
	Aubert, L. (FRA)	0	2270
	Auchenberg, P. (DEN)	0	2205
	Auciello, S. (ARG)	0	2315
	Auer, M. (GER)	5	2310
m	Augustin, J. (CSR)	11	2410
	Aurel, J.-L. (FRA)	25	2230
	Autowicz, Z. (POL)	0	2210
g	Averbakh, Y. L. (URS)	0	2440
m	Averkin, O. N. (URS)	0	2495
f	Avni, A. (ISL)	0	2370
	Avrahami, R. (ISL)	0	2295
	Avramov, A. (BLG)	0	2255
	Avramovic, Z. (JUG)	0	2305
m	Avshalumov, A. (URS)	14	2480
	Awate, A. S. (IND)	19	2285
	Ayas, A. (ESP)	6	2260
	Ayaz, C. (TRK)	0	2290
	Ayub, M. (IND)	0	2235
f	Ayza Ballester, J. (ESP)	0	2315
f	Azaric, S. (JUG)	0	2305
g	Azmayparashvili, Z. (URS)	15	2610

B

	Babar, M. (GER)	10	2450
f	Babault, P. (FRA)	0	2305
f	Babic, Drag. (JUG)	0	2300
f	Babic, Dras. (JUG)	0	2295
	Babic, M. (JUG)	0	2310
	Babik, T. (POL)	8	2260
	Babits, A. (HUN)	0	2250
	Babos, Cs. (ROM)	0	2220
	Babu, S. N. (IND)	22	2365
m	Babula, M. (CSR)	0	2355
	Babula, V. (CSR)	19	2340
m	Baburin, A. (URS)	12	2490
	Baccelliere Pena, M. E. (CHI)	0	2270
f	Bach, A. (ROM)	5	2315
f	Bach, M. (GER)	11	2310
	Bachler, R. (OST)	0	2255
	Bachmann, A. (GER)	9	2300
f	Bachmann, K.-H. (GER)	0	2325
	Bachmayr, P. (GER)	11	2280
	Baciu, S. (ROM)	0	2265
	Backe, P. (SVE)	0	2260
	Backelin, R. (SVE)	12	2275
	Backstrom, M. (SVE)	1	2215
f	Backwinkel, P. (GER)	0	2400
	Bacle, F. (GER)	0	2310
f	Bacso, G. (HUN)	0	2245
f	Baczynskyj, B. (USA)	0	2290
m	Badea, B. (ROM)	28	2395
f	Badii, M. (FRA)	14	2260
	Baert, A. (BEL)	1	2260
	Bagaturov (URS)	11	2420
g	Bagirov, V. (LAT)	47	2500
	Bagonyai, A. (HUN)	18	2280
	Baikov, V. A. (URS)	13	2345
	Baja, V. (USA)	2	2255
	Bajarany, I. Z. (URS)	9	2235
f	Bajovic, M. (JUG)	0	2310
	Bajovic, N. (JUG)	3	2205
	Bajusz, Gy. (HUN)	10	2270
	Baka, G. (HUN)	0	2205
f	Bakalar, P. (CSR)	0	2345
	Bakalarz, M. (GER)	0	2260
	Baker, B. (USA)	6	2245
	Baker, Ch. W. (ENG)	14	2275
f	Bakic, D. (JUG)	11	2205
f	Bakic, R. (JUG)	0	2385
	Bako, V. (HUN)	16	2240
	Bakonyi, D. (HUN)	0	2250
	Balac, N. (JUG)	0	2295
g	Balashov, Y. S. (URS)	40	2565
	Balaskas, P. (GRC)	0	2290
	Balasubra, M. R. (IND)	11	2340
	Balasubramanian, R. (IND)	8	2250
	Balazs jr., T. (HUN)	0	2240
	Balazs, A. (HUN)	5	2240
	Balazs, I. (HUN)	10	2205
f	Balcerowski, W. (POL)	0	2280
f	Baldauf, M. (GER)	3	2270
	Baldy, Ph. (FRA)	10	2300
f	Balenovic, Z. (JUG)	0	2275
	Balev, K. (BLG)	0	2295
	Bali, J. (HUN)	20	2255
g	Balinas, R. C. (PHI)	4	2350
	Balinov, I. (BLG)	0	2270
	Ballester Sanz, J. (ESP)	0	2225

f	Ballicora, M. (ARG)	0	2245
f	Ballmann, M. (SWZ)	20	2315
f	Ballon, G. J. (NLD)	6	2230
f	Balogh, B. (HUN)	10	2260
	Balogh, L. (HUN)	11	2205
	Balster, S. (GER)	0	2305
	Baltazar, R. (MEX)	14	2220
	Balun, A. (POL)	0	2205
f	Baluta, C. (ROM)	13	2315
f	Balzar, A. (GER)	2	2330
f	Bammoune, A.-E. (ALG)	20	2305
m	Banas, I. (CSR)	26	2385
	Banasik, M. (POL)	0	2270
	Bandza, A. (LIT)	18	2385
f	Bang, A. (DEN)	21	2290
	Bangiev, A. (URS)	0	2400
	Banhazi, I. (HUN)	3	2210
	Bank Friis, C. (DEN)	11	2260
m	Bany, J. (POL)	0	2420
	Baquero, L. A. (COL)	0	2370
	Barabas, A. (HUN)	4	2220
f	Baragar, F. (CAN)	0	2285
	Barakat, R. (LEB)	0	2205
	Baranyi, K. (HUN)	0	2315
f	Barbeau, S. (CAN)	9	2380
f	Barber, H. J. (AUS)	0	2315
	Barbera Estelles, R. (ESP)	6	2250
g	Barbero, G. F. (ARG)	20	2485
	Barbu, N. (ROM)	1	2280
m	Barbulescu, D. (ROM)	7	2430
	Barbulescu, V. (ROM)	0	2210
m	Barcenilla, R. (PHI)	17	2465
g	Barczay, L. (HUN)	15	2350
	Bardosi, J. (HUN)	0	2280
g	Bareev, E. (URS)	28	2635
	Barenbaum, A. (ARG)	0	2225
	Bargad, A. (ARG)	0	2260
	Barishev, O. (URS)	0	2330
	Barkhagen, J. (SVE)	27	2380
	Barkovsky, E. (URS)	10	2295
	Barlay, I. (USA)	0	2235
m	Barle, J. (JUG)	5	2430
	Barletta, M. (ITA)	9	2275
	Barlocco, C. (ITA)	9	2340
g	Barlov, D. (JUG)	38	2460
	Baronets, I. (URS)	0	2270
	Barredo, L. (CUB)	15	2235
m	Barreras, A. (CUB)	15	2310
	Barreto, L. N. M. (BRS)	0	2280
	Barrientos, V. (MEX)	2	2235
	Barrios, F. (COL)	13	2220
	Barry, C. (IRL)	0	2275
	Barskij, V. (URS)	7	2325
	Barsov, Y. (URS)	0	2415
	Barta, S. (HUN)	0	2225
	Bartak, V. (CSR)	0	2340
	Bartelborth, Th. (GER)	0	2250
	Bartels, F. (GER)	0	2295
f	Bartels, H. A. (NLD)	5	2350
	Barth, R. (GER)	0	2285
	Bartha, A. (ROM)	10	2220
f	Bartha, S. (HUN)	0	2310
	Bartosik, P. (POL)	8	2300
	Bartsch, B. (GER)	2	2285
	Bartsch, S. (GER)	9	2310
g	Barua, D. (IND)	28	2555
f	Barus, C. (RIN)	0	2375
m	Basagic, Z. (JUG)	0	2380
	Basart, J. M. (ESP)	15	2235
	Bashkov, V. (URS)	16	2450
m	Basin, L. (URS)	0	2430
m	Basman, M. J. (ENG)	9	2370
f	Bass, A. (ARG)	0	2280
m	Bass, L. (USA)	11	2495
f	Basta, D. (JUG)	0	2340
f	Bastian, H. (GER)	0	2330
	Batchinsky, S. (SWZ)	0	2320
	Bates, L. (USA)	9	2255
	Bathie, N. (SCO)	10	2265
m	Bator, R. (SVE)	19	2355
f	Bator, Z. (SVE)	0	2345
	Batricevic, S. (JUG)	0	2240
	Batruch, K. (POL)	0	2245
	Battikhi, H. (JRD)	0	2220
	Baudin, F. (FRA)	0	2260
	Bauer, Ch. (FRA)	9	2275
	Bauer, Peter (HUN)	0	2230
f	Bauer, Peter (GER)	0	2300
f	Bauer, Re. (GER)	0	2310
	Bauer, Ri. N. (USA)	3	2210
f	Bauer, T. (HUN)	2	2335
	Bauert, R. (SWZ)	9	2235
	Bauk, S. (JUG)	0	2330
	Baum, B. (GER)	30	2340
f	Baumbach, F. (GER)	0	2330
f	Baumgartner, H. (OST)	14	2360
m	Baumhus, R. (GER)	0	2375
	Bauza, A. (URU)	0	2265
f	Bayer, E.-W. (GER)	0	2300
	Bazaj, I. (JUG)	0	2350
	Beake, B. (ENG)	11	2265
	Beaumont, Ch. (ENG)	0	2360
	Bebcuk, E. (URS)	16	2300
	Becerra, J. (CUB)	41	2370
	Becher, H. (GER)	0	2305
	Beck, D. (GER)	0	2220
	Beck, G. (GER)	0	2260
f	Beckemeyer, W. (GER)	11	2400
	Becker, Ma. (GER)	15	2330
f	Becker, Mi. (GER)	8	2310
	Beckman, Th. J. (USA)	7	2220
	Beckmann, K. (GER)	4	2290
f	Becx, C. (NLD)	4	2270
	Bednarek, S. (POL)	0	2295
m	Bednarski, J. B. (POL)	0	2305
	Bedos, M. (FRA)	0	2265
f	Beelby, M. A. (USA)	13	2340
	Beggi, P. (ITA)	0	2235
	Begic, S. (JUG)	0	2270
	Beglerovic, J. (JUG)	0	2310
	Begnis, N. (GRC)	0	2275
m	Begovac, F. (JUG)	0	2420
	Begun, S. M. (URS)	0	2385
	Behar, E. (ARG)	0	2210
f	Behle, K.-W. (GER)	4	2285
f	Behrens, H. (GER)	4	2305
f	Behrensen, J. (ARG)	0	2325
f	Behrhorst, F. (GER)	0	2265
	Beider, A. (URS)	6	2295
	Beikert, G. (GER)	0	2350
	Beikert, J. (GER)	0	2250
m	Beil, Z. (CSR)	0	2340
	Beilfuss, W. (GER)	0	2220
m	Beim, V. (ISL)	13	2485
f	Beitar, H. (SYR)	0	2280
f	Bekefi, L. (HUN)	14	2300
	Belani, M. (JUG)	0	2245
	Belaska, P. (CSR)	24	2265
	Belfiore, D. (ARG)	0	2210
g	Beliavsky, A. G. (URS)	26	2620
	Belik, D. (CSR)	13	2345
	Belikov, V. (URS)	17	2420
	Belke, F. (GER)	0	2225
m	Belkhodja, S. (FRA)	20	2395
	Bell, S. (ENG)	0	2385
	Bellia, F. (ITA)	26	2285
m	Bellin, R. (ENG)	0	2385
	Bellini, F. (ITA)	0	2340
	Bellomo, F. (ITA)	13	2365
g	Bellon Lopez, J. M. (ESP)	65	2435
	Belmont, A. (MEX)	2	2250
f	Belopolsky, B. (USA)	0	2270
	Belotserkovsky, A. (URS)	0	2275
m	Belotti, B. (ITA)	35	2405
m	Belov, I. (URS)	5	2435
	Beltran, C. (COL)	13	2240
	Beltran, S. (ESP)	5	2310
	Ben-Menachem, I. (ISL)	0	2305
f	Bencze, L. (HUN)	0	2270
	Benderac, S. (JUG)	0	2245
	Bengafer, M. (LIB)	9	2250
m	Benhadi, M. (ALG)	0	2245
	Benjamin, D. (USA)	22	2290
g	Benjamin, J. (USA)	30	2555
	Benko, F. (ARG)	0	2260
g	Benko, P. C. (USA)	0	2415
f	Bennis, Z. (MRC)	0	2280
	Benno, P. (HUN)	0	2275
	Benoit, M. (FRA)	6	2280
	Benoit, R. (FRA)	0	2220
	Benotman, A.-A. E. (LIB)	0	2205
	Bense, J. (HUN)	7	2335
	Berbece, S.-G. (ROM)	4	2210
	Berczy, R. (HUN)	0	2340
m	Berdichevski, I. (URS)	12	2415
f	Berebora, F. (HUN)	23	2330
f	Berechet, O. (ROM)	33	2355
	Berecz, A. (HUN)	0	2215
	Berend, D. (ISL)	0	2260
f	Berend, F. (LUX)	8	2275
	Berenyi, G. (HUN)	0	2245
	Berezjuk, S. (URS)	8	2380
	Berezovics, A. (URS)	7	2410
	Berg, D. (ITA)	12	2360
m	Berg, K. (DEN)	49	2385
	Berg, Michael (SVE)	3	2215
	Berg, Michael (GER)	0	2260
	Berg, Th. (GER)	0	2260
	Berger, Th. (GER)	0	2275
	Berghoefer, G. (OST)	0	2230
f	Bergsson, S. (ISD)	11	2265
m	Bergstrom, Ch. (SVE)	0	2420
f	Berkell, P. (SVE)	2	2315
m	Berkovich, D. (URS)	25	2455
m	Berkovich, M. A. (ISL)	3	2455
	Bermudez, S. (CRA)	16	2230
m	Bern, I. (NOR)	15	2395
	Bernal Caaman, J. L. (ESP)	7	2280
	Bernal, E. (PHI)	1	2355
f	Bernal, L. J. (ESP)	0	2395
f	Bernard, Ch. (FRA)	9	2270
	Bernard, N. (BEL)	3	2240
f	Bernard, R. (POL)	4	2345
f	Bernei, A. (HUN)	17	2335
	Berovski, K. (BLG)	9	2250
f	Berrocal, J. (BOL)	0	2275
f	Berry, J. (CAN)	0	2280
	Berry, S. (ENG)	9	2320
	Bersoult, F. (FRA)	3	2210
f	Bersutzki, G. (ISL)	0	2220
	Berta, K. (HUN)	10	2300
	Bertaccini, D. (ARG)	0	2305
f	Berthelot, Y. (FRA)	12	2350
f	Bertholee, R. (NLD)	0	2350
m	Bertok, M. (JUG)	0	2335
	Bertona, F. (ARG)	0	2325
	Berube, R. (CAN)	14	2320
	Beshukov, S. (URS)	23	2425
	Besvir, B. (JUG)	0	2260
	Besztercsenyi, T. (HUN)	5	2275
	Beszterczey, L. (HUN)	0	2255
	Betancort Curbelo, J. (ESP)	0	2255
	Betancourt, D. (COL)	0	2250
	Betkowski, A. (POL)	0	2270
	Beuchler, H. (GER)	0	2225

	Beulen, M. (NLD)	19	2285
	Bevia, L. M. (ESP)	0	2255
f	Bewersdorff, O. (GER)	1	2325
	Bex, P.-A. (SWZ)	2	2215
	Beyen, R. (BEL)	0	2275
	Bezdan, T. (HUN)	5	2310
	Bezemer, A. (NLD)	2	2215
	Bezgodov, A. (URS)	0	2355
f	Bezold, M. (GER)	22	2345
	Bhagwat, M. (IND)	15	2215
	Bharathi, S. C. (IND)	2	2230
	Bhatia, V. K. (IND)	11	2225
	Bhattacharyya, P. (IND)	6	2230
	Bhave, R. (IND)	14	2255
m	Bhend, E. (SWZ)	5	2280
	Biaggi, E. (ARG)	0	2265
f	Bialas, W. (GER)	0	2340
f	Bialolenkier, P. (ARG)	0	2300
m	Bianchi, G. (ARG)	0	2430
	Bianco, V. (ITA)	3	2250
	Biancosino, R. (ARG)	0	2205
	Bibby, S. (ENG)	5	2270
	Bibik, J. (URS)	0	2240
f	Bichsel, W. (SWZ)	0	2305
	Biebinger, G. (GER)	0	2370
	Biehler, Th. (GER)	0	2315
m	Bielczyk, J. (POL)	0	2380
m	Bielicki, C. (ARG)	0	2330
	Bierbach, U. F. (GER)	9	2295
	Bierenbroodspot, P. (NLD)	0	2280
g	Bilek, I. (HUN)	14	2345
	Bilic, M. (JUG)	0	2260
f	Bilobrk, F. (JUG)	0	2345
	Bilunov, B. (URS)	0	2410
m	Binham, T. F. (FIN)	0	2330
	Biocanin, Goran (JUG)	0	2235
	Biolek, R. (CSR)	11	2370
	Birer, A. (ISL)	0	2205
m	Biriescu, I. (ROM)	6	2355
	Biriukhatnikov, D. (URS)	0	2355
	Biriukov, I. (URS)	0	2420
	Birk, S. (GER)	9	2260
	Birke, M. (GER)	0	2275
f	Birmingham, E. (FRA)	6	2345
m	Birnboim, N. (ISL)	2	2395
	Biro, J. (HUN)	0	2300
	Biro, K. (CSR)	0	2235
m	Biro, S. (ROM)	84	2255
	Bischoff, D. (GER)	0	2240
g	Bischoff, K. (GER)	44	2495
g	Bisguier, A. B. (USA)	5	2375
f	Bistric, F. (JUG)	0	2320
	Bitran, D. (ISL)	0	2235
m	Bjarnason, S. (ISD)	1	2310
	Bjarnehag, P. (SVE)	0	2290
	Bjazevic Montalvo, P. (ECU)	0	2250
m	Bjelajac, M. (JUG)	0	2375
	Bjergtrup, M. (DEN)	0	2270
f	Bjerke, R. (NOR)	0	2285
f	Bjerring, K. (DEN)	8	2305
f	Bjork, C.-M. (SVE)	2	2310
f	Bjornsson, T. (ISD)	0	2285
	Blackstock, L. S. F. (SCO)	0	2260
m	Blagojevic, D. (JUG)	0	2500
	Blancke, S. (GER)	9	2240
	Blanco, A. (CUB)	14	2305
f	Blasek, R. (GER)	0	2335
	Blaskowski, J. (GER)	0	2285
	Blasovszky, I. (HUN)	25	2265
f	Blatny, F. (CSR)	22	2355
m	Blatny, P. (CSR)	35	2480
f	Blauert, J. (GER)	21	2375
	Blazquez Gomez, J. C. (ESP)	14	2280
	Blazquez, D. (FRA)	5	2245
	Blechzin, I. (URS)	10	2320
m	Blees, A. (NLD)	61	2410
f	Bletz, H. (GER)	0	2295
	Bliumberg, V. (URS)	0	2260
m	Blocker, C. (USA)	0	2380
	Blodig, R. (GER)	5	2210
	Blodstein, A. (URS)	0	2375
f	Blokhuis, E. M. (NLD)	0	2305
f	Blucha, D. (CSR)	6	2265
f	Bluhm, G. (GER)	0	2305
	Blum, G. (GER)	7	2270
	Blumel, O. (CSR)	0	2270
f	Blumenfeld, R. (USA)	1	2365
	Bochev, K. (BLG)	0	2270
	Bochnon, A. (USA)	0	2220
	Bockius, A. (GER)	3	2245
	Bockowski, R. (POL)	0	2230
	Bocksberger, S. (GER)	0	2375
	Bode, U. (GER)	0	2265
	Bode, W. (GER)	19	2355
f	Bodic, D. (JUG)	0	2295
	Bodjanec, V. (JUG)	0	2270
	Boe, M. (DEN)	22	2255
	Boehlig, H. (GER)	0	2315
	Boehm, J. (GER)	0	2245
	Boehm, M. (GER)	2	2220
f	Boenisch, M. (GER)	0	2315
g	Boensch, U. (GER)	46	2500
m	Boersma, P. A. (NLD)	0	2365
	Boesken, C. P. (GER)	0	2270
m	Boey, J. (BEL)	0	2315
	Boeykens, M. (BEL)	0	2255
f	Bofill, A. (ESP)	0	2400
f	Bogaerts, J. (BEL)	0	2260
	Bogar, A. (HUN)	0	2295
	Bogdan, D. (ROM)	7	2215
	Bogdanos, A. (GRC)	4	2230
	Bogdanov, V. (URS)	0	2405
m	Bogdanovic, R. (JUG)	0	2315
m	Bogdanovich, G. (URS)	6	2430
m	Bogdanovski, V. (JUG)	8	2425
	Bogic, S. (JUG)	0	2230
	Bogicevic, A. (JUG)	0	2270
	Bogicevic, S. (JUG)	0	2275
	Bogner, H. (USA)	9	2225
	Bogo, S. (DEN)	12	2240
	Bogoevski, J. (JUG)	7	2275
	Bogumil, P. (URS)	0	2360
m	Boguszlavszky, J. (HUN)	7	2355
	Bogza, R. (ROM)	0	2230
	Bohak, J. (JUG)	0	2235
m	Bohm, H. (NLD)	0	2390
	Bohnsack, R. (GER)	0	2240
f	Boim, I. (ISL)	3	2355
m	Boissonet, C. P. (ARG)	0	2430
f	Bojczuk, Z. (POL)	23	2300
f	Bojkovic, S. (JUG)	0	2365
	Bokan, D. (JUG)	0	2240
	Bokelbrink (GER)	1	2270
	Bokor, I. (HUN)	0	2260
g	Bolbochan, J. (ARG)	6	2470
	Boljsakov, M. (JUG)	0	2270
g	Bologan, V. (URS)	59	2585
	Bolzoni, V.-A. (BEL)	18	2300
	Bombardiere Rosas, E. (CHI)	8	2265
	Bonaldi, P. (ARG)	0	2245
	Bonatti, W. (ARG)	0	2245
	Bonchev, K. S. (BLG)	0	2315
	Bonchev, S. (BLG)	0	2220
	Bondarets, V. (JUG)	0	2315
	Bondoc, D. (ROM)	9	2270
m	Bonin, J. R. (USA)	37	2400
	Bonne, M. (BEL)	0	2235
f	Boog, A. (SWZ)	11	2375
	Booij, J. (NLD)	0	2275
	Booth, Steph. A. (USA)	8	2235
	Booth, Stew. (AUS)	0	2280
	Bordas, Gy. (HUN)	10	2300
	Bordell Rosell, R. (ESP)	0	2265
	Bordos, J. (HUN)	9	2235
	Bores, R. (CSR)	10	2295
	Borg, A. (MLT)	0	2205
f	Borg, G. (MLT)	0	2355
	Borge, N. (DEN)	26	2335
m	Borges Matos, J. (CUB)	11	2430
f	Borghi, H. (ARG)	3	2345
f	Borgo, G. (ITA)	5	2340
	Borgstaedt, M. (GER)	9	2265
f	Boric, M. (JUG)	0	2350
	Boricsev, O. (URS)	56	2405
m	Borik, O. (GER)	0	2380
f	Borkovic, V. (JUG)	0	2330
m	Borkowski, F. (POL)	20	2415
	Borloy, K. (HUN)	0	2255
	Born, M. (GER)	0	2230
	Bornemann, W. (GER)	0	2355
	Borner, D. (SWZ)	15	2345
f	Borngaesser, R. (GER)	0	2360
	Borocz, I. (HUN)	14	2225
	Boronyak, A. (HUN)	11	2265
	Boros, D. (HUN)	10	2295
m	Borriss, M. (GER)	2	2395
	Borsavolgyi, T. (HUN)	14	2280
	Borsos, B. (URS)	40	2345
	Borysiak, B. (POL)	0	2240
	Bosbach, G. (GER)	0	2260
m	Bosboom, M. (NLD)	27	2455
	Bosch, J. (NLD)	20	2255
	Boschetti, C. (SWZ)	2	2205
	Bosco, R. (ARG)	3	2265
f	Boshku, H. (ALB)	0	2325
	Boskovic, Z. (JUG)	0	2230
f	Bosman, M. (NLD)	6	2285
	Boto, Z. (JUG)	0	2245
	Botos, F. (HUN)	0	2230
	Botvinnik, Il. (URS)	0	2395
m	Bouaziz, S. (TUN)	12	2385
m	Boudiba, M. (ALG)	5	2375
m	Boudre, J.-P. (FRA)	25	2380
m	Boudy, J. (CUB)	0	2345
	Bouhallel, R. (FRA)	0	2230
	Bouland, S. (FRA)	0	2255
	Boulard, E. (FRA)	0	2270
	Bouton, Ch. (FRA)	13	2220
	Boutquin, P. (CAN)	0	2270
	Boutteville, C. (FRA)	0	2265
	Bouverot, O. (FRA)	14	2220
	Bouzoukis, Ch. (USA)	9	2250
	Bowden, K. (ENG)	0	2360
	Bozanic, I. (JUG)	0	2255
	Bozek, A. (POL)	0	2365
	Bozic, M. (JUG)	0	2250
	Bozovic, M. (JUG)	0	2235
	Bozzi, G. (ITA)	9	2305
	Bracken, C. (IRL)	0	2225
	Bradaric, R. (JUG)	0	2245
m	Bradbury, N. H. (ENG)	6	2345
f	Bradford, J. M. (USA)	0	2425
	Brady, S. (IRL)	2	2320
	Braeuning, R. (GER)	13	2415
f	Braga, C. (BRS)	25	2355
m	Braga, F. (ITA)	38	2405
f	Brajovic, R. (JUG)	0	2295
	Braley, J. (USA)	0	2240
	Brameyer, H. (GER)	0	2295
m	Brandics, J. (HUN)	95	2335
	Brandl, R. (OST)	0	2240
	Brandner, S. (OST)	0	2235
	Brankov, K. D. (BLG)	0	2315
f	Brasket, C. J. (USA)	2	2300

Brauer, Ch. (GER) 18 2225
Braun, G. (GER) 0 2385
Braun, L. (USA) 5 2285
Braun, M. (GER) 0 2350
f Braun, W. (OST) 0 2250
Brauning (GER) 0 2290
Brautsch, S. (DEN) 0 2255
Brdicko, P. (CSR) 10 2250
f Breahna, R. (ROM) 0 2340
Bremond, E. (FRA) 0 2300
f Brendel, O. (GER) 21 2345
Brenjo, S. (JUG) 2 2315
Brenke, A. (GER) 0 2315
m Brenninkmeijer, J. (NLD) 16 2500
f Brestak, J. (CSR) 0 2295
m Brestian, E. (OST) 20 2470
f Bretsnajdr, V. (CSR) 0 2325
Brettschneider, S. (GER) 9 2210
f Breutigam, M. (GER) 0 2325
f Breyther, R. (GER) 0 2325
f Brglez, R. (JUG) 0 2270
Brhlik, Gy. (HUN) 0 2245
m Bricard, E. (FRA) 33 2430
Briem, S. (ISD) 0 2205
Briestensky, R. (CSR) 0 2225
Briffel, F. (ANG) 27 2215
f Brigljevic, M. (JUG) 0 2255
Bril, L. (LAT) 0 2320
m Brinck-Claussen, B. (DEN) 23 2380
f Brito, A. (ESP) 8 2400
Brito, L. J. (BRS) 0 2380
f Britton, R. (ENG) 17 2290
Brkic, Dj. (JUG) 0 2265
m Brkljaca, A. (JUG) 0 2395
Brochet, Ph. (FRA) 7 2205
Brod, M. (OST) 0 2265
Brodskij, M. (URS) 20 2485
Brodsky, I. (URS) 0 2375
Bromel, R. (GER) 0 2215
Brondum, E. (DEN) 3 2225
Bronnum, J. (DEN) 0 2245
g Bronstein, D. I. (URS) 9 2465
m Bronstein, L. (ARG) 3 2365
m Brooks, M. A. (USA) 9 2440
Brown, D. (USA) 0 2240
Brown, S. D. (ENG) 1 2270
Brown, T. G. (USA) 0 2235
g Browne, W. S. (USA) 33 2530
Brownscombe, T. (USA) 13 2300
Bruch, I. (GER) 0 2295
Bruch, J. (GER) 20 2270
f Brueckner, Th. (GER) 0 2405
Brueggemann, J. (GER) 0 2305
m Bruk, O. (ISL) 0 2435
Brull, C. (ESP) 16 2370
Brumen, D. (JUG) 0 2350
Brumm, C. (GER) 0 2240
m Brunner, L. (SWZ) 14 2500
Bruno, A. P. (ARG) 0 2300
Bruno, F. (ITA) 3 2245
Brunski, I. (JUG) 0 2225
Brustkern, J. (GER) 5 2250
Bryce, A. (ENG) 1 2225
f Brychta, I. (CSR) 0 2300
m Brynell, S. (SVE) 13 2410
f Bryson, D. M. (SCO) 9 2335
Brzezicki, D. (POL) 0 2305
Bubalovic, D. (JUG) 0 2300
Bucan, D. (JUG) 0 2230
Buch, C. (DEN) 0 2260
f Buchal, S. (GER) 0 2295
Buchenau, F. (GER) 2 2250
Buckley, G. (ENG) 28 2205
f Buckmire, R. (BRB) 0 2305
f Budde, V. (GER) 0 2310

Buddensiek, U. (GER) 9 2260
Budinszky, A. (HUN) 0 2260
m Budnikov, A. (URS) 11 2520
Budovic, E. (URS) 0 2230
f Buecker, P. (GER) 0 2360
f Buecker, S. (GER) 15 2365
Bueder, Th. (GER) 0 2250
Buehler, B. (GER) 0 2205
f Buela, D. V. (CUB) 15 2235
m Bueno-Perez, L. (CUB) 25 2250
Buescu, N. (ROM) 0 2310
Bugajski, R. (POL) 0 2350
Bujisic, V. (JUG) 0 2310
Bujuklijev, E. (BLG) 0 2255
Bujuklijski, A. (BLG) 0 2260
Bujupi, B. (JUG) 0 2210
Bujupi, F. (JUG) 0 2230
m Bukal, V. (JUG) 7 2390
m Bukhman, E. (URS) 5 2430
Bukhtin, V. S. (URS) 6 2305
g Bukic, E. (JUG) 0 2455
Bukowczyk, A. (POL) 0 2265
Bulajic, R. (JUG) 0 2230
f Bulat, A. (JUG) 0 2355
Bulatovic, D. (JUG) 0 2265
f Bulcourf, C. (ARG) 1 2210
m Buljovcic, I. (JUG) 0 2385
Bunis, V. (BLG) 0 2295
Bures, M. (CSR) 11 2245
m Burger, K. (USA) 0 2330
f Burgess, G. (ENG) 21 2270
Burkart, P. (GER) 0 2260
Burlov, V. (URS) 0 2335
Burmakin, V. (URS) 7 2330
Burman, A. (SVE) 0 2325
Burnazovic, E. (JUG) 0 2360
Burnett, K. (USA) 1 2290
Burnett, R. (USA) 10 2325
f Burovic, I. (JUG) 7 2385
Bursztyn, A. (ISL) 20 2250
Burzynski, K. (POL) 0 2240
m Bus, M. (POL) 21 2390
m Busch, K. (GER) 9 2420
f Busch, R. (GER) 0 2300
f Busquets, L. (USA) 5 2280
f Butnaru, C. (ROM) 0 2270
m Butnorius, A. (LIT) 19 2425
Butorac, I. (JUG) 0 2265
Butt, S. A. (PAK) 0 2295
Butunoi, A. (ROM) 0 2235
m Buturin, V. (URS) 0 2425
Buza, A. (ROM) 3 2230
f Buzbuchi, I. (GER) 0 2315
m Bykhovsky, An. A. (URS) 25 2425
m Bykhovsky, Av. (URS) 10 2475
Byrka, M. (POL) 0 2270
g Byrne, R. E. (USA) 7 2455
f Byway, P. (ENG) 6 2305

C

m Cabarkapa, M. (JUG) 0 2290
f Cabarkapa, S. (JUG) 0 2275
Cabarkapa, V. (JUG) 0 2235
Cabrera Pelaez, E. (MEX) 0 2260
Cabrera, G. (CUB) 15 2240
m Cabrilo, G. (JUG) 0 2520
Cacho, S. (ESP) 23 2365
Cacic, S. (JUG) 0 2245
Cacorin, S. (URS) 0 2280
f Caessens, R. (NLD) 0 2335
Caiafas, Th. (NIG) 0 2205
Cajzler, H. (JUG) 0 2225
f Calderin, R. (CUB) 40 2415
Calderwood, S. (ENG) 9 2230

f Calinescu, G. (ROM) 3 2335
Callergard, R. (SVE) 10 2335
m Calvo Minguez, R. (ESP) 0 2355
Calvo, J. M. (ESP) 28 2245
f Camacho, R. (SAL) 0 2345
m Camara, H. (BRS) 0 2325
Camejo, R. (POR) 20 2265
Caminade, A. (MNC) 11 2230
Campanile, A. (ITA) 1 2245
g Campora, D. H. (ARG) 25 2550
m Campos Lopez, M. (MEX) 1 2340
m Campos Moreno, J. B. (CHI) 52 2505
f Campos, A. (MEX) 3 2325
f Campos, L. M. (ARG) 21 2340
Canalejo, P. (CUB) 0 2240
m Canda, D. (NCG) 0 2320
f Candea, Gh. (ROM) 15 2340
Cander, M. (JUG) 0 2230
Canfell, G. (AUS) 50 2315
Cangiotti, C. (ITA) 2 2220
Capella, R. (NLA) 0 2205
Capit, F. (FRA) 0 2235
Capo Iturrieta, R. (CHI) 8 2280
f Capo, J. (CHI) 11 2390
Caposciutti, M. (ITA) 7 2310
Cappareli, G. (ARG) 0 2330
Capuano, R. (ITA) 0 2270
Car, T. (JUG) 0 2305
Carbonnel, P. (FRA) 0 2245
m Cardon, H. (NLD) 7 2380
f Carleson, C. (SVE) 0 2345
f Carless, D. (HKG) 0 2265
Carlhammar, M. (SVE) 5 2280
m Carlier, B. (NLD) 7 2395
f Carlson, M. (SVE) 1 2305
f Carmel, E. (ISL) 0 2285
Carneiro, C. (POR) 0 2275
f Carnic, S. (JUG) 11 2290
Carpintero, J. (ESP) 10 2290
f Carr, N. L. (ENG) 0 2310
Carreras, F. (ESP) 1 2260
Carrillo, A. (MEX) 0 2275
Carrion, M. (DOM) 0 2210
Carstens, A. (GER) 8 2375
Carton, N. (IRL) 6 2240
Carton, P. (IRL) 0 2230
Caruana Font, R. (ESP) 9 2345
Caruhana, M. (MNC) 2 2210
Caruso, A. (ITA) 6 2235
Carvalho, H. A. (BRS) 0 2225
Casa, A. (FRA) 17 2280
f Casafus, R. (ARG) 0 2400
f Casagrande, H. (OST) 13 2360
Casas, F. (ARG) 0 2245
Caselas, J. (ESP) 18 2250
Caselli, L. (ITA) 14 2325
m Casper, Th. (GER) 0 2430
Cassai, P. (ITA) 0 2265
Castagna, R. (SWZ) 0 2270
Castagnetta, G. (ITA) 0 2305
Castaneda, A. (MEX) 0 2245
Castellanos, B. (MEX) 0 2255
Castellanos, C. (CUB) 0 2210
Castillo, C. M. (MEX) 5 2245
Castillo, J. (NCG) 0 2285
Castillo, O. (GUA) 0 2210
m Castro, O. H. (COL) 37 2385
Cativelli, G. (ARG) 2 2225
Cavalcanti, F. (BRS) 0 2285
Cave, Ch. (TTO) 0 2205
f Cavendish, J. (ENG) 9 2315
g Cebalo, M. (JUG) 38 2515
f Cecconi, G. A. (ITA) 0 2270
Cech, P. (CSR) 5 2315
Cecilia Ortiz, J. L. (ESP) 0 2285

	Ceko, J. (JUG)	0	2265
	Cekro, E. (JUG)	0	2395
	Celis Sanchez, C. (PER)	0	2350
	Cempel, J. (CSR)	2	2305
	Centgraf, J. (HUN)	0	2230
	Cerisier, Ph. (FRA)	12	2330
	Cerny, M. (CSR)	9	2245
	Certek, P. (CSR)	3	2325
f	Certic, B. (JUG)	0	2340
f	Cesal, J. (CSR)	0	2320
f	Ceschia, I. (ITA)	0	2325
	Ceteras, M. (ROM)	18	2320
	Cetkovic, B. (JUG)	0	2255
m	Cetkovic, Mi. (JUG)	0	2270
	Cetkovic, Mo. (JUG)	0	2355
m	Chabanon, J.-L. (FRA)	45	2410
	Chabris, Ch. (USA)	0	2270
	Chachaj, T. (POL)	0	2320
	Chachere, L. (USA)	15	2240
	Chachkarov, S. (BLG)	0	2220
f	Chaivichit, S. (TAI)	0	2330
	Chakravarti, K. (IND)	0	2235
	Chalupnik, M. (POL)	0	2235
	Chan, P.-K. (SIP)	5	2295
g	Chandler, M. G. (ENG)	27	2590
	Chapa, E. (USA)	10	2220
	Charneira, H. (POR)	0	2245
f	Charpentier, W. (CRA)	27	2355
	Chase, Ch. (USA)	0	2290
	Chatalbashev, B. (BLG)	0	2390
	Chatterjee, K. K. (IND)	0	2215
	Chavarria, A. (CRA)	17	2275
	Chavez, R. (BOL)	0	2220
	Chaviano, M. (CUB)	39	2295
	Cheah, E. (MAL)	4	2275
g	Chekhov, V. A. (URS)	44	2550
	Chemin, V. (BRS)	0	2245
f	Chen, De (PRC)	0	2325
	Chenski, D. (POL)	0	2305
	Chepukaitis, G. (URS)	0	2245
	Cherednichenko, Andrey (URS)	0	2235
	Cherednichenko, Andrey (URS)	0	2420
m	Cherepkov, A. V. (URS)	7	2415
	Cherniak, L. (URS)	0	2420
m	Chernikov, O. L. (URS)	0	2405
g	Chernin, A. (HUN)	17	2620
	Chernin, O. (USA)	0	2275
	Chernyaev, A. (URS)	10	2400
	Cheron, M. (CUB)	14	2225
f	Cherrad, Z. (ALG)	20	2230
	Chetverik, M. (URS)	5	2285
	Chevallier, D. (FRA)	6	2305
	Cheymol, E. (FRA)	9	2225
f	Chia, A. (SIP)	0	2280
f	Chia, Ch.-S. (SIP)	3	2230
	Chiaudano, A. (USA)	5	2315
	Chin, F. (MAL)	0	2275
f	Chinchilla, E. (CRA)	11	2230
f	Chiong, L. (PHI)	2	2350
	Chipashvili, M. (URS)	0	2320
	Chipkin, L. (USA)	11	2235
	Chiricuta, M. (ROM)	0	2215
	Chirila, R. (ROM)	0	2280
	Chloupek, S. (CSR)	21	2300
	Chmiel, P. (CSR)	0	2295
	Chmielarz, Z. (POL)	9	2240
	Choleva, Z. (CSR)	0	2240
	Chomet, P. (FRA)	6	2275
	Chomu Clement, M. (KEN)	0	2210
	Chong, D. (SIP)	0	2210
f	Chow, A. (USA)	0	2295
	Chow, M. Y. (BRS)	12	2285
f	Chow, R. (USA)	0	2320
	Chrapkowski, G. (POL)	0	2285
	Christ, R. (GER)	2	2245
	Christensen, J. (DEN)	0	2240
	Christensen, T. (DEN)	30	2345
	Christensen, W. (USA)	7	2205
g	Christiansen, L. M. (USA)	25	2595
	Chubinsky, P. (USA)	0	2315
m	Chuchelov, V. (URS)	33	2490
	Chudinovskih, A. (URS)	4	2310
	Chuprikov, Dmitry (URS)	0	2355
	Chuprikov, Dmitry (URS)	0	2415
	Chura, J. (CSR)	0	2215
	Ciampi, V. (ITA)	4	2290
	Cicak, S. (SVE)	0	2310
f	Cichocki, A. (POL)	12	2305
	Cicmil, V. (JUG)	3	2215
m	Cid, M. A. (ARG)	13	2425
	Ciemniak, R. (POL)	34	2335
g	Cifuentes Parada, R. (CHI)	36	2540
f	Cigan, S. (JUG)	0	2365
	Ciglic, B. (JUG)	0	2240
	Cilia Vincenti, V. (MLT)	0	2215
	Ciobanu, A. (ROM)	3	2265
m	Ciolac, G. (ROM)	32	2405
g	Ciric, D. M. (JUG)	8	2375
	Cirkvencic, F. (JUG)	0	2210
	Ciruk, J. (POL)	0	2270
	Cisneros, L. (ESP)	18	2350
	Ciszek, M. (POL)	0	2260
f	Ciurezu, M. (ROM)	0	2260
	Civric, Z. (JUG)	0	2235
f	Cizek, A. (CSR)	0	2350
m	Cladouras, P. (GER)	8	2365
	Claesen, P. (BEL)	4	2230
	Clara, H. (GER)	0	2360
	Clarke, S. (ENG)	10	2325
	Clarke, Th. (IRL)	8	2225
	Clausen, S. (DEN)	6	2270
	Clavijo, J. (USA)	23	2325
f	Clemance, Ph. A. (NZD)	0	2355
	Clement, J. (ESP)	4	2260
	Clementsson, J. (SVE)	0	2270
	Clever, G. (GER)	0	2385
f	Cmiel, Th. (GER)	7	2285
	Cnaan, M. (ISL)	0	2230
	Coakley, J. (CAN)	0	2210
	Cobic, V. (JUG)	0	2225
	Cochrane, J. M. (ZIM)	0	2205
f	Cocozza, M. (ITA)	0	2345
	Cojocaru, C. (ROM)	11	2230
	Colas, R. P. (ESP)	9	2310
	Coleman, D. (ENG)	15	2265
	Colias, B. (USA)	0	2265
	Collado, J. (ESP)	1	2265
	Collantes, D. (ARG)	0	2205
	Collard, O. (FRA)	0	2240
	Collas, D. (FRA)	14	2280
f	Collinson, A. (ENG)	20	2335
	Colombo Berra, F. (ARG)	3	2225
	Colovic, D. (JUG)	0	2340
m	Comas Fabrego, L. (ESP)	38	2445
m	Condie, M. L. (SCO)	0	2455
m	Conquest, S. (ENG)	41	2485
f	Contin, D. (ARG)	40	2335
	Contini, L. (ITA)	4	2320
	Cooke, E. (USA)	11	2205
	Cools, G. (BEL)	0	2275
m	Cooper, J. G. (WLS)	11	2360
f	Cooper, L. (ENG)	6	2260
	Coppini, G. (ITA)	0	2260
	Corbin, Ph. (BRB)	4	2275
	Cordara, M. (ITA)	0	2210
	Cordaro, J. (VUS)	0	2205
f	Cording, H. (GER)	0	2320
f	Cordovil, J. (POR)	0	2300
	Coret Frasquet, J. (ESP)	1	2290
	Corgnati, M. (ITA)	0	2215
	Corkett, A. (ENG)	8	2315
	Cornelius, P. (USA)	0	2215
f	Corral Blanco, J. A. (ESP)	13	2400
	Correa, A. A. (BRS)	21	2390
	Correa, F. (ESP)	16	2400
	Cortes Moyano, J. (CHI)	21	2290
	Cortinas, V. (CUB)	0	2210
m	Cortlever, N. (NLD)	0	2390
	Corvi, M. (ITA)	3	2235
f	Cosic, M. (JUG)	0	2295
m	Cosma, I. (ROM)	24	2375
	Cosson, J. (FRA)	9	2305
m	Costa, J. L. (SWZ)	23	2425
	Coste, Th. (FRA)	0	2210
	Costianosky, R. (ARG)	0	2300
m	Costigan, R. (USA)	5	2330
m	Coudari, C. (CAN)	0	2325
	Coupet, P. (FRA)	5	2280
	Couppey, Ph. (FRA)	0	2285
	Covic, D. (JUG)	0	2360
f	Cozianu, C. (ROM)	0	2305
m	Cramling, D. (SVE)	6	2420
f	Cranbourne, C. (ARG)	0	2285
m	Crawley, G. (ENG)	0	2400
	Cremades, J. (CUB)	13	2260
f	Crepan, M. (JUG)	0	2340
f	Crepinsek, Lj. (JUG)	0	2320
f	Crisan, A. (ROM)	11	2330
	Crisan, I. (ROM)	2	2240
	Cristian, G. (ROM)	0	2210
	Cristobal, R. (ARG)	0	2225
m	Crouch, C. S. (ENG)	30	2415
	Cruz Lopez, C. (ESP)	30	2260
f	Cruz-Lima, J. M. (CUB)	0	2280
	Csaba, A. (HUN)	0	2270
	Csaji, A. (HUN)	0	2220
f	Csala, I. (HUN)	12	2275
f	Csapo, Z. (HUN)	3	2250
	Cseh, A. (HUN)	0	2255
	Cselotei, I. (HUN)	0	2250
g	Cseshkovsky, V. (URS)	0	2490
	Csikar, B. (HUN)	9	2240
	Csillag, B. (HUN)	0	2310
	Csillik, I. (HUN)	0	2220
	Csiszar, Cs. (HUN)	14	2240
	Csoke, K. (HUN)	10	2340
g	Csom, I. (HUN)	21	2490
	Csomos, R. (HUN)	9	2345
f	Csulits, A. (GER)	0	2325
	Cuadras, J. (ESP)	2	2320
m	Cuartas, C. (COL)	20	2330
	Cubrilovic, N. (JUG)	0	2230
f	Cuesta Navarro, S. (CUB)	15	2240
	Cugini, W. (ITA)	13	2290
m	Cuijpers, F. A. (NLD)	5	2410
	Culic, B. (JUG)	0	2220
f	Cullip, S. (ENG)	11	2320
	Cunha, E. A. (BRS)	31	2360
f	Curdo, J. (USA)	9	2320
	Curione, F. (ITA)	10	2260
	Curtis, J. (AUS)	11	2290
	Cusi, R. (PHI)	4	2340
	Cutter, P. (GCI)	0	2205
m	Cvetkovic, S. (JUG)	0	2465
g	Cvitan, O. (JUG)	12	2505
f	Cvorovic, D. (JUG)	0	2360
	Cvorovic, M. (JUG)	0	2235
	Cybulak, A. (POL)	23	2295
	Cylwik, Z. (POL)	0	2210
	Czapp, J. (HUN)	1	2225
	Czarkowski, D. (POL)	0	2270
	Czarnik, D. (POL)	0	2210
	Czebe, A. (HUN)	10	2250
	Czebe, I. (HUN)	0	2265

	Czech, L. (GER)	9	2265
f	Czegledi, Zs. (HUN)	17	2220
	Czerniakow, W. (POL)	0	2210
	Czerniawski, M. (POL)	12	2225
	Czerwonski, A. (POL)	10	2370
	Czibulka, Z. (HUN)	0	2215
	Czubak, M. (GER)	4	2240
	Czuczai, J. (HUN)	4	2250

D

m	D'Amore, C. (ITA)	2	2405
f	D'Arruda, R. D. (ARG)	0	2335
	D'Israel, D. (ARG)	12	2275
	Dabek, R. (POL)	0	2340
f	Dabetic, R. (JUG)	0	2300
	Dabrowski, W. (POL)	10	2220
	Dada, B. (NIG)	0	2205
	Daeubler, H. (GER)	0	2205
	Dahlin, T. (SVE)	0	2295
	Daillet, E. (FRA)	11	2300
	Daly, C. (IRL)	8	2225
f	Dam, R. (NLD)	0	2270
m	Damaso, R. (POR)	2	2450
	Dambrauskas, V. (LIT)	2	2310
g	Damjanovic, M. (JUG)	11	2320
	Damjanovic, V. (JUG)	13	2250
g	Damljanovic, B. (JUG)	17	2585
	Damm, F. (GER)	1	2230
m	Danailov, S. (BLG)	35	2445
f	Dancevski, O. (JUG)	0	2265
f	Danek, L. (CSR)	11	2375
	Dang, D. V. (VIE)	0	2205
	Dang, T. Th. (VIE)	0	2205
	Danielian, M. (URS)	0	2250
	Danielian, O. (URS)	6	2315
m	Danielsen, H. (DEN)	25	2390
	Daniliuk, S. (URS)	16	2330
f	Danilovic, M. (JUG)	0	2340
f	Dankert, P. (GER)	10	2265
m	Danner, G. (OST)	19	2355
	Dannevig, O. (NOR)	7	2275
	Dantas, B. S. (BRS)	9	2270
	Dao, Th. H. (VIE)	0	2205
	Darakorn, P. (TAI)	0	2230
f	Darcyl, T. (ARG)	0	2365
g	Darga, K. V. (GER)	0	2455
	Darnstaedt, F. (GER)	2	2315
	Daudzvardis, J. (LAT)	9	2320
	Daugela, D. (LIT)	0	2270
	Daumens, M. (FRA)	2	2315
	Daurelle, H. (FRA)	0	2295
g	Dautov, R. (URS)	60	2610
	Dauvergne, P. (CAN)	0	2270
	Davcevski, D. (JUG)	0	2285
	Dave, K. (IND)	10	2250
	Daverkausen, B. (GER)	0	2285
f	David, Ad. (GER)	8	2300
f	David, Al. (LUX)	23	2365
	David, Ar. (HUN)	0	2225
m	David, P. (CSR)	46	2405
	David, V. (ROM)	4	2270
m	Davidovic, A. (AUS)	0	2410
m	Davies, N. R. (ISL)	20	2460
	Davila, C. (NCG)	19	2260
	Davila, J. (PRO)	7	2260
	Davydiuk, S. (URS)	0	2250
	Dawidow, J. (POL)	0	2375
	Dawson, P. (BRB)	0	2205
m	Day, L. A. (CAN)	9	2395
	De Blasio, M. (ITA)	4	2250
m	De Boer, G.-J. (NLD)	13	2425
	De Bruycker, B. (BEL)	13	2215
	De Dovitiis, A. (ARG)	0	2295
f	De Eccher, S. (ITA)	4	2275
g	De Firmian, N. E. (USA)	0	2570
f	De Fotis, G. S. (USA)	0	2375
	De Francesco, K. (GER)	0	2265
m	De Guzman, R. (PHI)	0	2390
f	De Jong, T. (NLD)	0	2345
f	De Jonghe, P. (BEL)	0	2295
f	De La Cruz Lopez, J. (ESP)	6	2330
	De La Cruz, A. (CUB)	0	2205
	De La Paz, F. (CUB)	11	2230
	De La Riva, O. (ESP)	33	2380
f	De La Vega, H. (ARG)	0	2365
m	De La Villa Garcia, J. M. (ESP)	50	2450
	De Las Heras, J. C. (ARG)	0	2325
	De Leon, A. (ARG)	0	2210
	De Souza, M. (BRS)	6	2210
	De Toledo, J. M. (BRS)	5	2255
	De Vries, E. (NLD)	8	2235
f	De Winter, W. (MEX)	7	2210
f	De Wit, J. S. (NLD)	0	2410
	De Wit, M. (NLD)	0	2305
	Deak, L. (HUN)	0	2255
f	Deak, S. (HUN)	18	2375
	Deak, Z. (HUN)	0	2300
	Debard, M. (FRA)	10	2295
m	Debarnot, R. (ARG)	0	2350
	Decroix, R. (FRA)	0	2205
f	Dedes, N. (GRC)	1	2310
m	Deev, A. (URS)	13	2430
f	Defize, A. (BEL)	1	2300
	Degen, V. (GER)	2	2215
f	Degenhardt, H. (GER)	13	2305
m	Degerman, L. (SVE)	13	2420
m	Degraeve, J.-M. (FRA)	21	2470
f	Dehmelt, K. (USA)	0	2310
	Deich, J. (URS)	0	2390
	Dejeanne, F. (ARG)	0	2210
m	Dejkalo, S. (POL)	0	2395
	Dekany, L. (HUN)	16	2230
m	Dekar, L. (ALG)	9	2210
	Deker, G. (ARG)	0	2250
	Dekic, J. (JUG)	0	2260
	Dekker, A. (NLD)	10	2240
f	Del Castillo, G. (ARG)	0	2315
	Del Rey, D. (ARG)	4	2270
	Del Rio, R. (GER)	8	2240
	Del Rio, S. G. (ESP)	13	2280
f	Delaney, J. (IRL)	0	2280
	Delanoy, A. (FRA)	9	2320
f	Delaune, R. K. (USA)	5	2355
m	Delchev, A. (BLG)	37	2430
	Delebarre, X. (FRA)	0	2265
	Delekta, P. (POL)	15	2265
f	Deleyn, G. (BEL)	13	2325
	Delgado Cespedes, I. (CUB)	0	2285
	Delgado, V. (USA)	9	2370
	Delibasic, G. (JUG)	0	2260
	Delithanasis, D. (GRC)	21	2205
	Delitzsch, J. (GER)	4	2255
	Delnef, A. (GER)	0	2235
m	Dely, P. (HUN)	0	2430
	Demarre, J. (FRA)	0	2275
	Demeny, A. (HUN)	5	2205
f	Demeter, I. (HUN)	2	2290
	Demeter, P. (CSR)	11	2335
	Demirel, T. (TRK)	9	2335
f	Den Boer, B. (NLD)	10	2320
	Den Broeder, G. (NLD)	0	2290
f	Dena, B. (JUG)	0	2245
	Deng, Kongliang (PRC)	0	2375
	Dengler, P. (GER)	0	2330
f	Denijs, A. (BEL)	0	2285
	Denis, L. (FRA)	1	2235
g	Denker, A. S. (USA)	2	2280
f	Denny, K. (BRB)	6	2220
	Denoth, M. (SWZ)	4	2295
	Denoyelle, A. (FRA)	10	2215
f	Depasquale, Ch. (AUS)	0	2310
	Dereviagin, V. (URS)	21	2270
	Derikum, A. (GER)	0	2300
	Derlukiewicz, J. (POL)	0	2230
f	Dermann, G. (GER)	21	2330
m	Desancic, M. (SWZ)	0	2450
	Deshmukh, A. (IND)	9	2275
	Desmoitier, J.-B. (FRA)	16	2240
	Desousa, J. (FRA)	14	2395
m	Despotovic, M. (JUG)	2	2325
	Dessau, A. (FRA)	0	2225
	Deszczynski, A. (POL)	0	2235
	Deutsch, L. (OST)	0	2220
	Devcic, M. (ARG)	0	2320
	Devide, Z. (JUG)	0	2215
	Dextre, E. (FRA)	1	2205
	Dezan, P. (FRA)	0	2290
	Deze, V. (JUG)	4	2215
f	Dezelin, M. (JUG)	0	2325
	Dgebuadze, A. (URS)	0	2370
	Di Donna, M. (ITA)	0	2245
	Diaz Perez, J. D. (CUB)	7	2275
	Diaz, A. (CUB)	0	2245
	Diaz, Ja. (COL)	13	2275
m	Diaz, Jo. C. (CUB)	26	2455
	Diaz, R. (COL)	13	2370
	Dichev, N. (BLG)	0	2235
	Diek, H. (GER)	0	2270
	Dienavorian, M. (URU)	0	2280
f	Diesen, B. (NOR)	7	2325
	Dietrich, R. (GER)	10	2305
	Dietz, H. (GER)	9	2255
	Dietz, J. (GER)	0	2320
	Dietze, F. (GER)	0	2225
f	Dietze, W. (GER)	0	2290
	Dietzsch, H. (GER)	0	2210
	Dieu, B. (FRA)	9	2290
	Diker, G. (ARG)	0	2205
	Dilley, J. (ENG)	0	2205
	Dimitar, P. (BLG)	0	2270
f	Dimitriadis, G. (GRC)	3	2305
f	Dimitriadis, K. (GRC)	7	2325
f	Dimitrijevic, D. (JUG)	0	2290
	Dimitrijevic, M. (JUG)	0	2325
	Dimitrov, A. (BLG)	0	2275
	Dimitrov, I. L. (BLG)	0	2375
	Dimitrov, K. (BLG)	2	2205
	Dimitrov, Pe. (BLG)	0	2270
	Dimitrov, Pl. (BLG)	0	2270
m	Dimitrov, V. (BLG)	14	2405
m	Dimovski, N. (JUG)	0	2385
	Dinescu, A. (ROM)	2	2220
	Dinic, C. (JUG)	0	2225
f	Dinic, D. (JUG)	0	2250
	Dinis de Sousa, J. (POR)	5	2270
	Diniz, E. P. (BRS)	18	2345
	Dinstuhl, V. (GER)	5	2320
	Dircks, J. (SVE)	0	2215
	Dirr, U. (GER)	7	2290
f	Dischinger, F. (GER)	0	2335
	Dishman, S. (ENG)	9	2310
	Disntuhl, B. (GER)	9	2330
f	Ditt, E. (GER)	0	2295
f	Dittmar, P. (GER)	10	2310
	Ditzler, J. (SWZ)	7	2245
	Dive, R. (NZD)	0	2300
	Divis, J. (CSR)	0	2275
g	Dizdar, G. (JUG)	23	2495
f	Dizdar, S. (JUG)	0	2340
g	Dizdarevic, E. (JUG)	0	2505
f	Djantar, Dj. (JUG)	0	2250
	Djeno, D. (JUG)	0	2230

	Djerfi, K. (JUG)	0	2255
	Djerkovic, M. (JUG)	0	2210
	Djipa, N. (JUG)	0	2320
f	Djokic, N. (JUG)	0	2300
	Djonev, S. (BLG)	0	2205
	Djordjevic, N. (JUG)	0	2260
f	Djoric, D. (JUG)	13	2360
	Djoric, G. (JUG)	0	2250
f	Djosic, S. (JUG)	0	2295
	Djubek, B. (CSR)	0	2290
m	Djukanovic, M. (JUG)	0	2205
	Djukic, M. (JUG)	0	2250
m	Djukic, Z. (JUG)	0	2430
	Djurdjevic, P. M. (JUG)	0	2230
m	Djurhuus, R. (NOR)	15	2420
	Djuric, P. (JUG)	0	2225
g	Djuric, S. (JUG)	25	2535
	Djuric, V. (JUG)	0	2300
	Djurkovic, M. (JUG)	0	2220
f	Djurovic, D. (JUG)	21	2300
	Djurovic, S. (JUG)	0	2345
	Dlaykan, F. (COL)	0	2210
g	Dlugy, M. (USA)	13	2550
	Dluzniewski, M. (POL)	0	2225
	Dmitriev, I. (URS)	5	2270
m	Dobos, J. (HUN)	25	2365
f	Dobos, O. (HUN)	0	2330
m	Dobosz, H. (POL)	11	2415
	Dobosz, J. (POL)	0	2220
	Dobrev, I. (BLG)	0	2355
	Dobrev, N. (BLG)	11	2405
	Dobronauteanu, E. (ROM)	0	2245
	Dobrotka, M. (CSR)	17	2225
	Dobrowolski, P. (POL)	0	2220
m	Dobrowolsky, L. (CSR)	20	2380
f	Dobrzynski, W. (POL)	0	2295
	Dobson Aguilar, L. F. (CHI)	0	2230
	Dochev, D. (BLG)	3	2285
	Docx, S. (BEL)	12	2205
m	Doda, Z. (POL)	0	2345
f	Dodu, P. (ROM)	0	2330
	Doeres, H. J. (GER)	11	2250
	Doering, Th. (GER)	0	2325
m	Doery, J. (HUN)	13	2330
	Dogantug, I. (TRK)	13	2280
	Doghri, N. (TUN)	13	2300
g	Dokhoian, Y. (URS)	28	2545
	Dokuchaev, A. (URS)	6	2335
f	Doleschall, Gy. (HUN)	0	2260
f	Dolezal, M. (CSR)	9	2275
	Dolgener, T. (GER)	7	2205
f	Dolgitser, K. (USA)	5	2260
f	Doljanin, T. (JUG)	0	2220
	Dolmadjan, A. (BLG)	0	2360
g	Dolmatov, S. (URS)	19	2595
f	Dolovic, D. (JUG)	0	2295
	Domazet, V. (JUG)	0	2215
	Dominguez Rueda, J. (ESP)	2	2280
	Dominguez Sanz, J. P. (ESP)	0	2260
	Dominiguez, J. M. (DOM)	0	2265
f	Dominte, M. (ROM)	0	2360
	Dommes, V. M. (URS)	0	2300
	Domnitz, Z. (ISL)	0	2275
f	Domont, A. (SWZ)	18	2345
	Domosud, M. (POL)	0	2255
m	Donaldson, J. W. (USA)	0	2425
m	Doncevic, D. (GER)	5	2355
	Donchenko, A. G. (URS)	20	2380
g	Donchev, D. I. (BLG)	0	2520
m	Donev, I. H. (BLG)	5	2415
	Dongre, R. M. (IND)	10	2215

	Donguines, F. (PHI)	0	2435
	Doniec, A. (POL)	0	2230
f	Donka, P. (HUN)	4	2315
	Doornbos, Y. (FRA)	13	2245
	Dorenberg, G. (NLD)	16	2310
g	Dorfman, J. D. (FRA)	5	2605
	Doric, N. (JUG)	0	2220
	Dorin, M. (ARG)	0	2295
	Dormann, L. (GER)	0	2305
f	Dorner, M. (GER)	0	2305
	Dornieden, M. (GER)	0	2280
f	Doroftei, N. (ROM)	0	2305
	Doroshkievich, V. K. (URS)	23	2360
	Dors, R. (POL)	0	2210
	Dorsch, Th. (USA)	15	2275
	Dos Santos, H. C. (BRS)	2	2245
	Dostan, J. (JUG)	0	2270
	Dostanic, M. (JUG)	0	2235
	Dotta, J. C. (ARG)	0	2280
m	Douven, R. C. (NLD)	0	2405
m	Dovzik, J. (URS)	74	2360
	Down, N. (ENG)	0	2230
	Drabiniok, K. (POL)	0	2310
f	Draganov, R. (URS)	0	2205
	Dragiev, V. (BLG)	0	2250
m	Dragojlovic, A. (JUG)	8	2430
	Dragolov, T. (BLG)	0	2260
m	Dragomarezkij, E. (URS)	40	2435
f	Dragomirescu, C. (ROM)	3	2315
	Dragonic, S. (JUG)	9	2285
	Dragos, D. (ROM)	0	2240
f	Dragovic, M. (JUG)	0	2400
	Dranov, A. (URS)	5	2310
m	Drasko, M. (JUG)	58	2525
	Draskoczy, P. (HUN)	9	2235
m	Drazic, S. (JUG)	17	2410
	Drcelic, J. (JUG)	0	2340
	Drcelic, S. (JUG)	0	2240
g	Dreev, A. (URS)	26	2580
	Drei, A. (ITA)	14	2280
f	Dresen, U. (GER)	0	2295
	Dreyer, Ma. (NZD)	0	2235
	Dreyer, Mi. (GER)	0	2225
	Dridi, A. (TUN)	0	2205
	Drill, F. (GER)	9	2220
m	Drimer, D. (ROM)	0	2345
	Drlic, M. (JUG)	0	2315
f	Drozd, R. (POL)	0	2230
	Drozdov, I. (URS)	6	2345
	Drtina, M. (CSR)	11	2260
	Druckenthaner, A. (OST)	0	2290
	Drzemicki, D. (POL)	2	2335
	Du Chattel, Ph. J. (NLD)	0	2260
f	Duarte, M. R. (CHI)	0	2375
	Dubeck, M. (GER)	0	2335
f	Dubisch, R. (USA)	0	2300
f	Dubois, J.-M. (FRA)	0	2310
	Dubreuil, N. (FRA)	9	2300
	Duch, M. (POL)	13	2270
f	Duckworth, M. (USA)	6	2295
	Duda, A. (POL)	0	2270
	Dudakov, Sh. (ISL)	0	2230
	Dudas, I. (HUN)	9	2235
	Dudas, Jan (CSR)	0	2290
f	Dudas, Janos (HUN)	0	2295
	Dudek, A. (POL)	0	2215
	Dudek, R. (POL)	0	2290
m	Dueball, J. (GER)	1	2410
m	Dueckstein, A. (OST)	20	2360
m	Duer, A. (OST)	0	2390
	Duer, W. (OST)	0	2275
	Dugandzic, B. (JUG)	0	2345
	Duhayon, Y. (BEL)	0	2210
	Dujkovic, S. (JUG)	0	2250
m	Dukaczewski, P. (POL)	7	2230

	Duketic, N. (JUG)	0	2225
	Dulic, G. (JUG)	0	2220
m	Dumitrache, D. (ROM)	21	2375
	Dumitriu, P. (ROM)	13	2285
f	Dumont, S. G. (BRS)	0	2340
f	Dumpor, A. (JUG)	0	2320
	Duncan, Ch. R. (ENG)	11	2325
	Dunn, A. (ENG)	0	2245
	Dunne, A. (USA)	6	2235
f	Dunne, D. J. (IRL)	0	2335
m	Dunnington, A. J. (ENG)	8	2380
f	Dunworth, Ch. (ENG)	26	2300
m	Durao, J. (POR)	13	2225
f	Durham, D. (USA)	9	2245
	Duriga, S. (CSR)	0	2255
f	Dusper, H. (JUG)	0	2275
	Dussol, P. (FRA)	15	2340
f	Dutreeuw, M. (BEL)	26	2425
	Dutschak, H. (GER)	14	2320
	Dutton, I. R. (ENG)	5	2225
g	Dvoirys, S. I. (URS)	20	2515
m	Dvorietzky, M. I. (URS)	4	2475
	Dworakowski, L. (POL)	0	2205
	Dybala, M. (POL)	0	2280
f	Dybowski, J. (POL)	0	2315
m	Dydyshko, V. (URS)	0	2500
	Dymerski, H. (POL)	0	2265
	Dzera, V. (CAN)	4	2220
m	Dzevlan, M. (JUG)	23	2430
m	Dzhandzhava, L. (URS)	12	2485
	Dzhaparidze, D. (URS)	1	2220
f	Dzieniszewski, A. (POL)	0	2360
	Dzierzak, B. (POL)	0	2240
g	Dzindzichashvili, R. (USA)	40	2560
	Dziuban, O. I. (URS)	0	2440
	Dzmanoev, D. I. (URS)	0	2385

E

	Ebalard, M. (FRA)	0	2255
f	Ebeling, M. (FIN)	28	2345
	Ebenfelt, A. (SVE)	0	2305
	Eberle, J. (POL)	0	2215
f	Eberlein, W. (GER)	16	2285
	Eberth, Z. (HUN)	20	2205
	Ebner, H. (OST)	0	2275
	Echegaray, P. (FRA)	12	2255
	Echevarria, R. (CUB)	13	2235
f	Eckert, D. D. (USA)	1	2295
f	Edelman, D. (USA)	10	2400
	Edwards, P. (ENG)	0	2270
	Effert, K. (GER)	5	2275
m	Efimov, I. (URS)	38	2470
	Efler, D. (CSR)	10	2340
	Efler, L. (CSR)	4	2290
	Efstathiou, D. (GRC)	7	2210
	Efthimiou, E. (GRC)	3	2245
	Egartner, W. (OST)	5	2240
f	Egedi, I. (HUN)	0	2310
	Egeli, P. (NOR)	2	2210
	Egger, J. (CHI)	34	2355
	Egger, Th. (GER)	7	2265
	Egin, V. (URS)	0	2350
	Eglezos, H. (GRC)	2	2310
	Egozi, N. (ISL)	10	2220
g	Ehlvest, J. (EST)	33	2615
f	Ehrenfeucht, W. (POL)	0	2235
	Ehrke, M. (GER)	0	2240
	Ehrler, E. (GER)	9	2210
	Eilers, S. (GER)	0	2265
	Eilertsen, J. B. (NOR)	0	2240
	Einarsson, A. (ISD)	0	2250
	Einarsson, H. (ISD)	11	2300
	Einersen, E. (DEN)	17	2240
g	Eingorn, V. S. (URS)	20	2580

f	Eising, J. (GER)	0	2330
	Eismont, O. (URS)	18	2410
f	Eisterer, H. (OST)	11	2395
	Ekelund, P. (SVE)	0	2310
	Ekic, O. (JUG)	0	2285
	Eklund, L.-G. (SVE)	13	2300
	Eklund, M. (SVE)	9	2235
m	Ekstrom, R. (SVE)	0	2415
	El Arga, H. (SYR)	0	2205
m	El Arousy, A. H. (EGY)	12	2355
m	El Assiouti, Sh. (EGY)	0	2385
m	El Ghazali, Y. M. (EGY)	12	2300
m	El Taher, F. (EGY)	13	2400
	El-Mezwaghi, H. (LIB)	0	2205
	Elbilia, J. (FRA)	27	2220
f	Elguezabal Varela, D. (ARG)	9	2310
	Eliet, N. (FRA)	19	2225
	Eliet, R. (FRA)	13	2235
	Elizakov, A. (URS)	0	2320
f	Elizart Cardenas, H. (CUB)	15	2265
	Eljanov, V. (URS)	0	2350
	Ellinger, H. (GER)	14	2300
	Elsen, M. (GER)	0	2220
f	Elseth, R. (NOR)	8	2340
	Elters, A. (URU)	0	2240
f	Elyoseph, H. (ISL)	0	2335
	Emelin, V. (URS)	0	2345
	Emeljanov, A. (URS)	0	2280
m	Emma, J. (ARG)	0	2405
m	Emms, J. M. (ENG)	32	2430
	Emodi, B. (HUN)	20	2215
f	Emodi, Gy. (HUN)	22	2345
	Enders, P. (GER)	0	2475
	Engedal, N. (NOR)	2	2260
	Engel, B. (GER)	0	2275
	Engelbert, Ch. (GER)	0	2275
f	Engqvist, Th. (SVE)	34	2405
	Engsner, J. (SVE)	0	2235
	Engstrom, K. (SVE)	0	2260
	Enhbad, C. (MON)	11	2320
	Enkhbat, Te. (MON)	0	2205
	Enkhbat, Ts. (MON)	4	2300
m	Eperjesi, L. (HUN)	0	2340
g	Epishin, V. (URS)	37	2620
f	Eppinger, G. (GER)	0	2285
m	Erdelyi, T. (HUN)	24	2370
m	Erdeus, G. (ROM)	13	2345
	Erdogan, H. (TRK)	9	2325
	Erenski, P. (POL)	0	2265
	Erikalov, A. (URS)	0	2275
f	Eriksson, A. (SVE)	0	2270
	Eriksson, J. (SVE)	0	2220
	Eriksson, Mag. (SVE)	0	2295
	Eriksson, Mats (SVE)	0	2275
	Erker, E. (GER)	0	2250
	Ermeni, A. (JUG)	0	2240
g	Ermenkov, E. (BLG)	0	2505
	Ernst, R. (GER)	0	2320
g	Ernst, Th. (SVE)	37	2535
	Erskine, J. (USA)	0	2300
	Esain Manresa, M. (ESP)	0	2260
	Esam, A. N. (EGY)	0	2280
f	Escandell, J. C. (ARG)	0	2310
	Escobar, T. (ARG)	0	2215
	Escobedo Tinajero, A. (MEX)	15	2220
	Escofet, J. (URU)	0	2225
f	Escondrillas, C. (MEX)	3	2305
m	Eslon, J. (SVE)	25	2420
g	Espig, L. (GER)	21	2415
	Espig, Th. (GER)	0	2270
	Espini, M. (CUB)	13	2240
f	Espinosa, J. (CUB)	14	2275
m	Espinoza, R. (MEX)	41	2430
m	Estevez, G. (CUB)	31	2330
	Estival, A. (FRA)	0	2270
	Estrada, N. J. (MEX)	11	2275
	Estrella, J. (ESP)	9	2315
f	Estremera Panos, S. (ESP)	22	2330
f	Etmans, M. D. (NLD)	2	2230
	Eustache, B. (FRA)	14	2205
g	Evans, L. M. (USA)	0	2470
	Ezsol, M. (HUN)	21	2325

F

	Fabbri, M. (ITA)	3	2225
	Fabiano, G. (ITA)	27	2250
	Fabisch, Ch. (OST)	0	2205
	Fabre, M. (ESP)	10	2325
	Fabrega, E. (PAN)	0	2260
	Fabri, F. (HUN)	0	2265
	Fabris, A. (ITA)	0	2220
	Fabrowski, J. (POL)	0	2285
f	Fahnenschmidt, G. (GER)	6	2375
	Fahrner, K. (OST)	0	2260
	Faibisovich, V. Z. (URS)	18	2440
	Fairclough, N. (JAM)	4	2220
	Fajdetic, H. (JUG)	0	2245
	Falchetta, G. (ITA)	16	2210
	Falk, U. (GER)	0	2240
	Fancsy, I. (HUN)	6	2310
	Fang, Ch. (USA)	1	2220
	Fang, J. (USA)	6	2335
g	Farago, I. (HUN)	32	2520
m	Farago, S. (HUN)	50	2385
	Fares, A.-G. (KUW)	0	2280
	Faria, P. R. M. (BRS)	12	2345
	Farias, S. A. (BRS)	0	2220
f	Farkas, Gy. (HUN)	10	2215
f	Farkas, J. (HUN)	0	2275
	Farkas, Sz. (HUN)	11	2225
	Farkas, Ti. (JUG)	15	2310
	Farkas, Zs. (HUN)	9	2240
	Fassl, E. (OST)	0	2245
m	Fatin, T. (EGY)	5	2385
m	Fauland, A. (OST)	27	2440
	Fauvel, Ph. (FRA)	0	2355
	Favaro, E. F. (BRS)	22	2310
	Fayard, A. (FRA)	15	2265
	Fecht, H.-P. (GER)	0	2245
m	Fedder, S. (DEN)	18	2400
f	Federau, J. M. (GER)	0	2315
	Federl, A. R. (USA)	0	2225
	Fedorov, A. (URS)	11	2455
m	Fedorov, V. (URS)	20	2395
g	Fedorowicz, J. P. (USA)	29	2530
	Feher, A. (HUN)	0	2205
m	Feher, Gy. (HUN)	48	2405
	Feher, J. (HUN)	0	2265
	Fehling, M. (GER)	7	2250
	Feibert, F. (GER)	7	2315
f	Feick, S. (GER)	0	2300
	Feigelson, J. (URS)	0	2355
	Feistenauer, F. (OST)	0	2300
	Fejzulahu, A. (JUG)	0	2290
	Fekete, A. (HUN)	6	2230
	Feld, P. (CSR)	11	2390
	Feldman, A. (USA)	0	2210
	Feldmann, V. (URS)	0	2340
f	Felegyhazi, L. (HUN)	15	2240
	Feletar, D. (JUG)	0	2280
	Felix, V. (CSR)	0	2265
	Felmeri, J. (HUN)	0	2275
f	Felsberger, A. (OST)	2	2315
f	Fercec, N. (JUG)	6	2375
	Ferenc, J. (POL)	0	2295
	Fernandes, Al. (POR)	0	2220
m	Fernandes, An. M. (POR)	21	2440
f	Fernandez Aguado, E. (ESP)	12	2345
	Fernandez Fernandez, A. (ESP)	2	2305
g	Fernandez Garcia, J. L. (ESP)	47	2465
	Fernandez L, F. (ESP)	3	2330
	Fernandez Murga, R. (ARG)	0	2260
m	Fernandez, A. (VEN)	0	2325
m	Fernandez, C. A. (CUB)	0	2280
	Fernandez, G. (CUB)	0	2265
	Fernandez, H. (ARG)	0	2225
	Fernandez, I. (ARG)	0	2260
	Fernandez, Jo. (ARG)	0	2210
	Fernandez, Ju. L. (ESP)	12	2290
	Fernandez, M. (ESP)	0	2290
	Fernando, L. (SRI)	0	2235
	Ferraez, J. (MEX)	9	2230
f	Ferreira, An. (POR)	0	2295
m	Ferreira, N. (ANG)	27	2300
	Ferreira, O. (PAR)	15	2275
	Ferrer, M. (ESP)	12	2260
	Ferretti, F. (ITA)	13	2270
f	Ferris, D. (AUS)	0	2325
	Ferry, R. (FRA)	5	2245
f	Fette, M. (GER)	35	2390
	Feuerstein, A. (USA)	0	2240
	Fiala, J. (CSR)	2	2250
m	Fichtl, J. (CSR)	11	2220
	Fiedler, T. (GER)	0	2330
	Fielding, P. (USA)	0	2250
	Fievet, P. (FRA)	3	2270
	Figiel, M. (POL)	0	2360
f	Filep, T. (HUN)	0	2240
	Filgueira, H. (ARG)	2	2285
m	Filguth, R. A. (BRS)	0	2410
g	Filip, M. (CSR)	0	2465
	Filipenko, A. V. (URS)	11	2375
m	Filipovic, Br. (JUG)	0	2400
	Filipovich, D. (CAN)	9	2205
m	Filipowicz, A. (POL)	0	2360
f	Findlay, I. T. (CAN)	0	2335
m	Finegold, B. (USA)	7	2465
	Fink, S. (USA)	4	2270
	Finkenzeller, A. (GER)	0	2255
	Finnlaugsson, G. (SVE)	0	2210
	Fiol, F. (FRA)	1	2205
f	Fioramonti, H. (SWZ)	19	2305
	Fiore, M. (ITA)	0	2280
m	Fiorito, F. (ARG)	5	2410
	Fiorucci, M. (ARG)	0	2210
f	Firt, S. (CSR)	5	2400
f	Fischer, I. (GER)	0	2340
	Fischer, Johann (OST)	0	2300
f	Fischer, Johannes (GER)	0	2310
	Fischer, M. (GER)	11	2315
	Fischer, Th. (GER)	0	2270
	Fischer-Nielsen, J. (DEN)	2	2225
	Fischler, W. (OST)	0	2380
	Fisekovic, M. (JUG)	0	2325
m	Fishbein, A. (USA)	30	2495
	Fising, R. (GER)	0	2265
f	Flatow, A. (AUS)	11	2235
g	Flear, G. C. (ENG)	40	2495
f	Fleck, J. (GER)	0	2380
	Fleger, H. (GER)	4	2260
f	Flis, J. (POL)	0	2355
	Flogel, U. (GER)	0	2275
	Floreen, D. (USA)	0	2330
	Flores, P. (CHI)	0	2215
	Florescu, C. (ROM)	0	2245
	Floresvillar, L. M. (MEX)	1	2250
	Florezabihi, A. (USA)	0	2235
f	Flueckiger, Ch. (SWZ)	0	2245
	Fochtler, E. (GER)	12	2290

f	Fodre, S. (HUN)	9	2260
	Foessmeier, U. (GER)	0	2310
m	Fogarasi, T. (HUN)	75	2455
m	Foguelman, A. (ARG)	0	2320
	Foguenne, M. (BEL)	0	2205
	Fohler, C. (GER)	0	2350
	Foigel, I. (URS)	0	2415
m	Foisor, O. (ROM)	22	2425
	Fokin, S. (URS)	9	2340
f	Foldi, I. (HUN)	12	2325
	Foldi, J. (HUN)	0	2275
	Folk, P. (CSR)	0	2295
	Foltz, Y. (URS)	0	2375
	Forchert, M. (GER)	9	2220
	Fordan, T. (HUN)	0	2225
	Forgacs, A. (HUN)	0	2220
	Forgacs, F. (HUN)	0	2205
m	Forgacs, Gy. (HUN)	11	2310
f	Forgacs, J. (HUN)	0	2300
g	Forintos, Gy. V. (HUN)	50	2445
m	Formanek, E. W. (USA)	8	2305
	Fornari, G. (ITA)	7	2240
	Forster, M. (ENG)	10	2300
	Fossan, E. (NOR)	15	2315
f	Fossan, P. (NOR)	0	2300
	Foster, N. (ENG)	9	2280
	Fox, N. (ENG)	0	2210
	Fraczek, D. (POL)	0	2270
	Fradkin, B. (URS)	8	2400
m	Fraguela Gil, J. M. (ESP)	10	2245
g	Franco, Z. (PAR)	68	2520
	Frangulea, A. (ROM)	0	2210
m	Franic, M. (JUG)	0	2375
	Frank, B. (GER)	5	2265
	Frank, J. (HUN)	0	2270
	Frank, V. (JUG)	0	2215
m	Franke, H. (GER)	0	2380
	Frankle, J. (USA)	2	2220
	Franklin, Ch. (ENG)	0	2250
f	Franklin, M. J. (ENG)	5	2275
	Fransson, P. (SVE)	12	2220
m	Franzen, J. (CSR)	0	2315
m	Franzoni, G. (SWZ)	11	2440
f	Fraschini, M. (ARG)	1	2330
	Frauensohn, H. (FRA)	0	2240
	Frech, K. (HUN)	0	2260
	Freckmann, M. (GER)	4	2300
	Freider, P. (URS)	0	2275
	Freijedo Alvarez, S. (ESP)	1	2335
m	Freisler, P. (CSR)	26	2400
f	Frendzas, P. (GRC)	4	2285
	Freyre, J. (PRO)	7	2255
m	Frias, V. J. (USA)	8	2460
	Frick, Ch. (GER)	0	2240
	Frick, R. (LIC)	0	2210
	Fridh, A. (SVE)	0	2235
	Fridkin, J. (URS)	0	2295
	Fridman, D. (URS)	19	2390
f	Friedman, A. (ISL)	7	2295
	Friedman, E. (USA)	5	2290
f	Friedrich, N. (GER)	2	2310
m	Fries-Nielsen, J. O. (DEN)	18	2395
	Fries-Nielsen, N. J. (DEN)	0	2380
	Friesenhahn, H. (OST)	0	2345
	Frink, F. (HUN)	3	2305
	Fritsche, L. (GER)	0	2395
f	Fritz, R. (GER)	12	2325
	Fritze, B. (GER)	0	2235
	Frog, I. (URS)	5	2370
m	Frois, A. (POR)	26	2380
m	Frolov, A. (URS)	22	2495
	From, S. (DEN)	6	2305
	Fromme, E. (GER)	0	2325
f	Fronczek, H. (POL)	0	2260
	Frosch, E. (OST)	17	2360
	Frumson, Y. (URS)	10	2325
g	Ftacnik, L. (CSR)	17	2550
f	Fucak, E. (JUG)	0	2285
	Fuchs, B. (USA)	0	2230
	Fuentes, L. (CUB)	11	2280
f	Fuentes, M. (CUB)	11	2320
	Fuesthy, Zs. (HUN)	7	2285
	Fufuengmongkolkij, K. (TAI)	0	2205
	Fulgenzi, E. (ARG)	0	2355
	Fulgsang, F. (DEN)	13	2325
	Fullbrook, N. (CAN)	0	2220
f	Fuller, M. L. (AUS)	0	2285
	Funes, A. (ARG)	0	2225
	Furdzik, R. (POL)	0	2235
	Furhoff, J. (SVE)	16	2270
	Furlan, M. (JUG)	0	2255
	Furman, B. (URS)	6	2215
	G		
	Gabaldon, M. (ESP)	0	2250
f	Gabler, B. (GER)	0	2320
f	Gabriel, Ch. (GER)	24	2360
	Gabriel, J. (GER)	9	2315
	Gabriel, R. J. (GER)	11	2250
	Gaburici, G. (ROM)	4	2210
	Gachon, L. (FRA)	4	2270
	Gacso, T. (HUN)	8	2260
	Gaertner, G. (OST)	0	2250
	Gaffar, J. (BAR)	0	2205
	Gagarin, V. (URS)	0	2410
	Gagliardi, P. (ITA)	0	2240
	Gaidatzis, S. (GRC)	15	2225
	Gaika, P. (HUN)	10	2215
f	Gajic, Dj. (JUG)	0	2335
f	Gajic, Z. (JUG)	0	2270
	Gal, A. (ISL)	0	2220
	Gal, K. (HUN)	10	2215
	Galakhov, S. (URS)	0	2300
	Galandauer, J. (CSR)	0	2250
	Galanov, B. (URS)	5	2385
m	Galdunts, S. (URS)	37	2465
	Galeev, Sh. (URS)	0	2265
f	Galego, L. (POR)	21	2405
	Galic, V. (JUG)	0	2235
f	Galic, Z. (JUG)	0	2350
	Galindo, R. (ARG)	2	2260
g	Gallagher, J. G. (ENG)	51	2510
m	Gallego Eraso, F. (ESP)	12	2370
	Gallego, R. (ARG)	5	2260
	Gallego, V. (ESP)	37	2420
	Gallinnis, N. (GER)	0	2265
	Gallo, E. (ITA)	0	2225
	Gallo, J. (GER)	0	2245
	Gallus, G. (GER)	5	2285
	Galunov, T. (BLG)	11	2340
f	Gamarra Caceres, C. (PAR)	30	2285
	Gamboa, N. (COL)	35	2405
	Ganbold, O. (MON)	0	2325
	Ganchev, G. (BLG)	0	2315
f	Ganesan, S. (IND)	12	2300
	Gangler, Z. (HUN)	0	2260
	Gantet, G. (FRA)	0	2230
f	Gara, Gy. (HUN)	6	2275
	Garabedian, V. (FRA)	10	2255
m	Garbarino, R. (ARG)	15	2370
	Garber, S. (USA)	12	2380
	Garbett, P. A. (NZD)	0	2305
	Garcia Ares, F. (ESP)	6	2305
f	Garcia Callejo, J. (ESP)	5	2275
f	Garcia Fernandez, C. (ESP)	16	2390
	Garcia Larrouy, J. L. (ESP)	2	2240
f	Garcia Luque, A. (ESP)	30	2320
g	Garcia Martinez, S. (CUB)	11	2420
	Garcia Molla, V. (ESP)	0	2265
	Garcia Munoz, J. J. (ESP)	18	2420
m	Garcia Padron, J. (ESP)	14	2435
g	Garcia Palermo, C. (ITA)	50	2465
	Garcia Trobat, F. (ESP)	8	2305
	Garcia, Alb. F. (ESP)	5	2330
	Garcia, Alv. (COL)	15	2320
	Garcia, D. (ESP)	49	2420
m	Garcia, G. (COL)	42	2485
	Garcia, H. (ARG)	0	2270
	Garcia, J. L. (ESP)	10	2240
	Garcia, Man. V. (BRS)	15	2295
	Garcia, Mar. (ESP)	9	2300
f	Garcia, Om. (CUB)	0	2305
	Garcia, Os. (CUB)	29	2285
	Garcia, P. J. (CUB)	24	2280
m	Garcia, Rai. (ARG)	5	2365
	Garcia, Raul (AND)	6	2270
	Garcia, Ri. (ESP)	0	2275
m	Garkov, M. (BLG)	0	2250
	Garma, Ch. (PHI)	0	2330
	Garmendez Gonzalez, C. (MEX)	12	2240
	Garmendez, F. (MEX)	24	2325
	Garrard, C. (ZIM)	0	2205
	Garrido, D. (FRA)	4	2235
	Garriga Nvalart, J. (ESP)	9	2385
	Gasic, B. (JUG)	0	2270
	Gasiorowski, R. (POL)	0	2260
	Gaspar, Z. (HUN)	0	2210
	Gaspariants, G. (URS)	4	2265
	Gaspariants, V. (URS)	0	2350
f	Gast, J. (SWZ)	0	2255
	Gast, U. (SWZ)	0	2255
	Gatica, J. (CHI)	0	2330
m	Gauglitz, G. (GER)	0	2430
m	Gausel, E. (NOR)	14	2445
f	Gavela, D. (JUG)	0	2325
f	Gavilanes, A. (CUB)	26	2275
f	Gavric, M. (JUG)	0	2335
g	Gavrikov, V. (LIT)	21	2560
f	Gavrila, Gh. (ROM)	0	2310
m	Gavrilakis, N. (GRC)	1	2405
	Gavrilov, A. (URS)	32	2360
	Gavrilovic, V. (JUG)	0	2230
	Gawarecki, L. (POL)	0	2210
f	Gawehns, K. (GER)	0	2340
	Gawlinski, M. (POL)	0	2245
	Gawronski, M. (POL)	0	2245
	Gayson, P. (ENG)	0	2255
f	Gazarek, D. (JUG)	9	2305
	Gazda, I. (HUN)	0	2280
m	Gazik, I. (CSR)	52	2435
	Gazis, E. (GRC)	1	2235
m	Gdanski, J. (POL)	34	2435
	Gdanski, P. (POL)	2	2315
	Gdovin, J. (CSR)	0	2265
	Gebhardt, U. (GER)	15	2245
f	Gedevanishvili, D. (AUS)	11	2385
f	Geenen, M. (BEL)	13	2340
	Geerlings, G. (GER)	0	2300
	Gefenas, V. (LIT)	0	2300
	Gegamian, A. (URS)	0	2220
	Geisler, F. (GER)	0	2285
	Geisler, R. (GER)	2	2240
	Gekas, S. (GRC)	0	2245
f	Geleta, J. (JUG)	0	2310
g	Gelfand, B. (URS)	19	2665
	Gelfand, D. (URS)	0	2285
	Gelle, I. (HUN)	0	2325
	Geller, A. (JUG)	6	2290

g	Geller, E. P. (URS)	15	2535
f	Gelpke, P. (NLD)	0	2385
	Gemesi, A. (HUN)	0	2250
	Gemmell, P. (ENG)	0	2305
	Gempe, Th. (GER)	21	2230
	Gendelman, D. (ISL)	4	2235
	Genduso, G. (GER)	9	2220
	Genov, Peter (BLG)	16	2450
	Genov, Petko (BLG)	0	2300
	Gentilleau, J.-Ph. (FRA)	4	2220
	Georg, H. (GER)	2	2235
m	Georgadze, G. (URS)	16	2525
g	Georgadze, T. V. (URS)	15	2530
	George, M. (EGY)	14	2335
	Georges, S. (SWZ)	19	2320
f	Georgescu, G. (ROM)	1	2295
	Georghiou, P. I. (ENG)	3	2220
	Georgi, P. (BLG)	10	2320
	Georgiakakis, I. (GRC)	3	2220
	Georgiev, B. (BLG)	11	2280
g	Georgiev, Ki. (BLG)	16	2605
g	Georgiev, Kr. (BLG)	62	2505
	Georgiev, V. (BLG)	9	2300
	Georgievski, S. (JUG)	0	2320
	Georgievski, V. (JUG)	0	2260
f	Gerber, R. (SWZ)	5	2310
f	Gerencer, J. (JUG)	26	2220
	Gerer, J. (GER)	2	2245
	Gergel, V. P. (URS)	0	2305
	Gerhold, M. (OST)	0	2250
	Gerigk, E. (GER)	4	2270
	Germanavicius, S. (LIT)	11	2355
	Gerskovic, E. (URS)	0	2330
	Gerstner, W. (GER)	11	2405
m	Gerusel, M. (GER)	0	2355
f	Gervasi, G. (ITA)	0	2330
	Geselschap, J. (NLD)	0	2285
	Gesicki, J. (POL)	0	2285
m	Gesos, P. (GRC)	0	2410
f	Getz, Sh. D. (USA)	3	2295
f	Geveke, M. (GER)	0	2330
	Gezaljan, T. (URS)	0	2320
g	Gheorghiu, F. (ROM)	29	2500
m	Ghinda, M.-V. (ROM)	37	2460
g	Ghitescu, Th. (ROM)	7	2435
	Ghosh, A. K. (IND)	0	2225
	Ghysels, Ch. (BEL)	0	2215
f	Giaccio, A. (ARG)	2	2370
m	Giam, Ch.-K. (SIP)	0	2230
m	Giardelli, S. C. (ARG)	4	2430
	Gibiec, E. (CSR)	0	2275
	Gicev, B. (JUG)	0	2320
f	Giddins, S. (ENG)	7	2270
	Giemsa, S. (GER)	15	2275
	Giertz, N. (SWZ)	26	2255
m	Giffard, N. (FRA)	18	2340
	Gik, E. (URS)	3	2375
	Gikas, B. (GER)	2	2205
f	Gil Gonzales, M. J. (ESP)	17	2375
m	Gil Reguera, J. C. (ESP)	13	2360
m	Gil, J. (ESP)	12	2400
f	Giles, M. (USA)	0	2360
	Gilles, R. (FRA)	1	2285
	Gilruth, P. (USA)	0	2210
	Ginat, M. (AUS)	0	2225
	Gincomazzi, D. (FRA)	0	2275
	Ginsburg, G. (URS)	0	2370
m	Ginsburg, M. (USA)	6	2400
m	Ginting, N. (RIN)	0	2430
g	Gipslis, A. (LAT)	29	2465
	Girinath, P. D. S. (IND)	11	2300
	Giulian, Ph. M. (SCO)	0	2275
f	Giurumia, S. (ROM)	6	2385
	Gizynski, T. (POL)	18	2310
	Gkogkas, D. (GRC)	1	2245
f	Glatt, G. (HUN)	0	2295
f	Glauser, H. (SWZ)	0	2325
	Glavan, S. (JUG)	0	2210
f	Glavica, Z. (JUG)	0	2270
f	Glavina, P. (ARG)	28	2405
m	Gleizerov, E. (URS)	22	2525
g	Glek, I. V. (URS)	44	2515
f	Glienke, M. (GER)	0	2280
g	Gligoric, S. (JUG)	0	2465
	Gligorovski, K. (JUG)	0	2265
m	Gliksman, Dar. (JUG)	0	2270
	Gliksman, Dav. N. (USA)	1	2240
	Glimbrant, T. (SVE)	14	2235
	Glisic, V. (JUG)	0	2220
	Glodeanu, I. (ROM)	13	2240
	Gloria, E. (PHI)	0	2235
f	Glueck, D. (USA)	6	2320
m	Gluzman, M. (URS)	0	2425
	Glyanets, A. (URS)	0	2370
	Gmeiner, P. (GER)	0	2230
	Goban, M. (CSR)	0	2230
	Gobe, P. (FRA)	9	2235
m	Gobet, F. (SWZ)	6	2390
	Gochev, M. (BLG)	0	2300
	Goczan, L. (HUN)	0	2245
	Godard, M. (FRA)	13	2215
m	Godena, M. (ITA)	31	2425
m	Godes, D. A. R. (URS)	0	2410
	Godoy, C. (ARG)	0	2215
	Godoy, D. A. (CHI)	0	2315
f	Goehring, K.-H. (GER)	0	2305
	Goetz, R. (GER)	0	2355
m	Gofshtein, L. D. (ISL)	20	2485
	Gogichaishvili, G. (URS)	16	2430
	Gohil, H. (GER)	7	2225
f	Gojkovic, P. (JUG)	0	2300
	Gokhale, J. S. (IND)	4	2325
	Gokhale, R. V. (IND)	0	2230
	Gola, K. (POL)	0	2225
f	Gola, M. (CSR)	0	2330
f	Goldberg, A. (GER)	0	2350
f	Goldenberg, R. (FRA)	0	2290
g	Goldin, A. (URS)	23	2595
	Goldin, V. M. (URS)	7	2345
	Goldschmidt, B. (ARG)	0	2210
f	Goldstern, F. (NLD)	9	2335
m	Golikov, A. (URS)	26	2360
	Golod, V. (URS)	5	2300
	Golovachov, S. (URS)	0	2340
	Golovin, L. (URS)	0	2360
	Golovko, S. (URS)	0	2350
	Golubev, M. (URS)	0	2465
	Golubovic, Z. (JUG)	0	2345
m	Gomez Baillo, J. H. (ARG)	6	2420
m	Gomez Esteban, J. M. (ESP)	29	2425
	Gomez Jurado, L. A. (ESP)	19	2265
f	Gomez, A. (CUB)	25	2325
	Gomez, D. N. (ESP)	6	2205
f	Gomez, F. (CUB)	15	2350
	Goncalves, J. (POR)	0	2220
f	Gonsior, E. (CSR)	0	2315
	Gonzales Mata, J. (MEX)	10	2280
	Gonzales, B. (CRA)	28	2440
	Gonzales, E. (DOM)	0	2240
m	Gonzales, J. A. (COL)	33	2420
	Gonzales, R. (CUB)	15	2250
	Gonzales, S. (COL)	6	2305
	Gonzalez Garcia, J. (MEX)	30	2260
f	Gonzalez Rabago, N. (CUB)	0	2310
	Gonzalez, Juan (USA)	4	2225
f	Gonzalez, Juan C. (CUB)	41	2380
	Gonzalez, M. (CUB)	0	2255
f	Gonzalez, R. (ARG)	1	2295
f	Goormachtigh, J. (BEL)	3	2300
	Gopal, K. N. (IND)	0	2270
	Gorbatow, A. (URS)	19	2380
f	Gordan, N. (ROM)	8	2320
f	Goregliad, S. (USA)	30	2275
m	Gorelov, S. G. (URS)	22	2435
	Gorgs, A. (GER)	0	2210
	Goric, E. (JUG)	0	2270
	Gorisnic, E. (ARG)	0	2265
	Gorjatschkin, W. (URS)	20	2445
f	Gorman, D. (USA)	2	2330
	Gorniak, T. (POL)	0	2240
	Gosic, B. (JUG)	0	2310
	Gospodinov, I. (BLG)	0	2325
m	Gostisa, L. (JUG)	0	2430
	Gosztola, I. (HUN)	4	2240
f	Gottesman, J. (USA)	0	2315
	Gountintas, A. (GRC)	9	2315
	Gouret, Th. (FRA)	15	2205
	Gouveia, C. (BRS)	0	2390
m	Govedarica, R. (JUG)	0	2415
	Govoni, F. (ITA)	0	2280
	Goy, U. (GER)	7	2225
	Grabarczyk, B. (POL)	18	2260
	Grabarczyk, M. (POL)	21	2315
	Grabert, R. (GER)	1	2310
	Grabher, H. (OST)	0	2245
	Grabowski, A. (POL)	0	2360
	Gracin, D. (JUG)	0	2270
	Graf, Ch. (GER)	10	2240
	Graf, G. (GER)	0	2240
m	Graf, J. (GER)	0	2440
f	Gralka, J. (POL)	0	2305
	Grancharov, G. (URS)	0	2265
g	Granda Zuniga, J. E. (PER)	19	2615
	Graniou, M. (FRA)	9	2320
	Granovski, A. (URS)	6	2290
f	Gransky, M. (ISL)	0	2300
	Grant, J. (SCO)	11	2245
	Grassi, E. (SMA)	0	2205
	Grassi, M. (ITA)	0	2205
f	Grathwohl, R. (GER)	0	2295
	Gratseas, S. (GRC)	0	2260
	Grbovic, V. (JUG)	0	2270
	Grdinic, Z. (JUG)	0	2410
f	Grebennikov, S. (URS)	0	2385
	Grech, J. (MLT)	0	2205
	Green, P. (NZD)	0	2265
g	Greenfeld, A. (ISL)	20	2520
m	Grefe, J. A. (USA)	0	2390
	Greger, R. (DEN)	9	2345
	Gregory, V. (MAL)	2	2235
f	Gretarsson, A. A. (ISD)	0	2315
	Gretarsson, H. A. (ISD)	23	2350
	Grguric, Z. (JUG)	0	2255
	Grichkevitch, G. (FRA)	9	2280
f	Griego, D. W. (USA)	12	2355
	Griffin, D. (SCO)	0	2275
	Griffiths, P. (ENG)	25	2270
m	Grigore, G. (ROM)	12	2430
m	Grigorian, K. A. (URS)	0	2400
m	Grigorov, J. N. (BLG)	0	2390
	Grillitsch, K. (OST)	4	2285
f	Grimaldi, R. A. (SAL)	0	2270
f	Grimberg, G. (FRA)	0	2315
	Grimm, S. (GER)	10	2300
	Grinchpun, E. (URS)	10	2400
m	Grivas, E. (GRC)	53	2465
	Grizou, R. (FRA)	0	2215
	Groborz, M. (POL)	0	2240
	Groenegress, W. (GER)	0	2205
	Gromczak, D. (POL)	0	2245
	Gronn, A. (NOR)	28	2310
m	Grooten, H. (NLD)	3	2430

m	Grosar, A. (JUG)	14	2455
	Gross, G. (GER)	2	2270
m	Gross, S. (CSR)	37	2385
	Grossmann, R. (POL)	0	2255
g	Groszpèter, A. (HUN)	20	2495
f	Grotnes, N. (NOR)	8	2310
	Grottke, H. (GER)	0	2330
	Grottke, H.-J. (GER)	0	2255
	Gruber, Th. (GER)	7	2225
m	Gruchacz, R. (USA)	0	2335
m	Gruen, G.-P. (GER)	0	2375
m	Gruenberg, H.-U. (GER)	30	2510
f	Gruenberg, Ra. (GER)	0	2350
f	Gruenenwald, J. (GER)	0	2330
g	Gruenfeld, Y. (ISL)	14	2510
	Grujic, L. (JUG)	0	2355
	Grujic, Z. (JUG)	0	2260
m	Grunberg, S. H. (ROM)	4	2375
	Grundherr, M. (GER)	0	2280
f	Grushka, C. (ARG)	0	2240
	Gruzmann, B. (URS)	3	2295
	Gryciuk, W. (POL)	0	2260
f	Grynszpan, M. (ARG)	0	2395
	Grzelak, A. (POL)	0	2270
	Grzelak, R. (POL)	0	2235
f	Grzesik, Th. (GER)	0	2285
m	Gschnitzer, O. (GER)	0	2455
	Guadalpi, D. (FRA)	11	2240
	Gual, A. (ESP)	19	2320
	Gubics, P. (HUN)	0	2245
	Gudmundsson, K. (ISD)	3	2235
	Gudmundur, G. (ISD)	0	2250
	Gueci, R. (ITA)	1	2235
f	Guenthner, O. (GER)	2	2270
	Guerra Bastida, D. (ESP)	24	2280
	Guerra, A. (ITA)	1	2205
f	Guerra, P. (CUB)	11	2335
	Guerra, U. (ITA)	2	2300
f	Guevara, M. (NCG)	21	2320
	Gueye, G. (SEN)	0	2215
g	Gufeld, E. Y. (URS)	7	2490
	Guglielmi, R. (FRA)	4	2255
	Guidez, Y. M. (FRA)	0	2345
f	Guido, F. (ITA)	12	2250
	Guigonis, D. (FRA)	0	2285
	Guillen, J. R. (HON)	0	2330
f	Guimaraes, J. (POR)	19	2305
	Guimaraes, W. P. (BRS)	18	2240
g	Guimard, C. E. (ARG)	0	2345
	Gukasian, R. (URS)	17	2295
	Gulakov, V. P. (URS)	0	2435
	Guldner, K. (GER)	11	2290
	Gulicovski, K. (JUG)	0	2225
	Guliev, S. (URS)	9	2405
g	Gulko, B. F. (USA)	30	2560
	Gullaksen, E. T. (NOR)	0	2260
m	Gunawan, R. (RIN)	0	2420
	Gundersen, H. (NOR)	0	2255
	Gupta, M. (GER)	0	2235
f	Gupta, R. S. (IND)	14	2255
	Gurcan, S. (TRK)	0	2210
g	Gurevich, D. (USA)	27	2515
m	Gurevich, I. (USA)	34	2475
g	Gurevich, M. (URS)	11	2635
m	Gurevich, V. (URS)	24	2430
g	Gurgenidze, B. I. (URS)	0	2370
	Guseinov, A. (URS)	0	2375
	Gusev, V. A. (URS)	0	2335
	Gusev, Y. S. (URS)	6	2345
	Gussjatinskij, A. (URS)	0	2245
	Gustavsson, C. (SVE)	9	2210
	Gutdeutsch, O. (OST)	9	2265
	Gutierrez, J. (CRA)	0	2320
m	Gutierrez, Jo. A. (COL)	18	2330
	Gutin, D. (URS)	11	2230
	Gutkin, B. (ISL)	9	2275
g	Gutman, L. (GER)	58	2465
f	Guyot, Ph. (FRA)	5	2265
	Guzijan, M. (JUG)	25	2370
	Guzman, E. (BOL)	0	2280
	Gyimesi, Z. (HUN)	26	2230
m	Gyorkos, L. (HUN)	20	2450
	Gyurkovics, M. (HUN)	7	2260

H

m	Haag, E. (HUN)	0	2395
	Haag, G. (GER)	2	2300
	Haag, M. (GER)	0	2285
	Haag, W. (GER)	5	2280
	Haakert, J. (GER)	0	2320
	Haapasalo, J.-P. (FIN)	15	2245
	Haas, C. (ISL)	0	2215
	Haas, F. (GER)	0	2235
f	Haas, G. (LUX)	7	2285
	Haas, V. (JUG)	0	2245
m	Haba, P. (CSR)	28	2515
	Habibi, A. (GER)	56	2380
	Habinak, T. (CSR)	0	2350
	Hacche, D. (AUS)	0	2295
	Hachaj, A. (POL)	0	2285
	Hachian, M. (URS)	0	2430
	Hackel, M. (GER)	0	2340
	Hacker, Ch. (GER)	1	2285
	Hadraba, V. (CSR)	0	2275
f	Hadzimanov, Lj. (JUG)	0	2265
	Hadzovic, I. (JUG)	0	2250
	Haessler, C. (USA)	0	2240
f	Hager, F. (OST)	0	2310
m	Haik, A. (FRA)	26	2375
	Haimovich, T. (ISL)	14	2255
f	Haist, W. (GER)	5	2265
	Hait, A. (URS)	12	2380
f	Hajek, M. (CSR)	0	2315
m	Hakki, I. (SYR)	0	2310
f	Hakulinen, E.-M. (FIN)	4	2310
	Halac, M. (ARG)	0	2245
	Halasz, A. (HUN)	9	2265
	Halasz, S. (HUN)	11	2340
m	Halasz, T. (HUN)	0	2400
	Hald, J. E. (DEN)	9	2220
f	Haliamanis, G. (GRC)	6	2290
	Halilovic, H. (JUG)	0	2270
f	Hall, E. C. (USA)	0	2345
	Hall, J. (SVE)	6	2370
	Halldorsson, G. (ISD)	0	2260
f	Hallebeek, F. (NLD)	7	2345
	Halpin, P. (AUS)	0	2270
	Halsegger, H. (OST)	0	2245
	Haludrov, E. (URS)	0	2265
	Hamacher, A. (GER)	0	2285
	Hamad, K. (SUD)	0	2205
	Hamadto, I. E. D. F. (SUD)	0	2205
m	Hamann, S. (DEN)	0	2365
	Hamberger, H. (OST)	0	2260
m	Hamdouchi, H. (MRC)	5	2435
m	Hamed, A. (EGY)	0	2320
	Hamgokov, A. (URS)	24	2325
m	Hamid, M. K. (YEM)	13	2265
f	Hamilton, R. (CAN)	0	2340
f	Hammar, B. (SVE)	0	2360
	Hamori, A. (HUN)	0	2225
	Han, H. (TRK)	13	2270
	Hanasz, W. (POL)	0	2270
	Hancas, M. (ROM)	0	2225
	Handa, R. (HUN)	0	2295
m	Handoko, E. (RIN)	0	2390
f	Hanel, R. (OST)	0	2365
	Hanemann, I. (GER)	0	2205
	Hangweyrer, M. (OST)	0	2240
	Hanko, P. (CSR)	10	2270
f	Hanreck, A. E. (ENG)	5	2265
f	Hansen, Ca. (DEN)	42	2295
	Hansen, Ch. J. (FAI)	6	2245
g	Hansen, Cu. (DEN)	13	2620
g	Hansen, L. B. (DEN)	36	2480
	Hansen, M. S. (DEN)	5	2340
	Hansen, So. B. (DEN)	1	2245
	Hansen, Su. B. (DEN)	15	2345
	Hansson, D. (ISD)	11	2250
	Hansson, H. (SVE)	10	2265
f	Happel, H. A. (NLD)	1	2270
f	Haque, R. (BAN)	6	2230
	Har-Zvi, R. (ISL)	36	2350
	Har-Zvi, Sh. (ISL)	0	2240
	Haragos, K. (HUN)	4	2310
m	Harandi, K. (IRN)	0	2410
	Harari, Z. (USA)	0	2290
	Harasta, V. (CSR)	3	2220
f	Hardarson, R. (ISD)	22	2345
m	Hardicsay, P. (HUN)	0	2355
	Harestad, Th. G. (NOR)	0	2275
	Hargens, Th. (GER)	2	2275
	Hariharan, V. (IND)	2	2240
f	Haritakis, Th. (GRC)	12	2275
	Harlamov, V. (URS)	8	2405
	Harley, A. (ENG)	8	2280
	Harlin, H. (FRA)	0	2290
	Harlov, A. (URS)	0	2430
	Harmatosi, J. (HUN)	0	2280
	Harmon, C. (USA)	4	2235
	Harris, D. (USA)	7	2250
	Harris, M. (ENG)	0	2235
	Hart, M. (USA)	0	2210
	Hartereau, Ph. (FRA)	6	2300
	Hartlieb, J. (GER)	0	2275
f	Hartman, B. (CAN)	0	2360
m	Hartman, Ch. (SVE)	6	2350
	Hartmann, G. (GER)	0	2285
	Hartmuth, B. (OST)	9	2320
m	Hartoch, R. G. (NLD)	9	2365
	Hartung-Nielsen, J. (DEN)	3	2280
f	Hasan, Y. (BAN)	15	2290
	Hasanov, M. (URS)	0	2300
m	Hase, J. C. (ARG)	0	2335
f	Hasecic, S. (JUG)	0	2310
	Haselhorst, H. (GER)	13	2265
f	Haskamp, S. (GER)	0	2260
	Hass, R. (POL)	17	2310
	Hassan, M. (IND)	0	2270
	Hassan, T. A. (EGY)	7	2260
	Hassapis, D. (ENG)	7	2290
f	Hatlebakk, E. (NOR)	0	2300
	Haub, Th.-M. (GER)	9	2295
	Haubt, G. (GER)	0	2285
m	Hauchard, A. (FRA)	22	2420
m	Haugli, P. (NOR)	8	2395
m	Hausner, I. (CSR)	23	2410
f	Havas, L. (JUG)	0	2280
	Havasi, J. (HUN)	0	2235
m	Hawelko, M. (POL)	0	2405
m	Hawksworth, J. C. (ENG)	0	2355
	Hay, T. (AUS)	0	2330
	Hayoun, L. (FRA)	0	2375
m	Hazai, L. (HUN)	0	2460
	Hazelton, M. (ENG)	7	2235
m	Hebden, M. (ENG)	21	2500
m	Hebert, J. (CAN)	0	2395
g	Hecht, H.-J. (GER)	0	2410
	Hecimovic, I. (JUG)	0	2220
	Heckler, M. (GER)	0	2285
g	Hector, J. (SVE)	62	2535
f	Hedke, F. (GER)	0	2275
	Hedman, J. A. (CUB)	30	2315
f	Heemskerk, W. (NLD)	0	2285
m	Hegde, R. G. (IND)	17	2310

	Hegedus, Gy. (HUN)	4	2235
f	Hegedus, I. (ROM)	10	2290
	Hegeler, F. (GER)	25	2220
	Heidenfeld, M. (GER)	5	2295
	Heidl, G. (GER)	0	2400
f	Heidrich, M. (GER)	0	2335
	Heifez, E. (OST)	0	2250
	Heigl, R. (GER)	9	2225
	Heiligermann, G. (HUN)	0	2325
	Heim, B. (GER)	0	2210
	Heim, C. (ROM)	0	2270
f	Heinatz, Th. (GER)	0	2325
m	Heinbuch, D. (GER)	3	2360
	Heinemann, Th. (GER)	22	2395
	Heinig, W. (GER)	3	2315
	Heinsohn, W. (GER)	0	2210
	Heisman, D. (USA)	0	2285
	Helbig, P. (ENG)	0	2210
	Held, M. (GER)	0	2275
	Helenius, M. (FIN)	0	2255
f	Helgason, R. (SVE)	0	2335
	Helis, T. (POL)	0	2215
	Hellborg, T. (SVE)	0	2255
g	Hellers, F. (SVE)	36	2510
	Hellsten, J. (SVE)	2	2265
	Helmer, J. (ROM)	8	2225
	Helmrich, J. (HUN)	0	2315
	Hempson, P. W. (ENG)	6	2250
m	Henao, R. F. (COL)	13	2390
	Hendriks, W. (NLD)	0	2320
	Heng, D. (SIP)	0	2265
g	Henley, R. W. (USA)	0	2480
	Hennig, D. (GER)	0	2360
f	Hennigan, M. (ENG)	21	2375
m	Hennings, A. (GER)	4	2375
	Henriksen, J. (DEN)	9	2230
	Henriksson, J. (SVE)	14	2225
	Henry, C. (COL)	0	2265
	Henry, R. (USA)	5	2265
f	Henttinen, M. I. O. (FIN)	0	2295
	Hentunen, A. (FIN)	0	2275
f	Herb, P. (FRA)	0	2390
f	Herbrechtsmeier, Ch. (GER)	16	2300
	Herendi, Z. (HUN)	0	2300
m	Hergott, D. (CAN)	0	2410
m	Hermann, M. (GER)	0	2405
	Hermansson, E. (SVE)	4	2295
	Hermansson, T. (ISD)	0	2260
	Hermesmann, H. (GER)	0	2270
	Hermlin, A. (EST)	6	2355
	Hernandez Garcia, A. (ESP)	9	2240
	Hernandez, Ah. (CUB)	15	2250
f	Hernandez, Al. (CUB)	0	2330
	Hernandez, C. (MEX)	10	2265
	Hernandez, E. (MEX)	18	2310
	Hernandez, F. (CRA)	26	2245
	Hernandez, Ge. (CUB)	15	2285
m	Hernandez, Gi. (MEX)	40	2495
m	Hernandez, Gu. (DOM)	0	2345
f	Hernandez, Je. (CUB)	15	2295
	Hernandez, Ju. (CHI)	8	2355
	Hernandez, P. (CUB)	14	2235
	Hernandez, Rod. (CUB)	0	2245
g	Hernandez, Rom. (CUB)	25	2430
f	Hernando Pertierra, J. C. (ESP)	5	2400
f	Herndl, H. (OST)	0	2275
	Heroic, D. (JUG)	0	2275
	Herpai, J. (HUN)	0	2320
f	Herrera Perez, J. (CUB)	0	2235
	Herrera, F. (ARG)	0	2280
m	Herrera, I. (CUB)	26	2320
	Herrera, M. (MEX)	7	2250
f	Herrmann, M. (GER)	0	2260
f	Hertan, Ch. E. (USA)	6	2375
	Hertel, P. (GER)	10	2215
g	Hertneck, G. (GER)	15	2530
f	Hertzog, P. (GER)	7	2310
f	Herzog, A. (OST)	0	2350
	Herzog, J. (SWZ)	2	2285
	Herzog, M. (SWZ)	1	2270
m	Hess, R. (GER)	0	2330
f	Hesse, P. (GER)	0	2350
	Hetenyi, G. (HUN)	0	2225
	Hetsuriani, V. (URS)	0	2335
	Heuer, W. P. (URS)	3	2305
f	Hever, M. (HUN)	6	2310
	Hevesi, Z. (HUN)	0	2285
	Hewageegane, D. (SRI)	0	2250
m	Heyken, E. (GER)	7	2420
g	Hickl, J. (GER)	32	2515
	Hickl, Th. (GER)	0	2285
	Hidalgo, J. J. (ESP)	0	2220
	Hifny, M. (EGY)	13	2360
	Higatsberger, M. (OST)	11	2205
	Hill, R. (AUS)	0	2225
m	Hill, Sh. M. (AUS)	12	2260
	Hillarp Persson, T. (SVE)	0	2300
	Hillermann, V. (GER)	12	2275
	Hillery, J. (USA)	0	2275
	Hingst, S. (GER)	0	2245
	Hintikka, E. (FIN)	5	2255
	Hirnik, H. (POL)	0	2275
	Hirsch, J. (OST)	11	2210
	Hirtsgaard, N. (DEN)	0	2295
	Hirzel, R. (SWZ)	5	2225
g	Hjartarson, J. (ISD)	39	2580
f	Hjelm, N. (SVE)	10	2320
	Hjelmas, L. (NOR)	9	2300
	Hlavnicka, J. (CSR)	14	2275
	Hlusevich, S. (URS)	0	2360
m	Hmadi, S. (TUN)	0	2330
	Hmelnicky, I. (URS)	0	2345
	Ho, V. H. (VIE)	0	2360
	Hobuss, U. (GER)	7	2370
	Hodarkovski, M. (URS)	0	2270
g	Hodgson, J. M. (ENG)	36	2545
	Hodjko, V. (URS)	0	2265
	Hodot, Y. (FRA)	4	2220
	Hoeckendorf, H. (GER)	0	2235
	Hoefker, M. (GER)	0	2330
f	Hoeksema, H. P. (NLD)	23	2415
	Hoellmann, L. (GER)	5	2260
m	Hoelzl, F. (OST)	20	2385
f	Hoen, R. (NOR)	0	2340
f	Hoensch, M. (GER)	6	2310
	Hoepfl, Th. (GER)	12	2260
	Hofbauer, M. (OST)	0	2265
m	Hoffman, A. (ARG)	33	2445
	Hoffman, R. (POL)	11	2215
f	Hoffmann, A. (USA)	14	2290
f	Hoffmann, H. (GER)	5	2240
m	Hoffmann, M. (GER)	22	2455
	Hofman, R. (NLD)	0	2230
	Hofmann, Max (OST)	0	2215
	Hofmann, Mi. (SWZ)	0	2265
	Hogenacker, J. (GER)	4	2280
	Hohelj, S. (URS)	5	2295
f	Hohler, P. (SWZ)	0	2295
	Hohn, J. (GER)	21	2235
m	Hoi, C. (DEN)	31	2430
	Hoidahl, E. (NOR)	0	2205
	Holander, P. (ISL)	9	2240
	Holfelder, J. (GER)	1	2315
	Holger, N. (GER)	9	2370
	Holland, Ch. (ENG)	6	2275
	Holland, E. (ENG)	0	2245
	Holler, M. (GER)	16	2225
	Hollermann, Th. (GER)	0	2265
	Holmes, D. A. (SCO)	16	2310
	Holmsgaard, H. (DEN)	12	2290
	Holmsten, A. (FIN)	16	2205
	Holst, A. (DEN)	26	2270
	Holst, C. (SVE)	0	2280
	Holstein, E. (DEN)	15	2345
	Holzapfel, D. (GER)	0	2285
	Holzer, G. (OST)	0	2265
f	Holzhaeuer, M. (GER)	11	2315
	Holzke, F. (GER)	38	2395
	Holzmann, H. (OST)	0	2340
f	Hon Kah Seng, Ch. (MAL)	0	2235
	Hon, A. (ENG)	14	2250
	Honfi, Gy. (HUN)	0	2240
m	Honfi, Karoly (HUN)	8	2335
f	Honos, A. (HUN)	12	2315
	Hook, W. (VGB)	4	2215
	Hoperia, Z. (URS)	0	2350
	Horak, Ji. (CSR)	0	2270
	Horak, Jo. (CSR)	0	2360
	Horak, M. (CSR)	24	2300
f	Horn, P. (SWZ)	12	2285
f	Hornicek, J. (CSR)	0	2320
	Hornung, H. (GER)	10	2320
	Horodyski, R. (POL)	0	2300
	Horstmann, Ma. (GER)	6	2305
	Horstmann, Mi. (GER)	0	2240
	Horstmann, R. (GER)	7	2270
g	Hort, V. (GER)	30	2560
m	Horvath, Cs. (HUN)	66	2485
m	Horvath, Gy. (HUN)	22	2405
f	Horvath, Im. (HUN)	29	2320
	Horvath, Is. (HUN)	5	2235
	Horvath, Je. K. (HUN)	14	2225
g	Horvath, Jozsef (HUN)	61	2480
	Horvath, Jozsef M. (HUN)	18	2225
f	Horvath, Mi. (HUN)	7	2270
f	Horvath, P. (HUN)	25	2345
f	Horvath, Sandor (HUN)	25	2360
	Horvath, Sandor (HUN)	0	2250
m	Horvath, T. (HUN)	31	2410
f	Horvath, Z. (HUN)	0	2350
	Hosek, M. (CSR)	10	2300
	Hosticka, F. (CSR)	0	2220
	Hoszu, E. (ROM)	0	2210
	Houser, P. (CSR)	0	2335
	Houston, D. (IRL)	0	2235
	Hovanecz, L. (HUN)	11	2340
	Hovde, F. (NOR)	0	2285
	Hove, E. K. (DEN)	2	2250
m	Howell, J. C. (ENG)	21	2465
	Hoyos-Milan, L. (COL)	7	2215
m	Hracek, Z. (CSR)	16	2460
f	Hradeczky, T. (HUN)	8	2245
	Hramtsov, A. (URS)	5	2255
	Hrapin, V. (URS)	0	2265
	Hrbolka, L. (CSR)	11	2270
m	Hresc, V. (JUG)	5	2390
	Hrisanthopoulos, D. (GRC)	0	2245
	Hristopoulos, R. (GRC)	6	2235
	Hrivnak, V. (CSR)	0	2250
f	Hsu, L. Y. (SIP)	5	2290
	Huang, Zhengyuan (PRC)	0	2210
	Huber, G. (CAN)	9	2320
	Huber, M. (GER)	0	2255
	Hubert, R. (GER)	3	2385
	Huda, R. (CAN)	0	2295
	Hudecek, J. (CSR)	6	2285
g	Huebner, R. (GER)	4	2615
	Huelsmann, J. (GER)	0	2225
	Huemmer, B. (GER)	0	2275
	Huenerkopf, H. (GER)	0	2275
f	Huergo, J. R. (CUB)	0	2335
m	Huerta, R. (CUB)	0	2345

	Hug, M. (SWZ)	19	2245
m	Hug, W. (SWZ)	11	2425
	Hughes, P. (ENG)	9	2205
	Hugony, F. (ITA)	7	2270
	Huguet, B. (FRA)	11	2230
f	Huisl, W. (GER)	0	2320
	Huismann, Th. (BEL)	0	2225
	Hujo, J. (CSR)	1	2270
g	Hulak, K. (JUG)	0	2515
	Hultin, J. (SVE)	9	2225
	Huma, D. (ROM)	16	2250
f	Humer, W. (OST)	0	2280
	Hurelbator, Ch. (MON)	0	2320
f	Hurme, H. M. (FIN)	9	2270
f	Hurtado, M. (MEX)	8	2315
	Husari, S. (SYR)	12	2205
	Husek, Z. (CSR)	0	2255
m	Huss, A. (SWZ)	11	2370
	Hussein, N. (YEM)	0	2205
	Huster, M. (GER)	12	2260
	Huszar, A. (HUN)	0	2230
	Hutcheson, J. (BSW)	0	2235
f	Hutchings, S. J. (WLS)	0	2325
	Hutter, O. (GER)	9	2220
m	Hutters, T. (DEN)	11	2445
g	Huzman, A. (URS)	8	2505
	Hvenekilde, J. (DEN)	0	2300
	Hybl, J. (CSR)	0	2290
	Hynes, K. A. (IRL)	0	2245

I

	Iaha, M. (IRQ)	0	2350
f	Iannacone, E. (ITA)	0	2375
	Ianniello, R. (ITA)	0	2330
	Ianov, V. (URS)	7	2325
m	Iashvili, A. (URS)	6	2455
	Ibanez, D. (CUB)	0	2240
	Ibragimov, A. (URS)	0	2415
m	Ibragimov, I. (URS)	24	2515
	Icklicki, W. (BEL)	0	2220
	Idelstein, M. (ISL)	0	2235
	Iglesias, Ale. (ARG)	0	2265
	Iglesias, Alf. (MEX)	0	2215
	Ignatescu, R. (ROM)	0	2260
	Ignatovic, G. (JUG)	0	2265
	Ikonic, B. (JUG)	0	2295
m	Ikonnikov, V. (URS)	20	2490
	Ilandzis, S. (GRC)	0	2290
	Ilczuk, J. (POL)	0	2240
m	Ilic, Dragan (JUG)	10	2395
	Ilic, Dragan B. (JUG)	0	2275
f	Ilic, Lj. (JUG)	0	2260
	Ilic, Sl. (JUG)	0	2275
	Ilic, St. M. (JUG)	0	2240
	Ilic, V. (JUG)	0	2270
m	Ilic, Z. (JUG)	9	2395
f	Ilijć, M. (JUG)	0	2270
	Ilijev, M. (BLG)	7	2255
	Ilijevski, B. (JUG)	0	2225
f	Ilijevski, D. (JUG)	0	2320
m	Ilijin, N. (ROM)	10	2295
m	Ilincic, Z. (JUG)	0	2490
	Ilinsky, V. (URS)	4	2340
	Iljikov, I. (BLG)	11	2235
g	Illescas Cordoba, M. (ESP)	40	2555
	Illetsko, J. (CSR)	10	2240
	Illi, H.-J. (SWZ)	6	2225
	Illner, A. (GER)	9	2350
	Imanaliev, T. (URS)	0	2355
	Imocha, L. (IND)	7	2225
	Impris, O. (GER)	13	2330
m	Indjic, D. (JUG)	0	2375
f	Ingbrandt, J. (SVE)	0	2345
g	Inkiov, V. (BLG)	32	2450
	Insam, H. (OST)	0	2250
f	Ioakimidis, G. (GRC)	4	2285
	Ioffe, A. (URS)	0	2320
m	Ionescu, Co. (ROM)	30	2465
f	Ionescu, Cr. (ROM)	0	2280
	Ionescu, D. (ROM)	4	2245
	Ionescu, M. (ROM)	0	2255
m	Ionov, S. (URS)	29	2500
	Iosif, M. (ROM)	0	2240
	Ipek, A. (TRK)	9	2255
	Iruzubieta, J. M. (ESP)	31	2280
	Isachievici, F. (ROM)	0	2215
	Isaev, D. (URS)	0	2380
m	Iskov, G. (DEN)	0	2320
	Issakainen, A. (FIN)	8	2260
f	Istratescu, A. (ROM)	26	2430
m	Istvandi, L. (HUN)	4	2390
	Istvanovszky, K. (HUN)	11	2340
	Isupov, V. (URS)	0	2235
	Itkis, B. (URS)	0	2355
	Iuldachev, S. (URS)	11	2345
	Ivacic, V. (JUG)	0	2305
	Ivan, A. (HUN)	0	2235
	Ivan, Z. (HUN)	0	2260
g	Ivanchuk, V. (URS)	32	2720
	Ivancsics, M. (OST)	0	2225
	Ivanenko, S. (URS)	0	2300
	Ivanisevic, I. (JUG)	0	2215
g	Ivanov, Alexa. V. (USA)	52	2555
	Ivanov, Alexey (URS)	41	2560
	Ivanov, An. (URS)	0	2230
	Ivanov, D. (BLG)	0	2235
	Ivanov, E. (BLG)	3	2215
m	Ivanov, I. V. (USA)	38	2465
m	Ivanov, J. (BLG)	28	2380
	Ivanov, M. D. (URS)	0	2285
	Ivanov, M. M. (URS)	0	2395
	Ivanov, O. (URS)	6	2430
m	Ivanov, S. (URS)	0	2440
	Ivanov, T. (URS)	0	2320
	Ivanov, V. (URS)	26	2355
	Ivanov, V. I. (URS)	0	2220
g	Ivanovic, B. (JUG)	0	2470
	Ivanovic, M. (JUG)	0	2225
f	Ivanovic, Z. (JUG)	0	2275
	Ivanyi, A. (HUN)	9	2315
f	Ivekovic, M. (JUG)	7	2325
g	Ivkov, B. (JUG)	34	2475
f	Ivkovic, D. (JUG)	0	2235
	Ivkovic, L. (JUG)	0	2230
m	Izeta, F. (ESP)	49	2445
f	Izquierdo, D. (URU)	0	2315
	Izsak, Gy. (HUN)	23	2330
	Izumikawa, B. (USA)	9	2325

J

f	Jablan, M. (JUG)	0	2270
	Jablonski, M. (POL)	0	2285
	Jablonski, Z. (POL)	0	2240
	Jachym, M. (FRA)	0	2260
m	Jacimovic, D. (JUG)	0	2415
	Jacimovic, S. (JUG)	0	2230
f	Jackelen, Th. (GER)	0	2400
	Jackson, A. (ENG)	0	2215
	Jackson, O. (ENG)	9	2320
	Jacob, V. (GER)	0	2240
f	Jacobi, S. (USA)	0	2385
m	Jacobs, B. A. (ENG)	0	2300
	Jacobsen, B. (DEN)	5	2280
	Jacoby, F. (GER)	15	2220
	Jacoby, G. (GER)	0	2275
	Jacques, R. (FRA)	10	2230
m	Jadoul, M. (BEL)	13	2410
	Jaeckle, M. (GER)	0	2295
	Jaeger, H. (GER)	0	2210
	Jaeschke, B. (GER)	5	2235
	Jagicza, I. (HUN)	0	2325
	Jagodzinski, W. (POL)	0	2255
	Jahr, U. (GER)	7	2260
	Jailjan, M. (URS)	0	2430
	Jakob, S. (SWZ)	17	2275
	Jakobetz, L. (HUN)	0	2295
m	Jakobsen, O. (DEN)	16	2370
	Jakobsen, P. (DEN)	14	2250
	Jakovljev, Z. (JUG)	0	2230
f	Jakovljevic, M. (JUG)	0	2340
	Jakovljevic, V. (JUG)	0	2230
	Jaksland, T. (DEN)	8	2260
	Jakubiec, A. (POL)	8	2315
	Jakubovic, N. (JUG)	0	2265
	Jakubovics, N. (ENG)	14	2230
	Jakubowski, J. (POL)	0	2265
	Jaldin, J. (BOL)	0	2205
	James, D. (ENG)	0	2275
	Jamrich, Gy. (HUN)	2	2300
	Jamroz, Z. (POL)	0	2230
	Janachkov, A. (BLG)	0	2295
m	Janakiev, I. (BLG)	3	2325
	Janchev, P. (BLG)	4	2275
	Jancu, J.-M. (FRA)	4	2230
	Janev, E. (BLG)	0	2360
	Jangreck, J. (USA)	0	2245
	Jankov, T. (BLG)	0	2305
f	Jankovec, I. (CSR)	0	2265
	Jankovic, M. (JUG)	0	2220
	Jankowski, J. (POL)	0	2310
	Janocha, W. (POL)	0	2330
g	Janosevic, D. (JUG)	0	2275
	Janosik, Gy. (HUN)	9	2235
	Janota, H. (POL)	8	2240
	Janov, V. (URS)	0	2280
m	Janovsky, S. (URS)	30	2430
g	Jansa, V. (CSR)	27	2460
f	Janssen, H. (NLD)	0	2355
f	Jansson, J. (NOR)	0	2310
	Jantzen, H. (GER)	0	2295
	Jaracz, P. (POL)	27	2245
	Jarzynski, A. (POL)	0	2290
	Jasinczuk, J. (FRA)	0	2345
m	Jasnikowski, Z. (POL)	38	2450
	Jaster, R. (GER)	0	2205
	Jaworski, M. (POL)	18	2320
f	Jelen, Ig. (JUG)	0	2340
m	Jelen, Iz. (JUG)	0	2425
f	Jelic, G. (JUG)	0	2305
	Jell, K. (GER)	0	2225
	Jelling, E. (DEN)	9	2395
	Jenal, J. (SWZ)	1	2235
	Jenei, F. (HUN)	0	2235
	Jensen, A. (DEN)	0	2215
	Jensen, J. B. (DEN)	8	2255
	Jensen, L. (DEN)	0	2205
	Jensen, R. (DEN)	0	2295
	Jensen, V. (DEN)	2	2250
	Jepson, Ch. (SVE)	7	2250
	Jerabek, P. (CSR)	0	2275
f	Jeremic, S. (JUG)	0	2310
f	Jeric, S. (JUG)	14	2315
	Jerimic, M. (JUG)	0	2250
	Jesenski, T. (JUG)	0	2250
	Jeszenkovics, T. (HUN)	0	2240
	Jetzl, J. (OST)	0	2240
	Jevdjovic, M. (JUG)	0	2385
	Jevremovic, S. (JUG)	0	2230
f	Jevtic, M. (JUG)	0	2345
	Jezierski, P. (POL)	0	2310
	Jhunjhnuwala, N. (HKG)	0	2240
	Jhunjhnuwala, R. (HKG)	0	2260
m	Jigzhidsuren, P. (MON)	0	2315
	Jimenez Frutos, F. (PAR)	9	2255

	Jimenez Villena, F. J. (ESP)	5	2315
	Jimenez, A. (ESP)	0	2285
m	Jirovsky, M. (CSR)	34	2425
	Jirovsky, P. (CSR)	11	2290
	Jocic, S. (JUG)	0	2260
f	Joecks, Ch. (GER)	30	2380
m	Johannessen, S. (NOR)	7	2350
f	Johannesson, L. (ISD)	11	2290
m	Johansen, D. K. (AUS)	0	2485
	Johansen, T. O. (DEN)	0	2300
	Johansson, C. F. (SVE)	2	2205
	Johansson, G. (SVE)	0	2230
m	Johansson, J. (SVE)	22	2380
	Johansson, L.-E. (SVE)	16	2360
	Johansson, M. (SVE)	0	2260
	Johansson, U. (SVE)	2	2225
	Johnsen, Sv. (NOR)	0	2220
	Johnson, J. F. (USA)	0	2230
f	Johnstone, G. (CAN)	0	2300
f	Joita, P. (ROM)	0	2330
	Jojic, O. (FRA)	0	2220
	Jokovic, D. (JUG)	0	2215
m	Joksic, S. (JUG)	15	2320
	Joksimovic, D. (JUG)	0	2315
f	Joksimovic, S. (JUG)	0	2260
f	Jolles, H. (NLD)	5	2300
f	Jonasson, B. (ISD)	2	2295
	Jonczyk, W. (POL)	0	2260
	Jones, A. (WLS)	9	2295
	Jones, B. (AUS)	0	2290
	Jones, Ch. B. (USA)	1	2215
	Jones, I. C. (WLS)	0	2285
	Jones, K. E. (USA)	0	2215
f	Jonsson, B. (ISD)	0	2420
	Jonsson, H. (SVE)	0	2305
	Jorgensen, Brian (DEN)	21	2205
	Jorgensen, Brian J. (DEN)	7	2280
	Jorgensen, P. D. (DEN)	0	2295
	Jose, P. (FRA)	9	2235
	Josenhans, D. (USA)	5	2315
	Joseph, S. (ENG)	9	2250
	Joseph, Y. (MNC)	0	2205
	Josephsen, N. (DEN)	0	2240
	Joshi, G. B. (IND)	5	2265
f	Joshi, Saj. (IND)	4	2285
f	Joshi, San. (USA)	0	2405
	Jost, C. (FRA)	10	2330
	Jovancic, M. (JUG)	0	2235
	Jovanovic, Mil. (JUG)	0	2265
	Jovanovic, Sasa D. (JUG)	9	2255
f	Jovanovic, Sasa T. (JUG)	0	2300
	Jovanovic, Z. (JUG)	0	2260
f	Jovcic, M. (JUG)	0	2310
f	Jovic, A. (JUG)	10	2355
	Jovic, C. (JUG)	0	2225
m	Jovic, Lj. (JUG)	0	2335
	Jovic, S. (JUG)	0	2290
m	Jovicic, M. (JUG)	8	2370
	Jovicic, R. (JUG)	0	2295
	Jowett, P. (ENG)	2	2235
	Joyner, L. (CAN)	0	2240
m	Juarez Flores, C. A. (GUA)	11	2385
	Juarez Flores, G. E. (GUA)	0	2265
	Juarez Flores, J. G. (GUA)	0	2225
	Juarez Flores, R. (MEX)	0	2300
f	Juarez, A. (ARG)	1	2265
	Judycki, W. (POL)	0	2220
	Juergen, D. (GER)	0	2270
	Juergens, P. (GER)	8	2250
	Juhasz, B. (HUN)	0	2245
	Juhasz, J. (HUN)	0	2235
	Juhasz, M. (HUN)	0	2240
f	Juhnke, K. (GER)	0	2305
f	Jukic, B. (JUG)	16	2295
m	Jukic, M. (JUG)	10	2455
	Jukic, Z. (JUG)	0	2240
	Julia, E. (ARG)	0	2295
	Junco, C. (CUB)	0	2205
f	Junge, R. (GER)	23	2365
	Juracsik, J. (HUN)	0	2215
	Juraczka, F. (OST)	0	2280
m	Jurek, J. (CSR)	5	2315
	Juric, S. (JUG)	0	2225
f	Jurka, M. (CSR)	3	2355
	Jurkiewicz, Krzystof (POL)	0	2235
	Jurkiewicz, Krzysztof (POL)	18	2250
	Jurkovic, A. (JUG)	36	2285
	Jurkovic, H. (JUG)	0	2275
	Juroschkin, V. (URS)	0	2350
	Juroszek, T. (POL)	0	2360
	Jusiak, G. (POL)	0	2335
	Jusic, Z. (JUG)	5	2365
	Justin, M. (JUG)	0	2345
f	Justo, D. (ARG)	0	2265
	Juswanto, D. (RIN)	0	2280
	K		
m	Kaabi, M. (TUN)	0	2310
	Kabatenski, A. (URS)	3	2275
	Kabisch, Th. (GER)	0	2290
	Kabli, M. A. (ALG)	9	2210
	Kabuye, E. (UGA)	9	2310
	Kachur, A. (URS)	0	2335
	Kaczorowski, P. (POL)	0	2240
f	Kadar, G. (HUN)	20	2295
	Kadas, G. (HUN)	0	2240
	Kadishev, L. (URS)	0	2385
	Kadzinski, W. (POL)	0	2225
	Kaeding, R. (GER)	1	2305
	Kaelin, R. (SWZ)	9	2210
f	Kaenel, H. (SWZ)	9	2345
	Kaeser, U. (GER)	2	2280
	Kagan, I. (AUS)	0	2380
f	Kagan, N. (AUS)	0	2310
m	Kagan, Sh. (ISL)	0	2380
f	Kaganovski, M. (ISL)	0	2275
	Kaganski, M. (URS)	6	2260
	Kagraminianz, V. (URS)	0	2265
	Kahn, E. (HUN)	30	2255
g	Kaidanov, G. S. (URS)	23	2550
	Kaim, P. (POL)	0	2310
	Kaiser, D. (GER)	0	2275
f	Kaiser, W. (GER)	0	2375
m	Kaiszauri, K. (SVE)	0	2340
	Kaiumov, D. D. (URS)	10	2395
	Kajganovic, M. (JUG)	0	2240
	Kajnih, D. (JUG)	0	2230
m	Kaldor, A. (ISL)	0	2270
	Kalegin, E. (URS)	13	2370
	Kalesis, N. (GRC)	7	2315
	Kalinichenko, Y. (URS)	0	2265
m	Kalinichev, S. L. (URS)	30	2455
	Kalinin, A. (URS)	12	2380
	Kalinin, M. (GER)	10	2315
	Kalinin, O. (URS)	0	2420
	Kalinin, V. (WLS)	0	2275
	Kalivoda, J. (CSR)	0	2265
m	Kallai, G. (HUN)	31	2455
f	Kaloussis, E. (GRC)	5	2290
	Kamaras, O. (HUN)	0	2240
	Kamaras, P. (HUN)	0	2240
	Kamath, S. J. (IND)	7	2260
f	Kamber, B. (SWZ)	2	2290
	Kaminik, A. (URS)	0	2230
f	Kaminker, H. (CAN)	0	2320
	Kaminski, J. (POL)	0	2235
f	Kaminski, M. (POL)	16	2360
m	Kaminski, U. (GER)	0	2410
f	Kaminsky, O. M. (USA)	0	2340
	Kamp, Ch. (GER)	10	2255
g	Kamsky, G. (USA)	43	2655
	Kamuhangire, S. (UGA)	9	2215
	Kanamori, A. (USA)	0	2260
	Kanefsck, G. (ARG)	0	2385
	Kanikevich, A. (AUS)	11	2410
f	Kanko, I. (FIN)	0	2280
m	Kanstler, B. (URS)	11	2445
	Kantorik, M. (CSR)	1	2360
f	Kapelan, M. (JUG)	0	2305
	Kapeljus, L. (URS)	0	2370
m	Kapengut, A. Z. (URS)	11	2450
m	Kapetanovic, A. (JUG)	0	2440
	Kapitsyn, M. (URS)	9	2335
	Kaplan, L. (USA)	0	2215
	Kaplivatski, A. (ISL)	4	2240
	Kaplun, L. I. (URS)	0	2380
m	Kaposztas, M. (HUN)	39	2310
	Kappler, J.-M. (FRA)	5	2280
	Kapu, J. (HUN)	5	2220
	Karadag, C. (TRK)	0	2295
	Karadimov, M. (BLG)	0	2265
	Karagodin, V. A. (URS)	0	2365
m	Karaklajic, N. (JUG)	0	2370
	Karapanos, N. (GRC)	2	2215
f	Karapchanski, D. (BLG)	0	2350
m	Karasev, V. I. (URS)	0	2380
	Karason, A. O. (ISD)	0	2255
	Karayannis, A. (GRC)	34	2310
	Karbowiak, A. (POL)	0	2265
	Karcz, R. (POL)	0	2215
	Kargoll, P. (GER)	9	2260
	Karic, M. (JUG)	0	2275
f	Karkanaque, I. (ALB)	18	2355
f	Karklins, A. (USA)	9	2320
f	Karl, H. (SWZ)	6	2280
	Karlik, J. (CSR)	0	2300
f	Karlik, V. (CSR)	4	2290
	Karlsson, A. S. (ISD)	0	2275
g	Karlsson, L. (SVE)	10	2480
	Karmov, M. (URS)	0	2235
m	Karner, H. (URS)	12	2365
m	Karolyi jr., T. (HUN)	12	2365
f	Karolyi sr., T. (HUN)	0	2345
	Karpik, T. (POL)	0	2250
m	Karpman, V. (URS)	18	2445
	Karpov, Al. (URS)	5	2335
g	Karpov, An. (URS)	37	2725
m	Karsa, L. (HUN)	16	2410
	Karsai, I. (HUN)	8	2220
	Karwatt, L. (GER)	0	2250
	Kasa, A. (HUN)	5	2295
g	Kasparov, G. (URS)	14	2780
	Kasperek, R. (POL)	0	2330
	Kaspret, G. (OST)	0	2310
f	Kassabe, E. (SYR)	0	2245
	Kassebaum, R. (GER)	0	2410
	Kastek, Th. (GER)	0	2255
	Kastner, W. (OST)	11	2225
	Kataev, S. (URS)	0	2315
	Katavic, B. (JUG)	0	2235
	Katdare, J. C. (IND)	0	2255
	Katishonok, N. (LAT)	6	2245
	Katona, F. (HUN)	9	2255
	Kaukiel, P. (POL)	0	2335
	Kaula, R. (POL)	9	2320
	Kaulfuss, H. (GER)	0	2215
	Kaunas, K. (LIT)	10	2295
	Kauschmann, H. (GER)	11	2215
	Kausu, C. (ZAM)	0	2205
g	Kavalek, L. (USA)	0	2550

f	Kavnatsky, V. (USA)	0	2305
	Kawczynski, L. (POL)	0	2295
	Kazak, V. (URS)	0	2315
	Kazakov, D. (BLG)	0	2320
	Kazek, K. (POL)	0	2285
	Kctrba, T. (CSR)	0	2225
	Kearns, J. (USA)	0	2280
	Kearns, Th. J. (USA)	0	2255
	Keca, D. (JUG)	0	2255
	Kecic, S. (JUG)	0	2265
	Kecskes, G. (HUN)	12	2215
	Keen, E. (BER)	0	2205
f	Keglevic, P. (JUG)	0	2305
	Keilhack, H. (GER)	7	2335
f	Keipo, G. (CUB)	0	2255
m	Keitlinghaus, L. (GER)	12	2440
	Kekki, J. (FIN)	2	2290
f	Kekki, P. (FIN)	7	2285
	Kelecevic, M. (JUG)	0	2325
m	Kelecevic, N. (JUG)	2	2405
m	Keller, D. (SWZ)	0	2375
	Keller, Man. (GER)	0	2230
	Keller, R. (SWZ)	0	2260
	Kelson, R. (USA)	2	2305
	Kemp, P. (ENG)	0	2225
	Kempinski, R. (POL)	10	2315
	Kempinski, Z. (POL)	0	2255
	Kempter, R. (GER)	16	2255
	Kempys, M. (POL)	0	2310
	Kende, Gy. (HUN)	9	2230
g	Kengis, E. (LAT)	21	2575
f	Kennaugh, Ch. (ENG)	13	2320
	Kenworthy, G. (ENG)	0	2270
	Keogh, E. (IRL)	6	2215
	Ker, A. F. (NZD)	0	2330
	Kerecki, Lj. (JUG)	0	2225
	Kerekes, A. (HUN)	0	2240
	Kerkhof, Ph. (BEL)	0	2240
	Kerkmeester, H. (NLD)	15	2220
	Kern, G. (GER)	5	2280
	Kern, J. (GER)	0	2275
	Kersten, U. (GER)	11	2325
m	Kertesz, A. (GER)	0	2350
f	Kertesz, F. (HUN)	0	2285
	Keschitz, Gy. (HUN)	10	2260
	Keserovic, M. (JUG)	0	2250
	Kesmaecker, Ph. (FRA)	0	2345
	Kessler, A. (GER)	0	2230
m	Kestler, H.-G. (GER)	0	2350
	Kevin, G. (CAN)	9	2285
	Kgatshe, S. (BSW)	0	2205
g	Khalifman, A. (GER)	28	2625
	Khalikian, O. (URS)	0	2365
	Khaludrov, E. (URS)	0	2290
m	Khamdanov, S. (URS)	7	2210
f	Khan, Moha. R. (IND)	0	2320
f	Khan, Mohd. O. (PAK)	0	2295
	Khanzhin, F. (URS)	0	2290
m	Kharitonov, A. Y. (URS)	14	2505
	Kharlamov, V. (URS)	0	2350
m	Kharlov, A. (URS)	15	2545
m	Khasin, A. (URS)	24	2455
	Khavsky, S. V. (URS)	0	2350
	Khechen, N. E. (LEB)	0	2230
m	Khenkin, I. (URS)	34	2530
	Khetsuriani, V. (URS)	4	2295
m	Khmelnitsky, I. N. (URS)	6	2475
g	Kholmov, R. D. (URS)	38	2485
	Khomeriki, G. (URS)	3	2210
	Khomyakov, V. (URS)	0	2380
	Khudiakov, I. (URS)	0	2405
	Khurgulia, G. (URS)	0	2360
m	Kiedrowicz, J. (POL)	8	2300
	Kiefer, G. (GER)	0	2240
	Kienast, J. (GER)	9	2225
	Kiernan, M. (HKG)	0	2215
	Kiersz, L. (POL)	0	2225
	Kies, M. (POL)	0	2205
	Kiesel, H. (GER)	9	2250
	Kievelitz, B. (GER)	8	2265
	Kiik, K. (EST)	18	2395
	Kikiani, T. (URS)	0	2260
	Kilicaslan, H. (TRK)	0	2210
	Kim, N. (URS)	0	2245
	Kimpinsky, F. (GER)	0	2310
	Kincs, I. (HUN)	0	2285
g	Kindermann, S. (GER)	26	2505
f	Kindl, P. (GER)	9	2335
g	King, D. J. (ENG)	33	2505
	Kinin, M. (URS)	0	2215
f	Kinsman, A. P. H. (ENG)	0	2310
	Kiran, P. R. (IND)	12	2290
	Kirilov, R. (BLG)	0	2290
	Kirilov, V. (LAT)	1	2350
f	Kiroski, T. (JUG)	0	2345
g	Kirov, N. (BLG)	23	2470
	Kirszenberg, M. (FRA)	0	2225
	Kis, B. (HUN)	2	2255
m	Kiselev, S. (URS)	43	2540
m	Kishnev, S. (URS)	18	2540
	Kislov, M. (URS)	18	2410
m	Kiss, A. (HUN)	14	2395
	Kiss, G. (HUN)	10	2295
	Kiss, Istvan (HUN)	9	2320
	Kiss, Istvan I. (HUN)	0	2280
f	Kiss, Las. (HUN)	17	2295
f	Kiss, Lau. (ROM)	0	2275
m	Kiss, P. (HUN)	56	2410
	Kitic, D. (JUG)	0	2270
	Kivipelto, K.-E. (FIN)	2	2270
	Kivisto, M. (FIN)	11	2270
	Kjeldsen, J. (DEN)	30	2365
	Kjurkchiiski, G. (BLG)	0	2295
f	Klarenbeek, H. (NLD)	16	2415
	Klarenbeek, M. (NLD)	7	2365
g	Klaric, Z. (JUG)	0	2400
	Klaus, R. (GER)	9	2255
f	Klauser, M. (SWZ)	31	2310
f	Klebel, M. (GER)	15	2435
	Kleeschaetzky, Rai. (GER)	0	2270
	Kleeschaetzky, Ralf (GER)	2	2295
f	Klein, L. (USA)	0	2270
	Klein, M. G. (GER)	0	2285
	Klein, P. (CSR)	11	2260
	Kleinplatz, S. (FRA)	12	2315
	Klemanic, E. (CSR)	0	2215
	Klima, Ch. (OST)	10	2205
	Klimaszewski, D. (POL)	0	2275
f	Klimes, J. (CSR)	0	2365
	Kling, A. (SVE)	0	2245
g	Klinger, J. (OST)	0	2510
f	Klip, H. (NLD)	10	2350
	Kljako, D. (JUG)	7	2335
	Klosterman, D. (GER)	13	2255
	Klostermann, M. (GER)	0	2280
m	Klovan, Y. (LAT)	11	2410
	Klovsky, R. (URS)	23	2370
	Klubis, V. (URS)	0	2250
m	Kluger, Gy. (HUN)	0	2250
	Kluger, N. (GER)	1	2250
m	Klundt, K. (GER)	9	2415
g	Knaak, R. (GER)	33	2505
	Knazovcik, L. (CSR)	0	2260
f	Kneselac, A. (JUG)	0	2300
	Knezevic, B. (JUG)	0	2370
g	Knezevic, M. (JUG)	25	2375
	Knizek, J. (CSR)	0	2230
	Knobel, R. (SWZ)	0	2260
	Knoedler, D. (GER)	7	2245
f	Knoppert, E. G. J. (NLD)	17	2345
f	Knott, S. J. B. (ENG)	9	2330
	Knowles, C. (ENG)	0	2210
	Knox, D. (ENG)	4	2230
f	Knox, V. W. (ENG)	9	2315
	Knudsen, K. V. (DEN)	0	2225
f	Knudsen, P. (DEN)	7	2330
f	Kobas, A. (JUG)	0	2300
f	Kober, M. (JUG)	0	2320
	Kobese, W. (GER)	22	2255
m	Koch, J.-R. (FRA)	15	2460
	Koch, Th. (GER)	28	2295
g	Kochyev, A. (URS)	10	2495
	Kock Hans, U. (GER)	13	2345
f	Kocovski, I. (JUG)	0	2285
	Kocsis, Gy. (HUN)	6	2275
	Kocsis, J. (ROM)	0	2280
	Kocsis, L. (ROM)	0	2265
	Koczka, Zs. (HUN)	20	2255
	Koelle, A. (AUS)	0	2240
	Koenig, D. (GER)	2	2295
	Koenig, W. (GER)	9	2320
	Koepf, U. (GER)	0	2275
	Koerholz, L. (GER)	7	2255
f	Kofidis, A. (GRC)	28	2350
	Kofidis, S. (GRC)	0	2260
f	Kogan, A. (ISL)	22	2370
	Koh, K.-H. (SIP)	1	2285
	Kohl, W. (GER)	0	2305
	Kohlman, R. (CSR)	0	2310
m	Kohlweyer, B. (GER)	0	2405
	Kohnert, A. (GER)	0	2220
m	Kojder, K. (POL)	0	2295
f	Kokanovic, R. (JUG)	0	2310
f	Kokeza, M. (JUG)	0	2215
	Kokowski, R. (GER)	5	2305
	Kolar, D. (JUG)	0	2285
f	Kolar, S. (JUG)	0	2300
	Kolasinski, M. (POL)	10	2315
	Kolcak, M. (CSR)	10	2290
f	Kolesar, M. (CSR)	28	2305
	Kolev, Al. (BLG)	0	2230
m	Kolev, At. (BLG)	31	2445
	Kolognat, P. (JUG)	0	2270
m	Komarov, D. (URS)	38	2455
	Komic, I. (JUG)	0	2280
m	Komliakov, V. (URS)	14	2415
m	Komljenovic, D. (JUG)	42	2495
	Kommar, I. (HUN)	0	2220
f	Komnenic, B. (JUG)	5	2320
	Konate, I. (MLI)	0	2205
	Koncz, Z. (HUN)	0	2210
f	Konguvel, P. (IND)	12	2385
	Konieczka, F. (GER)	0	2235
f	Konikowski, J. (GER)	0	2345
	Konings, L. (NLD)	0	2240
f	Konjevic, Dj. (JUG)	0	2355
	Konnerth, E. (GER)	13	2240
m	Konopka, M. (CSR)	60	2360
	Konrad, L. (GER)	0	2230
	Konstantinov, S. (URS)	0	2370
f	Kontic, Dj. (JUG)	13	2365
m	Kopec, D. (USA)	0	2400
	Kopecky, P. (CSR)	0	2295
	Kopfer, M. (GER)	0	2220
	Kopisch, M. (GER)	14	2265
	Kopjonkin, G. (URS)	0	2300
f	Koploy, P. (USA)	9	2330
	Kopp, B. (GER)	4	2295
	Kopp, P. (GER)	0	2210
	Koppens, P. (NLD)	0	2335
	Koraksic, Lj. (JUG)	0	2230
	Korbela, L. (CSR)	0	2255
g	Korchnoi, V. (SWZ)	29	2585
	Kordic, N. (JUG)	0	2205
	Korenek, P. (CSR)	0	2215
	Korenev, A. (URS)	11	2230

	Korjabkin, A. (URS)	11	2330
f	Kormanyos, Z. (HUN)	11	2315
f	Kornasiewicz, S. (POL)	7	2290
m	Korneev, O. (URS)	31	2465
	Korneevets, A. (URS)	0	2280
	Korniukhin, G. (URS)	3	2260
	Koronghy, Gy. (HUN)	0	2230
	Korpics, Zs. (HUN)	7	2260
	Korsunsky, I. (URS)	11	2460
	Korsunsky, R. R. (URS)	0	2300
	Korte, M. (GER)	10	2230
	Koruchin, A. (URS)	0	2370
	Korzubov, P. (URS)	11	2465
	Kos, E. (JUG)	0	2210
f	Kosa, L. (HUN)	0	2250
f	Kosanovic, D. (JUG)	13	2235
m	Kosanovic, G. A. (JUG)	0	2385
m	Kosanski, S. (JUG)	6	2395
m	Kosashvili, Y. (ISL)	11	2460
	Koscielski, J. (GER)	0	2305
	Kosciuk, J. (POL)	0	2295
	Kosebay, O. (TRK)	45	2215
	Koshi, V. (IND)	7	2315
m	Kosic, D. (JUG)	0	2445
	Kosic, E. (JUG)	0	2300
	Koski, A. (ISL)	0	2250
	Koskinen, H. (FIN)	15	2245
	Kosowski, T. (GER)	0	2240
	Kostadinov, A. (BLG)	0	2245
	Kostadinov, R. (BLG)	28	2280
	Kostadinov, S. (BLG)	0	2220
	Kostadinov, T. (BLG)	0	2320
	Kostakiev, D. (BLG)	0	2235
g	Kosten, A. C. (ENG)	31	2530
	Kostenko, I. (URS)	0	2290
f	Kostic, B. (JUG)	0	2305
m	Kostic, Ne. (JUG)	12	2390
	Kostic, Ni. (JUG)	0	2240
m	Kostic, Vladimir (JUG)	20	2405
f	Kostic, Vladimir V. (JUG)	0	2325
	Kostov, G. (BLG)	0	2235
	Kostrov, A. (URS)	0	2255
m	Kostyra, S. (POL)	8	2365
	Koszegi, L. (HUN)	9	2220
f	Kosztolanczi, Gy. (HUN)	21	2330
	Kot, J. (POL)	11	2295
	Kotan, L. (CSR)	8	2300
	Kotevski, D. (JUG)	0	2275
	Kotliar, G. (USA)	2	2305
f	Kotliar, M. (ISL)	6	2310
g	Kotronias, V. (GRC)	56	2560
	Kottke, U. (GER)	0	2305
g	Kouatly, B. (FRA)	19	2515
	Kourek, J. (CSR)	12	2300
f	Kourkounakis, I. (GRC)	13	2400
	Kourtesis, G. (GRC)	0	2220
	Kovac, B. (JUG)	0	2350
	Kovacevic, A. (JUG)	3	2345
f	Kovacevic, D. (JUG)	0	2360
f	Kovacevic, P. (JUG)	0	2405
m	Kovacevic, S. (JUG)	15	2395
	Kovacevic, Ve. (JUG)	0	2305
	Kovacevic, Vladimir (JUG)	0	2265
g	Kovacevic, Vladimir (JUG)	0	2545
	Kovacs, Ar. (HUN)	0	2240
	Kovacs, At. (HUN)	0	2365
	Kovacs, E. (HUN)	0	2240
	Kovacs, Gabor (HUN)	3	2240
	Kovacs, Gabor M. (HUN)	0	2310
	Kovacs, Gy. (HUN)	2	2225
	Kovacs, I. (HUN)	0	2280
	Kovacs, J. (HUN)	11	2280
	Kovacs, Lajos (HUN)	8	2300
f	Kovacs, Lajos D. (HUN)	0	2220
m	Kovacs, Las. M. (HUN)	6	2350
m	Kovalev, A. (URS)	34	2570
	Kovalevsky, A. (URS)	0	2405
	Kozak, M. (CSR)	14	2280
	Kozakov, M. (URS)	0	2265
	Kozarov, P. (BLG)	0	2355
	Kozhevin, S. (URS)	9	2290
	Kozirev, A. (URS)	4	2335
	Kozlov, O. (URS)	39	2365
	Kozlov, Va. (URS)	0	2340
	Kozlov, Vladimir E. (URS)	0	2420
m	Kozlov, Vladimir N. (URS)	38	2295
	Kozlowski, W. (POL)	0	2365
	Kozma, K. (HUN)	14	2325
g	Kozul, Z. (JUG)	23	2545
	Kraai, J. (USA)	7	2265
	Kraehenbuehl, G. (SWZ)	2	2250
	Kraft, V. (GER)	0	2250
g	Kraidman, Y. (ISL)	6	2415
	Krainski, A. (POL)	0	2260
	Krainski, S. (POL)	0	2225
	Krajina, A. (CSR)	2	2285
	Krajina, D. (JUG)	0	2280
	Kral, P. (HUN)	0	2230
	Krallmann, M. (GER)	11	2270
	Kralovec, E. (OST)	0	2275
	Kramer, M. (GER)	0	2215
f	Kramnik, V. (URS)	58	2590
	Kranyik, Gy. (HUN)	9	2235
f	Kranzl, P. (OST)	12	2325
g	Krasenkov, M. (URS)	63	2495
	Krasnikov, N. (URS)	0	2270
	Krasnov, S. (URS)	0	2380
f	Krason, J. (POL)	0	2355
	Krastanov, G. (BLG)	0	2240
f	Kratochwil, Ch. (GER)	2	2315
	Krause, Ch. (GER)	4	2215
	Krause, U. (GER)	0	2335
	Krauss, Ha.-P. (GER)	0	2215
	Krauss, He. (GER)	0	2305
	Krausser, H. (GER)	0	2270
m	Kraut, R. (GER)	9	2405
	Krcmar, Z. (CSR)	0	2230
m	Kremenietsky, A. M. (URS)	5	2360
	Kresojevic, V. (JUG)	0	2310
	Kretek, B. (CSR)	27	2320
	Kretz, J. (SVE)	9	2230
	Kribben, J. (GER)	8	2255
	Kribben, M. (GER)	0	2240
m	Kristensen, B. (DEN)	0	2375
	Kristensen, J. J. (DEN)	7	2325
	Kristensen, K. (DEN)	9	2315
	Kristensen, L. (FAI)	0	2275
f	Kristiansen, E. (NOR)	8	2295
m	Kristiansen, J. (DEN)	17	2415
	Kristiansen, T. (NOR)	0	2235
	Kristiansson, I. (SVE)	0	2250
	Kristjansson, O. (ISD)	0	2235
	Kristof, J. (FRA)	0	2245
	Kristovic, M. (JUG)	0	2265
	Krivokapic, R. (JUG)	0	2205
	Kriz, O. (CSR)	0	2230
m	Krizsany, L. (HUN)	60	2365
	Krnavek, L. (CSR)	0	2270
m	Krnic, Z. (JUG)	0	2435
	Krockenberger, M. (GER)	21	2325
	Krog, C. (DEN)	13	2280
g	Krogius, N. V. (URS)	13	2500
	Kroll, O. (DEN)	0	2330
	Kron, V. (URS)	0	2430
	Kropff, R. (PAR)	3	2210
	Krouzel, J. (CSR)	0	2270
	Krsnik, B. (JUG)	0	2315
	Krstev, V. (JUG)	0	2245
	Krstic, M. (JUG)	0	2295
	Krstic, R. (JUG)	0	2240
	Krudde, F. (NLD)	0	2235
	Krueger, R. (GER)	0	2255
	Kruger, K. (GER)	13	2325
	Krumpacnik, D. (JUG)	0	2355
	Kruppa, Y. (URS)	17	2475
m	Kruszynski, W. (POL)	30	2375
	Krutti, V. (HUN)	29	2235
	Kruza, P. (POL)	0	2250
m	Krylov, S. (URS)	12	2270
	Krzywicki, D. (POL)	22	2275
m	Ksieski, Z. (POL)	12	2335
	Kubacsny, L. (HUN)	0	2320
	Kuban, G. (GER)	3	2250
f	Kubien, J. (POL)	9	2280
	Kucera, P. (CSR)	0	2310
m	Kuczynski, R. (POL)	11	2500
	Kudischewitsch, D. (URS)	0	2380
	Kudriashov, A. A. (URS)	0	2370
g	Kudrin, S. (USA)	34	2550
	Kuenzner, F. (GER)	0	2295
m	Kuijf, M. (NLD)	31	2440
	Kujawski, A. (POL)	7	2270
	Kujawski, R. (POL)	0	2310
f	Kuklin, A. (HUN)	6	2290
	Kuksov, V. (URS)	0	2395
	Kula, R. (POL)	14	2275
	Kulagin, A. (URS)	14	2250
	Kulcsar, T. (HUN)	0	2260
	Kulesza, K. (POL)	0	2250
g	Kuligowski, A. (POL)	0	2430
	Kulikov, O. (URS)	0	2335
	Kuljic, G. (JUG)	0	2205
f	Kumaran, D. (ENG)	15	2375
	Kummer, H. (OST)	14	2240
	Kummerow, H. (GER)	12	2240
	Kun, S. (HUN)	6	2295
	Kunovac, D. (JUG)	0	2255
f	Kunsztowicz, U. (GER)	0	2330
f	Kuntz, P. (FRA)	21	2285
f	Kunze, M. (GER)	15	2330
	Kupiec, A. (POL)	0	2215
f	Kupka, S. (CSR)	11	2375
m	Kuporosov, V. (URS)	11	2500
f	Kupper, P. (SWZ)	19	2260
g	Kupreichik, V. D. (URS)	28	2545
g	Kurajica, B. (JUG)	15	2585
f	Kurcubic, A. (JUG)	0	2310
	Kure, A. (GER)	0	2245
	Kurlenda, A. (POL)	0	2210
	Kurochkin, V. (URS)	0	2350
	Kurr, G. (GER)	0	2225
m	Kurtenkov, A. (BLG)	0	2385
	Kurth, J. (GER)	0	2305
	Kurucsai, Istvan (HUN)	0	2240
f	Kurz, A. (GER)	0	2325
	Kurz, E. (GER)	11	2330
	Kushch, N. (URS)	0	2350
	Kusmierz, M. (POL)	0	2235
	Kustar, S. (HUN)	5	2255
	Kutnik, A. (ROM)	4	2275
	Kutschenko, R. (GER)	3	2215
f	Kutuzovic, B. (JUG)	0	2355
	Kuzev, B. (BLG)	0	2270
	Kuzev, J. (BLG)	0	2310
	Kuzmak, T. (URS)	0	2255
	Kuzmanovic, M. (JUG)	0	2235
m	Kuzmin, A. (URS)	31	2540
g	Kuzmin, G. P. (URS)	14	2535
f	Kuznecov, A. (CAN)	0	2310
	Kuznecov, I. (URS)	7	2210
	Kvamme, J. A. (NOR)	0	2240
m	Kveinys, A. (LIT)	18	2485
	Kwasniewski, J. (GER)	0	2260

	Kwasniewski, Z. (POL)	0	2250
f	Kwatschewsky, L. (OST)	0	2305
	Kwiatkowski, F. J. (ENG)	2	2245
	Kwiatkowski, L. (POL)	11	2300
	Kwiecien, Z. (POL)	0	2260
	Kyhle, B. (SVE)	2	2255
	Kyriakides, S. (ZIM)	0	2240

L

f	La Flair, R. (USA)	19	2330
f	La Rota, F. (COL)	0	2290
	Laato, A. (SVE)	0	2260
	Labra, M. (CHI)	9	2360
	Labutin, S. (URS)	0	2335
	Lacayo, R. (NCG)	20	2275
	Lacko, P. (SVE)	1	2245
	Laclau, D. (FRA)	0	2265
	Lacmanovic, S. (JUG)	0	2235
	Laco, G. (ITA)	7	2285
	Lada, M. (POL)	0	2310
	Ladisic, A. (FRA)	19	2205
	Lados, P. (POL)	0	2250
	Lagopatis, N. (GRC)	4	2245
	Lagua, B. (PHI)	6	2270
	Lagumina, G. (ITA)	11	2250
	Lagunes, J.-R. (FRA)	6	2215
m	Lagunov, A. (GER)	24	2455
	Lahari, A. (IND)	0	2315
f	Lahav, E. (ISL)	11	2375
	Lahilhanne, Ph. (FRA)	11	2250
	Lahoz, J. A. (USA)	0	2260
	Lahtinen, M. (FIN)	0	2215
	Laine, H. (FIN)	0	2260
	Laine, P. (FIN)	9	2220
f	Laird, C. (AUS)	0	2270
	Lajos, J. (HUN)	0	2360
	Lakat, Gy. (HUN)	0	2260
f	Lakdawala, C. (USA)	0	2330
m	Laketic, G. (JUG)	55	2480
f	Lakic, N. (JUG)	0	2330
	Lako, L. (HUN)	0	2300
	Lakunza, J. C. (ESP)	12	2345
m	Lalev, D. (BLG)	0	2425
g	Lalic, B. (JUG)	29	2515
f	Lalic, D. (JUG)	0	2325
f	Lalic, N. (JUG)	0	2385
	Lamas, P. (URU)	0	2205
	Lamford, P. A. (WLS)	0	2280
	Lamm, S. (GER)	0	2255
	Lamoureux, Ch. (FRA)	0	2295
	Lamperti, J. F. (ARG)	0	2280
	Lamprecht, F. (GER)	9	2330
	Lamser, J. (CSR)	0	2295
f	Lamza, N. (JUG)	0	2295
	Lamza, Z. (POL)	0	2225
m	Lanc, A. (CSR)	11	2470
m	Landa, K. (URS)	11	2440
m	Landenbergue, C. (SWZ)	22	2410
m	Lane, G. W. (ENG)	13	2420
	Lang, M. (GER)	7	2220
m	Langeweg, K. (NLD)	13	2405
	Langier, D. (ARG)	8	2300
f	Langner, L. (CSR)	28	2345
m	Lanka, Z. (LAT)	23	2490
	Lantini, M. (ITA)	1	2235
f	Lanzani, M. (ITA)	14	2330
	Lanzendoerfer, J. (GER)	0	2225
	Lapicki, R. (ARG)	0	2250
	Laplaza, J. (ARG)	0	2225
	Laptev, R. (URS)	0	2315
	Laqua, Ch. (GER)	0	2210
f	Larduet, C. (CUB)	55	2335
	Lares, M. (MEX)	18	2230
m	Large, P. G. (ENG)	0	2335
	Larrachea, E. (CHI)	12	2275

	Larrosa, J. (ESP)	2	2255
g	Larsen, B. (DEN)	9	2535
f	Larsen, K. (USA)	3	2330
	Larsen, S. S. (DEN)	0	2290
f	Larsson, P. (SVE)	0	2355
	Lastovicka, J. (CSR)	0	2240
	Lastovicka, Z. (CSR)	0	2325
	Laszewicz, P. (POL)	0	2280
	Laszlo, J. (HUN)	6	2275
f	Laszlop, F. (HUN)	0	2300
	Latas, B. (POL)	0	2275
	Latif, A. (EGY)	0	2280
	Latinov, G. (BLG)	0	2235
	Lau, C. (NCG)	11	2290
	Lau, D. (GER)	4	2235
g	Lau, R. (GER)	21	2480
	Lau, U. (GER)	5	2270
	Laube, B. (OST)	0	2230
	Lauren, M. (FIN)	0	2275
	Lauridsen, J. (DEN)	9	2225
g	Lautier, J. (FRA)	47	2580
	Lauvas, D. (NOR)	0	2220
	Lauvsnes, A. (NOR)	7	2270
	Laux, T. (GER)	39	2320
	Lava, G. (ITA)	0	2260
f	Law, A. P. (ENG)	2	2340
f	Lawson, D. (SCO)	4	2290
	Lazar, A. (HUN)	10	2225
f	Lazar, D. (ROM)	0	2235
m	Lazarev, V. (URS)	11	2445
	Lazaridis, S. (GRC)	2	2260
	Lazic, D. (JUG)	0	2385
	Lazic, Lj. (JUG)	0	2230
m	Lazic, Mi. (JUG)	12	2430
	Lazovic, G. (JUG)	0	2335
	Le Bideau, A. (FRA)	4	2290
f	Le Blancq, S. (GCI)	8	2260
	Le Godec, D. (FRA)	10	2345
	Le Quang, K. (BEL)	22	2250
f	Leal, A. (MEX)	0	2270
m	Lebredo, G. (CUB)	22	2270
g	Lechtinsky, J. (CSR)	12	2410
f	Lecuyer, Ch. (FRA)	3	2260
	Lederer, Y. (ISL)	10	2245
m	Lederman, L. (ISL)	0	2345
f	Ledger, A. (ENG)	28	2325
	Ledger, D. (ENG)	2	2245
	Ledwon, E. (POL)	0	2250
	Lee, D. (USA)	12	2255
f	Lee, G. D. (ENG)	11	2345
	Lee, H. (USA)	1	2215
	Lee, O. (BRS)	15	2295
	Lee, W.-Sh. (SIP)	5	2280
	Legahn, D. (GER)	8	2280
m	Legky, N. A. (URS)	32	2445
	Lehikoinen, P. I. (FIN)	0	2225
m	Lehmann, H. (GER)	13	2330
f	Lehmann, K. (GER)	19	2345
	Lehmann, Z. (HUN)	13	2225
	Lehtivaara, P. (FIN)	0	2225
f	Lehtivaara, R. (FIN)	18	2305
f	Lehto, V. (FIN)	0	2310
	Leiber, B. (GER)	0	2220
g	Lein, A. (USA)	7	2480
	Leinov, G. (ISL)	2	2240
	Leira, J. (ESP)	10	2235
	Lejeune, J.-P. (FRA)	0	2325
f	Lejlic, S. (JUG)	0	2310
	Lekander, R. (SVE)	0	2270
	Lekic, D. (JUG)	0	2250
	Lekic, M. (JUG)	0	2220
f	Leko, P. (HUN)	17	2385
	Lempereur, F. (FRA)	13	2275
m	Lempert, I. (URS)	15	2435
f	Lenart, E. (HUN)	15	2305
m	Lendwai, R. (OST)	23	2410

m	Lengyel, B. (HUN)	21	2375
f	Lengyel, F. (ROM)	9	2280
	Lengyel, La. (HUN)	0	2220
g	Lengyel, Le. (HUN)	6	2375
	Lentze, I. (GER)	0	2250
f	Lenz, J. (GER)	12	2295
	Lenz, Th. (GER)	12	2290
	Leonardo, J. (POR)	22	2300
	Leong, I. (SIP)	3	2220
m	Leow, L. M. (SIP)	0	2455
	Leriche, E. (FRA)	0	2265
g	Lerner, K. Z. (URS)	19	2515
	Lernik, M. (URS)	0	2345
f	Leroy, A. (FRA)	3	2215
	Lesic, G. (JUG)	0	2235
f	Lesiege, A. (CAN)	20	2375
m	Leski, M. (FRA)	0	2430
f	Leskovar, M. (ARG)	7	2365
	Leskur, D. (JUG)	0	2295
	Leszczynski, K. (POL)	0	2270
	Leszner, M. (POL)	0	2240
f	Letay, Gy. (HUN)	5	2270
m	Letelier, R. (CHI)	0	2220
	Letreguilly, O. (FRA)	22	2295
f	Letzelter, J.-C. (FRA)	0	2265
f	Leuba, D. (SWZ)	10	2280
	Leustean, L. (ROM)	0	2255
m	Lev, R. (ISL)	23	2450
m	Levacic, D. (FRA)	2	2395
	Levacic, P. (JUG)	0	2265
f	Leveille, F. (CAN)	18	2320
	Leventic, I. (JUG)	0	2400
	Leverett, B. W. (USA)	0	2250
f	Levi, E. (AUS)	0	2300
f	Levin, D. (USA)	6	2295
m	Levin, F. (URS)	0	2445
m	Levitt, J. (ENG)	13	2465
f	Levtchouk, G. (CAN)	0	2330
f	Levy, L. (USA)	0	2275
	Levy, R. (OST)	0	2235
	Lewandowski, M. (POL)	10	2210
	Lewicki, B. (POL)	0	2280
	Lewinski, D. (POL)	7	2265
f	Lewis, A. P. (ENG)	0	2330
	Lewis, J. E. (DOM)	7	2250
	Lex, Ch. (GER)	0	2245
f	Leyva, H. (CUB)	22	2275
	Leyva, R. (CUB)	15	2275
	Lezcano Jaen, P. (ESP)	27	2330
f	Lhagva, G. (MON)	0	2310
f	Lhagvasuren, C. (MON)	26	2335
f	Li, M. (CUB)	15	2295
	Li, Wenliang (PRC)	0	2370
m	Li, Zunian (PRC)	0	2415
m	Liang, Jinrong (PRC)	0	2465
m	Liao, Y. E. (DOM)	0	2425
	Liardet, F. (SWZ)	17	2255
	Liarokapis, V. (GRC)	1	2225
f	Libeau, R. (GER)	3	2390
	Libens, M. (FRA)	3	2250
	Liberus, M. (POL)	0	2235
g	Liberzon, V. M. (ISL)	0	2450
	Licina, Z. (JUG)	0	2255
	Lida Garcia, F. (ARG)	0	2270
	Lida, F. E. (ARG)	0	2235
	Lieb, H. (GER)	6	2300
m	Liebert, H. (GER)	0	2395
	Liebowitz, E. (USA)	0	2240
	Lief, A. (USA)	0	2250
	Liemann, M. (GER)	10	2265
m	Liew, Ch.-M.-J. (MAL)	2	2335
	Light, B. (DEN)	5	2300
m	Ligterink, G. (NLD)	0	2430
	Likavsky, T. (CSR)	4	2250
	Liljedahl, L. (SVE)	0	2320
	Lim, Ch.-L. (SIP)	0	2215

f	Lim, H.-Ch. (SIP)	1	2325
	Lim, J. (SIP)	0	2300
	Lim, M. (SIP)	2	2255
m	Lima, D. (BRS)	44	2440
m	Lin, Ta (PRC)	0	2445
	Lin, Weiguo (PRC)	0	2495
	Lind, J.-O. (SVE)	0	2295
f	Lindberg, B. (SVE)	9	2355
	Lindemann, S. (SVE)	0	2265
	Lindgren, M. (SVE)	5	2250
f	Lindsay, F. (USA)	0	2305
f	Lindstedt, J. (FIN)	17	2330
	Lingnau, C. (GER)	11	2365
f	Linker, Th. (GER)	3	2300
	Linnanen, L. (FIN)	9	2295
	Linnemann, R. (GER)	0	2295
	Lipiniks, L. (PAR)	20	2245
	Lipka, J. (CSR)	25	2305
	Lipsanen, E. (FIN)	0	2240
	Lipski, T. (POL)	2	2205
m	Liptay, L. (HUN)	0	2410
f	Lirindzakis, T. (GRC)	18	2340
	Lisanti, A. (GER)	2	2245
	Lisek, J. (GER)	0	2270
	Lisenko, A. V. (URS)	20	2360
	Lisica, A. (JUG)	0	2275
	Lisik, V. (URS)	0	2475
	Liss, A. (ISL)	0	2230
f	Liss, E. (ISL)	19	2325
	Liss, G. (ISL)	3	2215
	Litovicius, M. (ARG)	0	2345
f	Littlewood, J. E. (ENG)	0	2330
m	Littlewood, P. E. (ENG)	2	2460
	Litus, V. (URS)	0	2395
	Litvinyenko, A. (URS)	0	2335
m	Liu, Wenze (PRC)	0	2385
f	Liverios, Th. (GRC)	0	2285
	Livshits, R. (CAN)	10	2310
	Livsitz, L. (URS)	0	2420
	Liying, P. (MRT)	0	2205
	Ljangov, P. (BLG)	8	2250
	Ljubarskij, J. (URS)	0	2305
	Ljubicic, F. (JUG)	0	2320
m	Ljubisavljevic, Z. Z. (JUG)	20	2260
g	Ljubojevic, Lj. (JUG)	26	2610
f	Llanos, G. (ARG)	0	2355
	Llopis, M. (ESP)	14	2235
	Lobo, R. (ENG)	9	2270
g	Lobron, E. (GER)	28	2575
	Lobstein, A. (FRA)	21	2250
	Lochte, T. (GER)	20	2235
	Lockl, L. (OST)	0	2260
m	Lodhi, M. (PAK)	0	2425
f	Loeffler, S. (GER)	17	2285
	Loew, G. (GER)	11	2285
	Loffler, M. (GER)	8	2260
	Loftsson, H. (ISD)	0	2210
g	Loginov, V. A. (URS)	45	2540
	Loheac-Amoun, F. (LEB)	0	2225
	Loiterstein, M. (ARG)	0	2275
	Lokasto, A. (POL)	0	2325
	Loktiev, I. (URS)	0	2295
g	Lombardy, W. J. (USA)	3	2450
	Loncar, R. (JUG)	4	2265
	Loncarevic, S. (JUG)	0	2270
m	London, D. (USA)	5	2370
	Long, P. (MAL)	7	2260
	Longren, W. B. (USA)	9	2305
	Lonoff, M. (USA)	0	2335
	Lopez Izquierdo, A. (ESP)	0	2245
	Lopez Trujillo, A. (COL)	0	2215
	Lopez, A. (CUB)	29	2305
	Lopez, C. M. (CUB)	0	2275
	Lopez, J. (FRA)	10	2205
	Lopez, J. C. (ESP)	0	2250
	Lopez, Man. (MEX)	0	2285
	Lopez, Marc. (BOL)	7	2230
	Lopez, Mario (CHI)	0	2240
	Lopez, R. (ARG)	0	2250
	Lorentz, N. (ROM)	4	2220
	Lorenz, G. (GER)	0	2240
	Lorenz, R. (GER)	7	2215
f	Lorenz, S. (GER)	6	2325
f	Lorincz, I. (HUN)	0	2340
	Lorscheid, G. (GER)	37	2335
	Los, S. (NLD)	12	2345
	Losev, D. (URS)	13	2320
	Lostuzzi, M. (ITA)	9	2335
	Lotzien, H. (GER)	9	2280
	Loureiro, L. (BRS)	0	2315
	Lovas, D. (HUN)	3	2290
f	Lovass, I. (HUN)	6	2260
	Love, A. (NZD)	0	2225
	Loven, A. (SVE)	0	2275
	Lovlu, S. U. (BAN)	9	2315
	Lovric, B. (JUG)	0	2275
	Low, P.-Y. (SIP)	3	2240
	Lower, S. (USA)	1	2240
f	Lowy, W. (ROM)	0	2330
g	Lputian, S. G. (URS)	19	2560
	Lubosik, Z. (POL)	0	2210
	Lucaroni, M. (ITA)	14	2310
	Lucas, F. (FRA)	1	2260
	Lucasciuc, M. (ROM)	0	2255
m	Luce, S. (FRA)	11	2400
	Lucena, L. (BRS)	0	2250
	Luciani, C. (ITA)	6	2275
m	Luczak, A. (POL)	0	2350
	Ludgate, A. (IRL)	0	2250
	Ludvigsen, F. (NOR)	0	2330
	Luecke, N. (GER)	20	2395
	Luetke, J. (GER)	9	2335
m	Lugo, B. (CUB)	40	2415
	Lugovoi, A. (URS)	12	2315
	Luik, H. (EST)	3	2300
f	Luk, L.-W. (HKG)	0	2270
	Lukacs, Ja. (HUN)	9	2275
	Lukacs, Jo. (HUN)	3	2335
g	Lukacs, P. (HUN)	48	2490
	Lukasiewicz, G. (POL)	23	2335
f	Lukez, F. (SVE)	4	2320
f	Lukic, D. (JUG)	0	2320
f	Lukic, Mil. (JUG)	0	2365
	Lukic, Mir. (JUG)	0	2290
	Lukic, Z. (JUG)	0	2250
m	Lukin, A. M. (URS)	11	2435
g	Lukov, V. (BLG)	28	2425
	Lukovnikov, A. (URS)	0	2305
	Luminet, D. (BEL)	0	2310
f	Lumper, Th. (GER)	0	2315
	Lund, B. D. (ENG)	8	2270
	Lundin, A. (SVE)	0	2295
	Lungu, N. (ZAM)	0	2205
	Lunna, T. W. (USA)	0	2270
m	Lupu, M.-S. (ROM)	30	2415
m	Luther, Th. (GER)	91	2490
m	Lutz, Ch. (GER)	30	2540
	Lutz, K.-J. (GER)	0	2270
	Lyell, M. (ENG)	15	2260
	Lyrberg, P. (SVE)	33	2395
	Lys, J. (CSR)	3	2295

M

	Ma, Hongding (PRC)	0	2275
	Maahs, E. (GER)	5	2265
	Maass, A. (MEX)	0	2280
f	Maass, G. (MEX)	8	2280
f	MacKay, I. D. (SCO)	0	2340
f	Macagno, S. (ARG)	0	2320
	Macanga, B. (JUG)	0	2250
	Mach, H. J. (GER)	8	2250
f	Machado, H. A. (BRS)	0	2300
	Machado, L. E. W. (BRS)	15	2305
	Machado, R. (CUB)	15	2250
	Machius, M. (GER)	0	2285
g	Machulsky, A. D. (URS)	15	2560
	Macieja, B. (POL)	10	2300
m	Maciejewski, A. (POL)	43	2350
	Maciejewski, M. (POL)	19	2330
	Mack, A. (ENG)	6	2275
f	Mack, P. (GER)	0	2285
	Mackowiak, M. (POL)	0	2235
f	Macles, J. (FRA)	0	2350
	Madebrink, L. (SVE)	0	2240
	Madeira, W. M. (BRS)	4	2285
	Madi, T. (HUN)	0	2320
	Madina, M. (ARG)	1	2265
	Madson, P. (DEN)	15	2285
	Maeder, K.-H. (GER)	0	2335
	Maeser, F. (SWZ)	9	2335
	Maga, M. (PHI)	0	2350
	Magamedov, M. (URS)	0	2395
	Magbanua, R. (PHI)	0	2320
	Magdan, C. (ROM)	0	2215
m	Magem Badals, J. (ESP)	44	2515
m	Magerramov, E. (URS)	26	2565
	Magg, Ch. (GER)	10	2290
	Magnus, U. O. (ISD)	11	2260
f	Magnusson, J. (SVE)	7	2310
	Magomedov, M. (URS)	0	2475
f	Magyar, O. (HUN)	4	2270
	Magyarosi, G. (HUN)	0	2245
	Mahayri, S. M. (SYR)	0	2205
m	Mahdi, A. S. (IRQ)	0	2220
	Mahdy, K. (EGY)	0	2360
f	Mahia, G. (ARG)	0	2380
	Mahmood, M. (PAK)	0	2205
f	Mahmud, S. (RIN)	0	2340
	Maia, J. E. (BRS)	10	2340
f	Maier, Ch. (GER)	17	2400
	Mainka, G. (GER)	0	2305
m	Mainka, R. (GER)	19	2455
	Maiwald, J.-U. (GER)	40	2340
	Majdanics, A. (HUN)	0	2240
	Majeed, A. N. (IND)	0	2240
	Majer, D. (GER)	13	2270
f	Majeric, Z. (JUG)	0	2355
m	Majorovas, V. (LIT)	0	2450
	Majzik, L. (HUN)	0	2330
g	Makarichev, S. (URS)	11	2530
	Makarjev, I. (URS)	8	2335
	Makarov, G. (URS)	8	2405
m	Makarov, M. (URS)	11	2480
f	Maki, J. (USA)	2	2275
m	Maki, V. (FIN)	0	2415
	Makoli, P. (JUG)	0	2235
m	Makropoulos, G. (GRC)	0	2410
m	Maksimenko, A. (URS)	16	2455
m	Maksimovic, B. (JUG)	25	2345
	Maksimovic, M. (JUG)	0	2320
	Malachi, A. (ISL)	0	2230
	Malachowski, T. (POL)	0	2235
g	Malaniuk, V. P. (URS)	55	2550
f	Malbran, G. (ARG)	0	2330
f	Malek, F. (TUN)	0	2250
f	Malesevic, N. (JUG)	0	2285
	Malesevic, V. (JUG)	0	2340
	Malevinsky, A. A. (URS)	11	2390
	Malfagia, A. (ITA)	9	2315
	Malghani, M. A. (PAK)	0	2205
	Mali, S. (JUG)	0	2315
g	Malich, B. (GER)	0	2435
	Malin, U. (ISL)	0	2250
m	Malisauskas, V. (LIT)	11	2490
m	Maljutin, E. (URS)	44	2465

	Malyakin, P. (URS)	0	2405
	Malysev, V. (URS)	0	2385
	Mamadshoev, M. (URS)	0	2315
	Mamuri, M. (IRN)	0	2205
	Mamuzic, M. (JUG)	0	2245
	Managadze, N. (URS)	11	2305
	Manasterski, L. (POL)	0	2260
m	Manca, F. (ITA)	15	2415
	Mancic, C. (JUG)	0	2205
	Mandarin, V. (FRA)	0	2235
	Mandecki, M. (POL)	0	2260
	Mandel, A. (GER)	0	2375
	Mandelkow, H. (GER)	10	2240
f	Mandl, Ro. (GER)	11	2415
	Mandl, Ru. (GER)	0	2275
	Manela, N. (ISL)	0	2235
	Manfred, J. (GER)	0	2205
m	Manic, J. (JUG)	0	2350
	Manievich, V. (ISL)	0	2255
	Manikandaswamy, S. (IND)	0	2250
	Maniocha, A. (POL)	7	2245
	Manish, M. (IND)	9	2205
	Manishi, K. (IND)	0	2220
	Manley, J. P. (ENG)	10	2215
m	Mann, Ch. (GER)	0	2455
	Mann, G. (HUN)	10	2230
f	Manninen, M. (FIN)	30	2450
f	Mannion, S. R. (SCO)	18	2390
	Mannke, M. (POL)	0	2230
	Manoj, V. (IND)	0	2275
	Manojlovic, S. (JUG)	0	2225
	Manolache, M. (ROM)	0	2205
	Manole, V. (ROM)	3	2300
m	Manolov, I. (BLG)	15	2390
m	Manor, I. (ISL)	11	2475
m	Manouck, Th. (FRA)	0	2290
	Mansoor, J. (MRT)	0	2205
	Mansurov, V. (URS)	10	2285
m	Mantovani, R. (ITA)	14	2355
f	Mar, C. (USA)	0	2420
m	Marangunic, S. (JUG)	0	2475
	Maras, M. (JUG)	0	2265
m	Marasescu, I. (ROM)	29	2335
	Marbach, J. (GER)	0	2245
	Marcantoni, H. (FRA)	2	2295
	Marchand, F. (FRA)	18	2315
	Marcia, G. (ROM)	0	2270
f	Marciano, D. (FRA)	29	2380
	Marcinkowski, K. (POL)	0	2235
	Marcovici, A. (ISL)	3	2210
f	Marcus, J. (NLD)	0	2300
	Marcussi, B. (ARG)	1	2235
	Marder, M. (HON)	0	2205
	Margolin, B. (URS)	32	2345
	Marholev, D. (BLG)	0	2270
f	Maric, D. (JUG)	0	2310
	Maric, V. (JUG)	0	2285
m	Marin, M. (ROM)	35	2525
	Marinelli, T. (ITA)	27	2330
m	Marinkovic, I. (JUG)	0	2485
f	Marinkovic, M. (JUG)	0	2310
	Marinkovic, R. (JUG)	0	2255
m	Marinkovic, S. (JUG)	7	2415
	Marinkovic, Z. (JUG)	0	2320
	Marinovic, B. (JUG)	0	2345
	Marinsek, T. (JUG)	0	2220
g	Mariotti, S. (ITA)	0	2425
f	Marjanov, Z. (JUG)	0	2250
g	Marjanovic, S. (JUG)	0	2470
f	Markeluk, S. (ARG)	0	2375
	Markiewicz, J. (POL)	0	2315
	Markotic, B. (JUG)	0	2225
m	Markotic, G. (JUG)	13	2400
	Markov, J. (URS)	8	2455
	Markovic, D. (JUG)	0	2265
	Markovic, Ig. (JUG)	12	2285
f	Markovic, Iv. (JUG)	2	2410
f	Markovic, L. (JUG)	0	2245
	Markovic, Mil. (JUG)	0	2270
f	Markovic, Mirolj. (JUG)	0	2250
f	Markovic, Miros. (JUG)	6	2370
	Markovic, S. (JUG)	0	2270
f	Markovic, V. (JUG)	0	2305
	Markovic, Z. (JUG)	0	2325
	Markowski, T. (POL)	20	2320
	Marks, J. (POL)	0	2220
	Markus, J. R. (NLD)	0	2245
f	Markzon, G. (USA)	1	2275
f	Marosi, Gy. (HUN)	6	2330
	Maroto, J. L. (ESP)	2	2360
g	Marovic, D. (JUG)	0	2445
f	Marquet, G. (MEX)	0	2265
	Marquez, R. (ECU)	0	2275
	Marschner, J. (GER)	11	2300
f	Marszalek, R. (POL)	11	2275
	Marszk, K. (POL)	0	2235
	Martens, M. (NLD)	16	2360
	Marti, Gy. (HUN)	0	2385
f	Martic, Z. (JUG)	0	2285
f	Martidis, A. (CYP)	6	2305
	Martin Del Campo, J. (MEX)	23	2285
m	Martin Del Campo, R. (MEX)	37	2410
m	Martin Gonzalez, A. (ESP)	40	2435
m	Martin, A. D. (ENG)	29	2435
f	Martin, B. (NZD)	0	2320
	Martin, O. (CUB)	15	2220
	Martin, Th. (GER)	0	2220
	Martine, J.-C. (FRA)	9	2225
	Martineau (HAI)	0	2210
	Martinez Otzeta, J. M. (ESP)	3	2270
	Martinez, A. (ARG)	0	2220
f	Martinez, Ca. A. (BRS)	44	2305
	Martinez, Cr. (COL)	13	2320
	Martinez, D. (MEX)	3	2275
	Martinez, F. (ESP)	14	2280
f	Martinez, I. (MEX)	6	2320
	Martinez, N. (CUB)	18	2205
	Martinidesz,D. (SWZ)	13	2215
g	Martinovic, S. (JUG)	15	2460
f	Martinovsky, E. (USA)	11	2335
	Martins, J. F. P. (BRS)	18	2370
	Martiska, P. (CSR)	0	2230
	Marton, I. (HUN)	0	2245
f	Martorelli, A. (ITA)	6	2235
	Marttala, Th. (SVE)	0	2265
	Martynov, A. (URS)	0	2310
m	Martynov, P. (URS)	24	2445
	Marusenko, P. (URS)	7	2310
	Marxen, P. (GER)	0	2255
	Maryasin, B. (ISL)	6	2395
	Masango, M. (ZIM)	0	2205
	Mascarenhas, A. (BRS)	14	2285
m	Mascarinas, R. (PHI)	8	2450
	Masculo, J. (BRS)	5	2280
	Mashian, Y. (ISL)	0	2220
m	Masic, Lj. (JUG)	0	2300
	Masic, P. (JUG)	0	2240
	Maslanka, R. (POL)	0	2310
	Maslej, M. (POL)	0	2210
	Maslesa, B. (JUG)	0	2280
	Maslowski, T. (POL)	0	2270
	Massana, J. (PRO)	7	2255
	Masserey, Y. (SWZ)	10	2215
	Masternak, A. (POL)	0	2235
	Masternak, G. (POL)	30	2355
	Mastoras, I. (GRC)	5	2300
f	Mastrokoukos, G. (GRC)	38	2330
m	Matamoros, C. S. (ECU)	11	2420
	Matas, S. (CSR)	0	2210
	Mate, L. (HUN)	28	2295
	Matejic, Z. (JUG)	0	2270
m	Mateo, R. (DOM)	0	2430
m	Mateus, M. (ANG)	9	2255
m	Mathe, G. (HUN)	15	2380
	Mathonia, C. (GER)	2	2345
	Matic, B. (JUG)	0	2260
	Matijasevic, M. (JUG)	0	2320
	Matkovic, T. (JUG)	0	2310
	Matlak, J. (POL)	0	2265
m	Matlak, M. (POL)	31	2440
	Matousek, M. (CSR)	0	2250
	Matovu, G. (UGA)	9	2245
	Matros, A. (URS)	1	2350
	Matsuura, E. (BRS)	24	2350
	Matsuura, H. (BRS)	0	2230
	Matthaei, A. (GER)	17	2290
	Matthews, Sh. (JAM)	0	2265
	Matthias, H. (GER)	0	2325
g	Matulovic, M. (JUG)	0	2465
	Matzdorf, M. (GER)	0	2230
	Maung, H. D. (MYA)	9	2335
	Mauro, A. (ITA)	17	2230
f	Maus, Si. (GER)	0	2305
m	Maus, So. (GER)	13	2385
	Maximenko, A. (URS)	0	2430
f	Maxion, D. (GER)	0	2275
	Maya, H. (MEX)	0	2235
	Mayer, F. (GER)	0	2270
f	Mayer, I. (HUN)	0	2330
	Mayer, R. (ESP)	0	2265
	Maynard, F. (CRA)	11	2275
	Mazalon, M. (POL)	0	2220
f	Mazi, L. (JUG)	0	2315
f	Mazul, W. (POL)	0	2350
	Mazuran, M. (JUG)	0	2225
	Mazzoleni, J. (ARG)	0	2230
	Mazzoni, G. (FRA)	1	2240
m	McCambridge, V. (USA)	0	2480
	McCann, K. (IRL)	0	2235
	McCarthy, B. (USA)	20	2275
	McCarthy, J. (USA)	1	2300
f	McClintock, D. (USA)	0	2385
m	McDonald, N. R. (ENG)	56	2420
	McDonnell, G. (USA)	13	2295
m	McKay, R. M. (SCO)	0	2380
	McLaren, L. (NZD)	10	2275
	McMichael, R. (ENG)	0	2315
m	McNab, C. A. (SCO)	28	2475
	Mctigue, J. (VUS)	0	2205
	Mechkarov, V. (BLG)	0	2295
g	Mecking, H. (BRS)	0	2610
	Medak, D. (JUG)	0	2335
m	Medancic, R. (JUG)	15	2330
	Medar, Z. (JUG)	0	2320
f	Medic, M. (JUG)	0	2280
	Medina, J. (CUB)	47	2270
f	Medina, M. (CUB)	0	2245
g	Mednis, E. J. (USA)	8	2460
g	Meduna, E. (CSR)	0	2500
	Meetei, A. B. (IND)	0	2280
	Mehta, P. (IND)	11	2285
	Meier, Th. (GER)	11	2280
	Meier, V. (GER)	8	2295
f	Meinsohn, F. (FRA)	1	2260
f	Meinsohn, P. (FRA)	3	2360
	Meissner, H.-J. (GER)	11	2290
m	Meister, P. (GER)	0	2410
	Meister, Y. (URS)	28	2445
	Mejia, R. (COL)	1	2210
f	Mejic, P. (JUG)	0	2350
	Melaxasz, V. (HUN)	0	2225
m	Meleghegyi, Cs. (HUN)	0	2400
	Melhuish, J. (CHI)	0	2270

	Mellado, J. (ESP)	29	2390
	Mellano, S. (ARG)	2	2220
	Melnic, V. (ROM)	0	2295
	Menacher, M. (GER)	1	2300
f	Mencinger, V. (JUG)	0	2365
	Mendez, E. (ARG)	0	2345
	Mendez, F. (ESP)	0	2325
	Mendez, S. (MEX)	5	2255
	Mendoza, L. (ESP)	8	2310
	Mendoza, R. (COL)	14	2335
	Mendrinos, N. (GRC)	1	2245
	Menendez, D. (ARG)	0	2255
	Menghi, C. (LUX)	3	2265
	Mentov, S. (URS)	0	2280
f	Menvielle Lacourrelle, A. (ESP)	4	2355
	Menyhart, T. (HUN)	7	2220
	Menzel, R. (GER)	3	2210
	Mercier, J.-P. (FRA)	1	2220
m	Merdinjan, A. (BLG)	0	2305
	Merriman, J. (ENG)	8	2235
	Mertins, K. (GER)	2	2225
	Meshkov, Y. A. (URS)	0	2285
m	Messa, R. (ITA)	0	2305
m	Messing, H. (JUG)	0	2370
	Messmer, M. (GER)	0	2340
g	Mestel, J. A. (ENG)	0	2520
f	Mester, Gy. (HUN)	8	2315
m	Mestrovic, Z. (JUG)	0	2405
m	Meszaros, An. (HUN)	26	2310
	Meszaros, At. (HUN)	2	2350
f	Meszaros, B. (JUG)	0	2335
	Meszaros, Gy. (HUN)	14	2290
	Metral, J.-P. (FRA)	4	2310
	Metrick, A. (USA)	0	2250
	Metz, H. (GER)	5	2255
f	Meulders, R. (BEL)	13	2355
	Meurrens, P. (BEL)	0	2265
f	Meyer, C.-D. (GER)	0	2325
m	Meyer, E. B. (USA)	5	2470
f	Meyer, H. (GER)	0	2330
	Meyer, I. (GER)	9	2240
f	Meyer, J. C. (USA)	0	2345
f	Meyer, P. (GER)	9	2330
	Meyers, V. (LAT)	16	2400
m	Miagmasuren, L. (MON)	0	2290
	Miana, E. (ARG)	0	2240
	Micalizzi, G. (ITA)	12	2320
m	Micayabas, M. (PHI)	4	2345
f	Michaelsen, N. (GER)	18	2385
	Michalek, J. (CSR)	14	2335
	Michalet, G. (FRA)	0	2240
m	Michel Yunis, Ch. D. (CHI)	0	2355
	Michelakis, G. (AUS)	11	2350
f	Micheli, C. (ITA)	6	2290
f	Michenka, J. (CSR)	16	2395
	Micic, C. (JUG)	0	2310
	Micov, V. (JUG)	0	2250
	Middelhoff, C. (GER)	9	2215
	Middendorf, F. (GER)	3	2250
	Mielczarski, M. (POL)	0	2315
	Miezis, N. (LAT)	14	2350
	Migl, D. (GER)	5	2285
	Miguel, V. (ESP)	12	2280
f	Mihajlovic, M. (JUG)	0	2280
	Mihalj, M. M. (JUG)	0	2255
m	Mihaljcisin, M. (JUG)	0	2280
	Mihalko, J. (HUN)	4	2280
	Mihevic, I. (JUG)	0	2215
	Mihic, V. (JUG)	6	2210
	Mihojlic, M. (JUG)	0	2240
	Mihok, L. (HUN)	0	2335
f	Mijailovic, Z. (JUG)	0	2345
	Mijuskovic, B. (JUG)	0	2275
	Mijuskovic, N. (JUG)	0	2255
f	Mikac, M. (JUG)	27	2425
	Mikac, T. (JUG)	0	2325
	Mikanovic, G. (JUG)	0	2290
	Mikanovic, M. (JUG)	11	2305
	Mikavica, M. (JUG)	0	2245
g	Mikhalchishin, A. (URS)	30	2530
	Mikhalevski, A. (ISL)	10	2400
	Mikhalevski, V. (ISL)	23	2370
	Mikicic, D. (JUG)	0	2315
	Mikulas, D. (CSR)	0	2300
	Mikulcik, L. (CSR)	5	2270
	Miladinov, M. (JUG)	0	2215
m	Miladinovic, I. (JUG)	14	2410
f	Milanovic, S. (JUG)	0	2250
f	Milanovic, V. (JUG)	14	2400
	Milasin, M. (JUG)	0	2280
	Milenkovic, J. (JUG)	0	2215
	Milenkovic, M. (JUG)	0	2240
g	Miles, A. J. (ENG)	17	2565
	Miletic, D. (JUG)	0	2215
	Mileto, G. (ITA)	7	2240
	Milic, S. (JUG)	0	2330
f	Milicevic, M. (JUG)	0	2280
	Milicicevic, A. (JUG)	0	2210
	Milivojevic, J. (JUG)	0	2290
f	Milivojevic, N. (SVE)	0	2205
m	Miljanic, B. (JUG)	16	2430
f	Miljevic, B. (JUG)	0	2250
	Miller, R. (USA)	5	2330
	Milonjic, M. (JUG)	0	2215
g	Milos, G. (BRS)	20	2515
	Milosavac, Lj. (JUG)	0	2305
f	Milosavljevic, R. (JUG)	0	2280
	Milosevic, A. (JUG)	0	2240
m	Milosevic, G. (JUG)	17	2405
	Milosevic, S. (JUG)	0	2310
f	Milosevic, V. (JUG)	0	2310
	Milosijev, T. (JUG)	0	2260
	Milov, L. (URS)	0	2425
	Milov, V. (URS)	6	2335
	Milovanovic, N. (JUG)	0	2300
m	Milovanovic, R. (JUG)	0	2435
f	Miltner, A. (GER)	0	2330
f	Milu, R. S. (ROM)	6	2400
	Milunovic, T. (JUG)	0	2345
f	Milut, M. (ROM)	0	2305
	Minarelli, G. (ITA)	0	2250
m	Minasian, A. (URS)	20	2545
f	Minaya, J. (COL)	4	2260
	Minchev, V. (BLG)	4	2215
	Minero, B. P. (CRA)	16	2210
f	Minero, S. (CRA)	27	2395
m	Minev, N. N. (USA)	3	2360
f	Miniboeck, G. (OST)	0	2325
h	Minic, D. (JUG)	0	2355
	Minich, P. (CSR)	0	2215
	Minster, Y. (ISL)	0	2245
	Minzer, C. J. (ARG)	0	2290
	Miracca, J. (ARG)	0	2265
m	Miralles, G. (FRA)	32	2470
	Miranda, M. M. C. (BRS)	13	2265
	Miranovic, R. (JUG)	0	2370
	Mirchev, V. (BLG)	0	2280
	Mircov, N. (ROM)	0	2290
m	Mirkovic, S. (JUG)	0	2400
	Mirschinka, D. (GER)	0	2260
m	Mirza, Sh. (PAK)	0	2250
f	Misailovic, N. (JUG)	0	2325
f	Mischustov, M. (GER)	0	2370
	Miserendino, A. (ARG)	0	2235
m	Mishra, N.-K. (IND)	23	2375
	Mishuchkov, N. M. (URS)	7	2400
	Misic, D. (JUG)	0	2235
	Misiuga, A. (POL)	0	2255
	Misojcic, M. (JUG)	0	2365
	Mitaru, D. (ROM)	2	2235
	Mitenkov, A. (URS)	21	2390
	Mitev, G. (BLG)	6	2310
f	Mithrakanth, P. (IND)	7	2335
f	Mititelu, G. (ROM)	0	2360
f	Mitkov, M. (JUG)	0	2305
m	Mitkov, N. (JUG)	19	2470
	Mitlashevsky, O. (URS)	0	2220
	Mitov, B. (BLG)	0	2235
	Mitra, S. (IND)	7	2225
	Mitrovic, P. (JUG)	0	2355
	Mitrovic, S. (JUG)	0	2240
	Mittelman, G. (ISL)	12	2250
f	Miulescu, G. (ROM)	15	2280
	Mladenov, S. (BLG)	0	2230
	Mlechev, H. (BLG)	0	2225
m	Mnatsakanian, E. A. (URS)	8	2415
	Moal, A. (FRA)	4	2235
	Moatlhodi, K. (BSW)	0	2205
	Moberg, K. J. (SVE)	11	2320
	Mochalov, E. V. (URS)	39	2460
f	Modr, B. (CSR)	0	2315
	Modzelan, A. (POL)	0	2230
f	Moe, M. (DEN)	0	2300
m	Moehring, G. (GER)	0	2355
	Moehrmann, M. (GER)	10	2250
f	Moen, O.-Ch. (NOR)	6	2255
	Mogyorosi, F. (HUN)	0	2220
f	Mohamed, F. A. (EGY)	12	2350
	Mohamed, M. M. (LIB)	0	2205
	Mohammed, A. (IRQ)	0	2255
	Mohammed, E. W. (IRQ)	0	2240
	Mohandessi, Sh. (BEL)	15	2215
	Mohanty, P. M. (IND)	0	2245
	Mohd, K. A. (MAL)	2	2205
	Mohiuddin, G. (PAK)	0	2280
m	Mohr, G. (JUG)	25	2440
g	Mohr, S. (GER)	18	2455
f	Moingt, J.-C. (FRA)	7	2230
	Moisan, F. (FRA)	0	2220
	Moise, D. (ROM)	0	2255
m	Moiseev, V. (URS)	0	2480
f	Mojzis, J. (CSR)	0	2220
	Mokcsay, R. (HUN)	21	2295
g	Mokry, K. (CSR)	9	2535
	Moldobaev, E. (URS)	0	2385
f	Moldovan, D. (ROM)	32	2450
	Molinaroli, M. (GER)	0	2270
m	Mollov, E. (BLG)	23	2375
	Molnar, B. (HUN)	40	2235
	Molnar, L. (HUN)	0	2220
	Molnar, V. (CSR)	0	2220
	Molnar, Z. (HUN)	8	2225
	Momeni, H. (IRN)	0	2205
	Mompo Ballest, V. (ESP)	8	2250
	Monaville, G. (BEL)	0	2215
	Monin, N. (URS)	3	2405
	Monnard, L. (FRA)	11	2250
	Monroy, E. (MEX)	2	2320
f	Montecatine, R. (ESP)	6	2345
f	Montero Martinez, C. (CHI)	35	2260
	Montgomery, P. (USA)	2	2255
	Montiel, P. (CUB)	30	2280
	Moore jr., B. G. (USA)	2	2315
	Moore, H. (CAN)	0	2280
	Moracchini, F. (FRA)	0	2255
f	Morales, H. (MEX)	0	2310
	Morales, J. (ESP)	5	2245
f	Moran, A. (ECU)	3	2375
f	Moran, B. (ECU)	18	2290
	Morawietz, D. (GER)	3	2310
	Moraza, M. (PRO)	0	2210
	Morchat, M. (POL)	0	2240
	Morcinek, M. (POL)	9	2290
	Mordhorst, H. (GER)	0	2310

	Mordue, T. A. (ENG)	10	2245
	Morella, J. (CUB)	39	2230
	Moreno Ruiz, J. (ESP)	9	2340
	Moreno, A. (CUB)	20	2270
	Morgan, M. (USA)	13	2295
	Morgulov, A. M. (URS)	0	2335
	Morin, Y. (CAN)	3	2205
	Morkisz, B. (POL)	0	2230
g	Morovic Fernandez, I. (CHI)	31	2565
	Moroz, A. (URS)	0	2410
	Morozov, A. (URS)	0	2280
	Morris, Ch. F. (WLS)	0	2225
	Morris, Co. (AUS)	0	2260
	Morris, M. (USA)	13	2325
m	Morris, Ph. (ENG)	13	2390
m	Morris, W. D. (USA)	0	2375
	Morrison, Ch. (SCO)	0	2225
f	Morrison, G. (SCO)	0	2325
f	Mortazavi, A. (ENG)	26	2300
	Mortazavi, K. (IRN)	0	2230
m	Mortensen, E. (DEN)	29	2430
	Mortensen, H. (DEN)	2	2270
f	Morvay, M. (HUN)	11	2300
	Moser, G. (OST)	0	2255
	Moser, K. (GER)	1	2285
m	Moskalenko, V. (URS)	70	2505
	Moss, R. (ENG)	0	2285
	Mossong, H. (LUX)	2	2265
	Mothes, H.-A. (FRA)	3	2215
m	Motwani, P. (SCO)	38	2455
	Moulain, J.-P. (FRA)	5	2205
f	Moulin, P. (BEL)	6	2280
	Mounib, A. (MRC)	0	2205
m	Moutousis, K. (GRC)	9	2405
	Movsziszian, K. (URS)	0	2440
m	Mozes, E. (ROM)	35	2390
	Mozes, Z. (HUN)	0	2240
	Mozetic, D. (JUG)	0	2265
m	Mozny, M. (CSR)	29	2400
m	Mrdja, M. (JUG)	4	2365
	Mrkonjic, N. (JUG)	0	2225
	Mrsevic, M. (JUG)	0	2245
f	Mrva, M. (CSR)	15	2345
	Mrva, V. (CSR)	1	2315
	Muc, T. (POL)	14	2245
m	Muco, F. (ALB)	7	2450
f	Mudelsee, M. (GER)	7	2260
f	Mudrak, J. (CSR)	0	2305
	Mueckenberger, P. (USA)	11	2285
	Muehl, Th. (GER)	0	2210
	Mueller, Ha.-G. (GER)	0	2270
f	Mueller, Hei. (GER)	0	2275
	Mueller, Hel. (GER)	0	2295
m	Mueller, K. (GER)	39	2460
	Mueller, Ma. (GER)	0	2215
	Mueller, Mi. (GER)	0	2275
f	Mueller, O. (GER)	0	2330
	Mueller, R. (GER)	4	2255
	Mueller, Werner (GER)	2	2285
	Mueller, Werner (GER)	0	2215
f	Mufic, Go. (JUG)	0	2310
	Mufics, I. (HUN)	0	2265
	Muhamedzjanov, N. (URS)	0	2335
	Muhametov, E. (URS)	20	2405
	Muharemagic, A. (JUG)	0	2255
	Muhtarov, L. (URS)	4	2245
m	Muhutdinov, M. (URS)	0	2440
	Muhvic, D. (JUG)	0	2240
m	Muir, A. J. (SCO)	16	2375
f	Mujagic, R. (JUG)	0	2345
f	Mujic, H. (JUG)	0	2255
	Mukabi, J. (KEN)	0	2215
	Mukhim, G. (URS)	0	2425
f	Mukic, J. (JUG)	0	2325
	Mulet, P. (POL)	8	2280
	Muller, H. (OST)	0	2245
	Muller, M. (GER)	0	2355
	Mullner, I. (HUN)	0	2230
	Munck Mortensen, P. (DEN)	0	2245
	Munoz, F. J. (ESP)	15	2285
	Munoz, Fr. (COL)	0	2220
	Munoz, H. (ECU)	0	2205
	Munoz, M. (HON)	0	2205
	Munzer, M. (GER)	0	2285
	Muralidharan, M. B. (IND)	21	2255
	Muratov, V. A. (URS)	6	2410
	Murdzia, P. (POL)	17	2295
g	Murey, Y. (FRA)	22	2445
	Murgia, A. (ITA)	5	2260
	Murillo, A. (CRA)	25	2325
	Murillo, M. (CRA)	15	2275
	Muron, M. (CSR)	0	2245
	Murray, J. (IRL)	0	2240
g	Murshed, N. (BAN)	18	2505
m	Murugan, K. (IND)	10	2380
m	Muse, M. (GER)	33	2445
	Musil, M. (JUG)	0	2260
m	Musil, V. (JUG)	0	2340
	Musitz, L. (HUN)	0	2295
	Mutschler, L. (HUN)	4	2265
	Muyambo, D. (ZIM)	0	2205
	Mydlarz, M. (ARG)	0	2205

N

	Nad, V. (JUG)	0	2245
	Nadera, B. A. (PHI)	0	2390
	Nadyrhanov, S. (URS)	0	2445
	Nagatz, F. (GER)	11	2255
	Nagel, H. (OST)	0	2290
	Nagendra, R. (IND)	0	2285
	Nagl, F. (OST)	0	2235
m	Nagy, Ervin (HUN)	26	2345
	Nagy, I. (HUN)	0	2225
f	Nagy, J. (HUN)	4	2350
	Nagy, K. (HUN)	14	2265
	Nagy, R. (HUN)	9	2275
	Nagy, S. (HUN)	14	2270
	Nagy, T. (HUN)	0	2225
	Nagy, Z. (HUN)	0	2250
	Nagyajtai, G. (HUN)	9	2295
	Naimenaye, A. (UGA)	9	2205
	Nainapalert, T. (TAI)	0	2205
g	Najdorf, M. (ARG)	0	2460
	Namgilov, S. (URS)	0	2440
	Namyslo, H. (GER)	9	2225
	Narahenpitiya, P. S. R. (SRI)	0	2225
f	Narandzic, V. (JUG)	0	2400
	Narciso, M. (ESP)	7	2235
	Nardini, D. (ARG)	0	2230
	Narodizki, E. (URS)	12	2245
	Narva, J. (EST)	0	2305
m	Nascimento, A. (ANG)	22	2295
	Nasir Ali, S. (IND)	0	2325
	Nasybullin, V. (URS)	0	2330
	Nathanail, E. (GRC)	12	2230
	Natri, A. (FIN)	0	2250
f	Naumann, F. (GER)	10	2245
g	Naumkin, I. (URS)	70	2460
f	Nautsch, W. (GER)	0	2300
m	Navarovszky, L. (HUN)	0	2340
f	Navarro, R. (MEX)	26	2310
	Navinsek, Th. (JUG)	0	2285
f	Navrotescu, C. (ROM)	12	2360
	Naylor, J. (ENG)	8	2265
	Nazarov, A. (URS)	0	2210
f	Neamtu, S. (ROM)	2	2350
m	Neckar, L. (CSR)	10	2345
	Nedela, V. (CSR)	33	2390
	Nedeljkovic, A. (JUG)	0	2250
	Nedev, G. (BLG)	0	2340
	Nedev, T. (JUG)	0	2210
	Nedilsky, D. (ARG)	1	2235
	Nedobora, M. (URS)	0	2355
	Needleman, A. (ARG)	0	2340
	Neelakantan, N. (IND)	14	2230
	Negele, A. (GER)	3	2230
	Negre, A. (FRA)	9	2220
f	Negri, S. (ARG)	0	2335
m	Negulescu, A. (ROM)	20	2410
	Negureanu, D. (ROM)	9	2230
m	Nei, I. (EST)	3	2410
f	Neidhardt, C. (GER)	0	2335
f	Neiman, E. (FRA)	0	2245
	Nemec, P. (CSR)	1	2240
g	Nemet, I. (SWZ)	19	2395
	Nemeth, A. (HUN)	0	2315
f	Nemeth, Z. (HUN)	15	2360
	Nemety, L. (FRA)	0	2220
	Nemirovski, S. (FRA)	4	2265
	Nenadovic, Lj. (JUG)	0	2230
	Nenashev, A. (URS)	22	2515
	Nenkov, Lj. (BLG)	0	2300
	Nepomiachty, A. (FRA)	12	2220
	Nepomnishay, M. I. (URS)	0	2325
	Nerlev, C. (DEN)	0	2245
	Nesic, N. (JUG)	0	2230
	Nesterov, J. (URS)	21	2405
f	Nestorovic, D. (JUG)	0	2355
	Nestorovic, V. (JUG)	0	2350
f	Netusil, M. (CSR)	2	2305
	Neulinger, M. (OST)	0	2220
	Neumann, J. (GER)	0	2215
	Neumark, Th. (GER)	0	2285
	Neunhoeffer, H. (GER)	0	2295
	Neupauer, K. (HUN)	3	2280
f	Neurohr, S. (GER)	5	2315
	Neuschmied, S. (OST)	0	2250
f	Nevanlinna, R. (FIN)	2	2290
	Nevednichy, V. (URS)	11	2470
	Neven, K. (CAN)	9	2245
	Neverov, A. (URS)	7	2295
g	Neverov, V. (URS)	20	2520
	Nevostrujev, V. (URS)	0	2385
	Newerovski, G. (URS)	0	2335
	Neyhort, D. (SUR)	0	2205
	Nezhad, A. H. (IRN)	0	2205
	Ng, E. T. (MAL)	0	2205
	Nguyen, K. D. (VIE)	0	2205
f	Nicevski, D. (JUG)	0	2255
m	Nicevski, R. (JUG)	13	2350
f	Nicholson, J. G. (ENG)	0	2265
	Nickl, K. (OST)	12	2220
m	Nickoloff, B. (CAN)	0	2430
f	Nicolaide, V. (ROM)	2	2355
	Niedermaier, H. (GER)	3	2315
	Niedermayr, H. (OST)	0	2225
	Niehaus, S. (GER)	0	2205
	Nielsen, J. (DEN)	4	2265
	Nielsen, L. A. (DEN)	9	2340
	Nielsen, Pa. E. (DEN)	4	2235
m	Nielsen, Pe. H. (DEN)	69	2420
	Nielsen, T. (DEN)	5	2250
f	Nielsen, U. V. (DEN)	8	2295
	Nieminen, K. (FIN)	0	2230
	Niering, M. (GER)	0	2255
	Niesel, M. (GER)	1	2280
f	Nieuwenhuis, P. (NLD)	0	2315
m	Nijboer, F. (NLD)	30	2455
	Nikac, P. (JUG)	0	2260

	Nikcevic, B. (JUG)	0	2220
m	Nikcevic, N. (JUG)	0	2400
	Nikitin, A. S. (URS)	20	2420
g	Nikolac, J. (JUG)	0	2460
m	Nikolaev, S. (URS)	4	2425
	Nikolaiczuk, L. (GER)	0	2280
	Nikolaidis, K. (GRC)	22	2230
m	Nikolenko, O. (URS)	24	2465
	Nikolic, B. (JUG)	0	2305
	Nikolic, D. (JUG)	0	2295
f	Nikolic, G. (JUG)	0	2365
m	Nikolic, N. (JUG)	0	2445
g	Nikolic, P. (JUG)	26	2635
f	Nikolic, Sa. N. (JUG)	0	2345
f	Nikolic, Si. (JUG)	0	2270
g	Nikolic, St. (JUG)	0	2325
f	Nikolic, V. (JUG)	0	2320
m	Nikolic, Z. (JUG)	0	2450
	Nikolov, N. (BLG)	0	2310
m	Nikolov, S. (BLG)	27	2345
	Nikontovic, S. (JUG)	0	2320
	Nikov, N. (BLG)	0	2320
	Nikovits, T. (HUN)	0	2245
	Nilsson, N. (DEN)	12	2230
	Nindl, G. (OST)	0	2250
m	Ninov, K. (BLG)	18	2395
	Ninov, N. (BLG)	0	2370
	Nisipeanu, D. (ROM)	21	2310
m	Nisman, B. I. (URS)	0	2430
	Nissen, C. (GER)	0	2320
	Nizialek, R. (POL)	0	2230
	Nizynski, M. (POL)	0	2285
	Noble, M. (NZD)	0	2320
	Noev, N. (BLG)	0	2225
	Nogly, Ch. (GER)	4	2255
	Nogrady, V. (HUN)	0	2250
	Nogueira, F. M. (BRS)	0	2270
g	Nogueiras, J. (CUB)	34	2550
	Nokka, R. (FIN)	12	2265
f	Nokso-Koivisto, A. (FIN)	21	2330
	Nolsoe, R. (FAI)	4	2210
	Nolting, A. (GER)	0	2285
f	Nonnenmacher, E. (GER)	0	2300
	Noohu, M. J. (IND)	0	2280
	Noradounguian, G. (FRA)	9	2215
	Nordenbak, J. (DEN)	0	2215
f	Nordstrom, F. (SVE)	4	2220
	Norgaard, J. (DEN)	7	2320
	Noria, J. (ESP)	0	2320
	Norman, K. I. (ENG)	1	2210
	Norregaard, Ch. (DEN)	0	2235
f	Norri, J. (FIN)	27	2395
	Norris, D. C. (AUS)	0	2235
g	Norwood, D. (ENG)	27	2495
	Nory, P. (FRA)	2	2235
	Nosenko, A. (URS)	0	2255
	Noskov, A. (URS)	0	2265
f	Notaros, K. (JUG)	0	2355
	Notkin, M. (URS)	6	2310
	Nouro, M. (FIN)	8	2265
	Novacan, M. (JUG)	0	2320
	Novak, D. (JUG)	0	2310
f	Novak, I. (CSR)	20	2280
	Novak, L. (HUN)	0	2205
	Novakovic, D. (JUG)	0	2275
f	Novicevic, M. (JUG)	0	2300
	Novik, M. (URS)	27	2420
g	Novikov, I. A. (URS)	74	2580
f	Novkovic, M. (JUG)	0	2370
m	Novoselski, Z. (JUG)	7	2370
	Novothny, A. (HUN)	9	2330
	Novotny, H. (OST)	14	2315
	Novotny, J. (CSR)	4	2240
f	Nowak, I. (POL)	0	2400
	Noyce, R. (ENG)	2	2230
m	Nun, Ji. (CSR)	9	2435
m	Nun, Jo. (CSR)	0	2375
	Nunez Vallina, J. A. (ESP)	3	2370
f	Nunez, A. (CUB)	26	2340
g	Nunn, J. D. M. (ENG)	18	2615
m	Nurkic, S. (JUG)	29	2435
	Nute, G. A. (USA)	0	2210
	Nutiu, H. (ROM)	5	2265
	Nuvoloni, D. (FRA)	10	2205
	Nyaradi, S. (HUN)	0	2320
	Nykopp, J.-M. F. (FIN)	3	2250

O

	O'Donnell, M. (VUS)	0	2270
f	O'Donnell, T. (CAN)	14	2390
	O'Neill, P. (WLS)	0	2215
	O'Reilly, E. (IRL)	0	2240
	Oberfrank, I. (HUN)	0	2230
	Oberst, Th. (GER)	10	2265
	Obierak, W. (POL)	0	2210
	Oblitas, C. (PER)	0	2425
	Obodchuk, A. (URS)	0	2350
	Obradovic, A. (JUG)	0	2255
	Obradovic, B. (JUG)	0	2275
f	Obralic, E. (JUG)	0	2310
	Obsivac, J. (CSR)	0	2275
	Obukhov, A. (URS)	21	2375
	Ocampo, Raul (ARG)	7	2315
f	Ocampo, Raul (MEX)	11	2270
m	Ochoa De Echaguen, F. J. (ESP)	21	2410
	Ochonski, P. (POL)	0	2205
	Ochsner, Th. (DEN)	0	2275
	Ocytko, A. (POL)	5	2270
	Odeev, H. (URS)	7	2370
	Odendahl, R. (GER)	12	2295
m	Odendahl, S. M. (USA)	0	2420
	Oei, H. I. (NLD)	6	2245
	Oesterle, P. (GER)	0	2370
	Ofek, R. (ISL)	11	2305
	Ofstad, P. (NOR)	0	2225
	Oggier, C. (ARG)	0	2225
	Ohri, T. K. (IND)	0	2210
m	Ojanen, K. S. (FIN)	2	2345
m	Okhotnik, V. (URS)	68	2380
	Okkes, M. (NLD)	0	2285
	Okoth, J. (UGA)	9	2210
	Okrajek, A. (GER)	0	2260
	Okuniewski, B. (POL)	0	2235
	Olaffson, D. (ISD)	0	2270
g	Olafsson, Helgi (ISD)	19	2525
	Olafsson, Helgi (ISD)	0	2270
	Olah, Zs. (HUN)	0	2240
	Olausson, C. G. (SVE)	12	2265
	Olbrich, J. (GER)	0	2385
	Olcayoz, A. (TRK)	9	2360
	Olesen, M. (DEN)	29	2380
	Olivares, D. (ARG)	0	2280
	Oliveira, A. (POR)	4	2290
	Oliveira, P. S. C. (BRS)	0	2230
	Oliver, C. (ESP)	12	2265
	Olivier, J.-Ch. (FRA)	0	2225
	Olivier, P. (FRA)	11	2220
	Oliwa, M. (POL)	18	2235
g	Oll, L. (EST)	24	2600
	Olsen, H. (FAI)	0	2245
	Olsen, N. L. (DEN)	3	2285
	Olsen, P. E. (DEN)	0	2240
	Olsson, A. (SVE)	0	2270
	Olszewski, A. (POL)	0	2305
m	Oltean, D. (ROM)	11	2385
f	Oltean, L.-I. (ROM)	0	2320
	Olthof, R. A. J. A. (NLD)	0	2275
m	Oltra Caurin, R. (ESP)	0	2425
m	Onat, I. (TRK)	0	2350
f	Oney, F. (TRK)	9	2310
	Ong, A. (SIP)	0	2225
	Ong, Ch.-G. (SIP)	8	2205
	Onischuk, A. (URS)	12	2370
	Opalka, J. (CHI)	0	2255
f	Opl, K. (OST)	0	2270
	Oppitz, P. (GER)	0	2240
f	Oral, T. (CSR)	0	2255
	Orel, O. (JUG)	0	2320
	Oren, I. (ISL)	0	2295
	Oreopoulos, K. (GRC)	10	2230
m	Orev, P. (BLG)	3	2305
	Organdziev, O. (JUG)	0	2305
m	Orgovan, S. (HUN)	26	2385
m	Orlov, G. (URS)	21	2500
f	Orlov, K. (JUG)	0	2285
f	Orlov, P. (JUG)	7	2395
	Orlov, V. (URS)	0	2245
	Orlowski, J. (GER)	0	2275
m	Ornstein, A. (SVE)	0	2440
	Orosz, A. (HUN)	0	2260
	Orpinas, C. (CHI)	0	2225
m	Orr, M. J. L. (IRL)	0	2380
f	Orsag, M. (CSR)	31	2415
f	Orso, J. (HUN)	0	2270
m	Orso, M. (HUN)	39	2380
	Ortega, A. (ESP)	0	2300
m	Ortega, L. (CUB)	45	2420
f	Ortel, E. (HUN)	1	2300
	Ortiz Aleman, J. C. (MEX)	3	2205
	Orton, W. R. (USA)	2	2265
	Orzechowski, J. (POL)	0	2265
	Osiecki, S. (POL)	0	2230
	Osieka, U. (GER)	0	2255
	Oskulski, J. (POL)	0	2230
	Osman, G. A. (SUD)	0	2205
	Osman, M. (ROM)	2	2280
	Osmanbegovic, S. (JUG)	0	2355
m	Osmanovic, K. (JUG)	0	2340
m	Osnos, V. (URS)	11	2440
	Osolin, M. (JUG)	0	2275
	Ossowski, A. (POL)	0	2255
f	Ost-Hansen, J. (DEN)	0	2425
m	Ostenstad, B. (NOR)	15	2455
f	Ostergaard, D. (SVE)	13	2285
	Ostergaard, J. (DEN)	0	2275
	Osterman, G. (FIN)	0	2260
f	Osterman, R. (JUG)	0	2370
m	Ostermeyer, P. (GER)	4	2405
f	Ostl, A. (GER)	3	2340
	Ostojic, D. (JUG)	0	2250
	Ostojic, G. (JUG)	0	2285
f	Ostojic, N. (JUG)	0	2365
g	Ostojic, P. (JUG)	13	2355
m	Ostos, J. (VEN)	0	2285
	Ostrovsky, A. (URS)	0	2390
f	Ostrowski, L. (POL)	0	2350
	Oswald, G. (ENG)	0	2240
f	Otero, E. (CUB)	0	2365
	Othman, M. A. (UAE)	5	2235
	Othman, R. (UAE)	0	2205
	Otman, V. (URS)	12	2220
	Ott, F. (GER)	11	2250
f	Ott, W. (GER)	13	2370
	Otte, L. (GER)	0	2240
	Ottstadt, R. (GER)	9	2265
	Ouechtati, M. (TUN)	0	2275
	Outerelo, M. (ESP)	13	2255
	Outulny, P. (CSR)	0	2245
	Overgaard, Ch. M. (DEN)	0	2270
	Oyeneyin, T. (NIG)	0	2205
f	Ozsvath, A. (HUN)	0	2300

P

f	Paavilainen, J. (FIN)	0	2300
f	Pablo Marin, A. (ESP)	15	2365
	Pacey, K. (CAN)	0	2285
	Pacheco, D. (ARG)	0	2270
g	Pachman, L. (CSR)	7	2370
	Pachow, J. (GER)	0	2240
	Pacis, A. (PHI)	0	2305
	Packa, L. (CSR)	0	2230
	Packo, K. (POL)	0	2230
f	Pacl, V. (CSR)	8	2295
f	Pacsay, L. (HUN)	0	2280
g	Padevsky, N. (BLG)	24	2435
m	Paehtz, Th. (GER)	34	2495
f	Paglietti, N. (ITA)	0	2365
m	Paglilla, C. (ARG)	16	2355
	Paidousis, A. (GRC)	2	2235
	Paige, W. (USA)	0	2240
f	Pajkovic, V. (JUG)	0	2430
	Pakkanen, J. (FIN)	17	2295
	Paksa, R. (HUN)	0	2260
	Pal, G. (HUN)	0	2215
	Pal, I. (HUN)	0	2230
	Pala, L. (CSR)	0	2285
m	Palac, M. (JUG)	19	2500
f	Palacios De La Prida, E. (ESP)	31	2250
m	Palacios, A. (VEN)	0	2320
	Palacios, L. F. (MEX)	0	2310
g	Palatnik, S. (URS)	18	2510
	Paldanius, P. (FIN)	0	2245
f	Palermo, V. (ARG)	0	2245
m	Palkovi, J. (HUN)	8	2410
	Pallos, L. (HUN)	0	2250
	Palma, J. A. (MEX)	3	2330
m	Palos, O. (JUG)	19	2350
f	Palosevic, A. (JUG)	0	2265
	Palosz, A. (POL)	0	2220
	Pamuk, M. (TRK)	0	2220
f	Panait, M. (ROM)	0	2305
	Panajotov, J. (BLG)	0	2245
m	Panbukchian, V. (BLG)	11	2340
m	Panchenko, Alexandar G. (URS)	49	2470
g	Panchenko, Alexander N. (URS)	17	2460
	Panchev, P. (BLG)	7	2330
	Pancu, G. (ROM)	0	2290
m	Panczyk, K. (POL)	0	2425
m	Pandavos, E. (GRC)	14	2345
f	Pandavos, P. (GRC)	21	2340
	Pandurevic, M. (JUG)	0	2235
m	Paneque, P. (CUB)	7	2375
	Pangrazzi, M. (ITA)	0	2265
	Panic, N. (JUG)	0	2245
g	Panno, O. (ARG)	3	2465
	Pantaleev, D. (BLG)	0	2295
	Pantaleoni, C. (ITA)	6	2220
	Pantev, V. (BLG)	0	2270
	Pantos, N. (JUG)	0	2265
	Pantovic, D. M. (JUG)	0	2270
f	Panzalovic, S. (JUG)	0	2405
	Panzer, P. (GER)	9	2355
	Papacek, S. (CSR)	6	2320
	Papagorasz, T. (HUN)	0	2265
	Papai, J. (HUN)	1	2230
	Papaioannou, I. (GRC)	11	2300
	Papastavropoulos, A. (GRC)	9	2330
f	Pape, J. (GER)	0	2310
	Papenetz, P. (CSR)	0	2300
	Papp, Cs. (HUN)	0	2240
	Papp, Zs. (HUN)	2	2265
m	Parameswaran, T. N. (IND)	6	2365
	Paramos, R. (ESP)	21	2240
	Parappalli, J. (IND)	6	2320
	Parcerias, P. (POR)	15	2255
	Pardic, O. (JUG)	0	2305
	Parej, J. (HUN)	3	2260
	Parera, J. (ESP)	0	2250
f	Pares Vives, J. (ESP)	14	2345
	Parezanin, D. (JUG)	0	2305
	Parkanyi, A. (HUN)	29	2255
f	Parker, J. (ENG)	20	2345
	Parmentier, X. (FRA)	5	2245
	Paronjan, A. (URS)	0	2350
	Parr, F. (ENG)	6	2265
f	Parsons, D. (USA)	0	2310
	Partanen, J. (FIN)	0	2285
	Pasalic, H. (JUG)	0	2225
	Paschall, W. (USA)	9	2330
	Pasic, E. (JUG)	0	2260
	Passager, J.-P. (FRA)	3	2280
f	Passerotti, P. (ITA)	12	2315
	Passoni, C. (ITA)	3	2230
f	Pastircak, M. (CSR)	10	2385
	Pastor, N. (ROM)	19	2350
	Pastorini, M. (ITA)	0	2270
	Pastres, R. (ITA)	0	2225
	Paszek, A. (POL)	0	2305
	Pasztor, F. (HUN)	10	2235
	Patrat, A. (FRA)	23	2245
	Patriarca, L. (PAR)	6	2300
	Patzl, K. (OST)	3	2215
	Pauli, A. (GER)	0	2355
	Paulic, B. (JUG)	0	2255
f	Paulsen, D. (GER)	0	2340
m	Paunovic, D. (JUG)	23	2450
m	Paunovic, T. (JUG)	0	2425
	Paunovic, V. (JUG)	0	2345
f	Pavanasam, A. (IND)	3	2260
	Pavicic, Z. (JUG)	0	2420
	Pavlenko, O. (URS)	6	2330
	Pavlik, R. (JUG)	0	2225
f	Pavlin, V. (JUG)	0	2320
m	Pavlov, Mirc. (ROM)	0	2390
	Pavlov, Miron (BLG)	0	2220
	Pavlov, N. (URS)	9	2350
f	Pavlovic, Dragan (JUG)	0	2315
	Pavlovic, Drago. (JUG)	0	2310
m	Pavlovic, M. (JUG)	0	2440
	Pavlovic, R. (JUG)	0	2320
f	Pavlovic, S. (JUG)	0	2230
	Payen, A. (FRA)	61	2305
	Paz, V. J. (ARG)	0	2295
m	Pazos, P. (ECU)	25	2290
	Pcola, P. (CSR)	4	2290
m	Pecorelli Garcia, H. (CUB)	37	2390
m	Pedersen, E. (DEN)	16	2410
	Pedersen, F. (DEN)	9	2280
	Pedersen, H. (DEN)	9	2260
	Pedersen, S. (DEN)	37	2325
	Pedersen, Th. S. (DEN)	0	2205
	Pedrak, G. (POL)	0	2220
m	Pedzich, D. (POL)	44	2385
f	Peek, M. (NLD)	6	2340
f	Peelen, P. (NLD)	0	2375
m	Peev, P. (BLG)	0	2380
m	Pein, M. (ENG)	26	2450
	Peires, T. D. R. (SRI)	0	2205
	Peist, J. (GER)	0	2260
	Pekacki, S. (POL)	0	2210
m	Pekarek, A. (CSR)	9	2455
	Pekun, C. (TRK)	0	2205
	Pelaez, J. L. (CUB)	0	2235
	Pelc, Z. (POL)	0	2240
	Pelikian, J. (BRS)	7	2295
	Pelitov, D. (BLG)	0	2280
	Pellant, T. (USA)	0	2265
	Pelts, P. (USA)	1	2270
f	Pelts, R. (CAN)	0	2430
	Peng, Xiaomin (PRC)	0	2440
	Penson, Th. (BEL)	0	2310
	Penzias, M. (ISL)	13	2215
	Pepic, R. (JUG)	0	2260
	Peralta, E. (PAR)	29	2240
	Peranic, D. (JUG)	0	2245
	Perchman, D. (URU)	0	2245
	Perdek, M. (POL)	0	2270
	Pereira, A. (POR)	29	2275
	Pereira, F. (POR)	0	2275
	Pereira, J. (POR)	16	2265
	Pereira, S. C. (BRS)	0	2300
	Perelstein, M. (URS)	0	2370
	Perera, P. (ESP)	0	2285
	Perera, V. (SRI)	0	2270
	Pereszupkin, A. (URS)	25	2300
	Peretz, M. (ISL)	9	2310
	Perevertkin, V. (URS)	11	2320
	Perez Garcia, H. (NLD)	6	2245
f	Perez Pardo, J. C. (ESP)	8	2345
	Perez Pietronave, C. (ARG)	0	2270
	Perez, A. (CUB)	0	2310
f	Perez, J. C. (CUB)	0	2245
	Perez, J. J. (VEN)	9	2245
	Perez, Pedro (ESP)	9	2285
	Perez, Pedro T. (ESP)	0	2280
	Perez, Ra. R. (ARG)	0	2225
	Perez, Ro. (CUB)	18	2285
f	Pergericht, D. (BEL)	0	2295
f	Peric, Sl. (JUG)	43	2345
	Peric, St. (JUG)	0	2300
	Perifanis, G. (GRC)	0	2305
f	Perisic, R. (JUG)	0	2300
	Perkins, A. H. (ENG)	5	2260
	Perkovic, M. (JUG)	0	2220
	Permuy, C. (ESP)	3	2245
	Pernutz, H.-G. (GER)	10	2255
f	Perovic, D. (JUG)	0	2410
	Persowski, S. (POL)	8	2220
	Persson, H. (SVE)	3	2235
	Perus, D. (JUG)	0	2345
	Pesocki, V. (URS)	0	2340
	Pesotsky, V. (URS)	0	2385
f	Pessi, E. (ROM)	20	2385
	Pestov, S. (URS)	3	2315
	Pesztericz, L. (HUN)	5	2225
	Petakov, U. (JUG)	0	2260
f	Pete, J. (JUG)	0	2270
	Petelin, A. (URS)	0	2365
	Peter, A. (HUN)	0	2250
	Peters, C. (GER)	15	2290
m	Peters, J. A. (USA)	8	2475
	Petersen, P. B. (DEN)	16	2215
	Petersen, S. B. (DEN)	20	2230
	Peterson, E. (GER)	3	2235
	Petit, Eric (FRA)	21	2250
	Petit, Eric Th. (FRA)	0	2215
m	Petkevich, J. (LAT)	9	2445
	Petkov, V. (BLG)	0	2260
	Petkovic, R. (JUG)	0	2290
f	Petkovski, V. (JUG)	4	2320
m	Petran, Pal (HUN)	30	2470
f	Petran, Pe. (CSR)	4	2380
	Petranovich, J. (USA)	0	2225
	Petre, M. (ROM)	6	2265
m	Petrienko, V. (URS)	0	2440
f	Petrik, K. (CSR)	0	2265
	Petro, J. (HUN)	9	2290
	Petrone, D. (ITA)	9	2260
	Petrone, O. (ARG)	0	2290
m	Petronic, J. (JUG)	22	2430
f	Petronijevic, Z. (JUG)	0	2275
g	Petrosian, A. B. (URS)	27	2470

	Name		
	Petrosian, K. (URS)	14	2395
	Petrov, M. (BLG)	2	2265
	Petrov, V. (BLG)	0	2235
	Petrovic, Dr. (JUG)	0	2245
	Petrovic, Du. K. (JUG)	0	2250
	Petrovic, Mi. (JUG)	0	2265
f	Petrovic, Sla. (JUG)	0	2280
f	Petrovic, Slo. (JUG)	0	2300
	Petrovic, Vl. (JUG)	0	2230
f	Petrovic, Vo. (JUG)	0	2290
	Petrovic, Za. (JUG)	0	2245
	Petrovic, Zo. (JUG)	0	2245
	Petrushin, A. I. (URS)	9	2380
f	Petschar, K. (OST)	0	2285
g	Petursson, M. (ISD)	43	2555
	Petyko, Z. (HUN)	0	2260
	Pevzner, A. (URS)	0	2320
	Pezerovic, E. (JUG)	3	2335
f	Pfeifer, T. (HUN)	0	2315
	Pfeiffer, H. (GER)	4	2280
g	Pfleger, H. (GER)	0	2495
	Pfretzschner, R. (GER)	0	2265
f	Pfrommer, Ch. (GER)	22	2310
m	Phominyh, A. (URS)	11	2500
	Piankov, E. (URS)	4	2325
m	Piasetski, L. (CAN)	0	2370
	Piazza, R. (GER)	0	2290
	Picanol, A. (ESP)	3	2210
	Picarda, L. (FRA)	0	2275
f	Piccardo, M. (ITA)	0	2225
m	Pichler, J. (GER)	0	2430
	Pichon, J.-M. (NOR)	16	2210
	Pickles, S. (AUS)	11	2220
	Piechocki, F. (POL)	11	2280
	Pieniazek, An. (POL)	0	2240
	Pieniazek, Ar. (POL)	8	2390
	Pieper, Th. (GER)	0	2210
m	Pieper-Emden, C. (GER)	0	2375
	Pierecke, M. (OST)	4	2235
	Pieri, F. (ITA)	15	2250
m	Piesina, G. (LIT)	0	2415
m	Pieterse, G. (NLD)	18	2390
	Pietrusiak, B. (SVE)	0	2250
f	Pigott, J. C. (ENG)	0	2380
g	Pigusov, E. (URS)	5	2550
g	Piket, Je. (NLD)	39	2615
	Piket, Jo. J. (NLD)	5	2245
f	Piket, M. (NLD)	0	2350
	Pikula, D. (JUG)	0	2310
f	Pilarte, R. (NCG)	0	2215
	Pilczuk, A. (POL)	0	2305
	Pilgaard, K. (DEN)	0	2280
	Pilgrim, P. (NLA)	0	2205
	Pilnick, C. (USA)	9	2225
	Pilot, J. (POL)	0	2235
m	Pils, W. (OST)	1	2360
	Pilz, D. (OST)	0	2300
f	Pina, A. (MEX)	0	2295
f	Pina, U. (CUB)	33	2355
m	Pinal, N. B. (CUB)	0	2310
	Pinchuk, S. T. (URS)	21	2405
	Pineau, J. (JAP)	0	2280
	Pingas, B. (ARG)	0	2295
f	Pinheiro, J. (POR)	0	2260
m	Pinkas, K. (POL)	0	2345
	Pinnel, P. (GER)	0	2215
	Pinter, Gy. (HUN)	0	2260
g	Pinter, J. (HUN)	2	2580
	Pinto, Marc. (CHI)	9	2235
	Pinto, Mark (USA)	9	2230
f	Pioch, Th. (GER)	0	2220
	Pioch, Z. (POL)	11	2255
	Piper, M. (ENG)	0	2275
f	Pira, D. (FRA)	29	2335
m	Pirisi, G. (HUN)	2	2360
	Piroska, I. (HUN)	0	2225
f	Pirrot, D. (GER)	8	2380
f	Pirs, M. (JUG)	0	2375
f	Pirttimaki, T. (FIN)	2	2295
m	Pisa Ferrer, J. (ESP)	2	2355
	Pisarek, A. (POL)	19	2265
f	Piscicelli, D. (ARG)	0	2320
m	Piskov, Y. (URS)	20	2500
	Pismany, V. (ISL)	0	2215
	Pismenny, A. (URS)	0	2245
	Pisulinski, J. (POL)	0	2345
	Pitic, J. (JUG)	0	2205
	Pitigala, Ch. S. S. (SRI)	0	2210
	Piveny, I. (URS)	0	2335
	Piza, D. (ARG)	20	2320
	Piza, V. (CSR)	11	2305
	Pla, S. (ARG)	12	2240
g	Plachetka, J. (CSR)	47	2460
	Plank, F. (OST)	0	2230
g	Plaskett, J. (ENG)	10	2455
	Platt, I. (ISL)	3	2215
	Playa, M. (ARG)	7	2390
	Plecsko, Z. (HUN)	0	2205
f	Plesec, D. (JUG)	20	2325
	Plesiuk, A. (POL)	7	2205
	Pletanek, J. (CSR)	2	2320
m	Pliester, N. (NLD)	14	2355
	Plinta, E. (POL)	0	2285
	Ploetz, W. (GER)	0	2245
	Ploner, F. (OST)	0	2230
f	Pocuca, B. (JUG)	0	2305
	Podat, V. (URS)	0	2310
m	Podgaets, M. (URS)	0	2450
f	Podlesnik, B. (JUG)	13	2370
	Podvrsnik, M. (JUG)	0	2215
m	Podzielny, K.-H. (GER)	2	2450
f	Poecksteiner, J. (OST)	0	2235
	Poeltl, Th. (OST)	10	2225
f	Pogats, J. (HUN)	0	2290
	Pogorelov, R. (URS)	10	2385
	Pohl, J.-U. (GER)	0	2245
	Pohla, H. (EST)	4	2340
f	Pojedziniec, W. (POL)	0	2265
m	Pokojowczyk, J. (POL)	0	2340
f	Pokorny, Z. (CSR)	0	2310
	Polacek, J. (CAN)	0	2250
m	Polaczek, R. (BEL)	6	2410
m	Polajzer, D. (JUG)	0	2455
m	Polak, T. (CSR)	37	2410
	Polasek, J. (CSR)	0	2355
f	Poldauf, D. (GER)	19	2360
	Poleksic, M. (JUG)	0	2250
	Poley, V. (URS)	10	2290
f	Polgar, I. (HUN)	0	2435
f	Pollard, A. (USA)	9	2290
	Polo, V. (ESP)	5	2215
m	Poloch, P. (CSR)	0	2400
	Polovina, N. (JUG)	0	2205
m	Polovodin, I. A. (URS)	14	2460
g	Polugaevsky, L. (URS)	0	2630
	Poluljahov, A. (URS)	23	2425
f	Polyak, I. (HUN)	19	2260
	Polyakin, V. (USA)	5	2220
	Polzin, R. (GER)	17	2345
g	Pomar Salamanca, A. (ESP)	0	2345
m	Pomes, J. (ESP)	16	2395
	Ponce, H. (CUB)	0	2280
	Ponos, V. (JUG)	0	2290
	Pons, S. (ESP)	0	2320
	Poor, I. (HUN)	0	2235
	Poor, S. (HUN)	0	2235
	Popadic, D. (JUG)	0	2210
m	Popchev, M. (BLG)	0	2465
	Popescu, C. (ROM)	6	2340
	Popescu, D. (ROM)	9	2250
	Popescu, G. (ROM)	7	2220
	Popiolek, H. (POL)	0	2240
m	Popov, L. (BLG)	0	2400
m	Popov, P. (BLG)	0	2350
	Popov, Si. (JUG)	0	2290
f	Popov, St. (JUG)	0	2350
f	Popov, V. (JUG)	0	2310
	Popovic, B. (JUG)	0	2290
f	Popovic, Dj. (JUG)	0	2315
	Popovic, Do. (JUG)	0	2240
	Popovic, I. (JUG)	0	2210
f	Popovic, M. (JUG)	13	2340
g	Popovic, P. (JUG)	15	2550
	Popovic, Z. (JUG)	0	2245
f	Popovych, O. (USA)	0	2260
f	Porfiriadis, S. (GRC)	16	2335
	Porjazov, P. (BLG)	0	2375
	Porkolab, Z. (HUN)	0	2215
m	Porper, E. (ISL)	18	2395
	Porsch, H. (GER)	0	2240
f	Portela, J. (ESP)	6	2360
	Portenschlager, P. (OST)	0	2235
	Porth, D. (GER)	0	2270
	Porth, H. (GER)	0	2305
m	Portisch, F. (HUN)	25	2410
f	Portisch, G. (HUN)	11	2295
g	Portisch, L. (HUN)	15	2575
	Posa, N. (HUN)	0	2250
	Posch, W. (OST)	0	2230
	Posnik, K. (POL)	0	2215
	Pospelov, E. (URS)	23	2400
	Postl, A. (OST)	20	2240
	Postler, R. (GER)	0	2340
	Poszpelov, J. (URS)	14	2340
	Potapov, A. (URS)	0	2375
	Potomak, V. (CSR)	0	2290
	Potts, K. (USA)	5	2275
	Poulenard, R. (FRA)	0	2255
f	Poulsen, A. (DEN)	0	2320
	Poulton, J. (ENG)	6	2235
f	Pountzas, H. (GRC)	3	2315
	Powell, P. (USA)	0	2270
	Poyato, A. (CUB)	0	2230
	Pozarek, S. J. (USA)	3	2205
	Pozin, S. (URS)	13	2340
	Pozzi, E. (ITA)	5	2235
	Prahov, V. (BLG)	9	2250
	Prakash, G. B. (IND)	22	2335
m	Prandstetter, E. (CSR)	17	2410
	Prangers, T. G. (NLD)	0	2265
	Prantner jr., J. (HUN)	0	2315
m	Prasad, D. V. (IND)	13	2415
	Praszak, M. (POL)	10	2260
	Praud, J.-L. (FRA)	0	2230
	Praznik, A. (JUG)	0	2260
	Preiss, M. (GER)	2	2275
f	Preissmann, E. (SWZ)	4	2295
	Preker, H.-J. (GER)	0	2225
	Prentos, K. (GRC)	6	2265
	Presznyak, I. (HUN)	0	2305
	Preuschoff, M. (GER)	4	2280
f	Pribyl, J. (CSR)	30	2415
	Pribyl, M. (CSR)	25	2275
m	Prie, E. (FRA)	39	2440
m	Priehoda, V. (CSR)	32	2390
	Primavera, R. (ITA)	0	2280
g	Prins, L. (NLD)	0	2225
	Pripis, F. (URS)	13	2320
f	Pritchett, C. W. (SCO)	0	2355
m	Prodanov, D. (BLG)	0	2325
	Prohorov, V. (JUG)	0	2230
	Proniuk, S. (GER)	0	2270
	Pronold, H. (GER)	0	2315
	Proost, D. (BEL)	0	2260
	Prosser, F. (ITA)	3	2245
	Prosviriakov, V. (USA)	9	2325
	Prundeanu, H. (ROM)	0	2215

	Name		
	Prymula, R. (CSR)	1	2250
	Przedmojski, R. (POL)	0	2280
m	Przewoznik, J. (POL)	19	2415
	Przybek, T. (POL)	0	2210
g	Psakhis, L. (ISL)	33	2605
	Psaras, S. (GRC)	4	2230
	Puchala, J. (POL)	0	2360
	Pucheta, R. (ARG)	0	2260
	Puelma, R. (CHI)	0	2240
	Pugachev, A. (URS)	0	2355
	Puhm, A. (FRA)	0	2225
	Pukshansky, M. B. (URS)	0	2405
	Pulkkinen, K. (FIN)	5	2240
f	Pupo, E. (CUB)	26	2395
	Purdy, J. S. (AUS)	0	2225
	Purgin, N. (URS)	4	2330
f	Puri, V. (CAN)	0	2260
	Puric, N. (JUG)	0	2285
	Purtov, A. (URS)	0	2435
f	Puscasiu, O. (ROM)	0	2325
f	Puschmann, L. (HUN)	0	2370
	Putanec, V. (JUG)	0	2220
	Putzbach, G. (GER)	11	2265
f	Pyda, Z. (POL)	0	2375
	Pyernik, M. (ISL)	0	2250
m	Pyhala, A. (FIN)	2	2365
	Pyka, R. (POL)	0	2230
m	Pytel, K. (FRA)	19	2420

Q

	Name		
m	Qi, Jingxuan (PRC)	0	2430
	Qian, Jifu (PRC)	0	2240
	Quader, Z. (BAN)	15	2215
	Quelle, H. (GER)	0	2230
	Quendro, L. (ALB)	4	2300
	Quillan, G. (ENG)	0	2300
	Quinn, M. (IRL)	0	2275
g	Quinteros, M. A. (ARG)	0	2505
	Quiroga, S. (ARG)	0	2270
	Quist, J. (NLD)	0	2290
	Qureshi, A. (PAK)	0	2235

R

	Name		
m	Raaste, E. J. (FIN)	12	2340
	Rabelo, E. (CUB)	22	2300
	Rabiega, R. (GER)	24	2400
	Rabinovich, A. (USA)	0	2330
	Rabinovich, J. (URS)	5	2375
	Rabl, J. (GER)	13	2215
	Rabovszky, Gy. (HUN)	4	2235
	Rabrenovic, V. (JUG)	0	2275
m	Rachels, S. (USA)	7	2485
	Racz, A. (GER)	9	2230
	Racz, Z. (HUN)	13	2260
	Radakov, K. (JUG)	0	2280
	Rade, M. (JUG)	0	2240
	Radenkovic, D. (JUG)	0	2250
m	Radev, N. (BLG)	5	2355
f	Radibratovic, P. (JUG)	0	2350
	Radiovacki, J. (JUG)	0	2295
f	Radnoti, B. (HUN)	0	2275
f	Radocaj, D. (JUG)	0	2330
	Radoja, Dj. (JUG)	0	2275
	Radomskyj, P. (USA)	0	2240
f	Radonjanin, V. (JUG)	9	2345
	Radonjic, G. (JUG)	0	2220
f	Radosavljevic, S. (JUG)	0	2250
	Radosevic, N. (JUG)	0	2245
m	Radovici, C. (ROM)	11	2375
	Radovszki, A. (URS)	0	2345
m	Radulescu, C. (ROM)	0	2280
	Radulov, D. (BLG)	0	2270
g	Radulov, I. (BLG)	27	2400
	Radulovic, Dr. B. (JUG)	0	2415
	Radulovic, Du. (JUG)	0	2345
	Radulski, J. (BLG)	5	2270
f	Radusin, B. (JUG)	0	2310
	Radwan, L. (POL)	0	2215
	Raeckiy, A. (URS)	37	2455
	Raffalt, M. (OST)	0	2290
	Raffay, G. (HUN)	0	2270
	Ragats, J. (HUN)	2	2215
	Ragozin, E. (URS)	9	2415
	Rahls, P. (GER)	13	2325
	Rahman, A. (BAN)	15	2220
f	Rahman, T. (BAN)	28	2265
	Rahman, W. (ZIM)	0	2205
	Rahman, Y. (EGY)	14	2275
f	Rahman, Zia. (BAN)	20	2360
m	Rahman, Zil. (BAN)	2	2370
	Raiano, A. (ITA)	0	2230
f	Raicevic, I. (JUG)	0	2290
f	Raicevic, M. (JUG)	0	2365
g	Raicevic, V. (JUG)	14	2420
	Raisa, U. (FIN)	8	2270
	Rajevic, G. (JUG)	0	2280
	Rajic, D. (JUG)	0	2230
	Rajiv, N. (IND)	10	2255
g	Rajkovic, D. (JUG)	4	2470
	Rajkovic, Lj. (JUG)	0	2285
m	Rajna, G. (ISL)	0	2390
	Rajskij, E. (URS)	26	2440
	Raju, M. (IND)	13	2235
	Rakay, K. (CSR)	2	2205
m	Rakic, T. (JUG)	0	2385
f	Rakowiecki, T. (POL)	0	2325
	Ralis, P. (CSR)	0	2285
	Ramas, L. (CUB)	0	2240
m	Ramayrat, C. (PHI)	0	2320
	Ramik, Z. (CSR)	10	2280
	Ramirez, C. (COL)	3	2285
	Ramirez, Ed. (CRA)	14	2255
f	Ramirez, Em. (ARG)	0	2300
f	Ramirez, J. M. (MEX)	14	2225
	Ramo Frontinan, C. (ESP)	8	2380
	Ramos Suria, F. (ESP)	19	2215
m	Ramos, D. (PHI)	0	2330
	Ramos, S. L. (USA)	0	2255
	Ramsingh, Y. (TTO)	0	2260
g	Rantanen, Y. A. (FIN)	15	2410
f	Rao, V. (USA)	8	2390
	Rapatinski, K. (GER)	0	2240
	Rapp, R. (GER)	0	2300
	Rappa, D. (ARG)	0	2300
	Rasch, H. (GER)	10	2220
g	Rashkovsky, N. N. (URS)	19	2520
	Rasic, G. (JUG)	0	2230
	Rasidovic, S. (JUG)	0	2335
f	Rasik, V. (CSR)	33	2370
	Rasin, J. (URS)	7	2340
m	Rasmussen, K. (DEN)	0	2450
	Rasmussen, L. B. (LUX)	0	2240
	Rasmussen, S. (FAI)	0	2210
	Rastenis, G. (LIT)	0	2265
	Raszka, J. (POL)	21	2210
	Raterman, L. (USA)	0	2250
	Rathore, S. K. (IND)	5	2220
f	Ratti, R. (ITA)	6	2320
	Rattinger, F. (OST)	0	2255
	Rattinger, Th. (OST)	0	2300
	Raubal, M. (OST)	0	2225
	Rauch, F. (HUN)	9	2235
	Raud, R. (EST)	0	2385
f	Raupp, Th. (GER)	0	2345
	Rausch, R. (GER)	0	2250
	Rausch, S. (GER)	12	2325
m	Rausis, I. (LAT)	30	2460
	Rausz, A. (HUN)	0	2245
m	Ravi, L. (IND)	14	2370
f	Ravi, Th. Sh. (IND)	27	2310
m	Ravicmand, R. R. (IND)	10	2275
m	Ravikumar, V. (IND)	4	2380
m	Ravisekhar, R. (IND)	2	2400
	Ravishankar, S. N. (IND)	0	2205
	Rawski, S. (POL)	0	2300
	Ray, Ch. (ENG)	0	2210
	Rayner, F. (WLS)	13	2270
g	Razuvaev, Y. S. (URS)	15	2575
	Rea, A. (USA)	2	2205
	Readey, J. (USA)	0	2280
	Reales Murto, M. J. (ESP)	9	2270
f	Rechel, B. (GER)	3	2365
g	Rechlis, G. (ISL)	9	2515
	Rechmann, P. (GER)	3	2360
	Reddmann, H. (GER)	0	2305
	Redon, B. (FRA)	13	2285
m	Redzepagic, R. (JUG)	5	2335
g	Ree, H. (NLD)	0	2455
m	Reefschlaeger, H. (GER)	1	2400
m	Reeh, O. (GER)	15	2445
	Reepatbin, S. (BAN)	0	2210
	Rehbein, C. (GER)	0	2275
	Rehbein, D. (GER)	0	2275
	Rehorek, M. (CSR)	10	2335
f	Reich, Th. (GER)	34	2350
f	Reichenbach, W. (GER)	4	2235
f	Reicher, E. (ROM)	5	2275
	Reichmann, E. (OST)	0	2305
	Reichstein, B. (USA)	6	2285
	Reides, M. (ARG)	0	2305
	Reilein, Ch. (GER)	0	2300
	Reilly, T. (AUS)	11	2295
	Reimund, L. (GER)	9	2300
	Reinartz, G. (GER)	6	2240
f	Reinderman, D. (NLD)	10	2420
	Reinemer, F. (GER)	8	2265
	Reiner, S. (HUN)	0	2275
	Reinhardt, B. (GER)	4	2250
	Reis, G. (GER)	11	2250
	Reissman, W. (GER)	0	2265
	Reiter, M. (GER)	0	2315
	Relange, E. (FRA)	23	2275
f	Remlinger, L. (USA)	31	2340
	Remmel, A. (SVE)	0	2250
m	Remon, A. (CUB)	24	2365
	Renaudin, J.-Ph. (FRA)	0	2305
	Renaze, L. (FRA)	2	2240
g	Renet, O. (FRA)	42	2495
	Rengarajan, S. (IND)	0	2215
m	Renman, N.-G. (SVE)	9	2375
f	Renna, T. (USA)	10	2360
f	Renner, Ch. (GER)	11	2385
	Repasi, Z. (HUN)	10	2315
	Reprintsev, A. (URS)	5	2305
f	Reschke, S. (GER)	9	2325
f	Resende, A. C. (BRS)	7	2330
g	Reshevsky, S. I. (USA)	0	2415
	Restas, P. (HUN)	0	2230
f	Restifa, H. (ARG)	2	2320
	Reuker, M. (GER)	10	2215
	Reuther, E. (GER)	0	2250
	Rewitz, P. (DEN)	17	2220
m	Rey, G. (USA)	0	2355
	Reyes Najera, C. A. (GUA)	11	2275
f	Reyes, J. (PER)	34	2415
	Reyes, R. (PHI)	0	2265
f	Reynolds, R. (USA)	0	2330
	Rezek, M. (JUG)	0	2240
	Rezonja, S. (JUG)	0	2240
f	Rhodin, Ch. (GER)	0	2245
f	Ribeiro, F. (POR)	16	2220
f	Ribli, Z. (HUN)	4	2595
m	Ricardi, P. (ARG)	32	2465
	Ricardo, B. (COL)	2	2220

	Richard, R. (USA)	0	2210
	Richmond, P. (WLS)	6	2220
	Richter, G. (BEL)	0	2205
	Richter, K. (GER)	1	2240
	Richter, R. (GER)	7	2270
	Richtr, Z. (CSR)	0	2270
f	Riedel, W. (GER)	7	2320
m	Riemersma, L. (NLD)	8	2410
	Rifat, B. (BAN)	15	2300
	Rigan, J. (HUN)	0	2240
	Righi, E. (SMA)	0	2205
m	Rigo, J. (HUN)	0	2385
f	Riha, V. (CSR)	0	2310
	Rihterovic, M. (JUG)	0	2320
	Riline, A. (PAR)	17	2275
f	Rimawi, B. T. (JRD)	0	2260
m	Rind, B. (USA)	13	2375
	Rios, A. (COL)	25	2285
	Ris, B. (JUG)	0	2250
m	Ristic, Neb. (JUG)	13	2405
m	Ristic, Nen. (JUG)	7	2370
	Ristic, Slobodan B. (JUG)	0	2290
	Ristic, Slobodan M. (JUG)	0	2225
	Ristic, V. (JUG)	0	2230
	Ristoja, Th. W. (FIN)	2	2245
	Ristovic, N. (JUG)	29	2305
f	Ritter, M. (USA)	32	2340
	Rittiphunyawong, A. (TAI)	0	2240
g	Rivas Pastor, M. (ESP)	37	2520
	Rivello, R. (ITA)	0	2235
f	Rivera, A. (CUB)	11	2425
f	Rivera, D. (URU)	34	2290
	Rizvi, A. (PAK)	9	2245
m	Rizzitano, J. (USA)	0	2395
	Roa, S. (ESP)	3	2265
	Roach, Ph. (BRB)	0	2205
	Robak, Z. (POL)	17	2260
	Robaszek, J. (POL)	0	2205
g	Robatsch, K. (OST)	0	2410
	Robbiano Taboada, C. (PER)	0	2225
	Robert, A. (SWZ)	11	2240
	Robovic, S. (JUG)	0	2365
f	Roca, A. (ARG)	3	2350
	Roca, P. (PHI)	0	2370
m	Rocha, A. (BRS)	3	2365
	Rocha, S. (POR)	21	2300
	Rocha, W. C. (BRS	21	2255
	Rocher, O. (FRA)	16	2220
m	Rodgaard, J. (FAI)	0	2360
	Rodi, L. E. (ARG)	0	2255
	Rodin, M. (URS)	8	2350
	Rodrigues, A. P. (BRS)	2	2260
	Rodriguez Reinoso V. (ESP)	3	2310
f	Rodriguez Talavera, J. C. (ESP)	27	2375
	Rodriguez, Ad. I. (ARG)	1	2220
f	Rodriguez, Al. (ARG)	0	2315
g	Rodriguez, Am. (CUB)	42	2495
m	Rodriguez, And. (URU)	32	2360
f	Rodriguez, Ant. (ESP)	21	2315
	Rodriguez, Ar. (CUB)	27	2320
	Rodriguez, B. (CUB)	0	2230
	Rodriguez, C. (ESP)	1	2325
	Rodriguez, D. (VEN)	0	2270
f	Rodriguez, Jor. L. (ARG)	25	2300
	Rodriguez, Jose M. (ESP)	12	2240
	Rodriguez, Om. (CUB)	0	2205
g	Rodriguez, Or. (ESP)	34	2455
f	Rodriguez, P. (CUB)	21	2290
m	Rodriguez, R. (PHI)	5	2415
	Roe, S. J. (ENG)	0	2275
f	Roeder, F. (GER)	37	2355
f	Roeder, G. (GER)	24	2255
m	Roeder, M. (GER)	12	2420
	Roederer, K. (GER)	0	2270
f	Roemer, U. (GER)	3	2230
	Roepert, A. (GER)	0	2425
f	Roesch, A. (GER)	0	2360
	Roeschlau, B. (GER)	0	2310
f	Roese, O. (GER)	0	2375
	Roesemann, R. (GER)	0	2210
	Roesler, M. (GER)	0	2245
	Roetteler, M. (GER)	9	2240
g	Rogers, I. (AUS)	39	2550
	Rogers, J. (ENG)	18	2275
	Rogers, N. (USA)	6	2330
	Rogic, D. (JUG)	0	2270
	Rogovski, V. (URS)	0	2420
	Rogovskoy, A. (URS)	0	2260
	Rogowski, J. (POL)	0	2300
	Rogozenko, D. (URS)	11	2305
m	Rogulj, B. (JUG)	0	2435
g	Rohde, M. A. (USA)	24	2585
	Rohde, U. (GER)	1	2300
	Rojas Sepulveda, J. (CHI)	15	2250
	Rojas, L. (CHI)	28	2280
	Rojo, G. (ESP)	20	2300
	Roldan, A. (ARG)	0	2215
	Roll, C. (USA)	4	2210
	Rolletschek, H. (OST)	1	2370
	Rolvag, M. (NOR)	0	2260
	Roman, P. (ARG)	12	2310
g	Romanishin, O. M. (URS)	37	2595
	Romantchouk, J. (FRA)	2	2275
	Rombaldoni, A. (ITA)	4	2260
	Romel, M. (ARG)	0	2240
m	Romero Holmes, A. (ESP)	40	2490
	Romero, J. C. (CUB)	24	2310
	Romm, M. (ISL)	0	2290
	Ronald, S. (GER)	9	2215
	Ronin, V. (URS)	0	2285
	Ronneland, D. (SVE)	12	2275
	Roofdhooft, M. (BEL)	0	2295
m	Roos, D. (FRA)	9	2390
f	Roos, J.-L. (FRA)	17	2335
m	Roos, L. (FRA)	9	2385
	Roos, Th. (GER)	7	2300
f	Roose, J. (BEL)	0	2335
m	Root, D. (USA)	6	2455
	Rosa, C. R. (BRS)	10	2290
	Rosa, F. (CHI)	16	2280
	Rosandic, D. (JUG)	3	2340
	Rosch, H. (PAN)	0	2205
	Roscin, A. V. (URS)	0	2330
f	Rosen, B. (GER)	0	2295
	Rosen, W. (GER)	0	2270
	Rosenberg, D. (ENG)	22	2285
f	Rosenberger, B. (GER)	0	2300
	Rosenlund, Th. (DEN)	0	2295
f	Rosenthal, D. (GER)	0	2350
	Rosenthal, J. (SWZ)	0	2240
	Rosiak, A. (POL)	0	2350
	Rosic, S. (JUG)	0	2290
	Rosican, B. (URS)	0	2255
f	Rosino, A. (ITA)	0	2320
f	Rosito, J. (ARG)	0	2345
	Roska, B. (JUG)	0	2240
f	Ross, D. (CAN)	9	2330
f	Ross, P. (CAN)	0	2300
f	Rosseli M, B. (URU)	2	2350
g	Rossetto, H. (ARG)	0	2295
f	Rossi, C. (ITA)	19	2340
f	Rossiter, Ph. J. (ENG)	14	2275
f	Rossmann, H. (GER)	0	2265
	Rosta, S. (HUN)	0	2300
f	Rostalski, W. (GER)	0	2270
	Roth, Jo. (GER)	2	2235
	Roth, Ju. (GER)	5	2245
f	Roth, P. (OST)	6	2325
f	Roth, R. (SWZ)	0	2290
f	Rother, Ch. (GER)	0	2320
m	Rotstein, A. (URS)	22	2410
	Rotstein, E. (URS)	0	2215
	Rottstaedt, W. (GER)	0	2265
	Roumegous, E. (FRA)	9	2255
f	Rovid, K. (HUN)	7	2270
f	Rowley, R. (USA)	15	2380
g	Rozentalis, E. (LIT)	45	2585
	Rozsa, S. (HUN)	2	2260
	Rozsnyai, T. (HUN)	6	2285
	Rozwarski, J. (POL)	0	2245
g	Ruban, V. (URS)	23	2580
m	Rubinetti, J. (ARG)	5	2450
	Rubingh, O. (NLD)	0	2285
	Rubio Purrinos, H. (ESP)	0	2235
	Rublevsky, S. (URS)	11	2505
	Ruck, R. (HUN)	8	2315
	Ruckschloss, K. (CSR)	16	2295
	Rudolf, M. (POL)	0	2280
	Rueckleben, H. (GER)	0	2280
f	Ruefenacht, M. (SWZ)	0	2315
f	Ruehrig, V. (GER)	0	2325
m	Ruf, M. (GER)	4	2395
	Ruiz Gutierrez, M. (ESP)	12	2245
	Ruiz, A. (COL)	5	2265
	Ruiz, G. (MEX)	6	2250
	Ruiz, J. H. (ESP)	2	2280
	Ruiz, R. (FRA)	7	2215
	Rukavina, D. (JUG)	0	2330
m	Rukavina, J. (JUG)	0	2425
	Rumiancev, G. (URS)	0	2230
f	Runau, R. (GER)	0	2340
	Runic, Z. (JUG)	0	2250
	Rupp, M. (GER)	0	2315
	Rusakov, J. (URS)	0	2325
	Rusomanov, A. (JUG)	0	2225
	Russek, G. (MEX)	38	2385
	Rustler, M. (GER)	0	2230
	Rusz, G. (HUN)	0	2270
	Ruthenberg, H. (GER)	0	2275
	Ruxton, K. (SCO)	0	2230
	Ruzele, D. (LIT)	0	2340
	Ruzicka, P. (CSR)	0	2310
	Ryan, J. (IRL)	0	2300
	Rybak, M. (CSR)	0	2290
	Rybak, R. (CSR)	0	2290
	Rychagov, M. (URS)	0	2385
	Rymaszewski, D. (POL)	0	2230
m	Rytshagov, M. (EST)	13	2420
	Rzasa, J. (POL)	0	2270

S

	Saavedra, C. (BOL)	0	2205
	Sabani, A. (JUG)	0	2315
	Sabas, J. (ARG)	0	2255
	Sabi, Y. (ISL)	0	2290
	Sabitov, O. (URS)	0	2235
	Saccone, F. (ITA)	0	2210
	Sack, B. W. (GER)	0	2320
	Sader, M. (OST)	4	2300
	Sadkowsky, D. (BEL)	0	2275
m	Sadler, M. (ENG)	38	2485
	Sadowski, M. (POL)	0	2255
	Safin, S. (URS)	27	2445
	Safiye, Y. (JUG)	0	2230
	Safyanovsky, M. (JUG)	0	2340
	Sagalchik, G. (URS)	11	2475
	Sahlender, F. (GER)	0	2305
g	Sahovic, D. (JUG)	0	2375
	Sahu, S. Ch. (IND)	0	2425
	Said, M. (PAL)	0	2245
m	Saidy, A. F. (USA)	5	2370
	Sajko, Cz. (POL)	0	2250

m	Sakaev, K. (URS)	25	2500
	Sakurai, L. (ARG)	0	2310
	Salaba, J. (CSR)	14	2285
	Salac, J. (CSR)	0	2275
f	Salai, L. (CSR)	20	2365
	Salamon, W. (OST)	4	2270
	Salanki, E. (HUN)	18	2280
	Salaun, Y. (FRA)	0	2225
m	Salazar, H. (CHI)	15	2380
	Sale, S. (JUG)	0	2370
	Saleh, Nab. (UAE)	6	2215
	Saleh, Nag. (UAE)	0	2215
	Saletovic, F. (JUG)	0	2210
	Salgado Allaria, C. (ARG)	17	2215
f	Salgado, R. R. (USA)	0	2305
f	Salman, N. (USA)	3	2275
	Salo, H. (FIN)	8	2240
	Salomon, M. (USA)	3	2280
	Salov, S. (URS)	0	2235
g	Salov, V. (URS)	17	2655
m	Saltaev, M. (URS)	4	2460
f	Salvermoser, B. (GER)	6	2275
	Salvetti, A. (ITA)	14	2250
	Salzenberg, D. (GER)	0	2230
	Samarin, I. (URS)	0	2400
	Samborski, H. (POL)	0	2225
	Samer, I. M. (IRQ)	12	2270
	Samimi, A. (USA)	4	2250
	Samoliuk, I. (URS)	12	2280
f	Samovojska, D. (JUG)	0	2385
	Samur, A. (ARG)	0	2305
	San Claudio, F. (ESP)	6	2240
f	San Marco, B. (FRA)	5	2240
m	San Segundo, P. (ESP)	14	2415
m	Sanchez Almeyra, J. (ARG)	8	2425
m	Sanchez Guirado, F. (ESP)	24	2340
	Sanchez, C. (VEN)	0	2340
	Sanchez, E. H. (ARG)	0	2210
	Sandager, S. (USA)	9	2310
	Sanden, S. (SVE)	2	2270
	Sander, J. (GER)	0	2285
f	Sandic, V. (JUG)	0	2325
	Sandien, M. (GER)	0	2345
	Sandler, L. (LAT)	2	2270
	Sandmeier, T. (GER)	4	2240
	Sandor, J. (HUN)	0	2280
	Sandriev, R. (URS)	0	2410
	Sands, D. (ENG)	7	2230
	Sandstrom, L. (SVE)	14	2275
	Sanduleac, V. (URS)	12	2275
	Sanjeev, K. (IND)	12	2275
f	Sanna, G. (ITA)	0	2390
	Sansonetti, G. (ITA)	9	2230
	Santa Torres, J. (PRO)	7	2225
	Santa, L. A. (PRO)	7	2240
	Santacruz, C. S. (PAR)	7	2275
f	Santacruz, F. (PAR)	0	2310
	Santamaria, V. (AND)	0	2220
	Santana, O. (PRO)	7	2260
	Santhosh, K. (IND)	0	2225
m	Santo-Roman, M. (FRA)	18	2495
	Santolini, L. (ITA)	3	2240
	Santos, A. P. (POR)	11	2290
f	Santos, Ca. P. (POR)	28	2325
	Santos, E. (ANG)	11	2220
	Santos, Iz. F. (ESP)	7	2260
	Santos, Jose A. (POR)	11	2215
f	Santos, Jose P. (POR)	18	2380
m	Santos, L. (POR)	4	2385
	Santos, R. A. (BRS)	7	2295
m	Sanz Alonso, F. J. (ESP)	13	2410
	Sanz Losada, V. (ESP)	4	2265
	Sapi, J. (HUN)	0	2240
m	Sapi, L. (HUN)	0	2305
m	Sapis, W. (POL)	6	2420
	Saraliev, V. (BLG)	0	2250
m	Sarapu, O. (NZD)	6	2350
	Saravanan, V. (IND)	12	2355
	Sareen, V. (IND)	11	2320
f	Sarfati, J. D. (NZD)	0	2305
	Saric, I. (JUG)	0	2265
m	Sariego, W. (CUB)	25	2425
	Saripov, S. (URS)	0	2350
	Sarkosy, L. (CSR)	15	2310
	Sarlamanov, D. (JUG)	0	2265
	Sarmiento, B. A. (ESP)	0	2215
f	Sarno, S. (ITA)	12	2405
f	Sarosi, Z. (HUN)	6	2320
	Sarsam, S. A. (IRQ)	0	2270
	Sartori, S. (ITA)	0	2270
	Sarvari, R. (HUN)	0	2310
	Sarwat, W. (EGY)	14	2335
m	Sarwinski, M. (POL)	0	2405
	Sasaki, K. (JAP)	0	2205
	Saskowski, J. (POL)	0	2265
	Sass, V. (HUN)	0	2305
f	Sasvari, Z. (JUG)	0	2315
	Saucey, M. (FRA)	6	2250
f	Savage, A. G. (USA)	2	2285
	Savanovic, A. (JUG)	0	2280
	Savas, N. (TRK)	7	2230
m	Savchenko, S. (URS)	26	2505
	Savic, D. (JUG)	0	2275
	Savic, M. (JUG)	0	2245
	Savic, P. (JUG)	0	2265
	Savicevic, V. (JUG)	0	2270
f	Savin, D. (ROM)	0	2345
g	Savon, V. A. (URS)	52	2440
	Savtchour, F. (URS)	3	2265
	Savva, P. (CYP)	0	2205
	Sawadkuhi, M.-A. (GER)	15	2230
	Sawatzki, F. (GER)	0	2215
g	Sax, Gy. (HUN)	2	2600
	Scarella, E. (ARG)	2	2255
	Scetinin, A. (URS)	4	2350
	Schaack, H. (GER)	0	2305
	Schabanel, S. (FRA)	6	2230
	Schadler, M. (LIC)	0	2205
m	Schaefer, Ma. (GER)	51	2430
	Schaefer, Mi. (GER)	0	2270
	Schaefer, N. (GER)	0	2250
	Schaffarth, P. (GER)	1	2250
	Schain, R. (USA)	3	2245
	Schall, A. (FRA)	0	2255
m	Schandorff, L. (DEN)	24	2435
	Schaubmair, M. (OST)	0	2280
f	Schaufelberger, H. (SWZ)	0	2290
f	Schebler, G. (GER)	0	2300
	Scheffner, A. (GER)	0	2310
f	Scheipl, R. (GER)	0	2300
	Schekachev, A. (URS)	13	2465
	Schenker, M. (SWZ)	0	2205
	Schenkerik, Cs. (HUN)	0	2255
	Schepel, K. (HKG)	0	2250
	Schepp, Z. (HUN)	0	2245
	Scherer, H. (GER)	9	2315
	Schettler, J. (GER)	0	2245
	Schienmann, B. (GER)	0	2265
f	Schiffer, K.-U. (GER)	4	2280
f	Schifferdecker, W. (GER)	6	2285
	Schild, H. (OST)	12	2290
	Schiller, E. (USA)	1	2250
	Schinayi (TUN)	0	2250
f	Schindler, W. (GER)	0	2300
	Schinis, M. (CYP)	0	2210
	Schipkov, B. (URS)	26	2355
	Schirm, F. (GER)	1	2310
	Schischke, R. (GER)	4	2375
	Schlahetka, G. (HUN)	10	2305
	Schlamp, R. (GER)	4	2255
	Schlehoefer, R. (GER)	3	2335
	Schleifer, M. (CAN)	9	2240
	Schleinkofer, K. (USA)	7	2290
f	Schlemermeyer, W. (GER)	3	2325
	Schlenker, Joc. (GER)	20	2220
	Schlenker, Joe. (GER)	0	2205
	Schlenker, R. (GER)	0	2260
	Schlesinger, O. (GER)	11	2270
	Schlichtmann, G. (GER)	8	2250
	Schlick, V. (GER)	0	2305
	Schlindwein, R. (GER)	18	2225
f	Schlosser, H. J. M. (GER)	6	2345
m	Schlosser, M. (OST)	14	2380
m	Schlosser, Ph. (GER)	22	2485
	Schlueter, W. (GER)	6	2230
	Schmall, J. (GER)	0	2340
	Schmaltz, R. (GER)	22	2310
	Schmedders, H.-G. (GER)	13	2300
	Schmeidler, M. (GER)	1	2220
f	Schmid, G. (GER)	0	2320
	Schmid, Si. (GER)	0	2240
	Schmid, St. (GER)	0	2285
f	Schmid, W. (GER)	0	2225
f	Schmidt, B. (GER)	0	2340
	Schmidt, G. (GER)	0	2235
	Schmidt, K. (DEN)	0	2335
f	Schmidt, L. R. (JAP)	0	2340
	Schmidt, P. (GER)	0	2405
	Schmidt, S. (GER)	0	2275
g	Schmidt, Wl. (POL)	9	2465
f	Schmidt, Wo. (GER)	0	2355
	Schmidt-Schaeffer, S. (GER)	7	2270
	Schmitt, A. (GER)	0	2300
	Schmitt, Ch. (GER)	14	2270
m	Schmittdiel, E. (GER)	37	2485
f	Schmitzer, H. (GER)	0	2305
f	Schmitzer, K. (GER)	0	2300
	Schnabel, R. (GER)	17	2235
	Schnaebele, U. (GER)	0	2250
m	Schneider, A. (HUN)	45	2375
f	Schneider, Bernd (GER)	15	2320
m	Schneider, Bernd (GER)	9	2420
	Schneider, Bernh. (GER)	6	2255
	Schneider, F. (GER)	0	2240
m	Schneider, L.-A. (SVE)	8	2445
	Schneiders, A. (NLD)	0	2230
	Schnelzer, R. (GER)	9	2260
	Schnitzspan, L. (GER)	1	2350
	Schoebel, W. (GER)	0	2250
	Schoeber, P. (NLD)	9	2315
m	Schoen, W. (GER)	10	2370
f	Schoene, R. (GER)	22	2340
f	Schoeneberg, M. (GER)	0	2335
f	Schoentier, F. (GER)	0	2355
f	Schoeppl, E. (OST)	0	2315
f	Scholseth, T. H. (NOR)	7	2315
f	Scholz, G. (FRA)	0	2345
	Schoof, M. (GER)	0	2275
	Schorr, L. (VEN)	0	2240
	Schouten, N. (NLD)	1	2270
	Schrancz, I. (HUN)	0	2245
	Schratzens-Taller, A. (GER)	0	2225
	Schreiner, R. (GER)	2	2255
	Schrepp, M. (GER)	11	2250
	Schroeder, Ch. (GER)	0	2270
	Schroeder, W. (GER)	12	2255
m	Schroer, J. (USA)	10	2395
m	Schroll, G. (OST)	23	2440
	Schueller, E. (OST)	0	2265
	Schuermann, Th. (GER)	0	2255
	Schuermans, R. (BEL)	15	2255
f	Schuetz, Th. (GER)	0	2295
f	Schuh, F. (OST)	14	2310

	Name		
f	Schuh, H. (GER)	26	2350
	Schula, M. (CSR)	15	2295
	Schulenburg, P. (GER)	0	2295
f	Schulien, Ch. (USA)	0	2330
f	Schulte, O. (GER)	6	2395
	Schulz, J. (GER)	1	2250
	Schulz, Ka. (GER)	6	2375
m	Schulz, Kl.-J. (GER)	0	2400
	Schulze, E. (GER)	0	2260
	Schulze, Ha. (GER)	16	2235
	Schulze, Hu. (GER)	10	2265
m	Schulze, U. (GER)	0	2420
	Schumacher, H. (BEL)	0	2220
	Schumacher, N. (GER)	0	2300
	Schumi, M. (OST)	0	2245
	Schunk, Th. (GER)	0	2220
f	Schurade, M. (GER)	0	2365
g	Schussler, H. (SVE)	0	2465
	Schuster, C. (ARG)	0	2280
	Schuster, K. (GER)	0	2235
	Schuyler, J. (USA)	3	2320
	Schwab, R. (OST)	0	2245
	Schwaegli, B. (SWZ)	12	2275
	Schwalfenbert, J. (GER)	11	2225
f	Schwanek, C. (ARG)	4	2375
	Schwartz, A. J. (NLD)	0	2225
f	Schwartzman, G. (ROM)	15	2340
	Schwarz, A. (ISL)	0	2230
	Schwarz, M. (GER)	32	2380
	Schwarz, P. (GER)	19	2305
	Schwarzkopf, Ch. (GER)	2	2235
m	Schweber, S. (ARG)	0	2380
	Schweizer, M. (GER)	20	2210
	Schwekendiek, U. (GER)	6	2330
	Schwicker, F. (FRA)	0	2210
f	Schwiep, J. (CUB)	11	2305
	Sciborowski, M. (POL)	0	2245
	Scramm, Ch. (GER)	0	2245
	Sebez, M. (JUG)	0	2255
m	Sebih, K. (ALG)	11	2305
	Secheli, G. (ROM)	7	2270
	Seder, N. (ROM)	9	2335
	Sedlak, I. (JUG)	0	2240
	Sedyshev, V. (URS)	0	2340
f	Seegers, H. (GER)	1	2350
	Seferjan, N. (URS)	0	2290
m	Segal, Al. S. (BRS)	16	2315
f	Segi, L. (JUG)	0	2320
	Seguera, R. (VEN)	12	2270
m	Sehner, N. (GER)	11	2420
	Sehovic, G. (JUG)	0	2290
	Seibold, H. (GER)	0	2205
f	Seifert, H. (POL)	9	2330
f	Seifert, M. (CSR)	0	2280
	Seils, J. (GER)	0	2330
g	Seirawan, Y. (USA)	30	2600
f	Seitaj, I. (ALB)	25	2420
	Seitz, M. (GER)	9	2275
f	Sek, Z. (POL)	0	2290
	Sekelj, G. (JUG)	0	2230
	Seknadje, J. (FRA)	9	2315
f	Sekulic, D. (JUG)	0	2355
f	Sekulic, V. (JUG)	0	2320
	Sel, C. (TRK)	0	2265
	Selivjorstov, A. (URS)	0	2335
m	Sellos, D. (FRA)	5	2435
	Seltzer, R. (USA)	14	2270
	Semakin, A. (URS)	0	2240
	Semakoff, A. (NOR)	0	2230
	Semeniuk, A. A. (URS)	0	2370
f	Semenov, A. (JUG)	0	2355
	Semenov, V. (URS)	0	2290
m	Semkov, S. (BLG)	25	2480
	Sendera, J. (POL)	0	2290
	Senez, Ch. (FRA)	10	2210
	Senkiewicz, M. (VGB)	14	2205
	Senner, P. (GER)	0	2215
	Sentic, P. (JUG)	0	2270
	Sepp, O. (EST)	0	2335
	Seppelt, A. (GER)	0	2215
	Sepulveda, L. (CHI)	4	2260
	Serdarovic, M. (JUG)	0	2270
	Serebrjanik, A. (URS)	3	2380
	Serebro, A. (URS)	0	2225
	Seredenko, V. (URS)	0	2335
	Seres, B. (HUN)	0	2310
f	Seres, L. (HUN)	29	2265
m	Seret, J.-L. (FRA)	15	2415
	Serge, M. (FRA)	9	2310
	Sergeev, Ve. (URS)	10	2370
	Sergeev, Vl. (URS)	8	2340
	Sergienko, S. (URS)	11	2370
	Sericano, C. (ITA)	16	2270
m	Sermek, D. (JUG)	13	2465
	Sermier, A. (FRA)	9	2220
	Serotta, A. (USA)	0	2315
m	Serper, G. (URS)	46	2540
	Serrano Marhuenda, S. (ESP)	0	2250
f	Serrer, Ch. (GER)	18	2260
f	Servat, R. (ARG)	0	2395
	Servaty, R. (GER)	4	2290
	Sestjakov, S. (URS)	35	2345
f	Setterqvist, K. (SVE)	0	2335
f	Seul, G. (GER)	4	2415
	Sevcik, V. (CSR)	0	2285
	Sevic, S. (JUG)	0	2270
m	Sevillano, E. (PHI)	5	2345
g	Shabalov, A. (LAT)	36	2535
m	Shabanov, Y. (URS)	31	2425
	Shaboian, V. (URS)	0	2315
f	Shabtai, R. (ISL)	26	2340
f	Shadarevian, M. (SYR)	0	2375
f	Shahade, M. (USA)	4	2290
	Shahal, N. (ISL)	3	2240
	Shahtahtinskij, A. (URS)	0	2355
	Shalamberi, D. A. (URS)	0	2330
	Shalnev, N. (URS)	0	2305
g	Shamkovich, L. (USA)	2	2400
	Shani, A. (ISL)	3	2245
f	Shantharam, K. V. (IND)	6	2290
f	Shapiro, D. E. (USA)	10	2335
m	Sharif, M. (FRA)	25	2415
	Sharma, L. R. (IND)	0	2220
	Sharma, La. (IND)	2	2295
	Sharma, S. K. (IND)	0	2215
	Sharp, J. (ENG)	0	2265
	Shashin, A. A. (URS)	0	2350
m	Shaw, T. I. (AUS)	0	2300
	Shchekachev, A. (URS)	0	2355
	Shemer, V. (ISL)	3	2265
	Shepley, J. M. (ENG)	3	2265
m	Sher, M. N. (URS)	15	2475
m	Sherbakov, R. (URS)	51	2495
	Sherbakov, V. (URS)	0	2335
m	Shereshevski, M. (URS)	0	2480
	Sherf, R. (ISL)	0	2220
m	Sherzer, A. (USA)	25	2460
	Shestakov, S. S. (URS)	0	2310
	Shestoperov, A. (URS)	23	2430
	Shetty, R. (IND)	15	2295
	Shevelev, S. (URS)	17	2385
	Shibut, M. (USA)	5	2265
	Shikerov, S. (BLG)	0	2270
m	Shipman, W. (USA)	19	2305
	Shipov, S. (URS)	35	2460
m	Shirazi, K. (USA)	26	2435
g	Shirov, A. (LAT)	61	2655
	Shishkov, V. (URS)	0	2270
	Shliahtin, I. E. (URS)	0	2310
	Shmirin, A. (URS)	0	2350
	Shmuter, L. (URS)	6	2435
	Shnaider, D. (URS)	5	2285
g	Shneider, A. (URS)	13	2515
	Shocron, R. (USA)	1	2270
g	Short, N. D. (ENG)	22	2685
f	Short, Ph. M. (IRL)	0	2310
	Shour, M. L. (URS)	22	2330
m	Shrentzel, I. (ISL)	6	2360
f	Shrentzel, M. (ISL)	9	2285
f	Shtern, I. (USA)	0	2275
	Shukin, E. (BLG)	0	2250
	Shulman, L. (URS)	1	2280
	Shulman, V. (LAT)	0	2255
	Shur, M. (URS)	13	2420
	Shuraev, A. A. (URS)	0	2370
	Shure, G. (USA)	0	2245
	Shushpanov, V. (URS)	0	2255
	Shvedchikov, A. I. (URS)	6	2330
m	Shvidler, E. (ISL)	22	2440
f	Sibarevic, M. (JUG)	0	2365
f	Sibilio, M. (ITA)	3	2310
	Sicheri, P. (GER)	0	2230
f	Sick, O. (GER)	0	2355
	Sicker, R. (GER)	0	2245
	Sickles, D. N. (USA)	0	2215
m	Sideif-Sade, F. I. (URS)	22	2445
	Sidelnikov, A. (USA)	8	2240
	Sidhoum, J. (FRA)	0	2245
	Sidorov, A. (URS)	12	2305
	Siebrecht, S. (GER)	7	2295
f	Siegel, G. (GER)	0	2320
f	Sieglen, J. (GER)	0	2340
	Siegmund, R. (GER)	0	2225
m	Sieiro-Gonzalez, L. (CUB)	30	2375
	Siekanski, J. (POL)	0	2285
	Siem, B.-Dj. (GER)	0	2220
	Siemers, J. (GER)	3	2205
	Sienczewski, Z. (POL)	0	2250
	Siepeld, H. (GER)	11	2275
f	Sievers, S. (GER)	22	2365
f	Sifrer, D. (JUG)	0	2355
f	Sigfusson, S. (ISD)	31	2295
m	Siklosi, Z. (HUN)	15	2280
m	Sikora-Lerch, J. (CSR)	11	2395
	Silberman, J. (URS)	0	2375
m	Silman, J. D. (USA)	9	2395
	Silva Nazzari, R. (URU)	0	2205
	Silva, A. (POR)	1	2215
m	Silva, F. (POR)	2	2265
	Silva, S. (CHI)	16	2355
	Silva-Morales, M. A. (COL)	0	2335
	Silveira, F. M. (BRS)	18	2385
	Simanjuntak, S. (RIN)	0	2330
	Simeonov, S. (BLG)	20	2320
	Simic, Dr. (JUG)	0	2255
	Simic, Du. (JUG)	0	2245
	Simic, M. (JUG)	0	2205
g	Simic, R. (JUG)	9	2450
f	Simic, S. (JUG)	0	2295
f	Simon, R.-A. (GER)	9	2280
	Simon, S. (JUG)	0	2275
	Simonov, V. (URS)	0	2315
f	Simonovic, A. (JUG)	0	2330
f	Simonyi, Z. (JUG)	0	2310
	Simpson, R. (USA)	0	2285
f	Sinadinovic, A. (JUG)	0	2295
m	Sinanovic, M. (JUG)	0	2425
m	Sindik, E. (JUG)	11	2325
	Singer, Ch. (GER)	26	2240
f	Singer, H. (OST)	0	2275
	Singh Sukh, J. (ENG)	0	2310
	Singh, J. (FIJ)	0	2205
	Singh, P. (IND)	0	2310
	Singh, R. (IND)	0	2240
	Singh, S. D. (ENG)	0	2225
	Sinica, J. (POL)	8	2240

	Sinka, I. (HUN)	13	2235		Sokolowski, R. (POL)	0	2245	g	Spraggett, K. (CAN)	34	2545

Sinka, I. (HUN) 13 2235
m Sinkovics, P. (HUN) 55 2325
Sinowjew, J. (OST) 23 2310
Sinprayoon, P. (TAI) 0 2245
m Sion Castro, M. (ESP) 28 2375
Sirias, D. (NCG) 0 2285
Sirotanovic, O. (JUG) 0 2275
m Sisniega, M. (MEX) 24 2525
Situru, N. (RIN) 0 2390
Siva, M. (JAM) 0 2205
Sivokho, S. (URS) 0 2330
Siwiec, B. (POL) 19 2325
Sixtensson, M. (SVE) 0 2210
f Sjoberg, M. (SVE) 8 2380
Sjodahl, P. (SVE) 27 2345
Skalik, P. (POL) 20 2375
m Skalkotas, N. (GRC) 17 2355
f Skalli, K. (MRC) 0 2235
Skarica, A. (JUG) 0 2290
g Skembris, S. (GRC) 42 2530
Skiadopoulos, N. (GRC) 11 2230
Skogen, S. (NOR) 2 2220
Skoko, Mil. (JUG) 0 2245
Skoko, Mir. (JUG) 0 2250
Skomorokhin, R. (URS) 0 2310
Skora, W. (POL) 0 2250
Skoularikis, F. (GRC) 0 2240
Skousen, N. (DEN) 7 2205
Skribanek, L. (GER) 0 2315
m Skrobek, R. (POL) 0 2410
Skudnov, S. (URS) 2 2380
Skurzynski, Z. (POL) 0 2205
Slavin, G. (URS) 0 2320
Slavov, D. (BLG) 0 2260
Slekys, E. (LIT) 0 2340
Slezka, V. (CSR) 0 2380
Slibar, M. (JUG) 0 2225
m Slipak C, S. (ARG) 28 2430
h Sliwa, B. (POL) 0 2265
Sljukic, M. (JUG) 0 2250
Slobodjan, R. (URS) 19 2315
Slogar, D. (JUG) 0 2335
Slonimskij, A. (URS) 6 2260
f Sloth, J. (DEN) 9 2370
Slutzkin, U. (ISL) 0 2305
Smagacz, D. (POL) 0 2220
g Smagin, S. (URS) 11 2550
m Small, V. A. (NZD) 0 2390
Smart, L. (ENG) 7 2215
g Smejkal, J. (CSR) 27 2535
g Smirin, I. (URS) 15 2545
Smith, A. (ENG) 6 2265
Smith, M. (AUS) 11 2310
Smith, R. W. (NZD) 0 2240
Smolovic, M. (JUG) 0 2355
Smuga, S. (POL) 0 2240
Smuk, Z. (JUG) 0 2310
g Smyslov, V. (URS) 7 2530
Sobek, J. (CSR) 0 2280
Sobjerg, E. (DEN) 11 2320
Sobolewski, P. (POL) 0 2305
Sobrevia, L. (ESP) 10 2225
Sobura, H. (POL) 0 2320
Socha, Cz. (POL) 0 2245
f Socha, K. (POL) 0 2325
m Soffer, R. (ISL) 33 2450
m Sofrevski, J. (JUG) 0 2415
Sofrigin, A. (URS) 3 2285
Sofronie, I. (ROM) 0 2235
Sogaard, S. (DEN) 9 2315
Sokalsky, A. (URS) 0 2275
Sokolin, L. (URS) 8 2435
Sokolov, Andrei (LAT) 12 2435
g Sokolov, Andrei (URS) 28 2565
g Sokolov, I. (JUG) 43 2630
Sokolov, S. M. (URS) 0 2370

Sokolowski, R. (POL) 0 2245
Sokolowski, S. (POL) 0 2265
Solak, Z. (JUG) 0 2235
f Solana, E. (ESP) 12 2265
Solbrand, S. (SVE) 11 2285
Solin, N. (SVE) 17 2290
Solomon, A. (ROM) 0 2275
m Solomon, S. J. (AUS) 0 2445
f Solomunovic, I. (JUG) 5 2345
Solonar, S. (URS) 13 2370
Solorzano, R. (MEX) 0 2260
Soloviov, S. (URS) 11 2420
m Solozhenkin, E. (URS) 16 2450
g Soltis, A. E. (USA) 0 2420
Soltys, B. (POL) 0 2300
Soluch, L. (OST) 0 2215
Somborski, N. (JUG) 0 2275
Somlai, L. (HUN) 30 2375
Sommerbauer, N. (OST) 9 2305
f Somogyi, I. (HUN) 0 2290
Song, P. (USA) 12 2225
m Sonntag, H.-H. (GER) 12 2410
Soos, A. (HUN) 34 2315
m Soos, B. (GER) 13 2365
m Soppe, G. (ARG) 9 2440
Sopur, L. (POL) 15 2295
Sorensen, B. (DEN) 5 2300
f Sorensen, H. (DEN) 8 2260
m Sorensen, J. (DEN) 33 2385
Sorensen, T. (DEN) 9 2295
Sorgic, D. (JUG) 0 2260
m Sorin, A. (ARG) 6 2415
Sorokin, G. K. (URS) 0 2430
m Sorokin, M. (URS) 68 2570
f Sorri, K. J. (FIN) 8 2340
Sosa Harrison, J. (PAR) 16 2280
Sosa, L. (PRO) 7 2240
Sosa, R. (ARG) 0 2220
Soskic, B. (JUG) 0 2270
g Sosonko, G. (NLD) 2 2530
Souleidis, G. (GER) 16 2310
Sousa, A. (ANG) 24 2285
South, R. (CAN) 0 2240
Southam, D. (CAN) 0 2270
f Southam, T. (CAN) 14 2300
Souza, I. (BRS) 0 2305
Souza, M. A. (BRS) 10 2220
Sowizdrzal, D. (POL) 0 2260
f Sowray, P. J. (ENG) 8 2330
f Soylu, S. (TRK) 0 2335
Spaan, M. (NLD) 0 2350
m Spacek, P. (CSR) 14 2395
Spain, G. (NZD) 0 2255
Spangenberg, H. (ARG) 7 2305
Spasenovski, S. (JUG) 0 2275
Spasojevic, Z. (JUG) 0 2320
g Spasov, V. (BLG) 3 2550
g Spassky, B. V. (FRA) 19 2545
g Spassov, L. (BLG) 14 2405
Speck, H. (SWZ) 0 2225
Speckner, R. (GER) 0 2225
f Speelman, J. S. (ENG) 27 2630
Speer, A. (GER) 0 2250
Sperlich, O. (GER) 0 2245
Spesny, J. (CSR) 0 2225
Spicak, K. (POL) 16 2280
Spiegel, S. (GER) 11 2275
g Spiridonov, N. (BLG) 2 2400
Spiriev, P. (HUN) 13 2245
Spirik, J. (CSR) 0 2260
Spiro, B. (USA) 11 2220
Spirov, T. (BLG) 0 2330
Spitzlsperger, G. (GER) 0 2300
Spodzieja, K. (POL) 0 2245
Sponheim, O. (GER) 0 2290
Spraggett, G. (CAN) 0 2275

g Spraggett, K. (CAN) 34 2545
f Sprecic, M. (JUG) 0 2390
Sprotte, N. (GER) 8 2265
f Spulber, C. (ROM) 10 2340
Srch, J. (OST) 0 2215
Srdic, D. (JUG) 0 2250
Srdjanov, S. (JUG) 0 2280
Srebrnic, V. (JUG) 0 2225
Srebrov, H. (BLG) 0 2210
Sribar, P. (JUG) 0 2255
Sridhar, C. S. (IND) 11 2230
Sridharan, R. (IND) 0 2215
Srinivasa, R. G. V. (IND) 10 2280
Sriram, J. (IND) 9 2310
Srivastava, Y. P. (IND) 10 2255
Srivatsava, K. B. L. (IND) 0 2220
Srokowski, J. (URS) 0 2410
Ssentongo, E. (UGA) 9 2275
Stadtmuller, H. (GER) 0 2245
Staiger, F. (GER) 12 2285
m Stajcic, N. (OST) 72 2320
f Staller, P. (GER) 1 2360
Stamenkov, V. (JUG) 0 2310
f Stamenkovic, Z. (JUG) 0 2345
f Stanciu, T. (ROM) 10 2305
Stanec, N. (OST) 14 2345
Stanev, V. (BLG) 0 2340
m Stangl, M. (GER) 28 2465
Stanic, Z. (JUG) 0 2220
f Stanisic, Lj. (JUG) 7 2270
Stanisic, M. (JUG) 0 2245
m Staniszewski, P. (POL) 4 2425
Stanka, W. (OST) 0 2330
Stanke, J. (GER) 0 2240
Stankovic, B. (JUG) 0 2300
Stankovic, De. (JUG) 0 2240
f Stankovic, Dr. (JUG) 0 2315
Stanojevic, Branko (JUG) 9 2445
f Stanojevic, Branko (JUG) 9 2360
f Stanojoski, Z. (JUG) 0 2375
f Starcevic, G. (JUG) 0 2295
f Starck, B. (GER) 0 2290
Starke, D. (GER) 4 2280
Starosek, Kon. (URS) 0 2340
Starosek, Kos. (URS) 0 2405
Starosta, J. (HUN) 0 2215
Staskin, S. (URS) 0 2330
Stavanja, M. (JUG) 0 2265
Stavrev, N. (BLG) 0 2245
Stavru, A. (ITA) 7 2235
Stebbings, A. (ENG) 9 2250
Stecki, W. (POL) 0 2235
f Steckner, J. (GER) 11 2315
m Steczkowski, K. (FRA) 0 2325
Steer, J. (HUN) 0 2210
Stefanelli, L. (ITA) 0 2335
Stefaniak, J. (POL) 0 2230
m Stefanov, K. (BLG) 0 2405
m Stefanov, P. (ROM) 25 2345
Stefanovic, Dj. (JUG) 0 2215
f Stefanovic, Du. (JUG) 0 2310
m Stefansson, H. (ISD) 26 2455
Steffens, G. (GER) 0 2205
Steiger, B. (HUN) 9 2205
m Stein, B. (GER) 0 2355
Stein, K. W. (USA) 0 2320
f Steinbacher, M. (GER) 19 2335
Steiner, B. (OST) 0 2280
f Steiner, D. (JUG) 0 2305
f Steiner, U. A. (OST) 0 2220
Steinfl, A. (ITA) 0 2260
Steingrimsson, H. (ISD) 32 2455
Steinheimer, J. (GER) 0 2230
Stelting, Th. (GER) 0 2255
Stempin, A. (POL) 0 2280
m Stempin, P. (POL) 0 2440

Flag	Name		
	Stenner, P. (GER)	9	2310
	Stentebjerg-Hansen, P. (DEN)	15	2275
	Stenzel, H. (USA)	11	2250
f	Stepak, Y. (ISL)	6	2285
	Stepanov, P. (URS)	0	2375
	Stepanov, V. (URS)	3	2230
	Stephson, D. (AUS)	0	2240
f	Stern, R. (GER)	18	2395
	Stertenbrink, G. (GER)	0	2290
	Stettler, M. (GER)	0	2365
	Steudtmann, Ch. (GER)	0	2290
	Stevanovic, V. (JUG)	0	2315
	Steven, B. (SCO)	9	2295
	Stewart, D. (IRL)	0	2315
	Stickler, A. (GER)	1	2255
	Stierhof, R. (GER)	1	2255
f	Stigar, P. (NOR)	0	2290
	Stillger, B. (GER)	0	2250
f	Stipic, A. (JUG)	0	2310
	Stirenkov, V. (URS)	3	2440
	Stirling, B. I. (ENG)	10	2245
	Stisis, Y. (ISL)	13	2275
	Stjgkin, V. (URS)	13	2405
	Stobik, D. (GER)	14	2310
	Stock, M. (USA)	9	2400
	Stockfleth, R. (GER)	0	2230
	Stocklin, C. (SWZ)	9	2260
	Stodola, J. (CSR)	7	2230
	Stoeber, M. (GER)	2	2210
	Stoering, V. (GER)	11	2270
m	Stohl, I. (CSR)	21	2560
m	Stoica, V. (ROM)	2	2435
	Stoinev, M. (BLG)	27	2380
	Stoinov, I. (BLG)	7	2305
	Stoinov, J. (BLG)	6	2345
f	Stojakovic, B. (JUG)	0	2305
	Stojanovic, D. (JUG)	0	2315
	Stojanovic, S. (JUG)	0	2240
	Stojanovski, I. (JUG)	0	2310
	Stoliar, E. S. (URS)	3	2395
	Stoll, A. (GER)	10	2255
	Stoll, F. (GER)	2	2245
f	Stone, R. (CAN)	0	2355
	Stopa, J. R. (USA)	0	2290
f	Stoppel, F. (OST)	0	2240
	Storaas, J.-Th. (SVE)	0	2265
	Storga, D. (JUG)	0	2235
	Storland, K. H. (NOR)	0	2215
f	Storm, R. (GER)	9	2315
f	Stoyko, S. E. (USA)	0	2325
	Straat, E.-J. (NLD)	3	2240
	Strachan, J. (CSR)	0	2250
	Stranjakovitch, J. (FRA)	14	2235
	Stranz, R. (OST)	0	2260
m	Stratil jr., L. (CSR)	0	2370
	Stratil, P. (CSR)	11	2270
	Strauss, A. (OST)	0	2225
m	Strauss, D. J. (USA)	1	2400
	Strausz, J. (FRA)	6	2315
	Strayer, G. (USA)	9	2310
	Streitberg, P. (CSR)	9	2255
	Strenner, J. (HUN)	9	2235
	Strenner, Z. (HUN)	9	2235
m	Strikovic, A. (JUG)	31	2480
	Stripunsky, A. (URS)	8	2395
	Strizhnev, P. (URS)	11	2245
	Stroe, C. (FRA)	13	2345
	Strokov (URS)	11	2245
	Stromer, A. (GER)	2	2255
	Strowsky, Y. (FRA)	0	2215
	Strozyk, T. (POL)	0	2235
	Strugatsky, V. (USA)	14	2315
	Strzelecki, K. (POL)	0	2345
	Stuart, P. (NZD)	0	2245
	Stuhlik, M. (OST)	0	2215
	Stull, N. (LUX)	8	2225
f	Stummer, A. (OST)	0	2310
	Stumpf, H. (GER)	0	2330
	Stupica, J. (JUG)	0	2290
g	Sturua, Z. (URS)	18	2545
	Styblo, M. (CSR)	0	2310
	Stypka, M. (POL)	8	2250
	Suarez, J. L. (ARG)	0	2270
g	Suba, M. (ENG)	34	2520
f	Subasic, I. (JUG)	0	2315
f	Subit, J. L. (CUB)	14	2355
	Subramanian, S. (USA)	12	2215
	Subrt, J. (CSR)	10	2255
	Suchorukow, A. (URS)	5	2300
	Sueess, M. (SWZ)	0	2305
	Sueiro, J. (CUB)	0	2230
g	Suetin, A. S. (URS)	22	2400
	Sugden, J. N. (ENG)	1	2240
f	Sula, Z. (ALB)	0	2350
m	Sulava, N. (JUG)	31	2405
	Suleimanov, S. (URS)	0	2350
	Sulipa, A. (URS)	0	2380
	Suljic, F. (JUG)	0	2220
	Suljovic, S. (JUG)	0	2280
f	Sulman, R. M. (USA)	5	2310
	Sulskis, S. (LIT)	0	2350
	Sulyok, S. (HUN)	0	2280
f	Summermatter, D. (SWZ)	41	2360
f	Summerscale, A. (ENG)	22	2265
f	Sunthornpongsathorn, V. (TAI)	0	2340
g	Sunye Neto, J. (BRS)	21	2510
f	Supancic, D. (JUG)	0	2375
	Suranyi, P. (HUN)	0	2340
	Sureshkumar, R. (IND)	6	2230
	Surinder, K. (IND)	0	2220
f	Sursock, S. (LEB)	0	2260
	Susnik, M. (JUG)	0	2255
	Susnjar, M. (JUG)	0	2345
	Suta, M. (ROM)	4	2265
	Sutorikhin, V. (URS)	54	2400
	Sutovskij, E. (URS)	11	2265
	Sutter, O. (SWZ)	31	2295
	Sutton, R. J. (NZD)	0	2315
	Svec, J. (GER)	0	2255
	Svedenborg, P. (NOR)	16	2255
f	Svenn, G. (SVE)	0	2350
	Svensk, I. (SVE)	0	2265
f	Svensson, B. (SVE)	9	2380
g	Sveshnikov, E. (URS)	28	2560
m	Svidler, P. (URS)	28	2465
	Svirin, O. (URS)	0	2370
	Svoboda, M. (CSR)	0	2250
	Swan, I. (SCO)	9	2270
f	Swic, W. (POL)	0	2345
	Swierczewski, M. (POL)	11	2260
m	Sydor, A. (POL)	4	2355
	Syeda, Sh. P. (BAN)	0	2205
m	Sygulski, A. (POL)	0	2360
m	Sygulski, B. (POL)	0	2340
	Sykora, R. (CSR)	0	2265
	Symbor, P. (POL)	10	2255
	Syre, Ch. (GER)	0	2275
	Szabo, E. (HUN)	4	2275
	Szabo, J. (HUN)	9	2235
	Szabo, Laslo (GER)	0	2300
g	Szabo, Laszlo (HUN)	0	2460
	Szabo, P. (HUN)	0	2275
	Szabo, Zo. (HUN)	0	2265
	Szabo, Zs. (HUN)	15	2275
m	Szabolcsi, J. (HUN)	48	2375
	Szacht, E. (POL)	0	2215
	Szajna, W. (POL)	0	2300
	Szakolczai, P. (HUN)	8	2250
	Szalajdewicz, J. (POL)	0	2290
m	Szalanczy, E. (HUN)	6	2420
	Szarvas, S. (HUN)	11	2290
	Szaszak, A. (HUN)	0	2280
	Szczep, Z. (POL)	10	2235
	Szczepanski, O. (GER)	0	2275
	Szegedi, P. (HUN)	0	2270
m	Szekely, P. (HUN)	30	2450
f	Szeles, K. (HUN)	11	2355
f	Szell, L. (HUN)	3	2315
	Szemok, I. (HUN)	9	2270
	Szemzo, L. (HUN)	0	2265
	Szenetra, W. (GER)	3	2260
	Szepesvari, I. (HUN)	0	2225
	Szigetvari, J. (HUN)	1	2225
m	Szilagyi, Gy. (HUN)	0	2240
	Szilagyi, L. (HUN)	0	2225
m	Szilagyi, P. (HUN)	8	2415
	Szilardfy, Gy. (HUN)	9	2215
	Szili, I. (HUN)	9	2225
	Sziraki, T. (HUN)	10	2210
	Szirmai, E. (HUN)	9	2275
	Szirti, A. (HUN)	0	2285
	Szirti, L. (HUN)	0	2245
	Szittar, A. (HUN)	0	2220
	Szkatula, L. (POL)	0	2340
	Szlabey, G. (HUN)	17	2255
m	Szmetan, J. (ARG)	4	2400
f	Szmetan, R. (ARG)	0	2305
m	Sznapik, A. (POL)	10	2460
	Sznapik, K. (POL)	0	2225
	Szobi, T. (HUN)	10	2280
	Szokacs, L. (HUN)	0	2260
	Szollosi jr., L. (HUN)	0	2325
	Szollosi sr., L. (HUN)	0	2245
	Szopieraj, D. (POL)	0	2210
	Szopka, D. (POL)	0	2305
	Sztern, A. (AUS)	0	2220
	Szucs, G. (HUN)	9	2215
	Szucz, J. (JUG)	0	2240
	Szuhai, B. (HUN)	0	2240
	Szuhanek, R. (ROM)	10	2255
	Szuk, B. (HUN)	5	2205
f	Szurovszky, E. (HUN)	0	2265
	Szydlowski, E. (POL)	0	2235
m	Szymczak, Z. (POL)	20	2325
m	Szypulski, A. (POL)	0	2395
	Szyszko, I. (POL)	0	2305

T

Flag	Name		
	Tabatadze, T. (URS)	17	2365
	Tabernig, B. (OST)	3	2255
m	Tabor, J. (HUN)	0	2285
	Taborov, B. (URS)	0	2380
f	Tadic, K. (JUG)	0	2245
f	Taeger, W. (GER)	0	2295
	Taga, G. (ROM)	0	2270
g	Taimanov, M. E. (URS)	8	2505
	Tairi, F. (SVE)	0	2265
	Takac, Z. (JUG)	0	2265
f	Takacs, L. (HUN)	0	2315
	Takahashi, T. (JAP)	0	2205
g	Tal, M. (LAT)	25	2525
	Talic, E. (JUG)	0	2285
	Talla, V. (CSR)	0	2230
	Talos, J. (HUN)	0	2375
	Tamai, R. (ITA)	5	2295
	Tamm, U. (GER)	0	2300
	Tammert, G. (GER)	0	2220
	Tan, Chengxuan (PRC)	0	2350
	Tan, Chi.-H. (SIP)	2	2250
	Tan, J. (PHI)	0	2240
m	Tan, L.-A. (SIP)	8	2370
	Tan, O. (PHI)	0	2240
f	Tangborn, E. (USA)	17	2355
	Tanner, P. (ARG)	0	2305
	Tapaszto (VEN)	0	2240

	Tapper, L. (USA)	4	2300
	Tasic, B. (JUG)	24	2270
	Tasic, V. (JUG)	0	2205
	Taskovits, I. (HUN)	6	2245
	Tataev, M. (URS)	12	2300
m	Tatai, S. (ITA)	4	2410
	Tatar Kis, S. (HUN)	4	2250
	Tatari, E. A. (DEN)	10	2310
f	Tate, E. (USA)	14	2300
	Tatenhorst, V. (GER)	0	2230
	Tatisic, M. (JUG)	0	2240
	Tauber, M. (GER)	0	2245
	Tavadian, R. (URS)	0	2295
f	Taylor, G. (CAN)	0	2340
	Taylor, S. (USA)	0	2240
m	Taylor, T. (USA)	6	2455
	Tchakov, P. (BLG)	0	2365
	Tchimino, J. (CHI)	9	2310
f	Teaca, A. (ROM)	0	2300
	Tebb, D. (ENG)	2	2290
f	Teichmann, E. O. M. C. (ENG)	9	2365
	Teixeira, R. S. (BRS)	14	2305
	Tejero, J. (ESP)	18	2290
	Telbis, G. (ROM)	0	2275
f	Telecki, I. (JUG)	0	2260
	Telgeltia, B. (JUG)	0	2225
	Telman, V. (URS)	0	2280
	Telo, S. (CUB)	13	2240
	Temanlis, Y. (ISL)	11	2250
	Temirbaev, S. (URS)	0	2435
m	Tempone, M. (ARG)	4	2455
	Tengely, S. (HUN)	10	2255
	Tennant, S. (USA)	1	2235
f	Teo, K.-S. (SIP)	3	2350
	Teodorescu, S. (ROM)	1	2235
	Tepper, F. (CSR)	5	2340
	Terentiev, S. (LAT)	0	2345
	Terentiev, V. G. (URS)	11	2400
	Terhorst, J. (GER)	2	2220
f	Terreaux, G. (SWZ)	2	2265
	Terrie, H. L. (USA)	8	2265
	Terterians, V. (URS)	0	2395
f	Terzic, G. (JUG)	0	2315
	Terzic, I. (JUG)	0	2315
f	Terzic, S. (JUG)	7	2375
f	Tesic, D. (JUG)	9	2335
	Tesinszky, Gy. (HUN)	0	2215
m	Teske, H. (GER)	64	2455
	Tesla, V. (JUG)	0	2300
	Testa, A. (ITA)	0	2210
	Teuton, F. L. (CAN)	9	2245
	Teyssou, D. (FRA)	0	2275
f	Thal, O. (GER)	0	2310
	Thebault, B. (FRA)	0	2210
	Theissen, H. (GER)	9	2240
	Theodoulidis, Th. (GRC)	3	2225
m	Thesing, M. (GER)	12	2415
	Theuretzbacher, K. (OST)	0	2210
	Thiede, L. (GER)	3	2265
f	Thiel, K. (GER)	0	2325
	Thiel, Th. (GER)	14	2295
	Thinius, M. (GER)	13	2365
f	Thinnsen, J. A. (USA)	3	2340
m	Thipsay, P. M. (IND)	35	2485
	Thirungalingam, M. (IND)	12	2255
	Thoeng, P. (BEL)	0	2260
	Thomas, H. (GER)	2	2265
m	Thomas, I. (ENG)	0	2365
	Thomsen, T. (FAI)	0	2215
f	Thomson, C. S. M. (SCO)	0	2335
	Thorhallsson, Gy. (ISD)	8	2375
m	Thorhallsson, Th. (ISD)	11	2425
f	Thorman, W. (GER)	0	2305
m	Thorsteins, K. (ISD)	11	2485
	Thorsteinsson, A. (ISD)	3	2250

f	Thorsteinsson, Th. (ISD)	3	2300
	Thuesen, M. (DEN)	5	2285
m	Tibensky, R. (CSR)	41	2365
	Tiberkov, I. (BLG)	0	2290
m	Tichy, V. (CSR)	19	2395
	Tichy-Racs, J. (HUN)	10	2215
	Tikkanen, K. (FIN)	0	2245
m	Tilak, Sh. S. (IND)	13	2300
	Timanin, B. (URS)	0	2330
g	Timman, J. H. (NLD)	36	2620
f	Timmer, R. (NLD)	19	2305
f	Timmerman, G. J. (NLD)	14	2350
g	Timoshchenko, G. A. (URS)	18	2510
m	Timoshenko, G. (URS)	0	2480
f	Timpel, K. (GER)	0	2275
	Tinkov, T. (BLG)	0	2310
f	Tirabassi, M. (ITA)	0	2340
g	Tischbierek, R. (GER)	19	2485
	Tischendorf, M. (GER)	0	2240
f	Tischer, G. (GER)	0	2330
m	Tisdall, J. D. (NOR)	9	2455
	Titkos, J. (HUN)	0	2245
m	Titov, G. (URS)	36	2490
f	Titz, H. (OST)	24	2320
g	Tiviakov, S. (URS)	62	2575
	Tjiam, D. (NLD)	0	2225
	Tkebughava, G. (URS)	11	2405
	Tobyas, M. (CSR)	5	2310
	Tocan, C. (ROM)	12	2235
	Tocchioni, D. (ITA)	16	2250
	Tockij, L. I. (URS)	0	2390
	Todic, Z. (JUG)	0	2205
g	Todorcevic, M. (JUG)	45	2470
	Todorov, Il. (BLG)	0	2345
	Todorov, Iv. (BLG)	0	2260
	Todorov, M. (BLG)	0	2295
m	Todorov, O. (BLG)	27	2365
m	Todorovic, Goran M. (JUG)	18	2440
f	Todorovic, Goran N. (JUG)	7	2385
	Todorovic, J. (JUG)	0	2280
	Todorovic, M. (JUG)	0	2250
	Toh, T. (SIP)	5	2255
	Tokaji, N. Gy. (HUN)	0	2230
	Tolhuizen, L. (NLD)	11	2275
f	Tolk, P. (NLD)	7	2300
	Toll, J. (CUB)	0	2225
g	Tolnai, T. (HUN)	8	2490
	Tolstikh, N. (URS)	0	2315
	Tomalczyk, T. (POL)	0	2255
	Tomasevic, S. (JUG)	0	2255
m	Tomaszewski, R. (POL)	0	2345
	Tomcsanyi, P. (HUN)	22	2235
f	Tomczak, R. (GER)	7	2355
	Tomescu, V. (ROM)	7	2315
	Tomic, D. (GER)	0	2215
	Tomkins, K. (USA)	0	2330
m	Tompa, J. (HUN)	20	2415
m	Tonchev, M. (BLG)	0	2245
	Tondivar, B. (IRN)	6	2270
	Tong, Yuanming (PRC)	0	2380
	Tonkov, B. (BLG)	0	2335
	Tonoli, J. (BEL)	0	2255
f	Tonoli, W. (BEL)	0	2285
	Tonsingh, O. (JAM)	4	2220
	Topakian, R. (OST)	0	2255
m	Topalov, V. (BLG)	23	2460
	Topalovic, Z. (JUG)	0	2410
f	Tornai, I. (HUN)	3	2290
f	Tornblom, N. (SVE)	0	2255
	Toro, F. (CHI)	15	2285
	Torok, J. (HUN)	15	2280
g	Torre, E. (PHI)	0	2555
	Torrecillas, A. (ESP)	10	2325

	Torres Auro, A. (ARG)	0	2210
	Torres, A. J. (CUB)	0	2220
f	Torres, L. J. (PRO)	7	2310
	Torsten, W. (GER)	9	2265
	Tortarolo, M. (ITA)	7	2255
m	Toshkov, T. (BLG)	0	2455
m	Tosic, M. (JUG)	0	2460
	Tossutti, J. C. (ARG)	0	2235
	Totev, T. (BLG)	0	2230
	Toth, Ch. E. (BRS)	20	2350
	Toth, Cs. (HUN)	0	2305
	Toth, G. G. (HUN)	9	2320
	Toth, I. (HUN)	1	2220
	Toth, J. (HUN)	3	2275
	Toth, P. (BRS)	15	2250
	Totsky, L. (URS)	8	2435
	Toure, A. (MLI)	0	2205
	Tourneur, J.-F. (FRA)	0	2230
	Touzane, O. (FRA)	5	2280
f	Tovillas, D. R. (ARG)	0	2335
f	Tozer, R. (ENG)	19	2325
f	Trabattoni, F. (ITA)	7	2340
	Trajkoski, S. (JUG)	0	2260
	Trajkovic, M. (JUG)	0	2265
	Trajkovski, M. (JUG)	0	2215
m	Trapl, J. (CSR)	0	2385
	Tratar, M. (JUG)	3	2335
f	Tratatovici, M. (ROM)	0	2260
	Trauth, M. (GER)	0	2245
	Travnicek, P. (CSR)	0	2270
	Treffert, P. (GER)	4	2250
	Tregubov, A. (URS)	0	2325
	Tregubov, P. V. (URS)	0	2385
m	Trepp, M. (SWZ)	0	2375
f	Treppner, G. (GER)	0	2330
	Trettin, U. (GER)	0	2295
	Trevisani, B. (ITA)	16	2315
f	Treybal, D. (CSR)	0	2320
f	Trichkov, V. (BLG)	8	2315
	Trickovic, B. (JUG)	0	2285
	Trifan, V. (ROM)	1	2235
	Trifonas, S. (GRC)	16	2245
	Trifunov, D. (BLG)	0	2425
	Trifunov, M. (JUG)	0	2255
f	Trifunovic, M. (JUG)	0	2320
	Trigueros, G. (CRA)	13	2280
f	Trikaliotis, G. (GRC)	6	2240
f	Trincado, J. F. (ARG)	0	2320
m	Trindade, S. (BRS)	6	2305
g	Tringov, G. P. (BLG)	0	2430
	Trinh, R. (FRA)	0	2210
f	Trisa-Ard, N. (TAI)	0	2265
	Trisic, A. (GER)	0	2220
	Trkaljanov, V. (JUG)	0	2300
	Trkulja, G. (JUG)	0	2265
	Trochimczuk, R. (POL)	0	2255
	Troeger, P. (GER)	0	2225
m	Trois, F. R. T. (BRS)	2	2360
f	Troltenier, D. (GER)	6	2300
	Trombik, K. (CSR)	1	2265
	Trommsdorf, F. (FRA)	0	2230
	Trujillo, I. (ESP)	0	2325
	Trumic, E. (JUG)	0	2235
f	Truong, H. (USA)	0	2335
	Truta, S. (JUG)	0	2255
	Trylski, A. (POL)	0	2250
	Trzaska, P. (GER)	0	2255
	Tsang, H. (ENG)	9	2225
	Tsarev, V. (URS)	5	2300
m	Tseitlin, Ma. D. (ISL)	17	2440
g	Tseitlin, Mi. S. (URS)	26	2480
	Tseleng, E. (BSW)	0	2205
	Tsemekhman, V. (USA)	14	2360
m	Tsesarsky, I. (ISL)	15	2450
	Tsevremes, I. (GRC)	11	2215
	Tsomis, D. (GRC)	0	2295

f	Tsorbatzoglou, Th. (GRC)	19	2310
f	Tsuboi, E. K. (BRS)	17	2335
	Tsvetkov, G. (BLG)	3	2270
	Tsvetkov, I. (BLG)	0	2320
	Tu, H. Th. (VIE)	0	2405
	Tucker, A. (ENG)	0	2235
	Tufa, M. (ROM)	0	2300
g	Tukmakov, V. B. (URS)	42	2535
m	Tumurhuyag, N. (MON)	9	2350
m	Tunik, G. (URS)	23	2450
	Tuomala, T. (FIN)	2	2215
	Turci, S. (ITA)	0	2230
	Turgut, T. (TRK)	0	2225
	Turian, H. (OST)	0	2255
	Turner, M. (ENG)	19	2250
f	Turunen, E. O. (FIN)	0	2280
	Tuteja, A. (IND)	0	2285
f	Twardon, M. (POL)	0	2345
	Tyehimba, B. (USA)	10	2295
	Tyni, J.-P. (FIN)	0	2265
	Typek, K. (POL)	0	2360
	Tyrant, P. (FRA)	0	2290
	Tyrtania, M. (GER)	9	2240
	Tyszkiewicz, Z. (POL)	0	2235
	Tzermiadianos, A. (GRC)	16	2265
	Tzoumbas, A. (GRC)	11	2210

U

	Ubach, M. (ESP)	12	2345
g	Ubilava, E. (URS)	33	2560
	Udvari, T. (HUN)	0	2240
	Ueter, H.-D. (GER)	0	2265
	Ueti, S. (BRS)	0	2290
	Ugalde, R. (CRA)	0	2240
g	Uhlmann, W. (GER)	25	2495
	Uhmann, J. (CSR)	0	2220
f	Ujhazi, I. (JUG)	0	2330
	Ujma, J. (POL)	0	2290
m	Ujtumen, T. (MON)	0	2290
	Ulak, S. (POL)	0	2230
g	Ulibin, M. (URS)	46	2585
f	Ulrichsen, J. H. (NOR)	0	2290
	Umanski, V. (URS)	7	2265
	Umansky, M. (URS)	0	2445
	Umezinwa, G. (USA)	4	2310
	Umnov, K. (URS)	0	2360
	Unander, M. (SVE)	1	2210
f	Ungur, O. (ROM)	0	2295
m	Ungureanu, E. (ROM)	25	2340
	Unrath, H. (GER)	0	2320
	Unterfrauner, A. (ITA)	0	2270
g	Unzicker, W. (GER)	14	2450
	Uogele, A. (LIT)	0	2300
	Upliger, M. (GER)	0	2245
	Upton, I. J. (ENG)	0	2245
f	Upton, T. J. (SCO)	6	2250
m	Urban, J. (GER)	10	2405
m	Urban, K. (POL)	0	2465
m	Urday, H. (PER)	60	2480
f	Urosevic, R. (JUG)	0	2255
	Urosevic, Z. (JUG)	0	2300
m	Urzica, A. (ROM)	0	2370
	Usachiy, V. (URS)	7	2260
	Usachyi, M. (URS)	9	2310
m	Utasi, T. (HUN)	9	2320
	Utemov, V. (URS)	9	2435
	Uzelac, B. (JUG)	0	2205

V

	Vaccani, A. (ITA)	2	2250
f	Vachev, V. (BLG)	0	2265
	Vaczi, I. (HUN)	0	2265
g	Vadasz, L. (HUN)	41	2325
	Vadla, Z. (JUG)	0	2345
	Vagalinski, S. (BLG)	0	2270
g	Vaganian, R. A. (URS)	38	2590
m	Vaidya, A. B. (IND)	4	2335
	Vainerman, I. (URS)	0	2400
g	Vaiser, A. V. (FRA)	36	2580
m	Vaisman, V. (FRA)	12	2390
	Vajdic, N. (JUG)	0	2215
	Vakhidov, T. (URS)	26	2420
f	Valdes, L. E. (CUB)	28	2300
f	Valdes-Castillo, A. (CUB)	0	2225
	Valdettaro, N. (ITA)	0	2230
f	Valdivia, M. (CUB)	0	2285
	Valensi, B. (TRK)	0	2260
	Valenti, G. (ITA)	15	2265
	Valenti, R. (FRA)	0	2260
	Valerga, D. (ARG)	0	2325
	Valet, R. (GER)	18	2250
f	Valiente R, C. (PAR)	34	2345
m	Valkesalmi, K. (FIN)	8	2385
f	Vallifuoco, Gia. (ITA)	13	2355
	Vallifuoco, Gio. (ITA)	0	2260
m	Valvo, M. J. (USA)	0	2370
f	Van Baarle, J. C. (NLD)	0	2325
	Van Beers, E. (BEL)	11	2220
f	Van Buskirk, Ch. (USA)	0	2290
	Van De Berkmortel, Th. (NLD)	0	2310
	Van De Bourry, D. (BEL)	0	2235
f	Van De Oudeweetering, A. (NLD)	5	2340
	Van De Plassche, B. (NLD)	19	2260
	Van Den Berg, J. (NLD)	0	2230
	Van Den Broeck, H. (BEL)	0	2230
	Van Der Griendt, J. W. (NLD)	10	2420
	Van Der Linde, M. (NLD)	0	2260
	Van Der Poel, H. (NLD)	11	2365
g	Van Der Sterren, P. (NLD)	32	2535
	Van Der Veen, H. (GER)	0	2225
	Van Der Weide, P. (NLD)	0	2235
	Van Der Weij, A. (NLD)	0	2305
f	Van Der Werf, M. (NLD)	3	2400
g	Van Der Wiel, J. T. H. (NLD)	21	2540
	Van Der Wijk, W. (NLD)	0	2210
	Van Doelan, J. (NLD)	9	2295
	Van Dongen, P. (FRA)	22	2225
	Van Egmond, R. M. (NLD)	0	2315
	Van Gaalen, B. (NLD)	0	2365
	Van Gisbergen, S. (NLD)	25	2310
	Van Hasselt, F. (HKG)	0	2210
	Van Heirzeele, D. (BEL)	1	2255
	Van Herck, M. (BEL)	0	2215
	Van Houtte, Th. (BEL)	0	2205
	Van Laatum, G. (NLD)	1	2380
m	Van Mil, J. A. J. (NLD)	21	2445
	Van Riemsdijk, D. D. (BRS)	0	2255
m	Van Riemsdijk, H. C. (BRS)	7	2440
m	Van Scheltinga, Th. D. (NLD)	0	2305
	Van Steenis, J. (NLD)	9	2305
f	Van Tilbury, C. (VUS)	0	2295
	Van Voorthuijsen, P. W. (NLD)	0	2290
m	Van Wely, L. (NLD)	63	2560
	Vancini, E. (ITA)	0	2285
	Vancsura, V. (HUN)	0	2215
	Vancsura, Z. (HUN)	0	2230
	Vanczak, A. (HUN)	0	2260
f	Vanderwaeren, S. (BEL)	13	2310
	Vandevoort, P. (BEL)	11	2250
	Vandongen, P. (FRA)	0	2260
	Vandoros, D. (GRC)	9	2245
m	Vanheste, J. (NLD)	7	2390
	Vanka, M. (CSR)	0	2260
	Vannay, J. (HUN)	0	2225
	Varabiescu, G. (ROM)	0	2225
	Varaljai, A. (HUN)	0	2270
	Varas, C. (CHI)	0	2215
m	Varasdy, I. (HUN)	0	2380
	Varavin, V. (URS)	23	2465
	Varbanov, T. (BLG)	0	2240
	Varberg, K. (DEN)	9	2290
	Vardhana, T. K. (IND)	3	2235
f	Vareille, F. (FRA)	15	2325
	Varejcko, J. (CSR)	7	2310
f	Varga, M. (ARG)	0	2275
	Varga, P. (HUN)	19	2310
	Varga, Za. (HUN)	6	2275
m	Varga, Zo. (HUN)	40	2410
	Vargas, A. (CRA)	0	2220
	Vargic, D. (JUG)	0	2305
	Varhegyi, M. (HUN)	7	2225
	Varlamov, V. (URS)	0	2305
	Varlan, H. (ROM)	0	2275
	Varley, P. (WLS)	0	2225
f	Varnusz, E. (HUN)	0	2355
	Vas, P. (HUN)	0	2205
	Vasallo, M. (ARG)	5	2290
	Vasiesiu, D. (ROM)	25	2390
	Vasilchenko, O. (URS)	25	2385
	Vasile, B. (ROM)	11	2295
f	Vasile, C. (ROM)	0	2295
f	Vasilescu, L. (ROM)	1	2385
	Vasilev, N. (BLG)	1	2330
	Vasilev, V. (BLG)	13	2255
	Vasiliev, R. N. (URS)	13	2380
	Vasiliev, V. (URS)	0	2260
	Vasiljevic, B. (JUG)	0	2210
m	Vasiljevic, D. (JUG)	14	2435
g	Vasiukov, E. (URS)	13	2500
f	Vasovski, N. (JUG)	0	2300
	Vasquez, F. (ESP)	9	2250
	Vasta, E. (ARG)	0	2390
m	Vatnikov, J. E. (URS)	0	2445
f	Vatter, H.-J. (GER)	14	2280
m	Vaulin, A. (URS)	43	2520
	Vavpetic, V. (JUG)	0	2220
	Vavra, P. (CSR)	7	2210
	Vavruska, A. (CSR)	0	2280
	Vavruska, D. (CSR)	4	2265
	Vaysman, A. (URS)	0	2325
	Vazquez Toledo, E. (MEX)	11	2215
	Vazquez, R. (CHI)	36	2475
f	Veach, J. (USA)	0	2315
f	Vebic, K. (JUG)	0	2280
	Vechet, S. (CSR)	0	2210
	Veerman, J. (NLD)	0	2330
	Vega Holm, F. (ESP)	18	2315
	Vega, J. (MEX)	13	2340
m	Vegh, E. (HUN)	0	2390
	Vegvari, F. (HUN)	0	2275
m	Vehi Bach, V. M. (ESP)	31	2390
f	Veinger, I. (ISL)	7	2405
m	Veingold, A. (EST)	43	2465
	Vekshenkov, N. (URS)	0	2375
	Velandia, N. (COL)	2	2245
	Velasquez, C. (CHI)	0	2315
	Velasquez, H. (HON)	0	2290
	Velcev, N. (BLG)	4	2305
	Velea, P. (ROM)	0	2285
m	Velez, N. (CUB)	25	2295
f	Velicka, P. (CSR)	31	2410
m	Velickovic, S. (JUG)	0	2400
	Velickovic, Z. (JUG)	0	2280

g	Velikov, P. (BLG)	41	2445
g	Velimirovic, D. (JUG)	0	2530
	Velvart, Peter (HUN)	3	2225
f	Vencl, R. (JUG)	0	2310
	Venkataramanan, T. S. (IND)	12	2240
	Venketa-Remana, J. (IND)	11	2265
f	Vepkhvishvili, V. (URS)	9	2340
g	Vera, R. (CUB)	36	2495
	Verat, L. (FRA)	10	2280
	Verdihanov, V. A. (URS)	14	2250
	Verdonk, R. (NLD)	10	2295
m	Verduga, D. (MEX)	10	2365
	Veres, R. (CSR)	7	2270
	Verner, A. (URS)	0	2380
	Vernersson, P. (SVE)	0	2310
	Verrascina, R. (ITA)	11	2260
	Vescovi, G. (BRS)	21	2295
	Vesin, J.-R. (FRA)	0	2335
	Vetemaa, Y. (EST)	1	2395
	Vetrovsky, M. (CSR)	0	2240
f	Vezzosi, P. (ITA)	10	2305
	Vial, P. (FRA)	0	2280
	Vidal, J. R. (ARG)	0	2380
	Vidal, T. (CHI)	0	2380
f	Vidarsson, J. G. (ISD)	0	2300
m	Videki, S. (HUN)	71	2305
	Vidoniak, R. (URS)	11	2405
	Vieira, I. A. G. (BRS)	18	2345
	Vigfusson, Th. (ISD)	11	2260
f	Vigh, B. (HUN)	0	2370
	Vijayakumar, G. (IND)	0	2310
	Viksni, I. (URS)	0	2285
	Viktorov, G. (BLG)	0	2215
	Viland, B. (JUG)	0	2230
f	Vilaseco, F. (CUB)	11	2325
m	Vilela, J. L. (CUB)	0	2430
	Villalba, H. (ARG)	0	2220
f	Villavicencio, A. (ESP)	6	2330
m	Villeneuve, A. (FRA)	2	2355
	Villing, D. (GER)	0	2280
	Vincent, S. (FRA)	0	2270
f	Vincze, I. (HUN)	9	2330
	Viner, Ph. (AUS)	11	2210
m	Vinje-Gulbrandsen, A. (NOR)	0	2335
	Vinke, D. (GER)	0	2260
	Vinogradov, O. (POL)	11	2210
	Visek, P. (CSR)	0	2355
f	Visier Segovia, F. (ESP)	0	2320
f	Visser, Y. (NLD)	5	2360
	Vistinietzki, I. (ISL)	6	2305
	Viswanatha, N. V. N. (IND)	9	2220
	Vitalijic, N. (JUG)	0	2245
	Vitaljic, N. (JUG)	0	2270
	Vitic, I. (JUG)	0	2230
m	Vitolinsh, A. (LAT)	6	2435
m	Vizantidis, L. (GRC)	0	2215
	Vlad, D. (ROM)	10	2250
m	Vladimirov, B. T. (URS)	15	2405
g	Vladimirov, E. (URS)	21	2575
	Vlahov, D. (JUG)	0	2275
	Vlahovic, B. (JUG)	0	2235
	Vlahovic, S. (JUG)	0	2260
	Vlajkovic, S. (JUG)	0	2245
f	Vlaovic, Dj. (JUG)	0	2300
	Vlasov, I. (URS)	0	2330
	Vlassov, N. (URS)	16	2360
f	Vlatkovic, S. (JUG)	0	2350
	Voboril, P. (CSR)	0	2225
	Vodep, O. (OST)	0	2280
	Vodicka, V. (CSR)	4	2355
	Vodopija, G. (JUG)	9	2275
	Voekler, B. (GER)	15	2340
f	Vogel, J. (NLD)	6	2315
f	Vogel, R. (GER)	7	2305
	Vogler, T. (GER)	8	2285
g	Vogt, L. (GER)	40	2515
	Voiculescu, P. (ROM)	0	2265
	Voigt, M. (GER)	15	2280
	Voitsekhovsky, S. (URS)	0	2355
	Vojan, I. (HUN)	0	2235
	Vojinovic, G. (JUG)	0	2330
m	Vokac, M. (CSR)	38	2450
	Vokoun, J. (CSR)	0	2265
m	Volke, K. (GER)	22	2440
	Volkmer, A. (GER)	0	2260
	Volkov, N. (URS)	17	2325
	Volman, H. (ISL)	0	2265
	Vologyin, V. (URS)	17	2330
	Voloshin, L. (URS)	0	2410
	Voloshin, V. (URS)	0	2360
	Volosin, V. (URS)	18	2320
f	Volovich, A. A. (USA)	0	2385
	Voltolini, G. (ITA)	7	2325
	Volzhin, A. (URS)	8	2370
	Vombek, D. (JUG)	0	2285
	Von Alvensleben, W. (GER)	0	2295
	Von Gleich, A. (GER)	7	2325
	Von Herman, U. (GER)	19	2280
	Vonthron, H. (GER)	0	2400
	Vooremaa, A. (EST)	1	2345
	Voormans, J. (NLD)	0	2230
m	Vorotnikov, V. V. (URS)	35	2430
f	Voscilla, A. (JUG)	0	2320
	Voskanian, V. (URS)	0	2240
	Voss, I. (GER)	3	2250
	Vosselman, J. (NLD)	9	2305
f	Votava, J. (CSR)	25	2385
f	Votruba, P. (CSR)	7	2360
	Vouldis, A. (GRC)	13	2230
f	Vragoteris, A. (GRC)	38	2360
	Vrana, F. (CSR)	2	2275
m	Vranesic, Z. (CAN)	9	2315
	Vratonjic, S. (JUG)	0	2390
	Vrbata, Z. (CSR)	4	2325
	Vrona, M. (HUN)	0	2290
f	Vucic, M. (USA)	10	2370
	Vucicevic, M. (JUG)	0	2345
f	Vucinic, P. (JUG)	0	2325
	Vuckovic, A. (GER)	13	2210
f	Vujacic, B. (JUG)	0	2325
f	Vujadinovic, G. (JUG)	24	2405
m	Vujakovic, B. (JUG)	0	2375
	Vujanovic, A. (JUG)	0	2220
	Vujanovic, B. (JUG)	0	2250
	Vujatovic, R. (ENG)	15	2270
	Vujic, B. (JUG)	0	2205
f	Vujicic, M. (JUG)	0	2320
	Vujmilovic, N. (JUG)	0	2205
	Vujosevic, G. (JUG)	0	2210
f	Vujosevic, V. (JUG)	26	2385
m	Vujovic, M. (JUG)	15	2270
	Vujovic, P. (JUG)	0	2225
	Vukajlovic, B. (JUG)	0	2290
	Vukanovic, S. (JUG)	0	2255
	Vukelic, Dj. (JUG)	0	2250
	Vukelic, T. (JUG)	0	2360
	Vukic, A. (JUG)	0	2220
g	Vukic, M. (JUG)	2	2495
	Vukic, R. (JUG)	0	2310
f	Vukoje, V. (JUG)	0	2280
	Vukosavljevic, Lj. (JUG)	0	2225
f	Vukovic, I. (JUG)	0	2290
	Vukovic, M. (JUG)	0	2260
m	Vukovic, Zd. (JUG)	15	2410
	Vul, A. E. (URS)	4	2320
	Vuletic, P. (JUG)	0	2265
f	Vulevic, V. (SWZ)	0	2320
	Vulfson, V. (URS)	13	2355
	Vulicevic, N. (JUG)	8	2325
	Vulovic, R. (JUG)	0	2235
f	Vuruna, M. (JUG)	0	2305
	Vydeslaver, A. (ISL)	9	2340
	Vykydal, F. (CSR)	12	2235
g	Vyzmanavin, A. (URS)	28	2590

W

	Waagener, U. (GER)	0	2290
	Wach, M. (OST)	14	2320
	Wach, S. (POL)	0	2280
f	Wachinger, G. (GER)	14	2260
	Wacker, P. (GER)	9	2320
m	Wade, R. G. (ENG)	4	2290
	Wademark, H. (SVE)	0	2210
f	Wagman, S. (USA)	20	2215
	Wagner, A. (GER)	16	2280
	Wagner, C. (FRA)	6	2290
f	Wagner, H. (GER)	0	2285
g	Wahls, M. (GER)	26	2570
	Waitzkin, J. (USA)	19	2290
	Wajih, N. (IND)	8	2315
	Waldmann, H. J. (GER)	0	2395
f	Waldmann, I. (HUN)	0	2320
	Walek, M. (CSR)	0	2280
	Walicki, D. (ARG)	0	2285
	Walid, R. M. (YEM)	0	2205
f	Walker, D. (ENG)	8	2320
	Walker, M. (ENG)	9	2315
	Walkusz, W. (POL)	11	2330
	Wall, G. (ENG)	0	2270
	Wall, T. (ENG)	0	2265
	Wallace, J. P. (AUS)	22	2340
f	Waller, H. (OST)	5	2235
	Wallinger, M. (GER)	0	2270
	Wallner, A. (OST)	0	2230
	Wallner, W. (OST)	0	2240
	Wallyn, A. (FRA)	2	2280
	Walter, G. (OST)	0	2225
	Walther, G. (GER)	5	2275
	Walti, R. (FRA)	0	2210
m	Wang, Zili (PRC)	0	2495
	Wanke, R. (GER)	0	2205
	Waqar, M. (PAK)	2	2225
m	Ward, Ch. (ENG)	31	2455
	Warwaszynski, Z. (POL)	9	2295
	Wasmuth, M. (GER)	0	2225
f	Watanabe, R. (BRS)	16	2345
m	Watson, J. L. (USA)	0	2400
g	Watson, W. N. (ENG)	24	2535
f	Watzka, H. (OST)	1	2325
	Wauters, A. (FRA)	8	2225
	Wavresky, P. (FRA)	10	2220
	Wawrowski, Z. (POL)	0	2235
	Waxman, J. L. (USA)	0	2235
	Wayne, B. (CAN)	9	2215
	Webb, L. (ENG)	3	2220
m	Webb, S. (ENG)	2	2420
	Weber, L. (LUX)	0	2205
f	Weber, M. (GER)	0	2305
	Weber, P. (GER)	0	2205
f	Weber, S. (GER)	0	2270
f	Webster, A. (ENG)	16	2350
m	Wedberg, T. (SVE)	20	2465
	Weeks, M. (USA)	0	2235
m	Weemaes, R. (BEL)	5	2315
	Weerakoon, I. (SRI)	0	2210
f	Weeramantry, S. (SRI)	7	2245
	Wegener, D. (GER)	14	2280
	Wegerer, F. (OST)	0	2240
	Weglarz, L. (POL)	22	2330
m	Wegner, H. (GER)	29	2385
	Wehmeier, S. (GER)	0	2315
	Weide, J. (NLD)	0	2340

f	Weidemann, J. (GER)	3	2305
	Weider, D. (POL)	0	2220
	Weierman, A. (GER)	0	2265
	Weigel, R. (GER)	0	2300
	Weiler, D. (GER)	3	2225
	Weill, R. (FRA)	34	2280
f	Weinberger, T. (USA)	0	2230
f	Weindl, A. (GER)	26	2365
	Weiner, O. (GER)	0	2245
	Weinstock, D. (USA)	0	2310
	Weinstock, S. (USA)	11	2215
f	Weinzettl, E. (OST)	20	2275
	Weis, R. (GER)	0	2315
	Weisbuch, U. (ISL)	3	2230
	Weiss, M. (USA)	0	2270
	Weiss, R. (GER)	0	2275
	Weiss-Nowak, Ch. (GER)	0	2245
f	Weldon, Ch. (USA)	14	2245
m	Welin, Th. (SVE)	0	2375
f	Welling, G. (NLD)	13	2335
m	Wells, P. K. (ENG)	35	2470
	Welz, Th. (GER)	14	2345
	Wendel, S. (GER)	0	2245
	Wendt, R. (GER)	0	2275
	Werner, C. (GER)	0	2265
m	Werner, D. (GER)	14	2385
f	Werner, M. (GER)	0	2335
	Werther, T. (ITA)	15	2350
f	Wesseln, K. (GER)	0	2330
m	Wessman, R. (SVE)	13	2440
m	West, G. (AUS)	0	2405
	West, J. R. (USA)	6	2220
g	Westerinen, H. M. J. (FIN)	23	2430
	Westphal, M. (GER)	2	2310
	Wetscherek, G. (OST)	0	2220
f	Weyrich, M. (GER)	8	2370
	Wharton, W. (USA)	0	2265
m	Whitehead, J. E. (USA)	1	2435
m	Whiteley, A. J. (ENG)	7	2345
	Wians, C. (LUX)	14	2280
m	Wibe, T. (NOR)	6	2310
f	Wicker, K. J. (ENG)	0	2275
	Widera, J. (POL)	8	2205
	Wiech, G. (POL)	0	2245
	Wieczorek, Z. (POL)	0	2240
m	Wiedenkeller, M. (SVE)	6	2455
	Wiedner, R. (OST)	0	2270
	Wielecki, Z. (POL)	20	2310
f	Wiemer, R. (GER)	0	2290
	Wiesniak, T. (POL)	0	2215
	Wijesurija, L. G. (SRI)	0	2205
	Wikner, A. (SVE)	9	2280
	Wild, R. (GER)	10	2265
	Wilde, P. (GER)	4	2285
g	Wilder, M. (USA)	0	2540
	Wiley, T. E. (ENG)	0	2250
	Wilke, M. (GER)	10	2205
f	Willemsen, J. (NLD)	0	2280
f	Williams, A. H. (WLS)	0	2330
	Williams, W. (SIP)	0	2220
	Willke, H. (FRA)	0	2270
	Willmoth, R. (ENG)	11	2220
	Wilson, B. (USA)	0	2230
	Wilson, J. (ENG)	14	2220
	Wimmer, H. (GER)	11	2260
m	Winants, L. (BEL)	9	2515
	Wind, L. (GER)	9	2320
f	Wind, M. A. (NLD)	0	2315
	Winge, S. (SVE)	6	2295
	Winiwarter, F. (OST)	10	2285
m	Winslow, E. C. (USA)	0	2280
	Winsnes, R. (SVE)	9	2345
	Winterstein, W. (GER)	28	2305
f	Wintzer, J. (GER)	3	2320
	Wirius, J. (OST)	0	2280
f	Wirius, S. (OST)	0	2250
	Wirth, G. (GER)	0	2230
m	Wirthensohn, H. (SWZ)	19	2395
	Wisnacki, F. (ARG)	0	2280
f	Witke, Th. (GER)	2	2265
m	Witkowski, S. (POL)	0	2285
	Wittke, M. (GER)	4	2240
	Wittmann, K. (GER)	6	2280
m	Wittmann, W. (OST)	16	2380
f	Wittwer, M. (SWZ)	10	2240
	Wlodarczyk, R. (POL)	9	2290
m	Wockenfuss, K. (GER)	2	2355
f	Woda, J. (POL)	0	2385
	Wohl, A. H. (AUS)	0	2280
	Wohlfahrt, H. J. (OST)	9	2230
	Wojcieszyn, J. (POL)	0	2315
	Wojtczak, M. (POL)	0	2295
g	Wojtkiewicz, A. (POL)	31	2495
	Wolberg, E. (ARG)	0	2220
f	Wolf, V. (GER)	0	2320
	Wolf, W. (GER)	0	2265
g	Wolff, P. G. (USA)	29	2570
	Wolny, R. (POL)	0	2275
	Wolski, Th. (USA)	0	2320
	Wolstencroft, D. (ENG)	4	2205
	Wolter, K. (GER)	10	2260
m	Womacka, M. (GER)	11	2445
	Wong, F.-Y. (SIP)	5	2270
m	Wong, Meng-K. (SIP)	5	2415
	Wong, Meng-L. (SIP)	0	2245
	Wood, D. A. (ENG)	8	2265
	Wood, S. (ENG)	0	2260
	Worsfold, O. (ENG)	0	2270
m	Wu, Shaobin (PRC)	0	2465
	Wu, Xibin (PRC)	0	2270
	Wunsch, R. (GER)	0	2295
	Wurdits, R. (OST)	0	2240
	Wygle, S. (USA)	14	2340
	Wyrzykowski, L. (POL)	0	2225

X

m	Xu, Jun (PRC)	0	2535
	Xue, Wei (PRC)	0	2340

Y

m	Yagupov, I. (URS)	49	2410
g	Yakovich, Y. (URS)	48	2525
	Yandarbiev, R. (URS)	0	2360
	Yandemirov, V. (URS)	11	2415
f	Yang, Xian (PRC)	0	2385
	Yaniuk, V. (URS)	13	2330
g	Yanofsky, D. A. (CAN)	0	2410
	Yanvarjov, I. (URS)	32	2375
	Yasin, H. (TRK)	9	2215
m	Yasseen, A. (EGY)	8	2305
m	Ye, Jiangchuan (PRC)	0	2545
g	Ye, Rongguang (PRC)	0	2515
	Yedidia, J. (USA)	9	2280
	Yedlin, I. (ARG)	0	2265
	Yemelianov, V. (URS)	0	2340
	Yemelin, V. (URS)	2	2380
	Yeo, M. J. (ENG)	0	2235
m	Yepez, O. (ECU)	0	2305
m	Yermolinsky, A. (USA)	31	2595
	Yeuillaz, C. (ITA)	9	2240
m	Yewdokimov, O. (URS)	33	2380
	Yezersky, V. (URS)	0	2295
m	Yilmaz, T. (TRK)	23	2390
	Yndesdal, K. (NOR)	3	2255
f	Yoffie, M. (USA)	0	2325
	Yogesh, G. (IND)	9	2295
	Yoos, J. Ch. (USA)	3	2225
	Yosifides, A. (ARG)	0	2295
	Youhki, Y. M. (FIN)	9	2235
	Young, A. (PHI)	10	2255
f	Young, R. (USA)	23	2305
g	Yrjola, J. (FIN)	16	2485
g	Yudasin, L. (URS)	23	2580
m	Yuferov, S. N. (URS)	38	2440
	Yunieyv, A. (URS)	10	2390
m	Yurtaev, L. (URS)	20	2515
f	Yurtseven, C. (TRK)	0	2320
g	Yusupov, A. (URS)	32	2655

Z

	Zabasajja, W. (UGA)	9	2320
	Zach, A. (GER)	3	2235
	Zaderman, Y. (USA)	14	2310
	Zadrima, A. (ALB)	9	2255
	Zafirovski, M. (JUG)	0	2280
f	Zagema, W. (NLD)	7	2360
	Zagorskis, D. (LIT)	0	2340
m	Zagrebelny, S. (URS)	43	2440
m	Zahariev, Z. (BLG)	45	2365
	Zahilas, L. (GRC)	11	2215
	Zaid, L. D. (ISL)	2	2390
	Zaikov, N. (BLG)	0	2230
g	Zaitsev, I. A. (URS)	19	2425
g	Zaitshik, G. (URS)	14	2470
	Zaja, I. (JUG)	0	2375
	Zajogin, A. (URS)	0	2355
f	Zak, U. (ISL)	35	2385
	Zakharevich, I. (URS)	6	2350
m	Zakharov, A. (URS)	18	2380
	Zakharstov, V. V. (URS)	0	2425
f	Zakic, S. (JUG)	0	2345
m	Zaltsman, V. F. (USA)	2	2465
	Zaltz, D. (ISL)	0	2300
f	Zamariev, P. (JUG)	0	2325
	Zamecnik, F. (CSR)	11	2290
f	Zamfirescu, B. (ROM)	15	2280
	Zaninotto, F. (ITA)	11	2265
g	Zapata, A. (COL)	36	2515
	Zapata, M. (CHI)	11	2240
	Zapolocki, D. (URS)	3	2300
	Zapolskis, A. (LIT)	14	2400
	Zarak, D. (JUG)	0	2255
	Zarcula, A. (ROM)	0	2220
f	Zarcula, I. (ROM)	0	2270
m	Zarkovic, J. (JUG)	0	2385
m	Zarnescu, C. (ROM)	13	2385
m	Zarnicki, P. (ARG)	29	2385
	Zarubin, P. (URS)	6	2425
	Zatokovenko, I. (URS)	0	2320
	Zatschek, M. (GER)	9	2240
	Zaura, V. (LIT)	7	2295
	Zawadski, S. (FRA)	8	2235
	Zbikowski, W. (GER)	7	2205
	Zdancewicz, J. (POL)	0	2205
	Zdravkovic, D. (JUG)	0	2215
	Zdrojewski, W. (POL)	0	2245
	Zecevic, Dean (JUG)	0	2355
	Zecevic, Dej. (JUG)	0	2275
f	Zecevic, M. (JUG)	0	2265
	Zedek, A. (CSR)	15	2265
m	Zelcic, R. (JUG)	51	2380
	Zelenika, S. (JUG)	0	2260
	Zeleznik, A. (JUG)	0	2280
f	Zelic, Ml. (JUG)	0	2305
m	Zelic, Z. (JUG)	0	2385
	Zelkind, E. (USA)	0	2270
	Zell, M. (GER)	0	2300
	Zeller, F. (GER)	14	2380
	Zemerov, V. (URS)	13	2340
	Zentai, P. (HUN)	0	2270
f	Zetocha, C. (ROM)	0	2300
	Zezulkin, J. (URS)	40	2440
	Zhachev, A. (URS)	0	2445

f	Zhang, Weida (PRC)	0	2290
	Zhelesny, S. (URS)	4	2260
	Zheliandinov, V. (URS)	0	2390
	Zhelnin, V. V. (URS)	0	2430
	Zhidkov, V. S. (URS)	8	2435
	Zhu, Dinglong (PRC)	0	2320
m	Zhukhovitsky, S. (URS)	12	2410
	Zhuravliov, V. (LAT)	0	2485
	Zhurov, S. (URS)	7	2345
m	Ziatdinov, R. (URS)	18	2465
m	Zichichi, A. (ITA)	0	2305
	Ziebermayer, R. (OST)	0	2280
	Ziegler, A. (SVE)	19	2295
	Zieleznik, K. (POL)	0	2285
	Zielinski, G. (POL)	0	2235
	Zielinski, K. (POL)	0	2270
	Zielinski, M. (POL)	0	2310
	Ziembinski, M. (POL)	0	2205
	Zier, L. (GER)	0	2245
	Zierke, O. (GER)	0	2225
	Zifroni, D. (ISL)	23	2355
	Zigura, O. (URS)	9	2285
	Zila, L. (HUN)	9	2210
	Zilberberg, A. (USA)	0	2230
m	Zilberman, N. R. (URS)	0	2400
m	Zilberman, Y. (ISL)	24	2485
	Zilberstein, D. (ITA)	0	2330
m	Zilberstein, V. I. (URS)	12	2285
f	Zildzic, K. (JUG)	0	2305
	Zimmerman, C. (GER)	0	2265
	Zimmerman, Y. (URS)	0	2280
	Zimmermann, F. (GER)	11	2275
	Zimmermann, H. (OST)	0	2255
	Zimmermann, W. (FRA)	6	2240
	Zimuto, N. (ZIM)	0	2205
	Zinic, T. (JUG)	0	2285
f	Zivanic, S. (JUG)	0	2290
f	Zivanovic, I. (JUG)	0	2315
	Zivanovic, N. (JUG)	0	2245
f	Zivic, D. (JUG)	0	2295
	Zivkovic, B. (JUG)	0	2260
	Zivkovic, D. (JUG)	0	2315
f	Zivkovic, M. (JUG)	0	2315
f	Zivkovic, N. (JUG)	0	2340
f	Zivkovic, Vl. (JUG)	0	2315
	Zivkovic, Z. (JUG)	0	2280
f	Zlatanovic, Z. (JUG)	0	2305
m	Zlatilov, I. (BLG)	18	2390
m	Zlochevskij, A. (URS)	26	2455
m	Zlotnik, B. A. (URS)	11	2455
m	Zlotnikov, M. (USA)	14	2355
	Zmijanac, D. (JUG)	6	2215
f	Znamenacek, K. (CSR)	11	2335
	Zoebisch, H. (OST)	0	2215
	Zok, S. (POL)	0	2235
	Zoler, D. (ISL)	23	2360
	Zollbrecht, J. (GER)	3	2270
m	Zolnierowicz, K. (POL)	11	2360
	Zolotic, Z. (JUG)	0	2225
f	Zoltek, T. (POL)	13	2270
	Zontakh, A. (URS)	3	2420
	Zorko, B. (JUG)	0	2315
	Zorman, V. (JUG)	0	2270
	Zowada, K. (POL)	0	2240
f	Zpevak, P. (CSR)	0	2355
f	Zschaebitz, K. (GER)	0	2310
	Zsekov, Zs. (BLG)	0	2285
m	Zsinka, L. (HUN)	21	2355
m	Zuckerman, B. (USA)	0	2455
f	Zude, A. (GER)	5	2410
	Zude, E. (GER)	0	2300
m	Zueger, B. (SWZ)	38	2420
f	Zukerfeld, A. (ARG)	0	2245
f	Zupe, M. (JUG)	0	2315
f	Zurek, M. (CSR)	5	2405
f	Zuse, P. (GER)	2	2255
	Zvara, P. (CSR)	4	2220
	Zvjaginsev, V. (URS)	35	2415
	Zvolanek, Li. (CSR)	0	2340
	Zvolanek, Lu. (CSR)	0	2255
	Zwicker, Th. (GER)	8	2225
	Zygouris, H. (GRC)	6	2210
	Zyla, J. (POL)	20	2300
m	Zysk, R. (GER)	3	2390

WOMEN

A

	Abbasi, R. (SYR)	0	2005
	Abbou, M. (ALG)	0	2005
	Abdullaeva, U. (URS)	10	2180
m	Abhyankar, A. G. (IND)	20	2200
	Acevedo, H. (MEX)	0	2070
	Adamanova, L. (URS)	6	2065
	Adoamnei, R. (ROM)	1	2055
	Agababian, N. (URS)	8	2125
	Agarwal, K. (IND)	0	2080
f	Agrawal, K. (IND)	19	2085
	Airapetian, S. H. (URS)	0	2065
g	Akhsharumova, A. M. (USA)	0	2385
f	Aladjova, K. (BLG)	0	2140
	Albert, K. (HUN)	0	2130
g	Albulet, M. (ROM)	0	2100
g	Alekhina, N. V. (URS)	5	2205
	Aleksieva, S. (BLG)	6	2135
g	Alexandria, N. G. (URS)	6	2310
	Alieva, E. (URS)	26	2160
	Aljautdinova, M. (URS)	0	2110
	Alnajjar, H. (SYR)	0	2005
m	Amura, C. N. (ARG)	18	2355
m	An, Yangfeng (PRC)	0	2250
	Andersen, J. (DEN)	10	2120
m	Andreieva, O. A. (URS)	0	2250
m	Ankerst, M. (JUG)	1	2195
g	Arakhamia, K. (URS)	28	2445
	Arbatskaia, N. (URS)	0	2230
m	Arbunic Castro, G. B. (CHI)	0	2155
g	Arkell, S. (ENG)	40	2320
m	Arribas, M. (CUB)	18	2230
	Artamonova, V. (URS)	15	2115
	Aseeva, M. (URS)	4	2055
	Astolfi Perez, E. (FRA)	11	2065
	Autowicz, B. (POL)	0	2025
	Aviles, E. (PRO)	0	2005

B

	Babaeva, F. (URS)	0	2065
	Badalova, T. (URS)	15	2120
	Bade, H. (GER)	1	2020
m	Baginskaite, K. (LIT)	8	2280
	Bakalarz, G. (GER)	0	2060
	Baklanova, T. (URS)	0	2165
	Balaban, N. (JUG)	0	2040
	Balvianu, M. (ROM)	0	2025
	Bandziene, R. (LIT)	0	2085
	Baranova, V. (URS)	15	2095
	Barthel, B. (GER)	12	2060
	Bartosik, O. (POL)	6	2075
g	Basagic, V. (JUG)	21	2320
	Basta-Sohair, F. (EGY)	0	2060
m	Battsetseg, Ts. (MON)	11	2195
f	Baumann, C. (SWZ)	0	2085
m	Baumstark, G. (ROM)	5	2185
	Bayarma, G. (MON)	0	2070
	Bazaj-Bockaj, S. (JUG)	0	2220
	Bednarska, M. (POL)	6	2150
	Bedolla, L. M. (MEX)	0	2005
m	Belakovskaja, A. (URS)	24	2290
m	Belamaric, T. (JUG)	0	2180
m	Belavenets, L. (URS)	0	2180
m	Belle, E. (NLD)	9	2090
g	Bellin, J. (ENG)	0	2240
	Benderac, A. (JUG)	0	2005
	Bener, A. (SVE)	0	2060
	Bennett, Ch. (JAM)	0	2005
m	Benschop, A. M. (NLD)	9	2200
	Berezina, I. (URS)	0	2190
	Berntsen, Sh. (NOR)	13	2085
m	Bilunova, R. I. (URS)	0	2230
	Biocanin, Gord. (JUG)	0	2080
	Birr, B. (GER)	5	2020
m	Bistrikova, E. V. (URS)	26	2115
	Biti, N. N. (ZIM)	0	2005
m	Bjelajac-Prokopovic, O. (JUG)	0	2125
	Blumelova, Z. (CSR)	4	2045
	Bogumil, T. (URS)	0	2050
g	Bojkovic, N. (JUG)	32	2330
	Borek, J. (OST)	0	2030
	Borges, D. (PRO)	0	2010
g	Borisenko-Belovba, V. (URS)	0	2180
m	Borisova, B. (SVE)	0	2170
	Borrowska, M. (POL)	9	2175
	Borsuk, A. (URS)	15	2160
	Borulia, E. (URS)	30	2230
	Borulia, L. (URS)	0	2105
	Borylia, E. (URS)	15	2210
	Boskovic, M. (JUG)	0	2120
	Bosnic, Lj. (JUG)	0	2005
f	Botan, M. S. (ROM)	7	2195
	Both, A. (GER)	3	2065
m	Botsari, A.-M. (GRC)	48	2305
	Botvinnik, I. (URS)	15	2055
	Brandis, I. (URS)	16	2180
	Bratimirova, D. (BLG)	0	2100
m	Broeder, I. (GER)	0	2195
f	Bruinenberg, C. (NLD)	0	2090
g	Brustman, A. (POL)	0	2325
	Brustman-Gawarecka, E. (POL)	0	2070
	Buechle, R. (GER)	1	2020
	Buervenich, S. (GER)	2	2055
	Bukowska, K. (POL)	7	2100
m	Burchardt-Hofman, B. (GER)	3	2245
m	Burijovich, L. (ARG)	7	2190
	Burjan, A. (HUN)	13	2070
m	Burtman, Sh. (USA)	11	2050
	Byczynska, J. (POL)	10	2070

C

	Caels, V. (BEL)	0	2015
	Cameron, A. (NLD)	0	2020
	Cameron, P. (NLD)	0	2020
	Campos, M. (CUB)	12	2050
m	Canela, T. (ESP)	0	2155
	Caplar, L. (ROM)	2	2055
f	Capo, O. (CHI)	0	2030
f	Caravan, M. (ROM)	5	2115
	Carbajal, A. L. (CUB)	0	2100
m	Cardoso, R. (BRS)	0	2040
	Castaing, S. (FRA)	11	2050
	Cejkova, M. (CSR)	0	2100
	Cesarov, Lj. (JUG)	0	2010
m	Chaves, Jo. (BRS)	7	2050
m	Chaves, Ju. (BRS)	7	2165
m	Chekhova-Kostina, T. M. (URS)	11	2265
m	Chelushkina, I. (URS)	57	2340
	Chepurnaya, I. (URS)	0	2050
	Chernikova, S. (URS)	17	2180
g	Chiburdanidze, M. (GM) (URS)	25	2485
m	Chilingirova, P. (BLG)	0	2270
m	Chiricuta Kantor, I. (ROM)	0	2175
	Chis, E. (ROM)	0	2035
	Chmelikova, M. (CSR)	2	2030
	Christopher, S. (ENG)	0	2090
	Chukhrova, N. (URS)	0	2100
	Ciechocinska-Miecko, Z. (POL)	0	2055
f	Ciprianova-Kubikova, H. (CSR)	7	2170
	Claus, C. (GER)	9	2110
	Costescu, M. (ROM)	5	2050
	Coull, A. (SCO)	0	2005
g	Cramling, P. (IM) (SVE)	65	2530
	Cretu, A. (ROM)	1	2030
	Csato, E. (HUN)	11	2085
f	Csoke, A. (HUN)	19	2235
	Csom, E. (HUN)	10	2105
	Csom, K. (HUN)	3	2070
g	Csonkics, T. (HUN)	15	2315
m	Cuevas-Rodriguez, M. L. (ESP)	5	2200

D

f	Dabrowska, K. (POL)	8	2220
m	Dahl, I. (NOR)	11	2125
m	Dahlgruen, A. (GER)	13	2225
	Dan, S. (ROM)	0	2015
	Danielian, E. (URS)	24	2135
	Danova, T. (BLG)	0	2120
f	Darchia, D. (URS)	3	2035
	Daskalova, M. (BLG)	0	2005
m	De Armas, A. (CUB)	46	2225
m	De Greef, H. (NLD)	0	2180
	De Jesus, E. (ANG)	0	2005
f	De Kleuver, E. (NLD)	9	2130
	De Linde, A. (NOR)	0	2025
	De Needleman, C. (ARG)	0	2005
m	De Vries, S. (NLD)	18	2180
	De Wit, P. (NLD)	0	2060
	Deantoni, V. (ITA)	0	2005
m	Dekic, B. N. (AUS)	11	2140
	Dekusar, M. (URS)	20	2085
	Delgado, M. (CUB)	12	2115
g	Demina, J. (URS)	30	2390
	Derera, M. (HUN)	0	2035
	Derlich, K. (GER)	13	2115
	Detko, J. (POL)	0	2095
	Dhar, S. (IND)	31	2060
	Dimitriadi, A. (GRC)	0	2030
m	Dimitrijevic, V. (USA)	9	2090
	Dimitrova, L. (BLG)	4	2095
	Dimitrova, V. (BLG)	0	2070
	Djandjagava, N. (URS)	11	2230
	Djeno, M. (JUG)	14	2140
	Djingarova, E. (BLG)	0	2025
	Doikova, G. (BLG)	8	2005
	Domaradzka, A. (POL)	0	2050
	Domarkaite, L. (LIT)	0	2090
	Domuta, A. (ROM)	22	2055
g	Donaldson-Akhmilovskaya, E. (USA)	0	2405
	Donchenko, I. (URS)	13	2110
	Doncheva, M. (BLG)	0	2065
	Donnelly, R. A. (USA)	0	2035
m	Dragasevic-Georgieva, A. (JUG)	0	2215
f	Drewes, M. (NLD)	0	2100
	Du, Fengling (PRC)	0	2130
m	Dubois-Schall, M. (FRA)	19	2050
	Dukhovnaya, G. (URS)	0	2070
f	Duminica, M. (ROM)	7	2115
	Dzhandzhava, N. (URS)	0	2175

E

m	Egerland, E. (HUN)	0	2265
	Egiazaryan, N. (URS)	0	2170
	Eichner, A. (GER)	0	2015
m	Eidelson, R. (URS)	21	2205
m	Epstein, E. (USA)	9	2255
	Eremina, N. (LAT)	0	2050
g	Erenska-Radzewska, H. (POL)	9	2275
g	Eretova, K. (CSR)	0	2130
m	Erneste, I. (LAT)	29	2320
	Etokowo, I. (NIG)	0	2005

F

	Fakhirova, E. (URS)	0	2080
f	Fandino, R. (CUB)	12	2050
	Farkas, Tu. (HUN)	11	2050
g	Fatalibekova, E. (URS)	28	2270
	Felkai, A. (HUN)	9	2310
	Feofanoviene, R. (LIT)	0	2040
	Ferreira, Ai. (POR)	0	2005
m	Ferrer-Lucas, P. (ESP)	0	2120
m	Feustel, P. (GER)	0	2250
	Filichkina, S. (URS)	0	2040
	Filipovic, Bi. (JUG)	0	2125
	Filipovic, I. (JUG)	0	2055
m	Finegold, G. L. (BEL)	0	2115
f	Fink, P. (GER)	8	2115
m	Fischdick, G. (GER)	0	2270
m	Flear, Ch. (FRA)	27	2210
	Florova, O. (URS)	30	2200
g	Foisor, Ch. A. (ROM)	52	2375
m	Fomina, T. (EST)	0	2240
m	Fontanilla, G. (PHI)	0	2035
m	Forbes, C. (ENG)	21	2125
m	Forgo, E. (HUN)	4	2220
	Fornal, A. (POL)	3	2135
	Foster, F. (NZD)	0	2020
	Foulon, G. (BEL)	0	2005
f	Frenkel, V. (USA)	0	2120
m	Frometa, Z. (CUB)	33	2175
	Fruteau, S. (FRA)	13	2090
	Furina, S. (URS)	30	2185

G

	Gackic, B. (JUG)	0	2025
	Gagloshvili, R. (URS)	17	2140
	Gallego, J. (ESP)	4	2140
g	Galliamova, A. (URS)	30	2410
m	Gant, O. (GER)	0	2235
	Gaponenko, I. (URS)	34	2245
g	Gaprindashvili, N. (GM) (URS)	17	2450
m	Garcia, N. (ESP)	6	2245
f	Garwell, J. (WLS)	0	2180
	Gasiunas, N. (URS)	0	2145
	Gaso, D. (JUG)	0	2085
	Gatine, A. (FRA)	5	2060
	Gavrila, E. (ROM)	0	2055
	Geissler, G. (GER)	0	2035
m	Genova (Tsvetkova), R. (BLG)	0	2185
	Georgieva, E. (BLG)	0	2045
	Gepstein, G. (URS)	0	2035
	Gerelma, U. (MON)	0	2120
	Gerlacj, M. (GER)	12	2075
	Ghada Ismail, M. (EGY)	0	2005
	Gheorghe, M. (ROM)	3	2020
	Gherghe, D. (USA)	0	2025
m	Ghinda, E. (ROM)	0	2185
	Giaidzi, A. (GRC)	39	2060
	Gibiecova, B. (CSR)	0	2005
	Giulian, R. (SCO)	0	2050
	Gjergji, R. (ALB)	12	2085
	Gladisheva, T. (URS)	20	2065
m	Glaz, L. (ISL)	0	2200
m	Gocheva, R. B. (BLG)	7	2230
	Gogalea, E. (ROM)	1	2060
	Gollewsky, P. (GER)	0	2060
	Gostovic-Bozovic, M. (JUG)	0	2060
	Grabics, M. (HUN)	21	2095
m	Grabuzova, T. (URS)	15	2210
	Gramignani, R. (ITA)	0	2040
	Griffiths, C. (WLS)	0	2005
m	Grinfeld, A. B. (URS)	0	2230
	Grochot, Cz. (POL)	18	2145
	Grosar, K. (JUG)	3	2080
m	Grosch, M. (HUN)	0	2135
	Grossman, S. (URS)	0	2115
f	Gruenberg, Re. (GER)	5	2120
f	Gruszka, D. (POL)	0	2135
m	Guggenberger, I. D. (COL)	0	2055
	Guindy, E. (DEN)	13	2045
	Guispe, A. M. (BOL)	0	2005
g	Gurieli, N. D. (URS)	14	2375
	Guskova, E. (URS)	0	2130
	Gutkina, E. (URS)	0	2070
	Guzkowska, M. (POL)	7	2065
	Guzman, P. (DOM)	0	2010

H

	Hajkova, P. (CSR)	0	2095
m	Hajkova-Maskova, J. (CSR)	9	2235
m	Hamid, R. (BAN)	26	2105
m	Handsuren, S. (MON)	0	2065
m	Harmsen, J. (NLD)	9	2170
f	Harwar, J. (ENG)	11	2055
	Haslinger, C. (ENG)	3	2040
	Hausner, A. (OST)	2	2015
	He, Tianjian (PRC)	0	2110
g	Heemskerk, F. (NLD)	0	2005
m	Heintze, M. (GER)	8	2240
	Henc, R. (POL)	12	2125
	Hepworth, M. (ENG)	0	2080
f	Hernandez, Am. (VEN)	8	2075
	Hernandez, Jo. (CUB)	12	2105
f	Hernandez, T. (CUB)	27	2135
	Hernandez, Y. (MEX)	14	2100
	Heron, H. (ENG)	4	2150
	Hoang Th., T. (VIE)	14	2300
m	Hoiberg, N. (DEN)	31	2235
	Holoubkova, M. (CSR)	11	2025

	Name		
m	Honfi, Karolyne (HUN)	0	2070
	Horoschavina, O. (URS)	0	2200
m	Horvath, Ju. (HUN)	5	2240
f	Horvath, Ma. (OST)	3	2050
g	Hund, B. (SWZ)	0	2300
f	Hund, I. (GER)	3	2105

I

	Name		
	Ilieva, H. (BLG)	0	2145
f	Ionescu, L. (ROM)	4	2165
	Ionescu, O. (ROM)	0	2065
m	Ionescu-Ilie, V. (ROM)	10	2175
f	Ionita, M. (ROM)	0	2110
g	Ioseliani, N. M. (URS)	17	2445
f	Iosif, C. S. (ROM)	4	2140
f	Ipek, N. (TRK)	30	2085
	Isusova, N. (BLG)	0	2045
m	Ivanisevic, D. (JUG)	0	2190
g	Ivanka-Budinsky, M. (HUN)	7	2275
	Ivkovic, S. (JUG)	0	2225
m	Izrailov, I. (USA)	0	2195

J

	Name		
	Jablonska, H. (POL)	4	2015
m	Jackson, Sh. (ENG)	16	2230
m	Jagodzinska, J. (POL)	19	2185
m	Jahn, C. (GER)	12	2210
	Jahn, G. (GER)	0	2050
f	Jakus, K. (HUN)	8	2150
f	Jalowiec, H. (POL)	0	2145
	Janiste, K. (URS)	0	2125
	Jankurova, J. (CSR)	0	2050
	Jansen, P. (NLD)	9	2045
f	Janus, E. (GER)	3	2105
	Jarmolinskaia, M. (URS)	0	2205
	Jensen, Ch. (DEN)	0	2015
	Jevtic, B. (JUG)	0	2060
	Jiang, Chun (PRC)	0	2090
m	Jicman, L. (ROM)	13	2220
	Johansson, V. (SVE)	10	2155
	Johnsen, Sy. (NOR)	8	2040
	Jovanovic, Mir. (JUG)	0	2065
	Jovanovic, Sanja (JUG)	0	2110
	Jovanovic, Sl. (JUG)	0	2055
	Jovcevska, P. (JUG)	0	2080
	Jovkova-Draganova, P. (BLG)	0	2045
m	Jurczynska, A. (POL)	0	2060

K

	Name		
m	Kaczorowska, B. (POL)	17	2175
f	Kadimova, I. (URS)	9	2265
	Kajumova, I. (URS)	0	2060
g	Kakhiani, K. (URS)	17	2375
	Kalcheva, N. (BLG)	0	2070
	Kalikova, J. (CSR)	0	2065
	Kalinicheva, V. (URS)	5	2150
	Kantorovich, A. (URS)	0	2060
	Karakashian, N. (URS)	13	2200
m	Kas-Fromm, R. (GER)	13	2200
f	Kasioura, F. (GRC)	2	2030
m	Kasoshvili, Ts. E. (URS)	0	2220
	Kawaciukova, Z. (CSR)	0	2130
	Kazmierska, M. (POL)	0	2025
m	Keller, Mar. (GER)	0	2185
m	Kennedy, Sh. (USA)	2	2030
f	Kereszturi, S. (HUN)	3	2100
	Khalafian, E. (URS)	24	2105
	Khanam, A. (BAN)	0	2005
m	Kharkova, E. (URS)	0	2220
	Khegai, A. (URS)	13	2005
	Kholmogordva, S. (URS)	17	2180
	Khoroshavina, O. (URS)	28	2130
	Khorovets-Aiedinova, E. (URS)	0	2225
	Khudgarian, N. (URS)	0	2110
m	Khugashvili, T. N. (URS)	13	2190
	Khurtsilava, I. (URS)	0	2080
f	Khurtzidze, N. (URS)	25	2220
	Kibrik, T. (USA)	12	2130
	Kientzler, I. (FRA)	0	2065
	Kim, O. (URS)	10	2095
	Kiseleva, N. (URS)	0	2170
m	Kislova, A. V. (URS)	17	2165
	Kiss, F. (HUN)	0	2080
	Kiss, M. (ROM)	0	2075
g	Klimova-Richtrova, E. (CSR)	9	2320
	Klinova, M. (URS)	0	2115
	Kobaidze, Ts. G. (URS)	0	2095
	Koen, M. (BLG)	23	2225
	Kogan, T. (URS)	0	2245
	Koglin, A. (GER)	9	2115
	Kokanovic, K. (JUG)	0	2145
	Kolar, J. (JUG)	0	2085
	Kolchakova, J. (BLG)	0	2030
g	Konarkowska-Sokolov, H. (JUG)	0	2130
m	Kondou, E. (GRC)	20	2245
g	Konopleva, N. (URS)	11	2170
	Korkina, S. (URS)	47	2210
	Korneeva, Z. (URS)	0	2190
	Kosanovic, O. (JUG)	0	2040
	Kosir, P. (JUG)	0	2090
m	Koskela, N. (FIN)	19	2125
	Koskoska, G. (JUG)	0	2085
	Kostak, T. (URS)	0	2075
	Kotwal, A. (IND)	15	2045
	Kovacevic, R. (JUG)	0	2095
m	Kovacs-Pinter, M. (HUN)	0	2185
f	Kowalska, E. (POL)	0	2115
g	Kozlovskaya, V. (URS)	0	2230
f	Kozma, E. (ROM)	4	2070
m	Kristol, L. (ISL)	4	2240
	Krupkova, P. (CSR)	0	2035
	Krynicka, J. (POL)	5	2075
	Krzisnik-Bukic, V. (JUG)	0	2175
	Krzyzanowska, L. (POL)	0	2010
	Kube, H. (GER)	4	2040
m	Kulikova, L. (URS)	43	2210
	Kulish, I. (URS)	0	2170
f	Kunze, K. (GER)	0	2150
	Kurtskhalia, I. (URS)	0	2085
	Kurucsai, Istvanne (HUN)	0	2100
	Kuzmina, C. C. (URS)	17	2170
	Kuznetsova, E. (URS)	0	2135

L

	Name		
	La Rosa, G. (VEN)	0	2005
g	Ladanyike-Karakas, E. (HUN)	8	2025
	Ladner, K. (OST)	0	2070
	Laesson, T. (EST)	0	2215
	Lagvilava (URS)	0	2210
	Lakos, N. (HUN)	16	2075
	Lalova, V. (BLG)	5	2055
f	Lanchava, T. (URS)	0	2185
	Landry-Vuorenpaa, S. (FIN)	0	2025
m	Lauterbach, I. (GER)	0	2115
g	Lazarevic, M. (JUG)	0	2200
	Lazic, Ma. (JUG)	0	2175
	Lebedeva, T. (URS)	0	2115
m	Lebel-Arias, J. (FRA)	13	2080
g	Lelchuk, Z. (URS)	0	2350
g	Lematschko, T. (SWZ)	2	2290
	Len, K. (POL)	2	2100
	Lendvai, N. (HUN)	18	2175
	Lenovai, E. (HUN)	11	2065
	Leon, E. (CUB)	0	2075
	Leszczynska, J. (POL)	0	2125
m	Leszner-Bakalarz, L. (POL)	0	2135
	Levitan, J. (URS)	7	2245
g	Levitina, I. S. (USA)	20	2400
	Lewandowska, K. (POL)	19	2120
	Li, Junyin (PRC)	0	2195
	Liang, Zhihua (PRC)	0	2230
	Licina, A. (JUG)	0	2025
m	Limbach, R. (NLD)	19	2160
f	Lindri, J. W. (RIN)	0	2070
m	Lissowska, A. (POL)	11	2235
g	Litinskaya-Shul, M. I. (URS)	42	2370
g	Liu, Shilan (PRC)	0	2230
	Liu, Xin (PRC)	0	2105
	Lomakina, O. (URS)	11	2120
	Lopatina, O. (URS)	0	2105
	Lorentz, E. (ROM)	0	2040
	Lorenz, B. (GER)	4	2030
	Lowy, M. (ROM)	0	2025
f	Lu, Xiaosha (PRC)	0	2260
	Lubarskaya, L. A. (URS)	0	2145
m	Lumongdong, L. K. (RIN)	11	2055
m	Lupu, S. B. (ROM)	17	2205
	Lutskane, A. (LAT)	15	2085

M

	Name		
m	MacArthur, B. (USA)	24	2205
m	Macek-Kalchbrenner, V. (JUG)	0	2210
g	Madl, I. (HUN)	52	2375
	Majtyka, B. (POL)	0	2060
	Majul, I. (COL)	0	2075
	Makarycheva Ostrovskaya, M. (URS)	0	2140
g	Makropoulou, M. (GRC)	28	2305
m	Maksimovic, S. (JUG)	27	2285
f	Malajovich, S. (ARG)	7	2175
	Mamedova, R. (URS)	24	2125
	Manakova, M. (URS)	7	2115
	Mangal, P. (IND)	15	2025
	Mangrjan, M. A. (URS)	4	2010
f	Maria, L. R. S. (RIN)	11	2070
g	Maric, A. (JUG)	16	2400
g	Maric, M. (JUG)	38	2265
	Marinova, E. (BLG)	0	2075
f	Markov, S. (JUG)	0	2110
f	Markov, V. (JUG)	0	2170
m	Markovic, G. (JUG)	31	2260
	Markowska, J. (POL)	0	2005
	Marks, Z. (POL)	0	2020
	Martinez, V. (MEX)	0	2025
	Masenaite, I. (URS)	0	2120
	Masiyazi, R. (ZIM)	0	2005
	Masnjak, R. (JUG)	0	2030
	Matjshina, Z. (URS)	15	2150
g	Matveeva, S. (URS)	44	2425
m	Mazariego, C. (GUA)	0	2010
	McLure, A. (SCO)	0	2005
m	Medianikova, N. (URS)	0	2145
	Medjedovic, J. (JUG)	0	2045
	Mednikova, S. (URS)	11	2195
	Medvedeva, E. (URS)	0	2015
	Medvegy, N. (HUN)	0	2185
	Melashvili, K. (URS)	0	2195
	Melashvili, N. (URS)	0	2155
	Melkumova, N. (URS)	13	2135
	Mendoza, P. (MEX)	0	2005
	Menshikova, L. (URS)	0	2080
	Mereklishvili, Ts. (URS)	0	2085

	Merlini-Cirovic, M. (FRA)	11	2005
	Meshjerina, T. (URS)	0	2080
	Meskhi, T. (URS)	0	2175
	Metge, K. (NZD)	0	2005
m	Micic, J. (JUG)	6	2265
f	Micic, S. (JUG)	0	2170
f	Mihevc, N. (JUG)	0	2150
	Mijatovic, A. (JUG)	6	2100
	Milicic, T. (JUG)	0	2035
	Milivojevic, S. (JUG)	0	2085
	Milligan Scott, H. (SCO)	2	2030
	Mills, N. (AUS)	0	2005
f	Minescu, I. K. (ROM)	0	2135
m	Minogina, T. (URS)	4	2195
f	Mira, H. (OST)	4	2115
	Mitescu, L. (ROM)	0	2035
f	Mitescu, N. (ROM)	0	2080
	Modrova, H. (CSR)	0	2050
	Morariu, I. (ROM)	10	2060
	Morosova, T. V. (URS)	0	2140
	Morrison, L. G. P. (SCO)	0	2010
	Mortensen, B. (HUN)	8	2070
m	Mothersill, A. (ENG)	0	2045
	Moukhbatt, J. (LEB)	0	2005
	Moulton, S. C. (IRL)	0	2040
f	Mozna-Hojdarova, E. (CSR)	0	2115
	Mrunalini, K. (IND)	27	2090
	Mtine, J. (ZAM)	0	2005
	Muchnik, L. (URS)	0	2190
	Mufic, Gr. (JUG)	0	2035
	Mujica, L. (VEN)	0	2020
g	Muresan-Juncu, M. (ROM)	0	2210
	Murray, G. (PRO)	0	2005

N

f	Nagel, Y. (NLD)	0	2100
f	Nagrocka, E. (GER)	8	2165
	Nagy, B. T. (HUN)	0	2180
f	Nagy, Ervinne (HUN)	0	2060
	Nagy, H. (HUN)	0	2090
	Naung, K. Th. W. (VIE)	23	2120
f	Nechifor, M. (ROM)	0	2135
m	Neely, E. (USA)	9	2115
f	Nehse, G. (GER)	0	2220
	Nekrasova, E. (URS)	0	2035
	Nemcova, V. (CSR)	1	2065
	Nemcova-Fialova, D. (CSR)	0	2085
f	Nemeth, M. (HUN)	0	2115
	Nepeina, M. (URS)	47	2210
	Nestorova-Petrova, L. (BLG)	24	2065
	Nestorovic, I. (JUG)	0	2080
	Nguyen, Th. K. N. (VIE)	0	2055
f	Nicoara, M. (ROM)	0	2120
	Nika, K. (GRC)	0	2025
	Niklesova, H. (CSR)	0	2040
	Nikoladze, S. (URS)	0	2030
	Nikolic-Kovacevic, D. (JUG)	0	2010
m	Nikolin, Z. (JUG)	16	2210
f	Ning, Chunhong (PRC)	0	2250
	Ninkovic, S. (JUG)	0	2040
	Nisiochru, M. M. (IRL)	0	2100
	Nizhegorodova, M. (URS)	0	2090
	Nowicka, E. (POL)	5	2165
	Nowik, U. (POL)	0	2050
f	Nuenchert, E. (GER)	0	2125
g	Nutu-Gajic, D. (ROM)	24	2325

O

	Ogloblina, L. (URS)	0	2105
	Olarasu, I. (ROM)	0	2025
	Olbrich, M. (GER)	0	2225
f	Olteanu, G. (ROM)	0	2035
	Oney, G. (TRK)	10	2030
	Orita, A.-M. (ROM)	10	2050
m	Ostry, I. (URS)	0	2220
	Otovic, Lj. (JUG)	0	2040
	Ovchinikova, Y. (URS)	17	2145
	Oyunchimeg (MON)	0	2070

P

m	Paasikangas, J. (FIN)	30	2160
	Paizis, A. (ITA)	4	2090
	Palamarek, D. (CAN)	0	2030
m	Palao, M. (CUB)	27	2150
	Palatkova, E. (CSR)	8	2005
	Palko, G. (HUN)	16	2060
	Paramentic, M. (JUG)	0	2105
	Paraminski, A. (JUG)	0	2025
	Parfenova, O. (URS)	0	2135
	Parvanova, D. (BLG)	0	2045
	Parvin, S. (BAN)	15	2105
	Pastukhova, L. (URS)	13	2050
	Paulauskiene, V. (LIT)	0	2030
	Pavlova, M. (BLG)	24	2055
m	Peicheva, V. (BLG)	5	2275
m	Peicheva-Hansen, E. (DEN)	9	2170
	Pejic, D. (JUG)	0	2100
	Pejic, M. (JUG)	0	2045
m	Peng, Zhaoqin (PRC)	12	2370
f	Peptan, C. (ROM)	14	2115
m	Perevoznic, M. (ROM)	0	2130
	Perovic, S. (JUG)	0	2020
	Pesiguna, S. (URS)	0	2175
	Petek, F. (JUG)	0	2050
m	Petek, M. (JUG)	11	2185
	Petraki, M. (GRC)	24	2035
	Petrascu, R. (ROM)	0	2055
f	Petrescu, I. C. (ROM)	2	2120
	Petrova-Kalmukova, M. (BLG)	0	2170
m	Petrovic, Ma. (JUG)	0	2235
	Petrushina, N. (URS)	0	2045
	Pham, Th. N. Th. (VIE)	0	2240
	Phan, H. B. N. (VIE)	0	2005
m	Piarnpuu, L. (EST)	30	2155
m	Pihajlic, A. (JUG)	0	2080
	Pionova, S. (BLG)	0	2095
	Piquemal, Ch. (FRA)	0	2050
m	Podrazhanskaya, O. (ISL)	3	2100
f	Polakova-Kisova, P. (CSR)	13	2140
g	Polgar, J. (IM) (HUN)	9	2550
g	Polgar, S. (IM) (HUN)	43	2415
g	Polgar, Zs. (GM) (HUN)	20	2530
g	Polihroniade, E. (ROM)	4	2175
m	Polnarieva, L. (URS)	1	2205
	Pomyjova-Chmielova, H. (CSR)	0	2065
	Popescu, L. (ROM)	0	2025
	Popivoda, R. (URS)	0	2135
	Popova, T. (URS)	10	2170
m	Porubszky-Angyalosine, M. A. (HUN)	15	2210
	Powell, L. (WLS)	0	2010
	Powell, M. (JAM)	0	2030
	Priedite, I. (LAT)	7	2220
f	Prochazkova, D. (CSR)	2	2090
	Prodanovic, S. (JUG)	0	2080
m	Prudnikova, S. (URS)	49	2265
	Pudkova, T. N. (URS)	13	2140
m	Puljek, Z. (JUG)	0	2190
	Putjatina, N. (URS)	15	2105
	Putra, G. J. (MAL)	0	2005
m	Pytel, B. (FRA)	6	2080

Q

m	Qin, Kanying (PRC)	13	2315

R

	Radanska, V. (BLG)	0	2095
f	Radu, E. L. (ROM)	18	2250
	Radu, S. (ROM)	0	2045
g	Radzikowska, K. (POL)	1	2065
	Raeva, O. (BLG)	0	2055
	Rajcsanyi, Z. (HUN)	22	2100
	Rakhmatullaeva, Sh. (URS)	0	2005
	Rakic, O. (JUG)	0	2075
	Ramic, F. (JUG)	0	2100
	Ramic, M. (JUG)	0	2065
m	Ramon, V. (CUB)	39	2260
	Ramzina, N. (URS)	0	2090
m	Ranniku, M. (EST)	49	2195
	Ratner, A. (URS)	15	2080
	Rausė, O. (LAT)	0	2230
	Razinger, T. (JUG)	0	2010
	Regan, N. (ENG)	20	2140
m	Reicher, R. (ROM)	6	2050
f	Reimer, E. (SWZ)	0	2115
	Relic, R. (JUG)	0	2115
	Rendon, M. L. (COL)	0	2050
	Repkova, E. (CSR)	26	2185
	Reprun, N. (URS)	0	2115
	Reutova, L. (URS)	0	2115
m	Ribeiro, R. (BRS)	3	2050
m	Riedel, A. (GER)	11	2160
	Riemslag, A. (NLD)	0	2080
	Riofrio, M. (ECU)	0	2005
	Ristic, E. (JUG)	0	2095
	Ritova, R. (URS)	0	2070
f	Rizzo, M. (ARG)	0	2040
	Rocio, J. (ECU)	0	2055
	Rodic-Kures, G. (JUG)	0	2055
f	Rogers, C. (AUS)	5	2015
	Rojzen, N. (URS)	11	2225
m	Roos, C. (FRA)	25	2160
m	Root, A. (USA)	9	2030
	Rozenfeld, T. (URS)	0	2090
m	Rubene, I. (LAT)	3	2280
g	Rubzova, T. (URS)	11	2240
m	Ruchieva, N. (URS)	41	2235
	Rudikova-Prymulova, R. (CSR)	0	2055
	Ruggiero, P. (USA)	11	2080
	Rusak, D. (POL)	9	2135
	Ruta, G. (ROM)	0	2085

S

	Saburova, T. (URS)	20	2060
	Sadilkova, V. (CSR)	0	2065
	Sadunashvili, L. (URS)	0	2155
m	Safranska, A. (LAT)	34	2260
	Saidova, T. (URS)	13	2140
	Sajter, Cs. (ROM)	0	2050
	Sakhatova, E. (URS)	21	2190
m	Sakhatova, G. (URS)	17	2365
m	Salazar, A. (COL)	0	2110
f	Samardzic, J. (JUG)	0	2100
	Sanchez, Ci. (CUB)	12	2095
	Santos, Ch. (PHI)	0	2005
	Santos, Is. (POR)	0	2030
	Saric, N. (JUG)	10	2070
m	Saritha, N. (IND)	17	2155
	Sarkany, P. (HUN)	0	2045
m	Saunina, L. (URS)	13	2205
m	Savereide, D. (USA)	0	2250
m	Savova, S. (BLG)	0	2140
	Schafer, A. (GER)	0	2130

Schroeder, S. (GER) 0 2100
Sciortino, M. (MLT) 0 2005
Sederias, F. (ROM) 0 2025
m Sedina, E. (URS) 45 2265
Sedlakova, I. (CSR) 0 2030
m Segal, An. (ISL) 9 2190
Seidemann, U. (GER) 5 2125
Sekulovic, D. (JUG) 0 2035
Sekulovska, V. (JUG) 3 2030
g Semenova, L. K. (URS) 32 2225
Semina, S. (URS) 0 2190
Senchichin, J. (URS) 0 2135
Sequera, N. (VEN) 0 2005
f Seto, W. L. (MAL) 0 2020
m Sheremetieva, M. (URS) 4 2195
Shestoperova, A. (URS) 0 2095
m Shikova, V. W. (BLG) 11 2145
Shour, J. (URS) 13 2100
m Shumiakina, T. (URS) 17 2330
Shur, G. (URS) 0 2060
Sidselrud, L. (NOR) 0 2005
Siekanska, I. (POL) 0 2100
Siepenkotter, A. (GER) 15 2085
m Sikora-Gizynska, B. (POL) 11 2225
Sinka, B. (HUN) 0 2035
m Sitnikova, N. (URS) 0 2270
Skacelikova, M. (CSR) 0 2090
f Skacelova-Zahorovska, L. (CSR) 2 2060
m Skegina, K. (URS) 0 2165
Skripchenko, A. (URS) 7 2155
Skuinia, G. (LAT) 0 2085
Slabek, A. (POL) 15 2155
m Slavotinek, A. (AUS) 0 2075
Smiechowska, J. (POL) 0 2105
Smith, V. (NZD) 0 2035
Smolenskaya, V. (URS) 0 2035
g Sofieva, A. (URS) 23 2385
Sofrevska, L. (JUG) 0 2140
Soilmaa (MON) 0 2135
Sokolovic-Bertok, S. (JUG) 0 2025
Sommaro, K. (GER) 0 2090
Son, I. (URS) 0 2205
Sorescu, M. (ROM) 0 2035
f Sosnowska, E. (POL) 11 2120
Sotonyi, Zs. (HUN) 0 2065
Spaete, U. (GER) 0 2080
Spielmann, J. (GER) 3 2110
Stadler, B. (JUG) 0 2095
g Stadler, T. (JUG) 0 2160
m Stanciu, G. (ROM) 14 2250
f Starck, I. (GER) 0 2210
m Starr, N. (CAN) 1 2215
f Stefanova, A. (BLG) 2 2140
Stepite, I. (LAT) 0 2050
m Stepovaia-Dianchenko, T. (URS) 0 2310
Sternina, V. E. (URS) 0 2125
Stoisavljevic, S. (JUG) 0 2025
f Strizak, N. (JUG) 5 2190
Struchkova, S. (URS) 58 2260
m Strutinskaya, G. N. (URS) 22 2265
Strzalka, J. (POL) 0 2105
Suhover, M. (URS) 0 2035
Sulkowska, M. (POL) 1 2035
Susnea, L. (ROM) 0 2060
Svarcova, J. (CSR) 0 2015
Svechnikova, M. (URS) 15 2115
f Swiecik, I. (POL) 2 2225
Szafraniec, I. (POL) 0 2120
f Szalai, I. (HUN) 0 2175
Szalay, S. (HUN) 0 2040
m Sziva, E. (NLD) 4 2245
Szlabey, K. (HUN) 0 2005
m Szmacinska, G. (POL) 11 2250
Szmigielska, A. (POL) 5 2145
Szulnis, M. (POL) 0 2065

T

f Tagnon, N. (FRA) 15 2120
Tajieva, L. (URS) 13 2190
f Takemoto, N. (JAP) 11 2030
m Tamin, U. D. (RIN) 0 2140
Tarasova, O. (URS) 17 2110
Tazhieva, L. (URS) 0 2190
Te, R. (URS) 0 2160
m Teasley, D. O. (USA) 0 2185
Temkina, T. (URS) 0 2125
g Teodorescu, M. (ROM) 0 2080
Tereladze, S. (URS) 0 2050
f Tesic, M. (JUG) 0 2115
Theander, M. (DEN) 0 2025
m Thipsay, B. S. (IND) 45 2190
Tichelman, I. (NLD) 0 2135
Timoshchenko, V. I. (URS) 0 2145
m Titorenko, N. I. (URS) 0 2100
m Titova-Boric, E. (URS) 0 2235
f Todorovic, O. (JUG) 5 2100
Todorovic, V. (JUG) 8 2025
f Tolgyi, V. (ROM) 0 2060
f Toma, D. (ROM) 7 2095
f Tomasevic, T. (JUG) 0 2180
Tomovska, I. (BLG) 0 2020
m Trabert, B. (GER) 5 2135
Trajcevic, G. (JUG) 0 2105
m Trojanska, E. (BLG) 0 2025
Trosic, G. (JUG) 0 2065
Tsifanskaya, L. A. (URS) 6 2220
m Tsiganova, M. (EST) 49 2245
Tungalag, S. (MON) 0 2060
Turauskiene, R. (LIT) 0 2280
Turczynowicz, J. (POL) 0 2100
Tust, D. (POL) 5 2070
Tverskaya, J. (URS) 9 2050

U

Ujhazi, D. (JUG) 0 2010
m Umanskaya, I. (URS) 48 2295
Undrahbuian, B. (MON) .0 2040
Undrakhbujan, B. (MON) 0 2020
Ungure, L. (LAT) 16 2225
m Unni, V. (IND) 4 2115
m Uskova, F. (URS) 0 2275

V

f Valdes, M. (CUB) 0 2095
g Van Der Mije, A. (NLD) 0 2180
Van Elst, M. (NLD) 0 2020
f Van Parreren, H. (NLD) 8 2135
Vandevoort (BEL) 0 2010
Vanjshkina, N. (URS) 15 2125
Vardi, Sh. (ISL) 0 2020
Vavpotic-Kosanski, T. (JUG) 0 2065
Velcheva, M. (BLG) 2 2160
Velickovski, M. (JUG) 0 2015
m Velikhanli, F. (URS) 13 2230
m Velvart, Peterne (HUN) 21 2155
g Veroci-Petronic, Zs. (HUN) 40 2310
f Verus, B. (JUG) 0 2140
Vilar, M. (ESP) 11 2230
Vilas Boas, L. (POR) 0 2005
Villegas, S. (ARG) 8 2030
Vitanova, R. (BLG) 0 2045
Voinescu, G. (ROM) 0 2040
g Voiska, M. (BLG) 31 2345
f Von Der Weth, C. M. (GER) 0 2110
Voronova, T. (LAT) 0 2210
Vospernik, M. (JUG) 0 2135
h Vreeken, C. (NLD) 0 2135
Vuji, A. (ALB) 0 2150
Vujic-Katanic, B. (JUG) 0 2185
m Vujosevic, S. (CAN) 0 2090
Vukovic, Ze. (JUG) 0 2065
m Vuksanovic, S. (JUG) 29 2270
Vulovic, D. (JUG) 0 2030

W

m Wagner-Michel, A. (GER) 0 2215
f Wang, Lei (PRC) 0 2210
f Wang, Miao (PRC) 0 2185
m Wang, Pin (PRC) 13 2345
Wang, Yan (PRC) 0 2055
Wasnetsky, U. (GER) 0 2090
Weiss, U. (OST) 0 2040
Wenzel, S. (GER) 0 2035
f Wesolowska, H. (POL) 0 2090
Wieckiewicz, K. (USA) 13 2050
Wierzbicka, E. (POL) 0 2020
m Wiese-Jozwiak, M. (POL) 0 2205
Winkler, C. (FRA) 11 2050
Wo-Dai, D. (VIE) 0 2105
f Wohlers-Armas, R. (FRA) 0 2115
Wong, A. (MAL) 11 2020
Wright, J. H. (AUS) 0 2065
g Wu, Mingqian (PRC) 0 2175

X

Xiao, Hong (PRC) 0 2225
g Xie, Jun (PRC) 15 2480

Y

Yilmaz, G. (TRK) 10 2030
Ysim, N. (URS) 0 2095
Yudasina, I. (URS) 0 2260
Yuneeva, N. (URS) 0 2080
Yurieva, A. (URS) 15 2135

Z

Zagorskaya, T. (URS) 0 2120
Zahn, N. (GER) 0 2010
g Zaitseva, L. G. (URS) 11 2315
Zak, I. (URS) 5 2130
g Zatulovskaya, T. (URS) 5 2105
Zawadzka, A. (POL) 1 2110
m Zayac, E. (URS) 32 2305
Zboron, H. (POL) 0 2115
Zelenaja, G. (URS) 0 2085
Zelic, Ma. (JUG) 0 2055
m Zhao, Lan (PRC) 0 2155
Zhu, Cheng (PRC) 0 2220
Zhu, Liping (PRC) 2 2055
Zietek-Czerwonska, B. (POL) 4 2150
Zikova, N. (URS) 0 2070
m Zimmersmann, R. (HUN) 9 2255
Zinina, N. (URS) 0 2190
f Zivkovic, Ve. (JUG) 0 2150
m Zivkovic-Jocic, Lj. (JUG) 0 2075
m Zlatanova, E. (BLG) 0 2110
Zoellner, G. (GER) 9 2050
Zsigmond, V. (ROM) 0 2035
Zsiltzova-Lisenko, L. (URS) 0 2200

Tehnički urednik • Технический редактор • Technical editor • Technischer Redakteur • Rédacteur technique • Redactor técnico • Redattore tecnico • Teknisk redaktör • 割付 • المحرر الفني

Đuro Crnomarković

Korice • Переплёт • Cover • Pärm • Couverture • Cubiertas • Copertina • Pärmar • 表紙 • الغلاف

Đorđe Simić

Na osnovu pismenog mišljenja Ministarstva kulture Republike Srbije br. 413-141/91-06 od 18. 6. 1991. g. primenjuje se posebna stopa poreza iz tačke 1. tarifnog broja 8.

Štampa:
Beogradski izdavačko-grafički zavod, Beograd, Bulevar vojvode Mišića 17

Printed in Yugoslavia 1992